Constantes Fundamentais

Grandeza	Símbolo	Valor	Potência de dez	Unidades
Velocidade da luz	c	2,997 924 58	10^{8}	$m\ s^{-1}$
Carga elementar	e	1,602 176 565	10^{-19}	C
Constante de Planck	h	6,626 069 57	10^{-34}	J s
	$\hbar = h/2\pi$	1,054 571 726	10^{-34}	J s
Constante de Boltzmann	k	1,380 6488	10^{-23}	$J\ K^{-1}$
Número de Avogadro	N_A	6,022 141 29	10^{23}	mol^{-1}
Constante dos gases	$R = N_A k$	8,314 4621		$J\ K^{-1}\ mol^{-1}$
Constante de Faraday	$F = N_A e$	9,648 533 65	10^{4}	$C\ mol^{-1}$
Massa				
elétron	m_e	9,109 382 91	10^{-31}	kg
próton	m_p	1,672 621 777	10^{-27}	kg
nêutron	m_n	1,674 927 351	10^{-27}	kg
unidade de massa atômica	m_u	1,660 538 921	10^{-27}	kg
Permeabilidade do vácuo	μ_0	4π	10^{-7}	$J\ s^2\ C^{-2}\ m^{-1}$
Permissividade do vácuo	$\varepsilon_0 = 1/\mu_0 c^2$	8,854 187 817	10^{-12}	$J^{-1}\ C^2\ m^{-1}$
	$4\pi\varepsilon_0$	1,112 650 056	10^{-10}	$J^{-1}\ C^2\ m^{-1}$
Magnéton de Bohr	$\mu_B = e\hbar/2m_e$	9,274 009 68	10^{-24}	$J\ T^{-1}$
Magnéton nuclear	$\mu_N = e\hbar/2m_p$	5,050 783 53	10^{-27}	$J\ T^{-1}$
Momento magnético do próton	μ_p	1,410 606 743	10^{-26}	$J\ T^{-1}$
Valor *g* do elétron	g_e	2,002 319 304		
Razão giromagnética				
elétron	$\gamma_e = -g_e e/2m_e$	−1,001 159 652	10^{10}	$C\ kg^{-1}$
próton	$\gamma_p = 2\mu_p/\hbar$	2,675 222 004	10^{8}	$C\ kg^{-1}$
Raio de Bohr	$a_0 = 4\pi\varepsilon_0\hbar^2/e^2 m_e$	5,291 772 109	10^{-11}	m
Constante de Rydberg	$R_\infty = m_e e^4/8h^3 c\varepsilon_0^2$	1,097 373 157	10^{5}	cm^{-1}
	hcR_∞/e	13,605 692 53		eV

*Os valores apresentados aqui foram obtidos em dezembro de 2011 do *site* do Instituto Nacional de Padrões e Tecnologia (NIST) dos EUA (termo de pesquisa: *physical constants*).

Físico-Química

Fundamentos

O GEN | Grupo Editorial Nacional – maior plataforma editorial brasileira no segmento científico, técnico e profissional – publica conteúdos nas áreas de ciências exatas, humanas, jurídicas, da saúde e sociais aplicadas, além de prover serviços direcionados à educação continuada e à preparação para concursos.

As editoras que integram o GEN, das mais respeitadas no mercado editorial, construíram catálogos inigualáveis, com obras decisivas para a formação acadêmica e o aperfeiçoamento de várias gerações de profissionais e estudantes, tendo se tornado sinônimo de qualidade e seriedade.

A missão do GEN e dos núcleos de conteúdo que o compõem é prover a melhor informação científica e distribuí-la de maneira flexível e conveniente, a preços justos, gerando benefícios e servindo a autores, docentes, livreiros, funcionários, colaboradores e acionistas.

Nosso comportamento ético incondicional e nossa responsabilidade social e ambiental são reforçados pela natureza educacional de nossa atividade e dão sustentabilidade ao crescimento contínuo e à rentabilidade do grupo.

Físico-Química
Fundamentos

6ª EDIÇÃO

Peter Atkins
University of Oxford

Julio de Paula
Lewis & Clark College

Com contribuições de
David Smith
University of Bristol

Tradução e Revisão Técnica
Edílson Clemente da Silva
Doutor em Ciências – Instituto de Química, UFRJ
Márcio José Estillac de Mello Cardoso
Doutor em Ciências – Instituto de Química, UFRJ
Oswaldo Esteves Barcia
Doutor em Ciências – Instituto de Química, UFRJ

gen | LTC

ISBN: 978-0-19-960811-9

Travessa do Ouvidor, 11
Rio de Janeiro, RJ – CEP 20040-040
Tels.: 21-3543-0770 / 11-5080-0770
Fax: 21-3543-0896
ltc@grupogen.com.br
www.grupogen.com.br

Designer de capa: Hermes Gandolfo
Imagens de capa: Vectorig | iStockphoto.com
Editoração Eletrônica: K2 Design

CIP-BRASIL. CATALOGAÇÃO NA PUBLICAÇÃO
SINDICATO NACIONAL DOS EDITORES DE LIVROS, RJ

A574f
6. ed.

Atkins, Peter
Físico-química: fundamentos / Peter Atkins , Julio de Paula , David Smith ; tradução Edílson Clemente da Silva ; Márcio José Estillac de Mello Cardoso ; Oswaldo Esteves Barcia. - 6. ed. - Rio de Janeiro : LTC, 2018.
il.; 28 cm.

Tradução de: Elements of physical chemistry
Inclui bibliografia e índice
ISBN 978-85-216-3422-5

1. Físico-química. I. Paula, Julio de. II. Smith, David. III. Silva, Edílson Clemente da. IV. Barcia, Oswaldo Esteves. V. Cardoso, Márcio José Estillac de Mello. VI.Título.

17-42732 CDD: 541
CDU: 544

Usando este livro para dominar a físico-química

Entendendo os principais conceitos

Capítulo 'Fundamentos'

Você deverá rever esse capítulo logo no começo, uma vez que o mesmo introduz conceitos básicos que são empregados ao longo do texto.

Equações com anotações e marcadores de equações

Muitas equações contêm anotações de modo que você possa acompanhar como são desenvolvidas. Uma anotação em azul-claro leva você a um sinal de igual: é um lembrete da substituição utilizada, de uma aproximação feita, dos termos admitidos como constantes e assim por diante. Uma anotação em azul-escuro é um lembrete do significado de um termo individual de uma expressão. Muitas das equações são marcadas para destacar seu significado. Às vezes, colorimos um conjunto de números ou de símbolos para mostrar como passam de uma linha para outra.

$$\Delta V = \overbrace{V_f}^{n_f RT/p_{ex}} - \overbrace{V_i}^{n_i RT/p_{ex}} \overbrace{=}^{\Delta n_g = n_f - n_i} \frac{RT\Delta n_g}{p_{ex}}$$

Deduções

O desenvolvimento matemático é uma parte intrínseca da físico-química, e, para alcançar um entendimento completo, é importante ver como dada expressão é obtida e se muitas suposições foram feitas. As 'Deduções' permitem que você ajuste o nível de detalhe às suas necessidades atuais, tornando mais fácil a revisão do material. Todos os cálculos presentes no livro estão contidos nessas 'Deduções'.

Dedução 2.3

Transferência de calor sob pressão constante

Considere um sistema aberto para a atmosfera, de modo que a sua pressão é constante e igual à pressão externa, p_{ex}. Da Eq. 2.13b podemos escrever

$$\Delta H = \Delta U + p\Delta V = \Delta U + p_{ex}\Delta V$$

Ferramentas do químico

Para avançar em uma dedução, você pode precisar relembrar certos conceitos e técnicas matemáticas, físicas ou químicas. As ferramentas surgem exatamente no lugar em que você necessita delas.

Ferramentas do químico 2.1 Integração

A área sob o gráfico de qualquer função f é encontrada pelas técnicas de integração. Por exemplo, a área sob o gráfico da função

Uma nota sobre a boa prática

Nossas seções 'Uma nota sobre a boa prática' ajudarão você a não cometer erros comuns. As notas estimulam a conformidade com a linguagem científica internacional, estabelecendo a linguagem e os procedimentos adotados pela União Internacional de Química Pura e Aplicada (IUPAC).

Uma nota sobre a boa prática Observe os sinais verificando se a energia armazenada diminui quando o sistema faz trabalho (w é negativo), ou aumenta, quando trabalho é feito sobre o sistema (w é positivo).

Arte gráfica

Muitos conceitos na físico-química são mais bem compreendidos por meio da visualização do que está ocorrendo. Nossos diagramas e gráficos são uma forma de ajudá-lo a responder à importante pergunta: 'O que esta equação está me dizendo?'

Verificação de conceitos importantes

Resumimos os principais conceitos introduzidos em cada capítulo em uma seção ao final do capítulo. Sugerimos que você marque o quadrado que precede cada entrada quando se sentir seguro sobre o respectivo tópico.

Verificação de conceitos importantes

☐ 1 Um sistema é classificado como aberto, fechado ou isolado.

☐ 2 As vizinhanças permanecem em temperatura, volume e

Mapa Conceitual das equações importantes

Você não tem de memorizar toda equação que aparece no texto. Ao final de cada capítulo há um mapa resumindo as relações entre as equações importantes e, no local apropriado, esse mapa indica as aproximações que têm de ser feitas para transformar uma equação em uma forma mais simples.

Juntos, as 'Verificações' e os 'Mapas' o ajudarão a entender como os conceitos e as equações da físico-química se unem, formando uma rede de ideias em vez de formar um conjunto imenso e disperso.

Mapa conceitual das equações importantes

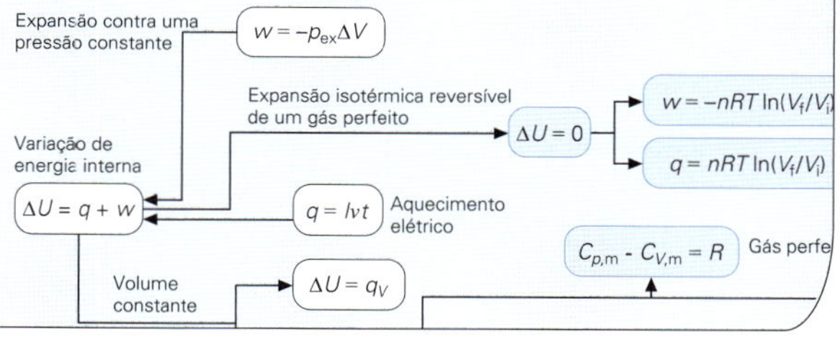

Seção de dados

Os dados termodinâmicos, cinéticos e espectroscópicos o ajudam a compreender as tendências das propriedades físico-químicas e a se familiarizar com as magnitudes das propriedades. Entretanto, longas tabelas podem quebrar o fluxo do texto; assim sendo, quando apropriado, essas tabelas encontram-se reunidas ao final do livro.

Tornando-se um solucionador de problemas

Breves ilustrações

Breves ilustrações são exemplos curtos de como utilizar as equações apresentadas no texto. Essas ilustrações ensinam você a usar os dados, a manipular unidades corretamente e a se familiarizar com as implicações de uma equação.

■ **Breve ilustração 2.3** A energia de aquecimento

Se a capacidade calorífica de um bécher que contém água é 0,50 kJ K^{-1} e observamos uma elevação de temperatura de 4,0 K, podemos então inferir que o calor transferido para a água é

$$q = (0{,}50\ \text{kJ K}^{-1}) \times (4{,}0\ \text{K}) = +2{,}0\ \text{kJ}$$

Exemplos

A resolução de problemas em físico-química é algo muito pessoal, mas em cada 'Exemplo' sugerimos uma 'Estratégia' para organizar as informações em um problema e, então, encontrar sua solução. Em seguida a essa seção vem a 'Resposta', na qual, novamente, observamos a importância do uso correto das unidades.

Exemplo 1.2

Cálculo das frações molares

Uma massa de 100,0 g de ar seco consiste em 75,5 g de N_2, 23,2 g de O_2 e 1,3 g de Ar. Expresse a composição do ar seco em termos de frações molares.

Testando seus conhecimentos

Exercícios propostos

É importante acompanhar seu próprio progresso. Assim, você deverá usar os 'Exercícios propostos' para verificar se dominou os conceitos e os procedimentos apresentados nos 'Exemplos' e nas 'Breves ilustrações'.

Exercício proposto 0.4

Determine a pressão exercida por uma pessoa de massa de 64 kg, cujos sapatos têm uma área de superfície combinada de 480 cm^2.

Resposta: 13 kPa

Questões teóricas

O material no final de cada capítulo começa com um pequeno conjunto de questões cuja intenção é estimular uma reflexão sobre o material que foi visto no capítulo e, dessa forma, visualizá-lo de forma conceitual antes de abordá-lo matematicamente.

Exercícios

Os 'Exercícios' permitem que você possa avaliar seu entendimento do material abordado no capítulo.

Aprofundando no material

Seções de impacto

As seções de 'Impacto' mostram como os princípios desenvolvidos em um capítulo são aplicados a uma seleção de problemas modernos em uma variedade de disciplinas, principalmente biologia e ciência dos materiais.

Impacto na biologia 4.2

A vida e a Segunda Lei

Toda reação química espontânea, sob condições de temperatura e pressão constantes, inclusive as envolvidas nos processos de crescimento, aprendizagem e reprodução, são reações que se desenvolvem na direção da diminuição da energia de Gibbs, ou – usando outra maneira de expressar a mesma coisa – são reações

Informações adicionais

Há vezes em que uma dedução é muito longa, muito detalhada ou de nível muito diferente para ser incluída no texto. Quando esse for o caso, podem ser encontradas de maneira menos obstrutiva ao final do capítulo.

Projetos

Ao final de um capítulo você encontrará um pequeno conjunto de 'Projetos', que são um desafio, às vezes por meio de cálculo, para interligar o material precedente.

Usando recursos correlatos

Gráficos animados

Em alguns casos, as tendências ou propriedades apresentadas em um gráfico são de difícil interpretação quando o gráfico é analisado como uma representação estática. Nessas situações, você pode usar um software matemático para montar um *Gráfico animado* e simular fenômenos químicos variando parâmetros em mais de 75 gráficos.

Figuras com gráficos interativos associados têm este ícone junto à legenda da figura.

Prefácio

Há sempre espaço para aprimoramento: a ênfase em um tópico diminui e outro ganha mais importância; maneiras de esclarecer uma explicação ou melhorar a apresentação tornam-se aparentes ou para os autores ou pela sugestão de usuários; as ideias surgem quanto à maneira de dar assistência ao desafio sempre presente, a matemática. Uma vez mais, portanto, temos o prazer de ter a oportunidade de preparar uma nova edição que traz uma variedade de aprimoramentos.

A estrutura desta nova edição permanece igual à da quinta edição. Embora a estrutura seja a mesma, há muitos aspectos novos nesta edição e demos atenção especial à apresentação da parte matemática:

- O novo capítulo *Fundamentos* substitui a Introdução da quinta edição. Nesse capítulo tentamos identificar os tópicos, principalmente, mas não só da física, como da mecânica clássica e do eletromagnetismo que são necessários para o entendimento dos princípios que vêm a seguir no texto.
- Químicos e cientistas precisam de uma variedade de técnicas e conceitos matemáticos provenientes da física e da química geral para criar e explorar seus modelos, seus dados e suas teorias. Nesta edição nós reconhecemos essa necessidade e oferecemos cerca de 20 seções intituladas *Ferramentas do químico*, em pontos relevantes ao longo do texto. Esses textos curtos o farão lembrar ou lhe oferecerão uma base para uma variedade de técnicas, quando necessário, à medida que o texto se desenvolve.
- As *anotações nas equações* foram populares da quinta edição e desenvolvemos ainda mais seu uso.
- Adicionamos *marcadores* a todas as equações importantes: isso deverá ajudá-lo a lembrar do significado e relevância dessas equações, e vão lembrar-lhe de quaisquer condições para que sejam válidas.
- Em lugar das listas de equações importantes da quinta edição, colocamos um resumo muito mais estruturado das equações na forma de *mapas*. Esses mapas resumem as relações entre as expressões e, no local apropriado, indicam as aproximações que você tem de fazer para transformar uma equação em algo mais simples. Os mapas deverão ajudá-lo a entender a unidade intelectual do assunto, mostrando que se trata de uma rede, em vez de um conjunto assustador de equações.
- As seções de *Impacto*, mais ou menos uma a cada capítulo, substituem os Boxes de edições anteriores e mostram como os princípios desenvolvidos no capítulo estão sendo atualmente aplicados em uma série de contextos modernos, principalmente biologia e ciência dos materiais.
- Desta vez, as *Breves ilustrações* estão numeradas e em quantidade maior, e cada uma mostra como usar uma equação que acabou de ser apresentada no texto, dando atenção especial ao uso correto das unidades.
- Aumentamos o número dos *Exemplos* resolvidos, todos de grande importância, como sempre, tendo seções de estratégia para ajudá-lo a juntar seus pensamentos.
- Quase todas as *Breves ilustrações* agora são acompanhadas (como muitos dos *Exemplos* resolvidos) de um *Exercício proposto*, permitindo, assim, que você avalie o seu entendimento do cálculo ou do tópico. Achamos que isso é muito importante para você se familiarizar com os valores das propriedades e constatar que as equações fazem previsões úteis e práticas.
- Colocamos mais etapas nas *Deduções*, nos locais em que fomos aconselhados a fim de facilitar o acompanhamento do fluxo da parte matemática.
- Os Apêndices foram eliminados com a maior parte do seu material presente ou no capítulo *Fundamentos* ou no ponto de uso nas *Ferramentas do químico*.
- Existe agora a nova *Seção de dados* que consolida o material sobre símbolos e unidades.

Como é costume na preparação de uma nova edição, baseamo-nos bastante em informações vindas de usuários em todo o mundo, nossos numerosos tradutores para outros idiomas, e colegas que doaram seu tempo ao processo de revisão. Embora tenhamos sempre recebido informações de alunos de todo o mundo, para esta edição reunimos comentários de alunos, e somos muito gratos a todos por nos comunicar suas opiniões, dificuldades e necessidades. Gostaríamos de agradecer particularmente a David Smith, da Universidade de Bristol, pelo carinho com que fez a revisão dos rascunhos e por seu extensivo trabalho nos Exercícios de final de capítulo, que revisou detalhadamente, expandindo as partes que considerou necessário.

Como sempre, foi um prazer trabalhar com os nossos editores, que nos apoiaram por todo o tempo.

PWA
JdeP

Sobre os autores

Peter Atkins é membro da Lincoln College na Universidade de Oxford. É autor de mais de setenta livros para estudantes e para o público em geral. Seus livros são líderes de vendas em todo o mundo. Conferencista com frequência nos Estados Unidos e ao redor do mundo, foi professor visitante na França, Israel, Japão, China e Nova Zelândia. Foi presidente fundador do Comitê de Educação em Química da União Internacional de Química Pura e Aplicada (IUPAC) e foi membro da Divisão de Físico-Química e Biofísica-Química da IUPAC.

Julio de Paula é professor de Química e Decano da Faculdade Lewis & Clark. Nascido no Brasil, de Paula graduou-se em Química em Rutgers, Universidade do Estado de New Jersey, EUA, e recebeu o seu Doutorado em biofísica-química na Universidade de Yale. Suas atividades de pesquisa englobam as áreas de espectroscopia molecular, biofísica-química e nanociência. Tem ministrado cursos de química geral, físico-química, biofísica-química, análise instrumental e redação.

Agradecimentos

Os autores receberam uma grande ajuda durante a preparação e produção deste livro, e gostariam de agradecer a todos os seus colegas que os estimularam a refletir e trouxeram sugestões úteis. Em especial, gostaríamos de registrar publicamente nossos agradecimentos a:

Hashim M. Ali, Arkansas State University
Chris Amodio, University of Surrey
Teemu Arppe, University of Helsinki
Jochen Autschbach, State University Of New York–Buffalo
Anil C. Banerjee, Columbus State University
Simon Biggs, University of Leeds
Timothy Brewer, Eastern Michigan University
Jorge Chacón, University of the West of Scotland
Anders Ericsson, Uppsala University
Stefan Franzen, North Carolina State University
Qingfeng Ge, Southern Illinois University
Fiona Gray, University of St Andrews
Ron Haines, University of New South Wales
Grant Hill, Glasgow University
Meez Islam, Teesside University
Emily A. A. Jarvis, Loyola Marymount University
Peter B. Karadakov, University of York
Peter Kroll, University of Texas at Arlington
Yu Kay Law, Fort Hays State University
Kristi Lazar, Westmont College
Mike Lyons, Trinity College Dublin
Alexandra J. MacDermott, University of Houston-Clear Lake
Michael D. McCorcle, Evangel University
Katie Mitchell-Koch, Emporia State University
Damien M. Murphy, Cardiff University
Nixon O. Mwebi, Jacksonville State University
Martin J. Paterson, Heriot-Watt University
Greg Van Patten, Ohio University
Julia Percival, University of Surrey
Patricia Redden, St. Peter's College
Juliana Serafin, University of Charleston
Susan Sinnott, University of Florida
Alyssa C. Thomas, Utica College
Harald Walderhaug, University of Oslo
T. Ffrancon Williams, The University of Tennessee
Christopher A. Wilson, Lewis University

Alunos revisores

Frances Anastassacos, University of St Andrews
Jonathan Booth, University of York
Sinead Brady, University of St Andrews
Gareth Davis, University of Newcastle
Kate Horner, University of York
Sinead Keaveney, University of New South Wales
Emily McHale, University of St Andrews
James McManus, University of Newcastle
Maria O'Brien, Trinity College Dublin
Riccardo Serreli, Heriot-Watt University
Kristina Sladekova, University of the West of Scotland
Patrycja Stachelek, University of Newcastle
Eden Tanner, University of New South Wales
Jay Pritchard, University of St Andrews
Christopher Redford, University of New South Wales
Lisa Russell, Trinity College Dublin
Matthew Ryder, Heriot-Watt University

Material Suplementar

Este livro conta com os seguintes materiais suplementares:

- Ilustrações da obra em formato de apresentação em (.pdf) (restrito a docentes);
- Multiple Choice Questions: arquivos em formato (.pdf), em inglês, contendo questões de múltipla escolha (acesso livre);
- Respostas dos Exercícios: Respostas para os exercícios de fim de capítulo, no formato (.pdf) (acesso livre);
- Tables of Data Sets: Tabelas de dados, no formato (.pdf), em inglês (restrito a docentes);
- Test Bank: Banco de testes, no formato (.pdf), em inglês (restrito a docentes).

DigiAulas

Este livro contém videoaulas exclusivas, as DigiAulas.
O que são DigiAulas? São videoaulas sobre temas comuns a todas as habilitações de Engenharia. Foram criadas e desenvolvidas pela LTC Editora para auxiliar os estudantes no aprimoramento de seu aprendizado.
As DigiAulas são ministradas por professores com grande experiência nas disciplinas que apresentam em vídeo.
Saiba mais em www.digiaulas.com.br.

Físico-Química; Fundamentos conta com as seguintes videoaulas:*

- **Capítulo 1 (As Propriedades dos Gases):** 1. Gases – Aula 3 (Química Geral 2).
- **Capítulo 2 (Termodinâmica: a Primeira Lei):** 6. Termodinâmica – Aula 2 (Química Geral 2).
- **Capítulo 3 (Termodinâmica: Aplicações da Primeira Lei):** 2. Conservação de Massa e Energia – Videoaula 2.4 (Termodinâmica).
- **Capítulo 4 (Termodinâmica: a Segunda Lei):** 6. Termodinâmica – Aula 4 (Química Geral 2); 2. Conservação de Massa e Energia – Videoaula 2.5 (Termodinâmica).
- **Capítulo 5 (Equilíbrio de Fases: Substâncias Puras):** 4. Equilíbrio Termodinâmico – Videoaula 4.2 (Termodinâmica).
- **Capítulo 6 (Equilíbrio Físico: as Propriedades das Misturas):** 3. Soluções – Aula 1 (Química Geral 2).
- **Capítulo 7 (Equilíbrio Químico: os Princípios):** 8. Equilíbrio Químico – Aula 1 (Química Geral 2).
- **Capítulo 8 (Equilíbrio Químico: Soluções):** 10. Equilíbrio de Solubilidade – Aula 1 (Química Geral 2).
- **Capítulo 9 (Equilíbrio Químico: Eletroquímica):** 11. Eletroquímica – Aula 1 (Química Geral 2).
- **Capítulo 10 (Cinética Química: as Velocidades das Reações):** 7. Cinética Química – Aula 1 (Química Geral 2).
- **Capítulo 11 (Cinética Química: Explicação das Leis de Velocidade):** 7. Cinética Química – Aula 2 (Química Geral 2).

*As instruções para o acesso às videoaulas encontram-se na orelha deste livro.

genio
GEN | Informação Online

GEN-IO (GEN | Informação Online) é o repositório de materiais suplementares e de serviços relacionados com livros publicados pelo GEN | Grupo Editorial Nacional, maior conglomerado brasileiro de editoras do ramo científico-técnico-profissional, composto por Guanabara Koogan, Santos, Roca, AC Farmacêutica, Forense, Método, Atlas, LTC, E.P.U. e Forense Universitária.
Os materiais suplementares ficam disponíveis para acesso durante a vigência das edições atuais dos livros a que eles correspondem.

Sumário geral

Sumário

Lista de ferramentas do químico

Lista de tabelas

0.1	Unidades de pressão e fatores de conversão	6
1.1	A constante dos gases em várias unidades	16
1.2	Volumes molares de alguns gases nas condições normais ambientes de temperatura e pressão (CNATP: 298,15 K e 1 bar)	18
1.3	Composição da atmosfera da Terra	21
1.4	Seção eficaz de colisão de átomos e moléculas	28
1.5	Temperaturas críticas dos gases	30
1.6	Parâmetros de van der Waals dos gases	33
2.1	Capacidades caloríficas de alguns materiais	48
2.2	Dependência das capacidades caloríficas com a temperatura	55
3.1	Entalpias-padrão de transição na temperatura de transição	61
3.2	Entalpias-padrão da primeira e da segunda (e alguns de ordem superior) ionização, $\Delta_{ion}H^{\ominus}/(\mathrm{kJ\ mol^{-1}})$	65
3.3	Entalpias-padrão de ganho de elétron dos elementos dos grupos principais, $\Delta_{ge}H^{\ominus}/(\mathrm{kJ\ mol^{-1}})$	66
3.4	Algumas entalpias de ligação, $\Delta H(\mathrm{A-B})/(\mathrm{kJ\ mol^{-1}})$	67
3.5	Entalpias médias de ligação, $\Delta H_L/(\mathrm{kJ\ mol^{-1}})$	67
3.6	Entalpias-padrão de combustão	69
3.7	Propriedades termoquímicas de alguns combustíveis	70
3.8	Estados de referência de alguns elementos	72
3.9	Entalpias-padrão de formação a 298,15 K	72
4.1	Entropias de vaporização a 1 atm, no ponto de ebulição normal	85
4.2	Entropias molares padrão de algumas substâncias a 298,15 K	89
5.1	Pressão de vapor	107
5.2	Constantes críticas	108
6.1	Constantes da lei de Henry para gases dissolvidos em água a 25 °C	125
6.2	Atividades e estados padrão	128
6.3	Constantes crioscópicas e ebulioscópicas	128
7.1	Critérios termodinâmicos de espontaneidade	148
7.2	Energias de Gibbs padrão de formação a 298,15 K	149
8.1	Constantes de acidez e basicidade a 298,15 K	165
8.2	Constantes de acidez sucessivas de ácidos polipróticos a 298,15 K	167
8.3	Mudanças de cor dos indicadores	175
8.4	Constantes de solubilidade a 298,15 K	177
9.1	Condutividades iônicas, $\lambda/(\mathrm{mS\ m^2\ mol^{-1}})$	187
9.2	Mobilidades iônicas em água a 298 K, $u/(10^{-8}\ \mathrm{m^2\ s^{-1}\ V^{-1}})$	189
9.3	Potenciais-padrão a 25 °C	198
10.1	Técnicas utilizadas no estudo da cinética de reações rápidas	207
10.2	Dados cinéticos para reações de primeira ordem	215
10.3	Dados cinéticos para reações de segunda ordem	216
10.4	Leis de velocidade integradas	217

Seção de dados

Encarte

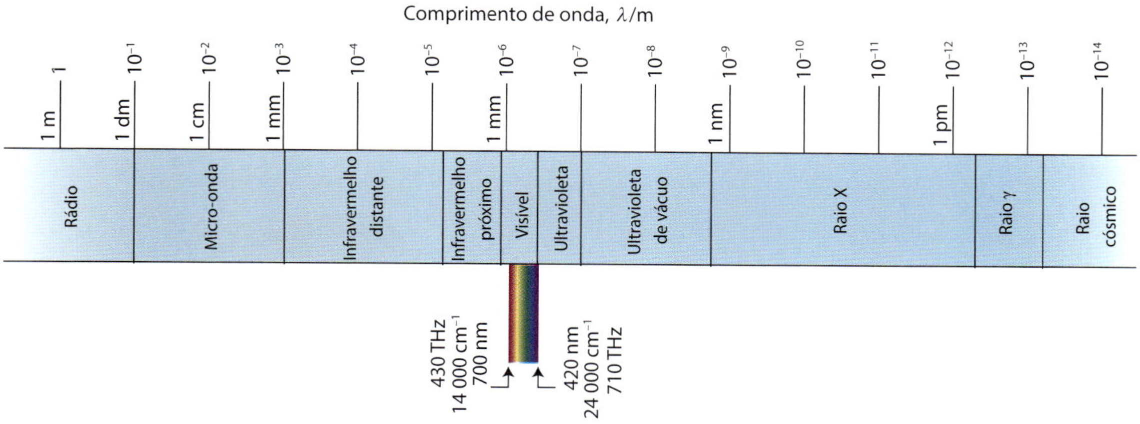

Figura 0.8 O espectro eletromagnético e a classificação das regiões espectrais.

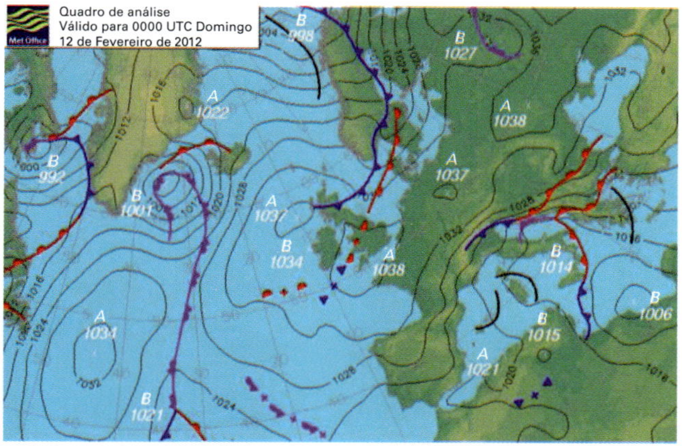

Figura 1.7 Um típico mapa meteorológico. Neste caso, para o Atlântico Norte em fevereiro de 2012. As regiões de alta pressão são denotadas por *A* e as de baixa pressão por *B*. As pressões são dadas em milibars (1 mbar = 100 Pa).

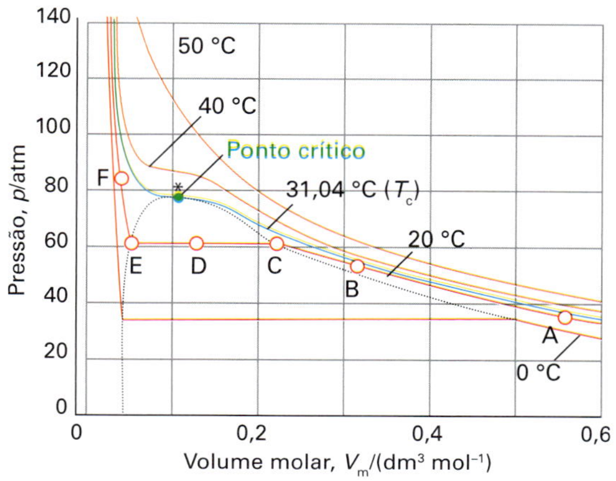

Figura 1.14 Isotermas experimentais do dióxido de carbono em várias temperaturas. A isoterma crítica é em 31,04 °C.

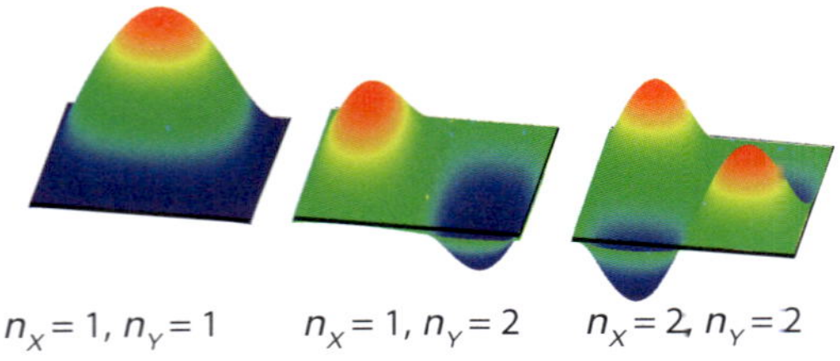

Figura 12.24 Três funções de onda para uma partícula confinada em uma superfície retangular.

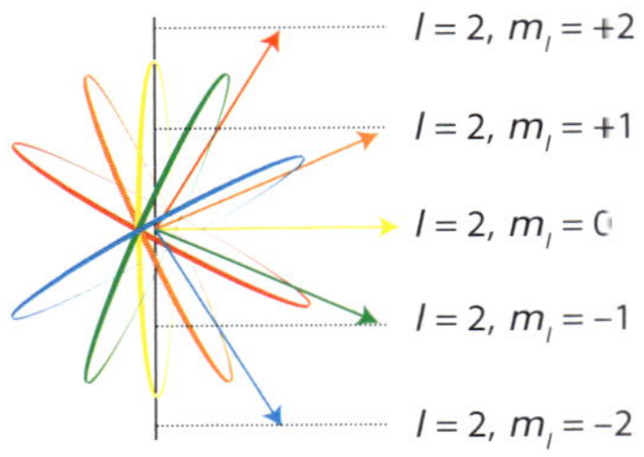

Figura 12.31 O significado dos números quânticos l e m_l mostrado para $l = 2$: l determina o módulo do momento angular (representado pelo comprimento da seta), e m_l o componente do momento angular em torno do eixo *z*.

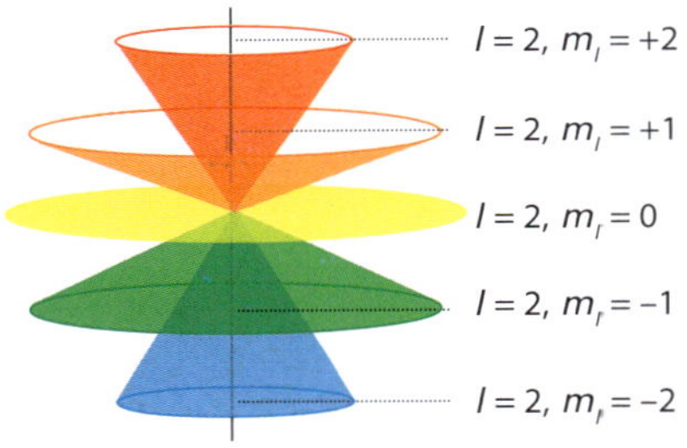

Figura 12.32 O modelo vetorial do momento angular reconhece que nada pode ser dito sobre os componentes *x* e *y* do momento angular se o componente *z* é conhecido, ao representar os estados do momento angular por cones.

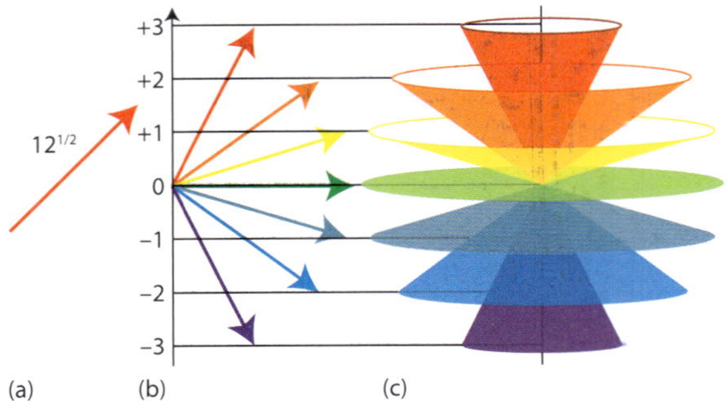

Figura 12.33 (a) O momento angular de uma partícula com $l = 3$. (b) As sete orientações do vetor momento angular. (c) Os cones que representam as orientações possíveis, mas não específicas, sobre o eixo *z*.

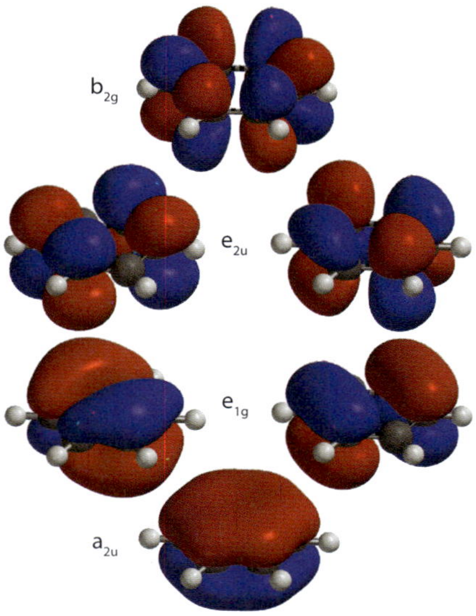

Figura 14.38 Visualização de um cálculo de orbitais π do benzeno: sinais opostos da função de onda são representados por cores diferentes. Compare esses orbitais moleculares com a representação mais esquemática feita na Figura 14.37.

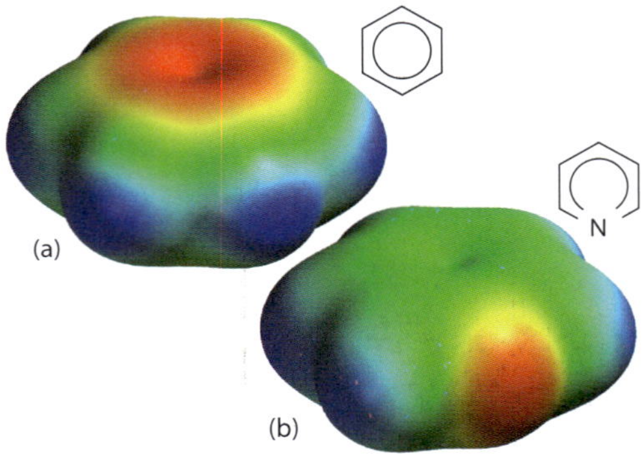

Figura 14.40 Superfícies de potencial eletrostático (a) do benzeno e (b) da piridina. Observe a acumulação de densidade eletrônica no átomo de nitrogênio da piridina à custa de outros átomos.

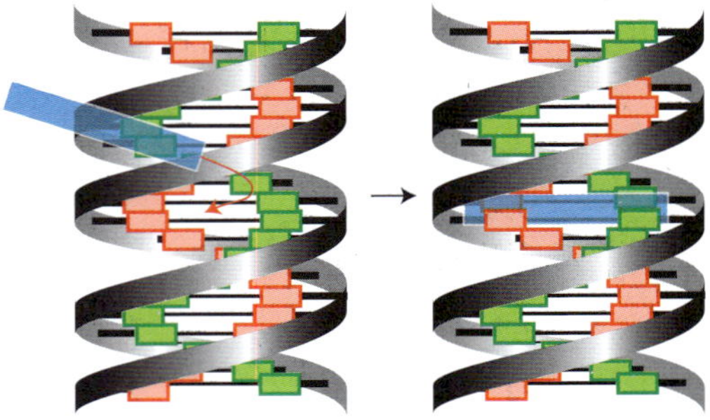

Figura 15.14 Alguns fármacos com sistemas π planos, representados pelos retângulos azuis, se intercalam entre pares de bases no DNA.

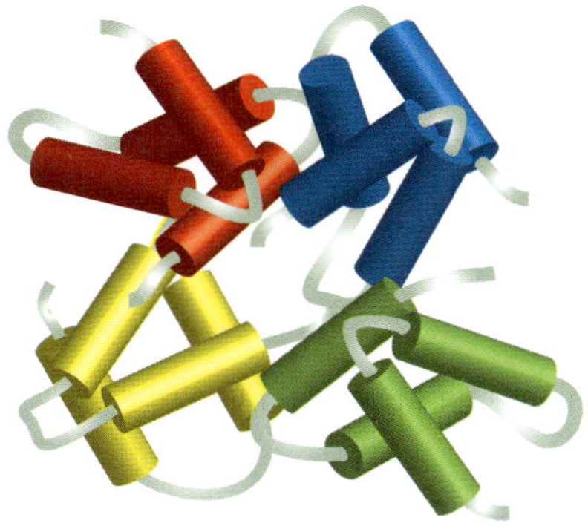

Figura 16.3 Diversas subunidades com estruturas terciárias específicas se unem oferecendo um exemplo de estrutura quaternária.

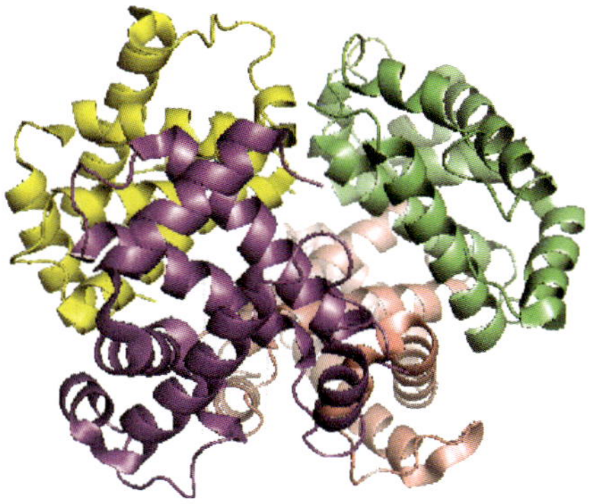

Figura 16.10 Uma molécula de hemoglobina consiste em quatro unidades do tipo mioglobina. Uma molécula de O_2 liga-se ao átomo de ferro no grupo heme.

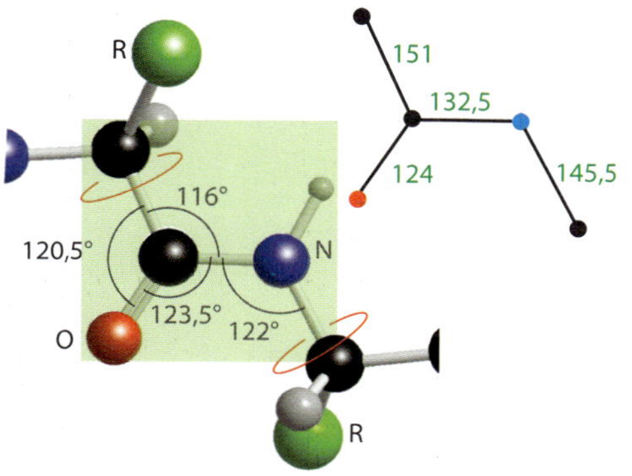

Figura 16.6 Dimensões características da ligação peptídica. Os átomos C—NH—CO—C definem um plano (a ligação C—N tem caráter parcial de dupla ligação), mas há liberdade rotacional em torno das ligações C—CO e N—C.

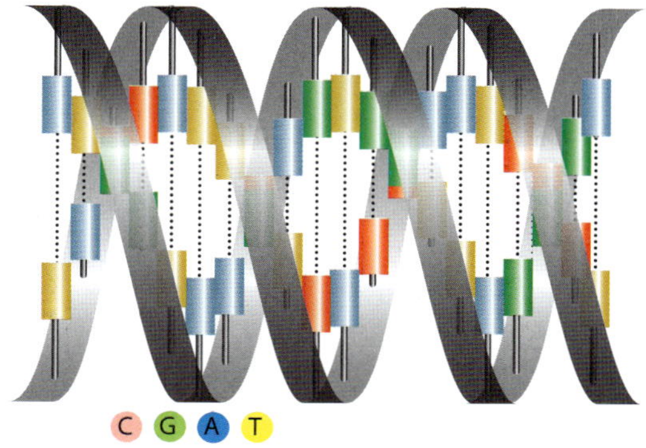

Figura 16.11 A dupla-hélice do DNA, na qual duas cadeias de polinucleotídeos se mantêm unidas por ligações de hidrogênio entre adenina (A) e timina (T) e entre citosina (C) e guanina (G).

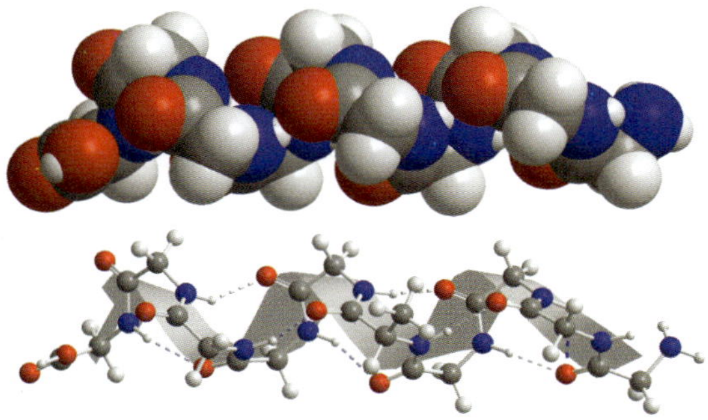

Figura 16.7 A hélice α de um polipeptídeo, com a poli-L-glicina como exemplo. Há 3,6 resíduos por volta, e uma translação ao longo da hélice de 150 pm por resíduo, dando um passo de 540 pm. O diâmetro (ignorando as cadeias laterais) é de cerca de 600 pm.

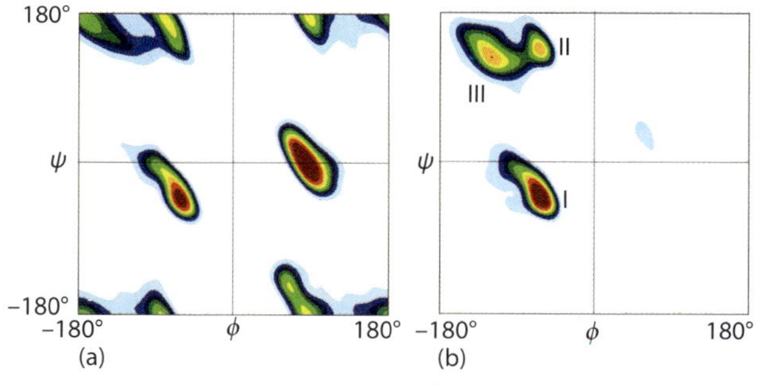

Figura 16.13 Gráficos de contorno de energia potencial em função dos ângulos ψ e ϕ, também conhecidos como diagrama de Ramachandran, para (a) um resíduo de glicila de um polipeptídeo e (b) um resíduo alanil. (Hovmoller *et al.*, *Acta Cryst.* **D58**, 768 (2002).)

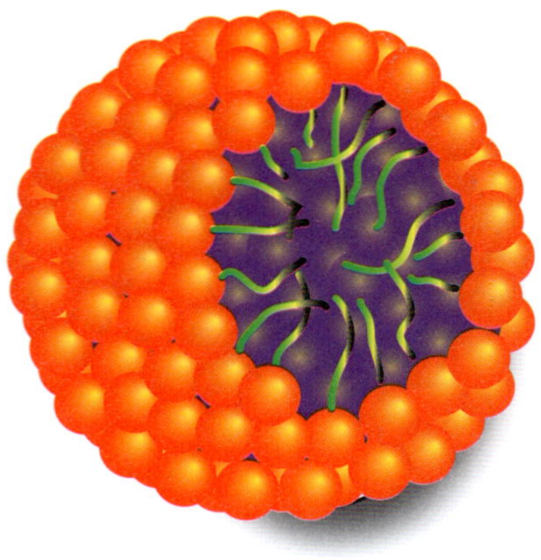

Figura 16.23 Representação de uma micela esférica. Os grupos hidrofílicos estão representados por esferas e as cadeias de hidrocarbonetos hidrofóbicos, pelas hastes: estas últimas são móveis.

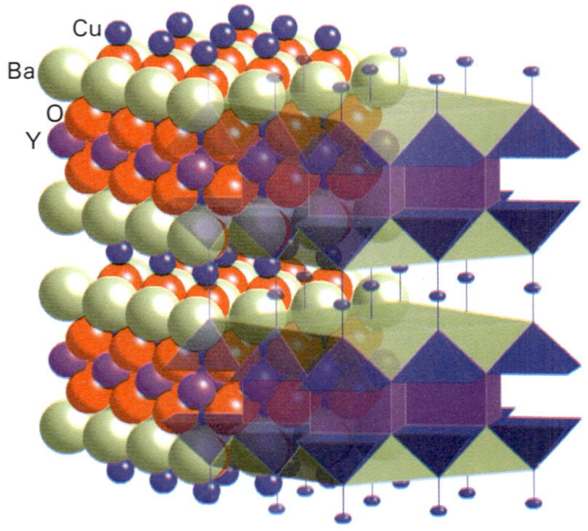

Figura 17.9 A estrutura do supercondutor $YBa_2Cu_3O_7$. Os poliedros mostram as posições dos átomos de oxigênio e indicam que os íons de metal estão em ambientes com coordenação quadrada plana e piramidal quadrada.

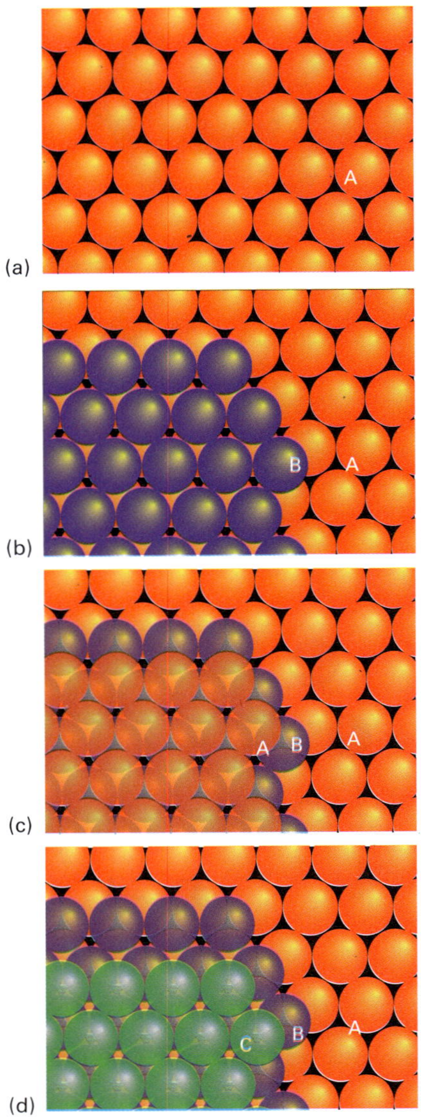

Figura 17.35 Agrupamento compacto de esferas idênticas. (a) A primeira camada de esferas agrupadas compactamente. (b) A segunda camada de esferas agrupadas compactamente ocupa as depressões da primeira camada. As duas camadas são o componente AB da estrutura. (c) A terceira camada de esferas agrupadas compactamente poderia ocupar as depressões localizadas diretamente na vertical das esferas da primeira camada, resultando em uma estrutura ABA. (d) Por outro lado, a terceira camada poderia estar nas depressões que não estão sobre as verticais das esferas na primeira camada, resultando em uma estrutura ABC.

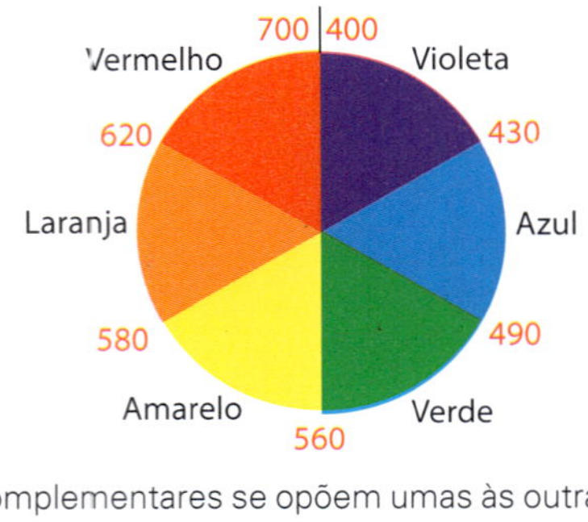

Figura 20.1 Palheta de cores dos artistas: cores complementares se opõem umas às outras diametralmente. Os números correspondem aos comprimentos de onda da luz, em nm.

Fundamentos

A físico-química estabelece uma ligação entre as propriedades da matéria macroscópica e o comportamento das partículas – átomos, moléculas ou íons – das quais a matéria é constituída. Os físico-químicos interessam-se pela estrutura da matéria e como e por que sofre transformações. Formulam teorias para entender e explicar fenômenos químicos. Essas teorias resultam normalmente em modelos matemáticos que podem ser testados por comparação com dados experimentais.

A físico-química baseia-se em dois dos grandes pilares da ciência física moderna: a **termodinâmica** e a **teoria quântica**. Na termodinâmica, o foco está nas propriedades macroscópicas de um sistema; a teoria quântica geralmente é aplicada ao estudo de átomos e moléculas individuais. Os dois pilares estão intimamente ligados, pois as propriedades macroscópicas dos sistemas são determinadas e explicadas pelos efeitos da mecânica quântica.

Este capítulo é o alicerce para tudo que se segue. Nele descrevemos os princípios fundamentais que sustentam a físico-química. Também abrangemos muitos desses princípios nos boxes intitulados *Ferramentas do químico*, no interior dos capítulos individuais. No entanto, esses fundamentos são partes integrantes de um entendimento da físico-química e é útil apresentá-los antes de seguirmos adiante. Começamos pela descrição das propriedades físicas que caracterizam os estados da matéria. Embora o termo "energia" seja amplamente empregado na linguagem do dia a dia, em ciência esse termo tem um significado preciso que iremos descrever na Seção 0.9. Ao final, discutiremos a radiação eletromagnética, que é essencial para muitos dos fenômenos que observamos e interpretamos.

Matéria

A matéria existe como um sólido, um líquido ou um gás. Nós distinguimos esses diferentes estados observando o comportamento de uma substância contida dentro de um recipiente:

Um **sólido** retém sua forma independente da forma do recipiente em que está contido.

Um **líquido** é uma forma fluida da matéria que possui uma superfície bem definida e preenche a parte inferior do recipiente que ocupa.

Um **gás** é uma forma fluida da matéria que preenche completamente o recipiente que ocupa.

Os diferentes estados da matéria resultam da intensidade das interações entre seus átomos, íons ou moléculas e, consequentemente, sua liberdade de movimento passando um pelo outro. Em um sólido, os átomos, os íons ou as moléculas interagem de maneira tão intensa que ficam aprisionados rigidamente em arranjos cristalinos ordenados ou estruturas amorfas desordenadas. Oscilam em torno da sua posição média e apenas raramente conseguem se mover um passando pelo outro. As interações são mais fracas no líquido e os átomos, os íons ou as moléculas possuem energia suficiente para sobrepô-los. Como resultado, podem se mover um passando pelo outro de uma maneira restrita. Estão em constante estado de movimento, mas percorrem apenas uma fração de um diâmetro antes de colidir com um vizinho. Um gás é constituído de átomos ou moléculas muito separadas entre si que estão se movimentando rápida e continuamente, de forma desordenada. Na maior parte do tempo as partículas estão tão distantes uma da outra que a interação entre elas é muito fraca. Uma partícula percorre vários (frequentemente muitos) diâmetros moleculares antes de colidir com outra partícula.

A transição de sólido para líquido e para gás resulta da crescente liberdade das partículas que os constituem. Quando uma amostra é aquecida, o aumento de energia permite que átomos, íons ou moléculas vençam as interações atrativas que, de outra forma, tenderiam a mantê-los rigidamente presos, e podem se mover mais livremente na forma de um líquido. Por fim, o fornecimento de mais energia resulta em moléculas escapando uma da outra completamente, e o líquido se vaporiza e torna-se um gás.

0.1 Massa e quantidade de substância

A **massa**, m, é uma medida da quantidade de matéria de uma amostra, independentemente da sua identidade química. Assim, 2 kg de chumbo contêm duas vezes mais matéria do que 1 kg de chumbo, na realidade o dobro da matéria do que 1 kg de qualquer coisa. A unidade de massa do *Sistema Internacional* (SI) é o **quilograma** (kg). Desde dezembro de 2011, 1 kg foi definido como a massa de um bloco feito da liga de platina–irídio preservado em Sèvres, perto de Paris. Para amostras típicas de laboratório, normalmente é mais conveniente usar uma unidade menor. É comum expressar a massa dessas amostras em gramas (g), em que 1 kg = 10^3 g. Em Ferramentas do químico 0.1 há uma rápida revisão do SI.

Uma nota sobre a boa prática Faça a distinção entre massa e peso. Massa é uma medida da quantidade de matéria e é independente do local. Peso é a força exercida por um objeto e depende da atração da gravidade. Um astronauta tem um peso diferente na Terra e na Lua, mas a mesma massa.

Em química é mais útil saber o número de cada tipo específico de átomo, íon ou molécula em uma amostra do que a massa de cada substância. No entanto, uma amostra de água de 10 g consiste em cerca de 10^{23} moléculas de H_2O, e obviamente não é conveniente registrar o número de moléculas. Em vez disso, expressamos a **quantidade de substância**, que também é conhecida como o **número de mols**, n, em uma amostra. A quantidade de substância é expressa em termos da unidade do SI **mol**. O nome mol ironicamente deriva-se da palavra latina que significa 'montão volumoso'. O mol atualmente é definido em termos do número de átomos de ^{12}C em exatamente 12 g de carbono-12, que é próximo de 6,022 × 10^{23}. Mais especificamente, a **constante de Avogadro** (ou **número de Avogadro**), N_A, é o número de entidades por mol,

$$N_A = 6{,}022\ 141\ 29 \times 10^{23}\ \text{mol}^{-1}$$ Constante de Avogadro

A menos que queiramos maior precisão, geralmente aproximaremos esse valor para 6,022 × 10^{23} mol^{-1}. Utilizamos o termo 'entidades' porque o conceito de número de mols pode se aplicar a átomos, moléculas ou fórmulas unitárias. Dessa maneira, uma amostra de gás hidrogênio que consiste em

Ferramentas do químico 0.1 Grandezas e unidades

O resultado de uma medida é uma **grandeza física**, que é expresso como um múltiplo numérico de uma unidade:

Grandeza física = valor numérico × unidade

As unidades podem ser tratadas como grandezas algébricas, podendo ser multiplicadas, divididas e canceladas. Dessa forma, a expressão (grandeza física)/unidade é o valor numérico (grandeza adimensional) da medida nas unidades especificadas. Por exemplo, a massa m de um objeto poderia ser expressa como m = 2,5 kg ou m/kg = 2,5. Veja a *Seção de Dados* para obter uma lista de unidades. Embora seja boa prática usar apenas unidades do SI, há ocasiões em que a prática aceita está tão profundamente enraizada que as grandezas físicas são expressas usando-se outras unidades diferentes do SI. Por convenção internacional, todas as grandezas físicas são representadas por símbolos em itálico; todas as unidades são na vertical.

As unidades podem ser modificadas por um prefixo que simboliza um fator de uma potência de 10. Entre os prefixos mais comuns do SI estão os listados na Tabela A1.3 na *Seção de Dados*. Exemplos do uso de tais prefixos:

1 nm = 10^{-9} m   1 ps = 10^{-12} s   1 μmol = 10^{-6} mol

As potências das unidades aplicam-se ao prefixo bem como à unidade que elas modificam. Por exemplo, 1 cm^3 = 1 $(cm)^3$ e $(10^{-2}\ m)^3$ = 10^{-6} m^3. Observe que 1 cm^3 não significa 1 $c(m^3)$. Quando se efetuam cálculos numéricos, geralmente é mais seguro escrever o valor numérico de um observável em notação científica (como $n.nnn \times 10^n$).

Há sete unidades básicas do SI, que são listadas na Tabela A1.1 na *Seção de Dados*. Todas as outras grandezas físicas podem ser expressas na forma de combinações dessas unidades básicas (veja a Tabela A1.2). A **concentração molar** (mais formalmente, mas muito raramente, *concentração de quantidade de substância*), por exemplo, que é a quantidade de substância dividida pelo volume que ocupa, pode ser expressa usando-se as unidades derivadas de mol dm^{-3} como uma combinação das unidades básicas para a quantidade de substância e comprimento. Uma série dessas combinações derivadas de unidades tem nomes e símbolos especiais e vamos destacá-las à medida que surgirem.

1 mol de H_2 contém 6,022 ... × 10^{23} moléculas de hidrogênio e uma amostra de água que consiste em 2 mols de H_2O contém 2 × 6,022 ... × 10^{23} = 1,2 ... × 10^{24} moléculas de água.

Uma nota sobre a boa prática Sempre especificamos a natureza das partículas quando usamos a unidade mol, pois isso evita qualquer ambiguidade. Se, impropriamente, nós disséssemos que uma amostra consistia em 1 mol de hidrogênio, não estaria claro se essa amostra consistia em 6 × 10^{23} átomos de hidrogênio (1 mol de H) ou 6 × 10^{23} moléculas de hidrogênio (1 mol de H^2).

A constante de Avogadro é empregada para calcular o número de partículas N em uma amostra a partir do número de mols n:

Número de partículas = número de mols
× número de partículas por mol

Ou seja,

$$N = n \times N_A \qquad \text{Relação entre número de partículas e número de mols} \qquad (0.1)$$

A constante de Avogadro tem unidades de mol^{-1} e o número de mols é medido em unidades de mol. As unidades dessas duas grandezas se cancelam quando multiplicadas uma pela outra e o número de entidades é corretamente expresso como uma quantidade adimensional sem unidades.

■ Breve ilustração 0.1 Número de mols e quantidade de átomos[1]

Da Eq. 0.1 reescrita em $n = N/N_A$ e tomando cuidado para identificar o número de mols como n_{Cu}, de modo que ele se refira sem ambiguidades à quantidade de átomos de Cu, uma amostra de cobre que contém 8,8 × 10^{22} átomos de Cu corresponde a

$$n_{Cu} = \frac{N}{N_A} = \frac{8{,}8 \times 10^{22}}{6{,}022 \times 10^{23}\ mol^{-1}} = 0{,}15\ mol$$

Observe que é muito mais fácil expressar o número de mols de átomos de Cu presentes do que seu número real.

A **massa molar**, M, é a massa da amostra, m, dividida pelo número de mols, n:

$$M = \frac{m}{n} \qquad \text{Definição} \qquad \text{Massa molar} \qquad (0.2)$$

A massa molar é a massa por mol de átomos, moléculas ou fórmulas unitárias e, portanto, tem unidades no SI de quilogramas por mol ($kg\ mol^{-1}$) ou, de maneira mais comum, gramas por mol ($g\ mol^{-1}$). Quando nos referimos à massa molar de um elemento sempre queremos dizer a massa por mol de seus átomos. Quando nos referimos à massa molar de um composto, sempre queremos dizer a massa molar de suas moléculas ou, no caso de um composto sólido em geral, a massa por mol de suas fórmulas unitárias, tal como NaCl para cloreto de sódio e Cu_2Au para uma liga específica de cobre e ouro.

Devemos ter o cuidado de levar em conta a composição isotópica de um elemento. Assim, temos que usar adequadamente a média ponderada das massas dos isótopos presentes. A massa molar de uma amostra típica de carbono, a massa por mol de átomos de carbono, com átomos de carbono-12 e carbono-13 em suas abundâncias normais, é 12,01 g mol^{-1}. A massa molar da água é a massa por mol de moléculas de H_2O, com as abundâncias isotópicas de hidrogênio e oxigênio das amostras típicas dos elementos, e é 18,02 g mol^{-1}. Os valores obtidos dessa maneira estão impressos na tabela periódica existente na contracapa deste livro.

A massa molar de um composto de composição conhecida é calculada fazendo-se a soma das massas molares de seus átomos constituintes. A massa molar de um composto de composição desconhecida é experimentalmente determinada usando-se a espectrometria de massa de um modo semelhante à determinação das massas atômicas.

[1] Ao longo do texto, usaremos Breves ilustrações para mostrar como se usa uma equação ou um conceito. Usaremos exemplos resolvidos quando uma equação precisar ser desenvolvida substancialmente ou um problema ser analisado antes de ser resolvido.

■ Breve ilustração 0.2 Massa e quantidade de átomos

Para determinar a quantidade de átomos de C presentes em 21,5 g de carbono, dado que a massa molar do carbono é 12,01 g mol^{-1}, a partir da Eq. 0.2 na forma $n = m/M$, escrevemos (tendo cuidado para especificar as espécies)

$$n_C = \frac{m}{M_C} = \frac{21{,}5\ g}{12{,}01\ g\ mol^{-1}} = 1{,}79\ mol$$

Isto é, a amostra contém 1,79 mol de átomos de C.

Exercício proposto 0.1

Que quantidade de moléculas de H_2O está presente em 10,0 g de água?

Resposta: 0,555 mol de H_2O

Os termos **peso atômico** (PA) ou **massa atômica relativa** (MAR) e **peso molecular** (PM) ou **massa molar relativa** (MMR) ainda são comumente usados para representar o valor numérico da massa molar de um elemento ou de um composto, respectivamente. Na prática, o peso atômico ou molecular é a massa molar com as unidades g mol^{-1} canceladas. O peso atômico (ou a MAR) de uma amostra natural de carbono é 12,01 e o peso molecular (ou a MMR) da água é 18,02.

Uma nota sobre a boa prática Os termos 'peso atômico' e 'peso molecular' estão enraizados na prática dos químicos, sendo ainda reconhecidos pela *União Internacional de Química Pura e Aplicada* (IUPAC) como acessórios do idioma, apesar de os termos não se referirem ao que é corretamente considerado como 'peso' (a força gravitacional sobre um corpo). Na tentativa de estimular uma melhor utilização, nós geralmente os evitamos.

A massa real de um átomo ou uma molécula é representada por m e deve ser distinguida da sua massa molar, M. As duas grandezas estão relacionadas por $m = M/N_A$. As massas atômicas e moleculares, como quaisquer massas, são expressas em quilogramas e são as massas reais das partículas. Para evitar os números inconvenientemente pequenos que são típicos de massas atômicas e moleculares, essas massas são expressas como um múltiplo da constante da massa atômica, m_u = 1,660 54 × 10^{-27} kg.

■ Breve ilustração 0.3 Massa molecular

A massa molar do etano é 30,07 g mol^{-1}. A massa real de uma molécula de C_2H_6 é

$$m = \frac{30{,}07 \text{ g mol}^{-1}}{6{,}022 \times 10^{23} \text{ mol}^{-1}} = 4{,}993 \times 10^{-23} \text{ g}$$

ou 4,993 × 10^{-26} kg. Em termos da constante de massa atômica,

$$\frac{m}{m_u} = \frac{4{,}993 \times 10^{-26} \text{ kg}}{1{,}660\,54 \times 10^{-27} \text{ kg}} = 30{,}07$$

Ou seja, $m = 30{,}07 m_u$.

0.2 Volume

O **volume**, *V*, de uma amostra é a quantidade de espaço tridimensional que essa amostra ocupa. O volume é expresso em metros cúbicos, m^3, e seus submúltiplos, como decímetros cúbicos, dm^3 ($1\ dm^3 = 10^{-3}\ m^3$), e centímetros cúbicos ($1\ cm^3 = 10^{-6}\ m^3$). Também é comum encontrar a unidade litro ($1\ L = 1\ dm^3$), que não é do SI, e seu submúltiplo, o mililitro ($1\ mL = 1\ cm^3$).

■ Uma breve ilustração 0.4

Para fazer conversões de unidades simples, substitua a fração da unidade (por exemplo, cm) por sua definição (nesse caso, 10^{-2} m). Assim, para converter 100 cm^3 em decímetros cúbicos (litros) use 1 cm = 10^{-1} dm, de modo que 100 cm^3 = 100 $(10^{-1}\ dm)^3$, que é o mesmo que 0,100 dm^3.

Exercício proposto 0.2

Expresse o volume de 100 mm^3 em unidades de cm^3.

Resposta: 0,100 cm^3

0.3 Massa específica

A **massa específica**, ρ (rô), é a massa de uma amostra, *m*, dividida por seu volume, *V*:

$$\rho = \frac{m}{V} \qquad \text{Definição} \quad \text{Massa específica} \quad (0.3)$$

Materiais densos têm muita matéria agrupada em um pequeno volume. Com a massa medida em quilogramas e o volume em metros cúbicos, a massa específica é expressa em quilogramas por metro cúbico (kg m^{-3}). Entretanto, é igualmente aceitável e frequentemente mais conveniente escrever a massa específica em gramas por centímetro cúbico (g cm^{-3}). A relação entre essas unidades é

$$1 \text{ g cm}^{-3} = 10^3 \text{ kg m}^{-3}$$

Assim, a massa específica do mercúrio pode ser escrita como 13,6 g cm^{-3} ou como $1{,}36 \times 10^4$ kg m^{-3}.

0.4 Propriedades extensivas e intensivas

Propriedades como massa e volume, que dependem da quantidade de substância na amostra, são conhecidas como **propriedades extensivas**, e dependem da 'extensão' da amostra. Por outro lado, as **propriedades intensivas**, como pressão e temperatura, não dependem da quantidade de substância presente em uma amostra. Por exemplo, massa específica é uma propriedade intensiva, pois seu valor não depende da quantidade de substância presente; dobrar a quantidade de substância resulta em dobrar a massa e o volume; logo, sua proporção permanece a mesma. Assim, a massa específica é um exemplo de uma propriedade intensiva que é a razão entre duas propriedades extensivas. A temperatura é uma propriedade intensiva porque a temperatura de uma amostra é independente do tamanho da amostra.

Uma **grandeza molar** é o valor de uma propriedade de uma amostra dividido pelo número de mols de substância na amostra:

$$X_m = \frac{X}{n} \qquad \text{Definição} \quad \text{Grandeza molar} \quad (0.4)$$

Um exemplo é o volume molar, V_m, o volume ocupado por mol de partículas. Por convenção, o subscrito m simboliza uma grandeza molar. No entanto, já vimos que a massa molar é representada por *M*.

Uma nota sobre a boa prática Faça a distinção entre uma grandeza molar, como o volume molar, com unidades de metros cúbicos por mol ($m^3\ mol^{-1}$) e a grandeza *para* 1 mol, como o volume ocupado por 1 mol da substância, com unidades de metros cúbicos (m^3).

Energia

Para entender grande parte do que se segue, é essencial compreender o conceito de energia. Para tanto, devemos primeiramente considerar o modo pelo qual objetos tais como átomos ou moléculas se movimentam sob a influência de forças. Começamos considerando a **mecânica clássica**, o sistema de mecânica desenvolvido por Isaac Newton, no século XVII, que é apropriado para partículas macroscópicas (partículas visíveis a olho nu), e o utilizamos para descrever a relação entre os conceitos de velocidade, momento linear, aceleração, força, trabalho e energia.

0.5 Velocidade e momento

Translação é o movimento de uma partícula pelo espaço. A **velocidade escalar** (ou simplesmente **velocidade**), *v*, de um corpo é definida como a taxa da variação da posição. A velocidade geralmente é medida em unidades do SI de metros por segundo (m s^{-1}). O conceito de **velocidade vetorial** está relacionado com o de velocidade. No entanto, os termos não são sinônimos: a velocidade vetorial define a direção bem como a taxa de movimento, e as partículas que se deslocam com a mesma velocidade, mas em diferentes direções, têm diferentes velocidades vetoriais.

Os conceitos da mecânica clássica, e também da mecânica quântica, são comumente expressos em termos do **momento linear**, *p*, que é definido como

$$p = mv \qquad \text{Definição} \quad \text{Momento linear} \quad (0.5)$$

Suas unidades são quilograma metros por segundo (kg m s^{-1}). O momento linear também reflete velocidade vetorial por ter um sentido de direção, e corpos de mesma massa movendo-se com a mesma velocidade escalar, mas em diferentes direções, têm diferentes momentos lineares.

Também vamos precisar considerar a *rotação* de corpos, como o movimento dos elétrons em torno do núcleo nos átomos e a rotação das moléculas como um todo. A **velocidade**

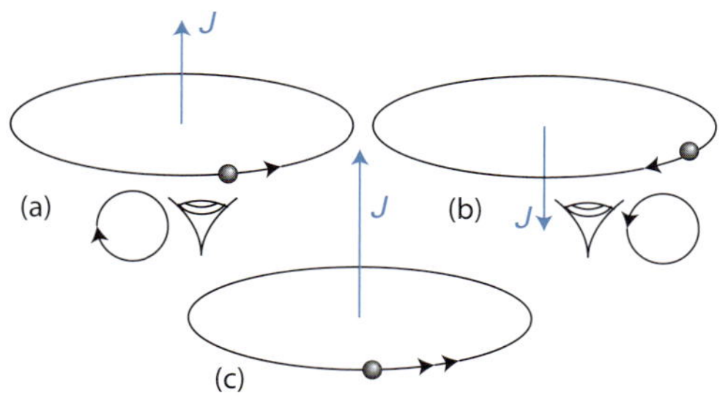

Figura 0.1 O momento angular tem um sentido de direção, bem como uma magnitude, podendo ser representado por uma seta. A direção da seta indica o sentido de rotação e seu tamanho representa a taxa de rotação. (a) Baixo momento, rotação em sentido horário (visto de baixo); (b) baixo momento, rotação em sentido anti-horário; (c) alto momento, rotação em sentido horário.

angular, ω (ômega), é a taxa de variação da posição *angular*; é expressa em radianos por segundo (rad s^{-1}). Existem 2π radianos em um círculo; assim, 1 ciclo por segundo é o mesmo que 2π radianos por segundo. Nesse caso, escreveríamos $\omega = 2\pi\ s^{-1}$. As expressões para outras propriedades angulares, então, seguem por analogia com as equações correspondentes para o movimento linear. O **momento angular**, $\mathcal{J}$(Fig. 0.1) é, por exemplo, definido por analogia com a Eq. 0.5 como

$$\mathcal{J} = I\omega \qquad \text{Definição} \quad \text{Momento angular} \quad (0.6)$$

A grandeza I é o **momento de inércia** do corpo, a soma do produto da massa de cada átomo multiplicada pelo quadrado da distância do eixo de rotação. O momento de inércia representa a resistência do corpo a uma mudança no estado de rotação, da mesma maneira que a massa representa a resistência do corpo a uma mudança no estado de translação.

Breve ilustração 0.5 O momento de inércia

Há dois eixos de rotação possíveis em uma molécula de $C^{16}O_2$, cada qual passando pelo átomo de C, perpendicular ao eixo da molécula e perpendicular um ao outro. Cada átomo de O está a uma distância R do eixo de rotação, em que R é o comprimento da ligação CO, 116 pm. A massa de cada átomo de ^{16}O é $16{,}00m_u$. O átomo de C é estacionário (localiza-se sobre o eixo de rotação) e não contribui para o momento de inércia. Portanto, o momento de inércia da molécula em torno do eixo de rotação é

$$I = 2m(^{16}O)R^2$$
$$= 2\times\left(\overbrace{16{,}00\times\overbrace{1{,}660\,54\times10^{-27}\,\text{kg}}^{m_u}}^{m(^{16}O)}\right)\times\left(\overbrace{1{,}16\times10^{-10}\,\text{m}}^{R}\right)^2$$
$$= 7{,}15\times10^{-46}\ \text{kg m}^2$$

Observe que as unidades do momento de inércia são quilogramas metro quadrado (kg m^2).

0.6 Aceleração

A **aceleração**, a, é a taxa de variação da velocidade vetorial. Um corpo sofre aceleração se sua velocidade varia. Um corpo também sofre aceleração se sua velocidade permanece inalterada, mas sua direção de movimento varia. Por exemplo, um fragmento molecular carregado em um espectrômetro de massa sofre aceleração quando sua velocidade aumenta à medida que ele viaja em uma linha reta rumo ao detector. Um elétron que se move com uma velocidade constante em uma trajetória circular em um analisador eletrostático também está sofrendo aceleração, porque a direção do seu momento e, consequentemente, sua velocidade vetorial, está continuamente variando, ainda que sua velocidade seja constante. A aceleração é medida nas unidades do SI em metros por segundo ao quadrado (m s^{-2}).

0.7 Força

De acordo com a **segunda lei do movimento** de Newton, a aceleração a de um corpo de massa m é proporcional à força, F, que atua sobre ele:

$$F = ma \qquad \text{Força} \quad (0.7)$$

A Eq. 0.7 implica que as unidades do SI de força são aquelas do produto da massa e aceleração, a saber, quilograma metros por segundo ao quadrado (kg m s^{-2}). No entanto, força é uma grandeza tão importante que é frequentemente expressa em termos do newton, N, em que 1 N = 1 kg m s^{-2}.

Breve ilustração 0.6 A força de um corpo em queda livre

A aceleração, g, em queda livre (a aceleração da gravidade) de um corpo na superfície da Terra pode ser considerada constante e tem o valor $g = 9{,}81$ m s^{-2}, de modo que a magnitude da força gravitacional atuando sobre uma massa, m, de 1,0 kg, é $F_{\text{gravitacional}} = mg$, e, para uma massa de 1,0 kg na superfície da Terra,

$$F_{\text{gravitacional}} = (1{,}0\ \text{kg})\times(9{,}81\ \text{m s}^{-2}) = 9{,}8\ \text{kg m s}^{-2}$$
$$= 9{,}8\ \text{N}$$

Esta força está direcionada para o centro da Terra. Chamamos essa força de *peso* do corpo. Pode ser útil observar que uma força de 1 N é aproximadamente a força gravitacional exercida sobre uma pequena maçã (de massa 100 g).

Exercício proposto 0.3

Calcule a força gravitacional que atua sobre uma massa de 1,00 kg na superfície da Lua, em que a aceleração, devido à gravidade, é 1,63 m, s^{-2}.

Resposta: 1,63 N

Força é uma grandeza que tem um sentido de direção, e a lei de Newton indica que a aceleração ocorre na mesma direção em que a força atua. Se, para um sistema isolado, nenhuma força externa atua, então, não há aceleração. Essa afirmativa é a **lei de conservação do momento**, em que o momento linear de um corpo é constante na ausência de uma força que atue sobre o corpo.

0.8 Pressão

Pressão, p, é a razão entre a força, F, e a área, A, sobre a qual a força é exercida:

$$p = \frac{F}{A} \qquad \text{Definição} \quad \text{Pressão} \quad (0.8)$$

Embora tanto a pressão quanto o momento linear sejam representados por p, o contexto sempre deverá tornar claro o que se quer dizer. A força pode surgir de muitas maneiras, inclusive o resultado da força gravitacional da Terra sobre um corpo em repouso sobre um pistão e a ação de átomos ou moléculas colidindo com as paredes de um recipiente.

A unidade do SI de pressão é chamada de **pascal** (Pa), em que 1 Pa = 1 N m^{-2} = 1 kg m^{-1} s^{-2}. O pascal é aproximadamente a pressão exercida por uma massa de 10 mg espalhada sobre 1 cm^2; assim, essa massa é, na verdade, uma unidade pequena. No entanto, muitas vezes é conveniente usar outras unidades. Uma das alternativas mais empregadas é o **bar**, em que 1 bar = 10^5 Pa; o bar não é uma unidade do SI, mas é uma abreviatura aceita e amplamente utilizada para 10^5 Pa. A pressão atmosférica que normalmente experimentamos está próxima de 1 bar. No devido tempo, quando encontrarmos várias condições-padrão, vamos nos referir a uma **pressão-padrão**, $p^{\ominus}$ = 1 bar exatamente. Algumas das outras unidades que não são do SI, mas que são de uso comum para exprimir a pressão, são apresentadas na Tabela 0.1

A pressão resultante do peso de um corpo sólido na superfície da Terra é

$$p = \frac{F_{\text{gravitacional}}}{A} = \frac{mg}{A} \qquad (0.9)$$

Um patinador exerce uma alta pressão sobre o gelo porque as lâminas dos patins têm um contato muito pequeno com a superfície do gelo. A pressão exercida pelo patinador que usa sapatos normais seria muito menor, pois, mesmo a massa do patinador permanecendo a mesma, a área de contato com o gelo é maior.

■ Breve ilustração 0.7 A pressão resultante do peso de um objeto

A pressão exercida por um objeto de 10 g em descanso em uma área de superfície de 1,0 cm^2 na superfície da Terra é, a partir da Eq. 0.9,

$$p = \frac{F_{\text{gravitacional}}}{A} = \frac{mg}{A} = \frac{\overbrace{(10\text{ g})}^{m} \times \overbrace{(9{,}81\text{ m s}^{-2})}^{g}}{\underbrace{(1{,}0\text{ cm}^2)}_{A}}$$

$$= \frac{\overbrace{(1{,}0\times 10^{-2}\text{ kg})}^{10\text{ g}} \times (9.81\text{ m s}^{-2})}{\underbrace{(1{,}0\times 10^{-4}\text{ m}^2)}_{1{,}0\text{ cm}^2}}$$

$$= 9{,}8\times 10^2\,\overbrace{\text{kg m}^{-1}\text{ s}^{-2}}^{\text{Pa}} = 0{,}98\text{ kPa}$$

O resultado é cerca de 1/100 da pressão exercida pela atmosfera na superfície da Terra (100 kPa).

Exercício proposto 0.4

Determine a pressão exercida por uma pessoa de massa de 64 kg, cujos sapatos têm uma área de superfície combinada de 480 cm^2.

Resposta: 13 kPa

Tabela 0.1
*Unidades de pressão e fatores de conversão**

pascal, Pa	1 Pa = 1 N m^{-2}
bar	1 bar = 10^5 Pa
atmosfera, atm	1 atm = **101,325** kPa = **1,013 25** bar
torr, Torr†	**760** Torr = 1 atm
	1 Torr = 133,32 Pa

* Valores em negrito são exatos.
† O nome da unidade é torr, seu símbolo é Torr.

Um fluido incompressível exerce uma pressão na sua base por causa da força gravitacional exercida pela massa de fluido acima. Uma **pressão hidrostática** desse tipo difere daquela exercida por um peso sólido no sentido de que um corpo imerso no líquido na base da coluna experimenta a mesma pressão em todas as suas faces, mesmo na inferior, porque a pressão é transmitida por meio do fluido a cada face.

Um corpo imerso em um gás, mesmo em um recipiente fechado e, portanto, não diretamente sujeito a efeitos gravitacionais em uma coluna de fluido acima desse corpo ou no espaço vazio, também experimenta uma pressão em cada uma das suas faces. Essa pressão se deve ao impacto das moléculas do gás, com cada colisão dando origem a uma força e, desse modo, a uma pressão. Os impactos individuais são tão numerosos que a força é efetivamente constante. A pressão atmosférica resulta, dessa maneira, das colisões das moléculas no ar e é maior na superfície da Terra, em que a massa específica do ar é mais elevada.

Quando um gás está confinado em um cilindro equipado com um pistão móvel, a posição do pistão se ajusta até que a pressão do gás dentro do cilindro seja igual à que é exercida pela atmosfera. Quando as pressões em ambos os lados do pistão são as mesmas, dizemos que as duas regiões em ambos os lados estão em **equilíbrio mecânico** (Fig. 0.2).

Exemplo 0.1

Conversão de unidades

Um cientista estava investigando o efeito da pressão atmosférica na velocidade de crescimento de um líquen, e mediu uma pressão p de 1,115 bar. Qual é o valor dessa pressão em atmosferas?

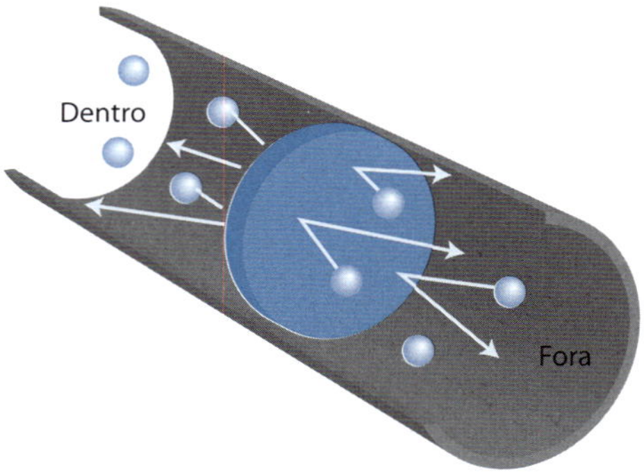

Figura 0.2 Um sistema está em equilíbrio mecânico com as suas vizinhanças se estiver separado delas por uma parede móvel e a pressão externa é igual à pressão do gás no sistema.

Estratégia Escreva a relação entre as "unidades antigas" (as unidades a serem substituídas) e as "unidades novas" (as unidades que são desejadas) na forma

1 unidade antiga = x unidades novas

em seguida, substitua a "unidade antiga" em todos os lugares em que a mesma aparecer por "x unidades novas" e multiplique a expressão numérica.

Solução Da Tabela 0.1 temos que 1,013 25 bar = 1 atm, com atm sendo a "unidade nova", e bar a "unidade antiga". Como primeira etapa escrevemos

$$1\ \text{bar} = \frac{1}{1{,}013\,25}\ \text{atm}$$

Em seguida, substituímos bar onde quer que apareça por (1/1,013 25) atm:

$$p = 1{,}115\ \text{bar} = 1{,}115 \times \frac{1}{1{,}013\,25}\ \text{atm} = 1\ 100\ \text{atm}$$

Uma nota sobre a boa prática O número de algarismos significativos na resposta (quatro neste caso) é o mesmo número de algarismos significativos dos dados; a relação entre velhos e novos números nesse caso é exata.

Exercício proposto 0.5

A pressão no olho de um furacão foi registrada como 723 Torr. Qual o valor dessa pressão em quilopascais?

Resposta: 96,4 kPa

0.9 Trabalho e energia

Trabalho, w, é realizado quando um corpo se move contra uma força que se opõe ao movimento. Por exemplo, é realizado trabalho quando um gás em alta pressão se expande, movendo um pistão contra a força exercida pela pressão externa.

Se a força que se opõe é constante então o trabalho realizado é dado pelo produto da magnitude da força que se opõe e pela distância, d, por meio da qual o corpo se move. A magnitude deste trabalho (vamos considerar os sinais no Capítulo 2) é

$$w = Fd \qquad \text{Trabalho realizado contra uma força} \qquad (0.10)$$

Claramente, é realizado mais trabalho contra uma forte força de oposição do que quando a força é fraca. Trabalho mecânico é realizado sobre um corpo quando ele é elevado de uma distância vertical contra a força da gravidade. A magnitude da força gravitacional que atua sobre o corpo é $F_{\text{gravitacional}} = mg$ (veja a Breve ilustração 0.6). A magnitude do trabalho realizado ao elevar um objeto de uma altura h é, portanto,

$$w = \overbrace{mg}^{F} \times \overbrace{h}^{d} = mgh \qquad \text{Na superfície da Terra} \quad \text{Trabalho mecânico} \qquad (0.11)$$

■ Breve ilustração 0.8 O trabalho de levantar um peso

Para levantar um corpo de massa igual a 1,0 kg na superfície da Terra ao longo de uma distância vertical (contra a força gravitacional) de 1,0 m é necessário que o seguinte trabalho seja feito:

$$w = (1{,}0\ \text{kg}) \times (9{,}81\ \text{m s}^{-2}) \times (1{,}0\ \text{m})$$
$$= 9{,}8\ \overbrace{\text{kg m}^2\ \text{s}^{-2}}^{\text{N m}} = 9{,}8\ \text{N m}$$

Como iremos ver de modo mais formal na próxima seção, a unidade 1 N m (ou, em termos de unidades básicas, 1 kg m^2 s^{-2}) é chamada 1 joule (1 J). Assim, 9,8 J são necessários para levantar uma massa de 1 kg por uma distância vertical de 1,0 m na superfície da Terra.

Exercício proposto 0.6

Um motor realiza trabalho de 0,12 kJ para erguer uma massa de 250 g verticalmente na superfície da Terra. A que altura a massa é erguida?

Resposta: 49 m

Energia é definida como a capacidade de realizar trabalho. Por exemplo, um sistema tal como uma máquina a vapor, que é ligada por intermédio de polias a um peso, tem energia porque pode realizar trabalho ao levantar um peso contra a força da gravidade. Uma célula eletroquímica também tem energia porque pode ser empregada para acionar um motor elétrico e, por conseguinte, mover um corpo contra uma força de oposição.

Um corpo pode ter energia em virtude do seu movimento ou da sua posição. A **energia cinética**, E_k, é a energia de um corpo em razão de seu movimento. Com relação a um corpo de massa m movendo-se a uma velocidade v,

$$E_k = \tfrac{1}{2}mv^2 \qquad \text{Movimento linear} \quad \text{Energia cinética} \qquad (0.12a)$$

Ou seja, um objeto pesado que se move com a mesma velocidade que um objeto leve tem maior energia cinética. Podemos também usar a definição de momento linear, Eq. 0.5, para reescrever a expressão da energia cinética como

$$E_k = \frac{p^2}{2m} \qquad \text{Energia cinética em termos do momento linear} \qquad (0.12b)$$

A energia cinética de um corpo em rotação é

$$E_k = \tfrac{1}{2}I\omega^2 = \frac{J^2}{2I} \qquad \text{Movimento angular} \quad \text{Energia cinética} \qquad (0.13)$$

por analogia com as Eqs. 0.12a e 0.12b, com J sendo o momento angular e I o momento de inércia.

■ Breve ilustração 0.9 Energia cinética

A energia cinética de um corpo com a massa de 1,0 kg que se move a 1,0 m s^{-1} é

$$E_k = \tfrac{1}{2} \times (1{,}0\ \text{kg}) \times (1{,}0\ \text{m s}^{-1})^2 = 0{,}5\ \overbrace{\text{kg m}^2\ \text{s}^{-2}}^{\text{J}} = 0{,}5\ \text{J}$$

O momento de inércia de uma roda de bicicleta típica é de cerca de 0,050 kg m^2. Quando se move a 15 mph (24 km h^{-1}, 6,7 m s^{-1}), a roda faz 3,6 revoluções por segundo, correspondendo a 2π × 3,6 radianos por segundo e, portanto, $\omega = 2\pi \times 3{,}6$. Dessa maneira, sua energia cinética rotacional é

$$E_k = \tfrac{1}{2} \times (0{,}050\ \text{kg m}^2) \times (2\pi \times 3{,}6\ \text{s}^{-1})^2$$
$$= 1{,}3 \times 10^2\ \overbrace{\text{kg m}^2\ \text{s}^{-2}}^{\text{J}}$$

ou 0,13 kJ.

A **energia potencial,** E_p, de um corpo é a energia que esse corpo possui devido à sua posição. A dependência exata da posição depende do tipo de força que atua sobre o corpo. Para um corpo de massa m na superfície da Terra, a energia potencial depende da sua altura, h, acima da superfície, de acordo com

$$E_p = mgh \qquad \text{Energia potencial gravitacional} \quad (0.14)$$

Uma força atua entre cargas e resulta em uma **energia potencial eletrostática.** A unidade do SI de carga é o Coulomb, C. A carga fundamental e é

$$e = 1{,}602\ 176\ 565 \times 10^{-19}\ \text{C}$$

Um elétron tem uma carga de $-e$ e um próton, uma carga de $+e$. Quando não for exigida uma grande precisão, usaremos $e = 1{,}602 \times 10^{-19}$ C. O Coulomb é, dessa maneira, uma unidade relativamente grande com uma carga de 1 C correspondendo a 6×10^{18} elétrons. Para duas cargas elétricas Q_1 e Q_2 separadas por uma distância r, a energia potencial eletrostática, que é conhecida como a **energia potencial coulombiana,** é

$$E_p = \frac{Q_1 Q_2}{4\pi\varepsilon r} \qquad \text{Energia potencial coulombiana} \quad (0.15)$$

A grandeza ε (épsilon) é a **permissividade;** seu valor depende da natureza do meio entre as cargas. Se as cargas forem separadas pelo vácuo, então a constante é conhecida como a **permissividade do vácuo,** ε_0 (épsilon zero), que tem o valor $8{,}854 \times 10^{-12}\ \text{J}^{-1}\ \text{C}^2\ \text{m}^{-1}$. A permissividade é maior para outros meios, como ar, água e óleo.

A energia potencial coulombiana é inversamente proporcional à separação das cargas e é nula quando as cargas são infinitamente separadas. A energia potencial de duas cargas com mesmo sinal é positiva, aumentando à medida que essas cargas se aproximam. Em outras palavras, deve ser realizado trabalho para aproximar cargas iguais a partir de uma separação infinita. Por outro lado, a energia potencial é negativa para duas cargas com sinais opostos. Sua energia potencial cai quando se aproximam. Como iremos ver à medida que o livro se desenvolve, a maioria das contribuições para a energia potencial que precisamos considerar em química é devida a esta interação coulombiana.

■ Breve ilustração 0.10 A energia potencial coulombiana

A energia potencial coulombiana resultante da interação eletrostática entre um cátion sódio positivamente carregado, Na^+, e um ânion cloreto negativamente carregado, Cl^-, a uma distância de 0,28 nm, que é a separação entre íons na rede de um cristal de cloreto de sódio, é

$$E_p = \frac{\overbrace{(-1{,}602\times10^{-19}\ \text{C})}^{Q(\text{Cl}^-)}\times\overbrace{(1{,}602\times10^{-19}\ \text{C})}^{Q(\text{Na}^+)}}{4\pi\times\underbrace{(8{,}854\times10^{-12}\ \text{C}^2\ \text{J}^{-1}\ \text{m}^{-1})}_{\varepsilon_0}\times\underbrace{(0{,}28\times10^{-9}\ \text{m})}_{r}}$$

$$= -8{,}2 \times 10^{-19}\ \text{J}$$

Esse valor equivale a uma energia molar de

$$E_p \times N_A = (-8{,}2 \times 10^{-19}\ \text{J}) \times (6{,}022 \times 10^{23}\ \text{mol}^{-1})$$
$$= -490\ \text{kJ mol}^{-1}$$

Uma nota sobre a boa prática Escreva as unidades de *cada* etapa de um cálculo e não as ligue simplesmente a um valor numérico final. Além disso, frequentemente é sensato expressar todas as grandezas numéricas em notação científica utilizando formato exponencial em vez de prefixos SI para representar potências de dez.

Exercício proposto 0.7

Os centros de cátions e ânions vizinhos nos cristais de óxido de magnésio são separados por 0,21 nm. Determine a energia potencial coulombiana molar que resulta da interação eletrostática entre um íon Mg^{2+} e um íon O^{2-} nesse cristal.

Resposta: $-2600\ \text{kJ mol}^{-1}$

A **energia total,** E, de um corpo, é a soma de suas energias cinética e potencial:

$$E = E_k + E_p \qquad \text{Energia total} \quad (0.16)$$

Enquanto nenhuma força externa estiver atuando sobre um corpo, sua energia total é constante. Esse comentário é visto na física clássica em um enunciado central conhecido como a **lei da conservação da energia.** As energias potencial e cinética podem ser trocadas livremente, mas sua soma permanece constante. Desse modo, uma bola caindo perde energia potencial, mas ganha energia cinética à medida que acelera. Uma massa em um pêndulo troca continuamente energia cinética e potencial à medida que se move. Entretanto, em todos os casos, sua energia total permanece constante, desde que o corpo esteja isolado de influências externas. Utilizaremos a lei da conservação da energia muitas vezes nos capítulos a seguir.

A unidade do SI para energia pode ser deduzida das equações para energia cinética e potencial. Em todos os casos a combinação das unidades básicas do SI para as grandezas no lado direito da equação é kg m^2 s^{-2}. O conceito de energia ocorre tão frequentemente na ciência, e especialmente na físico-química, que a energia tem sua própria unidade derivada no SI chamada de **joule** (J), em que 1 kg m^2 s^{-2} = 1 J. Um joule é uma unidade pequena e, em química, frequentemente lidamos com energias da ordem de quilojoules (1 kJ = 10^3 J). Podemos também demonstrar que, como 1 N = 1 kg m s^{-2}, então, 1 J = 1 kg m^2 s^{-2} e, dessa maneira, mostrar (conforme for o caso) que energia e trabalho podem ser expressos nas mesmas unidades.

0.10 Temperatura

A **temperatura** é a propriedade de um objeto que determina em que direção a energia fluirá quando o objeto entrar em contato com outro objeto. A energia flui da temperatura mais alta para a temperatura mais baixa. Quando dois corpos tiverem a mesma temperatura, não há nenhum fluxo líquido de energia entre eles. Nesse caso, dizemos que os corpos estão em **equilíbrio térmico** (Fig. 0.3).

Uma nota sobre a boa prática Nunca confunda temperatura com calor. Na linguagem do dia a dia ambos se confundem, igualando 'alta temperatura' a 'quente', mas trata-se de conceitos completamente diferentes. Calor – como nós devemos ver em detalhes no Capítulo 2 – é um modo de transferência de energia; temperatura é uma propriedade que determina a direção do fluxo de energia na forma de calor.

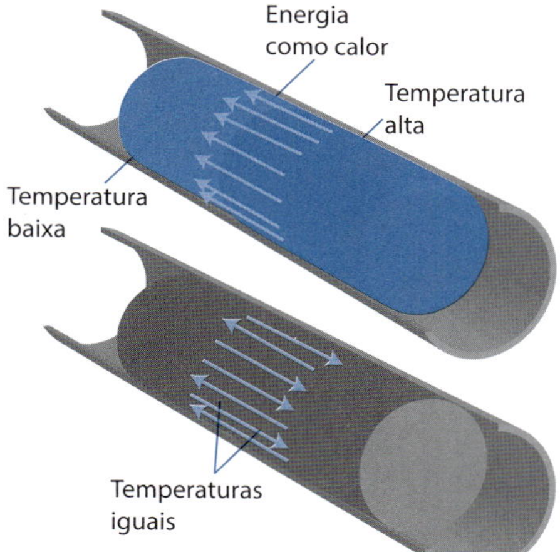

Figura 0.3 As temperaturas de dois objetos atuam como um semáforo que mostra a direção na qual a energia fluirá na forma de calor através de uma parede condutora térmica. (a) Calor flui da temperatura mais alta para a temperatura mais baixa. (b) Quando os dois objetos têm a mesma temperatura, embora ainda exista transferência de energia em ambas as direções, não há nenhum fluxo líquido de energia como calor.

Em ciência, usamos a **temperatura termodinâmica**, T. Essa escala 'absoluta' considera $T = 0$ como a menor temperatura possível. Então, as temperaturas são expressas na **escala Kelvin.** A escala é definida em termos do 'ponto triplo' da água, a temperatura na qual água, gelo e vapor d'água estão em equilíbrio mútuo. A temperatura é definida como 273,16 K, em que K (não °K) representa kelvin. Nessa escala, a água congela muito próximo dos 273,15 K. Na prática, os cientistas também fazem uso da **escala Celsius** e representam as temperaturas nesta escala por θ (teta). A escala Celsius é definida em termos da escala Kelvin por

$$\theta/°\text{C} = T/\text{K} - 273{,}15 \qquad \text{Definição} \quad \text{Escala Celsius} \qquad (0.17)$$

O tamanho de 1 kelvin é o mesmo de 1 grau Celsius. Na escala Celsius, a água a 1 atm congela muito próximo de 0 °C e ferve próximo de 100 °C.

0.11 Quantização e distribuição de Boltzmann

Conforme iremos ver no Capítulo 12, os experimentos revelam que, ao contrário das leis da mecânica clássica e da experiência do dia a dia, objetos microscópicos, como átomos e moléculas, existem em **estados** distintos bem definidos, com energias características. Diz-se, portanto, que a energia é **quantizada**, isto é, apenas certos valores discretos são permitidos. A separação de energia entre esses estados permitidos depende das características do movimento e da massa da partícula. A separação de energia é maior para objetos de pequena massa (como os elétrons) que são confinados em pequenas regiões do espaço (como os átomos e as moléculas). Embora os estados que resultam do movimento eletrônico sejam, em geral, muito separados, os que se originam do movimento vibracional, rotacional e translacional estão progressivamente mais próximos um do outro. Na prática, a separação de energia entre os estados translacionais permitidos de átomos e moléculas é tão pequena que pode ser ignorada, e os efeitos da quantização são insignificantes. Portanto, frequentemente tratamos a energia translacional de átomos e moléculas como se fosse contínua. A quantização dos outros modos de movimento, no entanto, não pode ser ignorada. A Figura 0.4 mostra as separações de energia relativas típicas para cada um desses tipos de movimento.

Os átomos ou as moléculas em uma amostra não têm todos a mesma energia. Alguns têm muita energia, no sentido de que ocupam estados de alta energia. Outros têm pouca energia, no sentido de que ocupam estados de baixa energia. Isto é, os átomos ou as moléculas de uma amostra estão distribuídos sobre diferentes estados. Além disso, a troca incessante de energia quando as partículas presentes na amostra colidem umas com as outras significa que os átomos ou as moléculas passam pelos diferentes estados. Alguns são excitados para níveis superiores e outros relaxam para energia mais baixa. Acontece que, mesmo havendo muitos arranjos possíveis de átomos e moléculas sobre os estados, um deles, a **distribuição de Boltzmann,** é muito mais provável de ocorrer do que qualquer um dos outros. Portanto, vamos prosseguir considerando que a distribuição de Boltzmann seja o único arranjo do sistema.

De acordo com a distribuição de Boltzmann, que é discutida detalhadamente no Capítulo 22, as populações relativas, N_1 e N_2, de dois estados dependem da temperatura T e da diferença de suas energias, ε_1 e ε_2:

$$\frac{N_2}{N_1} = e^{-(\varepsilon_2-\varepsilon_1)/kT} \qquad \text{Distribuição de Boltzmann} \qquad (0.18a)$$

A constante k é a **constante de Boltzmann:**

$$k = 1{,}380\ 6488 \times 10^{-23}\ \text{J K}^{-1}$$

Utilizaremos normalmente a aproximação $k = 1{,}381 \times 10^{-23}$ J K^{-1}. Em aplicações químicas é comum usar não as energias individuais, mas energias por mol de moléculas, E_i, com $E_i = N_A\varepsilon_i$, em que N_A é a constante de Avogadro. Quando o numerador e o denominador na exponencial são multiplicados por N_A, a Eq. 0.18a fica com a seguinte forma:

$$\frac{N_2}{N_1} = e^{-(E_2-E_1)/RT} \qquad \text{Distribuição de Boltzmann em termos de energias molares} \qquad (0.18b)$$

em que $R = N_Ak$:

$$R = 8{,}314\ 4621\ \text{J K}^{-1}\ \text{mol}^{-1}$$

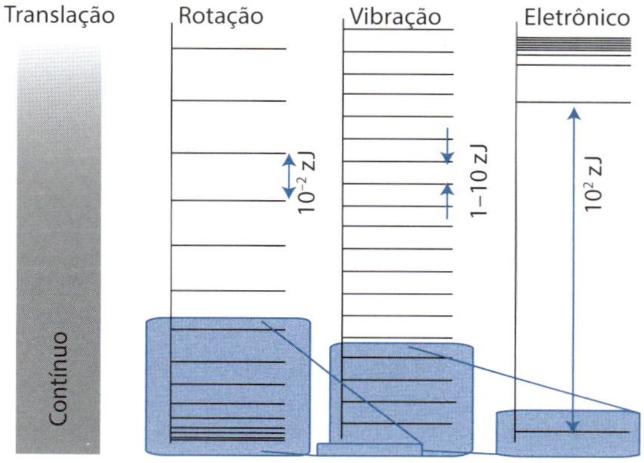

Figura 0.4 A separação típica dos níveis de energia do movimento translacional, rotacional, vibracional e eletrônico. Observe que 1 zJ = 10^{-21} J (correspondendo a cerca de 0,6 kJ mol^{-1}).

Quando essa precisão não for necessária, vamos normalmente aproximar esse valor para 8,3145 J K^{-1} mol^{-1}. A constante R é chamada de **constante dos gases** (molar) porque originalmente surgiu da relação entre as propriedades dos gases (Seção 1.1), mas o fato de estar relacionada com a constante de Boltzmann e à distribuição de Boltzmann significa que essa constante tem uma faixa de aplicações muito mais ampla do que somente para os gases, conforme iremos ver neste livro.

A população, N, em um estado com uma energia $\Delta\varepsilon$ relativa ao estado de mais baixa energia, que tem uma população N_0, é dada por:

$$\frac{N}{N_0} = e^{-\Delta\varepsilon/kT} \quad \text{Distribuição de Boltzmann} \quad (0.18c)$$

A diferença entre as populações dos estados de menor e maior energia torna-se mais marcante à medida que aumenta a separação, $\Delta\varepsilon$, entre os estados. Por exemplo, como a separação de energia entre diferentes estados eletrônicos geralmente é grande, a maioria dos átomos e das moléculas é encontrada no estado de energia eletrônica mais baixa e a população dos estados eletrônicos excitados geralmente é muito baixa. Por outro lado, como os estados de energia rotacional das moléculas são energeticamente muito próximos, as populações dos estados excitados podem ser significativas.

Agora podemos ver, também por meio da Eq. 0.18, o verdadeiro significado de temperatura: para dado conjunto de estados quânticos, *a temperatura é o parâmetro que, sozinho, controla a população relativa dos estados*. O efeito é mostrado na Figura 0.5. Quando a temperatura é baixa, há apenas uma pequena população de moléculas em estados de alta energia. Quando a temperatura é mais elevada, muitos estados de alta energia são ocupados. Utilizaremos a distribuição de Boltzmann muitas vezes nos capítulos a seguir, pois essa distribuição nos dá uma visão ampla das propriedades da matéria e de como variam com a temperatura. O único ponto a se ter em mente neste estágio é que, à medida que a temperatura aumenta, mais estados de energia mais elevada são ocupados.

■ Breve ilustração 0.11 Populações relativas

As moléculas do metilciclo-hexano podem existir em uma de duas conformações, com o grupo metila em posição equatorial ou axial. A forma equatorial tem energia mais baixa, com a forma axial estando 6,0 kJ mol^{-1} acima em energia. A uma temperatura de 300 K, essa diferença de energia determina que as populações relativas de moléculas nos estados axial e equatorial é

$$\frac{N_a}{N_e} = e^{-(E_a - E_e)/RT}$$

$$= e^{-(6{,}0 \times 10^3\,\mathrm{J\,mol^{-1}})/(8{,}3145\,\mathrm{J\,K^{-1}\,mol^{-1}} \times 300\,\mathrm{K})} = 0{,}090$$

O número de moléculas em uma conformação axial é, portanto, apenas 9 % daquelas na conformação equatorial.

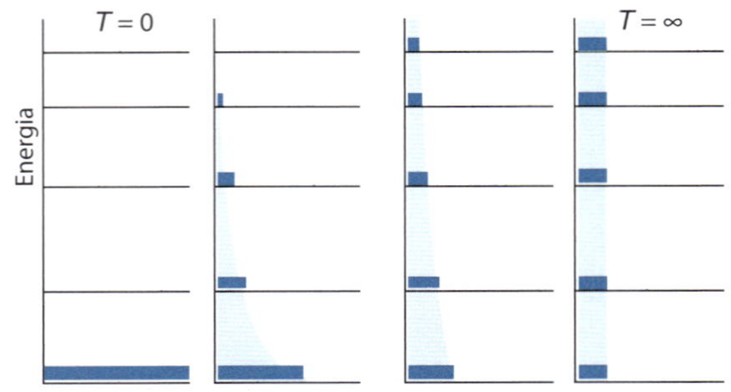

Figura 0.5 A distribuição de Boltzmann de populações para um sistema de cinco estados à medida que se aumenta a temperatura. Em temperatura baixa, a população de moléculas em estados de alta energia é pequena. Em temperatura mais elevada, mais estados de alta energia são ocupados.

Exercício proposto 0.8

Determine a temperatura na qual a população relativa de moléculas em conformações axial e equatorial em uma amostra de metilciclo-hexano é 0,30 ou 30 %.

Resposta: 600 K

0.12 Equipartição

Embora a distribuição de Boltzmann possa ser utilizada para calcular a energia média associada com cada modo de movimento de um átomo ou de uma molécula em uma amostra a dada temperatura, há um caminho mais curto e muito mais simples. Quando a temperatura é tão elevada que muitos níveis de energia estão ocupados, podemos utilizar o **teorema da equipartição:**

> Para uma amostra em equilíbrio térmico, o valor médio de cada contribuição quadrática para a energia é de $\tfrac{1}{2}kT$.

Com 'contribuição quadrática' queremos dizer um termo que é proporcional ao quadrado do momento (como na expressão de energia cinética, $E_k = p^2/2m$) ou do deslocamento de uma posição de equilíbrio (como para a energia potencial de um oscilador harmônico, $E_p = \tfrac{1}{2}k_f x^2$). O teorema é estritamente válido apenas em temperaturas elevadas ou se a separação entre os níveis de energia é pequena, pois, nessas condições, muitos estados estão ocupados. O teorema da equipartição é mais adequado para os modos translacional e rotacional de movimento. A separação entre estados vibracionais e eletrônicos é normalmente maior do que para a rotação e a translação e, portanto, o teorema da equipartição perde a confiabilidade para esses tipos de movimento.

■ Breve ilustração 0.12 Energias moleculares médias

Um átomo ou uma molécula pode mover-se em três dimensões e, portanto, sua energia cinética translacional é a soma de três contribuições quadráticas:

$$E_{trans} = \tfrac{1}{2}mv_x^2 + \tfrac{1}{2}mv_y^2 + \tfrac{1}{2}mv_z^2$$

O teorema da equipartição prevê que a energia média para cada uma dessas contribuições quadráticas é $\tfrac{1}{2}kT$. Desse modo, a energia cinética média é $E_{trans} = 3 \times \tfrac{1}{2}kT = \tfrac{3}{2}kT$. A energia translacional molar é, assim, $E_{trans,m} = \tfrac{3}{2}kT \times N_A = \tfrac{3}{2}RT$. A 300 K:

$$E_{trans,m} = \tfrac{3}{2} \times (8{,}3145\ \mathrm{J\,K^{-1}\,mol^{-1}}) \times (300\ \mathrm{K})$$
$$= 3700\ \mathrm{J\,mol^{-1}} = 3{,}7\ \mathrm{kJ\,mol^{-1}}$$

Exercício proposto 0.9

Uma molécula linear pode girar em torno de dois eixos no espaço, cada um contando como uma contribuição quadrática. Calcule a contribuição rotacional para a energia molar de um conjunto de moléculas lineares a 500 K.

Resposta: 4,2 kJ mol^{-1}

Radiação eletromagnética

Muitas das técnicas, como a espectroscopia e a difração de raios X, que são utilizadas pelos físico-químicos para investigar e entender a estrutura e as propriedades da matéria, envolvem a **radiação eletromagnética.** Para muitas finalidades, a radiação eletromagnética pode ser tratada como consistindo em perturbações elétricas e magnéticas oscilantes que se propagam na forma de ondas. No entanto, há outras ocasiões em que essa imagem ondulatória não pode explicar todas as propriedades da radiação eletromagnética. Nesses casos, a radiação eletromagnética deve ser tratada como se fosse um feixe de partículas chamadas de **fótons.**

0.13 Ondas eletromagnéticas

Uma **onda** é uma perturbação periódica que se propaga por meio da matéria ou do espaço. Uma onda eletromagnética consiste em campos elétricos e magnéticos oscilantes. Os dois componentes de uma onda eletromagnética são mutuamente perpendiculares e perpendiculares à direção da propagação (Fig. 0.6). Ambos os componentes atuam sobre partículas carregadas: o campo elétrico atua sobre as partículas carregadas estacionárias e móveis. Não é necessário qualquer meio para a propagação de ondas eletromagnéticas, que se propagam pelo vácuo com uma velocidade constante chamada de **velocidade da luz,** c, que tem o valor definido de exatamente

$$c = 2{,}997\ 924\ 58 \times 10^8\ \text{m s}^{-1}$$

e a que nos referimos em geral como $2{,}998 \times 10^8$ m s^{-1}. As ondas eletromagnéticas propagam-se mais lentamente em meios como o ar, a água e o vidro.

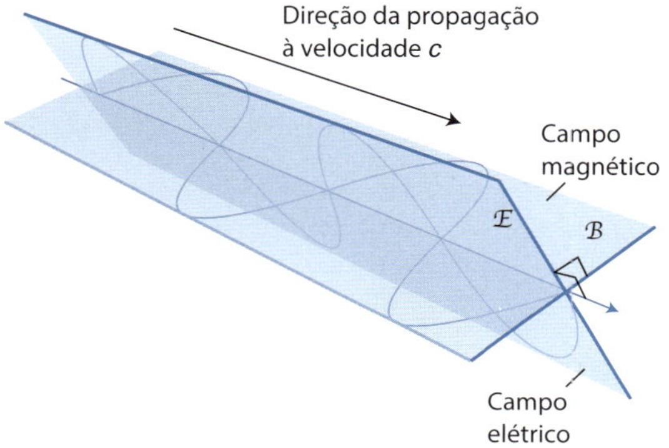

Figura 0.6 Os campos elétrico e magnético oscilam em planos mutuamente perpendiculares que também são perpendiculares à direção da propagação,

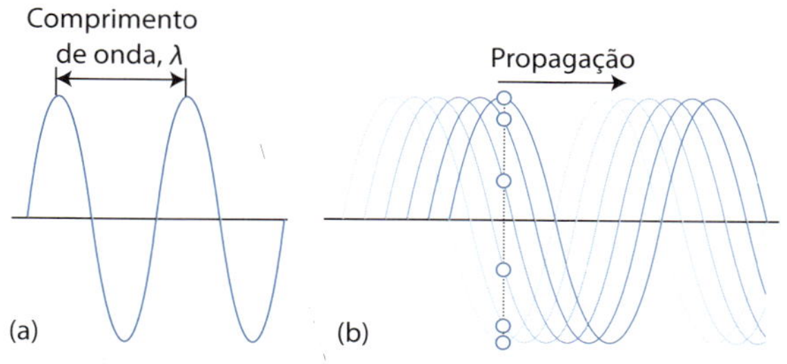

Figura 0.7 (a) O comprimento de onda, λ, de uma onda é a distância pico a pico. (b) A frequência, ν, é o número de ciclos por segundo que ocorrem à medida que a onda passa por um ponto particular.

Uma onda é caracterizada por seu **comprimento de onda,** λ (lambda), que é a distância entre picos consecutivos da onda (Fig. 0.7). A luz, que é radiação eletromagnética visível ao olho humano, tem um comprimento de onda na faixa de 420 a 700 nm. As propriedades de uma onda podem ser expressas em termos da sua **frequência,** ν (nu), que é a velocidade com que o campo muda de direção. Desse modo, a frequência é o número de oscilações por segundo e é medida em unidades de segundos recíprocos (s^{-1}) e é frequentemente descrita pela unidade derivada do SI chamada de hertz, e simbolizada por Hz, em que 1 s^{-1} = 1 Hz.

O **período** de cada oscilação é o inverso da frequência, $1/\nu$. Durante esse período a onda se propaga por um comprimento de onda, λ, completo. Por conseguinte, a velocidade de propagação é

$$c = \frac{\text{distância de propagação durante um período de oscilação}}{\text{período de uma oscilação}} = \frac{\lambda}{1/\nu}$$

ou

$$c = \lambda\nu \qquad \text{Relação entre comprimento de onda e frequência} \qquad (0.19)$$

Portanto, a frequência de uma onda eletromagnética é inversamente proporcional ao seu comprimento de onda: uma onda com frequência alta tem comprimento de onda curto e uma onda com frequência baixa tem comprimento de onda longo. As propriedades de uma onda eletromagnética também são expressas em termos de seu **número de onda,** $\tilde{\nu}$ (ni til), que é definido como

$$\tilde{\nu} = \frac{\nu}{c} = \frac{1}{\lambda} \qquad \text{Número de onda} \qquad (0.20)$$

Assim, o número de onda é o inverso do comprimento de onda, podendo ser interpretado como o número de comprimentos de onda em uma dada distância. Em espectroscopia, por razões históricas, o número de onda geralmente é expresso em unidades de centímetros recíprocos (cm^{-1}). Portanto, a luz visível corresponde à radiação eletromagnética com número de onda de 14 000 a 24 000 cm^{-1}.

■ Breve ilustração 0.13 Números de onda

O número de onda da radiação eletromagnética de comprimento de onda de 600 nm é

$$\tilde{\nu} = \frac{1}{\lambda} = \frac{1}{660 \times 10^{-9}\ \text{m}} = 1{,}5 \times 10^6\ \text{m}^{-1} = 15\ 000\ \text{cm}^{-1}$$

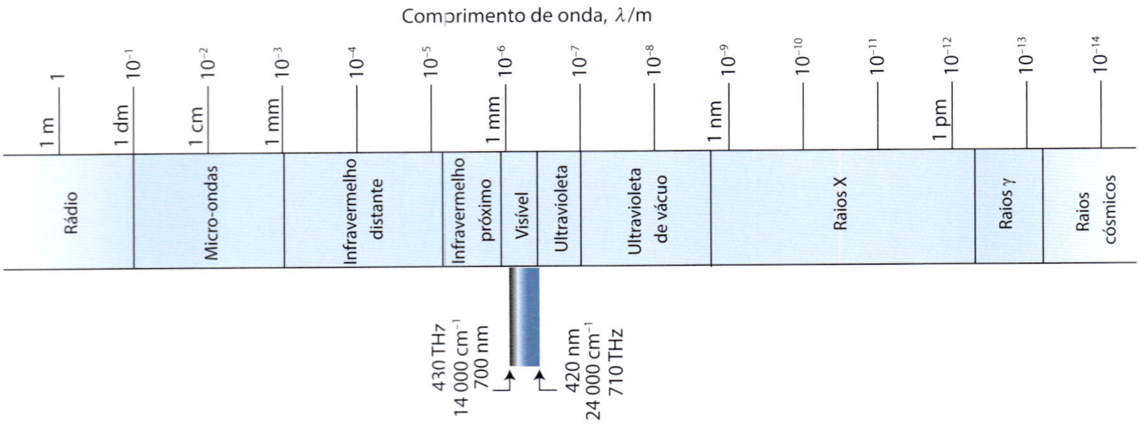

Figura 0.8 O espectro eletromagnético e a classificação das regiões espectrais. (Veja o Encarte em Cores.)

Você pode evitar erros ao converter unidades de m^{-1} e cm^{-1} lembrando-se de que número de onda representa o número de comprimentos de onda em dada distância. Sendo assim, um número de onda expresso em unidades de cm^{-1} deve ser 100 vezes menor do que a grandeza expressa por metro em unidades de m^{-1}.

A classificação da radiação eletromagnética segundo o seu comprimento de onda é apresentada na Figura 0.8. A radiação eletromagnética que consiste em um raio de uma única frequência (e, portanto, único comprimento de onda) é conhecida como **monocromática**, pois representa uma única cor. Por outro lado, a **luz branca** consiste em ondas eletromagnéticas com uma distribuição contínua, porém não necessariamente uniforme, de frequências em toda a região visível do espectro.

0.14 Fótons

Uma interpretação ondulatória da radiação eletromagnética não pode explicar certas observações experimentais. Ao contrário, precisamos considerar uma interpretação alternativa em que a radiação eletromagnética seja vista como um feixe de partículas, neste caso chamadas de fótons. Esses fótons representam pacotes discretos de energia e, para determinada frequência de radiação, cada um tem exatamente a mesma energia dada por

$$E = h\nu \qquad \text{Energia de um fóton em termos da frequência} \qquad (0.21a)$$

A constante de proporcionalidade, h, é conhecida como **constante de Planck:**

$$h = 6{,}626\ 069\ 57 \times 10^{-34}\ \text{J s}$$

à qual geralmente nos referimos como $6{,}626 \times 10^{-34}$ J s. A energia varia com o comprimento de onda e com o número de onda segundo

$$E = \frac{hc}{\lambda} = hc\tilde{\nu} \qquad \text{Energia de um fóton em termos do comprimento de onda e do número de onda} \qquad (0.21b)$$

A energia de um fóton da radiação de raios X de curto comprimento de onda é, desse modo, maior do que um fóton da radiação de micro-ondas de longo comprimento de onda.

Exemplo 0.2

Determinação do número de fótons emitidos por uma fonte

Um *laser* pulsado emite radiação no infravermelho próximo com comprimento de onda de 1064 nm. Cada pulso tem uma energia total de 2,5 kJ. Quantos fótons são emitidos em cada pulso?

Estratégia Determine a energia de cada fóton usando a Eq. 0.21b. O número de fótons emitidos é, por conseguinte, a energia total de cada pulso dividida pela energia de um fóton.

Solução Um comprimento de onda de 1064 nm corresponde a 1064×10^{-9} m. Assim, a energia de cada fóton a partir da Eq. 0.21b, é

$$E = \frac{hc}{\lambda} = \frac{\overbrace{(6{,}626\times10^{-34}\ \text{J s})}^{h}\times\overbrace{(2{,}998\times10^{8}\ \text{m s}^{-1})}^{c}}{\underbrace{1064\times10^{-9}\ \text{m}}_{\lambda}}$$

$$= 1{,}867\times10^{-19}\ \text{J}$$

O número de fótons emitidos em cada pulso é, então, a razão entre a energia de cada pulso e a energia de um fóton individual

$$N = \frac{\overbrace{2500\ \text{J}}^{\text{Energia total do pulso}}}{\underbrace{1{,}867\times10^{-19}\ \text{J}}_{\text{Energia de um fóton}}} = 1{,}3\times10^{22}$$

Exercício proposto 0.10

Determine o número de fótons emitidos por segundo pela lâmpada monocromática de vapor de mercúrio de comprimento de onda de 404,7 nm. Essa lâmpada emite energia a uma velocidade de 80 J s^{-1}.

Resposta: $1{,}6 \times 10^{20}\ s^{-1}$

Baseando-se nos fundamentos

Você agora tem informações básicas suficientes para avançar para a físico-química em si, mas deverá estar preparado para retornar a este capítulo sempre que necessário, quando precisar rever algum conceito ou para um rápido lembrete. Você verá que os conceitos apresentados aqui permeiam todo o assunto. A termodinâmica, que abre o corpo principal do texto, utiliza muito os conceitos relacionados com trabalho e energia. A teoria quântica, que, além de outras coisas, trata da estrutura de átomos e moléculas, utiliza muito os conceitos relacionados com a energia e com o momento linear. A espectroscopia utiliza muito os conceitos relacionados ao campo eletromagnético, com os fótons agindo como mensageiros de átomos e moléculas, levando informações sobre suas identidades e estruturas. Ao longo do texto você verá como a distribuição de Boltzmann age como uma ponte entre a estrutura atômica e molecular por um lado e propriedades termodinâmicas e cinéticas por outro. Sempre será útil ter em mente a distribuição de Boltzmann quando pensar em uma interpretação atômica de uma propriedade macroscópica.

Este capítulo não é de modo algum completo: caso o fosse, você ficaria sobrecarregado. Foi criado para atuar como uma introdução aos conceitos mais fundamentais de que você precisa. Ao longo do livro você encontrará boxes intitulados como 'Ferramentas do químico'. Esses itens – você já teve um exemplo neste capítulo – oferecem uma discussão mais profunda de um conceito que necessita ser elaborado e que deve fazer parte do equipamento intelectual de todo químico. São apresentados precisamente no ponto em que o conceito é necessário pela primeira vez, e, à medida que você for lendo o texto, vai adquirindo todas as técnicas de que precisa para dominar o assunto.

Questões e exercícios

Questões teóricas

0.1 Explique as diferenças entre as propriedades observáveis de gases, líquidos e sólidos e represente essas diferenças em termos moleculares.

0.2 Faça a distinção entre os termos: força, trabalho, energia, energia cinética e energia potencial.

0.3 Faça a distinção entre equilíbrio mecânico e equilíbrio térmico. Em que sentido esses equilíbrios são dinâmicos?

0.4 Identifique e defina os vários usos do termo "estado" na química.

0.5 Explique o papel da temperatura na determinação das populações dos estados em um sistema quântico.

Exercícios

0.1 Calcule a quantidade, em mols, de moléculas de $C_6H_{12}O_6$ em 10,0 g de glicose.

0.2 Calcule a massa molecular do buckminsterfulereno, C_{60}, a partir da sua massa molar.

0.3 A massa molar da mioglobina, a proteína armazenadora de oxigênio, é 16,1 kg mol^{-1}. Quantas moléculas de mioglobina estão presentes em 1,0 g do composto?

0.4 A massa de uma célula vermelha do sangue vale aproximadamente 33 pg (em que 1 pg = 10^{-12} g), e contém normalmente 3×10^8 moléculas de hemoglobina. Cada molécula de hemoglobina é um tetrâmero de mioglobina (veja exercício anterior) Que fração da massa da célula é devido à hemoglobina?

0.5 Qual é a massa de monóxido de carbono necessária para reduzir 1,0 t (1 t = 10^3 kg) de óxido de ferro(III) a metal?

0.6 O volume interno de um determinado cilindro de oxigênio gasoso é de 50 dm^3. Expresse esse volume em (a) metros cúbicos, (b) centímetros cúbicos.

0.7 Uma gota esférica de óleo tem uma massa de 20,4 μg e um raio de 1,74 nm. Dado que o volume de uma esfera é $\frac{4}{3}\pi r^3$, qual é a massa específica do óleo em (a) gramas por centímetro cúbico, (b) quilogramas por metro cúbico?

0.8 A massa específica do octano (que usamos para modelar a gasolina) é 0,703 g cm^{-3}; qual é a quantidade, em mols, de moléculas de octano que você obtém quando compra 1,00 dm^3 (1,00 litro) de gasolina?

0.9 Calcule a massa de dióxido de carbono produzida pela combustão de 1,00 dm^3 de gasolina, considerada como octano, de massa específica igual a 0,703 g cm^{-3}.

0.10 Identifique se as seguintes propriedades são extensivas ou intensivas: (a) volume, (b) massa específica, (c) temperatura, (d) volume molar, (e) quantidade de substância.

0.11 Uma amostra de gás metano, CH_4, com uma massa de 45,2 g ocupa 2,19 cm^3, a 19,7 MPa e 298 K. Determine o volume molar do gás metano nessas condições, expressando a resposta em centímetros cúbicos por mol.

0.12 A energia de ionização (molar) do sódio atômico é 495,8 kJ mol^{-1}. Calcule a energia necessária para ionizar um único átomo de sódio.

0.13 As moléculas de oxigênio no ar movimentam-se com uma velocidade média de 482 m s^{-1}, a 298 K. Calcule o módulo do momento linear médio de uma molécula de oxigênio com essa temperatura.

0.14 O momento de inércia para rotação de uma molécula de hidrogênio, $^1H_2$, em torno de um eixo perpendicular à sua ligação é $4{,}61 \times 10^{-48}$ kg m^2. Qual é o comprimento de ligação do H_2? A massa de um átomo de $^1H_2$ é 1,01m_u.

0.15 A estrutura eletrônica de átomos e moléculas pode ser investigada pelo uso da espectroscopia de fotoelétrons. Um elétron em um espectrômetro de fotoelétrons é acelerado do repouso por um campo elétrico uniforme a uma velocidade de 420 km s^{-1} em 10μs. Determine (a) o módulo da aceleração do elétron, (b) a força que atua sobre o elétron, (c) a energia cinética do elétron e (d) o módulo do trabalho realizado sobre o elétron.

0.16 Qual é a força gravitacional que você experimenta atualmente?

0.17 Calcule a porcentagem de mudança no seu peso quando você se move do Polo Norte, no qual $g = 9{,}832$ m s^{-2}, para o Equador, no qual $g = 9{,}789$ m s^{-2}.

0.18 Expresse (a) 108 kPa em torr, (b) 0,975 bar em atmosferas, (c) 22,5 kPa em atmosferas, (d) 770 Torr em pascais.

0.19 Uma centrífuga usada na separação de sólidos em suspensão consiste em um braço de rotor que gira com alta velocidade angular. A centrífuga gira a uma velocidade angular de 400 rad s^{-1}. A massa do braço de rotor está concentrada na extremidade externa de modo que efetivamente pode ser considerada como uma massa de 2,0 kg girando a uma distância de 20 cm do eixo de rotação. Qual é a energia cinética do braço da centrífuga rotatória?

0.20 Calcule o trabalho que uma pessoa de massa igual a 65 kg tem de fazer para subir dois andares de um prédio separados por 4,0 m.

0.21 Qual é a energia cinética de uma bola de tênis de massa igual a 58 g que se desloca a 35 m s^{-1}?

0.22 Um carro com massa de 1,5 t (1 t = 10^3 kg) viajando a 50 km h^{-1} tem de ser freado. Quanta energia cinética precisa ser dissipada?

0.23 Considere uma região da atmosfera com volume de 25 dm^3, que a 20 °C contém aproximadamente 1,0 mol de moléculas. Considere a massa molar média das moléculas como 29 g mol^{-1} e sua velocidade média como cerca de 400 m s^{-1}. Calcule a energia armazenada como energia cinética molecular nesse volume de ar.

0.24 Calcule a energia mínima que um pássaro de massa igual a 25 g tem de despender de modo a alcançar uma altura de 50 m.

0.25 A distância mais provável que um elétron está do núcleo no estado de energia mais baixa de um átomo de hidrogênio é chamada de raio de Bohr: $a_0 = 52{,}9$ pm. Qual é a energia potencial eletrostática de interação entre o núcleo e o elétron com essa separação?

0.26 Os químicos frequentemente expressam grandezas em termos de elétron-volt, simbolizado como eV, que é a energia adquirida por um elétron quando se move em uma diferença de potencial de 1 V: 1 eV = $1{,}602 \times 10^{-19}$ J. A função de trabalho do potássio, que é a energia necessária para ejetar um elétron da superfície de um metal, é 2,30 eV. Expresse essa energia na forma de uma grandeza molar equivalente, em unidades de quilojoules por mol.

0.27 Sabendo que as escalas de temperatura Celsius e Fahrenheit estão relacionadas por $\theta_{Celsius}/°C = {}^5/_9\,(\theta_{Fahrenheit}/°F - 32)$, qual é a temperatura do zero absoluto ($T = 0$) na escala Fahrenheit?

0.28 Em sua formulação original, Anders Celsius atribuiu o valor 0 ao seu ponto de congelamento e 100 ao ponto de ebulição da água. Encontre uma relação (expressada semelhantemente à Eq. 0.17) entre essa escala original (representada por $\theta'/°C'$) e (a) a escala Celsius atual ($\theta/°C$), (b) a escala Fahrenheit.

0.29 Imagine que Plutão é habitado e que seus cientistas usam uma escala de temperatura na qual o ponto de congelamento do nitrogênio líquido é 0 °P (graus Plutonianos) e seu ponto de ebulição é 100 °P. Os habitantes da Terra consideram essas temperaturas como sendo −209,9 °C e −195,8 °C, respectivamente. Qual é a relação entre as temperaturas nas escalas (a) Plutoniana e Kelvin?, (b) Plutoniana e Farhenheit?

0.30 A *escala Rankine* é usada em algumas aplicações de engenharia. Nessa escala, o zero absoluto de temperatura é igual a zero, mas o tamanho do grau Rankine (°R) é igual ao do grau Fahrenheit (°F). Qual é o ponto de ebulição da água na escala Rankine?

0.31 Um sistema hipotético consiste em estados quânticos com energias de 0, ε, 2ε, ..., com as populações dos estados determinadas pela distribuição de Boltzmann. Mostre que, a uma temperatura $T = \varepsilon/k$, as populações dos quatro primeiros estados excitados relativas à do estado mais baixo são 37 %, 14 %, 5 % e 1 %, com as populações de todos os estados superiores sendo insignificantes.

0.32 Qual é a energia total de um sistema quântico como o descrito no exercício anterior e que consiste em 100 moléculas?

0.33 Utilize o teorema da equipartição para calcular a energia cinética translacional de uma molécula de nitrogênio, N_2, a uma temperatura de 298 K. Em seguida, determine a velocidade translacional média de uma molécula de N_2 a essa temperatura.

0.34 Moléculas não lineares, como a amônia, NH_3, podem girar em torno de três eixos. Determine a contribuição rotacional para a energia molar de uma amostra de amônia gasosa a 298 K.

0.35 Um *laser* de hélio-neônio emite luz vermelha de comprimento de onda igual a 632,8 nm. Qual é (a) o número de onda, (b) a frequência da radiação e (c) a energia de um fóton dessa radiação?

0.36 Calcule a energia por fóton e a energia por mol de fótons para a radiação de comprimento de onda igual a (a) 600 nm (vermelho), (b) 550 nm (amarelo), (c) 400 nm (violeta), (d) 200 nm (ultravioleta), (e) 150 nm (raios X), (f) 1,0 cm (micro-ondas).

0.37 Um fotodetector produz energia a uma velocidade de 0,68 μW, em que 1 W = 1 J s^{-1}, quando exposto a uma radiação de comprimento de onda igual a 245 nm. Quantos fótons são detectados por segundo?

0.38 Certa lâmpada emite luz azul de comprimento de onda igual a 380 nm. Quantos fótons a lâmpada emite a cada segundo, se sua potência é (a)1,00 W, (b) 100 W?

0.39 Por quanto tempo uma lâmpada de sódio de capacidade de 100 W tem de operar para gerar 1,00 mol de fótons de comprimento de onda igual a 590 nm? Suponha que toda a potência seja empregada para gerar esses fótons.

0.40 Um *laser* de diodo InGaAsP, de estado sólido, produz radiação monocromática com comprimento de onda de 1,13 μm. A energia é emitida a uma velocidade de 1,05 mJ s^{-1}. Quantos fótons são emitidos por segundo?

1

As propriedades dos gases

Embora os gases sejam simples, tanto de descrever como em termos de sua estrutura interna, são de imensa importância. Passamos a vida toda envolvidos por um gás na forma de ar, e a variação local de suas propriedades é o que nós chamamos de condições meteorológicas ou simplesmente de "tempo". Para entender as atmosferas deste e de outros planetas, necessitamos entender os gases. Quando respiramos, nós bombeamos gás para dentro e para fora de nossos pulmões, onde esse gás muda de composição e temperatura. Muitos processos industriais envolvem gases e tanto o produto da reação como o projeto dos vasos de reação dependem do conhecimento de suas propriedades.

Equações de estado

O estado de qualquer amostra de uma substância pode ser especificado por meio dos valores das seguintes propriedades (todas definidas na Introdução):

V, volume que a amostra ocupa
p, pressão da amostra
T, temperatura da amostra
n, número de mols da substância na amostra

No entanto, um surpreendente fato experimental é que *essas quatro grandezas não são independentes entre si*. Por exemplo, não podemos ter arbitrariamente uma amostra com 0,555 mol de H_2O em um volume de 10 dm^3 a 100 kPa e 500 K: observa-se *experimentalmente* que esse estado não existe. Se selecionarmos o número de mols, o volume e a temperatura, então teremos de aceitar que existirá determinado valor de pressão (no exemplo considerado, próxima de 230 kPa). Essa generalização experimental pode ser resumida dizendo-se que as substâncias obedecem a uma **equação de estado**, uma equação da forma

$$p = f(n,V,T) \qquad \text{Equação de estado} \qquad (1.1)$$

Essa equação nos diz que a pressão depende do ('ou é função do') número de mols, do volume e da temperatura e que, se conhecermos três dessas variáveis, a pressão só pode ter um único valor.

As equações de estado da maioria das substâncias não são conhecidas, de modo que, em geral, não podemos escrever uma expressão explícita para a pressão em termos das demais variáveis. Entretanto, certas equações de estado são conhecidas. Em particular, a equação de estado de um gás em baixas pressões é conhecida; é muito simples e extremamente útil. Essa equação é usada para descrever o comportamento dos gases que participam de reações, o comportamento da atmosfera, como ponto de partida em problemas de engenharia química e mesmo na descrição da estrutura das estrelas.

1.1 A equação de estado do gás perfeito

A equação de estado de um gás em baixas pressões foi um dos primeiros resultados estabelecidos na físico-química. As experiências originais foram feitas por Robert Boyle no século dezessete, e houve um renascimento de interesse no final do século, quando as pessoas começaram a voar em balões. Esse progresso tecnológico fez com que aumentasse a procura por mais conhecimento a respeito da resposta dos gases a variações de pressão e de temperatura, assim como os avanços tecnológicos atuais em outros campos estimulam a realização de muitos experimentos.

As experiências de Boyle, e as de seus sucessores, conduziram à formulação da **equação de estado do gás perfeito:**

$$PV = nRT \quad \text{Equação de estado de um gás perfeito} \quad (1.2a)$$

Esta equação tem a forma da Eq. 1.1 ao ser reescrita como

$$p = \frac{nRT}{V} \quad (1.2b)$$

A **constante dos gases** ***R*** pode ser determinada a partir da expressão $R = pV/nT$, quando a pressão tende a zero. Para os cálculos, vamos geralmente utilizar o valor aproximado de 8,3145 J K^{-1} mol^{-1}. A Tabela 1.1 apresenta o valor de R em diversas unidades.

A equação de estado do gás perfeito – abreviada como "lei do gás perfeito" – tem esse nome por ser uma idealização das equações de estado a que os gases obedecem na realidade. Especificamente, verifica-se que todos os gases obedecem a essa equação tanto mais quanto mais a pressão tende a zero. Isto é, a Eq. 1.2 é um exemplo de uma **lei limite**, uma lei que se torna cada vez mais válida à medida que a pressão é reduzida e que é obedecida exatamente no limite da pressão zero.

Uma substância hipotética que obedece à Eq. 1.2 em *todas* as pressões, não apenas a pressões muito baixas, é denominada **gás perfeito**. A partir do que foi dito, um gás que existe na natureza, chamado de **gás real**, comporta-se cada vez mais como um gás perfeito à medida que sua pressão vai diminuindo e tendendo a zero. Na prática, a pressão atmosférica ao nível do mar ($p \approx 100$ kPa) já é suficientemente baixa para que a maioria dos gases reais se comporte quase que perfeitamente. A menos que se diga o contrário, consideramos neste livro que todos os gases se comportam como um gás perfeito. A razão de um gás real ter um comportamento diferente do comportamento de um gás perfeito pode ser atribuída às atrações e repulsões que existem entre as moléculas presentes na natureza e que estão ausentes em um gás perfeito (Cap. 15).

Tabela 1.1

A constante dos gases em várias unidades

R = 8,314 47	J K^{-1} mol^{-1}
8,314 47	dm^3 kPa K^{-1} mol^{-1}
8,205 74 × 10^{-2}	dm^3 atm K^{-1} mol^{-1}
62,364	dm^3 Torr K^{-1} mol^{-1}
1,987 21	cal K^{-1} mol^{-1}

1 dm^3 = 10^{-3} m^3

Uma nota sobre a boa prática Um gás perfeito é também denominado um "gás ideal", e a equação do gás perfeito é geralmente chamada de "equação do gás ideal". O termo "gás perfeito" é usado para enfatizar a ausência de interações moleculares. Usaremos o termo "ideal" no Capítulo 6 para representar misturas nas quais todas as interações moleculares são idênticas, mas não necessariamente nulas.

A lei do gás perfeito é baseada em três conjuntos de observações experimentais, nos quais se resume. Um é a **lei de Boyle:**

A uma temperatura constante, a pressão de determinada quantidade de gás é inversamente proporcional ao seu volume.

Matematicamente:

$$p \propto \frac{1}{V} \quad \text{a temperatura constante} \quad \text{Lei de Boyle} \quad (1.3)$$

Podemos verificar com facilidade que a Eq. 1.2 é consistente com a lei de Boyle tendo n e T como constantes. Nestas condições, a lei do gás perfeito fica pV = constante, e portanto $p \propto 1/V$. A lei de Boyle implica que, se determinada quantidade de gás for comprimida a uma temperatura constante, de modo que o seu volume inicial seja reduzido à metade, então sua pressão dobrará. A Figura 1.1 mostra o gráfico que é obtido a partir dos valores experimentais de p contra V para determinada quantidade de gás em diferentes temperaturas, juntamente com as curvas previstas pela lei de Boyle. Cada uma dessas curvas é uma **hipérbole** (veja Ferramentas do químico 1.1 para uma discussão sobre gráficos) e é denominada **isoterma**, pois mostra a variação de uma propriedade (nesse

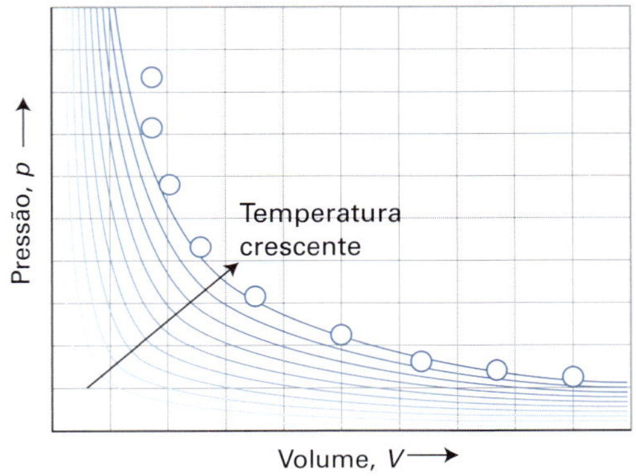

Figura 1.1 O volume de um gás diminui quando a pressão sobre o mesmo aumenta. Para uma amostra que obedeça à lei de Boyle e que seja mantida em uma temperatura constante, o gráfico que mostra a dependência entre a pressão e o volume é uma hipérbole, conforme pode ser visto nesta figura. Cada curva corresponde a determinada temperatura e, por isso, é uma isoterma. As isotermas são hipérboles (Ferramentas do químico 1.1).

Ferramentas do químico 1.1 Gráficos

Os gráficos de $xy = a$, em que a é uma constante, ou de $y = a/x$ são *hipérboles*. Exemplos são as isotermas da Figura 1.1. O gráfico de $y = ax^2$ é uma *parábola* e tem função na discussão das vibrações moleculares. Essas duas "seções cônicas" são ilustradas no Esquema 1.1.

O gráfico de $y = mx + b$ é uma linha reta de coeficiente angular, ou inclinação, m e que passa por $y = b$, em $x = 0$, a 'interseção com o eixo y' (Esquema 1.2). No caso especial em que $b = 0$, $y = mx$, e a reta passa pela origem $y = 0$ quando $x = 0$. Nesse caso, dizemos que 'y é proporcional a x' ($y \propto x$), com a constante de proporcionalidade sendo m. A interseção com o eixo x ocorre quando $x = -b/m$ (porque, então, $y = m(-b/m) + b = 0$).

Os eixos horizontal e vertical dos gráficos são marcados com números puros. Sendo assim, se as unidades de x e y são representadas como 'unidades de x' e 'unidades de y', o gráfico deve ser de y/(unidades de y) em função de x/(unidades de x). Assim, o coeficiente angular do gráfico é adimensional. Para um gráfico da forma y/(unidades de y) $= b + mx$/(unidades de x), m e b são números puros. Para interpretá-los em termos de grandezas físicas, multiplicamos ambos os lados dessa expressão por 'unidades de y', e obtemos

$$y = \overbrace{b \times (\text{unidades de } y)}^{\text{Interpretação da interseção}} + \overbrace{m \times \frac{\text{unidades de } y}{\text{unidades de } x}}^{\text{Interpretação do coeficiente angular}} \times x$$

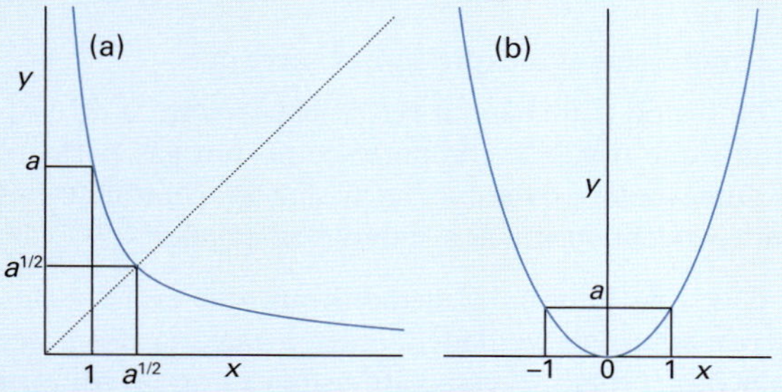

Esquema 1.1 As características de (a) hipérboles e (b) parábolas.

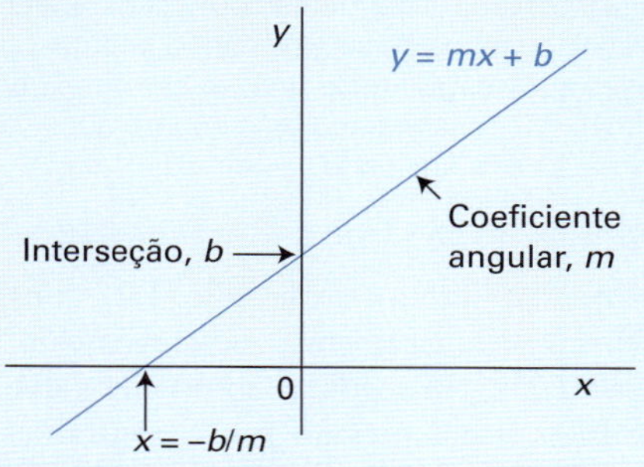

Esquema 1.2 As características de gráfico de uma linha reta de y em função de x com $y = mx + b$.

caso, a pressão) em uma temperatura constante. É difícil, a partir do gráfico, julgar quão bem a lei de Boyle é válida. No entanto, quando se faz o gráfico de p contra $1/V$, observam-se retas, como seria esperado da lei de Boyle (Fig. 1.2).

Uma nota sobre a boa prática Em geral, é melhor representar graficamente os dados como linhas retas para testar a validade de uma teoria, pois é difícil distinguir visualmente entre formas sutilmente diferentes de uma curva. Em vez disso, a função matemática que representa a teoria é reescrita de modo que o gráfico resultante tenha a forma de uma linha reta, $y = mx + b$.

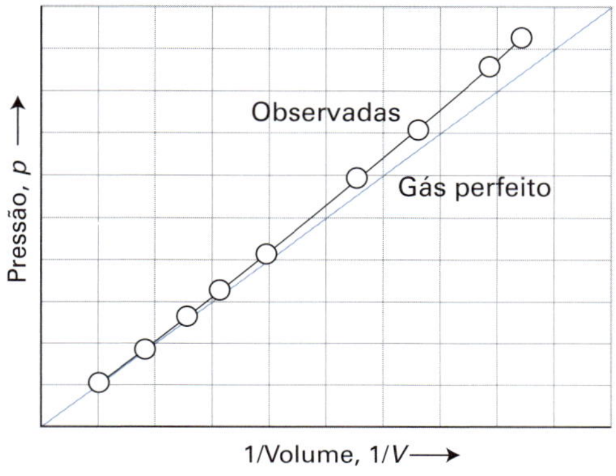

Figura 1.2 Um bom teste para se verificar a validade da lei de Boyle é fazer o gráfico da pressão contra 1/V (a uma temperatura constante), quando então se deve obter uma linha reta. O gráfico dessa figura mostra que as pressões observadas experimentalmente se aproximam de uma linha reta à medida que o volume aumenta e a pressão diminui. Um gás perfeito seguiria a linha reta em todas as pressões; os gases reais obedecem à lei de Boyle no limite de baixas pressões.

A segunda observação experimental resumida pela Eq. 1.2 é a **lei de Charles**:

A uma pressão constante, o volume de determinada quantidade de gás varia linearmente com a temperatura.

Matematicamente:

$$V = A + B\theta \qquad \text{Pressão constante} \quad \text{Lei de Charles} \quad (1.4a)$$

em que θ (teta) é a temperatura na escala Celsius e A e B são constantes que dependem do número de mols do gás e da pressão. A Figura 1.3 mostra gráficos típicos do volume contra a temperatura para uma série de amostras de gases em diferentes pressões e confirma que (em baixas pressões e temperaturas não muito baixas) o volume varia linearmente com a temperatura na escala Celsius. Podemos ver também que o volume é extrapolado para zero quando θ se aproxima de uma mesma temperatura (–273,15 °C) independentemente da natureza do gás. Como o volume não pode ser negativo, essa temperatura mínima deve representar o **zero absoluto** de temperatura, ou seja, uma temperatura abaixo da qual é impossível resfriar um objeto. De fato, a escala "termodinâmica" atribui o valor $T = 0$ a esse zero absoluto de temperatura. Portanto, em termos da temperatura termodinâmica, a lei de Charles toma a forma mais simples

$$V \propto T \qquad \text{Pressão constante} \quad \text{Lei de Charles} \quad (1.4b)$$

Segue-se que, dobrando a temperatura (por exemplo, de 300 K para 600 K, o que corresponde a um aumento de 27 °C para 327 °C), o volume dobra, desde que a pressão permaneça

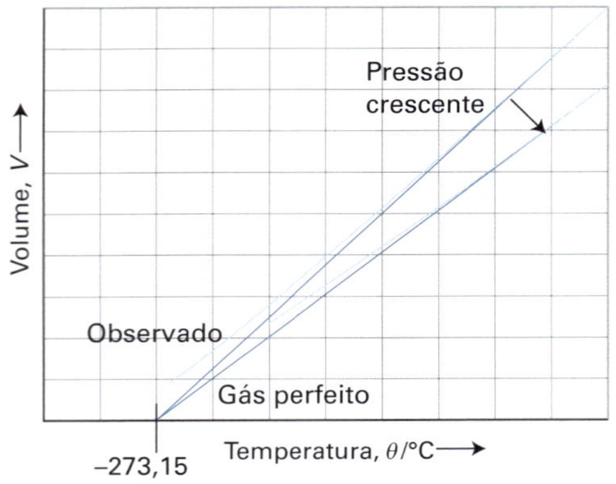

Figura 1.3 Este gráfico ilustra o conteúdo e as implicações da lei de Charles, de acordo com a qual o volume ocupado por um gás (em pressão constante) varia linearmente com a temperatura. Quando é feito, como aqui, o gráfico do volume contra a temperatura Celsius, todos os gases apresentam retas que, ao serem extrapoladas, dão V = 0 a −273,15 °C. Essa extrapolação sugere que −273,15 °C é a temperatura mais baixa que pode ser atingida.

constante. Podemos agora ver que a Eq. 1.2 é consistente com a lei de Charles. Primeiramente, reescrevemos a Eq. 1.2 na forma $V = nRT/p$ e, em seguida, observamos que, quando o número de mols n e a pressão p são constantes, podemos escrever $V \propto T$, conforme previsto pela lei de Charles.

O terceiro resultado experimental resumido pela Eq. 1.2 é o **princípio de Avogadro:**

Sob determinada temperatura e determinada pressão, gases com volumes iguais contêm o mesmo número de moléculas.

Isto é, 1,00 dm³ de oxigênio a 100 kPa e 300 K contém o mesmo número de moléculas que 1,00 dm³ de dióxido de carbono, ou qualquer outro gás, na mesma temperatura e pressão. O princípio de Avogadro implica que, se dobrarmos o número de moléculas, mas mantivermos a temperatura e a pressão constantes, o volume da amostra também será duplicado. Podemos, portanto, escrever que:

$$V \propto n \qquad \text{Temperatura e pressão constantes} \qquad \text{Princípio de Avogadro} \qquad (1.5)$$

Esse resultado pode ser facilmente obtido da Eq. 1.2 se considerarmos p e T constantes. O enunciado de Avogadro é um princípio e não uma lei (um resumo direto da experiência), pois é baseado em um modelo de um gás, nesse caso como um conjunto de moléculas. Mesmo não havendo mais dúvidas sobre a existência de moléculas, essa relação permanece como princípio e não lei.

O volume molar, V_m, o volume que um mol de moléculas da substância ocupa foi introduzido nos Fundamentos 0.4:

$$V_m = \frac{V}{n} \qquad \text{Definição} \qquad \text{Volume molar} \qquad (1.6a)$$

Para um gás perfeito, $n = PV/RT$, então, neste caso

$$V_m \overset{n=pV/RT}{=} \frac{V}{pV/RT} \overset{\text{cancela } V}{=} \frac{1}{p/RT} \overset{1/(a/x)=x/a}{=} \frac{RT}{p} \qquad \text{Gás perfeito} \qquad \text{Volume molar} \qquad (1.6b)$$

Tabela 1.2
Volumes molares de alguns gases nas condições normais ambientes de temperatura e pressão (CNATP: 298,15 K e 1 bar)

Gás	V_m/(dm³ mol⁻¹)
Gás perfeito	24,7896*
Amônia	24,8
Argônio	24,4
Dióxido de carbono	24,6
Nitrogênio	24,8
Oxigênio	24,8
Hidrogênio	24,8
Hélio	24,8

*Nas CNTP (0°C, 1 atm), V_m = 24,4140 dm³ mol⁻¹.

Para interpretar essa expressão, observe que

- Como a Eq. 1.6b não faz referência à natureza do gás, contanto que o gás se comporte como um gás perfeito, seu volume molar é o mesmo, na mesma temperatura e pressão, independentemente de sua natureza química.

Os dados da Tabela 1.2 demonstram que essa conclusão é aproximadamente verdadeira para a maioria dos gases nas condições normais (pressão atmosférica normal em torno de 100 kPa e temperatura ambiente).

Os químicos verificaram que era conveniente registrar muitos dos seus dados sobre gases em uma condição particular.[1] As **condições normais ambientes de temperatura e pressão** (CNATP) referem-se à temperatura de 25 °C (mais precisamente 298,15 K) e à pressão exata de 1 bar (100 kPa). A **pressão-padrão** de 1 bar é simbolizada por $p^\ominus$, de modo que $p^\ominus$ = 1 bar exatamente. O volume molar de um gás perfeito nas CNATP é 24,79 dm³ mol⁻¹, conforme pode ser verificado pela substituição dos valores de temperatura e de pressão na Eq. 1.6b. Esse valor implica que, nas CNATP, 1 mol de moléculas de um gás perfeito ocupa cerca de 25 dm³ (um cubo com aproximadamente 30 cm de lado). Antigamente usavam-se, e ainda se encontram muito, as **condições normais de temperatura e pressão** (CNTP), indicando 0 °C e 1 atm. O volume molar de um gás perfeito nas CNTP é 22,41 dm³ mol⁻¹.

1.2 Uso da lei do gás perfeito

Vamos agora rever duas aplicações elementares da equação de estado do gás perfeito.

- A determinação da pressão de um gás sabendo a sua temperatura, o seu número de mols e o volume que ele ocupa.
- A estimativa da mudança que ocorre na pressão devido a mudanças nas condições.

Cálculos como esses implicam considerações mais avançadas, inclusive a forma pela qual os meteorologistas entendem as mudanças na atmosfera que denominamos de condições meteorológicas ou simplesmente tempo (veja, mais adiante, o Impacto 1.1 na Seção 1.3).

[1] Cuidado para não confundir essas 'condições normais' dos gases com os 'estados normais' das substâncias, que são apresentados no Capítulo 3.

Exemplo 1.1

Determinação da pressão de uma amostra de gás

Um químico está investigando a conversão do nitrogênio atmosférico em uma forma que possa ser utilizada pelas bactérias que se localizam nas raízes de certos legumes e, para tanto, necessita saber a pressão em quilopascais exercida por 1,25 g de nitrogênio gasoso num frasco de volume igual a 250 cm^3, a 20 °C.

Estratégia Para esse cálculo necessitamos reescrever a Eq. 1.2a ($pV = nRT$), de modo que a incógnita (a pressão, p) fique em função da informação que é fornecida, que no caso é a Eq. 1.2b ($p = nRT/V$). Para usar essa expressão, precisamos saber qual é o número de mols na amostra, sendo que esse número pode ser obtido a partir da massa e da massa molar ($n = m/M$). Precisamos também converter a temperatura para a escala Kelvin (somando 273,15 à temperatura Celsius).

Solução O número de mols do N_2 (massa molar igual a 28,02 g mol^{-1}) é

$$n(\mathrm{N_2}) = \frac{m}{M(\mathrm{N_2})} = \frac{1{,}25\ \mathrm{g}}{28{,}02\ \mathrm{g\ mol^{-1}}} = \frac{1{,}25}{28{,}02}\ \mathrm{mol}$$

A temperatura da amostra é

$$T/\mathrm{K} = 20 + 273{,}15,\ \text{então}\ T = (20 + 273{,}15)\ \mathrm{K}$$

Portanto, de $p = nRT/V$,

$$p = \frac{\overbrace{(1{,}25/28{,}02)\ \mathrm{mol}}^{n} \times \overbrace{(8{,}3145\ \mathrm{J\ K^{-1}\ mol^{-1}})}^{R} \times \overbrace{(20+273{,}15)\ \mathrm{K}}^{T}}{\underbrace{(2{,}50\times 10^{-4})\ \mathrm{m^3}}_{V}}$$

$$= \frac{(1{,}25/28{,}02)\times(8{,}3145)\times(20+273{,}15)}{2{,}50\times 10^{-4}}\ \frac{\mathrm{J}}{\mathrm{m^3}}$$

$$\overset{1\ \mathrm{J\ m^{-3}} = 1\ \mathrm{Pa}}{=}\ 4{,}35\times 10^5\ \mathrm{Pa}\ \overset{1\ \mathrm{kPa} = 10^3\ \mathrm{Pa}}{=}\ 435\ \mathrm{kPa}$$

Observe que as unidades se cancelam como números comuns. Por outro lado, se quiséssemos obter a pressão em unidades diferentes, poderíamos ter utilizado a Tabela 1.1 para selecionar o valor apropriado de R para combinar com as informações necessárias.

Uma nota sobre a boa prática Para evitar erros de arredondamento, é melhor deixar todos os cálculos numéricos para o final.

Exercício proposto 1.1

Calcule a pressão exercida por 1,22 g de dióxido de carbono contido num frasco de volume igual a 500 dm^3 (isto é, $5{,}00 \times 10^2$ dm^3), a 37 °C.

Resposta: 143 Pa

Em alguns casos, conhecemos a pressão de determinado conjunto de condições e queremos saber a pressão da mesma amostra para outro conjunto de condições diferentes. Nesse caso, usamos a lei do gás perfeito como é descrito a seguir. Suponhamos que a pressão inicial é p_1, a temperatura inicial é T_1 e o volume inicial é V_1. Então, dividindo ambos os lados da Eq. 1.2a pela temperatura, obtendo $pV/T = nR$, podemos escrever que

$$\frac{p_1V_1}{T_1} = nR$$

Vamos supor, agora, que as condições mudem para T_2 e V_2 e que, em virtude dessas alterações, a pressão mude para p_2. Desse modo, nas novas condições a Eq. 1.2a fica

$$\frac{p_2V_2}{T_2} = nR$$

O produto nR presente no lado direito das duas equações anteriores é o mesmo nas duas equações, pois R é uma constante e o número de mols do gás permaneceu constante. A partir da combinação dessas duas equações obtém-se que

$$\frac{p_1V_1}{T_1} = \frac{p_2V_2}{T_2} \qquad \text{Número de mols constante de gás} \qquad \text{Equação combinada dos gases} \qquad (1.7)$$

Essa equação pode ser manipulada de modo a exprimir uma das variáveis, nesse exemplo p_2, em função das outras variáveis.

■ **Breve ilustração 1.1** A equação combinada dos gases

Considere uma amostra de gás com volume inicial de 15 cm^3, que foi aquecida de 25 °C até 1000 °C e cuja pressão aumentou de 10,0 kPa até 150,0 kPa. Podemos rearranjar a Eq. 1.7 e utilizá-la para calcular o volume final

$$V_2 = \frac{p_1V_1}{T_1}\times\frac{T_2}{p_2} = \frac{p_1}{p_2}\times\frac{T_2}{T_1}\times V_1$$

$$= \overbrace{\frac{10{,}0\ \mathrm{kPa}}{150{,}0\ \mathrm{kPa}}}^{p_1/p_2} \times \overbrace{\frac{(1000+273{,}15)\ \mathrm{K}}{(25+273{,}15)\ \mathrm{K}}}^{T_2/T_1} \times \overbrace{15\ \mathrm{cm^3}}^{V_1} = 4{,}3\ \mathrm{cm^3}$$

Exercício proposto 1.2

Calcule a pressão final de um gás que é comprimido de um volume de 20,0 dm^3 para 10,0 dm^3 e resfriado de 100 °C para 25 °C, se a pressão inicial for de 1,00 bar.

Resposta: 1,60 bar

1.3 Misturas de gases: pressões parciais

Pesquisadores frequentemente estão interessados em sistemas que são constituídos por misturas de gases. Por exemplo, na meteorologia, quando investigam as propriedades da atmosfera; na medicina, quando estudam a composição do ar que é exalado; ou na engenharia química, quando estão interessados nas misturas de hidrogênio e nitrogênio usadas na síntese industrial da amônia. Em todos esses casos, eles necessitam saber qual é a contribuição que cada componente da mistura gasosa faz para a pressão total.

No início do século XIX, John Dalton realizou uma série de experiências que o levaram a formular o que atualmente é conhecido como a **lei de Dalton:**

> A pressão exercida por uma mistura de gases perfeitos é a soma das pressões que cada gás exerceria se ocupasse sozinho o recipiente com mesma temperatura em que se encontra a mistura:

$$p = p_A + p_B + \cdots \qquad \text{Gases perfeitos} \qquad \text{Lei de Dalton} \qquad (1.8)$$

Nessa expressão, p_J é a pressão que o gás J exerceria se ocupasse sozinho o recipiente com mesma temperatura. A lei de

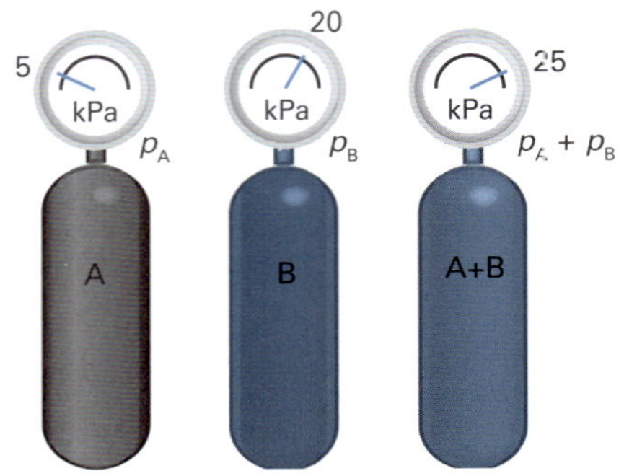

Figura 1.4 A pressão parcial p_A de um gás perfeito A é a pressão que esse gás exerceria se ocupasse sozinho o recipiente; semelhantemente, a pressão parcial p_B de um gás perfeito B é a pressão que o gás exerceria se ocupasse sozinho o mesmo recipiente. A pressão total p quando os dois gases perfeitos ocupam simultaneamente o recipiente é a soma das suas pressões parciais.

Dalton é estritamente válida apenas para misturas de gases perfeitos (ou de gases reais em pressões suficientemente baixas para que se comportem como gases perfeitos), mas pode ser considerada válida para a maioria das condições que são encontradas neste livro.

■ Breve ilustração 1.2 Lei de Dalton

Suponha que estejamos interessados na composição do ar que é inalado e exalado. Suponha ainda que saibamos que certa massa de dióxido de carbono exerce uma pressão de 5 kPa quando está sozinha num recipiente, e que certa massa de oxigênio exerce uma pressão de 20 kPa quando está sozinha no mesmo recipiente e com a mesma temperatura. Assim, quando os dois gases estão presentes no recipiente, o dióxido de carbono na mistura contribui com 5 kPa para a pressão total e o oxigênio contribui com 20 kPa. De acordo com a lei de Dalton, a pressão total da mistura é a soma dessas duas pressões, ou seja, 25 kPa (Figura 1.4).

Exercício proposto 1.3

Suponha que determinada quantidade de nitrogênio, suficiente para gerar uma pressão de 10 kPa, quando sozinho, é introduzida na mistura. Qual é a nova pressão total?

Resposta: 35 kPa

Para qualquer tipo de gás (real ou perfeito) em uma mistura, a **pressão parcial**, p_J, é definida como

$$p_J = x_J p \qquad \text{Definição} \quad \text{Pressão parcial} \qquad (1.9)$$

em que x_J é a **fração molar** do gás J na mistura. A fração molar de J é o número de mols de J dividido pelo número total de mols presentes na mistura, ou seja, é uma fração do número total de mols da mistura. Em termos matemáticos, para uma mistura constituída por n_A mols de A, n_B mols de B, e assim por diante (na qual os n_J são os números de mols), a fração molar de J (com J = A, B, ...) é dada por

$$x_J = \frac{n_J}{n} \qquad n = n_A + n_B + \cdots \qquad \text{Definição} \quad \text{Fração molar} \qquad (1.10a)$$

As frações molares são grandezas adimensionais, pois as unidades de mol no numerador e no denominador se cancelam.

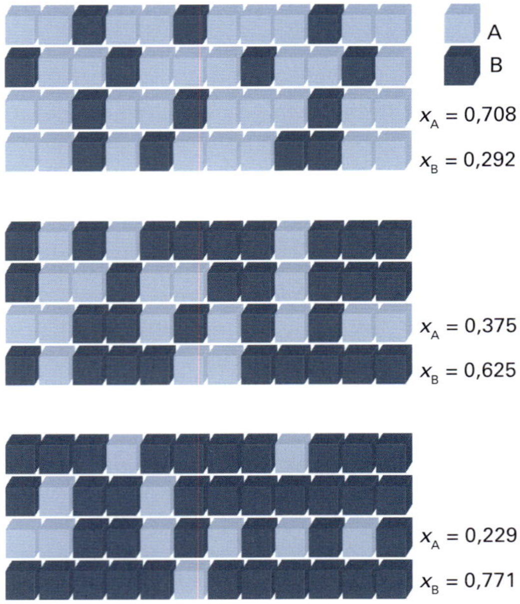

Figura 1.5 Representação do significado da fração molar. Em cada um dos casos, cada um dos quadrados pequenos representa uma molécula de A (quadrados escuros) ou B (quadrados claros). Existem 48 quadrados em cada amostra.

Para uma **mistura binária**, que é constituída de duas espécies, a expressão geral fica

$$x_A = \frac{n_A}{n_A + n_B} \qquad x_B = \frac{n_B}{n_A + n_B} \qquad x_A + x_B = 1 \qquad (1.10b)$$

Quando somente A está presente, $x_A = 1$ e $x_B = 0$. Quando somente B está presente, $x_B = 1$ e $x_A = 0$. Quando ambos estão presentes nas mesmas quantidades em termos de mols, $x_A = 1/2$ e $x_B = 1/2$ (Figura 1.5).

Quando for tipograficamente mais conveniente, vamos escrever as quantidades em mols como $n(J)$, frações molares como $x(J)$ e pressões parciais como $p(J)$.

Exemplo 1.2

Cálculo das frações molares

Uma massa de 100,0 g de ar seco consiste em 75,5 g de N_2, 23,2 g de O_2 e 1,3 g de Ar. Expresse a composição do ar seco em termos de frações molares.

Estratégia Comece convertendo cada massa em número de mols. Determine as frações molares por meio da Eq. 1.10b como a razão entre o número de mols de constituinte e o número de mols total da substância.

Solução Com a Eq. 0.2, os números de mols de N_2, O_2 e Ar são

$$n_{N_2} = \frac{m_{N_2}}{M_{N_2}} = \frac{75,5\ \text{g}}{28,0\ \text{g mol}^{-1}} = 2,70\ \text{mol}$$

$$n_{O_2} = \frac{m_{O_2}}{M_{O_2}} = \frac{23,2\ \text{g}}{32,0\ \text{g mol}^{-1}} = 0,725\ \text{mol}$$

$$n_{Ar} = \frac{m_{Ar}}{M_{Ar}} = \frac{1,3\ \text{g}}{39,9\ \text{g mol}^{-1}} = 0,033\ \text{mol}$$

A fração molar de moléculas de N_2 é, a partir da Eq. 1.10b,

$$x_{N_2} = \underbrace{\frac{n_{N_2}}{n_{N_2}+n_{O_2}+n_{Ar}}}_{n} = \frac{2{,}70 \text{ mol}}{2{,}70 \text{ mol}+0{,}725 \text{ mol}+0{,}033 \text{ mol}}$$

$$= 0{,}780$$

Repetindo o cálculo para os outros constituintes, observamos que as frações molares de O_2 e Ar no ar seco são 0,210 e 0,009, respectivamente.

Exercício proposto 1.4

A fração molar de NH_3 em uma amostra de 10,0 mol de gás é 0,288. Que massa de NH_3 está presente na amostra?

Resposta: 79,8 g

Com relação a uma mistura de gases perfeitos, podemos identificar a pressão parcial de J com a contribuição que J faz para a pressão total. Assim, se introduzimos $p = nRT/V$ na Eq. 1.9, temos

$$p_J = \frac{n_J}{n} \times \overbrace{\frac{nRT}{V}}^{p} = \frac{n_J RT}{V}$$

O valor de $n_J RT/V$ é a pressão que o número de mols de J, n_J, exerceria caso esse número de mols fosse colocado num recipiente vazio de volume V. Ou seja, *para um gás perfeito*, a pressão parcial de um gás em uma mistura é a pressão que ele exerceria caso estivesse sozinho no recipiente (à mesma temperatura). Se os gases são reais, suas pressões parciais são dadas também pela Eq. 1.9, pois essa definição se aplica a todos os gases, e a soma das pressões parciais é a pressão total (pois a soma das frações molares é igual a 1); entretanto, cada pressão parcial não é mais a pressão que o gás exerceria se estivesse sozinho ocupando o recipiente que contém a mistura.

■ Breve ilustração 1.3 Pressões parciais

A partir do Exemplo 1.2, temos $x(N_2) = 0{,}780$, $x(O_2) = 0{,}210$ e $x(Ar) = 0{,}009$ para o ar seco ao nível do mar. Segue-se, portanto, da Eq. 1.9 que, quando a pressão total atmosférica é 100 kPa, a pressão parcial do nitrogênio é

$$p(N_2) = x(N_2)p = 0{,}780 \times (100 \text{ kPa}) = 78{,}0 \text{ kPa}$$

Do mesmo modo, encontramos para os outros dois componentes que $p(O_2) = 21{,}0$ kPa e $p(Ar) = 0{,}9$ kPa. Admitindo-se que os gases são perfeitos, essas pressões parciais são as pressões que cada um dos gases exerceria se fosse separado da mistura e colocado cada um deles sozinho no mesmo recipiente que contivesse a mistura.

Exercício proposto 1.5

A pressão parcial do oxigênio no ar exerce um importante papel na aeração da água, permitindo o desenvolvimento da vida aquática, e na absorção do oxigênio pelo sangue nos nossos pulmões (veja a Seção 6.4). Calcule a pressão parcial de uma amostra de gás consistindo em 2,50 g de oxigênio e 6,43 g de dióxido de carbono, com pressão total de 88 kPa.

Resposta: 31 kPa, 57 kPa

Impacto na ciência ambiental 1.1

As leis dos gases e as condições meteorológicas

A maior amostra de gás a que temos acesso é a atmosfera, uma mistura de gases cuja composição é apresentada na Tabela 1.3. A composição é mantida razoavelmente constante pela difusão e convecção (ventos, particularmente as turbulências locais, denominadas de **redemoinhos**), mas a pressão e a temperatura da atmosfera variam com a altitude e as condições locais, em especial na troposfera (a "esfera da mudança"), a camada que se estende até uma altitude de cerca de 11 km.

Um dos constituintes que mais variam no ar é o vapor d'água, e a umidade que ele causa. A presença do vapor d'água faz com que a massa específica do ar seja mais *baixa*, a uma dada temperatura e pressão, como pode ser concluído do princípio de Avogadro. O número de moléculas em 1 m^3 de ar úmido e de ar seco é o mesmo (com a mesma temperatura e pressão), mas a massa de uma molécula de H_2O é menor do que a de todos os outros constituintes importantes do ar (a massa molar da água é 18 g mol^{-1}, enquanto a massa molar média das moléculas do ar é 29 g mol^{-1}). Assim, a massa específica da amostra úmida é menor que a da seca.

A pressão e a temperatura variam com a altitude. Na troposfera, a temperatura média é de 15 °C ao nível do mar, caindo para –57 °C no topo da tropopausa, a 11 km de altura. Essa variação se torna muito menos pronunciada quando é mostrada na escala Kelvin, indo de 288 K a 216 K, numa média de 268 K. Admitindo-se que a temperatura tenha esse valor médio ao longo de toda a troposfera, então a pressão muda com a altitude h, de acordo com a **fórmula barométrica**:

$$p = p_0 e^{-h/H}$$

em que p_0 é a pressão ao nível do mar e H é uma constante, aproximadamente igual a 8 km. Mais especificamente, $H = RT/Mg$, em que M é a massa molar média do ar, T é a temperatura e g é a aceleração da gravidade. A fórmula barométrica ajusta-se muito bem à distribuição de pressão observada, mesmo para regiões bem acima da troposfera (Figura 1.6). Uma consequência dessa expressão é o fato de a pressão e a massa específica do ar

Tabela 1.3
Composição da atmosfera da Terra

Substância		Percentagem Volumétrica	Percentagem Ponderal
Nitrogênio, N_2		78,08	75,53
Oxigênio, O_2		20,95	23,14
Argônio, Ar		0,93	1,28
Dióxido de carbono, CO_2		0,031	0,047
Hidrogênio, H_2		$5{,}0 \times 10^{-3}$	$2{,}0 \times 10^{-4}$
Neônio, Ne		$1{,}8 \times 10^{-3}$	$1{,}3 \times 10^{-3}$
Hélio, He		$5{,}2 \times 10^{-4}$	$7{,}2 \times 10^{-5}$
Metano, CH_4		$2{,}0 \times 10^{-4}$	$1{,}1 \times 10^{-4}$
Criptônio, Kr		$1{,}1 \times 10^{-4}$	$3{,}2 \times 10^{-4}$
Óxido nítrico, NO		$5{,}0 \times 10^{-5}$	$1{,}7 \times 10^{-6}$
Xenônio, Xe		$8{,}7 \times 10^{-6}$	$3{,}9 \times 10^{-5}$
Ozônio, O_3	No verão:	$7{,}0 \times 10^{-6}$	$1{,}2 \times 10^{-5}$
	No inverno:	$2{,}0 \times 10^{-6}$	$3{,}3 \times 10^{-6}$

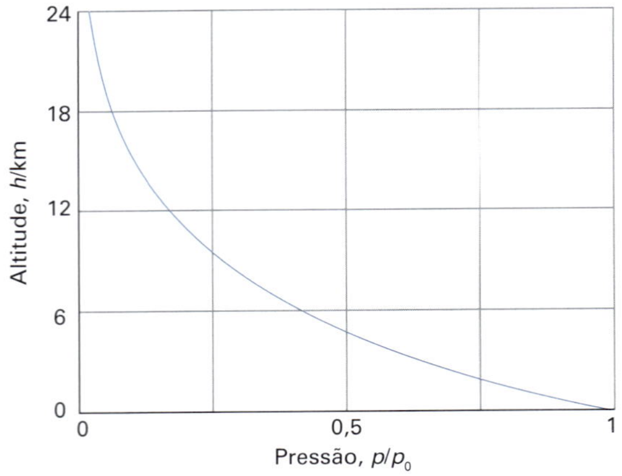

Figura 1.6 Variação da pressão atmosférica com a altitude predita pela fórmula barométrica.

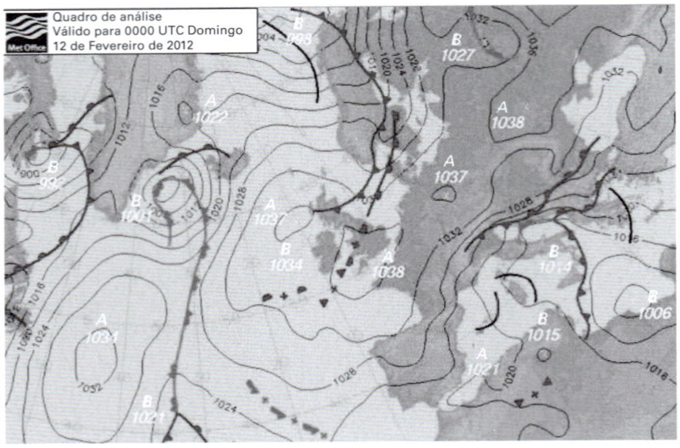

Figura 1.7 Um típico mapa meteorológico. Neste caso, para o Atlântico Norte em fevereiro de 2012. As regiões de alta pressão são denotadas por *A* e as de baixa pressão por *B*. As pressões são dadas em milibars (1 mbar = 100 Pa). (Veja o Encarte em Cores.)

caírem à metade de seus valores ao nível do mar em $h = H \ln 2$, ou 6 km.

As variações locais de pressão, temperatura e composição da troposfera manifestam-se como o 'tempo'. Uma pequena região de ar é denominada **parcela**. Notemos inicialmente que uma parcela de ar quente é menos densa que a mesma parcela de ar frio. À medida que uma parcela ascende, expande-se sem transferência de calor a partir de sua vizinhança: usa energia para empurrar para trás a atmosfera vizinha que, em consequência, se resfria. O ar frio pode absorver menores concentrações de vapor de água que o ar quente, de forma que a umidade propicia a formação de nuvens. Dessa maneira, céus nublados podem ser associados com o ar ascendente e céus claros com o ar descendente.

O movimento do ar em altitudes mais elevadas pode levar a uma acumulação em algumas regiões e perda de moléculas em outras. O primeiro efeito resulta na formação de regiões de alta pressão (anticiclones) e o outro na formação de regiões de baixa pressão (ciclones). Essas regiões são mostradas como A ou B nos mapas meteorológicos. As linhas de pressão constante, que diferem umas das outras em 4 mbar (400 Pa ou, aproximadamente, 3 torr), assinaladas nesses mapas são denominadas **isóbaras**. As regiões alongadas de alta e baixa pressão são chamadas de **cristas e cavados**, respectivamente.

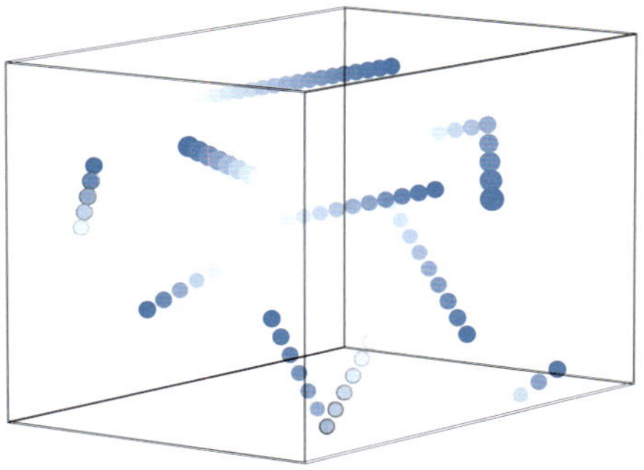

Figura 1.8 Modelo usado para a discussão das propriedades físicas de um gás perfeito com base no comportamento molecular. As moléculas pontuais movem-se com ampla faixa de velocidades e em direções aleatórias. Tanto a velocidade como a direção do movimento mudam quando as moléculas colidem com as paredes ou com outras moléculas.

O modelo cinético dos gases

Vimos na Introdução (na seção sobre matéria) que um gás podia ser considerado um conjunto de partículas em permanente movimento caótico (Figura 1.8). Vamos agora desenvolver esse modelo do estado gasoso para ver como o mesmo explica a lei do gás perfeito. Uma das mais importantes funções da físico-química é converter noções qualitativas em hipóteses quantitativas que podem ser testadas experimentalmente pela comparação das medidas que são feitas com as previsões oriundas das hipóteses. De fato, uma das mais importantes técnicas da ciência é a de propor um modelo qualitativo e, em seguida, expressar matematicamente esse modelo. O "modelo cinético" (ou "teoria cinética molecular", TCM) dos gases é um exemplo excelente desse procedimento: o modelo é muito simples e a previsão quantitativa (a lei do gás perfeito) é experimentalmente verificável.

O **modelo cinético dos gases** é baseado em três hipóteses:

1. Um gás é constituído de moléculas em movimento aleatório incessante.
2. O tamanho das moléculas é desprezível no sentido de que seus diâmetros são muito menores que a distância média percorrida pelas moléculas entre duas colisões sucessivas.
3. As moléculas não interagem umas com as outras, exceto quando se chocam.

A suposição de que as moléculas não interagem, exceto quando entram em contato, implica que a energia potencial das moléculas (energia devido à posição) é independente da distância entre as moléculas e pode ser considerada zero. A energia total de uma amostra de gás é, portanto, a soma das energias cinéticas (energia devido a movimento) de todas as moléculas presentes na amostra. Segue-se que, quanto mais rápido as moléculas se deslocarem (e, por conseguinte, maiores as suas energias cinéticas) maior a energia total do gás.

1.4 A pressão de um gás de acordo com o modelo cinético

De acordo com a teoria cinética, a pressão exercida por um gás é devida às colisões que as moléculas do gás fazem com as paredes do recipiente. Cada colisão faz com que se manifeste uma força instantânea sobre a parede. Entretanto, como bilhões de colisões ocorrem a cada segundo, a força sobre a parede é praticamente constante e, portanto, o gás exerce uma pressão uniforme. Com base nesse modelo, a pressão exercida por um gás de massa molar M em um volume V é

$$p = \frac{nMv_{\text{rmq}}^2}{3V} \qquad \text{Pressão, de acordo com a TCM} \qquad (1.11)$$

Veja a Informação adicional 1.1 para uma dedução dessa equação. Na expressão, v_{rmq} é a **raiz da média quadrática da velocidade** (r.m.q. da velocidade) das moléculas. Essa grandeza é definida como a raiz quadrada do valor médio dos quadrados das velocidades, v, das moléculas. Isto é, para uma amostra consistindo em N moléculas com velocidades v_1, v_2, ..., v_N, elevamos cada velocidade ao quadrado, adicionamos todos esses valores, dividimos pelo número total de moléculas (para obter a média, representada por $\langle ... \rangle$) e, ao final, extraímos a raiz quadrada do resultado:

$$v_{\text{rmq}} = \langle v^2 \rangle^{1/2} \qquad \text{Definição} \qquad \text{Velocidade média quadrática} \qquad (1.12)$$

$$= \left(\frac{v_1^2 + v_2^2 + \cdots + v_N^2}{N} \right)^{1/2}$$

Podia-se pensar em um primeiro momento que a r.m.q. da velocidade é uma medida peculiar das velocidades médias das moléculas, mas seu significado fica claro quando observamos que a energia cinética de uma molécula de massa m que se desloca com uma velocidade v é $E_k = \frac{1}{2}mv^2$, de modo que a energia cinética média de um grupo de moléculas, $\langle E_k \rangle$, é a média desta grandeza, ou $\frac{1}{2}mv_{\text{rmq}}^2$ Segue da relação $\frac{1}{2}mv_{\text{rmq}}^2 = \langle E_k \rangle$ que

$$v_{\text{rmq}} = \left(\frac{2\langle E_k \rangle}{m} \right)^{1/2} \qquad (1.13)$$

Portanto, sempre que v_{rmq} aparece, nós a consideramos como medida da energia cinética média das moléculas do gás. A raiz da média quadrática da velocidade tem um valor próximo de uma outra velocidade molecular cujo significado é mais fácil de se ver. Esta outra velocidade é a **velocidade média**, $\bar{v}$, das moléculas:

$$\bar{v} = \frac{v_1 + v_2 + \cdots + v_N}{N} \qquad \text{Definição} \qquad \text{Velocidade média} \qquad (1.14)$$

Com relação a amostras contendo um número grande de moléculas, a velocidade média é um pouco menor do que a raiz da média quadrática da velocidade. A relação entre elas é dada por

$$\bar{v} = \left(\frac{8}{3\pi} \right)^{1/2} v_{\text{rmq}} = 0{,}921 v_{\text{rmq}} \qquad (1.15)$$

Para propósitos elementares e para objetivos qualitativos, não é necessário distinguir entre estas duas grandezas médias; contudo, para um trabalho de maior precisão, a distinção é importante.

■ **Breve ilustração 1.4** Valores da velocidade média quadrática

Carros passam por um ponto se deslocando a 45,00 (5), 47,00 (7), 50,00 (9), 53,00 (4), 57,00 (5) km h^{-1}, sendo o número de carros dado entre parênteses. A raiz da média quadrática da velocidade dos carros é dada pela Eq. 1.12 na forma de

$$v_{\text{rmq}} = \left\{ \frac{5 \times (45{,}0 \text{ km h}^{-1})^2 + 7 \times (47{,}0 \text{ km h}^{-1})^2 + \cdots 5 \times (57{,}0 \text{ km h}^{-1})^2}{5 + 7 + \cdots 5} \right\}^{1/2}$$

$$= 50{,}2 \text{ km h}^{-1}$$

Exercício proposto 1.6

Calcule a velocidade média dos carros (a partir da Eq. 1.14).

Resposta: 50,0 km h^{-1}

A Eq. 1.11 pode ser reescrita na forma

$$pV = \tfrac{1}{3} nMv_{\text{rmq}}^2 \qquad (1.16)$$

que se assemelha muito à $pV = nRT$. Essa conclusão é um grande sucesso do modelo cinético, pois o modelo implica um resultado verificado experimentalmente.

1.5 A velocidade média das moléculas de um gás

Vamos admitir que a expressão para pV obtida da teoria cinética, Eq. 1.16, é realmente a equação de estado do gás perfeito, $pV = nRT$. Ao fazer isto, podemos igualar o lado direito da Eq. 1.16 a nRT, obtendo

$$\tfrac{1}{3} nMv_{\text{rmq}}^2 = nRT$$

O n se cancela, levando a

$$\tfrac{1}{3} Mv_{\text{rmq}}^2 = RT$$

A grande utilidade dessa igualdade é que, após cancelarmos o n nos dois membros da igualdade, podemos reescrevê-la de modo a obter uma fórmula para a r.m.q. da velocidade das moléculas do gás em uma temperatura qualquer, escrevendo primeiramente $v_{\text{rmq}}^2 = 3RT/M$ e, em seguida, extraindo a raiz quadrada de ambos os lados:

$$v_{\text{rmq}} = \left(\frac{3RT}{M} \right)^{1/2} \qquad \text{r.m.q da velocidade das moléculas} \qquad (1.17)$$

■ **Breve ilustração 1.5** A r.m.q. da velocidade das moléculas

A substituição da massa molar do O_2 (32,0 g mol^{-1}, correspondente a 3,20 × 10^{-2} kg mol^{-1}) e da temperatura na escala Kelvin correspondente a 25 °C (isto é, 298 K) na Eq. 1.17 dá, para essas moléculas, uma r.m.q. da velocidade de

$$v_{\text{rmq}} = \left\{ \frac{3 \times \overbrace{(8{,}3145 \text{ J K}^{-1} \text{ mol}^{-1})}^{R} \times \overbrace{(298 \text{ K})}^{T}}{\underbrace{3{,}20 \times 10^{-2} \text{ kg mol}^{-1}}_{M}} \right\}^{1/2} = 482 \text{ m s}^{-1}$$

(Utilizamos 1 J = 1 kg m^2 s^{-2} para cancelar unidades.) O mesmo cálculo para as moléculas de nitrogênio dá 515 m s^{-1}. Esses dois valores não estão distantes do valor da velocidade do som no ar (346 m s^{-1} a 25 °C). Essa semelhança é razoável, pois a onda sonora é o resultado da variação de pressão transmitida pelo movimento das moléculas. Dessa forma, a velocidade de propagação de uma onda deve ser aproximadamente a mesma velocidade com a qual as moléculas ajustam as suas posições.

Exercício proposto 1.7

Calcule a velocidade rmq da velocidade das moléculas de H_2 a 25 °C.

Resposta: 1920 m s^{-1}

A conclusão importante que se obtém da Eq. 1.17 é que

A velocidade média quadrática das moléculas em um gás é proporcional à raiz quadrada da temperatura: $v_{\text{rmq}} \propto T^{1/2}$.

Como a velocidade média é proporcional à r.m.q. da velocidade, o mesmo é verdade também para a velocidade média. Por conseguinte, dobrar a temperatura termodinâmica (isto é, dobrando-se a temperatura na escala Kelvin), aumenta a velocidade média e a r.m.q. da velocidade de moléculas por um fator $2^{1/2} = 1{,}414\ldots$.

■ **Breve ilustração 1.6** Velocidades moleculares

O resfriamento de uma amostra de ar de 25 °C (298 K) até 0 °C (273 K) reduz a r.m.q. da velocidade inicial das moléculas por um fator de

$$\frac{v_{\text{rmq}}(273\text{ K})}{v_{\text{rmq}}(298\text{ K})} \overbrace{=}^{v_{\text{rmq}} \propto T^{1/2}} \left(\frac{273\text{ K}}{298\text{ K}}\right)^{1/2} = 0{,}957$$

Portanto, em um dia frio, a velocidade média das moléculas do ar (que varia pelo mesmo fator) é aproximadamente 4 % menor do que num dia quente.

1.6 A distribuição de Maxwell das velocidades

Até agora, consideramos somente a velocidade *média* das moléculas em um gás. Entretanto, nem todas as moléculas se deslocam com a mesma velocidade: algumas se movem mais lentamente que a média (até que se colidem e são aceleradas atingindo altas velocidades, como o impacto de um bastão de beisebol sobre uma bola), e outras podem, num curto intervalo de tempo, moverem-se com velocidades muito maiores que a média, embora subitamente possam ter a velocidade reduzida. Há uma incessante redistribuição das velocidades das moléculas à medida que sofrem a colisão. Cada molécula colide uma vez a cada nanossegundo (1 ns = 10^{-9} s), ou próximo disto, num gás em condições normais.

A expressão matemática que nos dá a probabilidade, P, de que as moléculas de gás têm uma velocidade que se encontra em determinado intervalo de qualquer instante é chamada de **distribuição das velocidades moleculares**. Por exemplo, por meio da distribuição poderíamos saber que a 20 °C uma fração de 19 em 1.000 moléculas de O_2, correspondendo a $P = 0{,}019$, tem uma velocidade no intervalo entre 300 e 310 m s^{-1}, que 21 em 1000 têm velocidade no intervalo entre 400 e 410 m s^{-1}, correspondendo a $P = 0{,}021$, e assim por diante. A forma exata da distribuição foi obtida por James Clerk Maxwell, no fim do século XIX, e é conhecida como **distribuição de Maxwell de velocidades**. De acordo com Maxwell, a probabilidade $P(v, v + \Delta v)$ de que as moléculas tenham uma velocidade no intervalo estreito entre v e $v + \Delta v$ (por exemplo, entre 300 m s^{-1} e 310 m s^{-1}, correspondendo a $v = 300$ m s^{-1} e $\Delta v = 10$ m s^{-1}), desde que esse intervalo seja suficientemente pequeno, é

$$P(v,v + \Delta v) = \rho(v)\Delta v \text{ com}$$

$$\rho(v) = 4\pi\left(\frac{M}{2\pi RT}\right)^{3/2} v^2 \mathrm{e}^{-Mv^2/2RT} \quad \text{Distribuição de Maxwell de velocidades} \quad (1.18)$$

(ρ é a letra grega rô; para uma revisão de funções exponenciais, veja Ferramentas do químico 1.2). Essa é a fórmula usada para calcular os números citados anteriormente. Sua origem está na distribuição de Boltzmann (Fundamentos 0.11), porque a fração de moléculas que tem uma velocidade particular v tem uma energia cinética $E_k = \frac{1}{2}mv^2$ (não há

Ferramentas do químico 1.2 Funções exponenciais e gaussianas

Antes de começarmos, e antecipando o seu aparecimento ao longo de todo o livro (e em toda a físico-química), será útil conhecer a forma das funções exponenciais. Aqui vamos lidar com estes dois tipos: e^{-ax} e e^{-ax^2} (Esquema 1.3).

Uma **função exponencial**, uma função da forma e^{-ax}, começa em 1 quando $x = 0$ e decai para zero, que é atingido quando x se aproxima do infinito. Quanto maior o valor de a, mais rapidamente essa função se aproxima de zero.

Uma **função gaussiana**, uma função com a forma e^{-ax^2}, também vale 1 em $x = 0$ e decai a zero com o aumento de x. Entretanto, seu decaimento é inicialmente mais lento e então cai a zero mais rapidamente que a função exponencial.

A ilustração também mostra o comportamento das duas funções para valores negativos de x. A função exponencial e^{-ax} cresce rapidamente para o infinito à medida que $x \to -\infty$, mas a função gaussiana é simétrica em torno de $x = 0$ gerando uma curva em forma de sino, que cai a zero à medida que $x \to \pm\infty$.

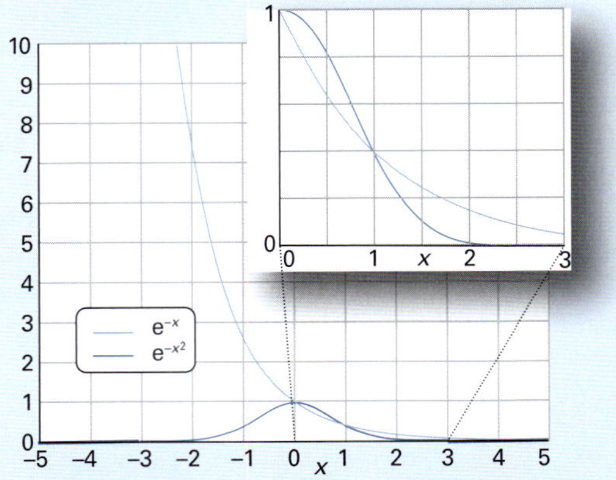

Esquema 1.3 A função exponencial, e^{-x}, e a função gaussiana, na forma de um sino, e^{-x^2}. Observe que ambas valem 1 em $x = 0$, mas a função exponencial vai ao infinito quando $x \to -\infty$. A ampliação à direita mostra o comportamento para $x > 0$ em maior detalhe.

nenhuma contribuição da energia potencial) e, de acordo com Boltzmann, essa fração é proporcional a $e^{-E_k/kT}$, que se torna primeiramente $e^{-mv^2/2kT}$ e, em seguida, $e^{-Mv^2/2RT}$, quando m e k são multiplicados pela constante de Avogadro, N_A:

$$\rho(v) \propto \overbrace{e^{-mv^2/2kT}}^{E_k/kT} \overset{\substack{mN_A=M \\ kN_A=R}}{=} e^{-Mv^2/2RT}$$

Observe que a função $\rho(v)$ é uma 'densidade de probabilidade', não a probabilidade em si, no sentido de que a real probabilidade de as moléculas terem uma velocidade no intervalo entre v e $v + \Delta v$ é dada pelo produto de $\rho(v)$ e a largura do intervalo. (Essa relação é como a massa de um material de certo volume ser dada pelo produto da massa específica pelo tamanho da região, o volume.) Encontraremos diversos outros exemplos de densidades de probabilidade neste livro.

Embora a Eq. 1.18 pareça complicada, suas características podem ser facilmente identificadas. Uma das habilidades que devem ser desenvolvidas na físico-química é a de interpretar as informações contidas nas equações. As equações contêm informações e é mais importante ser capaz de ler essas informações do que simplesmente se lembrar da equação. Vejamos as informações contidas em cada parte da Eq. 1.18.

- Como $P(v,v + \Delta v)$ é proporcional ao intervalo de velocidades Δv, vemos que a probabilidade de a velocidade estar no intervalo Δv é diretamente proporcional à largura do intervalo. Se em determinada velocidade dobramos o intervalo de interesse (mas tendo o cuidado de mantê-lo suficientemente pequeno), a probabilidade de as moléculas terem velocidades naquele intervalo também dobra.
- A Eq. 1.18 inclui uma função exponencial decrescente, o termo $4\pi\left(\frac{M}{2\pi RT}\right)^{1/2} v^2 e^{-Mv^2/2RT}$. Sua presença nos indica que a probabilidade de moléculas com velocidades muito altas serem encontradas é muito pequena, pois e^{-ax^2} se torna muito pequena quando ax^2 é grande.
- O fator $M/2RT$ multiplicando v^2 no expoente, $4\pi\left(\frac{M}{2\pi RT}\right)^{1/2} v^2 e^{-Mv^2/2RT}$, é grande quando a massa molar, M, é grande, o que faz o fator exponencial tender rapidamente para zero quando M for grande. Isso nos diz que é improvável encontrarmos moléculas pesadas tendo altas velocidades.
- O oposto é verdadeiro quando a temperatura, T, é alta: nesse caso o fator $M/2RT$ no expoente é pequeno, portanto o fator exponencial tende para zero de forma relativamente lenta quando v aumenta. Isso nos diz que se deve esperar uma probabilidade maior de se encontrarem moléculas mais rápidas em altas temperaturas do que em baixas temperaturas.
- Um fator v^2 em $4\pi\left(\frac{M}{2\pi RT}\right)^{1/2} v^2 e^{-Mv^2/2RT}$ multiplica a exponencial. Esse fator, que vem da consideração de que altas velocidades podem ser obtidas de mais maneiras do que baixas velocidades, tende para zero quando v tende para zero. Logo, a probabilidade de se encontrarem moléculas com velocidades muito pequenas também será muito pequena.
- Os fatores restantes (o termo $4\pi(M/2\pi RT)^{1/2} v^2 e^{-Mv^2/2RT}$) simplesmente asseguram que, quando somamos todas as frações de modo a termos um intervalo de velocidades de zero até infinito, o resultado será 1.

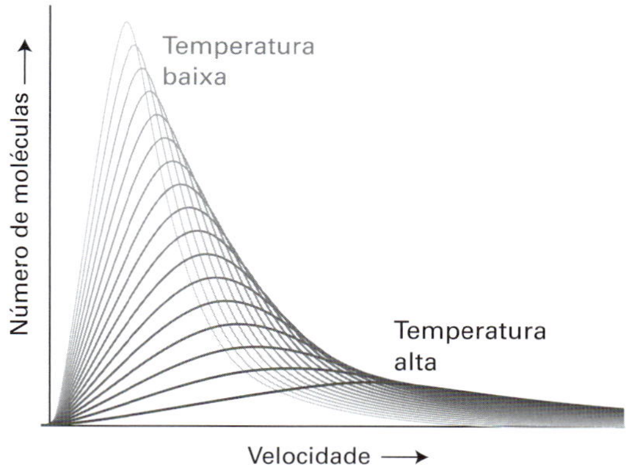

Figura 1.9 A distribuição de Maxwell de velocidades e sua variação com a temperatura. Observe o alargamento da distribuição e o deslocamento da velocidade média quadrática para valores mais altos quando a temperatura aumenta.

A Figura 1.9 mostra um gráfico da distribuição de Maxwell e podemos observar os fatos discutidos anteriormente para um mesmo gás (o mesmo valor de M) em diferentes temperaturas. Como deduzimos da equação, vemos que há somente uma pequena probabilidade das moléculas terem velocidades muito altas ou muito baixas. Entretanto, a probabilidade de se encontrarem moléculas com velocidades muito altas aumenta rapidamente quando se eleva a temperatura. Isso se observa facilmente verificando-se que o término da distribuição se desloca para velocidades maiores quando a temperatura aumenta. Essa característica exerce um papel importante nas velocidades das reações químicas em fase gasosa, pois (como iremos ver na Seção 10.10) a velocidade de uma reação em fase gasosa depende da energia com que duas moléculas colidem entre si, o que por sua vez depende das suas velocidades.

A Figura 1.10 é um gráfico da distribuição de Maxwell para moléculas com massas molares diferentes, na mesma temperatura. Conforme pode ser visto, não somente as moléculas pesadas têm velocidades médias mais baixas do que as molé-

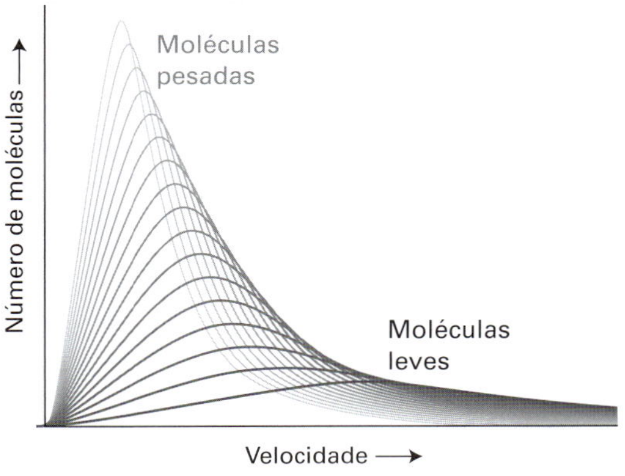

Figura 1.10 A distribuição de Maxwell de velocidades também depende da massa molar das moléculas. Moléculas de baixa massa molar têm uma dispersão grande de velocidades e uma fração significativa de moléculas pode estar se deslocando mais rápido que a velocidade média quadrática. A distribuição é muito menos dispersa para as moléculas pesadas e a maioria dessas moléculas pesadas se movimenta com velocidades próximas ao valor da r.m.q. da velocidade.

culas leves, em determinada temperatura, como também têm uma dispersão significativamente menor de velocidades. A dispersão menor significa que a maioria das moléculas será encontrada com velocidades próximas da média. Ao contrário, moléculas leves (como H_2) têm velocidades médias altas e uma grande dispersão de velocidades: muitas moléculas serão encontradas deslocando-se ou muito mais lentamente ou muito mais rapidamente do que a média. Essa característica tem um papel importante na composição das atmosferas planetárias, pois significa que uma fração importante das moléculas leves se desloca com velocidades suficientemente altas para escapar da atração gravitacional do planeta. A capacidade das moléculas leves de escapar do campo gravitacional é uma das razões do hidrogênio (massa molar 2,02 g mol^{-1}) e do hélio (massa molar 4,00 g mol^{-1}) serem muito raros na atmosfera da Terra.

A distribuição de Maxwell foi verificada experimentalmente passando-se um feixe de moléculas provenientes de um forno mantido a certa temperatura por meio de uma série de discos coaxiais perfurados. A velocidade de rotação dos discos alinha as fendas para moléculas que se deslocam com uma velocidade específica, de forma que apenas as moléculas com essa velocidade passem e sejam detectadas. Variando-se a velocidade de rotação, a forma da distribuição de velocidades pode ser obtida, sendo que essa forma combina com a prevista pela Eq. 1.18. Embora o seletor meça a distribuição de velocidades em uma dimensão, as colisões no interior do feixe garantem que a distribuição se ajuste à distribuição em três dimensões e que o experimento monitore a distribuição de Maxwell.

1.7 Difusão e efusão

Difusão é o processo pelo qual as moléculas de substâncias diferentes misturam-se entre si. Os átomos de dois sólidos difundem-se um no outro quando os dois sólidos entram em contato, mas o processo é muito lento. A difusão de um soluto em um solvente líquido é muito mais rápida, se a mistura for acelerada pela agitação ou sacudindo-se o sólido no líquido (nessas condições, o processo não é mais uma difusão pura). A difusão gasosa é muito mais rápida. É responsável pela composição da atmosfera ser muito uniforme; se um gás é produzido por uma fonte localizada (como o dióxido de carbono proveniente da respiração dos animais, o oxigênio produzido pela fotossíntese realizada pelas plantas verdes e os poluentes oriundos dos veículos e das fontes industriais), então as moléculas do gás vão se difundir a partir da fonte, distribuindo-se na atmosfera. Na prática, o processo de mistura é acelerado pelos ventos. O processo de **efusão** é a passagem do gás através de um pequeno orifício, como o que normalmente ocorre numa bola de encher ou num pneu (Fig. 1.11).

As velocidades de difusão e de efusão dos gases aumentam com a elevação da temperatura, pois os dois processos dependem do movimento das moléculas, e as velocidades moleculares aumentam com a elevação da temperatura. Os dois processos também se comportam da mesma forma em relação à massa molar. Nesse caso, as velocidades dos dois processos diminuem quando a massa molar aumenta. A dependência em relação à massa molar, no entanto, só é simples no caso da efusão. Na efusão, uma única substância está em movimento, enquanto, na difusão, existem dois ou mais gases se misturando.

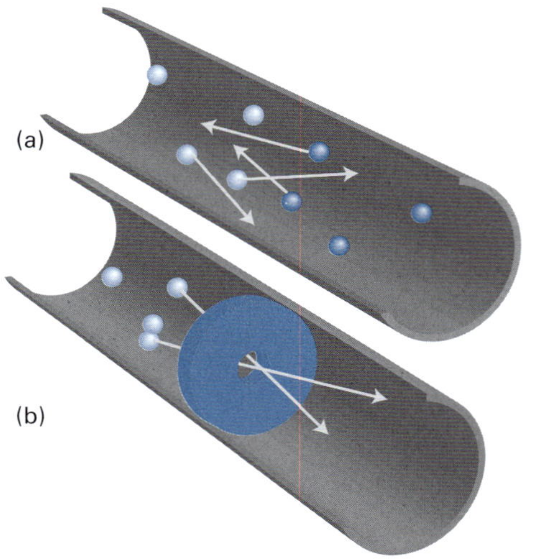

Figura 1.11 (a) Difusão é a propagação das moléculas de uma substância para dentro da região inicialmente ocupada por outra substância. Observe que as moléculas de ambas as substâncias se movem e cada substância se difunde na outra. (b) Efusão é o escape de moléculas por um orifício pequeno em uma parede que as está confinando.

As observações experimentais sobre a dependência da velocidade de efusão de um gás em relação à sua massa molar estão resumidas pela **lei de Graham da efusão**, proposta por Thomas Graham em 1833:

> Em determinada pressão e temperatura, a velocidade de efusão de um gás é inversamente proporcional à raiz quadrada da sua massa molar:

$$\text{Velocidade de efusão} \propto \frac{1}{M^{1/2}} \qquad \text{Lei de Graham} \qquad (1.19)$$

Velocidade nesse contexto significa o número de moléculas (ou o número de mols) que escapam por segundo.

■ Breve ilustração 1.7 Lei de Graham

A razão entre as velocidades (em termos de quantidades de moléculas) com que o hidrogênio (massa molar 2,02 g mol^{-1}) e o dióxido de carbono (massa molar 44,01 g mol^{-1}) se efundem nas mesmas condições de pressão e temperatura é dada por

$$\frac{\text{Velocidade de efusão do } H_2}{\text{Velocidade de efusão do } CO_2} \overbrace{=}^{\text{Velocidade} \propto 1/M^{1/2}} \left(\frac{M(CO_2)}{M(H_2)}\right)^{1/2} = \left(\frac{44{,}01 \text{ g mol}^{-1}}{2{,}016 \text{ g mol}^{-1}}\right)^{1/2} = \left(\frac{44{,}01}{2{,}016}\right)^{1/2} = 4{,}672$$

A *massa* de dióxido de carbono que escapa em determinado intervalo de tempo é maior que a massa de hidrogênio, embora quase 5 vezes mais moléculas de hidrogênio escapem, porque cada molécula de dióxido de carbono tem mais de 20 vezes a massa de uma molécula de hidrogênio.

Exercício proposto 1.8

Suponha que 5,0 g de argônio escapem por efusão; que massa de nitrogênio escaparia nas mesmas condições?

Resposta: 4,2 g

Uma nota sobre a boa prática Sempre torne claro o que os termos significam: neste exemplo somente "velocidade" é ambígua; você precisa especificar que é a velocidade em termos de quantidade de moléculas.

A alta velocidade de efusão do hidrogênio e do hélio é uma das razões pelas quais esses dois gases escapam de recipientes e por diafragmas de borracha tão facilmente. As velocidades diferentes de efusão por meio de uma barreira porosa são utilizadas na separação do urânio-235 do urânio-238. O urânio-238 é o isótopo mais abundante na natureza, mas tem menos utilidade do que o urânio-235 como combustível nuclear. O processo de separação depende da formação do hexafluoreto de urânio, um sólido volátil. Entretanto, como a razão entre as massas molares do $^{238}UF_6$ e $^{235}UF_6$ é somente 1,008, a razão entre as velocidades de efusão é somente $(1{,}008)^{1/2} = 1{,}004$. Devido a essa baixa razão, são necessárias milhares de etapas sucessivas de efusão para se alcançar uma separação significativa. A velocidade de efusão dos gases foi usada para se determinar a massa molar comparando-se a velocidade de efusão de um gás ou de um vapor com a de um gás de massa molar conhecida. Contudo, existem atualmente métodos muito mais precisos para essa finalidade, como a espectrometria de massa.

A lei de Graham é explicada observando-se que a velocidade média quadrática das moléculas de um gás é inversamente proporcional à raiz quadrada da massa molar (Eq. 1.17). Como a velocidade de efusão através de um orifício em um recipiente é proporcional à velocidade com a qual as moléculas atravessam o orifício, segue-se que a velocidade deve ser inversamente proporcional a $M^{1/2}$, o que está de acordo com a lei de Graham.

1.8 Colisões moleculares

A distância média que uma molécula percorre entre duas colisões sucessivas é chamada de **livre percurso médio,** λ (lambda). Como em um líquido uma molécula encontra uma molécula vizinha mesmo que ela percorra somente uma fração de um diâmetro molecular, o livre percurso médio em um líquido é menor do que o diâmetro das moléculas. Ao contrário, nos gases, o livre percurso médio das moléculas pode ser de várias centenas de diâmetros moleculares. Se pensarmos em uma molécula como tendo o tamanho de uma bola de tênis, então o livre percurso médio em um gás típico será aproximadamente igual a uma quadra de tênis.

A **frequência de colisão,** z, é a velocidade média de colisões feitas por uma molécula. Especificamente, z é o número médio de colisões que uma molécula faz num intervalo de tempo dividido pelo tamanho do intervalo. Segue-se que o inverso da frequência de colisão, $1/z$, é o **tempo de voo,** o tempo médio que uma molécula passa se deslocando (em voo) entre duas colisões sucessivas. (Por exemplo, se ocorrem 10 colisões por segundo, a frequência de colisões é de 10 s^{-1}; logo, o tempo médio entre as colisões é de $^1/_{10}$ do segundo e o tempo de voo é $^1/_{10}$ s.) Como iremos ver, a frequência de colisões em um gás típico é de cerca de 10^9 s^{-1} a 1 atm e temperatura ambiente. Assim, o tempo médio de voo em um gás é tipicamente de 1 ns.

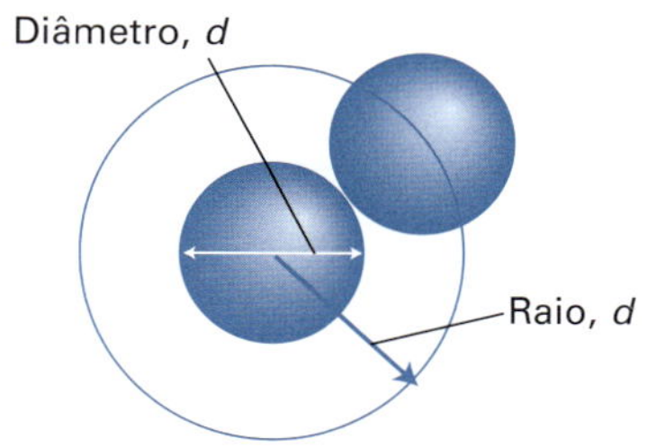

Figura 1.12 Para calcular as propriedades de um gás perfeito relacionadas com as colisões, um ponto é considerado como sendo o centro de uma esfera de diâmetro *d*. Uma molécula colidirá com outra molécula que esteja dentro de um cilindro de raio *d*. A seção eficaz de colisão é a área da seção reta do cilindro, isto é πd^2.

Como a velocidade é a distância percorrida dividida pelo tempo que levou para percorrer tal distância, a r.m.q. da velocidade, v_{rmq}, que nós podemos pensar de forma não muito precisa como sendo a velocidade média, é a distância média do voo de uma molécula entre duas colisões sucessivas (isto é, o livre percurso médio λ) dividida pelo tempo de voo $(1/z)$. Segue-se que o livre percurso médio e a frequência de colisões estão relacionados por

$$v_{rmq} = \frac{\text{distância entre colisões}}{\text{tempo entre colisões}} = \frac{\overbrace{\text{livre percurso médio}}^{\lambda}}{\underbrace{\text{tempo de voo}}_{1/z}}$$

$$= \frac{\lambda}{1/z} = \lambda z \qquad (1.20)$$

Portanto, se pudermos calcular λ ou z, então podemos determinar o outro a partir dessa equação e do valor de v_{rmq} dado pela Eq. 1.17.

Para deduzir expressões para λ e z precisamos de uma versão ligeiramente mais elaborada do modelo cinético. O modelo cinético básico supõe que as moléculas são efetivamente pontuais; porém, para que as moléculas colidam, precisamos assumir que dois 'pontos' se chocam sempre que eles se aproximam, um do outro, de certa distância d, em que d é o diâmetro das moléculas (Fig. 1.12). A **seção eficaz de colisão,** σ (sigma), a área de colisão que uma molécula apresenta para a outra, é então a área de um círculo de raio d, ou seja, $\sigma = \pi d^2$. Quando essa grandeza é introduzida no modelo cinético, obtemos que[2]

$$\lambda = \frac{kT}{\sigma p} \qquad \text{Livre percurso médio} \qquad (1.21)$$

em que k é a constante de Boltzmann. A Tabela 1.4 apresenta a seção eficaz de colisão de alguns átomos e moléculas comuns.

[2] Veja, por exemplo, *Físico-Química* (2010).

Tabela 1.4
Seção eficaz de colisão de átomos e moléculas

Espécies	σ/nm2
Argônio, Ar	0,36
Benzeno, C_6H_6	0,88
Cloro, Cl_2	0,93
Dióxido de carbono, CO_2	0,52
Dióxido de enxofre, SO_2	0,58
Eteno, C_2H_4	0,64
Hélio, He	0,21
Hidrogênio, H_2	0,27
Metano, CH_4	0,46
Nitrogênio, N_2	0,43
Oxigênio, O_2	0,40

$1\ \text{nm}^2 = 10^{-18}\ \text{m}^2$.

De forma semelhante, combinando-se essa expressão com a da Eq. 1.20,

$$z \overbrace{=}^{z=v_{rmq}/\lambda} \frac{\sigma v_{rmq} p}{kT} \qquad \text{Frequência de colisão} \quad (1.22)$$

■ **Breve ilustração 1.8** Livre percurso médio

A partir da informação da Tabela 1.4 podemos calcular que o livre percurso médio das moléculas de O_2 numa amostra de oxigênio nas CNATP (25 °C, 1 bar) é

$$\lambda = \frac{\overbrace{(1{,}381\times10^{-23}\ \text{J K}^{-1})}^{k}\times\overbrace{(298\ \text{K})}^{T}}{\underbrace{(0{,}40\times10^{-18}\ \text{m}^2)}_{\sigma}\times\underbrace{(1\times10^{5}\ \text{Pa})}_{p}}$$

$$= \frac{(1{,}381\times10^{-23})\times(298)}{(0{,}40\times10^{-18})\times(1\times10^{5})}\ \frac{\text{J}}{\text{Pa m}^2}$$

$$\overbrace{=}^{1\ \text{J}=1\ \text{Pa m}^{-3}} 1{,}0\times10^{-7}\ \text{m} \overbrace{=}^{1\ \text{nm}=10^{-9}\ \text{m}} 100\ \text{nm}$$

Nas mesmas condições, a frequência de colisão é $6{,}2 \times 10^9$ s^{-1}, ou seja, cada molécula faz 6,2 bilhões de colisões a cada segundo.

Exercício proposto 1.9

Utilize as Eqs. 1.7 e 1.22, juntamente com as informações da Tabela 1.4, e determine a frequência de colisão para moléculas de O_2 em uma amostra de gás cloro nas mesmas condições.

Resposta: $7{,}3 \times 10^9\ s^{-1}$

Uma vez mais, devemos *interpretar a essência* das Eqs. 1.21 e 1.22 em vez de tentar memorizá-las.

- Como $\lambda \propto 1/p$, vemos que o livre percurso médio diminui quando a pressão aumenta.

Essa diminuição é o resultado do aumento do número de moléculas presentes em determinado volume quando a pressão aumenta. Portanto, cada molécula percorre uma distância menor antes de colidir com uma molécula vizinha. Por exemplo, o livre percurso médio de uma molécula de O_2 diminui de 73 nm para 36 nm quando a pressão aumenta de 1,0 bar para 2,0 bar, a 25 °C.

- Como $\lambda \propto 1/\sigma$, o livre percurso médio é menor para moléculas que têm seções eficazes de colisão grandes.

Por exemplo, a seção eficaz de colisão de uma molécula de benzeno (0,88 nm^2) é aproximadamente quatro vezes maior que a de um átomo de hélio (0,21 nm^2) e, na mesma pressão e na mesma temperatura, seu livre percurso médio é quatro vezes menor.

- Como $z \propto p$, a frequência de colisão aumenta com a pressão do gás.

Essa dependência é consequência do fato de que, como a temperatura é a mesma, cada molécula levará tanto menos tempo para colidir com a molécula vizinha quanto mais denso for o gás, ou seja, quanto maior é a pressão do gás. Por exemplo, nas CNATP a frequência de colisão de uma molécula de O_2 é $6{,}2 \times 10^9\ s^{-1}$. Quando a pressão passa para 2,0 bar e a temperatura é mantida constante, a frequência de colisão é $1{,}3 \times 10^{10}\ s^{-1}$, ou seja, ela duplica.

- Como a Eq. 1.22 mostra que $z \propto v_{rmq}$, e sabemos que $v_{rmq} \propto 1/M^{1/2}$, podemos considerar, desde que as seções eficazes de colisão sejam as mesmas, que moléculas pesadas têm frequências de colisão menores do que moléculas leves.

Moléculas pesadas se deslocam mais lentamente, em média, que moléculas leves (na mesma temperatura), assim elas colidem com outras moléculas menos frequentemente.

Gases reais

Tudo o que foi dito até agora se aplica aos gases perfeitos, ou seja, aos gases em que a separação média entre as moléculas é suficientemente grande para que elas se movam independentemente umas das outras. Em termos das grandezas introduzidas na seção anterior, um gás perfeito é um gás em que o livre percurso médio, λ, das moléculas na amostra é muito maior que d, a distância em que duas moléculas entram em contato uma com a outra.

Condição para o comportamento de gás perfeito: $\lambda \gg d$

Devido a essa separação média grande, um gás perfeito é aquele em que a única contribuição para a energia vem da energia cinética do movimento das moléculas, não havendo nenhuma contribuição, para a energia total, da energia potencial que surge da interação entre as moléculas. Na realidade, no entanto, todas as moléculas interagem umas com as outras desde que elas estejam suficientemente próximas, de forma que o modelo que tem "somente energia cinética" é apenas uma aproximação. Ainda assim, na maioria das condições o critério $\lambda \gg d$ (a separação das moléculas é muito maior do que seus diâmetros; pense na quadra de tênis comparada com a bola de tênis) é satisfeito e o gás pode ser tratado como se fosse perfeito.

1.9 Interações intermoleculares

Há dois tipos de contribuição para a energia potencial de interação entre moléculas. Quando a distância entre as moléculas é relativamente grande (alguns diâmetros moleculares), as

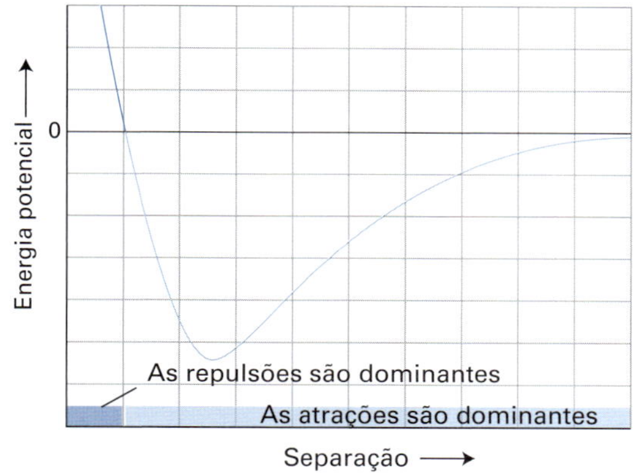

Figura 1.13 A variação da energia potencial de duas moléculas em função da distância de separação entre elas. A energia potencial positiva alta (quando a separação entre as moléculas é muito pequena) indica que as interações entre as mesmas são fortemente repulsivas a essas distâncias. Em distâncias intermediárias, nas quais a energia potencial é negativa, dominam as interações atrativas. Em grandes distâncias (na direita), quando as moléculas estão muito afastadas entre si, a energia potencial é zero e não há nenhuma interação entre as moléculas.

moléculas se atraem umas às outras. Essa atração é responsável pela condensação de gases em líquidos a baixas temperaturas. Em temperaturas suficientemente baixas, as moléculas de um gás têm energia cinética insuficiente para escapar da atração exercida por outra molécula e elas ficam "presas" umas às outras. Porém, embora as moléculas se atraiam quando separadas por alguns diâmetros moleculares, assim que entram em contato, se repelem. Essa repulsão é responsável pelo fato de os líquidos e os sólidos terem um tamanho definido e não se transformarem em um ponto infinitesimal.

Interações moleculares – as atrações e repulsões entre moléculas – dão origem a uma energia potencial que contribui para a energia total de um gás. As atrações correspondem a uma diminuição da energia total, pois as moléculas, ao ficarem mais próximas, fazem uma contribuição *negativa* à energia potencial. Por outro lado, repulsões fazem uma contribuição positiva à energia total quando as moléculas ficam próximas demais. A Figura 1.13 ilustra de forma geral a variação da energia potencial intermolecular. Em grandes distâncias de separação, as interações que diminuem a energia são dominantes, mas, em distâncias curtas, quem domina são as repulsões, que fazem a energia aumentar.

As interações moleculares afetam as propriedades dos gases e, em particular, suas equações de estado. Por exemplo, as isotermas dos gases reais têm formas diferentes das indicadas pela lei de Boyle, particularmente em pressões altas e temperaturas baixas, quando as interações têm maior importância. A Figura 1.14 mostra um conjunto de isotermas experimentais para o dióxido de carbono. Vamos comparar essas isotermas com as isotermas do gás perfeito vistas na Figura 1.1. Embora as isotermas experimentais se pareçam com as isotermas de um gás perfeito em temperaturas altas (e em baixas pressões, fora da escala na direita do gráfico) existem diferenças notáveis entre os dois conjuntos de isotermas para temperaturas abaixo de aproximadamente 50 °C e a pressões acima de aproximadamente 1 bar.

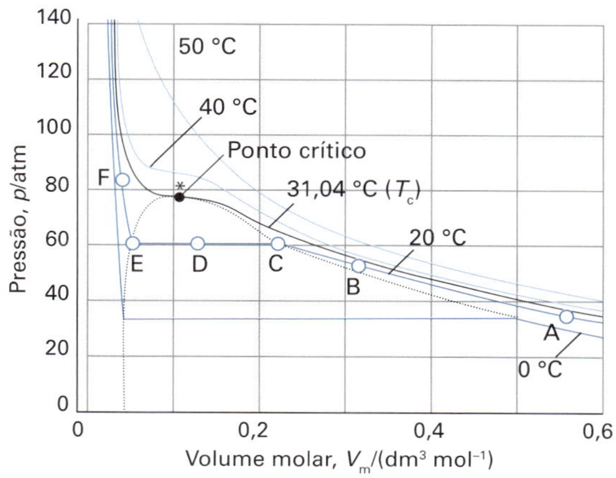

Figura 1.14 Isotermas experimentais do dióxido de carbono em várias temperaturas. A isoterma crítica é em 31,04°C. (Veja o Encarte em Cores.)

1.10 A temperatura crítica

Para entender o significado das isotermas na Figura 1.14, vamos começar com a isoterma a 20 °C e acompanhar as variações de A até F:

- No ponto A, a amostra é um gás.
- Quando a amostra é comprimida até B pressionando-se um pistão, a pressão aumenta essencialmente em acordo com a lei de Boyle.
- O aumento continua até a amostra alcançar o ponto C.
- Além desse ponto, passando por D e indo até E, verificamos que o pistão pode ser empurrado sem nenhum aumento adicional de pressão.
- A redução do volume de E até F se dá às custas de um aumento muito grande de pressão.

Essa variação de pressão com o volume é exatamente o que se espera, caso o gás em C condense formando um líquido compacto em E. De fato, se pudéssemos ver a amostra, notaríamos que:

- A amostra começa a condensar em C.
- A condensação está completa quando o pistão é empurrado para E.
- Em E o pistão está em repouso sobre a superfície do líquido.
- A redução subsequente do volume, de E para F, corresponde a uma pressão muito alta, que é a necessária para comprimir um líquido a um volume menor.

Em termos de interações intermoleculares:

- A etapa de C para E corresponde à situação em que as moléculas estão tão próximas, em média, que se atraem umas às outras formando um líquido.
- A etapa de E para F representa o efeito de tentar forçar as moléculas a ficarem mais próximas quando já estão em contato. Nessas circunstâncias, procura-se vencer as interações repulsivas fortes entre as mesmas.

Se pudéssemos olhar dentro do recipiente no ponto D, veríamos um líquido separado do gás restante por uma superfície bem definida (Fig. 1.15). Em uma temperatura ligeiramente mais alta (a 30 °C, por exemplo), forma-se um líquido, mas uma pressão mais alta é necessária para que isso aconteça. Poderia ser difícil visualizar a superfície porque o gás restante está numa pressão tão alta que a sua massa específica é semelhante à do líquido. Na temperatura especial de 31,04 °C (304,19 K) o estado gasoso parece se transformar continuamente em um estado condensado e em nenhum estágio existe uma superfície visível entre os dois estados da matéria. Nessa temperatura (que é 304,19 K para o dióxido de carbono, mas varia para cada substância) o estado gasoso do dióxido de carbono parece se transformar continuamente no estado condensado e, em nenhum estágio, existe uma superfície variável entre os dois estados da matéria. Nessa temperatura (que é 304,19 K para o dióxido de carbono, mas varia para cada substância), que é chamada de **temperatura crítica**, T_c, e em todas as temperaturas mais altas, uma única forma de matéria preenche todo o recipiente em todos os estágios da compressão e não há nenhuma separação de um líquido do gás. Temos que concluir então que *um gás não pode ser condensado num líquido por um aumento de pressão, a menos que a temperatura esteja abaixo da temperatura crítica*.

A Figura 1.14 também mostra que na **isoterma crítica**, a isoterma à temperatura crítica, os volumes de cada extremidade da porção horizontal da isoterma coincidiram em um único ponto, o **ponto crítico** do gás. A pressão e o volume molar no ponto crítico são a **pressão crítica**, p_c, e o **volume molar crítico**, V_c, da substância. Conjuntamente, p_c, V_c e T_c são as **constantes críticas** de uma substância. A Tabela 1.5 apresenta as temperaturas críticas de alguns gases comuns. Os dados da tabela indicam, por exemplo, que o nitrogênio líquido não pode ser formado pelo aumento da pressão, a menos que a temperatura esteja abaixo de 126K (–147°C). A temperatura crítica é às vezes usada para distinguir os termos "vapor" e "gás":

vapor é a fase gasosa de uma substância abaixo de sua temperatura crítica (e que, portanto, pode ser liquefeito por compressão);

gás é a fase gasosa de uma substância acima de sua temperatura crítica (e que não pode ser liquefeito somente por compressão).

O oxigênio, à temperatura ambiente, é gás verdadeiro; a fase gasosa da água, à temperatura ambiente, é vapor.

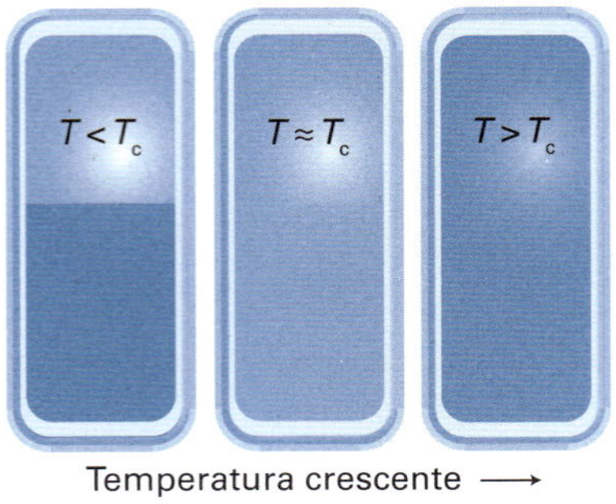

Figura 1.15 Quando um líquido é aquecido em um recipiente fechado, a massa específica da fase do vapor aumenta e a da fase líquida diminui, como é visto nessa figura pelo escurecimento da fase clara e o clareamento da fase escura. Em determinado ponto, as duas massas específicas são iguais e a interface entre os dois fluidos desaparece. Esse desaparecimento ocorre na temperatura crítica. O recipiente precisa ser suficientemente forte para que a experiência seja feita; por exemplo, a temperatura crítica da água é 373 °C e, nessa condição, a pressão do vapor é então 218 atm.

Tabela 1.5
Temperaturas críticas dos gases

	Temperatura crítica/°C
Gases nobres	
Hélio, He	–268 (5,2 K)
Neônio, Ne	–229
Argônio, Ar	–123
Criptônio, Kr	–64
Xenônio, Xe	17
Halogênios	
Cloro, Cl_2	144
Bromo, Br_2	311
Moléculas inorgânicas pequenas	
Água, H_2O	374
Amônia, NH_3	132
Dióxido de carbono, CO_2	31
Hidrogênio, H_2	–240
Nitrogênio, N_2	–147
Oxigênio, O_2	–118
Compostos orgânicos	
Benzeno, C_6H_6	289
Metano, CH_4	–83
Tetraclorometano, CCl_4	283

O fluido denso obtido pela compressão de um gás, quando sua temperatura é mais alta que sua temperatura crítica, não é um verdadeiro líquido, mas se comporta em muitos aspectos como um líquido – tem uma massa específica semelhante à de um líquido, por exemplo, e pode atuar como um solvente. Porém, apesar da sua massa específica, o fluido não é estritamente um líquido porque nunca possui uma superfície que o separe da fase vapor. Também não é semelhante a um gás, porque é muito denso. É um exemplo de um **fluido supercrítico**. Fluidos supercríticos estão sendo atualmente utilizados como solventes; por exemplo, o dióxido de carbono supercrítico é usado para extrair cafeína na fabricação de café descafeinado, no qual, ao contrário dos solventes orgânicos, não ocorre a formação de um resíduo desagradável e possivelmente tóxico. Fluidos supercríticos são também atualmente de grande interesse em processos industriais, pois podem ser usados no lugar dos clorofluorocarbonos (CFC), evitando dessa forma os danos ao meio ambiente que os CFC podem causar. Como o dióxido de carbono supercrítico é obtido da atmosfera ou por intermédio de fontes orgânicas renováveis (por fermentação), o seu uso não aumenta a quantidade de dióxido de carbono na atmosfera.

1.11 O fator de compressibilidade

Uma grandeza útil para discussão das propriedades dos gases reais é o **fator de compressibilidade**, Z, que é a razão entre o volume molar real de um gás, V_m, e o volume molar de um

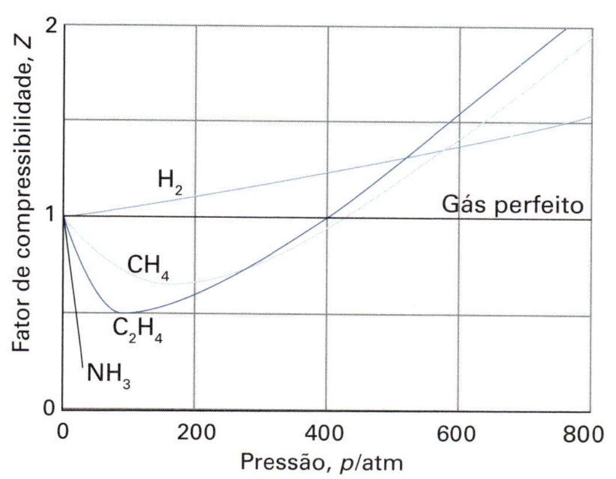

Figura 1.16 Variação do fator de compressibilidade, Z, com a pressão para vários gases a 0 °C. Um gás perfeito tem $Z = 1$ em todas as pressões. Dos gases que podem ser vistos nessa figura, o hidrogênio é o que mostra desvios positivos em todas as pressões (nesta temperatura); todos os outros gases mostram inicialmente, em pressões baixas, desvios negativos, e desvios positivos em pressões altas. Os desvios negativos resultam das interações atrativas entre as moléculas e os desvios positivos são o resultado das interações repulsivas.

gás perfeito, V_m^{perfeito}, nas mesmas condições de pressão e temperatura:

$$Z = \frac{V_m}{V_m^{\text{perfeito}}} \qquad \text{Definição} \qquad \text{Fator de compressibilidade} \qquad (1.23a)$$

Para um gás perfeito, $V_m = V_m^{\text{perfeito}}$, então, $Z = 1$ e os desvios de Z em relação a 1 são uma medida de quanto um gás real se afasta do comportamento perfeito. O volume molar de um gás perfeito é RT/p (lembre-se da Eq. 1.6b), de modo que podemos reescrever esta definição de Z como

$$Z \overset{V_m^{\text{perfeito}}=RT/p}{=} \frac{V_m}{RT/p} = \frac{pV_m}{RT} \qquad (1.23b)$$

Quando Z é medido para gases reais, verifica-se que ele varia com a pressão como pode ser visto na Figura 1.16. Em pressões baixas, alguns gases (metano, etano e amônia, por exemplo) têm $Z < 1$. Isto é, os seus volumes molares são menores que o de um gás perfeito, sugerindo que as moléculas se agrupam ligeiramente. Podemos concluir que, para essas moléculas e nessas condições, as interações atrativas são dominantes. O fator de compressibilidade cresce acima de 1 em pressões altas, seja qual for o gás; e, para alguns gases (hidrogênio na ilustração) $Z > 1$ em todas as pressões. O tipo de comportamento exibido depende da temperatura. A observação de que $Z > 1$ nos diz que o volume molar do gás é agora maior que o esperado para um gás perfeito, na mesma temperatura e pressão, de modo que as moléculas estão ligeiramente mais afastadas. Esse comportamento pode ser explicado como sendo devido às forças repulsivas dominantes. Para o hidrogênio, as interações atrativas são tão fracas que as interações repulsivas dominam até mesmo em baixas pressões.

1.12 A equação de estado do virial

Podemos usar os desvios de Z do seu valor "perfeito" igual a 1 para obter uma equação de estado *empírica* (baseada na observação). Para fazer isto, admitimos que, para gases reais, a relação $Z = 1$ é somente o primeiro termo de uma expressão mais longa, e no lugar de $Z = 1$ escrevemos que

$$Z = 1 + \frac{B}{V_m} + \frac{C}{V_m^2} + \cdots \qquad (1.24a)$$

Os coeficientes B, C, ... são chamados de **coeficientes do virial**: B é o segundo coeficiente do virial, C, o terceiro, e assim por diante; o número 1 é o primeiro coeficiente ($A = 1$). A palavra 'virial' vem da palavra latina para força, e isto reflete o fato de que forças intermoleculares são agora significativas. Coeficientes do virial são também simbolizados por B_2, B_3 etc. no lugar de B, C etc. Eles variam de gás para gás e dependem da temperatura. Essa técnica, de tomar uma expressão limite (nesse caso, $Z = 1$, que se aplica a gases em grandes volumes molares) e supor que se trata do primeiro termo de uma expressão mais complicada, é muito comum na físico-química. A expressão limite é a primeira aproximação de qualquer expressão verdadeira, e os termos adicionais levam em conta os efeitos secundários que a expressão limite ignora.

O termo adicional mais importante na direita da Eq. 1.24a é o proporcional a B (pois, para a maioria das condições, $C/V_m^2 \ll B/V_m$ e C/V_m^2 pode ser desprezado). Nesse caso,

$$Z \approx 1 + \frac{B}{V_m} \qquad (1.24b)$$

Dos gráficos na Figura 1.16, para a temperatura em que os dados são válidos, B deve ser positivo para o hidrogênio (de modo que $Z > 1$), mas negativo para o metano, o etano e a amônia (de modo que para esses $Z < 1$). Porém, em todos os casos, Z aumenta à medida que o gás sofre maior compressão (correspondendo a valores pequenos de V_m e altas pressões na Figura 1.16), indicando que C/V_m^2 é positivo. Para muitos gases, os valores dos coeficientes do virial são conhecidos. Normalmente esses coeficientes são determinados a partir de medidas de Z em um intervalo de pressões e pelo ajuste desses dados por meio da Eq. 1.24a, variando-se os coeficientes até que um pequeno erro seja alcançado.

Para converter a Eq. 1.24a em uma equação de estado, combinamos essa equação com a Eq. 1.23b ($Z = pV_m/RT$), obtendo

$$\frac{pV_m}{RT} = 1 + \frac{B}{V_m} + \frac{C}{V_m^2} + \cdots$$

Multiplicamos então ambos os lados por RT/V_m:

$$p = \frac{RT}{V_m}\left(1 + \frac{B}{V_m} + \frac{C}{V_m^2} + \cdots\right)$$

A seguir substituímos V_m por V/n na transformação, para obter p como função de n, V e T, obtendo

$$p = \frac{nRT}{V}\left(1 + \frac{nB}{V} + \frac{n^2C}{V^2} + \cdots\right) \qquad \text{Equação de estado do virial} \qquad (1.25)$$

A Eq. 1.25 é a **equação de estado do virial**. Em pressões muito baixas, quando o volume molar é muito grande, os termos B/V_m e C/V_m^2 são ambos muito pequenos, e somente o 1 dentro dos parênteses se mantém. Neste limite (de p tendendo para 0), a equação de estado tende para a do gás perfeito.

■ **Breve ilustração 1.9** A equação de estado do virial

O volume molar do NH_3 é 1,00 dm^3 mol^{-1}, a 36,2 bar e 473 K. Supondo que, nestas condições, a equação de estado do virial possa ser escrita como $p = (RT/V_m) \times (1 - B/V_m)$, então

$$B = \left(\frac{pV_m}{RT} - 1\right)V_m$$

Portanto, o valor do segundo coeficiente do virial, nesta temperatura, é

$$B = \left(\frac{\overbrace{(36{,}2 \times 10^5\ \text{Pa})}^{36{,}2\ \text{bar}} \times \overbrace{(1{,}00 \times 10^{-3}\ \text{m}^3\ \text{mol}^{-1})}^{1{,}00\ \text{dm}^3\ \text{mol}^{-1}}}{(8{,}3145\ \text{J K}^{-1}\ \text{mol}^{-1}) \times (473\ \text{K})} - 1\right)$$

$$\times 1{,}00 \times 10^{-3}\ \text{m}^3\ \text{mol}^{-1}$$

$$= -79{,}5 \times 10^{-6}\ \text{m}^3\ \text{mol}^{-1} = -79{,}5\ \text{cm}^3\ \text{mol}^{-1}$$

Exercício proposto 1.10

O segundo coeficiente do virial de NH_3 é −45,6 cm^3 mol^{-1} a uma temperatura de 573 K. Determine a pressão na qual o volume molar é 1,00 dm^3 mol^{-1} nessa temperatura.

Resposta: 45,6 bar

1.13 A equação de estado de van der Waals

Embora seja a equação de estado mais confiável, a equação do virial não nos permite uma compreensão imediata do comportamento dos gases e da sua condensação em líquidos. A **equação de van der Waals**, que foi proposta em 1873 pelo físico holandês Johannes van der Waals, é somente uma equação de estado aproximada, mas tem a vantagem de mostrar como as interações intermoleculares contribuem para os desvios de um gás em relação à lei do gás perfeito. Podemos ver a equação de van der Waals como outro exemplo de como, a partir de uma ideia qualitativa profundamente fundamentada, é possível obter uma expressão matemática que pode ser testada quantitativamente.

A interação repulsiva entre duas moléculas indica que essas moléculas não podem se aproximar mais do que determinada distância. Então, em vez de ser livre para se deslocar para qualquer lugar em um volume V, o volume real no qual as moléculas podem se deslocar é reduzido a um valor que depende do número de moléculas presentes e do volume que cada uma delas exclui (Fig. 1.17). Podemos então modelar o efeito repulsivo, ou seja, as forças que excluem volume, mudando V na equação do gás perfeito para $V - nb$, em que b é a constante de proporcionalidade entre a redução de volume e os mols de moléculas presentes no recipiente (veja a Dedução a seguir).

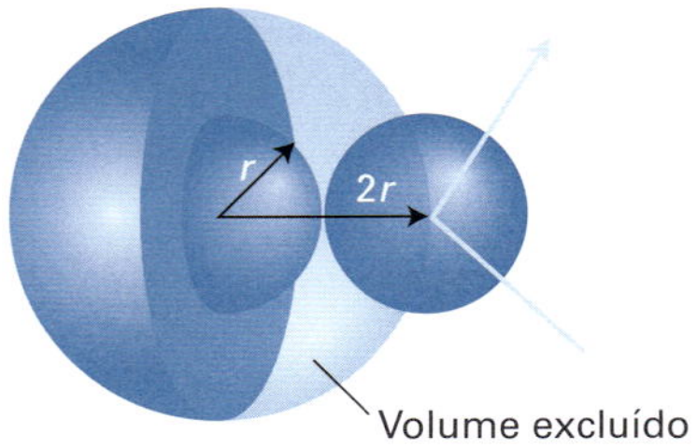

Figura 1.17 Quando duas moléculas, cada uma de raio r e volume $V_{mol} = \frac{4}{3}\pi r^3$, se aproximam uma da outra, o centro de uma delas não pode penetrar em uma esfera de raio $2r$ e, portanto, no volume $8V_{mol}$ que envolve a outra molécula.

Dedução 1.1

O volume molar de um gás descrito pela equação de van der Waals

O volume de uma esfera de raio R é $\frac{4}{3}\pi R^3$. A Figura 1.17 mostra que a menor distância entre os centros de duas moléculas, que são consideradas esferas rígidas de raio r e volume $V_{\text{molécula}} = \frac{4}{3}\pi r^3$, é $2r$. Logo, o volume excluído é $\frac{4}{3}\pi(2r)^3 = 8\times(\frac{4}{3}\pi r^3)$, ou $8V_{\text{molécula}}$. O volume excluído por molécula é metade desse volume ou $4V_{\text{molécula}}$, de modo que $b \approx 4V_{\text{molécula}}N_A$.

Com essa modificação, a equação do gás perfeito muda de $p = nRT/V$ para

$$p = \frac{nRT}{V - nb}$$

Essa equação de estado – que não é ainda a equação de Van der Waals completa – descreve um gás em que as repulsões são importantes. Observe: quando a pressão for baixa, o volume é grande, comparado com o volume excluído pelas moléculas (isto é, $V >> nb$). O termo nb pode então ser ignorado no denominador e a equação se reduz à equação de estado do gás perfeito. Deve-se sempre verificar se uma equação se reduz a uma forma conhecida quando se faz uma aproximação física razoável.

O efeito das interações atrativas entre as moléculas é reduzir a pressão exercida pelo gás. Podemos modelar o efeito supondo que a atração experimentada por determinada molécula é proporcional à concentração, n/V, de moléculas no recipiente. Como as atrações reduzem a velocidade das moléculas, essas atingem as paredes menos frequentemente *e* as colisões ocorrem com menos força. (A diminuição da velocidade não significa que o gás fica mais frio próximo às paredes: a relação entre T e a velocidade média quadrática na Eq. 1.17 é válida apenas na ausência de forças intermoleculares.) Podemos, portanto, esperar que a redução na pressão seja proporcional ao *quadrado* da concentração molar, um fator de n/V refletindo a redução na frequência de colisões e o outro fator, a redução na força do seu impacto. Se a constante de proporcionalidade é escrita como a, podemos escrever

$$\text{Redução na pressão} = a \times \left(\frac{n}{V}\right)^2$$

Segue-se que a equação de estado permitindo repulsões e atrações é

$$p = \frac{nRT}{V - nb} - a\left(\frac{n}{V}\right)^2 \qquad \text{Equação de estado de van der Waals} \qquad (1.26a)$$

Essa expressão é a **equação de estado de van der Waals**. Para mostrar a semelhança dessa equação com a equação do gás perfeito $pV = nRT$, Eq. 1.26a, algumas vezes a mesma é escrita colocando-se o termo em a à esquerda, dando $p + an^2/V^2$, e, então, multiplicando-se ambos os lados por $V - nb$:

$$\left(p + \frac{an^2}{V^2}\right)(V - nb) = nRT \qquad (1.26b)$$

Tabela 1.6
Parâmetros de van der Waals dos gases

Substância	$a/(10^2$ kPa dm^6 $mol^{-2})$	$b/(10^{-2}$ dm^3 $mol^{-1})$
Ar	1,4	0,039
Amônia, NH_3	4,114	3,71
Argônio, Ar	1,320	3,20
Dióxido de carbono, CO_2	3,119	4,29
Etano, C_2H_6	5,435	6,51
Eteno, C_2H_4	4,545	5,82
Hélio, He	0,0337	2,38
Hidrogênio, H_2	0,2388	2,65
Nitrogênio, N_2	1,347	3,87
Oxigênio, O_2	1,359	3,19
Xenônio, Xe	4,135	5,16

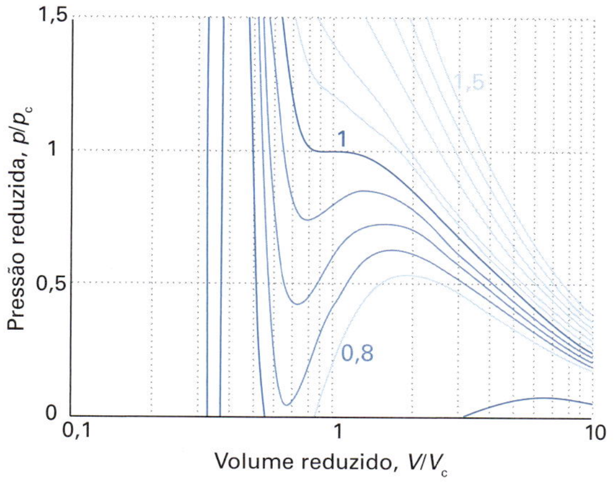

Figura 1.18 Isotermas calculadas usando a equação de estado de van der Waals. Os eixos representam a 'pressão reduzida', p/p_c, e o 'volume reduzido', V/V_c, em que $p_c = a/27b^2$ e $V_c = 3b$. Os números em cada uma das isotermas individuais representam a 'temperatura reduzida', T/T_c, em que $T_c = 8a/27Rb$. A isoterma com o número 1 é a isoterma crítica (a isoterma na temperatura crítica).

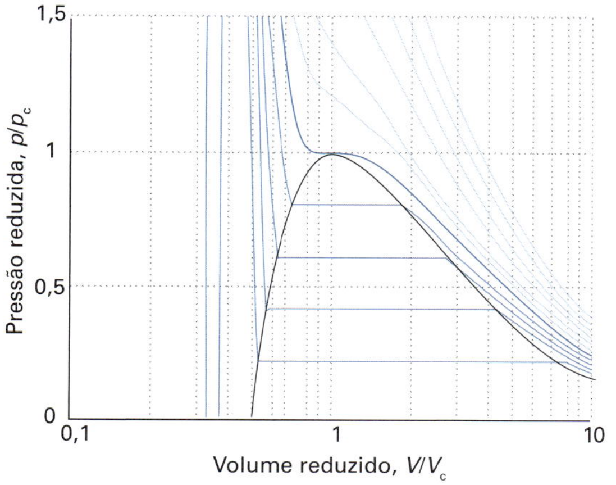

Figura 1.19 As ondulações irreais de van der Waals são eliminadas desenhando-se retas que dividem as voltas em áreas de mesmo tamanho. Com este procedimento, as isotermas se assemelham fortemente às isotermas observadas experimentalmente.

Obtivemos a equação de van der Waals usando argumentos físicos a respeito do volume das moléculas e dos efeitos das forças entre elas. Entretanto, essa equação pode ser deduzida de outros modos. O método que utilizamos tem a vantagem de mostrar como deduzir a forma de uma equação a partir de ideias gerais. Essa dedução também tem a vantagem de manter impreciso o significado dos **parâmetros de van der Waals**, as constantes a e b: é muito melhor que eles sejam considerados como parâmetros empíricos do que como propriedades moleculares precisamente definidas. Os parâmetros de van der Waals dependem do gás, mas são considerados como independentes da temperatura (Tabela 1.6). Segue-se que, do modo como construímos a equação, a (o parâmetro que representa as atrações) deve ser grande quando as moléculas se atraem mutuamente com força, enquanto b (o parâmetro que representa as repulsões) pode ser esperado como sendo grande quando as moléculas forem grandes.

Podemos julgar a confiabilidade da equação de van der Waals comparando as isotermas previstas por essa equação, e que podem ser vistas na Figura 1.18, com as isotermas experimentais, que já foram mostradas na Figura 1.14. Tirando-se as oscilações abaixo da temperatura crítica, as isotermas de van der Waals se parecem muito com as isotermas experimentais. As oscilações, que são chamadas de **ondulações de van der Waals**, são irreais, pois sugerem que sob determinadas condições a compressão leva a uma diminuição na pressão. Portanto, essas ondulações são substituídas por linhas horizontais (Fig. 1.19). Os parâmetros de van der Waals na Tabela 1.6 foram determinados ajustando-se as curvas calculadas às isotermas experimentais.

Duas características importantes da equação de van der Waals devem ser observadas. Primeiro, as isotermas do gás perfeito coincidem com as isotermas da equação de van der Waals em temperaturas altas e pressões baixas. Para confirmar essa observação, precisamos lembrar que, quando a temperatura for alta, RT pode ser tão grande que o primeiro termo à direita na Eq. 1.26a excede em muito o segundo, que pode ser então desprezado. Além disso, a baixas pressões, o volume molar é tão grande que $V - nb$ pode ser substituído por V. Consequentemente, nessas condições (de temperatura alta e pressão baixa), a Eq. 1.26a se reduz a $p = nRT/V$, a equação do gás perfeito. Segundo, e como mostrado na Dedução a seguir, as constantes críticas se relacionam com os coeficientes de van der Waals como segue:

$$V_c = 3b, \; T_c = \frac{8a}{27Rb}, \; p_c = \frac{a}{27b^2} \qquad (1.27)$$

A primeira dessas relações mostra que o volume crítico é cerca de três vezes o volume ocupado somente pelas moléculas.

Exemplo 1.3

Estimativa das constantes críticas de um gás

Calcule as constantes críticas do dióxido de carbono.

Estratégia Considere o dióxido de carbono como um gás de van der Waals e utilize a Eq. 1.27 com valores de parâmetros da Tabela 1.6. Converta os parâmetros em unidades básicas antes de utilizá-los.

Resposta Os parâmetros de van der Waals para o CO_2 são a = 3,460 dm^6 bar mol^{-2} e b = 0,004267 dm^3 mol^{-1}. Para convertê-los em unidades básicas escrevemos

$$a = 3{,}658\ \overbrace{\text{dm}^6}^{(10^{-1}\ \text{m})^6}\ \overbrace{\text{bar}}^{10^5\ \text{Pa}}\ \text{mol}^{-2} = 0{,}3658\ \text{m}^6\ \text{Pa mol}^{-2}$$

$$b = 0{,}0429\ \overbrace{\text{dm}^3}^{(10^{-1}\ \text{m})^3}\ \text{mol}^{-1} = 4{,}29\times10^{-5}\ \text{m}^3\ \text{mol}^{-1}$$

Em seguida, utilizando a Eq. 1.27, prevemos os valores das constantes críticas do CO_2 como

$$V_c = 3b = 3\times(4{,}29\times10^{-5}\ \text{m}^3\ \text{mol}^{-1}) = 1{,}29\times10^{-4}\ \text{m}^3\ \text{mol}^{-1},\ \text{ou}\ 0{,}129\ \text{dm}^3\ \text{mol}^{-1}$$

$$T_c = \frac{8a}{27Rb} = \frac{8\times(0{,}3658\ \text{m}^6\ \text{Pa mol}^{-2})}{27\times(8{,}3145\ \text{J K}^{-1}\ \text{mol}^{-1})\times(4{,}29\times10^{-5}\ \text{m}^3\ \text{mol}^{-1})}$$

$$= 304\ \text{K, ou } 31\ °\text{C}$$

$$p_c = \frac{a}{27b^2} = \frac{0{,}3658\ \text{m}^6\ \text{Pa mol}^{-2}}{27\times(4{,}29\times10^{-5}\ \text{m}^3\ \text{mol}^{-1})^2} = 7{,}36\ \text{MPa}$$

Os valores experimentais são 0,094 dm^3 mol^{-1}, 304 K, e 7,375 MPa, respectivamente.

Exercício proposto 1.11

A pressão e a temperatura críticas do CH_4 são 46,1 bar e 191 K, respectivamente. Determine o valor do parâmetro b de van der Waals.

Resposta: 0,0431 dm3 mol–1

Dedução 1.2

Relação entre as constantes críticas e os parâmetros de van der Waals

Para essa dedução precisamos conhecer algumas das regras de cálculo relacionadas com a diferenciação, conforme resumido nas Ferramentas do químico 1.3. Vemos pela Figura 1.18 que, para $T < T_c$, as isotermas calculadas oscilam, cada uma passando por um mínimo seguido de um máximo. Esses extremos convergem em $T \to T_c$, e coincidem em $T = T_c$. No ponto crítico, a curva apresenta uma inflexão horizontal (**1**). Das propriedades das curvas, sabemos que uma inflexão desse tipo ocorre quando as derivadas primeira e segunda são nulas. Assim, podemos obter a temperatura crítica calculando essas derivadas e igualando-as a zero. Primeiramente usamos $V_m = V/n$ para escrever a Eq. 1.23a como

$$p = \frac{RT}{V_m - b} - \frac{a}{V_m^2}$$

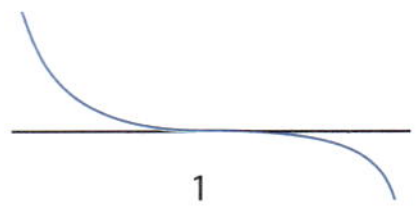

1

A primeira e segunda derivadas de p em relação a V_m (com p em lugar de y nas Ferramentas do químico 1.3, e V_m em lugar de x) são, respectivamente

$$\frac{dp}{dV_m} = -\frac{RT}{(V_m-b)^2} + \frac{2a}{V_m^3} \qquad \frac{d^2p}{dV_m^2} = \frac{2RT}{(V_m-b)^3} - \frac{6a}{V_m^4}$$

No ponto crítico, $T = T_c$, $V = V_c$ e ambas as derivadas são nulas:

$$-\frac{RT_c}{(V_c-b)^2} + \frac{2a}{V_c^3} = 0 \qquad \frac{2RT_c}{(V_c-b)^3} - \frac{6a}{V_c^4} = 0$$

Resolvendo esse par de equações obtemos (como você deve verificar) as expressões para V_c e T_c vistas na Eq. 1.27. Quando inseridas na equação de van der Waals, obtemos a expressão para p_c dada lá também.

Ferramentas do químico 1.3 Diferenciação (ou derivação)

Um importante resultado de cálculo é que

$$\frac{dx^n}{dx} = nx^{n-1}$$

Desse modo, se $y = mx^2 + b$, então, já que m e b são constantes, $dy/dx = 2mx$. Nesse caso, vemos que o coeficiente angular (que é igual a dy/dx) aumenta com x (Esquema 1.4). A expressão para dx^n/dx também se aplica quando n é negativo. Assim, por exemplo,

$$\frac{d}{dx}\frac{1}{x} = \frac{d(1/x)}{dx} = \frac{d(x^{-1})}{dx} \overset{n=-1}{=} -x^{-2} = -\frac{1}{x^2}$$

Duas relações muito importantes são

$$\frac{d}{dx}e^{ax} = ae^{ax} \qquad \frac{d}{dx}e^{f(x)} = \left(\frac{df(x)}{dx}\right)e^{f(x)}$$

Outros dois resultados fundamentais são

$$\frac{d}{dx}\frac{1}{a+bx} = -\frac{b}{(a+bx)^2} \qquad \frac{d}{dx}\frac{1}{(a+bx)^2} = -\frac{2b}{(a+bx)^3}$$

A "segunda derivada" de uma função $d(dy/dx)/dx$ é representada como d^2y/dx^2 ou, de modo equivalente, $(d^2/dx^2)y$, e é o resultado de tirar a derivada uma segunda vez utilizando a mesma regra dada acima. Por exemplo, como a primeira derivada de $y = mx^2 + b$ é $2mx$, a segunda derivada da mesma função é $2m$. Para a Dedução 1.2 você também precisa saber que

$$\frac{d^2}{dx^2}\frac{1}{a+bx} = \frac{d}{dx}\left\{-\frac{b}{(a+bx)^2}\right\} = \frac{2b^2}{(a+bx)^3}$$

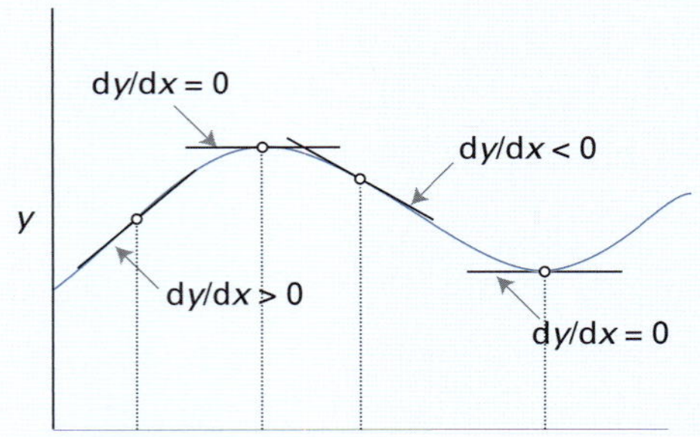

Esquema 1.4 Uma função e seu coeficiente angular; o coeficiente angular em qualquer ponto x é dado pela derivada da função naquele ponto.

1.14 A liquefação de gases

Um gás pode ser liquefeito ao ser resfriado abaixo do seu ponto de ebulição, na pressão em que é feita a experiência. Por exemplo, o cloro a 1 atm pode ser liquefeito resfriando-o abaixo de –34 °C por meio de banho com gelo seco (dióxido de carbono sólido). Para gases com pontos de ebulição muito baixos (como oxigênio e nitrogênio, –183 °C e –196 °C, respectivamente), a técnica simples descrita para o cloro não é possível, a menos que um banho mais frio esteja disponível.

Uma técnica alternativa, e comercialmente muito usada, faz uso das forças que atuam entre as moléculas. Vimos anteriormente que a velocidade média quadrática das moléculas em um gás é proporcional à raiz quadrada da temperatura (Eq. 1.17). Logo, reduzir a velocidade média quadrática das moléculas é equivalente a resfriar o gás. Se a velocidade das moléculas puder ser reduzida ao ponto em que moléculas vizinhas possam capturar uma à outra pelas suas atrações intermoleculares, então o gás resfriado se condensará num líquido.

Para reduzir a velocidade das moléculas do gás, fazemos uso de um efeito semelhante ao que é visto quando uma bola é lançada no ar: quando ela sobe, ela reduz a velocidade devido à atração gravitacional da Terra e a sua energia cinética é convertida em energia potencial. Como vimos, as moléculas atraem-se umas às outras (a atração não é gravitacional, mas o efeito é o mesmo), logo, se pudermos fazer com que uma molécula se afaste da outra, como uma bola que sobe se afastando de um planeta, então elas devem reduzir suas velocidades. É muito fácil fazer com que as moléculas se afastem umas das outras: basta permitir que o gás se expanda para que aumente a distância média entre as moléculas. Então, para resfriar um gás, permitimos que ele se expanda sem deixar que nenhum calor penetre no recipiente. Quando isso é feito, as moléculas se movem para preencher o volume disponível, lutando contra a atração exercida pelas moléculas vizinhas. Como alguma energia cinética foi convertida em energia potencial, as moléculas se deslocam mais lentamente à medida que a separação entre as mesmas aumenta. Portanto, como a velocidade média das moléculas foi reduzida, o gás está agora mais frio que antes da expansão. Esse processo de resfriar um gás real através da expansão por uma abertura estreita, chamada de "válvula de pressão", é denominado **efeito Joule-Thomson.** O efeito foi observado e analisado primeiramente por James Joule (cujo nome é homenageado na unidade de energia) e William Thomson (que mais tarde se tornou Lorde Kelvin). O procedimento é válido somente para gases reais nos quais as interações atrativas são dominantes, pois é necessário que as moléculas se afastem umas das outras na presença de forças atrativas para que se desloquem mais lentamente. Com relação a moléculas sujeitas a condições em que as repulsões são dominantes (correspondendo a $Z > 1$, em que Z é o fator de compressibilidade), o efeito Joule-Thomson resulta no aquecimento do gás.

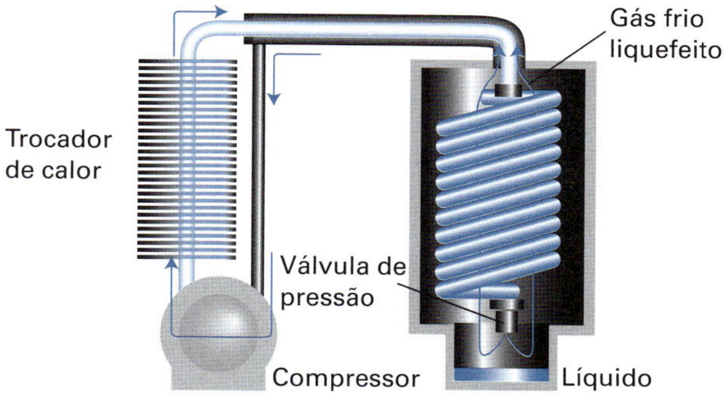

Figura 1.20 O princípio do refrigerador Linde. O gás é recirculado e esfria o gás que está a ponto de sofrer expansão através da válvula de pressão. Quando o gás se expande, esfria ainda mais. Por fim, o gás liquefeito goteja da válvula de pressão.

Na prática, o gás é expandido várias vezes, sendo recirculado por intermédio de um dispositivo chamado de **refrigerador Linde** (Fig. 1.20). A cada expansão o gás fica mais frio e, como flui passando pelo gás que está entrando, este é resfriado adicionalmente. Depois de várias expansões sucessivas, o gás fica tão resfriado que se transforma em líquido (ocorre a condensação do gás).

Informação adicional 1.1

Teoria cinética molecular

Uma das habilidades de um físico-químico é a capacidade de transformar ideias qualitativas simples em sólidas teorias quantitativas. O modelo cinético dos gases é um excelente exemplo dessa técnica, uma vez que utiliza os conceitos apresentados neste texto transformando-os em expressões exatas. Como é comum na construção de modelos, há certo número de etapas, mas cada uma é motivada por uma apreciação clara da visão física subjacente, neste caso a de um conjunto de massas pontuais em movimento aleatório incessante. Os componentes quantitativos fundamentais de que precisamos são as equações da mecânica clássica, que são abordadas no capítulo Fundamentos.

Vamos agora iniciar a dedução da Eq. 1.11, $p = mMv_{rmq}^2/3V$, considerando o arranjo na Figura 1.21. Quando uma partícula de massa m que se desloca com uma componente v_x da velocidade paralela ao eixo dos x (com $v_x > 0$ correspondendo ao movimento para a direita e $v_x < 0$ para a esquerda) colide com a parede à direita e é refletida, a componente do seu momento linear muda de $+m|v_x|$, antes da colisão, para $-m|v_x|$, após a colisão (quando se desloca no sentido oposto, mas com a mesma velocidade; $|x|$ significa o valor de x com o sinal suprimido, então, $|-3| = 3$, por exemplo). Nessas condições, o seu momento varia de $2m|v_x|$ em cada colisão (com as componentes y e z do momento inalteradas). Muitas moléculas colidem com a parede num intervalo Δt, e a variação total do momento linear é o produto da variação do momento

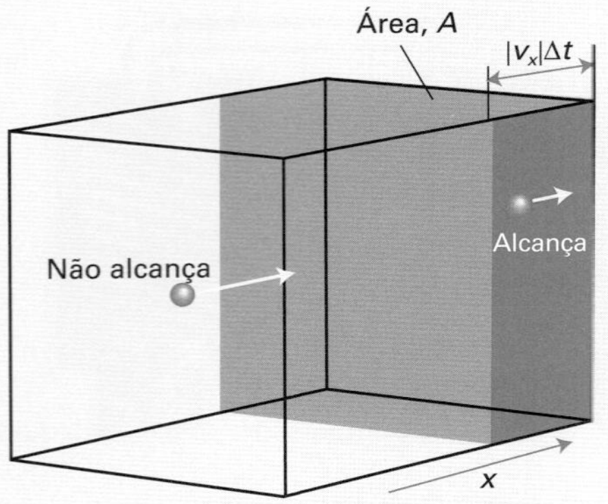

Figura 1.21 Modelo usado para o cálculo da pressão de um gás perfeito de acordo com a teoria cinética molecular. Para simplificar, mostramos aqui apenas a componente *x* da velocidade (as outras duas componentes não se alteram quando as moléculas colidem com a parede). Todas as moléculas no interior da área sombreada alcançarão a parede num intervalo de tempo Δt, desde que estejam se deslocando em sua direção.

linear de cada molécula multiplicado pelo número de moléculas que atingem a parede durante aquele intervalo de tempo.

Precisamos agora calcular esse número. Como uma molécula com velocidade v_x percorre uma distância $|v_x|\Delta t$ em um intervalo Δt, todas as moléculas que se encontram até uma distância $|v_x|\Delta t$ da parede atingirão a parede no intervalo de tempo Δt, desde que elas estejam se deslocando em direção à parede. Portanto, se a parede tem uma área A, então todas as partículas em um volume $A \times |v_x|\Delta t$ alcançarão a parede (se estiverem se deslocando na sua direção). A densidade de partículas, o número de partículas dividido pelo volume total, é $n\mathrm{N_A}/V$ (em que n é o número total de mols de moléculas no recipiente de volume V e $\mathrm{N_A}$ é o número de Avogadro), de modo que o número de moléculas no volume $A|v_x|\Delta t$ é $(n\mathrm{N_A}/V) \times A|v_x|\Delta t$. Em qualquer instante, metade das partículas está se movendo para direita e metade está se movendo para a esquerda. Portanto, o número médio de colisões com a parede durante o intervalo Δt é $n\mathrm{N_A}A|v_x|\Delta t/2V$.

A variação do momento total no intervalo Δt é o produto entre o número de colisões que acabamos de calcular e a variação de momento em cada colisão, $2m|v_x|$:

$$\text{Variação do momento} = \overbrace{\frac{n\mathrm{N_A}A|v_x|\Delta t}{2V}}^{\text{Número de colisões}} \times \overbrace{2m|v_x|}^{\text{Variação do momento em uma colisão}}$$

$$= \frac{nm\mathrm{N_A}Av_x^2\Delta t}{V} \overset{M=m\mathrm{N_A}}{=} \frac{nMAv_x^2\Delta t}{V}$$

A seguir, para obter a força, calculamos a velocidade de variação de momento:

$$\text{Força} = \frac{\overbrace{nMAv_x^2\Delta t/V}^{\text{Variação do momento}}}{\underbrace{\Delta t}_{\text{Intervalo de tempo}}} = \frac{nMAv_x^2}{V}$$

Segue que a pressão, a força dividida pela área, A, exercida pela força atuante, é

$$\text{Pressão} = \frac{\overbrace{nMAv_x^2/V}^{\text{Força}}}{\underbrace{A}_{\text{Área}}} = \frac{nMv_x^2}{V}$$

Nem todas as moléculas se deslocam com a mesma velocidade. Assim, a pressão detectada, p, é a média (simbolizada por $\langle\ldots\rangle$) da grandeza anterior:

$$p = \frac{nM\langle v_x^2\rangle}{V}$$

Para escrever uma expressão da pressão em termos da velocidade média quadrática, v_{rmq}, começamos escrevendo a velocidade v de uma única molécula como $v^2 = v_x^2 + v_y^2 + v_z^2$. Como a velocidade média quadrática, v_{rmq}, é definida por $v_{\mathrm{rmq}} = \langle v^2\rangle^{1/2}$ (Eq. 1.12), segue que

$$v_{\mathrm{rmq}}^2 = \langle v^2\rangle = \langle v_x^2\rangle + \langle v_y^2\rangle + \langle v_z^2\rangle$$

Porém, como as moléculas estão se movendo aleatoriamente, todas as três médias são as mesmas. Segue-se que $v_{\mathrm{rmq}}^2 = 3\langle v_x^2\rangle$. Assim, a Eq. 1.11 pode ser obtida substituindo-se $\langle v_x^2\rangle = {}^1/_3 v_{\mathrm{rmq}}^2$ na expressão $p = nM\langle v_x^2\rangle/V$.

Verificação de conceitos importantes

☐ **1** Uma equação de estado é uma equação que relaciona a pressão, o volume, a temperatura e o número de mols.

☐ **2** A equação de estado de um gás perfeito é baseada na lei de Boyle ($p \propto 1/V$), lei de Charles ($V \propto T$) e no princípio de Avogadro ($V \propto n$).

☐ **3** A lei de Dalton estabelece que a pressão total exercida por uma mistura de gases perfeitos é a soma das pressões que cada gás exerceria se estivesse sozinho no recipiente que contém a mistura na mesma temperatura da mistura.

☐ **4** A pressão parcial de qualquer gás é definida como $p_J = x_J p$, em que x_J é sua fração molar em uma mistura e p é a pressão total.

☐ **5** O modelo cinético dos gases expressa as propriedades dos gases perfeitos em termos de um conjunto de massas pontuais em incessante movimento aleatório.

☐ **6** As velocidades média e média quadrática das moléculas são proporcionais à raiz quadrada da temperatura (absoluta) e inversamente proporcionais à raiz quadrada da massa molar.

☐ **7** As propriedades da distribuição de Maxwell de velocidades são resumidas nas Figuras 1.9 e 1.10.

☐ **8** Difusão é a propagação de uma substância em outra; efusão é o escape de um gás através de um pequeno orifício.

☐ **9** A lei de Graham estabelece que a velocidade de efusão é inversamente proporcional à raiz quadrada da massa molar.

☐ **10** O efeito Joule-Thomsom é o resfriamento de um gás que ocorre quando ele se expande através de uma válvula sem a entrada de calor.

Mapa conceitual das equações importantes

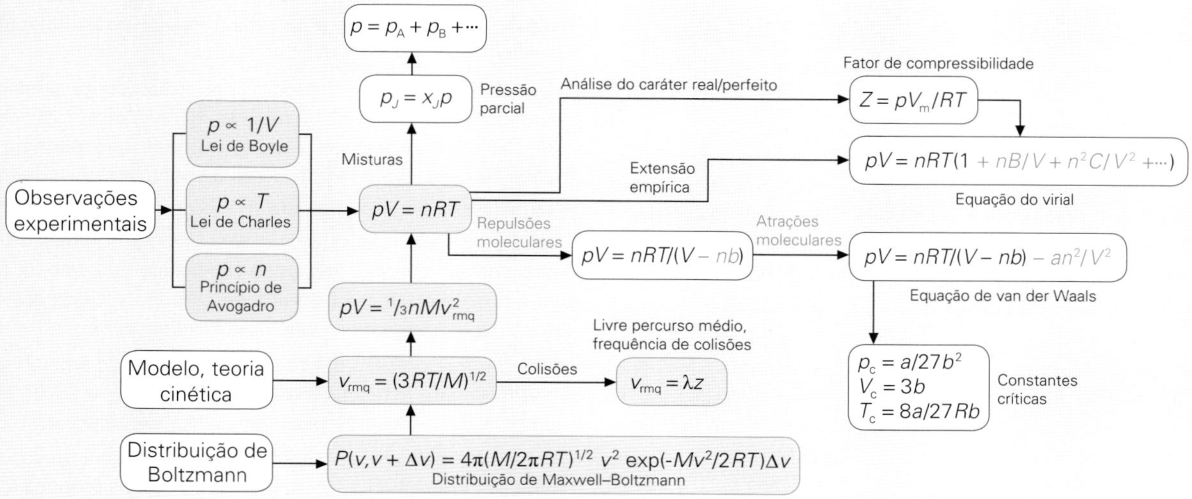

Os boxes azuis indicam uma limitação aos gases perfeitos.

Questões e exercícios

Questões teóricas

1.1 Explique como os experimentos de Boyle, Charles e Avogrado levaram à formulação da equação de estado do gás perfeito.

1.2 Explique o termo "pressão parcial" e por que a lei de Dalton é uma lei limite.

1.3 Use o modelo cinético dos gases para explicar por que gases leves como H_2 e He são raros na atmosfera da Terra, enquanto gases mais pesados como O_2, CO_2 e N_2 são abundantes.

1.4 Dê uma explicação molecular para a variação das velocidades de difusão e efusão dos gases com a temperatura.

1.5 Explique como o fator de compressibilidade varia com a pressão e com a temperatura, e descreva como esse fator revela informações sobre as interações moleculares em gases reais.

1.6 Qual é a importância das constantes críticas?

1.7 Descreva a formulação da equação de estado de van der Waals.

Exercícios

Considere todos os gases como perfeitos, a menos que exista informação em contrário.

1.1 Qual a pressão que é exercida por uma amostra com 3,055 g de nitrogênio gasoso num recipiente de volume igual a 3,00 dm^3, a 32°C?

1.2 Uma amostra de neônio, de massa igual a 425 mg, ocupa 6,00 dm^3 a 77 K. Qual a pressão exercida por essa amostra?

1.3 Para surpresa de muitas pessoas, descobriu-se que o monóxido de nitrogênio (NO) atua como neurotransmissor. Para estudar o seu efeito, uma amostra foi coletada num recipiente de volume igual a 300,0 cm^3. A 14,5°C, observou-se que a sua pressão era de 34,5 kPa. Que quantidade (em mols) de NO foi coletada?

1.4 Um equipamento doméstico para gaseificar água usa cilindros de aço de dióxido de carbono de volume igual a 250 cm^3. Cada um dos cilindros pesa 1,04 kg quando está cheio e 0,74 kg quando está vazio. Qual é a pressão de gás em cada cilindro, a 20°C?

1.5 O efeito das pressões altas sobre organismos, inclusive humanos, é estudado com o objetivo de se obter informações sobre mergulhos em águas profundas e sobre a anestesia. Uma amostra de ar ocupa 1,00 dm^3 a 25 °C e 1.00 atm. Que pressão é necessária para comprimir essa amostra a 100 cm^3, nessa temperatura?

1.6 Existe uma advertência para não se descartar latas pressurizadas lançando-as ao fogo. O gás em um recipiente desse tipo exerce uma pressão de 125 kPa, a 18 °C. Quando o recipiente é lançado no fogo, a sua temperatura sobe a 700 °C. Qual é a pressão nessa temperatura?

1.7 Até que se ache um modo econômico de extrair oxigênio da água do mar ou de rochas lunares, o oxigênio tem de ser transportado com as pessoas quando as mesmas vão para lugares nos quais esse gás não existe ou está presente em concentração abaixo das necessidades humanas. O oxigênio tem de ser comprimido em tanques para ser transportado. Uma amostra de oxigênio na pressão de 101 kPa é comprimida, a temperatura constante, de 7,20 dm^3 até 4,21 dm^3. Calcule a pressão final do gás.

1.8 A que temperatura deve ser resfriada uma amostra de hélio gasoso, inicialmente a 22,2°C, de modo a reduzir seu volume de 1,00 dm^3 para 100 cm^3?

1.9 Balões de ar quente conseguem ascender devido à diminuição da massa específica do ar que ocorre quando o ar no balão é aquecido. A que temperatura se deveria aquecer uma amostra de ar, inicialmente a 315 K, para aumentar seu volume em 25 %?

1.10 Ao nível do mar, onde a pressão é 104 kPa e a temperatura é de 21,1 °C, certa massa de ar ocupa 2,0 m^3. Que volume essa massa de ar ocupará quando subir para uma altitude em que a pressão e temperatura são, respectivamente, (a) 52 kPa, −5,0 °C, (b) 880 Pa, −52,0 °C?

1.11 O volume de ar num sino de mergulho, quando o mesmo está em cima de um barco, é de 3,0 m^3. Qual o volume de ar quando o sino atingir uma profundidade de 50 m? Considere a massa específica média da água do mar como sendo 1,025 g cm^{-3} e admita que a temperatura é a mesma da superfície.

1.12 Balões foram usados para obtenção de informações sobre a atmosfera, e continuam a ser usados atualmente para se obterem informações sobre o tempo. Em 1782, Jacques Charles usou um balão cheio de hidrogênio para voar, partindo de Paris, por 36 km na direção do interior da França. Qual é a massa específica do hidrogênio em relação ao ar na mesma pressão e temperatura? Qual é a massa de carga útil que pode ser elevada por 10 kg de hidrogênio desprezando-se a massa do balão?

1.13 A poluição atmosférica é um problema que tem recebido atenção especial. Entretanto, nem toda a poluição vem de fontes industriais. As erupções vulcânicas podem ser uma fonte significativa de poluição do ar. O vulcão Kilauea, no Havaí, emite 200-300 t de SO_2 por dia. Qual é o volume desse gás, se emitido a 800 °C e 1,0 atm?

1.14 Um balão meteorológico tinha um raio de 1,5 m quando foi lançado ao nível do mar a 20 °C, e se expandiu até um raio de 3,5 m ao atingir a sua altitude máxima, em que a temperatura era de −25 °C. Qual a pressão dentro do balão naquela altitude?

1.15 Uma mistura gasosa, que é usada para simular a atmosfera de outro planeta, consiste em 320 mg de metano, 175 mg de argônio e 225 mg de nitrogênio. A pressão parcial do nitrogênio, a 300 K, é de 15,2 kPa. Calcule (a) o volume e (b) a pressão total da mistura.

1.16 A pressão de vapor da água, na temperatura do sangue, é de 47 Torr. Qual é a pressão parcial do ar seco em nossos pulmões quando a pressão total é de 760 Torr?

1.17 A determinação da massa específica de um gás ou de um vapor pode fornecer uma estimativa rápida de sua massa molar, embora a espectrometria de massa seja muito mais precisa. Determinou-se, a 330 K e 25,5 kPa, que a massa específica de certo composto gasoso é de 1,23 g dm^{-3}. Qual é a massa molar desse composto?

1.18 Numa experiência para a medida da massa molar de um gás, 250 cm^3 do gás foram confinados em um recipiente de vidro. A pressão era de 152 Torr, a 298 K, e a massa do gás era de 33,5 mg. Qual é a massa molar do gás?

1.19 Um recipiente de volume igual a 22,4 dm^3 contém 2,0 mols de H_2 e 1,0 mol de N_2, a 273,15 K. Calcule (a) as suas pressões parciais e (b) a pressão total.

1.20 Use o modelo cinético para calcular a velocidade média quadrática de (a) moléculas de N_2, (b) de H_2O na atmosfera da Terra, a 273 K.

1.21 Utilize o teorema da equipartição, que está descrito nos Fundamentos 0.12, para deduzir a Eq. 1.17.

1.22 Calcule a velocidade média dos (a) átomos de He, (b) moléculas de CH_4 a (i) 79 K, (ii) 315 K, (iii) 1500 K.

1.23 Um bulbo de vidro de 1,00 dm^3 contém 1,0 × 10^{23} moléculas de H_2. Se a pressão exercida pelo gás é de 100 kPa, qual é (a) a temperatura do gás, (b) a velocidade média quadrática das moléculas? (c) A temperatura seria diferente se as moléculas fossem de O_2?

1.24 O gás de síntese (também conhecido por 'gasogênio') consiste em uma mistura de hidrogênio, H_2, e monóxido de carbono, CO. Calcule a velocidade relativa, em moléculas por segundo, à qual o hidrogênio e o monóxido de carbono escapam de um cilindro de gás de síntese com vazamento.

1.25 Um cilindro contendo gás para um *laser* de dióxido de carbono contém quantidades iguais de dióxido de carbono, nitrogênio e hélio. Se 1,0 g de dióxido de carbono vaza do cilindro por efusão, que massa de nitrogênio e hélio escapa?

1.26 Em que pressão o livre percurso médio do argônio, contido num recipiente esférico de 1,0 dm^3 de volume, a 25 °C, torna-se comparável ao diâmetro deste recipiente? Considere σ = 0,36 nm^2.

1.27 Em que pressão o livre percurso médio do argônio, a 25 °C, torna-se comparável a 10 vezes o diâmetro dos próprios átomos? Considere σ = 0,36 nm^2.

1.28 Quando estamos estudando os processos fotoquímicos que podem ocorrer na atmosfera superior, precisamos saber com que frequência átomos e moléculas colidem. A uma altitude de 20 km a temperatura é de 217 K e a pressão é de 0,050 atm. Qual é o livre percurso médio das moléculas de N_2? Considere σ = 0,43 nm^2.

1.29 Quantas colisões um único átomo de Ar faz em 1,0 s quando a temperatura é de 25 °C e a pressão é de (a) 10 bar, (b) 100 kPa, (c) 1,0 Pa?

1.30 Calcule o número total de colisões por segundo em 1,0 dm^3 de argônio sujeito às mesmas condições que no Exercício 1.29.

1.31 Quantas colisões por segundo são feitas por uma molécula de N_2 numa altitude de 20 km? (Veja os dados no Exercício 1.28.)

1.32 Como o livre percurso médio numa amostra gasosa varia com a temperatura em um recipiente de volume constante?

1.33 A expansão dos poluentes pela atmosfera é governada em parte pelos efeitos dos ventos, mas também pela tendência natural das moléculas em se difundirem. No caso da difusão, o processo depende da distância que uma molécula pode percorrer antes de colidir com outra molécula. Calcule o livre percurso médio das moléculas diatômicas no ar considerando σ = 0,43 nm^2 a 25 °C e (a)10 bar, (b)103 kPa, (c)1,0 Pa.

1.34 O ponto crítico do gás amônia, NH_3, ocorre a 111,3 atm, 72,5 cm^3 mol^{-1}, e 405,5 K. Calcule o fator de compressibilidade no ponto crítico. O que você conclui?

1.35 A equação de estado do virial também pode ser escrita como uma expansão em termos da pressão: $Z = 1 + B'p + \dots$ As constantes críticas da água, H_2O, são 218,3 atm, 55,3 cm^3 mol^{-1} e 647,4 K. Supondo que a expansão possa ser truncada após o segundo termo, calcule o valor do segundo coeficiente do virial B' à temperatura crítica.

1.36 Calcule a pressão exercida por 1,0 mol de C_2H_6 que se comporta como (a) um gás perfeito, (b) um gás de van der Waals. Em cada caso, considere que o gás está nas seguintes condições: (i) a 273,15 K em 22,414 dm^3, (ii) a 1000 K em 100 cm^3. Use os dados da Tabela 1.6.

1.37 Quão confiável é a lei do gás perfeito comparada com a equação de van der Waals? Qual a diferença, em termos de pressão, entre considerar 10,00 g de dióxido de carbono confinado em um recipiente de volume igual a 100 cm^3, a 25,0 °C, como um gás perfeito e como um gás de van der Waals?

1.38 Um gás obedece à equação de van der Waals, com $a = 0{,}50$ m^6 Pa mol^{-2}. Seu volume é de $5{,}00 \times 10^{-4}$ m^3 mol^{-1} a 273 K e 3,0 MPa. A partir dessas informações, calcule a constante *b* de van der Waals. Qual é o fator de compressibilidade do gás na temperatura e pressão consideradas?

1.39 Expresse a equação de estado de van der Waals como uma expansão do virial em potências de $1/V_m$ e obtenha expressões para *B* e *C* em termos dos parâmetros *a* e *b*. *Sugestão:* A expansão de que você precisará é $(1 - x)^{-1} = 1 + x + x^2 + \cdots$.

1.40 Medidas feitas com argônio deram para os coeficientes do virial, a 273 K, os seguintes resultados: $B = -21{,}7$ cm^3 mol^{-1} e $C = 1200$ cm^6 mol^{-2}. Quais os valores de *a* e *b* na correspondente equação de estado de van der Waals? *Sugestão:* Utilize a expressão para *B* obtida no Exercício 1.39.

1.41 Mostre que existe uma temperatura em que o segundo coeficiente de virial, *B*, é zero para um gás de van der Waals, e calcule o seu valor para o dióxido de carbono. *Sugestão.* Use a expressão para *B* obtida no Exercício 1.39.

1.42 As constantes críticas do etano são $p_c = 48{,}20$ atm, $V_c = 148$ cm^3 mol^{-1} e $T_c = 305{,}4$ K. Calcule os parâmetros de van der Waals do gás e estime o raio das moléculas.

Projetos

O símbolo ‡ indica que o cálculo é necessário.

1.43‡ Nos exercícios a seguir você vai explorar a distribuição de Maxwell de velocidades mais detalhadamente. (a) Mostre que a velocidade média de moléculas de massa molar *M* à temperatura *T* é igual a $(8RT/\pi M)^{1/2}$. *Sugestão:* Você precisa usar uma integral do tipo $\int_0^\infty x^3 e^{-ax^2} dx = n!/2a^2$. (b) Mostre que a velocidade média quadrática das moléculas de um gás de massa molar *M* à temperatura *T* é igual a $(3RT/M)^{1/2}$, e assim verifique a Eq. 1.17. *Sugestão:* Você precisa usar uma integral do tipo $\int_0^\infty x^4 e^{-ax^2} dx = (3/8a^2)(\pi/a)^{1/2}$. (c) Obtenha uma expressão para a velocidade mais provável das moléculas de um gás de massa molar *M* à temperatura *T*. *Sugestão:* Localize o máximo da curva de distribuição de Maxwell. (O máximo ocorre quando $dF/ds = 0$.) (d) Calcule a fração de moléculas de N_2 que têm velocidades entre 290 e 300 m s^{-1} a 500 K.

1.44‡ Aqui vamos explorar a equação de estado de van der Waals. Na linguagem do cálculo, o ponto crítico de um gás de van der Waals ocorre quando a isoterma tem uma inflexão, ou seja, em que $dp/dV_m = 0$ (coeficiente angular nulo) e $d^2p/dV_m^2 = 0$ (curvatura nula). (a) Calcule essas duas expressões usando a Eq. 1.26b e obtenha expressões para as constantes críticas em termos dos parâmetros de van der Waals. (b) Mostre que o valor do fator de compressibilidade no ponto crítico é $3/8$.

1.45 O modelo cinético dos gases é válido quando o tamanho das partículas é desprezível comparado ao do livre percurso médio dessas partículas. Assim, parece absurdo que a teoria cinética, e consequentemente a lei do gás perfeito, possa ser aplicada à matéria densa do interior das estrelas. No centro do Sol, por exemplo, a massa específica é 150 vezes a da água líquida, e é comparável à da água a meio caminho de sua superfície. Entretanto, devemos levar em conta que o estado da matéria é o de um *plasma*, em que os elétrons foram arrancados dos átomos de hidrogênio e hélio que formam a matéria das estrelas. Assim, as partículas que formam o plasma têm diâmetros comparáveis aos dos núcleos, de aproximadamente 10 fm. Logo, um livre percurso médio de apenas 0,1 pm satisfaz ao critério para a validade do modelo cinético e da lei do gás perfeito. Portanto, podemos usar $PV = nRT$ como equação de estado para o interior estelar. (a) Calcule a pressão a meio caminho para o centro do Sol, admitindo que o interior consiste em átomos de hidrogênio ionizados, com temperatura de 3,6 MK e massa específica de 1,20 g cm^{-3} (ligeiramente superior à da água). (b) Combine o resultado da parte (a) com a expressão da pressão deduzida do modelo cinético para mostrar que a pressão do plasma está relacionada com a *densidade de energia cinética* $\rho_k = E_k/V$, a energia cinética das moléculas de uma região dividida pelo volume da região, por $p = (2/3)\rho_k$. (c) Qual é a densidade de energia cinética a meio caminho para o centro do Sol? Compare seu resultado com a densidade de energia cinética (de translação) da atmosfera da Terra em dia fresco (25 °C): $1{,}5 \times 10^5$ J m^{-3}. Qual é a pressão neste ponto? (d) As estrelas, por fim, expulsam algum hidrogênio dos seus núcleos que se contraem e isso resulta em temperaturas mais altas. O aumento da temperatura resulta num aumento nas velocidades das reações nucleares, algumas das quais resultam na formação de núcleos mais pesados, como carbono. A parte externa da estrela se expande e resfria quando ela se torna uma gigante vermelha. Admita que a meio caminho para o centro uma gigante vermelha tenha uma temperatura de 3500 K, que seja constituída principalmente por átomos de carbono completamente ionizados e elétrons e que tenha uma massa específica de 1200 kg m^{-3}. Qual é a pressão nesse ponto? (e) Se a gigante vermelha do exercício anterior consistisse em átomos de carbono neutros, em vez de átomos de carbono ionizados e elétrons, qual seria a pressão no mesmo ponto e nas mesmas condições?

2

Termodinâmica: a Primeira Lei

A área da físico-química conhecida como **termodinâmica** ocupa-se do estudo das transformações da energia, em particular da transformação de calor em trabalho e vice-versa. Esse assunto pode parecer distante da química; de fato, a termodinâmica foi originalmente formulada por físicos e engenheiros, interessados na eficiência de máquinas a vapor. Entretanto, a termodinâmica se mostrou de imensa importância na química. Ela não trata apenas da produção de energia decorrente das reações químicas, como também ajuda a responder perguntas de importância central na química. Por exemplo, por que as reações químicas atingem o equilíbrio, qual a composição do meio reacional no equilíbrio e como as células eletroquímicas (e biológicas) podem ser usadas para gerar eletricidade.

A termodinâmica química pode ser dividida em várias partes. A **termoquímica** é a parte da termodinâmica que trata da produção do calor envolvida nas reações químicas. À medida que formos elaborando a formulação da termodinâmica, veremos que é possível discutir a produção de energia na forma de trabalho. Isso nos leva aos campos da **eletroquímica**, a interação entre a eletricidade e a química, e da **bioenergética**, que é o estudo da utilização da energia nos organismos vivos. O estudo do equilíbrio químico – a formulação das constantes de equilíbrio e o caso especial da composição de soluções de ácidos e bases no equilíbrio – é um dos aspectos da termodinâmica.

A **termodinâmica clássica**, a termodinâmica desenvolvida durante o século XIX, não utiliza nenhum modelo da constituição interna da matéria. Poderíamos desenvolver e utilizar a termodinâmica sem mencionar a existência de átomos ou moléculas. Entretanto, o assunto fica muito enriquecido se considerarmos que átomos e moléculas realmente existem, e interpretarmos as propriedades e relações termodinâmicas em termos da estrutura microscópica da matéria. Como já vimos no Capítulo de Fundamentos, estabeleceremos uma relação entre a termodinâmica, que fornece relações úteis entre as propriedades macroscópicas da matéria, e as propriedades dos átomos e moléculas, que são, em última análise, as responsáveis por essas propriedades macroscópicas. A teoria que correlaciona as propriedades atômicas à termodinâmica é denominada **termodinâmica estatística** e é vista no Capítulo 22.

A conservação da energia

Quase toda a argumentação e explicação dos fenômenos químicos concentram-se em considerar algum aspecto de uma única propriedade: a energia. Veremos que a energia determina que moléculas podem ser formadas, que reações podem ocorrer, a que velocidade as reações ocorrem e – refinando-se a nossa concepção de energia explorada no Capítulo 4 – em que direção uma reação tende a ocorrer.

Como vimos em Fundamentos 0.9:

Energia é a capacidade de realizar trabalho.

Trabalho é o movimento contra uma força que a ele se opõe.

Por essas definições, vemos que um peso elevado a uma certa altura tem mais energia que um peso no chão, pois o primeiro tem maior capacidade de realizar trabalho: o trabalho é realizado à medida que o primeiro corpo cai até o nível do corpo que está no chão. Essas definições também implicam que um gás em alta temperatura tem mais energia que o mesmo gás em baixa temperatura: o gás quente tem uma pressão maior, podendo realizar mais trabalho ao empurrar um pistão.

Ao longo dos séculos, muitos se esforçaram para produzir energia do nada, acreditando que, se pudessem criar energia, poderiam produzir trabalho (e riquezas) indefinidamente. Contudo, a despeito de inúmeros esforços, muitos deles até mesmo mostrando-se fraudulentos, todos falharam, sem exceção. Como resultado de todas essas tentativas frustradas, somos forçados a reconhecer que a energia não pode ser criada nem destruída, mas simplesmente convertida de uma forma em outra ou transportada de um lugar para outro. Essa "lei da conservação da energia" é de grande importância na química. A maioria das reações químicas absorve ou libera energia, quando ocorrem; assim, de acordo com a lei da conservação da energia, podemos concluir que todas essas transformações envolvem apenas a conversão de uma forma de energia em outra, ou sua transferência de um lugar para outro, mas não a sua criação ou destruição. O estudo detalhado da conversão e transferência de energia é o assunto da termodinâmica.

2.1 Sistema e vizinhanças

Em termodinâmica, um **sistema** é a porção do universo que nos interessa particularmente. As **vizinhanças** são o âmbito de nossas observações (Fig. 2.1). As vizinhanças, que podem ser imaginadas como um grande banho de água, permanecem a temperatura constante, independentemente de quanta energia flui para dentro ou para fora delas. Essas vizinhanças são tão grandes que também têm ou volume constante ou pressão constante, independentemente de quaisquer variações que ocorram no sistema. Dessa forma, mesmo que o sistema sofra uma expansão, as vizinhanças mantêm efetivamente o mesmo volume.

Precisamos distinguir três tipos de sistema (Fig. 2.2):

Um **sistema aberto** é um sistema que pode trocar energia e massa com as vizinhanças.

Um **sistema fechado** é um sistema que pode trocar energia, mas não pode trocar massa com as vizinhanças.

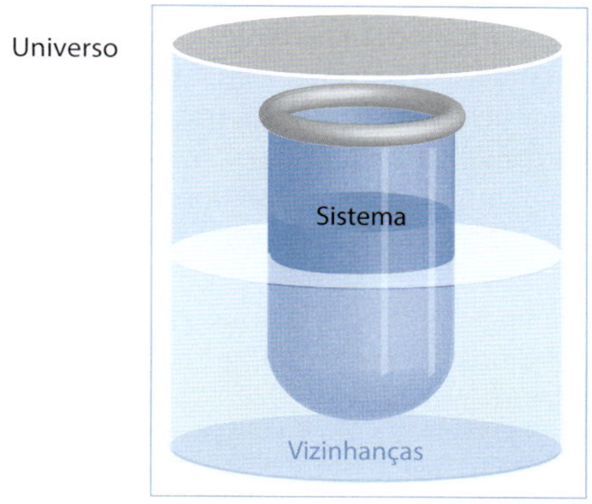

Figura 2.1 A amostra é o sistema de interesse; o restante do universo são as vizinhanças. O sistema é observado nas vizinhanças, que podem ser representadas por um grande banho de água, como nesta ilustração. O universo é formado pelo sistema e pelas vizinhanças.

Um **sistema isolado** é um sistema que não pode trocar nem energia e nem massa com as vizinhanças.

Um exemplo de um sistema aberto é um frasco não arrolhado, ao qual várias substâncias podem ser adicionadas. Uma célula biológica é um sistema aberto, porque os nutrientes e os resíduos podem passar pelas paredes da célula. Nós somos sistemas abertos: comemos, respiramos, transpiramos e excretamos. Um exemplo de sistema fechado é um frasco arrolhado: podemos trocar energia com o conteúdo do frasco, pois as paredes podem ser capazes de conduzir o calor. Um exemplo de sistema isolado é um frasco selado que está térmica, mecânica e eletricamente isolado das vizinhanças.

2.2 Trabalho e calor

A energia pode ser trocada entre o sistema e as vizinhanças como trabalho ou como calor. Um sistema realiza trabalho quando causa um movimento contra uma força que a ele se opõe. Como visto em Fundamentos 0.9, a magnitude do trabalho realizado contra uma força oposta constante é dada pelo produto da distância percorrida pela força aplicada; desenvolveremos essa relação a seguir.

O **calor** é um processo de transferência de energia devido a uma diferença de temperatura entre o sistema e as vizinhanças.

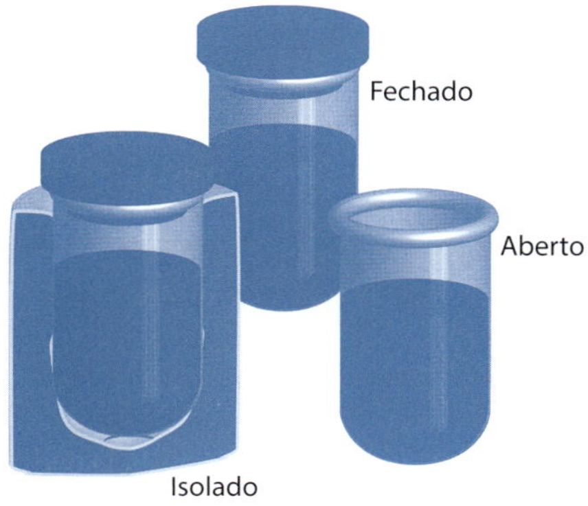

Figura 2.2 Um sistema é *aberto* quando pode trocar energia e massa com as vizinhanças; *fechado* quando pode trocar energia, mas não pode trocar massa, e *isolado* quando não pode trocar nem energia nem massa.

Para evitar complicações decorrentes de um excesso de detalhamento, é comum dizer que "a energia é transferida como trabalho" quando o sistema realiza trabalho e que "a energia é transferida como calor" quando o sistema é aquecido pelas vizinhanças. Contudo, devemos sempre lembrar que "trabalho" e "calor" são *formas de transferência de energia*, e não *formas de energia*.

Embora na linguagem cotidiana não se faça às vezes distinção entre os termos "temperatura" e "calor", trata-se de conceitos completamente diferentes:

> **Calor**, q, é a energia em trânsito como resultado de uma diferença de temperatura.
>
> **Temperatura**, T, é uma propriedade intensiva (uma propriedade que não depende da quantidade de substância da amostra, Fundamentos 0.4) que é usada para definir o estado de um sistema e que determina a direção na qual a energia flui como calor.

As paredes que permitem a passagem de calor como um modo de transferência de energia são chamadas de **diatérmicas** (Fig. 2.3). Um recipiente de metal é diatérmico. Paredes que não permitem a passagem de calor, mesmo quando há uma diferença de temperatura entre o sistema e as vizinhanças, são chamadas **adiabáticas** (a palavra vem do grego, significando "o que não passa através"). As paredes duplas de uma garrafa térmica são aproximadamente adiabáticas.

Como um exemplo dessas diferentes formas de transferência de energia, considere uma reação química que produz um gás, como a reação de um ácido com zinco, $Zn(s) + 2\,HCl(aq) \rightarrow ZnCl_2(aq) + H_2(g)$. Suponha, primeiramente, que a reação ocorra em um cilindro provido de um pistão. O gás produzido empurra o pistão e levanta um peso nas vizinhanças (Fig. 2.4). Nesse caso, a energia se transferiu para as vizinhanças na forma de trabalho, uma vez que um peso foi elevado nessas vizinhanças: esse peso pode agora realizar mais trabalho, tendo então mais energia. Além disso, parte da energia também é trocada com as vizinhanças sob a forma de calor. Pode-se detectar essa forma de

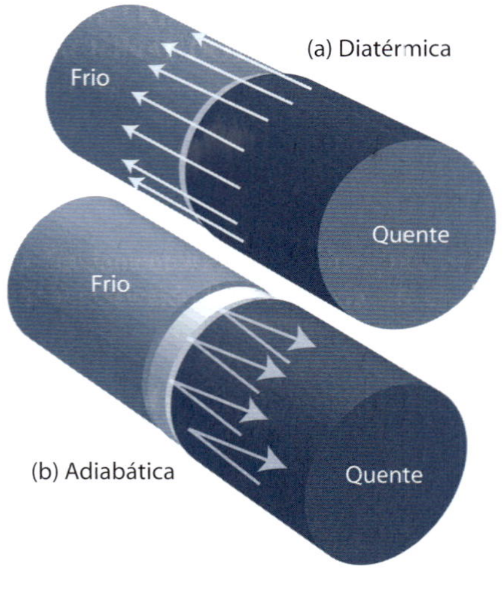

Figura 2.3 (a) Uma parede diatérmica permite a passagem de energia como calor; (b) uma parede adiabática não permite essa passagem, mesmo que haja uma diferença de temperatura em cada lado da parede.

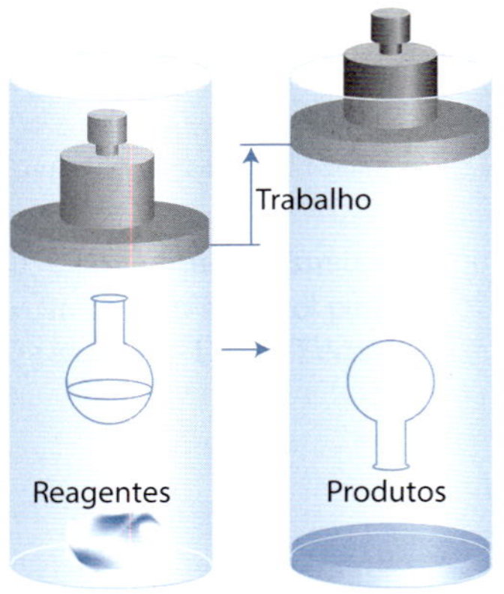

Figura 2.4 Quando ácido clorídrico reage com zinco, o hidrogênio produzido empurra a atmosfera circundante (representada por um peso sobre o pistão), realizando trabalho sobre as vizinhanças. Esse é um exemplo de energia que deixa o sistema na forma de trabalho.

transferência de energia imergindo o vaso reacional em um banho de gelo (um banho contendo uma mistura de gelo e água a 0 °C) e verificando quanto do gelo é derretido. Diferentemente, poderíamos conduzir essa mesma reação no mesmo recipiente, porém com o pistão travado em uma certa posição. Nesse caso, nenhum trabalho é realizado, pois nenhum peso pode ser erguido. Entretanto, verificamos que a quantidade de gelo derretido é maior que no primeiro experimento, o que nos leva a concluir que mais energia migra para as vizinhanças na forma de calor.

Um processo que ocorre em um sistema que libera energia sob a forma de calor é chamado **exotérmico**. Um processo que ocorre em um sistema que absorve energia sob a forma de calor é chamado **endotérmico**. Por exemplo, todas as combustões de compostos orgânicos são exotérmicas. A dissolução endotérmica do nitrato de amônia em água é a base das bolsas de resfriamento instantâneo incluídos em alguns kits de primeiros socorros. Essas bolsas consistem em um envelope plástico que contém água com um corante azul (por razões psicológicas) e um pequeno tubo de nitrato de amônio, que é quebrado quando a bolsa é usada.

2.3 Interpretação molecular do trabalho, calor e temperatura

O entendimento da natureza molecular do trabalho surge quando pensamos no movimento do peso em termos dos átomos que o formam. Quando um peso é elevado, todos os seus átomos se movem na mesma direção. Essa observação sugere que:

> Trabalho é a transferência de energia que realiza ou utiliza um movimento ordenado nas vizinhanças (Fig. 2.5).

Sempre que pensamos em trabalho, pensamos em um movimento uniforme de alguma natureza. O trabalho elétrico, por exemplo, corresponde ao movimento dos elétrons, na mesma direção, através de um circuito. O trabalho mecânico corresponde ao movimento dos átomos que são empurrados numa mesma direção e contra uma força que se opõe ao seu movimento.

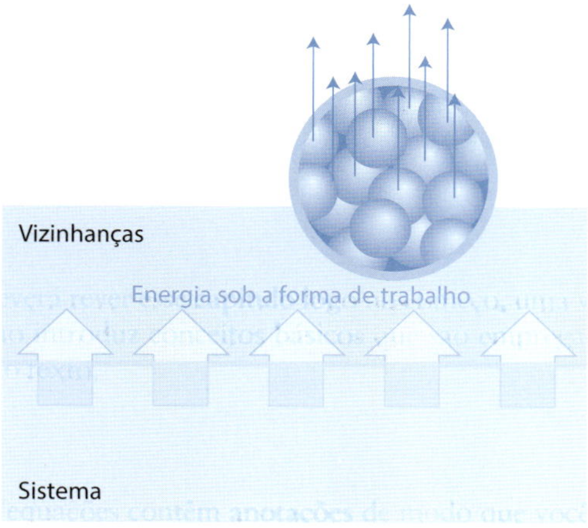

Figura 2.5 Trabalho é a transferência de energia que causa ou utiliza o movimento uniforme dos átomos das vizinhanças. Por exemplo, quando um peso é elevado, todos os átomos do peso (ilustrado em uma representação ampliada) se movem em uníssono na mesma direção.

Vamos considerar agora a natureza molecular do calor. Quando a energia é transferida para as vizinhanças como calor, os átomos e moléculas oscilam mais rapidamente em torno de suas posições de equilíbrio, ou se deslocam mais rapidamente. O ponto-chave a ser notado é que o movimento estimulado pela chegada da energia sob a forma de calor, proveniente do sistema, é desordenado, não sendo uniforme como no caso do trabalho. Essa observação sugere que:

> Calor é a forma de transferência de energia que realiza ou utiliza um movimento desordenado nas vizinhanças (Fig. 2.6).

Por exemplo, um combustível ao ser queimado gera um movimento molecular desordenado nas suas vizinhanças.

Um aspecto histórico interessante é que a diferença molecular entre trabalho e calor tem uma correlação com a ordem cronológica de suas aplicações. A liberação de energia por uma chama é um processo relativamente simples, porque a energia surge do combustível queimando de uma forma desordenada. Foi descoberta por acaso nos primórdios da civilização. A geração de trabalho pela queima de combustível, em contraposição, baseia-se em uma transferência de energia cuidadosamente controlada, o que leva miríades de moléculas a movimentarem-se em uníssono. Com exceção da produção de trabalho devido à contração dos músculos, que é obra da evolução da natureza, esse tipo de processo só foi realizado milhares de anos mais tarde com o desenvolvimento das máquinas a vapor.

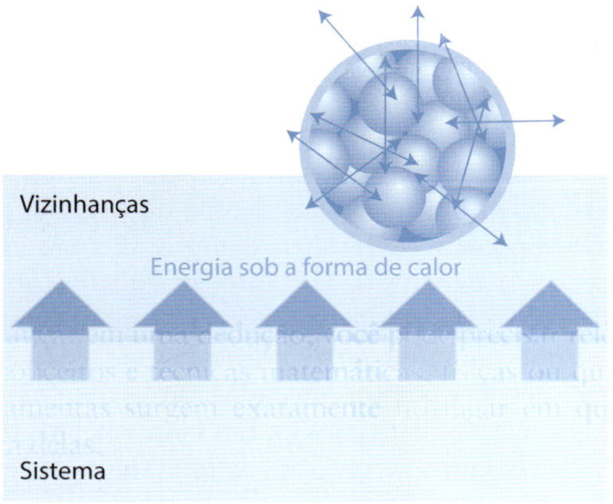

Figura 2.6 Calor é a transferência de energia que causa ou utiliza o movimento aleatório dos átomos das vizinhanças. Quando a energia sai do sistema (região verde clara), gera um movimento aleatório nas vizinhanças (ilustrado em representação ampliada).

2.4 Medida do trabalho

Quando um sistema realiza um trabalho, tal como ao se elevar um peso nas vizinhanças ou forçar uma corrente elétrica por meio de um circuito, a energia transferida, w, é considerada como uma quantidade negativa. Por exemplo, se um sistema eleva um peso nas vizinhanças e nesse processo realiza 100 J de trabalho (ou seja, 100 J de energia saem do sistema como trabalho), então escrevemos $w = -100$ J. Quando o trabalho é feito sobre o sistema – por exemplo, quando damos corda em um relógio – w é uma quantidade positiva. Assim, escrevemos $w = +100$ J para indicar que 100 J de trabalho foi feito sobre o sistema (ou seja, 100 J de energia foi transferida para o sistema ao se fazer trabalho). A convenção de sinais é fácil de ser compreendida se pensarmos nas variações de energia que ocorrem no sistema: a energia do sistema diminui (w negativo) se ela sai do sistema e aumenta (w positivo) se ela entra no sistema (Fig. 2.7).

Usamos a mesma convenção para a energia transferida como calor, q. Escrevemos $q = -100$ J se 100 J de energia saem do sistema sob a forma de calor, de modo a reduzir a energia do sistema, e $q = +100$ J se 100 J entram no sistema sob a forma de calor.

Como muitas reações químicas produzem gases, um tipo de trabalho muito importante em química é o **trabalho de expansão**, o trabalho feito pelo sistema quando se expande contra uma pressão oposta. A ação do ácido sobre o zinco, ilustrada na Figura 2.4, é um exemplo de uma reação que realiza trabalho de expansão no processo de dar espaço para o produto gasoso, o hidrogênio nesse caso. Mostramos na Dedução vista a seguir que, quando o volume de um sistema se expande de ΔV contra uma pressão externa constante p_{ex}, o trabalho realizado é

$$w = -p_{ex}\Delta V \qquad \text{Pressão constante} \qquad \text{Trabalho de expansão} \qquad (2.1)$$

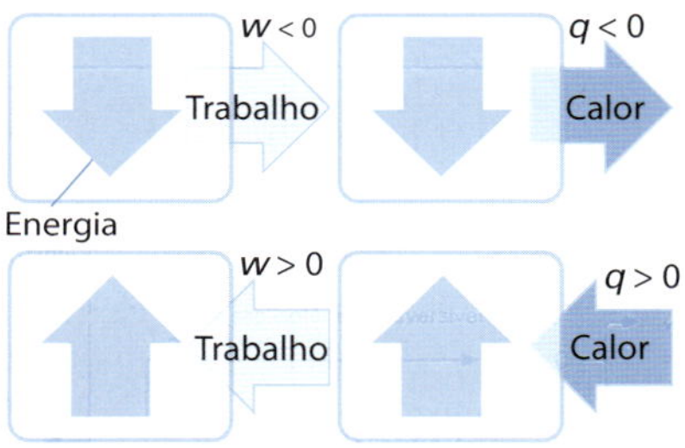

Figura 2.7 A convenção de sinais em termodinâmica: w e q são positivos se a energia entra no sistema (como trabalho e calor, respectivamente), e negativos se a energia sai do sistema.

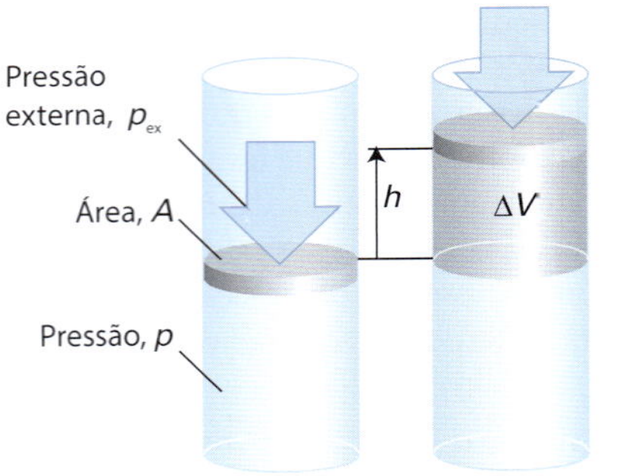

Figura 2.8 Quando um pistão de área A se move, para fora, de uma distância h, varre um volume $\Delta V = Ah$. A pressão externa p_{ex} se opõe à expansão com uma força $p_{ex}A$.

Dedução 2.1

Trabalho de expansão

Para calcular o trabalho que é feito quando um sistema se expande de um volume inicial V_i até um volume final V_f, com uma variação de volume $\Delta V = V_f - V_i$, consideramos um pistão de seção reta de área A se movendo de uma distância h (Fig. 2.8). Não é preciso que haja um pistão real: podemos pensar no pistão como uma representação da fronteira que separa o gás se expandindo da atmosfera. Entretanto, pode haver um pistão real, como quando a expansão ocorre no interior de motor de combustão interna.

A força que se opõe à expansão é a pressão externa p_{ex} constante multiplicada pela área do pistão (pois, força é pressão vezes área, Fundamentos 0.8), de modo que $F = p_{ex}A$. Portanto, a partir da Eq. 0.10, o trabalho realizado é

$$\text{Trabalho realizado} \overbrace{=}^{\text{Eq. 0.10}} \overbrace{(p_{ex}A)}^{F} \times \overbrace{h}^{d} = p_{ex} \times \overbrace{hA}^{\Delta V} = p_{ex} \times \Delta V$$

A última igualdade vem do fato de ser hA o volume do cilindro varrido pelo pistão na expansão do gás, o que nos permite escrever $hA = \Delta V$. Ou seja, para o trabalho de expansão,

$$\text{Trabalho realizado} = p_{ex}\Delta V$$

Consideremos agora o sinal. Um sistema que realiza trabalho perde energia (ou seja, w é negativo) quando se expande (quando ΔV é positivo). Portanto, precisamos de um sinal negativo na equação para garantir que w é negativo quando ΔV é positivo. Dessa forma, obtemos a Eq. 2.1.

Uma nota sobre a boa prática Observe os sinais verificando se a energia armazenada diminui quando o sistema faz trabalho (w é negativo), ou aumenta, quando trabalho é feito sobre o sistema (w é positivo).

De acordo com a Eq. 2.1, é a pressão *externa* que determina quanto trabalho um sistema realiza ao se expandir de um certo volume: quanto maior a pressão externa, maior a força que se opõe ao movimento e maior é o trabalho realizado pelo sistema. Quando a pressão externa for zero, $w = 0$. Nesse caso, o sistema não realiza trabalho ao se expandir, pois nada se opõe ao seu movimento. A expansão contra uma pressão externa nula é chamada de **expansão livre**.

Breve ilustração 2.1 O trabalho realizado por uma reação química

Considere uma reação química que resulta na formação de gases perfeitos. Para calcular o trabalho feito por essa reação a determinada temperatura e pressão externa, primeiramente precisamos calcular ΔV pela lei dos gases perfeitos

$$\Delta V = \overbrace{V_f}^{n_fRT/p_{ex}} - \overbrace{V_i}^{n_iRT/p_{ex}} \overbrace{=}^{\Delta n_g = n_f - n_i} \frac{RT\Delta n_g}{p_{ex}}$$

em que Δn_g é a variação do número de mols de gás. Segue da Eq. 2.1 que o trabalho é dado por

$$w = -p_{ex}\Delta V = -p_{ex}\frac{RT\Delta n_g}{p_{ex}} \overbrace{=}^{\text{cancelamento de } p_{ex}} -RT\Delta n_g$$

que é independente da pressão externa, se esta se mantiver constante durante a reação. Se a reação resulta na produção líquida de gases, então $\Delta n_g > 0$ e $w < 0$. De forma contrária, se há consumo de gases, $\Delta n_g < 0$ e $w > 0$. Por exemplo, o trabalho realizado por um sistema no qual a reação resulta na formação de 1,0 mol de CO_2(g), considerado como um gás perfeito, a 25 °C é dado por

$$w = -\overbrace{(8{,}3145\ \text{J K}^{-1}\ \text{mol}^{-1})}^{R} \times \overbrace{(298\ \text{K})}^{T} \times \overbrace{(1{,}0\ \text{mol})}^{\Delta n_g}$$
$$= -2{,}5 \times 10^3\ \text{J} = -2{,}5\ \text{kJ}$$

Exercício proposto 2.1

Calcule o trabalho realizado por um sistema no qual 1,0 mol de moléculas de gás propano reage com oxigênio para formar dióxido de carbono e água líquida a 25 °C: $C_3H_8(g) + 5\,O_2(g) \rightarrow 3\,CO_2(g) + 4\,H_2O(l)$

Resposta: +7,4 kJ

A Eq. 2.1 nos mostra como podemos obter o trabalho *mínimo* de expansão de um sistema: simplesmente reduzimos a pressão externa a zero. Mas, como podemos, então, obter o trabalho *máximo* de expansão para uma dada variação de volume? Segundo a Eq. 2.1, o trabalho máximo ocorrerá quando a pressão externa tiver um valor máximo. A força que se opõe à expansão será a maior possível, e o sistema fará o esforço máximo para empurrar o pistão. No entanto, a pressão externa não pode em nenhum instante ultrapassar a pressão p do gás dentro do sistema, pois, do contrário, a pressão externa iria comprimir o gás em vez de permitir a sua expansão. Portanto, *o trabalho máximo é obtido quando a pressão externa é apenas infinitesimalmente menor que a pressão do gás no sistema.* Com efeito, as duas pressões têm que ser ajustadas para serem as mesmas em todas as etapas da expansão. Em Fundamentos 0.8, chamamos esse balanço de pressões de um estado de equilíbrio mecânico. Portanto, podemos concluir que:

Um sistema que permanece em equilíbrio mecânico com suas vizinhanças em todas as etapas da expansão realiza um trabalho máximo de expansão.

Existe outra forma de expressarmos essa condição. Como a pressão externa é infinitesimalmente menor que a pressão do gás ao longo das etapas de expansão, o pistão se desloca para fora do sistema. Vamos supor, entretanto, que aumentemos a pressão externa de forma que fique apenas um infinitésimo maior que a pressão do gás; nesse caso, o pistão se deslocará para o interior do sistema. Ou seja, *quando o sistema está em um estado de equilíbrio mecânico, uma variação infinitesimal na pressão externa resulta em direções opostas de movimento.*

Um processo que pode ser revertido por uma mudança *infinitesimal* de uma variável – neste caso, a pressão – é dito **reversível**. No dia a dia, "reversível" significa um processo que pode ser revertido. Em termodinâmica, o significado é mais profundo: indica um processo que pode ser revertido por uma modificação *infinitesimal* em alguma variável (como a pressão).

Podemos resumir essa discussão nos seguintes pontos essenciais:

- Um sistema realiza o trabalho máximo de expansão quando a pressão externa é igual à pressão do sistema em qualquer etapa da expansão ($p_{ex} = p$).
- Um sistema realiza o trabalho máximo de expansão quando está em equilíbrio mecânico com as vizinhanças em qualquer etapa da expansão.
- O trabalho máximo de expansão é realizado em um processo reversível.

Os três enunciados acima são equivalentes, mas refletem graus de sofisticação diferentes na forma em que são expressos.

Não podemos escrever a expressão para o trabalho máximo de expansão simplesmente substituindo p_{ex} por p (a pressão do gás no cilindro) na Eq. 2.1, pois, à medida que o pistão se desloca para fora a pressão dentro do sistema cai. Para garantir que todo o processo ocorra de modo reversível, é necessário ajustar a pressão externa de forma a se igualar, em cada etapa do processo, à pressão interna variável. Suponha que a expansão é realizada isotermicamente (ou seja, a temperatura constante) imergindo-se o sistema em um banho de água mantido a certa temperatura. Como mostramos na Dedução vista a seguir, o trabalho de expansão isotérmica reversível de um gás perfeito de um volume inicial V_i até um volume final V_f à temperatura T é

$$w = -nRT \ln \frac{V_f}{V_i} \qquad \text{Gás perfeito, condições isotérmicas} \qquad \text{Trabalho de expansão reversível} \qquad (2.2)$$

em que n é o número de mols do gás no sistema. Como explicado na Dedução 2.2 e em Ferramentas do químico 2.1, esse resultado é igual à área sob a curva de $p = nRT/V$ entre os limites V_i e V_f (Fig. 2.9).

Ferramentas do químico 2.1 Integração

A área sob o gráfico de qualquer função f é encontrada pelas técnicas de integração. Por exemplo, a área sob o gráfico da função $f(x)$ entre $x = a$ e $x = b$ (Gráfico 2.1) é expressa pela relação

$$\text{Área entre } a \text{ e } b = \int_a^b f(x)\mathrm{d}x$$

A expressão à direita é chamada de **integral** da função f. Quando escrita como $\int$ somente, ela é a **integral indefinida** da função. Quando é escrita com limites (como na equação anterior), torna-se a **integral definida** da função. A integral definida é a integral indefinida determinada no limite superior (b) menos a integral indefinida determinada no limite inferior (a).

A integral indefinida de x^n é

$$\int x^n\,\mathrm{d}x = \frac{x^{n+1}}{n+1} + \text{constante}$$

Segue que a integral definida de x^n calculada entre a e b é

$$\int_a^b x^n\,\mathrm{d}x = \left(\frac{x^{n+1}}{n+1} + \text{constante}\right)\Bigg|_a^b = \left(\frac{b^{n+1}}{n+1} + \text{constante}\right) - \left(\frac{a^{n+1}}{n+1} + \text{constante}\right) = \frac{1}{n+1}(b^{n+1} - a^{n+1})$$

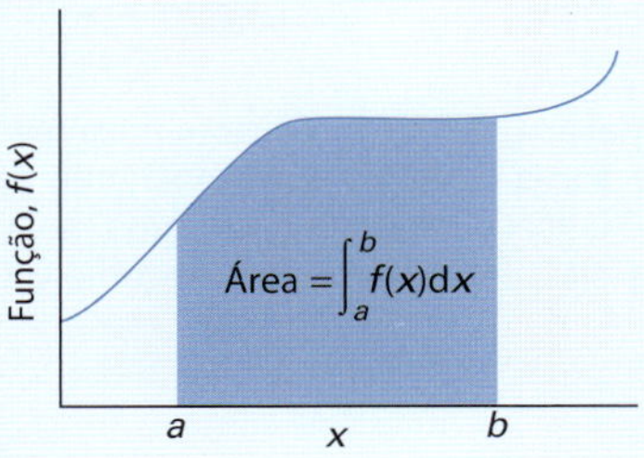

Esquema 2.1 Representação gráfica da integral de $f(x)$ entre $x = a$ e $x = b$.

Vemos que a constante se cancela. Como exemplo, temos que a área sob o gráfico de x^2 compreendida entre $a = 2$ e $b = 3$ (Esquema 2.2) é

$$\int_2^3 x^2\,\mathrm{d}x \overbrace{=}^{n=2} \frac{1}{\underbrace{3}_{n+1}}\left(3^{\overset{n+1}{3}} - 2^3\right) = \frac{1}{3}(27 - 8) = \frac{19}{3}$$

Uma integral comumente encontrada na físico-química é

$$\int \frac{\mathrm{d}x}{x} = \ln x + \text{constante}$$

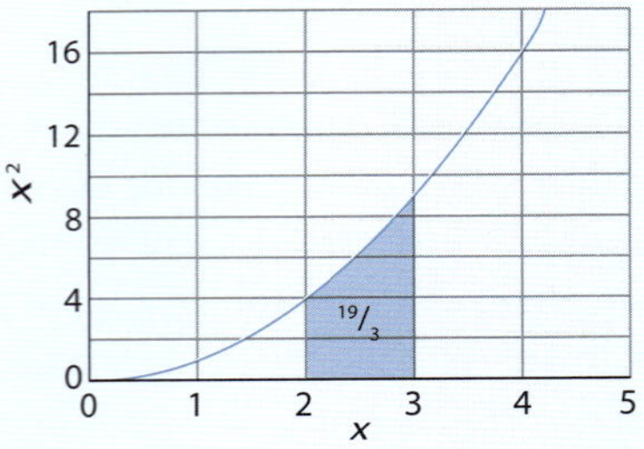

Esquema 2.2 Representação gráfica da integral de x^2 entre $x = 2$ e $x = 3$.

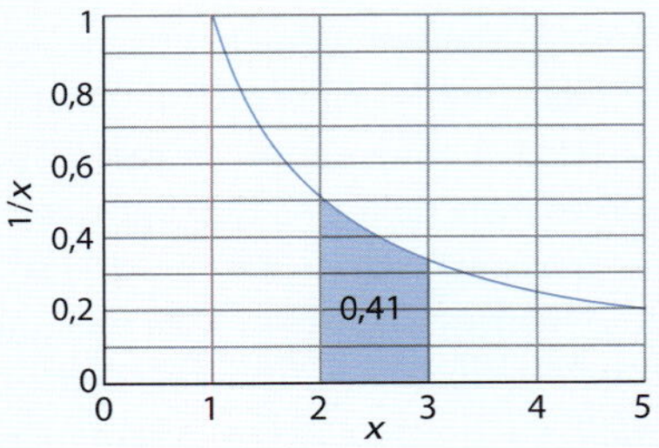

Esquema 2.3 Representação gráfica da integral de $1/x$ entre $x = 2$ e $x = 3$.

em que $\ln x$ é o logaritmo natural de x. Para avaliar a integral entre os limites de $x = a$ e $x = b$, escrevemos

$$\int_a^b \frac{dx}{x} = (\ln x + \text{constante})\Big|_a^b$$

$$= (\ln b + \text{constante}) - (\ln a + \text{constante})$$

$$= \ln b - \ln a = \ln \frac{b}{a}$$

em que foi utilizada uma conhecida propriedade da função logaritmo (veja Ferramentas do químico 2.2) para simplificar a expressão final. Por exemplo, a área sob o gráfico de $1/x$ compreendida entre $a = 2$ e $b = 3$ (Esquema 2.3) é $\ln(^3/_2) = 0{,}41$.

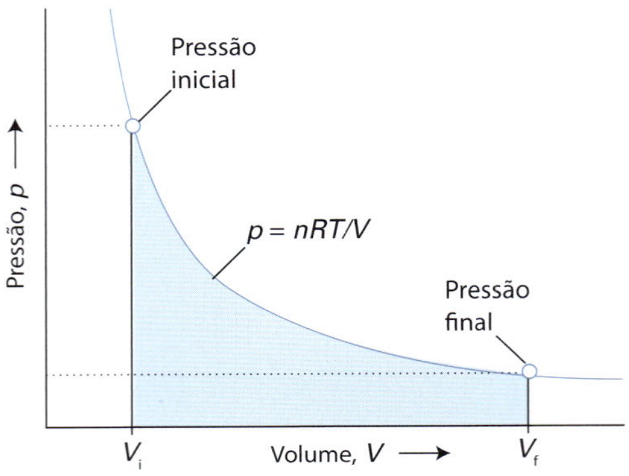

Figura 2.9 O trabalho de expansão isotérmica reversível de um gás é igual à área sob a isoterma correspondente calculada entre os volumes inicial e final (área azul). A isoterma mostrada na figura é a de um gás perfeito, porém a mesma relação é válida para qualquer gás.

Quando o sistema se expande em um volume infinitesimal dV, o trabalho infinitesimal, dw, realizado é a forma infinitesimal da Eq. 2.1 ($w = -p_{ex}\Delta V$):

$$dw = -p_{ex}dV$$

Uma nota sobre a boa prática A substituição de Δ por d sempre indica uma variação infinitesimal. Na equação anterior, dw representa uma variação infinitesimal de energia transferida sob a forma de trabalho, e dV é a variação infinitesimal resultante no volume do sistema. Portanto, devido ao trabalho estar relacionado com um processo e o volume ser uma propriedade termodinâmica, o símbolo d possui um significado diferente quando está acompanhado de w ou de V. Mais especificamente, dV representa uma mudança muito pequena *no estado do sistema;* dw representa a transferência de uma quantidade muito pequena de energia sob a forma de trabalho.

Em cada uma das etapas, asseguramos que a pressão externa seja igual à pressão, p, do gás (Fig. 2.10). Assim, fazemos $p_{ex} = p$ e obtemos

$$dw = -p dV$$

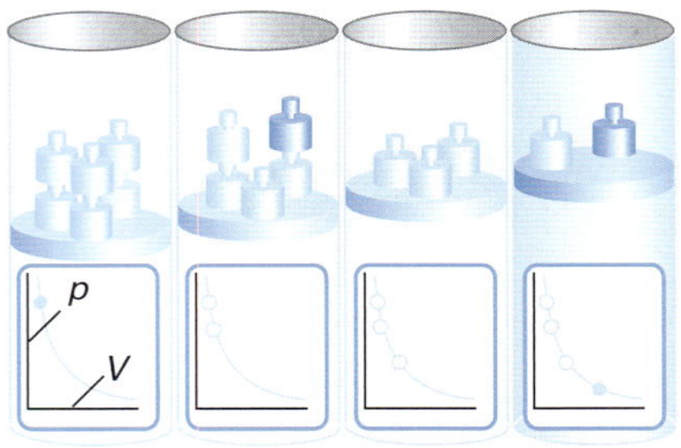

Figura 2.10 Para um gás que se expande reversivelmente, a pressão externa deve ser igualada à pressão interna em cada etapa da expansão. Esse processo é representado nesta ilustração pela remoção gradual dos pesos sobre o pistão à medida que o pistão se eleva e a pressão interna cai. Esse procedimento leva à extração da quantidade máxima de trabalho em uma expansão.

Dedução 2.2

Trabalho de expansão isotérmica reversível

Como a pressão externa deve ser ajustada no decorrer da expansão (para garantir a reversibilidade), podemos imaginar que essa expansão se realiza em uma série de pequenas etapas, com a pressão externa ficando constante em cada uma delas. Calculamos o trabalho realizado em cada etapa para a pressão externa considerada, e, em seguida, adicionamos todos os valores. Para garantir a precisão do resultado global, as etapas devem ser tão pequenas quanto possível – infinitesimais, de fato – para que a pressão seja verdadeiramente constante em cada uma. Em outras palavras, temos de usar o cálculo, em que a soma sobre um número infinito de etapas infinitesimais se transforma em uma integral. (Ferramentas do químico 2.1).

O trabalho total quando o sistema expande de V_i a V_f é a soma (integral) de todas as variações infinitesimais entre os limites V_i e V_f, o que nos permite escrever (veja Ferramentas do químico 2.1):

Para uma expansão reversível: $w = -\int_{V_i}^{V_f} p\,\mathrm{d}V$

Para calcular a integral, precisamos saber como p, a pressão do gás no sistema, varia quando o gás se expande. Para tanto, vamos admitir que o gás é perfeito, o que nos permite utilizar a lei do gás perfeito $pV = nRT$ na forma $p = nRT/V$. Neste ponto temos

Para a expansão reversível de um gás perfeito:

$$w = -\int_{V_i}^{V_f} \frac{nRT}{V}\,\mathrm{d}V$$

Em geral, a temperatura pode variar à medida que o gás se expande, logo T depende de V e T varia se V se altera. Entretanto, para uma expansão isotérmica, T é constante e podemos retirar n, R e T para fora da integral e escrever

Para uma expansão isotérmica reversível de um gás perfeito:

$$w = -nRT\int_{V_i}^{V_f} \frac{\mathrm{d}V}{V}$$

Utilizando-se as técnicas introduzidas em Ferramentas do químico 2.1 e 2.2 tem-se que,

$$\int_{V_i}^{V_f} \frac{\mathrm{d}V}{V} = |\ln V|_{V_i}^{V_f} = \ln V_f - \ln V_i = \ln \frac{V_f}{V_i}$$

Quando inserimos esse resultado na equação anterior ($w = -nRT\int_{V_i}^{V_f} \mathrm{d}V/V$) obtemos a Eq. 2.2. A interpretação da Eq. 2.2 como uma área vem do fato, explicado em Ferramentas do químico 2.1, de que a integral definida é igual à área sob o gráfico da função que se situa entre os dois limites da integral.

Uma nota sobre a boa prática Introduza (e observe com cuidado) as restrições (neste caso, em sucessão: processo reversível, gás perfeito, processo isotérmico) apenas quando são necessárias, pois assim você pode ser capaz de usar uma fórmula intermediária, sem necessidade de restringi-la como fizemos para obter a expressão final.

A Eq. 2.2 tomará diversas formas ao longo deste texto. Mais uma vez, é importante saber interpretá-la, em vez de simplesmente memorizá-la.

- Em uma expansão, $V_f > V_i$, de forma que $V_f/V_i > 1$ e o logaritmo é positivo ($\ln x > 0$ para $x > 1$). Portanto, w é negativo em uma expansão. Isto é o que deveríamos esperar: a energia *sai* do sistema quando o mesmo realiza um trabalho de expansão.
- O trabalho realizado será tanto maior, para dada variação de volume do gás, quanto maior for a temperatura do gás (Fig. 2.11). Isso também atende às nossas expectativas: a temperaturas mais altas, a pressão do gás é maior, de modo que a pressão externa, que resulta em uma força que se opõe ao movimento do gás, tem de ser também maior, para balancear a pressão interna em cada etapa.

Ferramentas matemáticas 2.2 Logaritmos

Algumas equações são mais facilmente resolvidas usando logaritmos e funções relacionadas. O **logaritmo natural** (ou logaritmo neperiano) de um número x é representado por $\ln x$, sendo definido como uma potência à qual um número simbolizado por $e = 2{,}718...$ tem de ser elevado para que o resultado seja igual a x. Segue da definição de logaritmos que

$\ln x + \ln y = \ln xy$
$\ln x - \ln y = \ln x/y$
$a \ln x = \ln x^a$

Alguns aspectos importantes sobre logaritmos são observados no Esquema 2.4:

- Os logaritmos aumentam lentamente à medida que x aumenta.
- O logaritmo de 1 é 0: $\ln 1 = 0$.
- Os logaritmos de números menores que 1 são negativos.
- Em matemática elementar os logaritmos de números negativos não são definidos.

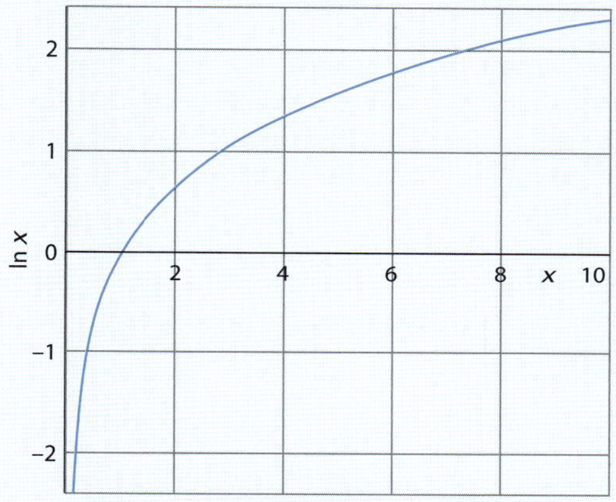

Esquema 2.4 Gráfico de $\ln x$ para $0 < x \leq 10$

Podemos também utilizar o **logaritmo comum** (ou logaritmo decimal), o logaritmo que é calculado com 10 no lugar de e; este logaritmo é representado por $\log x$. Os logaritmos comuns seguem as mesmas regras de adição e subtração que os logaritmos naturais. Logaritmos comuns e naturais (log e ln, respectivamente) são relacionados por

$\ln x = \ln 10 \times \log x = (2{,}303\ldots) \times \log x$

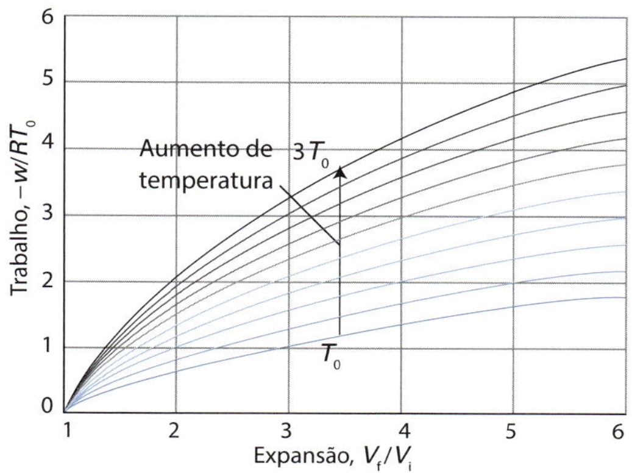

Figura 2.11 Trabalho de expansão isotérmica reversível de um gás perfeito. Observe que, para uma dada variação de volume de uma certa massa de gás, o trabalho é maior em temperaturas mais altas.

■ **Breve ilustração 2.2** O trabalho de uma expansão isotérmica reversível

O trabalho realizado quando 1,0 mol de Ar(g), contido em um cilindro de volume 1,0 dm^3 e na temperatura de 25 °C, se expande isotérmica e reversivelmente para 2,0 dm^3 é dado por:

$$w = -\overbrace{(1{,}0\ \text{mol})}^{n} \times \overbrace{(8{,}3145\ \text{J K}^{-1}\ \text{mol}^{-1})}^{R} \times \overbrace{(298\ \text{K})}^{T} \ln \overbrace{\frac{2{,}0\ \text{dm}^3}{1{,}0\ \text{dm}^3}}^{V_f/V_i}$$

$$= -1{,}7 \times 10^3\ \text{J} = -1{,}7\ \text{kJ}$$

Vimos anteriormente que o trabalho realizado depende da maneira como a expansão ocorre. Trabalho é um exemplo de uma **função do caminho** porque o seu valor depende do caminho realizado e não do estado do sistema. Assim, o valor do trabalho realizado, quando um gás se expande reversivelmente, é maior do que aquele que se expande por um caminho diferente entre os mesmos estados final e inicial.

2.5 Medida do calor

Sob efeito de aquecimento, a temperatura de uma substância sobe normalmente. Dizemos "normalmente" porque a temperatura nem sempre sobe. A temperatura da água em ebulição, por exemplo, permanece inalterada enquanto a água é aquecida (veja Capítulo 5).

Para um certo valor de energia, q, transferida como calor, a variação de temperatura resultante, ΔT, depende da "capacidade calorífica" da substância. A **capacidade calorífica**, C, é definida como

$$C = \frac{q}{\Delta T} \qquad \text{Definição} \qquad \text{Capacidade calorífica} \quad (2.3a)$$

Assim, temos uma forma simples de medir o calor absorvido ou liberado por um sistema: medimos a variação de temperatura e então usamos o valor apropriado da capacidade calorífica do sistema e a Eq. 2.3 reescrita na forma

$$q = C\Delta T \qquad (2.3b)$$

■ **Breve ilustração 2.3** A energia de aquecimento

Se a capacidade calorífica de um bécher que contém água é 0,50 kJ K^{-1} e observamos uma elevação de temperatura de 4,0 K, podemos então inferir que o calor transferido para a água é

$$q = (0{,}50\ \text{kJ K}^{-1}) \times (4{,}0\ \text{K}) = +2{,}0\ \text{kJ}$$

Capacidades caloríficas aparecem frequentemente nas próximas seções e capítulos; logo, precisamos conhecer suas propriedades e como seus valores são tabelados. Primeiramente observamos que a capacidade calorífica é uma propriedade extensiva (uma propriedade que depende da quantidade de substância na amostra, Fundamentos 0.4): a capacidade calorífica de 2 kg de ferro é o dobro da de 1 kg de ferro, pois é necessário duas vezes mais calor para provocar o mesmo aumento de temperatura no primeiro caso que no segundo. É mais conveniente, no entanto, tabelar a capacidade calorífica de uma substância como uma propriedade intensiva (uma propriedade que não

Tabela 2.1
Capacidades caloríficas de alguns materiais

Substância	Capacidade calorífica: Específica, $C_{p,s}$/(J K^{-1} g^{-1})	Molar, $C_{p,m}$/(J K^{-1} mol^{-1})*
Ar	1,01	29
Benzeno, C_6H_6(l)	1,05	136,1
Latão, (Cu/Zn)	0,37	
Cobre, Cu(s)	0,38	24,44
Etanol, C_2H_5OH(l)	2,42	111,46
Vidro (Pyrex)	0,78	
Granito	0,80	
Mármore	0,84	
Polietileno	2,3	
Aço inoxidável	0,51	
Água, H_2O(s)	2,03	37
H_2O(l)	4,18	75,29
H_2O(g)	2,01	33,58

*As capacidades caloríficas molares são fornecidas apenas para o ar e para substâncias puras bem definidas (veja também a *Seção de Dados*). Endereços para Bancos de Dados de Capacidades caloríficas podem ser encontrados no *site* da LTC Editora.

depende da quantidade de substância na amostra). Assim, usamos a **capacidade calorífica específica**, C_s, a capacidade calorífica dividida pela massa da substância ($C_s = C/m$, em joules por kelvin por grama, J K^{-1} g^{-1}), ou a **capacidade calorífica molar**, C_m, a capacidade calorífica dividida pelo número de mols ($C_m = C/n$, em joules por kelvin por mol, J K^{-1} mol^{-1}). A capacidade calorífica específica é mais comumente chamada de *calor específico*. Para obter a capacidade calorífica de uma amostra de determinada massa ou de certo número de mols, usamos essas definições na forma $C = mC_s$ ou $C = nC_m$, respectivamente.

Por motivos que serão posteriormente explicadas, a capacidade calorífica de uma substância depende de a amostra ser mantida a volume constante (como um gás num vaso rígido fechado) quando é aquecida, ou se a amostra é mantida em pressão constante (como a água em um recipiente aberto), podendo, nesse caso, mudar o seu volume. Essa última condição é a mais comum, e os valores fornecidos na Tabela 2.1 são para a **capacidade calorífica a pressão constante**, C_p. A **capacidade calorífica a volume constante** é representada por C_V. Os respectivos valores molares são representados por $C_{p,m}$ e $C_{V,m}$.

Exemplo 2.1

Cálculo da variação da temperatura utilizando-se a capacidade calorífica

Suponha que uma chaleira elétrica de 1,0 kW, contendo 1,0 kg de água, é ligada por 100 s. De quanto aumenta a temperatura da água?

Estratégia Calculamos a energia fornecida sob a forma de calor para a água, pela chaleira a partir da potência P (em watts; 1 W = 1 J s^{-1}) e do intervalo de tempo t (em segundos) usando $q = Pt$. A seguir, calculamos a variação de temperatura ΔT usando a Eq. 2.3, reescrita como:

$$\Delta T = \frac{q}{C_p} = \frac{q}{nC_{p,m}}$$

em que, $n = m/M$ é o número de mols da substânc a contida na chaleira (o número, em mols, de moléculas H_2O, no nosso caso) e $C_{p,m}$ é a capacidade calorífica molar de pressão constante da substância.

Solução A energia fornecida como calor para 1,0 kg de água é

$$q = (1{,}0\ \text{kW}) \times (100\ \text{s}) = (1{,}0 \times 10^3\ \text{J s}^{-1}) \times (100\ \text{s})$$
$$= +1{,}0 \times 10^5\ \text{J}$$

A partir de m = 1,0 kg e M = 18,0 g mol^{-1} obtemos:

$$n = \frac{1{,}0 \times 10^3\ \text{g}}{18{,}0\ \text{g mol}^{-1}} = \frac{1{,}0 \times 10^3}{18{,}0}\ \text{mol}$$

Agora usamos $C_{p,m}$ = 75 K^{-1} mol^{-1} para a capacidade calorífica molar de pressão constante da água líquida (Tabela 2.1) e, assim, calculamos a variação de temperatura:

$$\Delta T = \frac{q}{nC_{p,m}} = \frac{\overbrace{1{,}0 \times 10^5\ \text{J}}^{q}}{\underbrace{(1{,}0 \times 10^3/18{,}0\ \text{mol})}_{n} \times \underbrace{(75\ \text{J K}^{-1}\ \text{mol}^{-1})}_{C_{p,m}}} = +24\ \text{K}$$

Exercício proposto 2.2

Determine a quantidade de energia necessária para se aumentar a temperatura de uma amostra de 250 g de água de 40 °C.

Resposta: 42 kJ

Uma das formas de medir o valor da energia transferida como calor é através de um **calorímetro** (Fig. 2.12). Um calorímetro consiste em um recipiente no qual ocorre um processo físico ou químico, um termômetro e um banho de água circundante. O conjunto inteiro é isolado termicamente do resto do universo. O princípio de um calorímetro é usar o aumento da temperatura para se determinar a energia liberada como calor pelo processo que ocorre no seu interior. Para interpretar a elevação na temperatura, precisamos calibrar o calorímetro comparando-se a variação de temperatura observada

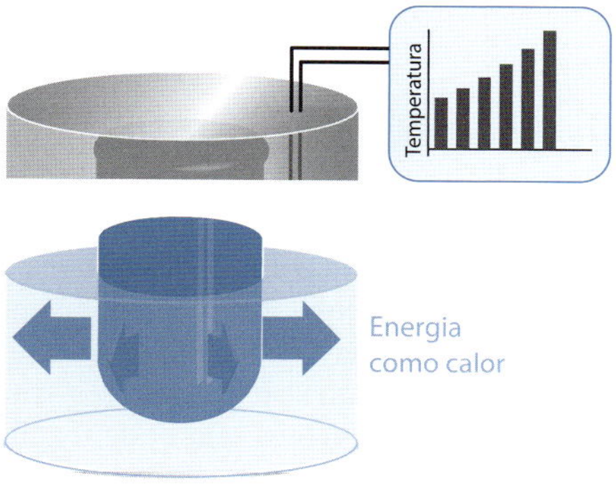

Figura 2.12 A perda de energia para as vizinhanças pode ser detectada observando-se a variação da temperatura durante o processo.

Ferramentas do químico 2.3 Carga elétrica, corrente, potência e energia

Carga elétrica é medida em **coulombs**, C. A carga elementar, a magnitude da carga carregada por um único elétron ou um único próton é aproximadamente $1{,}6 \times 10^{-19}$ C. O movimento da carga dá origem a uma corrente elétrica, I, medida em coulombs por segundo, ou **ampères**, A, em que 1 A = 1 C s^{-1}. Se a carga elétrica é devido aos elétrons (como ocorre em metais e semicondutores), então a corrente elétrica de 1 A representa um fluxo de 6×10^{18} elétrons por segundo.

A taxa de fornecimento de energia é a potência. Quando uma corrente constante I flui sob a ação de uma diferença de potencial $\mathcal{V}$ (medida em volts, V), a potência, P, é dada por

$$P = I\mathcal{V}$$

Segue que a energia total fornecida em um intervalo de tempo t é

$$E = Pt = I\mathcal{V}t$$

Uma vez que 1 A V s = 1 (C s^{-1}) V s = 1 C V = 1 J, a energia é obtida em joules com a corrente em amperes, a diferença de potencial em volts e o tempo em segundos. Se a energia é fornecida como calor, então obtemos a Eq. 2.4.

com aquela produzida por uma quantidade conhecida de calor. Um procedimento muito utilizado é o de aquecer o calorímetro eletricamente e registrar o aumento de temperatura. A energia fornecida eletricamente é (veja Ferramentas do químico 2.3)

$$q = I\mathcal{V}t \tag{2.4}$$

em que I é a corrente (em ampères, A), $\mathcal{V}$ é o potencial da fonte de tensão (em volts, V), e t é o tempo (em segundos, s) de passagem da corrente.

■ Breve ilustração 2.4 Aquecimento elétrico

Quando passamos uma corrente de 10,0 A, usando uma fonte de 12 V, durante 300 s, temos que a energia fornecida como calor é:

$$q = (10{,}0\ \text{A}) \times (12\ \text{V}) \times (300\ \text{s})$$
$$= 3{,}6 \times 10^4\ \overbrace{\text{A V s}}^{1\ \text{A V s} = 1\ \text{J}} = 36\ \text{kJ}$$

A variação de temperatura observada nos permite calcular a capacidade calorífica do calorímetro (neste contexto é também chamada de **constante do calorímetro**) a partir da Eq. 2.3. Usamos então a capacidade calorífica para interpretar a variação de temperatura provocada no calorímetro por uma reação de combustão em termos do calor liberado ou absorvido pela reação. Um procedimento alternativo é calibrar o calorímetro usando-se uma reação cujo calor produzido é conhecido com precisão, como a da combustão do ácido benzoico (C_6H_5COOH), cujo calor é de 3.227 kJ por mol de C_6H_5COOH consumido.

Exemplo 2.2

Calibração de um calorímetro e medida do calor transferido

Em um experimento realizado para medir o calor liberado na combustão de uma amostra de um nutriente, o composto foi queimado em atmosfera de oxigênio dentro de um calorímetro, e a temperatura aumentou de 3,22 °C. Quando uma corrente de 1,23 A, proveniente de uma fonte de 12,0 V, circulou por 156 s num aquecedor contido no calorímetro, a temperatura aumentou em 4,47 °C. Qual é o calor liberado pela reação de combustão?

Estratégia Calculamos o calor fornecido eletricamente usando a Eq. 2.4 e a relação 1 A V s = 1 J. Assim, o aumento observado na temperatura é usado para calcular a capacidade calorífica do calorímetro. Ao final, o valor da capacidade calorífica obtida é usado para converter o aumento de temperatura provocado pela combustão no calor produzido pela reação, escrevendo-se $q = C\Delta T$ (ou $q = C\Delta\theta$, se a temperatura é dada na escala Celsius).

Solução O calor fornecido durante a etapa de calibração é

$$q = I\mathcal{V}t = (1{,}23\ \text{A}) \times (12{,}0\ \text{V}) \times (156\ \text{s})$$
$$= 1{,}23 \times 12{,}0 \times 156\ \text{A V s}$$
$$= 1{,}23 \times 12{,}0 \times 156\ \text{J}$$

O resultado do produto é 2,30 kJ, mas vamos evitar erros de arredondamento deixando o trabalho numérico para a etapa final. A capacidade calorífica do calorímetro é

$$C = \frac{q}{\Delta\theta} = \frac{1{,}23 \times 12{,}0 \times 156\ \text{J}}{4{,}47\ °\text{C}} = \frac{1{,}23 \times 12{,}0 \times 156}{4{,}47}\ \text{J °C}^{-1}$$

O valor numérico de C é 515 J °C^{-1}, mas não iremos calculá-lo ainda. O calor liberado na combustão é, portanto,

$$q = C\Delta\theta = \left(\frac{1{,}23 \times 12{,}0 \times 156}{4{,}47}\ \text{J °C}^{-1}\right) \times (3{,}22\ °\text{C}) = 1{,}66\ \text{kJ}$$

Uma nota sobre a boa prática Além de deixar a avaliação numérica para a etapa final, mostre as unidades em cada etapa do cálculo.

Exercício proposto 2.3

Em um experimento realizado para medir o calor liberado na queima de um combustível, o composto foi queimado em um calorímetro em atmosfera de oxigênio e a temperatura aumentou de 2,78 °C. Quando circulou uma corrente de 1,12 A a partir de uma fonte de 11,5 V durante 162 s em um aquecedor contido no calorímetro, a temperatura aumentou de 5,11 °C. Qual é o calor liberado pela reação de combustão?

Resposta: 1,1 kJ

2.6 Fluxo de calor em uma expansão

Em certos casos, podemos relacionar o valor de q à variação do volume de um sistema, e assim podemos calcular, por exemplo, o calor que entra no sistema quando um gás se expande. O caso mais simples é o de um gás perfeito que sofre uma expansão isotérmica. Podemos usar uma interpretação molecular para guiar nosso raciocínio. Como a expansão é isotérmica, a temperatura do gás ao final da expansão é igual à inicial. Portanto, a velocidade média das moléculas do gás é a mesma antes e depois da expansão. Isso confirma que a energia cinética total das moléculas é constante. Porém, para um gás perfeito, a *única* contribuição para a energia vem da energia cinética das moléculas (veja a Seção 1.4), o que nos permite concluir que a energia *total* do gás é a mesma antes e após a expansão. O sistema perdeu energia como trabalho; então, o sistema tem de ter recebido uma quantidade de energia equivalente à perdida, na forma de calor. Podemos, portanto, escrever:

$$q = -w \qquad \text{Gás perfeito, processo isotérmico} \qquad \text{Relação entre calor e trabalho} \qquad (2.5)$$

Breve ilustração 2.5 Aquecimento durante expansão

Se encontrarmos que $w = -100$ J para certa expansão (ou seja, foram perdidos 100 J de energia devido à realização do trabalho pelo sistema), então podemos concluir que $q = +100$ J (isto é, o gás recebeu 100 J de energia como calor). Com relação a uma expansão livre, $w=0$, então concluímos que $q = 0$ também. Nenhum calor entra no sistema quando um gás perfeito se expande contra uma pressão nula.

Se a expansão isotérmica é também reversível, podemos usar a Eq. 2.2 para o trabalho na Eq. 2.5 e escrever

$$q = nRT\ln\frac{V_f}{V_i} \qquad \text{Expansão isotérmica reversível de um gás perfeito} \qquad \text{Transferência de calor durante expansão} \qquad (2.6)$$

Podemos interpretar essa expressão como se segue:

- Quando $V_f > V_i$, como em uma expansão, o logaritmo é positivo e $q > 0$, como esperado: o calor flui para o sistema para compensar a perda de energia pelo trabalho realizado.
- Quanto maior for a razão entre os volumes final e inicial, maior é o fluxo de entrada de energia como calor.
- Quanto maior a temperatura, maior o calor que deve ser fornecido para provocar certa variação de volume. Já vimos que se faz mais trabalho em temperaturas elevadas, logo mais calor deve entrar para compensar a perda de energia.

O calor, assim como o trabalho, é uma função do caminho; quando se considera a transferência de energia como calor é necessário definir como a expansão ocorre. A energia transferida como calor depende do caminho percorrido e não é simplesmente uma função do estado do sistema.

Energia interna e entalpia

O calor e o trabalho são formas *equivalentes* de transferência de energia para dentro ou para fora do sistema no sentido de que uma vez que a energia está dentro, é simplesmente armazenada como "energia". Independentemente da forma como se forneceu energia ao sistema, seja por transferência de calor ou de trabalho, essa energia pode ser liberada em qualquer uma dessas duas formas. Nas próximas seções vamos explorar a **equivalência entre calor e trabalho** mais detalhadamente.

2.7 A energia interna

Precisamos de uma forma de contabilizar a variação da energia de um sistema. Isso é feito por intermédio de uma propriedade do sistema, a **energia interna,** U, a soma de todas as contribuições cinéticas e de energia potencial para a energia de todos os átomos, íons e moléculas que formam o sistema. A energia interna é a energia total do sistema. Seu valor depende da temperatura e, em geral, da pressão. A energia interna é uma propriedade extensiva do sistema, pois, por exemplo, 2 kg de ferro, em dada temperatura e pressão, têm duas vezes mais energia interna do que 1 kg de ferro, nas mesmas condições. A **energia interna molar,** $U_m = U/n$, a energia interna por mol do material, é uma propriedade intensiva.

Na prática, não conhecemos e nem podemos medir a energia interna de uma amostra, pois essa energia inclui a energia cinética e potencial de todos os elétrons e de todos os componentes dos núcleos atômicos. Entretanto, não há nenhum problema em determinar *variações* na energia interna, ΔU, pelo conhecimento da energia fornecida ou perdida como calor ou trabalho. Todas as aplicações práticas da termodinâmica tratam com ΔU, e não com U propriamente dito. A variação da energia interna de um sistema é dada por

$$\Delta U = w + q$$ Variação na energia interna em termos do trabalho e do calor (2.7)

em que w é a energia transferida para o sistema sob a forma de trabalho e q é a energia transferida para o sistema sob a forma de calor.

Uma nota sobre a boa prática Escrevemos ΔU para a variação da energia interna porque é a diferença entre os valores inicial e final. Não escrevemos Δq ou Δw porque não tem sentido falar em uma "diferença de calor" ou "diferença de trabalho": q e w são quantidades de energia transferidas como calor e trabalho, respectivamente, e que provocam uma variação ΔU. Entretanto, como vimos na Seção 2.4, podemos usar o símbolo d para representar uma transferência infinitesimal de energia como trabalho (dw) ou como calor (dq).

■ Breve ilustração 2.6 Variação da energia interna

Quando um sistema libera 10 kJ de energia para as vizinhanças, na forma de trabalho (ou seja, quando $w = -10$ kJ), a energia interna do sistema diminui em 10 kJ, e escrevemos $\Delta U = -10$ kJ. O sinal negativo indica que houve uma diminuição na energia interna. Se o sistema libera 20 kJ de energia na forma de calor ($q = -20$kJ), escrevemos $\Delta U = -20$ kJ. Se o sistema libera 10 kJ de trabalho e 20 kJ de calor, como em um motor de combustão interna ineficiente, a energia interna cai em um total de 30 kJ e escrevemos $\Delta U = -30$ kJ. Se por outro lado realizamos um trabalho de 10 kJ no sistema ($w = +10$ kJ), como quando comprimimos uma mola contida no sistema, ou empurramos um pistão para comprimir um gás (Fig. 2.13), a energia do sistema aumenta de 10 kJ, e escrevemos $\Delta U = +10$ kJ. Da mesma forma, se fornecemos 20 kJ de energia por aquecimento do sistema ($q = +20$ kJ), a energia interna aumenta de 20 kJ, e escrevemos $\Delta U = +20$ kJ.

Uma outra nota sobre a boa prática Observe que o valor de ΔU sempre vem acompanhado de um sinal; nunca escrevemos $\Delta U = 20$ kJ, mas sim $\Delta U = +20$ kJ.

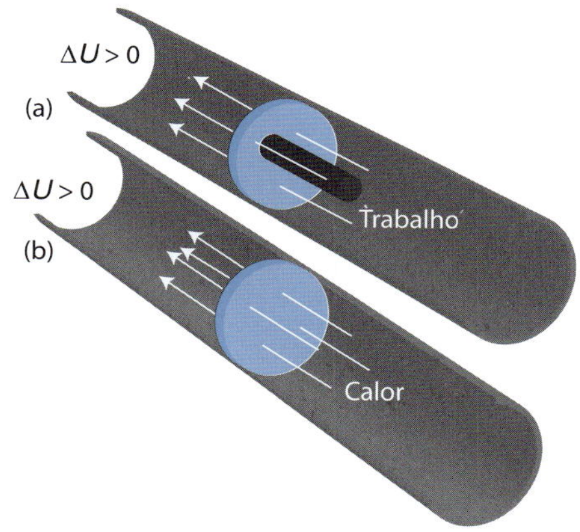

Figura 2.13 (a) Quando um sistema recebe trabalho, sua energia interna aumenta ($\Delta U > 0$), desde que não haja outra forma de transferência de energia. (b) Da mesma forma, a energia interna também aumenta quando energia é transferida para o sistema como calor, desde que não haja outra forma de transferência de energia.

Já vimos que uma característica de um gás ideal é ter a energia total constante em uma expansão *isotérmica* e, portanto, como $\Delta U = 0$, temos que $q = -w$. Ou seja, a energia perdida como trabalho é recuperada como um fluxo de entrada de energia na forma de calor. Podemos exprimir essa propriedade em termos da energia interna, uma vez que implica a permanência constante da energia interna quando um gás se expande isotermicamente. Da Eq. 2.7 podemos escrever

$$\Delta U = 0$$ Processo isotérmico, gás perfeito — Variação da energia interna na expansão (2.8)

Em outras palavras, *a energia interna de uma amostra de um gás perfeito a certa temperatura é independente do volume que ele ocupa.* Podemos entender essa independência observando que, quando um gás perfeito se expande isotermicamente, a única propriedade que se altera é a distância média entre as moléculas; sua velocidade média, e, portanto, a energia cinética das moléculas, se mantém constante. Entretanto, como não há interação entre as moléculas, a energia total é independente da separação média entre elas, de modo que a energia interna fica inalterada pela expansão.

Exemplo 2.3

Cálculo da variação da energia interna

Os nutricionistas estão interessados no uso da energia pelo corpo humano e podemos considerar nosso próprio corpo como um "sistema" termodinâmico. Calorímetros têm sido construídos para acomodar uma pessoa a fim de medir (não destrutivamente!) a sua produção líquida de energia. Suponha que, durante uma experiência, uma pessoa produza 622 kJ de trabalho em uma bicicleta ergométrica e perca 82 kJ de energia como calor. Qual é a variação de energia interna da pessoa? Despreze qualquer perda de massa por transpiração.

Estratégia Esse exemplo é um exercício de como utilizar os sinais corretos das grandezas envolvidas. Quando o sistema perde energia, ou w ou q são negativos. Quando o sistema ganha energia, ou w ou q são positivos.

Solução Para levar em conta os sinais corretamente, escrevemos $w = -622$ kJ (622 kJ são perdidos pela realização de trabalho), e $q = -82$ kJ (82 kJ são perdidos como calor, pelo aquecimento das vizinhanças). Assim, a Eq. 2.7 dá

$$\Delta U = w + q = (-622 \text{ kJ}) + (-82 \text{ kJ}) = -704 \text{ kJ}$$

Vemos que a energia interna da pessoa diminui de 704 kJ. Essa energia será reposta, mais tarde, na alimentação.

Uma nota sobre boa prática Sempre use os sinais corretamente: use um sinal positivo quando houver um fluxo de energia para dentro do sistema e um sinal negativo quando houver um fluxo de energia para fora do sistema.

Exercício proposto 2.4

Uma bateria elétrica é carregada pelo fornecimento de 250 kJ de energia na forma de trabalho elétrico (resultante da passagem de uma corrente elétrica pela bateria), mas há uma perda de 25 kJ de energia como calor durante o processo. Qual é a variação da energia interna da bateria?

Resposta: +225 kJ

2.8 A energia interna como uma função de estado

Uma importante característica da energia interna é que ela é uma **função de estado**, uma propriedade física que depende apenas do estado atual do sistema e que é independente do caminho pelo qual o sistema atingiu esse estado. A despeito do calor e do trabalho, a variação da energia interna não depende do caminho utilizado. Se alterarmos inicialmente a temperatura do sistema, em seguida a sua pressão, e logo após retornarmos aos valores iniciais de ambas as variáveis, a energia interna deve também retornar ao seu valor original.

Uma função de estado é muito semelhante à altitude: cada ponto na superfície da Terra pode ser especificado pela sua latitude e longitude, e há uma propriedade única, a altitude, que tem um valor bem definido para aquele ponto (pelo menos em terra firme). Independentemente do caminho percorrido para se chegar a dado ponto, com uma latitude e longitude especificadas, o valor da altitude será sempre o mesmo nesse ponto. Na termodinâmica, a latitude e a longitude são representadas pela temperatura e pressão (e quaisquer outras variáveis necessárias para especificar o estado do sistema), e a energia interna representa a altitude, com um valor definido e único para cada estado de um sistema, independentemente das variações de temperatura e pressão (e de quaisquer outras variáveis) que tenham ocorrido para levar o sistema àquele estado.

O fato de U ser uma função de estado implica que *a variação, ΔU, da energia interna entre dois estados de um sistema é independente do caminho entre os mesmos* (Fig. 2.14). Mais uma vez, a altitude fornece uma analogia simples: Se subirmos uma montanha entre dois pontos fixos, a diferença de altitude entre esses pontos será a mesma, não obstante o caminho que trilhemos entre os dois. Da mesma forma, ao comprimirmos um gás até que alcance determinada pressão e depois o resfriarmos até determinada temperatura, a variação de energia interna tem certo valor. Por outro lado, se variarmos em primeiro lugar a temperatura e depois a pressão, porém garantindo que os valores finais das duas variáveis sejam os mesmos do primeiro experimento, então a variação global da energia interna será exatamente a mesma do caso anterior. Essa independência do caminho no valor de ΔU é de fundamental importância na Química, como veremos em breve.

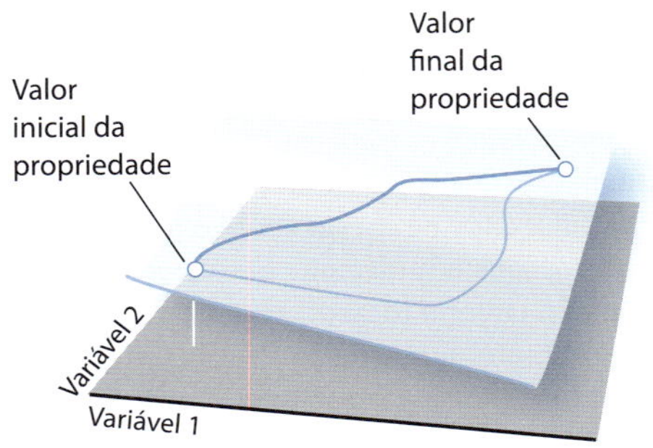

Figura 2.14 A superfície curva mostra como uma propriedade (por exemplo, a altitude) muda quando as variáveis (por exemplo, a latitude e a longitude) se alteram. A altitude é uma função de estado, porque depende apenas do estado atual do sistema. A variação do valor de uma propriedade de estado é independente do caminho que liga os dois estados. Por exemplo, a diferença de altitude entre os estados inicial e final mostrados no diagrama é a mesma qualquer que seja o caminho (representado pelas linhas azul claro e azul escuro) que une esses dois estados.

Consideremos agora um sistema isolado. Como esse tipo de sistema não pode trocar trabalho nem calor com as suas vizinhanças, a sua energia interna não pode ser modificada. Ou seja:

A energia interna de um sistema isolado é constante.

Esse é o enunciado da **Primeira Lei da Termodinâmica**, que está intimamente relacionado à lei da conservação da energia, mas permite a troca de energia como calor e como trabalho. Diferentemente da termodinâmica, não há o conceito de calor em mecânica.

A evidência experimental da Primeira Lei é a impossibilidade de se construir um "moto contínuo de primeira espécie", um dispositivo que produz trabalho sem o consumo de combustível. Como já foi mencionado, por mais que se tenha tentado, nunca esse objetivo foi alcançado. Jamais foi fabricado algum dispositivo que criasse energia interna para substituir a energia retirada pela produção de trabalho. Não podemos extrair energia como trabalho, deixar o sistema isolado por algum tempo e esperar que a energia interna seja restaurada ao seu valor inicial.

A definição de ΔU em termos de w e de q nos indica um método simples de medir a variação da energia interna de um sistema no qual ocorre uma reação química. Já vimos que o trabalho feito por um sistema quando o mesmo se expande contra uma pressão externa constante é proporcional à sua variação de volume. Portanto, se a reação ocorre em um recipiente de volume constante, o sistema não consegue realizar nenhum trabalho de expansão e, desde que não se possa realizar nenhum outro tipo de trabalho (chamado "trabalho de não expansão", tal como o trabalho elétrico), consideramos $w = 0$. Assim, a Eq. 2.7 é simplificada para

$$\Delta U = q \qquad \text{Volume constante, sem trabalho de não expansão} \qquad \text{Variação de energia interna} \qquad (2.9a)$$

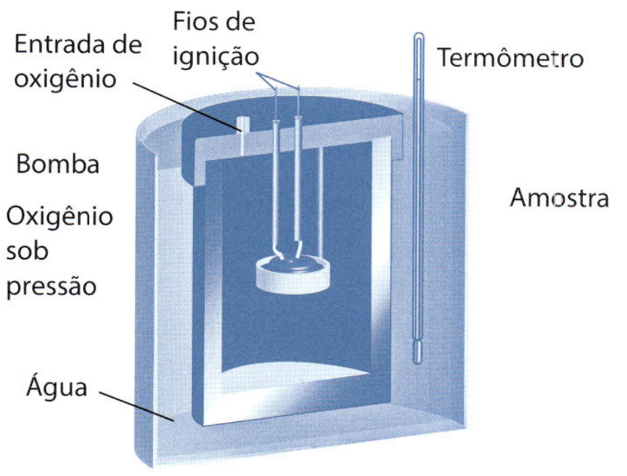

Figura 2.15 Bomba calorimétrica de volume constante. A "bomba" é o robusto vaso central, resistente o suficiente para suportar pressões moderadamente altas. O calorímetro é o conjunto completo mostrado na ilustração. Para garantir que nenhum calor escape para as vizinhanças, o calorímetro pode ser imerso em um banho de água cuja temperatura é continuamente ajustada à do calorímetro em cada etapa da combustão.

Essa relação é normalmente escrita como

$$\Delta U = q_V \qquad (2.9b)$$

O subscrito V indica que o volume do sistema é constante. Um exemplo de sistema químico que pode ser aproximado como um recipiente a volume constante é uma célula biológica individual.

Para medirmos a variação de energia interna, temos de usar um calorímetro que tenha um volume fixo monitorando o calor liberado ($q < 0$) ou fornecido ($q > 0$). A **bomba calorimétrica** é um exemplo de calorímetro de volume constante. Consiste em um vaso vedado muito resistente, em que a reação ocorre, com um banho de água circundante (Fig. 2.15). Para garantir que nenhum calor escape do calorímetro, todo o dispositivo é imerso em um banho de água cuja temperatura é ajustada para se igualar à temperatura do calorímetro. O fato de a temperatura do banho ser a mesma do calorímetro garante que nenhum calor flua de um para o outro, ou seja, que o calorímetro é adiabático.

Podemos usar a Eq. 2.9 para ter uma compreensão mais profunda sobre a capacidade calorífica de uma substância. A definição de capacidade calorífica é dada pela Eq. 2.3 ($C = q/\Delta T$). A volume constante, q pode ser substituído pela variação na energia interna da substância, e assim,

$$C_V = \frac{\Delta U}{\Delta T} \qquad \text{Definição} \qquad \text{Capacidade calorífica a volume constante} \qquad (2.10)$$

A expressão à direita é o coeficiente angular do gráfico da energia interna contra a temperatura, com o volume do sistema mantido constante. Assim, C_V nos diz como a energia interna de um sistema com volume constante varia com a temperatura. Se o gráfico da energia interna contra a temperatura não é linear, como é em geral o caso, interpretamos C_V como o coeficiente angular da tangente à curva na temperatura de interesse (Fig. 2.16).

Uma nota sobre a boa prática Na linguagem do cálculo, a capacidade calorífica a volume constante é a derivada da função U em relação à variável T, para um dado volume (veja Ferramentas do químico 1.3). Como mostrado nesse boxe de Ferramentas, o coeficiente angular de uma função é dado pela sua derivada primeira, nesse caso dU/dT. Quando é importante especificar que uma variável é mantida constante, como o volume nesse caso, acrescentamos essa variável como subscrito na expressão da derivada, e escrevemos $C_V = (\partial U/\partial T)_V$. Observe o "derronde d" (o d curvo) nessa expressão, que é utilizado quando uma ou mais variáveis são mantidas constantes.

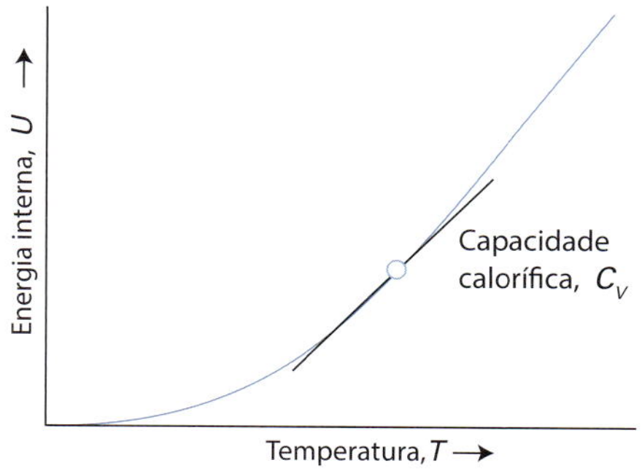

Figura 2.16 A capacidade calorífica a volume constante é o coeficiente angular da curva que mostra como a energia interna varia com a temperatura. O coeficiente angular e, portanto, a capacidade calorífica, pode ser diferente em diferentes temperaturas.

2.9 A entalpia

Grande parte da Química e a maior parte da Biologia ocorrem em vasos abertos para a atmosfera, submetidos a pressão constante, e não sendo mantidos a volume constante em recipiente rígido fechado. Em geral, quando ocorre uma modificação em um sistema aberto para a atmosfera, o volume do sistema se altera. Por exemplo, a decomposição térmica de 1,0 mol de $CaCO_3$(s) a 1 bar resulta em um aumento de volume de 90 dm^3 a 800 °C devido ao dióxido de carbono produzido. Para criar esse grande volume de gás produzido, o sistema precisa realizar um trabalho de expansão, empurrando a atmosfera. Ou seja, o sistema deve realizar trabalho de expansão do tipo descrito na Seção 2.4. Portanto, embora certa quantidade de calor deva ser fornecida para que a decomposição endotérmica ocorra, o aumento da energia interna do sistema não é igual à energia suprida como calor, porque parte dela é usada para realizar o trabalho de expansão (Fig. 2.17). Em outras palavras, como o volume do sistema aumentou, parte do calor fornecido ao sistema voltou às vizinhanças na forma de trabalho.

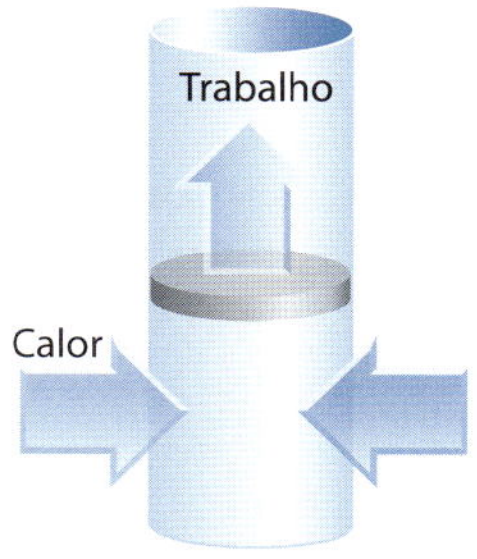

Figura 2.17 A variação de energia interna de um sistema livre para se expandir ou se contrair não é igual à energia fornecida como calor, porque parte desta energia pode sair, como trabalho, de volta para as vizinhanças. Entretanto, a variação de entalpia desse sistema sob essas condições é igual à energia fornecida como calor.

Outro exemplo é a oxidação no nosso corpo de uma gordura, como a triestearina, a dióxido de carbono. A reação global é $2C_{57}H_{110}O_6(s) + 163O_2(g) \rightarrow 114CO_2(g) + 110\ H_2O(l)$. Nessa reação exotérmica, há uma *diminuição* de volume, equivalente à eliminação de (163 – 114) mols = 49 mols de moléculas gasosas para cada 2 mols de triestearina que reagem. A diminuição de volume, a 25 °C, é de cerca de 600 cm^3 para o consumo de 1 g de gordura. Como o volume do sistema diminui, é a atmosfera que realiza trabalho *sobre* o sistema enquanto a reação avança. Ou seja, energia é transferida *para* o sistema à medida que esse vai se contraindo. De fato, um peso foi abaixado nas vizinhanças, o que lhes permitiu realizar menos trabalho após a reação. Parte de sua energia foi transferida para o sistema. Por essa razão, o decréscimo na energia interna do sistema é menor que a energia liberada como calor, pois parte da energia é reposta como trabalho.

Podemos evitar a complicação de termos sempre que considerar o trabalho de expansão pela introdução uma nova propriedade termodinâmica. Essa propriedade será o foco de nossa atenção no restante deste capítulo e aparecerá repetidamente em todo o livro. A **entalpia,** H, de um sistema é definida por

$$H = U + pV \qquad \text{Definição} \qquad \text{Entalpia} \qquad (2.11)$$

Ou seja, a entalpia difere da energia interna pela adição do produto da pressão, p, com o volume, V, do sistema. Essa expressão se aplica a *qualquer* sistema ou substância individual: não se deixe enganar pelo termo "pV" pensando que a Eq. 2.11 se aplica apenas a um gás perfeito.

A entalpia é uma propriedade extensiva. A **entalpia molar,** $H_m = H/n$, de uma substância, uma propriedade intensiva, difere da energia molar da mesma substância por uma quantidade proporcional ao volume molar V_m da substância:

$$H_m = U_m + pV_m \qquad \text{Definição} \qquad \text{Entalpia molar} \qquad (2.12a)$$

Esta expressão é válida para todas as substâncias. Para um gás perfeito, podemos escrever $pV_m = RT$, de modo que

$$H_m = U_m + RT \qquad \text{Gás perfeito} \qquad \text{Entalpia molar} \qquad (2.12b)$$

A 25 °C, $RT = 2{,}5$ kJ mol^{-1}, logo, a entalpia molar de um gás perfeito é maior que sua energia interna molar por 2,5 kJ mol^{-1}. Como o volume molar de um sólido ou de um líquido é, nos casos típicos, cerca de 1000 vezes menor que o de um gás, podemos concluir que a entalpia molar de um sólido ou de um líquido é de apenas cerca de 2,5 J mol^{-1} (note bem, joules, não quilojoules) maior que sua energia interna, ou seja, a diferença numérica é desprezível.

Uma variação de entalpia (a única grandeza que podemos medir na prática) surge em razão da variação de energia interna e do produto pV:

$$\Delta H = \Delta U + \Delta(pV) \qquad (2.13a)$$

em que $\Delta(pV) = p_f V_f - p_i V_i$. Se a mudança ocorre sob pressão constante e igual a p, o segundo termo à direita é simplificado para

$$\Delta(pV) = pV_f - pV_i = p(V_f - V_i) = p\Delta V$$

e podemos escrever

$$\Delta H = \Delta U + p\Delta V \qquad \text{Pressão constante} \qquad \text{Variação de entalpia} \qquad (2.13b)$$

Usaremos com frequência essa importante relação em processos que ocorrem sob pressão constante, como as reações químicas realizadas em recipientes abertos para a atmosfera.

Apesar de a entalpia e a energia interna de uma substância poderem ter valores semelhantes, a introdução da entalpia tem consequências muito importantes na termodinâmica. Em primeiro lugar, notamos que H é definida em termos de funções de estado (U, p e V), logo *a entalpia é uma função de estado*. Isso significa que, quando um sistema sofre uma mudança de estado, a variação de entalpia, ΔH, é independente do processo que liga o estado inicial ao estado final. Ou seja, é independente do caminho que une os dois estados. Além disso, mostramos na Dedução, vista a seguir, que a variação de entalpia de um sistema pode ser identificada com o calor trocado entre o sistema e as vizinhanças sob pressão constante:

$$\Delta H = q \qquad (2.14a)$$

Esta relação é geralmente escrita como

$$\Delta H = q_p \qquad \text{Pressão constante, sem trabalho de não expansão} \qquad \text{Variação de entalpia} \qquad (2.14b)$$

O subscrito p indica que a pressão é mantida constante.

Dedução 2.3

Transferência de calor sob pressão constante

Considere um sistema aberto para a atmosfera, de modo que a sua pressão é constante e igual à pressão externa, p_{ex}. Da Eq. 2.13b podemos escrever

$$\Delta H = \Delta U + p\Delta V = \Delta U + p_{ex}\Delta V$$

Contudo, sabemos que a variação de energia interna é dada pela Eq. 2.7 ($\Delta U = w + q$), com $w = -p_{ex}\Delta V$ (desde que o sistema não realize outro tipo de trabalho). Quando substituímos esta expressão na anterior, obtemos

$$\Delta H = (-p_{ex}\Delta V + q) + p_{ex}\Delta V = q$$

que é a Eq. 2.14.

É de enorme importância o resultado expresso pela Eq. 2.14 de que *sob pressão constante e sem outro tipo de trabalho além do de expansão, podemos identificar a energia transferida pelo calor com a variação de entalpia do sistema.* Esse resultado apresenta uma quantidade que podemos medir (a transferência de energia como calor a pressão constante): a variação de uma função de estado (a entalpia). O fato de poder lidar com funções de estado aumenta enormemente o poder da abordagem termodinâmica, porque não precisamos nos preocupar em como passamos de um estado para o outro: tudo o que importa são os estados inicial e final.

■ **Breve ilustração 2.7** Variação da Entalpia

A Eq. 2.14 significa que se 10 kJ de calor são fornecidos a um sistema que pode mudar livremente o seu volume, a pressão constante, então a entalpia do sistema aumenta de 10 kJ, independente de quanta energia entra ou deixa o sistema como trabalho, e escrevemos $\Delta H = +10$ kJ. Por outro lado, se uma reação é exotérmica e libera 10 kJ de calor quando ocorre, então $\Delta H = -10$ kJ, a despeito de quanto trabalho a reação realiza. Para o caso particular da combustão da triestearina mencionada no início da seção, na qual 90 kJ de energia são liberados como calor, escrevemos $\Delta H = -90$ kJ.

Uma reação endotérmica ($q > 0$), que ocorre sob pressão constante, resulta em um aumento de entalpia ($\Delta H > 0$) porque a energia entra no sistema como calor. Por outro lado, um processo exotérmico ($q < 0$) e que ocorre a pressão constante corresponde a uma diminuição de entalpia ($\Delta H < 0$) uma vez que a energia deixa o sistema como calor. Todas as reações de combustão, inclusive as de combustão controlada que contribuem para a respiração, são exotérmicas e acompanhadas de uma diminuição de entalpia. Essas relações são consistentes com o nome "entalpia", que vem do grego e significa "calor interno". Esse "calor interno" do sistema aumenta se o processo é endotérmico e absorve energia sob a forma de calor das vizinhanças; diminui se o processo é exotérmico e libera energia sob a forma de calor para as vizinhanças. Entretanto, é importante frisar que o calor não "existe" dentro do sistema: apenas a energia existe num sistema. O calor é uma forma de se recuperar a energia, ou de aumentá-la.

2.10 A variação da entalpia com a temperatura

Já vimos que a energia interna de um sistema aumenta com o aumento da temperatura. Pode-se dizer o mesmo com relação à entalpia, que também aumenta com o aumento da temperatura (Fig. 2.18). Por exemplo, a entalpia de 100 g de água é maior a 80 °C do que a 20 °C. Podemos medir a variação de entalpia conhecendo-se a energia que deve ser fornecida como calor àquela massa de água para aumentar a sua temperatura de 60 °C, com a amostra aberta para a atmosfera (ou sujeita a outra pressão constante); nesse caso, encontramos um valor de $\Delta H = +25$ kJ.

Assim como vimos que a capacidade calorífica em volume constante nos informa sobre a dependência da temperatura da energia interna em volume constante, do mesmo modo a capacidade de calor de pressão constante nos diz como a entalpia de um sistema muda à medida que sua temperatura é elevada sob pressão constante. Para encontrarmos a relação entre a variação de entalpia e a variação de temperatura, combinamos a definição da capacidade calorífica dada pela Eq. 2.3 ($C = q/\Delta T$) com a Eq. 2.14, obtendo

$$C_p = \frac{\Delta H}{\Delta T} \qquad \text{Definição} \qquad \text{Capacidade calorífica a pressão constante} \qquad (2.15)$$

Uma nota sobre a boa prática Assim como para a C_V, a definição formal desta capacidade calorífica é escrita em termos de derivadas, mas neste caso com p mantida constante: $C_p = (\partial H/\partial T)_p$.

A capacidade calorífica sob pressão constante é o coeficiente angular da curva do gráfico da entalpia em função da temperatura de um sistema mantido sob pressão constante (Fig. 2.19). Em geral, depende da temperatura e alguns valores a 298 K estão listados na Tabela 2.1 (outros são encontrados na Seção de Dados). Valores em outras temperaturas que não sejam muito diferentes da temperatura ambiente são geralmente estimados a partir da expressão

$$C_{p,\mathrm{m}} = a + bT + \frac{c}{T^2} \qquad (2.16a)$$

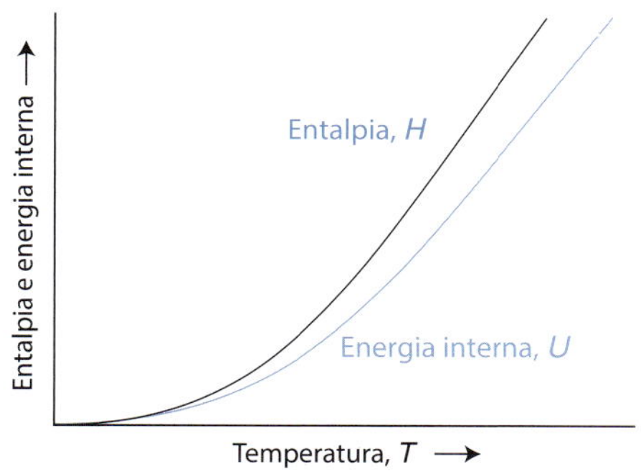

Figura 2.18 A entalpia de um sistema cresce com a elevação da sua temperatura. Note que a entalpia é sempre maior que a energia interna do sistema, e que a diferença aumenta com a temperatura.

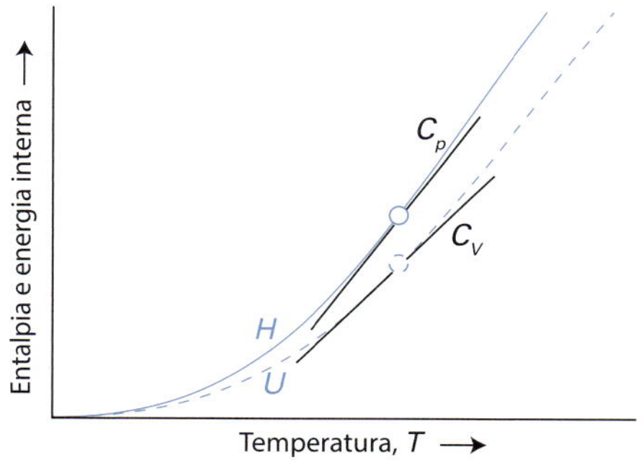

Figura 2.19 A capacidade calorífica sob pressão constante é o coeficiente angular da curva que mostra como a entalpia varia com a temperatura. A capacidade calorífica sob volume constante é o coeficiente angular correspondente à curva da energia interna. Observe que a capacidade calorífica varia, em geral, com a temperatura, e que C_p é maior que C_V.

Tabela 2.2

*Dependência das capacidades caloríficas com a temperatura**

Substância	a/ (J K^{-1} mol^{-1})	b/ (J K^{-2} mol^{-1})	c/ (J K mol^{-1})
C(s, grafite)	16,86	$4{,}77 \times 10^{-3}$	$-8{,}54 \times 10^5$
CO_2(g)	44,22	$8{,}79 \times 10^{-3}$	$-8{,}62 \times 10^5$
H_2O(l)	75,29	0	0
N_2(g)	28,58	$3{,}77 \times 10^{-3}$	$-5{,}0 \times 10^4$
Cu(s)	22,64	$6{,}28 \times 10^{-3}$	0
NaCl(s)	45,94	$16{,}32 \times 10^{-3}$	0

*As constantes são para o uso na expressão $C_{p,\mathrm{m}} = a + bT + c/T^2$.

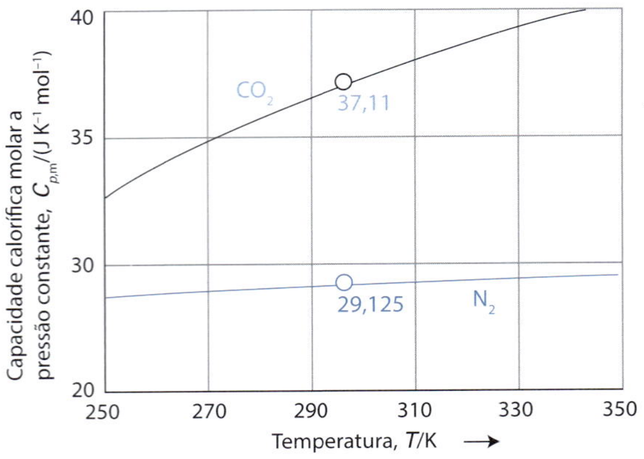

Figura 2.20 Variação da capacidade calorífica com a temperatura conforme expressa pela fórmula empírica dada pe a Eq. 2.16a. Para esse gráfico, foram usados valores para o dióxido de carbono e o nitrogênio: os círculos mostram os valores medidos a 298 K.

com os valores das constantes a, b e c obtidas por ajuste dessa expressão aos dados experimentais. Alguns valores dessas constantes são dados na Tabela 2.2. Uma variação típica com a temperatura é mostrada na Figura 2.20. Em temperaturas muito baixas, observa-se que sólidos não metálicos têm capacidades caloríficas proporcionais a T^3:

$$C_{p,\mathrm{m}} = aT^3 \tag{2.16b}$$

em que a é uma outra constante (não a mesma da Eq. 2.16a). A razão para esse comportamento não era clara até o advento da mecânica quântica, que forneceu uma explicação.

■ **Breve ilustração 2.8** Dependência da entalpia com a temperatura

Quando a capacidade calorífica é constante na faixa de temperatura de interesse, podemos escrever a Eq. 2.15 como $\Delta H = C_p\Delta T$. Essa relação indica que quando a temperatura de 100 g de água líquida (5,55 mol de H_2O) aumenta de 20 °C para 80 °C (de modo que ΔT = +60 K), a pressão constante, a entalpia da amostra varia de

$$\Delta H = C_p\Delta T = nC_{p,\mathrm{m}}\Delta T$$
$$= (5{,}55\ \mathrm{mol}) \times (75{,}29\ \mathrm{J\ K^{-1}\ mol^{-1}}) \times (60\ \mathrm{K}) = +25\ \mathrm{kJ}$$

O cálculo apresentado na ilustração é aproximado, pois a capacidade calorífica depende da temperatura; nesse caso, usamos um valor médio dessa grandeza para a faixa de temperatura considerada. No Projeto 2.29 você é convidado a explorar o caso em que essa aproximação é removida.

Sabendo que a diferença entre a entalpia e a energia interna de um gás perfeito depende da temperatura de forma muito simples (Eq. 2.12b), podemos suspeitar que existe uma relação simples entre as capacidades caloríficas em volume constante e sob pressão constate. Mostramos na Dedução vista a seguir que, de fato,

$$C_{p,\mathrm{m}} - C_{V,\mathrm{m}} = R \quad \text{Gás perfeito} \quad \text{Diferença entre capacidades caloríficas molares} \tag{2.17}$$

Dedução 2.4

Relação entre as capacidades caloríficas

A energia interna molar e a entalpia molar de um gás perfeito estão relacionadas pela Eq. 2.12b, ($H_\mathrm{m} = U_\mathrm{m} + RT$), que podemos escrever como $H_\mathrm{m} - U_\mathrm{m} = RT$. Quando a temperatura aumenta de ΔT, a entalpia molar aumenta de ΔH_m, e a energia interna molar aumenta de ΔU_m, de modo que

$$\Delta H_\mathrm{m} - \Delta U_\mathrm{m} = R\Delta T$$

Dividindo ambos os lados dessa equação por ΔT, obtemos

$$\frac{\Delta H_\mathrm{m}}{\Delta T} - \frac{\Delta U_\mathrm{m}}{\Delta T} = R$$

O primeiro termo do lado esquerdo da equação é a capacidade calorífica molar sob pressão constante, $C_{p,\mathrm{m}}$; o segundo termo é a capacidade calorífica molar em volume constante, $C_{V,\mathrm{m}}$. Assim, essa relação pode ser escrita como na Eq. 2.17.

A Eq. 2.17 nos mostra que a capacidade calorífica molar de um gás perfeito é maior na pressão constante do que no volume constante. Deveríamos esperar essa diferença. Em volume constante, toda a energia fornecida como calor ao sistema fica dentro dele, provocando um determinado aumento de temperatura. Sob pressão constante, uma parte da energia fornecida como calor escapa para as vizinhanças quando o sistema se expande e realiza trabalho. À medida que menos energia permanece no sistema, como no caso anterior, a sua temperatura não se eleva tanto e isso corresponde a uma capacidade calorífica maior. A diferença é significativa para os gases (para o oxigênio, $C_{V,\mathrm{m}}$ = 20,8 J K^{-1} mol^{-1} e $C_{p,\mathrm{m}}$ = 29,1 J K^{-1} mol^{-1}), que sofrem grandes mudanças de volume quando aquecidos, mas é desprezível para a maioria dos sólidos e líquidos em condições normais, pois esses se expandem muito menos e assim perdem muito menos energia na forma de trabalho para as vizinhanças.

Verificação de conceitos importantes

☐ 1 Um sistema é classificado como aberto, fechado ou isolado.

☐ 2 As vizinhanças permanecem em temperatura, volume e também pressão constante quando processos ocorrem em um sistema.

☐ 3 Um processo exotérmico libera energia sob a forma de calor; um processo endotérmico absorve energia sob a forma de calor.

☐ 4 O trabalho de expansão máximo é atingido em um processo reversível.

☐ 5 A Primeira Lei da Termodinâmica estabelece que a energia interna de um sistema isolado é constante.

☐ 6 Energia transferida como calor em volume constante é igual à variação de energia interna do sistema.

☐ 7 Energia transferida como calor sob pressão constante é igual à variação de entalpia.

☐ 8 A capacidade calorífica em volume constante é o coeficiente angular da curva da energia interna em função da temperatura.

☐ 9 A capacidade calorífica a pressão constante é o coeficiente angular da curva da entalpia em função da temperatura.

Mapa conceitual das equações importantes

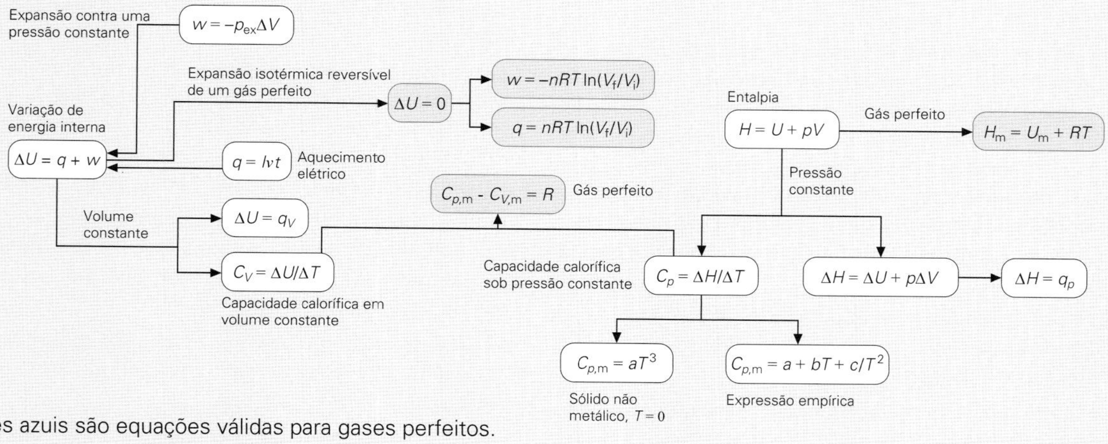

Os boxes azuis são equações válidas para gases perfeitos.

Questões e exercícios

Questões teóricas

2.1 Discuta a afirmação de que um sistema e suas vizinhanças são distintos, especificando-se as propriedades da fronteira que os separam.

2.2 Exemplifique sistemas químicos (a) abertos, (b) fechados, (c) isolados.

2.3 O que é (a) temperatura, (b) calor, (c) energia?

2.4 Dê uma interpretação molecular para o trabalho e para o calor.

2.5 A lei da conservação da energia na dinâmica e a Primeira Lei da Termodinâmica são idênticas? Se não, descreva as diferenças.

2.6 Explique a diferença entre o trabalho de expansão contra uma pressão constante e o trabalho de expansão reversível e suas consequências.

2.7 Faça a distinção entre expansão reversível e expansão irreversível.

2.8 Explique a diferença entre a variação de energia interna e de entalpia de um processo químico ou físico.

2.9 Especifique e explique as limitações das seguintes expressões: (a) $q = nRT \ln(V_f/V_i)$; (b) $\Delta H = \Delta U + p\Delta V$; (c) $C_{p,m} - C_{V,m} = R$.

Exercícios

Considere todos os gases como perfeitos, a menos que exista informação em contrário.

2.1 Calcule o trabalho realizado por um gás quando ele se expande de (a) 1,0 cm^3, (b) 1,0 dm^3 contra uma pressão atmosférica de 100 kPa. Que trabalho deve ser feito para comprimir o gás de volta ao seu estado original em cada caso?

2.2 Calcule o trabalho realizado por 2,0 mols de um gás quando ele se expande isotérmica e reversivelmente de 1,0 dm^3 a 3,0 dm^3 a 300 K.

2.3 Uma amostra de 4,50 g de metano gasoso ocupa o volume de 12,7 dm^3 a 310 K. (a) Calcule o trabalho feito quando o gás se expande isotermicamente contra uma pressão externa constante de 30 kPa até o seu volume aumentar de 3,3 dm^3. (b) Calcule o trabalho se a mesma expansão for realizada isotérmica e reversivelmente.

2.4 Em uma compressão isotérmica reversível de 52,0 mmols de um gás perfeito a 260 K, o volume do gás se reduz de 300 cm^3 para 100 cm^3. Calcule o módulo do valor do trabalho feito no processo.

2.5 Uma amostra de plasma sanguíneo ocupa 0,550 dm^3 a 0 °C e 1,03 bar, e é comprimida isotermicamente 0,57 % sob pressão externa constante de 95,2 bar. Calcule o módulo do valor do trabalho envolvido no processo.

2.6 Uma fita de magnésio metálico, de 12,5 g, é mergulhada em um bécher com ácido clorídrico diluído. Admitindo que o magnésio é o reagente limitante, calcule o trabalho realizado pelo sistema em função da reação. A pressão atmosférica é de 1,0 atm e a temperatura de 20,2 °C.

2.7 Calcule o trabalho de expansão que acompanha a combustão completa de 10,0 g de sacarose ($C_{12}H_{22}O_{11}$) a dióxido de carbono e (a) água líquida, (b) vapor d'água a 20 °C sob a pressão externa de 1,20 atm.

2.8 Todos nós conhecemos os princípios gerais de operação de um motor de combustão interna: a queima do combustível movimenta o pistão. Pode-se imaginar um motor que use outras reações além das de combustão; nesse caso, precisamos saber quanto trabalho pode ser realizado. Uma reação química ocorre em um vaso de seção reta uniforme, de 100 cm^2, provido de pistão. Em virtude da reação, o pistão é empurrado 10 cm para fora contra a pressão externa de 100 kPa. Calcule o trabalho realizado pelo sistema.

2.9 Qual é a capacidade calorífica de uma amostra de um líquido cuja temperatura se eleva em 5,23 °C quando recebe 124 J de energia sob a forma de calor?

2.10 Um cubo de ferro foi aquecido a 70 °C e transferido para um bécher contendo 100 g de água a 20 °C. A temperatura final da água e do ferro foi 23 °C. Qual é a (a) capacidade calorífica, (b) capacidade calorífica específica, (c) capacidade calorífica molar do cubo de ferro? Despreze as perdas térmicas.

2.11 A grande capacidade calorífica da água é ecologicamente benéfica, pois estabiliza a temperatura dos lagos e dos oceanos. Assim, uma grande quantidade de energia deve ser perdida ou recebida para que haja uma alteração significativa na temperatura. Em contrapartida, uma grande quantidade de calor deve ser fornecida para se obter grande aumento na temperatura. A capacidade calorífica molar da água é de 75,3 J K^{-1} mol^{-1}. Que energia é necessária para aquecer 250 g de água (uma xícara de café, por exemplo) de 40 °C?

2.12 Uma corrente de 1,55 A, proveniente de uma fonte de 110 V, circulou em um aquecedor, imerso em um banho de água, por 8,5 minutos. Que quantidade de energia foi transferida para a água como calor?

2.13 Quando adicionamos 229 J de energia sob forma de calor a 3,00 mols de Ar(g), em volume constante, a temperatura do sistema aumenta de 2,55 K. Calcule as capacidades caloríficas molares em volume e pressão constantes do gás.

2.14 A capacidade calorífica do ar é muito menor do que a da água, e é necessária uma pequena quantidade de calor para alterar sua temperatura. Essa é uma das razões de os desertos serem tão frios à noite, apesar de muito quentes durante o dia. A capacidade calorífica do ar sob pressão e temperatura ambientes é de aproximadamente 21 J K^{-1} mol^{-1}. Que energia é necessária para elevar de 10 °C a temperatura de uma sala de 5,5 m × 6,5 m × 3,0 m? Desprezando-se as perdas de energia, quanto tempo levaria um aquecedor com potência igual a 15 kW para provocar essa elevação de temperatura, dado que 1 W = 1 J s^{-1}?

2.15 A transferência de energia de uma região da atmosfera para outra é de grande importância em meteorologia, pois afeta o tempo. Calcule o calor que deve ser fornecido a uma parcela de ar contendo 1,00 mol de moléculas para manter sua temperatura em 300 K durante sua ascensão, quando se expande isotérmica e reversivelmente de 22,0 dm^3 para 30,0 dm^3.

2.16 A temperatura de um bloco de ferro ($C_{V,m}$ = 25,1 J K^{-1} mol^{-1}) de massa 1,4 kg diminuiu 65 °C quando resfriado até a temperatura ambiente. Qual é a variação de sua energia interna?

2.17 Num experimento realizado para se determinar o valor calórico de um alimento, uma amostra foi queimada em uma atmosfera de oxigênio e a temperatura do calorímetro subiu 2,89 °C. A passagem de uma corrente de 1,27 A, de uma fonte de 12,5 V, no mesmo calorímetro, por um tempo de 157 s, elevou a temperatura em 3,88 °C. Qual é o calor liberado pela combustão do alimento?

2.18 Um calorímetro de pequeno porte foi vedado para estudo do metabolismo de um organismo. Na fase inicial do experimento, uma corrente de 22,22 mA, proveniente de uma fonte de 11,8 V, circulou durante 162 s pelo aquecedor contido dentro do calorímetro. Qual é a variação da energia interna do calorímetro?

2.19 Em um modelo computacional da atmosfera, 20 kJ de energia são transferidos sob a forma de calor para uma parcela de ar de volume inicial 1,0 m^3 a 1,0 atm. Qual é a variação de entalpia dessa parcela de ar?

2.20 A energia interna de um gás perfeito não muda quando o gás sofre uma expansão isotérmica de V_i a V_f. Qual é a variação de sua entalpia?

2.21 O dióxido de carbono, ainda que em pequena quantidade na atmosfera, desempenha importante papel na determinação das condições do tempo e na composição e temperatura da atmosfera. Calcule a diferença entre a entalpia molar e a energia interna molar do dióxido de carbono, considerado um gás real, a 298,15 K. Para esse cálculo, considere o dióxido de carbono um gás de van der Waals e utilize os dados da Tabela 1.6.

2.22 Uma amostra de soro, de massa igual a 25 g, é resfriada de 290 K até 275 K, sob pressão constante, retirando-se dela 1,2 kJ de energia na forma de calor. Calcule q e ΔH, e estime a capacidade calorífica da amostra.

2.23 Quando 3,0 mols de O_2(g) são aquecidos à pressão constante de 3,25 atm, sua temperatura aumenta de 260 K para 285 K. A capacidade calorífica sob pressão constante do O_2(g) é 29,4 J K^{-1} mol^{-1}. Calcule q, ΔH e ΔU.

2.24 A capacidade calorífica molar sob pressão constante do dióxido de carbono é 29,14 J K^{-1} mol^{-1}. Quanto vale a sua capacidade calorífica molar em volume constante?

2.25 Use a informação do exercício anterior para calcular a variação da (a) entalpia molar, (b) energia interna molar, quando o dióxido de carbono é aquecido de 15 °C (temperatura em que o ar é inalado) até 37 °C (temperatura do sangue e de nossos pulmões).

Projetos

O símbolo ‡ indica que o cálculo é necessário.

2.26‡ Vamos investigar aqui a equação de van der Waals mais detalhadamente, deduzindo as expressões para o trabalho feito em uma expansão isotérmica reversível para duas equações de estado diferentes. (a) Seguindo a metodologia da Dedução 2.2, deduza a expressão para o trabalho realizado por um gás que obedece à equação de estado $p = nRT/(V - nb)$, que é adequada quando as repulsões moleculares são importantes. O gás faz mais ou menos trabalho do que o gás perfeito com a mesma variação de volume? (b) Repita o mesmo procedimento para um gás que obedeça à equação de estado $p = nRT/V - n^2a/V^2$, adequada quando as atrações moleculares são importantes. O gás faz mais ou menos trabalho do que o gás perfeito com a mesma variação de volume?

2.27‡ A Dedução 2.2 mostrou como calcular o trabalho de expansão isotérmica e reversível de um gás perfeito. Suponha que a expansão seja reversível, mas não isotérmica, e que a temperatura diminua à medida que a expansão ocorre. (a) Obtenha a expressão do trabalho quando $T = T_i - c(V - V_i)$, com c sendo uma constante positiva. (b) O trabalho é maior ou menor que o de uma expansão isotérmica?

2.28‡ Vamos agora investigar o efeito da dependência da capacidade calorífica com a temperatura na energia interna. (a) A capacidade calorífica de um sólido não metálico em temperatura muito baixa (próxima a $T = 0$) é dada por aT^3, em que a é uma constante. Como varia a energia interna? (b) Suponha que, em uma faixa restrita de temperatura, a energia interna de uma substância possa ser expressa como um polinômio em T na forma $U_m(T) = a + bT + cT^2$. Obtenha uma expressão para a capacidade calorífica molar em volume constante e em certa temperatura T.

2.29‡ Vamos agora investigar o efeito da dependência da capacidade calorífica com a temperatura na entalpia. (a) A capacidade calorífica de uma substância é normalmente dada na forma $C_{p,m} = a + bT + c/T^2$. Use essa expressão para fazer uma estimativa mais acurada da variação da entalpia molar do dióxido de carbono quando aquecido de 15 °C a 37 °C (como no exercício anterior). São dados $a = 44{,}22$ J K^{-1} mol^{-1}, $b = 8{,}79 \times 10^{-3}$ J K^{-2} mol^{-1} e $c = -8{,}62 \times 10^5$ J K mol^{-1}. Você precisa integrar $dH = C_p dT$. (b) Use a expressão da parte (a) para determinar como a entalpia molar da substância varia nesta faixa limitada de temperatura. Faça o gráfico da entalpia molar em função da temperatura.

2.30‡ A expressão exata para a relação entre as capacidades caloríficas em volume e pressão constantes é $C_p - C_V = \alpha^2 TV/\kappa$, em que α é o coeficiente de expansão térmica, $\alpha = (dV/dT)/V$, a pressão constante e κ (capa) é a compressibilidade isotérmica, $\kappa = -(dV/dp)/V$. Confirme que essa expressão geral se reduz à Eq. 2.17 para um gás perfeito.

3

Termodinâmica: aplicações da Primeira Lei

Este capítulo ilustra a importância que desempenha a entalpia na química. Há três propriedades da entalpia que devem ser ressaltadas:

1. A variação de entalpia pode ser identificada com o calor fornecido a pressão constante ($\Delta H = q_p$).
2. A entalpia é uma função de estado, o que nos permite calcular a variação de entalpia ($\Delta H = H_f - H_i$) entre dois estados especificados, o inicial e o final, selecionando o caminho mais adequado entre esses dois estados.
3. O coeficiente angular de um gráfico da entalpia em oposição à temperatura é a capacidade calorífica a pressão constante do sistema ($C_p = \Delta H/\Delta T$).

Todo o material deste capítulo está baseado nessas três propriedades.

Transformação física

Inicialmente, consideramos transformações físicas aquelas que ocorrem quando uma forma de uma substância muda para outra forma da mesma substância, como quando o gelo derrete formando água. Também, estão incluídas aqui transformações de natureza particularmente simples, como a ionização de um átomo ou o rompimento de uma ligação em uma molécula.

O valor numérico de uma propriedade termodinâmica depende das condições, tais como os estados das substâncias envolvidas, a pressão e a temperatura. Os químicos estabeleceram, então, que seria conveniente tabular as propriedades termodinâmicas para um conjunto de condições, na temperatura escolhida:

> O **estado-padrão** de uma substância é a substância pura na pressão exata de 1 bar.

(Lembre que 1 bar = 10^5 Pa). Representamos o valor no estado-padrão pelo sobrescrito $^\ominus$ no símbolo para a propriedade, como em $H_m^\ominus$ para a entalpia molar padrão de uma substância e $p^\ominus$ para a pressão-padrão de 1 bar. Por exemplo, o estado-padrão do hidrogênio gasoso é o gás puro na pressão de 1 bar, e o estado-padrão do carbonato de cálcio sólido é o sólido puro na pressão de 1 bar, especificando-se que a fase cristalina do sólido é a calcita ou a aragonita. O estado físico precisa ser especificado, pois podemos mencionar os estados-padrão das formas sólida, líquida e gasosa da água, por exemplo, que são, respectivamente, o sólido puro, o líquido puro e o gás puro, na pressão de 1 bar para os três casos.

Em textos mais antigos, você pode encontrar o estado-padrão definido para a pressão de 1 atm (101,325 kPa), em vez de 1 bar. Essa é a convenção antiga. Na maioria dos casos, os dados a 1 atm pouco diferem daqueles a 1 bar. Você também poderá encontrar estados-padrão definidos em relação à temperatura de 298,15 K. Isso não está correto: a temperatura não faz parte da definição do estado-padrão, e estados-padrão podem ser definidos para qualquer temperatura (que, entretanto, deve ser especificada). Assim é possível falar do estado-padrão do vapor d'água a 100 K, a 273,15 K ou a qualquer outra temperatura. No entanto, costuma-se tabular os dados na "temperatura convencional" de 298,15 K (25,00 °C), e a mesma será a temperatura que iremos utilizar de agora em diante, salvo menção em contrário. Para simplificar, vamos frequentemente nos referir a 298,15 K como "25 °C". Por fim, um estado-padrão não precisa ser um estado estável nem precisa existir na prática. Assim, o estado-padrão do vapor d'água a 25 °C é o vapor a 1 bar, mas o vapor d'água condensaria imediatamente para água líquida nessa temperatura e pressão.

3.1 A entalpia da transição de fase

Uma **fase** é um estado específico da matéria que se caracteriza pela uniformidade de sua composição e estado físico. Os estados líquido e vapor são duas possíveis fases da água. O termo "fase" é mais específico que "estado da matéria", pois a substância pode existir em mais de uma forma sólida; cada uma dessas formas é uma fase sólida. Assim, o elemento enxofre pode existir como um sólido. Entretanto, como um sólido, pode ser encontrado na forma de enxofre rômbico ou de enxofre monoclínico; essas duas fases sólidas diferem na maneira como o arranjo em forma de coroa das moléculas de S_8 fica empilhado. Nenhuma substância tem mais de uma fase gasosa, de forma que "fase gasosa" e "estado gasoso" são sinônimos. A única substância que existe em mais de uma fase líquida é o hélio. A maioria das substâncias apresenta várias fases sólidas. O carbono, por exemplo, existe como grafita, diamante e em uma variedade de formas baseadas nas estruturas dos fulerenos; o carbonato de cálcio existe como calcita e aragonita; existem, pelo menos, doze formas de gelo e mais uma foi descoberta em 2006.

A conversão entre duas fases de uma substância é chamada uma **transição de fase**. Assim, a vaporização (líquido → gás) é uma transição de fase, assim como a transição de fase pode ser entre duas fases sólidas (como enxofre rômbico → enxofre monoclínico). A maioria das transições de fase é acompanhada de uma variação de entalpia, pois o rearranjo dos átomos ou moléculas geralmente requer ou libera energia. A "evaporação" é essencialmente um sinônimo para a vaporização, mas geralmente é usada no sentido de uma vaporização que se estende até o desaparecimento completo do líquido.

A vaporização de um líquido, como na conversão da água líquida em vapor d'água na evaporação da água de uma piscina a 20 °C, ou na ebulição da água em uma chaleira, a 100 °C, é um processo endotérmico ($\Delta H > 0$). Isso porque é necessário que calor seja fornecido para que a mudança ocorra. Em nível molecular, as moléculas estão sendo afastadas da ação atrativa que exercem umas sobre as outras e esse processo requer energia. Uma das estratégias utilizadas pelo corpo humano para manter sua temperatura a 37 °C é usar o caráter endotérmico da vaporização da água, pois a evaporação do suor requer uma certa quantidade de calor, que é retirado da pele.

A energia que tem de ser fornecida como calor a pressão constante por mol de moléculas que são vaporizadas sob condições-padrão (ou seja, líquido puro a 1 bar se transformando em vapor puro a 1bar) é denominada **entalpia-padrão de vaporização** de líquido, e é representada por $\Delta_{vap}H^{\ominus}$ (Tabela 3.1). Por exemplo, são necessários 44 kJ de calor para vaporizar 1 mol de $H_2O(l)$ a 1 bar e 25 °C, assim $\Delta_{vap}H^{\ominus} = 44\ kJ\ mol^{-1}$. Todas as entalpias de vaporização são positivas, de forma que o sinal não é normalmente assi-

Tabela 3.1

*Entalpias-padrão de transição na temperatura de transição**

Substância	Ponto de congelação, T_{fus}/K	$\Delta_{fus}H^{\ominus}$/(kJ mol^{-1})	Ponto de ebulição, T_{eb}/K	$\Delta_{vap}H^{\ominus}$/(kJ mol^{-1})
Água, H_2O	273,15	6,01	373,2	40,7
Amônia, NH_3	195,3	5,65	239,7	23,4
Argônio, Ar	83,8	1,2	87,3	6,5
Benzeno, C_6H_6	278,7	9,87	353,3	30,8
Etanol, C_2H_5OH	158,7	4,60	351,5	43,5
Hélio, He	3,5	0,02	4,22	0,08
Mercúrio, Hg	234,3	2,292	629,7	59,30
Metano, CH_4	90,7	0,94	111,7	8,2
Metanol, CH_3OH	175,5	3,16	337,2	35,3
Propanona, CH_3COCH_3	177,8	5,72	329,4	29,1

*Para valores a 298,15 K, use as informações da *Seção de Dados* ao final deste livro. Endereços para Bancos de Dados termoquímicos podem ser encontrados no *site* da LTC Editora.

nalado. De outro modo, essa mesma informação pode ser indicada como uma **equação termoquímica**

$$H_2O(l) \rightarrow H_2O(g) \qquad \Delta H^{\ominus} = +44 \text{ kJ}$$

A equação termoquímica nos mostra a variação de entalpia-padrão (incluindo o sinal) que acompanha a conversão de uma quantidade de reagente igual ao coeficiente estequiométrico que o acompanha na equação química (nesse caso, 1 mol de H_2O). Se os coeficientes estequiométricos na equação química são multiplicados por 2, então a equação termoquímica seria escrita

$$2\ H_2O(l) \rightarrow 2\ H_2O(g) \qquad \Delta H^{\ominus} = +88 \text{ kJ}$$

Esta equação indica que são necessários 88 kJ de calor para vaporizar 2 mols de $H_2O(l)$ a 1 bar e (conforme nossa convenção) a 298,15 K. A menos que outra coisa seja dita, todos os dados neste livro são para 298,15 K.

Uma nota sobre a boa prática Colocar o subscrito vap em Δ é a convenção moderna. Entretanto, ainda é comumente encontrada a convenção mais antiga, na qual o subscrito é ligado ao H, como em ΔH_{vap}.

Exemplo 3.1

Determinação da entalpia de vaporização de um líquido

Provoca-se a ebulição do etanol, C_2H_5OH, a 1 atm. Quando uma corrente elétrica de 0,682 A, proveniente de uma fonte de 12,0 V, circula por 500 s através de uma resistência imersa no líquido em ebulição, observa-se que a temperatura permanece constante, mas 4,33 g de etanol são vaporizados. Qual é a entalpia de vaporização do etanol no seu ponto de ebulição a 1 atm?

Estratégia Uma vez que o calor, q, é fornecido a pressão constante, podemos identificá-lo com a variação de entalpia do etanol ao se vaporizar. Precisamos calcular o calor fornecido e o número de mols de etanol que vaporizaram. A entalpia de vaporização é o calor fornecido dividido pelo número de mols: $\Delta_{vap}H = \Delta H/n$. O calor fornecido é dado pela Eq. 2.4 ($q = I\mathcal{V}t$; lembre que 1 A V s = 1 J). O número de mols de etanol é determinado dividindo-se a massa de etanol vaporizada pela massa molar do etanol ($n = m/M$).

Solução A energia fornecida como calor é

$$q_p = I\mathcal{V}t = (0{,}682 \text{ A}) \times (12{,}0 \text{ V}) \times (500 \text{ s})$$
$$= 0{,}682 \times 12{,}0 \times 500 \text{ J}$$

Esse é o valor da variação de entalpia da amostra. O número de mols de etanol (de massa molar 46,07 g mol^{-1}) vaporizados é

$$n = \frac{m}{M} = \frac{4{,}33 \text{ g}}{46{,}07 \text{ g mol}^{-1}} = \frac{4{,}33}{46{,}07} \text{ mol}$$

Portanto, a variação de entalpia molar é

$$\Delta_{vap}H = \frac{\overbrace{0{,}682 \times 12{,}0 \times 500 \text{ J}}^{q_p}}{\underbrace{(4{,}33/46{,}07) \text{ mol}}_{n}} = 4{,}35 \times 10^4 \text{ J mol}^{-1}$$

que corresponde a 43,5 kJ mol^{-1}.

Como a pressão é 1 atm e não 1 bar, a entalpia de vaporização calculada não é o valor-padrão. Entretanto, 1 atm pouco difere de 1 bar, e assim, podemos esperar que a entalpia-padrão de vaporização do etanol no seu ponto de ebulição, 78 °C (351 K) seja muito próxima do valor obtido aqui.

Uma nota sobre a boa prática Grandezas molares são expressas como uma grandeza por mol (como quilojoules por mol, kJ mol^{-1}). Faça a distinção entre elas e o valor de uma propriedade *para* 1 mol de substância, que é expresso como a grandeza em si (como quilojoules, kJ). Todas as entalpias de transição, representadas por $\Delta_{trs}H$, são grandezas molares.

Exercício proposto 3.1

Em um experimento semelhante, verificou-se que 1,36 g de benzeno, C_6H_6, em ebulição são vaporizados quando uma corrente de 0,835 A, proveniente de uma fonte de 12,0 V, circula por 53,5 s. Qual é a entalpia de vaporização do benzeno sem seu ponto de ebulição normal?

Resposta: 30,8 kJ mol^{-1}

Existem algumas diferenças notáveis nas entalpias-padrão de vaporização: o valor dessa grandeza para a água é de 44 kJ mol^{-1}, enquanto, para o metano, CH_4, no seu ponto de ebulição, é de apenas 8 kJ mol^{-1}. Mesmo levando-se em conta o fato de a vaporização ocorrer em temperaturas diferentes, essa diferença de entalpia de vaporização indica que as moléculas de água estão retidas na fase líquida muito mais fortemente que as moléculas de metano, no metano líquido. Veremos no Capítulo 15 que as interações responsáveis pela baixa volatilidade da água são as ligações de hidrogênio. O valor elevado da entalpia de vaporização da água tem importantes consequências ecológicas, sendo parcialmente responsável pela sobrevivência dos oceanos e pela umidade relativamente baixa da atmosfera. Se fosse necessária apenas uma pequena quantidade de calor para vaporizar os oceanos, a atmosfera seria muito mais saturada em vapor d'água do que de fato é.

Outra transição de fase comum é a **fusão**, como quando o gelo se transforma em água ou quando o ferro funde. A variação de entalpia molar no processo de fusão sob condições-padrão (sólido puro a 1 bar transformando-se em líquido puro a 1 bar) é denominada **entalpia-padrão de fusão,** $\Delta_{fus}H^{\ominus}$. Seu valor para a água a 0 °C é de 6,01 kJ mol^{-1} (todas as entalpias de fusão são positivas, não sendo necessária a inclusão do sinal), indicando que são necessários 6,01 kJ de energia para fundir 1 mol de $H_2O(s)$ a 0 °C e 1 bar. Observe que a entalpia de fusão da água é muito menor que a sua entalpia de vaporização. Na vaporização, as moléculas ficam completamente separadas umas das outras, ao passo que, na fusão do sólido, as moléculas apenas se afastam, sem que haja separação completa (Fig. 3.1).

O processo inverso da vaporização é a **condensação,** e o inverso da fusão é a **congelação.** As variações de entalpia molar desses processos são o negativo das entalpias de vaporização e de fusão, respectivamente, pois o calor fornecido para vaporizar ou fundir uma substância é liberado quando essa mesma substância se condensa ou se congela. O fato de a entalpia ser uma função de estado implica que sempre teremos, sob as mesmas condições de temperatura e pressão, *a*

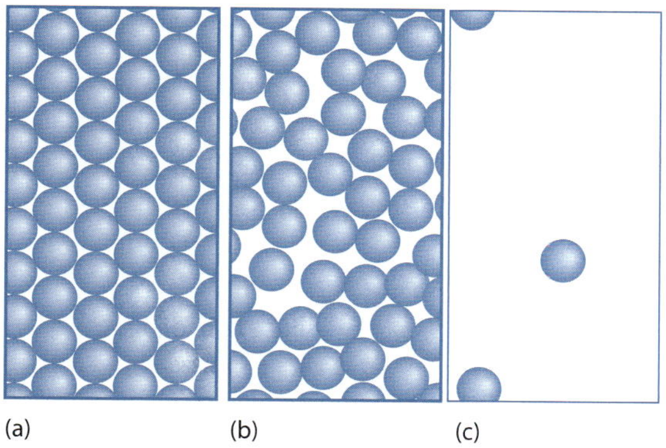

Figura 3.1 Quando um sólido (a) funde transformando-se em um líquido (b), as moléculas se separam ligeiramente umas das outras, as interações intermoleculares são reduzidas apenas levemente, havendo uma pequena variação de entalpia. Quando um líquido vaporiza (c), as moléculas são separadas por uma distância considerável, as forças intermoleculares são reduzidas a um valor quase nulo e a variação de entalpia é bem maior. No *site* da LTC editora podem ser encontrados endereços para animações que ilustram esse tópico.

entalpia de transição de um processo inverso como o negativo da entalpia de transição do processo direto:

$$H_2O(s) \rightarrow H_2O(l) \qquad \Delta H^{\ominus} = +6{,}01 \text{ kJ}$$

$$H_2O(l) \rightarrow H_2O(s) \qquad \Delta H^{\ominus} = -6{,}01 \text{ kJ}$$

e, em geral, sob as mesmas condições,

$$\boldsymbol{\Delta}_{\text{direta}}H = -\boldsymbol{\Delta}_{\text{inversa}}H \qquad (3.1)$$

Essa relação provém diretamente do fato de H ser uma propriedade de estado, pois H tem que voltar ao seu valor original se a transformação direta é seguida do inverso daquela transformação (Fig. 3.2). O valor elevado da entalpia-padrão de vaporização da água (44 kJ mol^{-1}) indica um processo fortemente endotérmico; isso implica que a condensação da água é um processo fortemente exotérmico (−44 kJ mol^{-1}). Essa exotermicidade é, em parte, a origem da capacidade do vapor d'água de queimar a pele tão profundamente, pois a energia de condensação é transferida diretamente para a pele. Escrevemos "em parte", porque o vapor d'água está em geral quente, e cede a elevada energia cinética de seu movimento molecular quando entra em contato com um corpo mais frio, além de liberar a energia de condensação.

A conversão direta de um sólido a vapor é chamada de **sublimação**. A sublimação ocorre quando uma molécula está tão fracamente ligada às moléculas vizinhas, que escapa para o vapor tão logo tenha energia suficiente para passar através dessas moléculas. (A explicação termodinâmica é apresentada na Seção 5.3.) O processo inverso é denominado de **deposição do vapor**. A sublimação pode ser observada em uma manhã fria, quando a geada que cobre o solo desaparece como vapor, sem antes derreter. A própria geada se forma pela deposição do ar frio e úmido. A vaporização de dióxido de carbono sólido ("gelo seco") é outro exemplo de sublimação. A variação de entalpia molar padrão que acompanha a sublimação é chamada **entalpia-padrão de sublimação**, $\Delta_{sub}H^{\ominus}$. Uma vez que a entalpia é uma propriedade de estado, a mesma variação de entalpia se obtém na conversão *direta* do sólido a vapor, ou na conversão *indireta*, na qual primeiramente o sólido se funde para em seguida o líquido resultante da fusão vaporizar-se (Fig. 3.3):

$$\Delta_{sub}H^{\ominus} = \Delta_{fus}H^{\ominus} + \Delta_{vap}H^{\ominus} \qquad (3.2)$$

As duas entalpias que se somam na equação anterior têm que estar na mesma temperatura. Assim, para obtermos a entalpia de sublimação da água a 0 °C, temos que somar as entalpias de fusão e de vaporização da água para essa temperatura. Não tem sentido somar entalpias de transição em temperaturas diferentes. O resultado expresso pela Eq. 3.2 é um exemplo de um enunciado mais geral que provará a sua utilidade durante o nosso estudo da termoquímica:

> A variação de entalpia de um processo global é a soma das variações de entalpia para as etapas (observadas ou hipotéticas) em que o processo pode ser dividido.

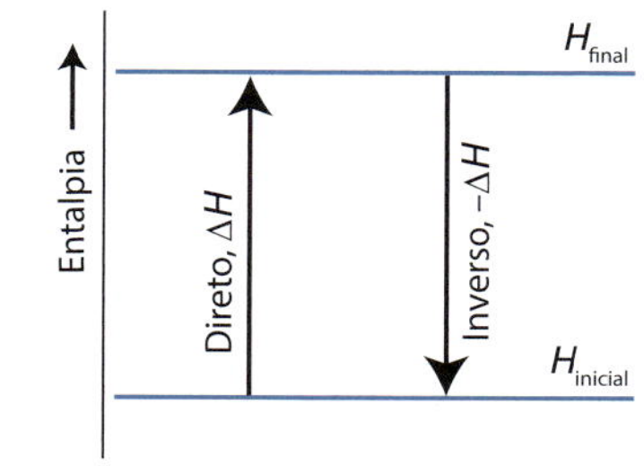

Figura 3.2 Uma consequência da Primeira Lei é que a variação de entalpia do processo inverso é o negativo da variação de entalpia do processo direto.

■ Breve ilustração 3.1 Entalpia de Sublimação

A entalpia-padrão de fusão do gelo a 0 °C é 6,01 kJ mol^{-1} e a entalpia-padrão de vaporização da água a 0 °C é 45,07 kJ mol^{-1}. Assim, a entalpia-padrão de sublimação do gelo a 0 °C pode ser calculada pela Eq. 3.2:

$$\begin{aligned}\Delta_{sub}H^{\ominus} &= \Delta_{fus}H^{\ominus} + \Delta_{vap}H^{\ominus}\\ &= 6{,}01 \text{ kJ mol}^{-1} + 45{,}07 \text{ kJ mol}^{-1}\\ &= 51{,}08 \text{ kJ mol}^{-1}\end{aligned}$$

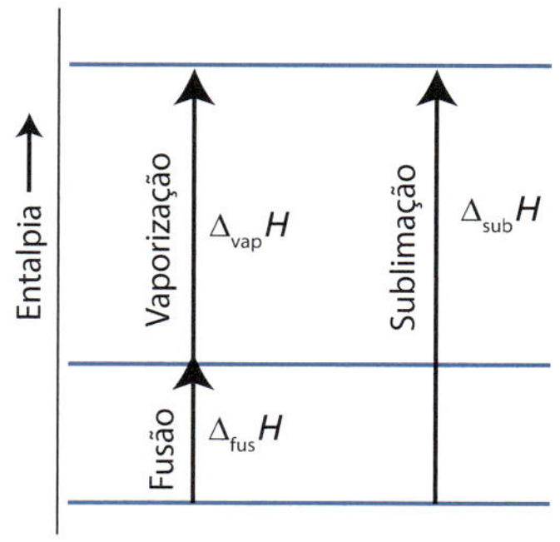

Figura 3.3 A entalpia de sublimação em determinada temperatura é a soma das entalpias de fusão e de vaporização naquela mesma temperatura. Outra consequência da Primeira Lei é que a variação de entalpia do processo global é a soma das variações de entalpia de todas as etapas hipotéticas em que o processo pode ser dividido.

Exercício proposto 3.2

Calcule a entalpia-padrão de vaporização do dióxido de carbono líquido a 298 K, a partir de sua entalpia-padrão de sublimação, 25,23 kJ mol^{-1}, e de sua entalpia-padrão de fusão, 8,33 kJ mol^{-1}, determinadas nessa mesma temperatura.

Resposta: 16,90 kJ mol^{-1}

Em moléculas muito grandes, tais como polímeros sintéticos, e macromoléculas biológicas, assim como nos aglomerados moleculares (por exemplo: membranas celulares), também pode ocorrer um outro tipo de transição de fase associada à quebra de ligações intra ou intermoleculares que são responsáveis pela estrutura tridimensional dessas moléculas e aglomerados. Essa é uma transição endotérmica que podemos estudar utilizando a **calorimetria diferencial de varredura** (veja Impacto na bioquímica 3.1).

Impacto na bioquímica 3.1

Calorimetria diferencial de varredura

Um calorímetro diferencial de varredura (sigla em inglês DSC) consiste em dois pequenos compartimentos que são aquecidos eletricamente a uma taxa constante, a etapa de "varredura" da técnica (Fig. 3.4). A temperatura, T, em um dado tempo t, durante a varredura linear é dada por $T = T_0 + \alpha t$ em que T_0 é a temperatura inicial e α é a sua taxa de varredura (em kelvin por segundo, K s^{-1}). Observe que a taxa de aumento da temperatura é dada por: $dT/dt = \alpha$. Um computador controla a potência elétrica de saída para cada compartimento, mantendo-se assim a mesma temperatura nos dois compartimentos durante toda a análise. O termo "diferencial" refere-se ao fato de que o comportamento da amostra é comparado com o de um material de referência, no qual não ocorre nenhuma variação química ou física durante a análise. A temperatura da amostra variará, em relação a temperatura do material de referência, se nela ocorrer um processo químico ou físico que envolva troca de calor, durante a varredura. Com o objetivo de se manter a mesma temperatura em ambos compartimentos, um excesso de calor é transferido para a amostra, durante o processo. Para que um processo endotérmico ocorra na amostra, em uma determinada temperatura, temos que fornecer uma quantidade adicional de calor em "excesso", dq_{ex}, para a amostra de modo

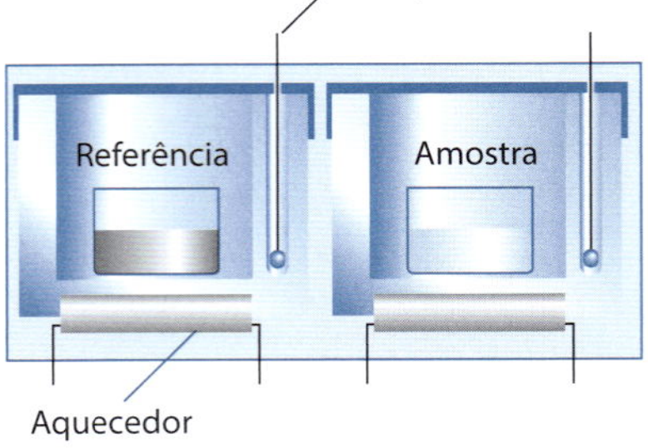

Figura 3.4 Calorímetro diferencial de varredura. A amostra e o material de referência são aquecidos em dois compartimentos idênticos, separados. Mede-se a diferença de potência necessária para se manter os dois compartimentos na mesma temperatura quando a temperatura aumenta.

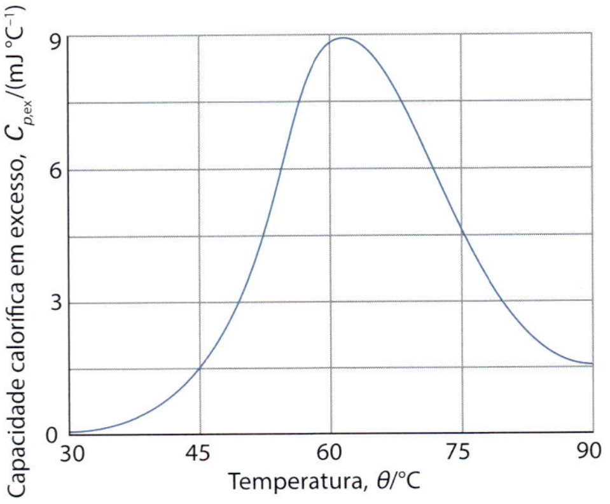

Figura 3.5 Termograma da proteína ubiquitina. A proteína mantém a sua estrutura nativa até cerca de 45 °C e, então, sofre uma mudança conformacional endotérmica. (Adaptado de B. Chowdhry e S. LeHarne, *J. Chem. Educ.* 74, 236 (1997).)

que ela alcance a mesma temperatura que a referência. Pode-se calcular esse calor em excesso em função de uma capacidade calorífica em "excesso" em cada etapa da varredura, C_{ex}, a partir de $dq_{ex} = C_{ex}dT$. Como $dT = \alpha dt$, podemos escrever:

$$C_{ex} = \frac{dq_{ex}}{dT} = \frac{dq_{ex}}{\alpha dt} = \frac{P_{ex}}{\alpha}$$

em que $P_{ex} = dq_{ex}/dt$ é a potência térmica em excesso (a taxa de fornecimento de energia em watts, em que 1 W = 1 J s^{-1}) necessária, em cada etapa da varredura, para igualar a temperatura dos compartimentos que contêm a amostra e a referência. Um **termograma** é um gráfico de C_{ex} (que é obtido a partir da expressão P_{ex}/α e da potência medida durante a varredura) contra T. A Figura 3.5 é um termograma que mostra que a proteína ubiquitina mantém a sua estrutura nativa até cerca de 45 °C. Em temperaturas mais elevadas, essa proteína sofre uma mudança conformacional endotérmica que resulta na perda da sua estrutura tridimensional.

Para se obter a quantidade total de calor transferido, necessitamos integrar ambos os lados de $dq_{ex} = C_{ex}dT$ da temperatura inicial T_1 até a temperatura final T_2 (veja Ferramentas do químico 2.1):

$$q_{ex} = \int_{T_1}^{T_2} C_{ex}dT$$

A integral corresponde à área sob o termograma entre T_1 e T_2. Uma vez que o experimento é realizado a pressão constante, podemos identificar q_{ex} como a variação de entalpia do processo.

3.2 Transformação atômica e molecular

Um conjunto de variações de entalpia que vamos utilizar frequentemente nas próximas páginas está associado a transformações que ocorrem em átomos e moléculas individuais. Entre elas, destaca-se a **entalpia-padrão de ionização,** $\Delta_{\text{íon}}H^{\ominus}$, a variação da entalpia molar padrão que acompanha a remoção de um elétron de um átomo (ou íon) em fase gasosa. Por exemplo, como em:

$$H(g) \rightarrow H^+(g) + e^-(g) \qquad \Delta H^{\ominus} = +1312 \text{ kJ}$$

Tabela 3.2

*Entalpias-padrão da primeira e da segunda (e alguns de ordem superior) ionização, $\Delta_{ion}H^{\ominus}/(\mathrm{kJ\ mol^{-1}})$**

1	2	13	15	15	16	17	18
H 1312							He 2370 5250
Li 519 7300	Be 900 1760	B 799 2420 14 800	C 1090 2350 3660 25 000	N 1400 2860	O 1310 3390	F 1680 3370	Ne 2080 3950
Na 494 4560	Mg 738 1451 7740	Al 577 1820 2740 11 600	Si 786	P 1060	S 1000	Cl 1260	Ar 1520
K 418 3070	Ca 590 1150 4940	Ga 577	Ge 762	As 966	Se 941	Br 1140	Kr 1350
Rb 402 2650	Sr 548 1060 4120	In 556	Sn 707	Sb 833	Te 870	I 1010	Xe 1170
Cs 376 2420 3300	Ba 502 966 3390	Tl 812	Pb 920	Bi 1040	Po 812	At 920	Rn 1040

*Estritamente falando, estes são os valores de $\Delta_{ion}U(0)$. Para trabalhos de precisão deve ser usado $\Delta_{ion}H(T) = \Delta_{ion}U(0) + \frac{5}{2}RT$, com $\frac{5}{2}RT = 6{,}20\ \mathrm{J\ mol^{-1}}$ a 298 K.

a entalpia-padrão de ionização dos átomos de hidrogênio é de 1312 kJ mol^{-1}. Este valor indica que 1312 kJ de calor têm que ser fornecidos como calor para ionizar 1 mol de H(g) a 1 bar (e 298,15 K). A Tabela 3.2 fornece valores da entalpia de ionização de vários elementos. Observe que todas as entalpias de ionização de átomos neutros são positivas. A entalpia de ionização está intimamente relacionada com a "energia de ionização", a energia de ionização em $T = 0$ (veja Capítulo 13).

Muitas vezes precisamos considerar uma sequência de ionizações, como na conversão de átomos de magnésio em íons Mg^+, seguida da ionização desses íons em íons Mg^{2+}. As sucessivas variações de entalpia molar são denominadas, respectivamente, **primeira entalpia de ionização, segunda entalpia de ionização** etc. Para o magnésio, essas entalpias se referem aos processos

$$Mg(g) \rightarrow Mg^+(g) + e^-(g) \qquad \Delta H^{\ominus} = +738\ \mathrm{kJ}$$
$$Mg^+(g) \rightarrow Mg^{2+}(g) + e^-(g) \qquad \Delta H^{\ominus} = +1451\ \mathrm{kJ}$$

Observe que a segunda entalpia de ionização é maior que a primeira: é preciso mais energia para separar um elétron de um íon positivamente carregado que de um átomo neutro. Note também que as entalpias de ionização se referem à ionização de um átomo ou íon em fase gasosa, e não em fase sólida. Para se determinar a entalpia desse último processo, é necessário que se combinem duas ou mais variações de entalpia.

Exemplo 3.2

Combinando variações de entalpia

A entalpia-padrão de sublimação do magnésio a 25 °C é 148 kJ mol^{-1}. Quanta energia sob a forma de calor deve ser fornecida (a temperatura e pressão constantes) a 1,00 g de magnésio sólido metálico para produzir um gás constituído de íons Mg^{2+} e de elétrons?

Estratégia A variação de entalpia para o processo global é a soma das entalpias das etapas, sublimação seguida pelos dois estágios de ionização, etapas nas quais o processo pode ser dividido. O calor envolvido no processo é o produto da variação global de entalpia molar pelo número de mols; o último é calculado tendo-se a massa e a massa molar da substância.

Solução O processo global é

$$Mg(s) \rightarrow Mg^{2+}(g) + 2\,e^-(g)$$

A equação termoquímica para esse processo é a soma das seguintes equações termoquímicas:

		$\Delta H^{\ominus}/\mathrm{kJ}$
Sublimação:	$Mg(s) \rightarrow Mg(g)$	+148
Primeira ionização:	$Mg(g) \rightarrow Mg^+(g) + e^-(g)$	+738
Segunda ionização:	$Mg^+(g) \rightarrow Mg^{2+}(g) + e^-(g)$	+1451
Global (soma):	$Mg(s) \rightarrow Mg^{2+}(g) + 2\,e^-(g)$	+2337

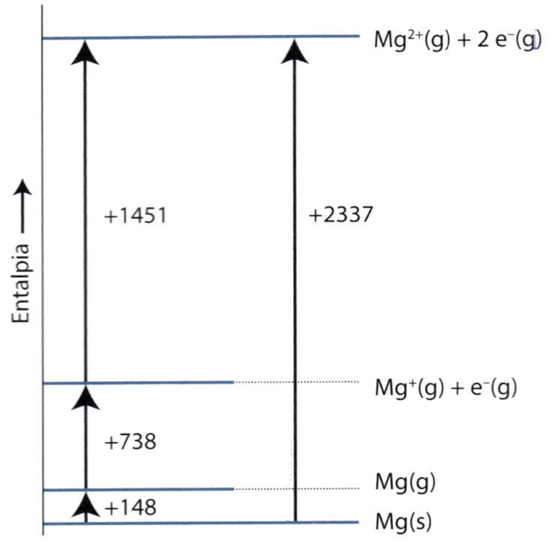

Figura 3.6 As contribuições para a variação de entalpia tratada no Exemplo 3.2.

Esses processos estão representados esquematicamente na Figura 3.6. Segue-se que a variação global de entalpia por mol de Mg é de 2337 kJ mol^{-1}. Como a massa molar do magnésio é 24,31 g mol^{-1}, 1,0 g de magnésio corresponde a

$$n(\text{Mg}) = \frac{m(\text{Mg})}{M(\text{Mg})} = \frac{1{,}00\text{ g}}{24{,}31\text{ g mol}^{-1}} = \frac{1{,}00}{24{,}31}\text{ mol}$$

Portanto, a energia que precisa ser fornecida sob a forma de calor (a pressão constante) para ionizar 1,00 g de magnésio metálico é

$$q_p = \left(\frac{1{,}00}{24{,}31}\text{ mol}\right) \times (2337\text{ kJ mol}^{-1}) = +96{,}1\text{ kJ}$$

Para termos uma ordem de grandeza desse valor, é aproximadamente a mesma energia que é necessária para vaporizar cerca de 43 g de água em ebulição.

Exercício proposto 3.3

A entalpia de sublimação do alumínio é de 326 kJ mol^{-1}. Use essa informação e as entalpias de ionização listadas na Tabela 3.2 para calcular a energia que tem que ser fornecida como calor (a pressão constante) para converter 1,00 g de alumínio sólido metálico em um gás de íons Al^{3+} e elétrons, a 25 °C.

Resposta: +203 kJ

O processo inverso da ionização é o **ganho de elétron**, e a variação de entalpia molar padrão correspondente é denominada **entalpia-padrão de ganho de elétron**, $\Delta_{ge}H^{\ominus}$. Essa grandeza está intimamente relacionada com a afinidade eletrônica, como veremos na Seção 13.16. Por exemplo, a experiência mostra que

$$\text{Cl(g)} + e^-\text{(g)} \rightarrow \text{Cl}^-\text{(g)} \qquad \Delta H^{\ominus} = -349\text{ kJ}$$

pela qual concluímos que a entalpia de ganho de elétron dos átomos de Cl é de −349 kJ mol^{-1}. Observe que o ganho de elétron pelo Cl é um processo exotérmico, de modo que ocorre liberação de calor quando um átomo de Cl captura um elétron e forma um íon. A Tabela 3.3 lista a entalpia de ganho de elétron de alguns elementos, e, pela mesma, podemos inferir que alguns ganhos de elétron são exotérmicos e outros endotérmicos, sendo então necessário considerar o sinal dessa grandeza. Por exemplo, o ganho de elétron do íon O^- é fortemente endotérmico, pois é preciso energia para empurrar um elétron para uma espécie que já está negativamente carregada:

$$\text{O}^-\text{(g)} + e^-\text{(g)} \rightarrow \text{O}^{2-}\text{(g)} \qquad \Delta H^{\ominus} = +844\text{ kJ}$$

O último processo atômico e molecular que vamos considerar nesta seção é a **dissociação**, ou quebra, de uma ligação química, como no processo

$$\text{HCl(g)} \rightarrow \text{H(g)} + \text{Cl(g)} \qquad \Delta H^{\ominus} = +431\text{ kJ}$$

Tabela 3.3

*Entalpias-padrão de ganho de elétron dos elementos dos grupos principais, $\Delta_{ge}H^{\ominus}$/(kJ mol^{-1})**

1	2	13	14	15	16	17	18
H −73							He +21
Li −60	Be +18	B −27	C −122	N +7	O −141 +844	F −328	Ne +29
Na −53	Mg +232	Al −43	Si −134	P −44	S −200 +532	Cl −349	Ar +35
K −48	Ca +186	Ga −29	Ge −116	As −78	Se −195	Br −325	Kr +39
Rb −47	Sr +146	In −29	Sn −116	Sb −103	Te −190	I −295	Xe +41
Cs −46	Ba +46	Tl −19	Pb −35	Bi −91	Po −183	At −270	Ra

*Quando são dados dois valores, o primeiro se refere à formação do íon X^- a partir do átomo neutro X e o segundo à formação de X^{2-} a partir do íon X^-.

Tabela 3.4

Algumas entalpias de ligação, $\Delta H(\text{A} - \text{B})/(\text{kJ mol}^{-1})$

Moléculas diatômicas							
H—H	43	O═O	497	F—F	155	H—F	565
		N≡N	945	Cl—Cl	242	H—Cl	431
		O—H	428	Br—Br	193	H—Br	366
		C≡O	1074	I—I	151	H—I	299

Moléculas poliatômicas					
$H—CH_3$	435	$H—NH_2$	431	H—OH	492
$H—C_6H_5$	469	$O_2N—NO_2$	57	HO—OH	213
$H_3C—CH_3$	368	O═CO	531	$HO—CH_3$	377
$H_2C═CH_2$	699	$Cl—CH_3$	452	HC≡CH	962
		$Br—CH_3$	293	$I—CH_3$	234

A variação de entalpia molar padrão que corresponde a este processo é a **entalpia de ligação**. Assim, a entalpia da ligação H—Cl é de 431 kJ mol^{-1}. Todas as entalpias de ligação são positivas.

Alguns valores de entalpia de ligação estão listados na Tabela 3.4. Observe que a ligação entre os átomos de nitrogênio no nitrogênio molecular, N_2, é muito forte, com entalpia de ligação de 945 kJ mol^{-1}. Isso ajuda a explicar a baixa reatividade dessa espécie, bem como sua capacidade de diluir o oxigênio da atmosfera sem reagir com o mesmo. Por outro lado, a ligação entre os átomos de flúor no flúor molecular, F_2, é relativamente fraca, com entalpia de ligação de 155 kJ mol^{-1}, sendo essa uma das razões de o flúor elementar ser tão reativo. Contudo, a reatividade não pode ser explicada somente pelas entalpias de ligação, pois, apesar da ligação no iodo molecular ser ainda mais fraca, o I_2 é menos reativo que o F_2, e a ligação no CO é mais forte que no N_2, mas o CO forma muitos compostos carbonílicos, como o $Ni(CO)_4$. Os tipos e a força das ligações que um elemento pode fazer com outros são fatores adicionais.

Uma complicação que surge ao lidarmos com entalpias de ligação é que seus valores dependem da molécula na qual os dois átomos estão ligados. Por exemplo, a variação total de entalpia-padrão para a atomização (dissociação completa em átomos) da água

$$H_2O(g) \rightarrow 2\,H(g) + O(g) \qquad \Delta H^{\ominus} = +927\text{ kJ}$$

não é igual a duas vezes o valor da entalpia da ligação O—H no H_2O, embora ocorra a dissociação de duas ligações O—H. Na verdade, ocorrem duas etapas diferentes de dissociação. Na primeira etapa, uma ligação O—H é quebrada em uma molécula de H_2O:

$$H_2O(g) \rightarrow HO(g) + H(g) \qquad \Delta H^{\ominus} = +499\text{ kJ}$$

Na segunda etapa, a ligação O—H é quebrada em um radical OH:

$$HO(g) \rightarrow H(g) + O(g) \qquad \Delta H^{\ominus} = +428\text{ kJ}$$

A atomização da molécula é a soma dessas duas etapas. Como esse exemplo nos mostra, as ligações O—H na H_2O e no OH têm entalpias de ligação semelhantes, mas não idênticas.

Embora em cálculos precisos seja necessário utilizar os valores das entalpias de ligação de cada molécula considerada e de seus sucessivos fragmentos, quando esses dados não estão disponíveis, não há outra escolha a não ser fazer uma estimativa usando as **entalpias médias de ligação**, ΔH_L, que são médias de entalpias de ligação de uma série de compostos relacionados (Tabela 3.5). Por exemplo, a entalpia média da ligação HO, ΔH_L(H—O) = 463 kJ mol^{-1}, é a média das entalpias da ligação O—H na água e em vários outros compostos similares, incluindo o metanol, CH_3OH.

Tabela 3.5

*Entalpias médias de ligação, $\Delta H_L/(\text{kJ mol}^{-1})$**

	H	C	N	O	F	Cl	Br	I	S	P	Si
H	436										
C	412	348 (1) 612 (2) 838 (3) 518 (a)									
N	388	305 (1) 613 (2) 890 (3)	163 (1) 409 (2) 945 (3)								
O	463	360 (1) 743 (2)	157	146 (1) 497 (2)							
F	565	484	270	185	155						
Cl	431	338	200	203	254	242					
Br	366	276				219	193				
I	299	238				210	178	151			
S	338	259			496	250	212		264		
P	322									200	
Si	318		374	466							226

*Os valores são para ligações simples, a menos que haja especificação ao contrário (entre parênteses). (a) Representa aromático.

Exemplo 3.3

Usando as entalpias médias de ligação

Calcule a variação de entalpia-padrão da reação

$C(s, grafita) + 2\,H_2(g) + \frac{1}{2}\,O_2(g) \rightarrow CH_3OH(l)$

na qual o metanol líquido é formado a partir de seus elementos a 25 °C. Use as informações contidas na *Seção de Dados* e os dados de entalpia de ligação das Tabelas 3.4 e 3.5.

Estratégia Em cálculos desse tipo, o procedimento é dividir o processo global em uma sequência de etapas tais que sua soma corresponda à equação química desejada. Assegure-se sempre, ao usar as entalpias de ligação, de que todas as espécies estejam em fase gasosa. Isso acarreta incluir as entalpias de vaporização e de sublimação apropriadas. Uma forma de abordar o problema é atomizar todos os reagentes e então construir os produtos a partir dos átomos produzidos. Quando as entalpias de ligação são explicitamente conhecidas (isto é, os dados são fornecidos nas tabelas disponíveis), devemos usá-las; senão, use valores de entalpias médias de ligação para obter estimativas razoáveis. Em geral é útil representar em diagramas as variações de entalpia.

Solução As seguintes etapas são necessárias (Fig. 3.7):

		$\Delta H^\ominus$/ kJ
Atomização da grafita:	$C(s, grafita) \rightarrow C(g)$	+716,68
Dissociação de 2 mol $H_2(g)$:	$2\,H_2(g) \rightarrow 4\,H(g)$	+871,88
Dissociação de $\frac{1}{2}\,O_2(g)$:	$\frac{1}{2}\,O_2(g) \rightarrow O(g)$	+249,17
Global, nesta etapa:	$C(s) + 2\,H_2(g) + \frac{1}{2}\,O_2(g) \rightarrow C(g) + 4\,H(g) + O(g)$	+1837,73

Esses valores são acurados. Na segunda etapa, três ligações CH, uma ligação CO e uma ligação OH são formadas, e estimamos suas entalpias a partir de valores médios. A variação de entalpia-padrão para a formação de uma ligação (o inverso da dissociação) é o negativo da entalpia média de ligação (obtida da Tabela 3.5):

	$\Delta H^\ominus$/kJ
Formação de 3 ligações C—H:	−1236
Formação de 1 ligação C—O:	−360
Formação de 1 ligação O—H:	−463
Global, nesta etapa: $C(g) + 4\,H(g) + O(g) \rightarrow CH_3OH(g)$	−2059

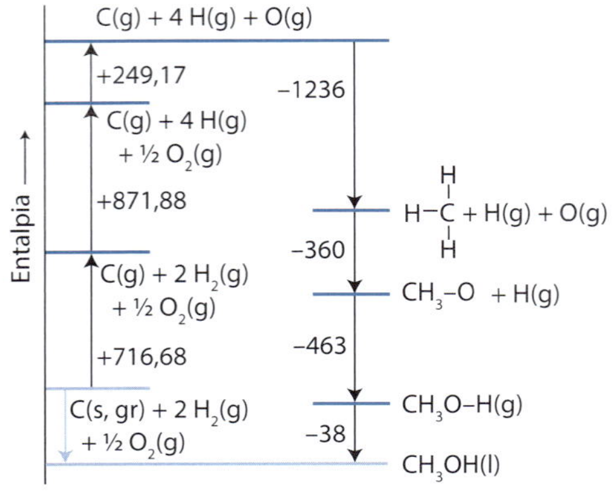

Figura 3.7 As variações de entalpia utilizadas para estimar a variação de entalpia na formação do metanol líquido a partir dos seus elementos. As entalpias de ligação são valores médios; assim, o valor final obtido é apenas aproximado.

Esses valores são estimados. A última etapa da reação é a condensação do vapor de metanol:

$CH_3OH(g) \rightarrow CH_3OH(l) \qquad \Delta H^\ominus = -38{,}00\ kJ$

A soma das variações de entalpia é

$\Delta H^\ominus = (+1837{,}73\ kJ) + (-2059\ kJ) + (-38{,}00\ kJ) = -259\ kJ$

O valor experimental é −239 kJ.

Exercício proposto 3.4

Calcule a variação de entalpia para a combustão do etanol líquido a dióxido de carbono e água líquida sob condições-padrão usando as entalpias de ligação, entalpias médias de ligação e as entalpias-padrão de vaporização apropriadas.

Resposta: −1348 kJ; o valor experimental é −1368 kJ

Transformação química

No restante deste capítulo vamos nos concentrar nas variações de entalpia associadas às reações químicas, como a da hidrogenação do eteno:

$$CH_2{=}CH_2(g) + H_2(g) \rightarrow CH_3CH_3(g) \qquad \Delta H^\ominus = -137\ kJ$$

O valor de $\Delta H^\ominus$ dado aqui significa que a entalpia do sistema diminui 137 kJ (e que 137 kJ de calor são liberados para as vizinhanças, se a reação ocorre a pressão constante) quando 1 mol de $CH_2{=}CH_2(g)$ a 1 bar se combina com 1 mol de $H_2(g)$ a 1 bar para produzir 1 mol de $CH_3CH_3(g)$ a 1 bar, tudo a 25 °C.

3.3 Entalpias de combustão

Uma reação muito comum é a **combustão**, a reação completa de um composto, na maioria dos casos um composto orgânico, com oxigênio, como na combustão do metano em uma chama do gás natural:

$$CH_4(g) + 2\,O_2(g) \rightarrow CO_2(g) + 2\,H_2O(l) \qquad \Delta H^\ominus = -890\ kJ$$

Por convenção, a combustão de um composto orgânico leva à formação de dióxido de carbono gasoso, água líquida e – se o composto contém nitrogênio – nitrogênio gasoso. A **entalpia-padrão de combustão**, $\Delta_c H^\ominus$, é a variação de entalpia-padrão por mol da substância combustível. Nesse exemplo, escrevemos $\Delta_c H^\ominus(CH_4,g) = -890\ kJ\ mol^{-1}$. Alguns valores típicos estão listados na Tabela 3.6. Note que $\Delta_c H^\ominus$ é uma grandeza molar, obtida pela divisão do valor de $\Delta H^\ominus$ pelo número de mols do reagente orgânico consumido (nesse caso, por 1 mol de CH_4). Veremos no Impacto 3.2 que a entalpia de combustão é uma medida útil da eficiência de combustíveis. Serve também para determinar o valor de alimentos, tais como carboidratos, gorduras e proteínas, como fontes de energia para os organismos (veja Impacto 3.3).

As entalpias de combustão são normalmente medidas numa **bomba calorimétrica**, um dispositivo no qual a energia é transferida como calor a volume constante. Conforme a discussão apresentada na Seção 2.8 e a relação $\Delta U = q_V$, o calor

Tabela 3.6
Entalpias-padrão de combustão

Substância	$\Delta_c H^{\ominus}/(\text{kJ mol}^{-1})$
Benzeno, $C_6H_6(l)$	–3268
Monóxido de carbono, $CO(g)$	–283
Carbono, C(s,grafita)	–394
Etanol, $C_2H_5OH(l)$	–1368
Etino, $C_2H_2(g)$	–1300
Glicose, $C_6H_{12}O_6(s)$	–2808
Hidrogênio, $H_2(g)$	–286
Iso-octano*, $C_8H_{18}(l)$	–5461
Metano, $CH_4(g)$	–890
Metanol, $CH_3OH(l)$	–726
Metilbenzeno, $C_6H_5CH_3(l)$	–3910
Octano, $C_8H_{18}(l)$	–5471
Propano, $C_3H_8(g)$	–2220
Sacarose, $C_{12}H_{22}O_{11}(s)$	–5645
Ureia, $CO(NH_2)_2(s)$	–632

*2,2,4-Trimetilpentano

transferido em volume constante é igual à variação da energia interna, ΔU, e não da entalpia, ΔH. Para converter de ΔU para ΔH, devemos observar que a entalpia molar de uma substância está relacionada com a sua energia interna molar por $H_m = U_m + pV_m$ (Eq. 2.12a). Como discutido na Seção 2.9, para fases condensadas, ao contrário do que ocorre para os gases, o produto pV_m é tão pequeno que pode ser desprezado. Para gases tratados como gases perfeitos, pV_m pode ser substituído por RT. Portanto, se na equação química a diferença (produtos – reagentes) nos coeficientes estequiométricos das espécies em *fase gasosa* é $\Delta\nu_{\text{gás}}$, podemos escrever

$$\Delta_c H = \Delta_c U + \Delta\nu_{\text{gás}} RT \qquad \text{Relação entre } \Delta H \text{ e } \Delta U \quad (3.3)$$

Observe que $\Delta\nu_{\text{gás}}$ (em que ν é a letra grega ni) é uma grandeza adimensional. Essa última equação é válida para qualquer reação que envolva gases e não apenas para reações de combustão (veja Seção 3.4).

■ Breve ilustração 3.2 Diferença entre ΔH e ΔU para reações envolvendo gases

A energia liberada como calor na queima da glicina em uma bomba calorimétrica é 969,6 kJ mol^{-1} a 298,15 K, logo $\Delta_c U = -969{,}6$ kJ mol^{-1}. A partir da equação química

$$NH_2CH_2COOH(s) + \tfrac{9}{4}O_2(g) \rightarrow 2\,CO_2(g) + \tfrac{5}{2}H_2O(l) + \tfrac{1}{2}N_2(g)$$

encontramos que $\Delta\nu_{\text{gás}} = (2 + \tfrac{1}{2}) - \tfrac{9}{4} = \tfrac{1}{4}$. Portanto,

$$\Delta_c H - \Delta_c U = \tfrac{1}{4}RT = \tfrac{1}{4} \times (8{,}3145 \times 10^{-3}\ \text{J K}^{-1}\ \text{mol}^{-1}) \times (298{,}15\ \text{K}) = 0{,}62\ \text{kJ mol}^{-1}$$

Esta diferença, embora pequena, é significativa.

Exercício proposto 3.5

Determine a diferença $\Delta_c H - \Delta_c U$ para a reação $N_2(g) + 3\,H_2(g) \rightarrow 2\,NH_3(g)$ a 500 °C.

Resposta: –13 kJ mol^{-1}

Impacto na tecnologia 3.2

Combustíveis

Veremos no Capítulo 4 que a melhor avaliação da capacidade de um composto em atuar como combustível para a realização de muitos dos processos que ocorrem no corpo humano é feita pela análise da "energia de Gibbs". Entretanto, um guia útil das reservas de energia que um combustível pode fornecer, e o único que importa quando está sendo considerado o calor produzido, é a entalpia, particularmente a entalpia de combustão. As propriedades termoquímicas de combustíveis e alimentos são comumente discutidas em termos de suas **entalpias específicas**, a entalpia de combustão dividida pela massa do material (normalmente em quilojoules por grama), ou a **densidade de entalpia**, a magnitude da entalpia de combustão dividida pelo volume do material (normalmente em quilojoules por decímetro cúbico). Assim, se a entalpia-padrão de combustão é $\Delta_c H^{\ominus}$ e a massa molar do composto é M, então a entalpia específica é $\Delta_c H^{\ominus}/M$. Da mesma forma, a densidade de entalpia é $\Delta_c H^{\ominus}/V_m$, em que V_m é o volume molar do material nas mesmas condições de temperatura e pressão.

A Tabela 3.7 lista as entalpias específicas e as densidades de entalpia de vários combustíveis. Os combustíveis mais adequados são aqueles com entalpias específicas elevadas, pois a vantagem de uma alta entalpia molar pode ser anulada se for necessária uma grande massa de combustível a ser transportada. Vemos que o H_2 gasoso se sai muito bem na comparação com os combustíveis mais tradicionais como o metano (gás natural), iso-octano (gasolina) e metanol. Além disso, a combustão do gás H_2 não produz o CO_2 gasoso. Como resultado, o H_2 gasoso tem sido proposto como uma alternativa limpa e eficiente aos combustíveis fósseis, como o gás natural e o petróleo. No entanto, vemos também que o H_2 gasoso tem uma baixa densidade de entalpia, e isso se deve ao fato de o hidrogênio ser um gás muito leve. Assim, a vantagem da elevada entalpia específica é diminuída pelo grande volume de combustível a ser transportado e armazenado. Algumas estratégias estão sendo desenvolvidas para resolver o problema de armazenagem. Por exemplo, as pequenas moléculas de H_2 podem atravessar os buracos na rede cristalina de uma amostra de metal, como o titânio, à qual se ligam como hidretos metálicos. Dessa forma, é possível aumentar a densidade efetiva de átomos de hidrogênio a um valor maior que o do H_2 líquido. Assim, o combustível pode ser liberado, quando for necessário, aquecendo-se o metal.

Podemos agora avaliar os fatores que otimizam a produção de calor de combustíveis à base de carbono. Consideremos a combustão de 1 mol de $CH_4(g)$, o principal constituinte do gás natural. Da equação termoquímica, vemos que na combustão de 1 mol $CH_4(g)$ são liberados 890 kJ de energia sob forma de calor. Considere agora a combustão de 1 mol de $CH_3OH(g)$:

$$CH_3OH(g) + \tfrac{3}{2}O_2(g) \rightarrow CO_2(g) + 2\,H_2O(l) \qquad \Delta H^{\ominus} = -764\ \text{kJ}$$

A reação também é exotérmica, mas agora apenas 764 kJ de calor são liberados por mol de carbono. A substituição de uma ligação C—H por uma ligação C—O deixa o carbono mais oxidado no metanol que no metano. Assim, é razoável esperar que menos energia seja liberada para completar a oxidação do carbono a CO_2, no metanol.

Outro fator que determina a produção de calor em reações de combustão é o número de átomos de carbono nos hidrocarbonetos. Por exemplo, do valor da entalpia-padrão de combustão do metano, sabemos que, para cada mol de metano que entra em

Tabela 3.7
Propriedades termoquímicas de alguns combustíveis

Combustível	Equação da combustão	$\Delta_c H^\ominus$/ (kJ mol^{-1})	Entalpia específica/ (kJ g^{-1})	Densidade de entalpia*/ (kJ dm^{-3})
Hidrogênio	$2\,H_2(g) + O_2(g) \rightarrow 2\,H_2O(l)$	−286	142	13
Metano	$CH_4(g) + 2\,O_2(g) \rightarrow CO_2(g) + 2\,H_2O(l)$	−890	55	40
Iso-octano†	$2\,C_8H_{18}(l) + 25\,O_2(g) \rightarrow 16\,CO_2(g) + 18\,H_2O(l)$	−5461	48	$3{,}3 \times 10^4$
Metanol	$2\,CH_3OH(l) + 3\,O_2(g) \rightarrow 2\,CO_2(g) + 4\,H_2O(l)$	−726	23	$1{,}8 \times 10^4$

*A pressão atmosférica e temperatura ambiente.
†2,2,4-Trimetilpentano.

um forno, 890 kJ de calor podem ser produzidos, ao passo que, para cada mol de iso-octano, (C_8H_{18}, 2,2,4-trimetilpentano, um componente típico da gasolina) que entra em um motor de combustão interna, 5461 kJ de calor são produzidos. O valor muito maior para o iso-octano vem do fato de ter cada molécula oito átomos de carbono que podem contribuir para a formação do dióx do de carbono, contra apenas um átomo de carbono no metano

Impacto na bioquímica 3.3

Alimentos e reservas de energia

Um típico homem na faixa dos 18 a 20 anos consome cerca de 12 MJ (1 MJ = 10^6 J) de energia por dia; uma mulher na mesma faixa etária consome cerca de 9 MJ. Se o consumo total fosse na forma de glicose (que tem uma entalpia específica de 16 kJ g^{-1}), seriam consumidos 750 g desse açúcar por um homem e 560 g por uma mulher, por dia, para satisfazer as suas necessidades energéticas. Na verdade, os carboidratos complexos (polímeros de unidades de carboidrato, como o amido) mais comumente encontrados na nossa dieta alimentar têm uma entalpia específica levemente mais alta (17 kJ g^{-1}) que a da glicose, de forma que uma dieta de carboidratos é um pouco menos assustadora que uma dieta de glicose pura, sendo ainda mais adequada se for na forma de fibra, celulose não digerível que ajuda a mover os produtos da digestão pelo intestino.

A entalpia específica das gorduras, que são ésteres de cadeia longa, como a triestearina (a gordura da carne de boi), é muito maior do que a dos carboidratos, da ordem de 38 kJ g^{-1}; esse valor é ligeiramente menor que o dos óleos hidrocarbônicos usados como combustíveis (48 kJ g^{-1}). A razão para isso está no fato de que muitos dos átomos de carbono nos carboidratos estão ligados a átomos de oxigênio e já estão parcialmente oxidados, enquanto a maioria dos átomos de carbono nas gorduras está ligada ao hidrogênio e a outros átomos de carbono, tendo, assim, números de oxidação menores. Como vimos anteriormente, a presença de átomos de carbono parcialmente oxidados diminui a produção de calor de um combustível.

As gorduras são comumente utilizadas como reservas de energia para serem consumidas apenas quando os carboidratos, mais facilmente acessíveis, ficam em baixa quantidade. Em espécies árticas, a gordura armazenada atua, também, como uma camada isolante. Em espécies encontradas nos desertos (como os camelos), as gorduras são fontes de água, um de seus produtos de oxidação.

As proteínas também podem ser usadas como fonte de energia, mas seus componentes, os aminoácidos, são muitos valiosos para serem desperdiçados dessa forma, sendo utilizados na construção de outras proteínas. Quando as proteínas são oxidadas (a ureia, $CO(NH_2)_2$), a densidade de entalpia é comparável à dos carboidratos.

Já mencionamos que nem toda a energia liberada pela oxidação dos alimentos é convertida em trabalho. O calor que também é liberado precisa ser descartado a fim de manter a temperatura do corpo na sua faixa normal de 35,6–37,8 °C. Uma variedade de mecanismos contribui para esse aspecto da homeostase, a capacidade de um organismo neutralizar as variações do meio ambiente com respostas fisiológicas. A uniformidade da temperatura em todo corpo é mantida principalmente pelo fluxo sanguíneo. Quando o calor precisa ser dissipado rapidamente, o sangue quente flui através dos capilares da pele, provocando assim o rubor da pele. A radiação é outra forma de se dissipar o calor; outra é a evaporação e a demanda energética da vaporização da água. A evaporação remove cerca de 2,4 kJ por grama de água transpirada. Quando o exercício vigoroso produz o suor (pela influência de seletores térmicos no hipotálamo), cerca de 1-2 dm^3 de água transpirada podem ser produzidas por hora, o que corresponde a uma perda de calor de 2,4–5,0 MJ h^{-1}.

3.4 A combinação de entalpias de reação

A **entalpia de reação**, $\Delta_r H$, é a variação de entalpia associada a uma reação química: a entalpia de combustão é apenas um caso especial. A entalpia de reação é a diferença entre as entalpias molares dos reagentes e dos produtos, com cada termo ponderado pelo seu respectivo coeficiente estequiométrico, v (ni), na equação química

$$\Delta_r H = \sum vH_m\,(\text{produtos}) - \sum vH_m\,(\text{reagentes}) \qquad \text{Entalpia de reação} \qquad (3.4a)$$

em que $\sum$ (sigma maiúsculo) representa o somatório: a instrução para fazer a soma dos termos após esse símbolo. A **entalpia-padrão de reação,** $\Delta_r H^\ominus$, é o valor da entalpia de reação quando todos os reagentes e produtos estão em seus estados-padrão:

$$\Delta_r H^\ominus = \sum \nu H_m^\ominus(\text{produtos}) - \sum \nu H_m^\ominus(\text{reagentes}) \quad \text{Entalpia-padrão de reação} \quad (3.4b)$$

Como as $H_m^\ominus$ são grandezas molares e os coeficientes estequiométricos são adimensionais, as unidades de $\Delta_r H^\ominus$ são quilojoules por mol. A entalpia-padrão de reação é a variação de entalpia do sistema quando os reagentes em seus estados-padrão (puros, na pressão de 1 bar) são completamente convertidos em produtos em seus estados-padrão (puros, na pressão de 1 bar), com a variação expressa em quilojoules por mol da reação como está escrita. Assim, se para a reação $2\ H_2(g) + O_2(g) \rightarrow 2\ H_2O(l)$ informamos que $\Delta_r H^\ominus = -572$ kJ mol^{-1}, então o "por mol" significa que a reação libera 572 kJ de calor por mol de O_2 consumido ou por 2 mols de H_2O formados (e, portanto, 286 kJ por mol de H_2O formado).

Muito frequentemente precisamos de um valor de entalpia de reação, mas esse valor não está tabelado. O fato de a entalpia ser uma função de estado é muito conveniente, pois podemos obter o valor da entalpia de reação desejada a partir de entalpias de reação de reações conhecidas. Já nos deparamos com um caso mais simples, em que a entalpia de sublimação foi obtida como a soma das entalpias de fusão e de vaporização. A única diferença é que, agora, vamos aplicar a mesma técnica a uma sequência de reações químicas. O procedimento é resumido na **lei de Hess:**

> A entalpia-padrão de uma reação é a soma das entalpias-padrão das reações nas quais a reação global pode ser dividida.

Apesar de o procedimento ter o *status* de uma lei, é apenas a consequência de ser a entalpia uma função de estado; isso implica podermos expressar a variação de entalpia da reação global como a soma das variações de entalpia de cada etapa de um caminho indireto que conduz à reação desejada. As etapas individuais não precisam, necessariamente, ser de reações reais que possam ser realizadas em laboratório, podendo ser de reações hipotéticas, desde que as equações que descrevem o processo fiquem completamente balanceadas. Cada etapa deve corresponder à mesma temperatura.

Exemplo 3.4

Uso da lei de Hess

Dadas as equações termoquímicas

$C_3H_6(g) + H_2(g) \rightarrow C_3H_8(g)$ $\quad \Delta H^\ominus = -124$ kJ

$C_3H_8(g) + 5\ O_2(g) \rightarrow 3\ CO_2(g) + 4\ H_2O(l)$ $\quad \Delta H^\ominus = -2220$ kJ

em que C_3H_6 é o propeno e C_3H_8 é o propano, calcule a entalpia-padrão de combustão do propeno.

Estratégia Devemos somar ou subtrair as equações termoquímicas juntamente com quaisquer outras que sejam necessárias (veja a *Seção de Dados*) para reproduzir a equação termoquímica que corresponde à reação desejada. Nesse tipo de cálculo, é comum utilizar a síntese da água para balancear os átomos de hidrogênio ou de oxigênio na equação global. Mais uma vez, é útil representar as variações em um diagrama esquemático.

Solução A reação global é

$C_3H_6(g) + \frac{9}{2}\ O_2(g) \rightarrow 3\ CO_2(g) + 3\ H_2O(l)$ $\quad \Delta H^\ominus$

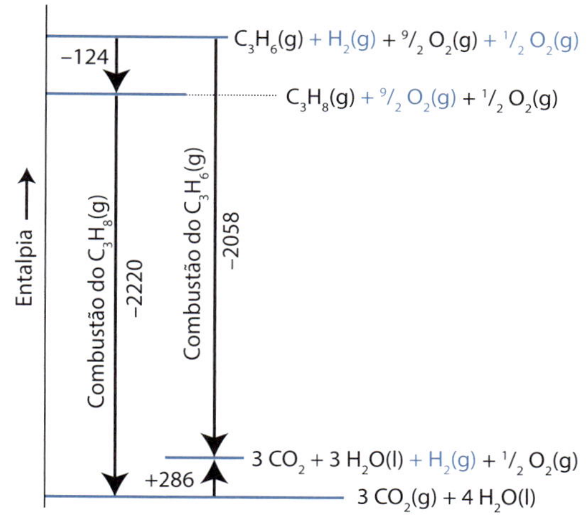

Figura 3.8 As variações de entalpia utilizadas no Exemplo 3.4, para ilustrar a lei de Hess.

Podemos recriar essa equação termoquímica a partir da seguinte sequência (Fig. 3.8):

	$\Delta H^\ominus$/kJ
$C_3H_6(g) + H_2(g) \rightarrow C_3H_8(g)$	−124
$C_3H_8(g) + 5\ O_2(g) \rightarrow 3\ CO_2(g) + 4\ H_2O(l)$	−2220
$H_2O(l) \rightarrow H_2(g) + \frac{1}{2}\ O_2(g)$	+286
Global: $C_3H_6(g) + \frac{9}{2}\ O_2(g) \rightarrow 3\ CO_2(g) + 3\ H_2O(l)$	−2058

Segue que a entalpia-padrão de combustão do propeno é −2058 kJ mol^{-1}.

Exercício proposto 3.6

Calcule a entalpia-padrão da reação $C_6H_6(l) + 3\ H_2(g) \longrightarrow C_6H_{12}(l)$ a partir das entalpias-padrão de combustão do benzeno (Tabela 3.6) e do ciclo-hexano (−3930 kJ mol^{-1}).

Resposta: −196 kJ

3.5 Entalpias-padrão de formação

O problema com a Eq. 3.4 é que não temos como saber os valores das entalpias absolutas das substâncias. Para evitar esse problema, podemos imaginar que a reação ocorre por uma via indireta, na qual os reagentes são inicialmente fragmentados em seus elementos e os produtos são, então, formados a partir dos elementos (Fig. 3.9). Especificamente, a **entalpia-padrão de formação**, $\Delta_f H^\ominus$, de uma substância é a

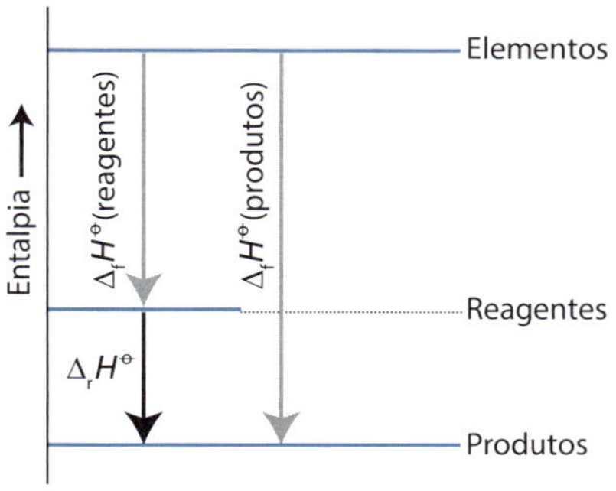

Figura 3.9 A entalpia de uma reação pode ser expressa como a diferença entre as entalpias de formação dos produtos e dos reagentes.

Tabela 3.8
Estados de referência de alguns elementos

Elemento	Estado de referência
Arsênio	arsênio cinza
Bromo	líquido
Carbono	grafita
Enxofre	enxofre rômbico
Estanho	estanho branco, estanho-α
Fósforo	fósforo branco
Hidrogênio	gás
Iodo	sólido
Mercúrio	líquido
Nitrogênio	gás
Oxigênio	gás

entalpia-padrão (por mol da substância) para a sua formação a partir dos seus elementos em seus estados de referência. O **estado de referência** de um elemento é a sua forma mais estável nas condições vigentes (Tabela 3.8). Não confunda "estado de referência" com "estado-padrão": o estado de referência do carbono a 25 °C é a grafita; o estado-padrão do carbono é qualquer fase especificada do elemento a 1 bar. Por exemplo, a entalpia de formação da água líquida (a 25 °C, como sempre neste livro) é obtida da equação termoquímica

$$H_2(g) + {}^1/_2\, O_2(g) \rightarrow H_2O(l) \qquad \Delta H^{\ominus} = -286 \text{ kJ}$$

e é $\Delta_f H^{\ominus}(H_2O,l) = -286$ kJ mol^{-1}. Observe que as entalpias de formação são grandezas molares; de modo que para irmos de $\Delta H^{\ominus}$ para $\Delta_f H^{\ominus}$ em uma equação termoquímica de dada substância, dividimos pelo número de mols da substância formada (nesse caso, por 1 mol de H_2O).

Com a introdução das entalpias-padrão de formação, podemos escrever

$$\Delta_r H^{\ominus} = \sum \nu \Delta_f H^{\ominus}(\text{produtos}) - \sum \nu \Delta_f H^{\ominus}(\text{reagentes})$$

Implementação prática — Entalpia-padrão de reação (3.5)

O primeiro termo do lado direito é a entalpia de formação de todos os produtos a partir de seus elementos; o segundo termo é a entalpia de formação de todos os reagentes a partir de seus elementos. O fato de a entalpia ser uma função de estado significa que a entalpia da reação calculada dessa forma é idêntica ao valor que poderia ter sido calculado pela Eq. 3.4, se dispuséssemos das entalpias absolutas de cada participante da reação.

Os valores de algumas entalpias de formação a 25 °C são dados na Tabela 3.9, e uma lista maior pode ser encontrada na *Seção de Dados*. A maioria desses dados é obtida por meio de medidas calorimétricas, mas os métodos computacionais descritos no Capítulo 14 são, na atualidade, razoavelmente confiáveis e podem ser usados para estimar dados quando a informação experimental não está disponível. A entalpia-padrão de formação de um elemento em seu estado de referência é zero por definição (pois a sua formação corresponde à reação nula: elemento → elemento). Note, entretanto, que a entalpia-padrão de formação de um elemento em um estado diferente do seu estado de referência não é zero:

$$C(s, \text{grafita}) \rightarrow C(s, \text{diamante}) \qquad \Delta H^{\ominus} = +1{,}895 \text{ kJ}$$

Tabela 3.9
*Entalpias-padrão de formação a 298,15 K**

Substância	$\Delta_c H^{\ominus}/(\text{kJ mol}^{-1})$
Compostos inorgânicos	
Ácido clorídrico, $HCl(g)$	−92,31
Ácido fluorídrico, $HF(g)$	−271,1
Ácido nítrico, $HNO_3(l)$	−174,10
Ácido sulfídrico, $H_2S(g)$	−20,63
Ácido sulfúrico, $H_2SO_4(l)$	−813,99
Água, $H_2O(l)$	−285,83
Amônia, $NH_3(g)$	−46,11
Cloreto de sódio, $NaCl(s)$	−411,15
Dióxido de carbono, $CO_2(g)$	−393,51
Dióxido de enxofre, $SO_2(g)$	−296,83
Dióxido de nitrogênio, $NO_2(g)$	+33,18
Dissulfeto de carbono, $CS_2(l)$	+89,70
$H_2O(g)$	−241,82
Monóxido de carbono, $CO(g)$	−110,53
Monóxido de dinitrogênio, $N_2O(g)$	+82,05
Monóxido de nitrogênio, $NO(g)$	+90,25
Nitrato de amônia, $NH_4NO_3(s)$	−365,56
Tetróxido de dinitrogênio, $N_2O_4(g)$	+9,16
Trióxido de enxofre, $SO_3(g)$	−395,72
Compostos orgânicos	
Benzeno, $C_6H_6(l)$	+49,0
Etano, $C_2H_6(g)$	−84,68
Etanol, $C_2H_5OH(l)$	−277,69
Eteno, $C_2H_4(g)$	+52,26
Etino, $C_2H_2(g)$	+226,73
Glicose, $C_6H_{12}O_6(s)$	−1268
Metano, $CH_4(g)$	−74,81
Metanol, $CH_3OH(l)$	−238,86
Sacarose, $C_{12}H_{22}O_{11}(s)$	−2222

*Uma lista mais completa é fornecida na *Seção de Dados* no final deste livro. Endereços para dados adicionais podem ser encontrados no *site* da LTC Editora.

Portanto, apesar de $\Delta_f H^{\ominus}$ (C, grafita) = 0, $\Delta_f H^{\ominus}$ (C, diamante) = +1,895 kJ mol^{-1}.

Exemplo 3.5

Uso das entalpias-padrão de formação

Calcule a entalpia–padrão de combustão do benzeno líquido a partir das entalpias de formação dos reagentes e produtos da reação.

Estratégia Escrevemos a equação química, identificando os coeficientes estequiométricos dos reagentes e dos produtos, e, em seguida, usamos a Eq. 3.5. Observe que a expressão tem a forma "produtos − reagentes". Os valores numéricos das entalpias-padrão de formação são fornecidos na *Seção de Dados*. A entalpia-padrão de combustão é a variação de entalpia por mol da substância; devemos, então, interpretar a variação de entalpia dessa maneira.

Solução A equação química é

$$C_6H_6(l) + {}^{15}/_2\, O_2(g) \rightarrow 6\, CO_2(g) + 3\, H_2O(l)$$

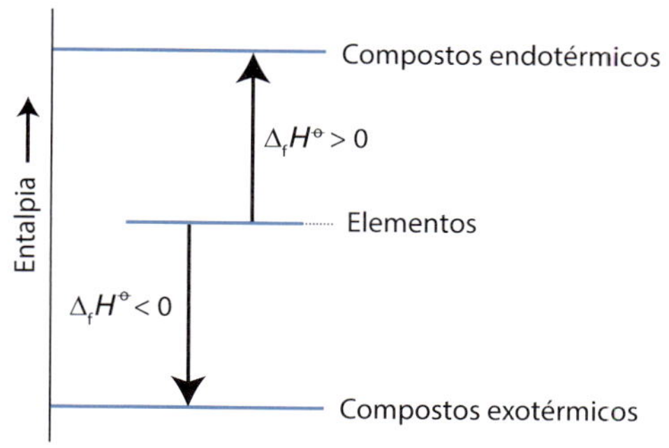

Figura 3.10 A entalpia de formação atua como uma espécie de "altitude termoquímica" de um composto em relação ao "nível do mar" definido pelos elementos formadores do composto Compostos endotérmicos têm entalpias positivas de formação; compostos exotérmicos têm entalpias negativas de formação.

Segue-se que

$$\Delta_r H^\ominus = \{6\Delta_f H^\ominus(CO_2,g) + 3\Delta_f H^\ominus(H_2O,l)\} - \{\Delta_f H^\ominus(C_6H_6,l) + {}^{15}\!/_2\Delta_f H^\ominus(O_2,g)\}$$
$$= \{6 \times (-393{,}51\ \text{kJ mol}^{-1}) + 3 \times (-285{,}83\ \text{kJ mol}^{-1})\} - \{(49{,}0\ \text{kJ mol}^{-1}) + 0\}$$
$$= -3268\ \text{kJ mol}^{-1}$$

Uma inspeção na equação química mostra que, nesse caso, o "por mol" quer dizer por mol de C_6H_6, que é exatamente do que necessitamos para a entalpia de combustão. Logo, a entalpia de combustão do benzeno líquido é -3268 kJ mol^{-1}.

Uma nota sobre a boa prática A entalpia-padrão de formação de um elemento em seu estado de referência (oxigênio gasoso nesse exemplo) é escrita 0 e não 0 kJ mol^{-1}, porque vale zero independentemente das unidades utilizadas.

Exercício proposto 3.7

Use as entalpias-padrão de formação para calcular a entalpia de combustão do gás propano a dióxido de carbono e vapor d'água.

Resposta: -2220 kJ mol^{-1}

Os estados de referência dos elementos definem o "nível do mar" termoquímico, e as entalpias de formação podem ser vistas como as "altitudes" termoquímicas acima ou abaixo do nível do mar (Fig. 3.10). Algumas vezes é útil classificar os compostos de acordo com suas entalpias-padrão de formação:

- **Compostos exotérmicos** ($\Delta_f H^\ominus < 0$) possuem entalpia menor que os seus elementos correspondentes.
- **Compostos endotérmicos** ($\Delta_f H^\ominus > 0$) possuem entalpia maior que os seus elementos correspondentes.

A água é um composto exotérmico; o dissulfeto de carbono é um composto endotérmico.

3.6 A variação da entalpia de reação com a temperatura

É comum o caso de dispormos de dados termoquímicos em uma temperatura, mas desejarmos esses mesmos dados em outra temperatura. Por exemplo, podemos querer saber a entalpia de uma reação na temperatura do corpo humano, 37 °C, mas dispomos apenas dos dados dessa reação a 25 °C. Outra questão que pode surgir é a de saber se a oxidação da glicose é mais exotérmica no interior de um peixe que habita as águas do mar Ártico, a 0 °C, do que à temperatura do corpo de um mamífero. Da mesma forma, podemos ter a necessidade de predizer se a síntese da amônia é mais exotérmica a 450 °C, uma típica temperatura industrial, ou a 25 °C. Em trabalhos de precisão, devem-se fazer todos os esforços para medir a entalpia de reação na temperatura de interesse, mas é interessante ter uma forma de estimar a direção da variação de entalpia e até mesmo um valor numérico relativamente confiável para essa variação. Ou, talvez, o mais importante: entender a razão da variação.

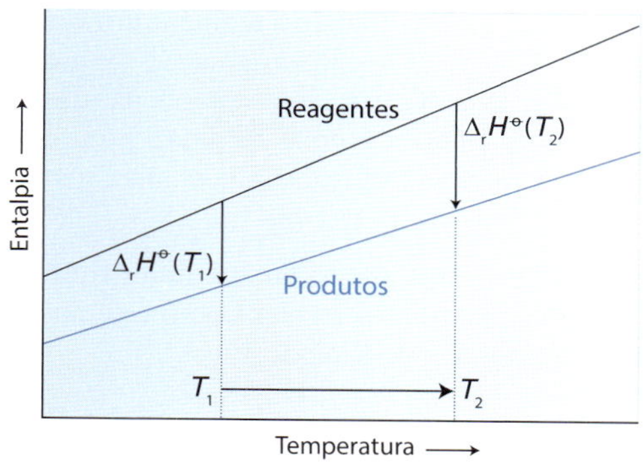

Figura 3.11 A entalpia de uma substância aumenta com a temperatura. Portanto, se a entalpia dos reagentes aumenta diferentemente da entalpia dos produtos, a entalpia da reação muda com a temperatura. A variação de entalpia da reação depende do coeficiente angular das duas retas mostradas na figura, e, portanto, das capacidades caloríficas das substâncias.

A Figura 3.11 ilustra a técnica que vamos utilizar. Como vimos, a entalpia de uma substância aumenta com a temperatura; portanto, tanto a entalpia total dos reagentes quanto a dos produtos aumenta com a temperatura como mostrado na ilustração. Uma vez que o aumento de entalpia é distinto para reagentes e produtos, a entalpia-padrão da reação (a diferença entre estes dois valores de entalpia a uma certa temperatura) varia com a temperatura. A variação da entalpia de uma substância depende do coeficiente angular do gráfico da entalpia contra a temperatura e, portanto, da capacidade calorífica das substâncias a pressão constante. Podemos então esperar que a dependência da entalpia de reação com a temperatura esteja relacionada com a diferença entre as capacidades caloríficas dos produtos e dos reagentes.

Como um exemplo simples, considere a reação

$$2\,H_2(g) + O_2(g) \rightarrow 2\,H_2O(l)$$

em que a entalpia-padrão da reação é conhecida em uma certa temperatura (por exemplo, a 25 °C, pelas tabelas fornecidas neste livro). Pela Eq. 3.4, podemos escrever

$$\Delta_r H^\ominus(T) = 2H_m^\ominus(H_2O,l) - \{2H_m^\ominus(H_2,g) + H_m^\ominus(O_2,g)\}$$

para a reação à temperatura T. Se a reação ocorre a uma temperatura mais alta, T', a entalpia molar de cada substância que participa da reação aumenta, pois mais energia é armazenada, e a entalpia-padrão da reação se torna

$$\Delta_r H^\ominus(T') = 2H_m^{\ominus\prime}(H_2O,l) - \{2H_m^{\ominus\prime}(H_2,g) + H_m^{\ominus\prime}(O_2,g)\}$$

em que o índice superior indica o valor na nova temperatura. A Eq. 2.15 ($C_p = \Delta H/\Delta T$) implica que o aumento da entalpia molar de uma substância quando a temperatura varia de T até T' é dado por $C^{\ominus}_{p,\mathrm{m}} \times (T' - T)$, em que $C^{\ominus}_{p,\mathrm{m}}$ é a capacidade calorífica molar padrão a pressão constante da substância, ou seja, a capacidade calorífica molar medida à pressão de 1 bar. Por exemplo, a entalpia molar da água se altera para

$$H^{\ominus\prime}_{\mathrm{m}}(\mathrm{H_2O,l}) = H^{\ominus}_{\mathrm{m}}(\mathrm{H_2O,l}) + C^{\ominus}_{p,\mathrm{m}}(\mathrm{H_2O,l}) \times (T' - T)$$

se $C^{\ominus}_{p,\mathrm{m}}(\mathrm{H_2O,l})$ for constante na faixa de temperatura de interesse. Quando substituímos termos como esse na expressão anterior, obtemos a **Lei de Kirchhoff:**

$$\Delta_r H^{\ominus}(T') = \Delta_r H^{\ominus}(T) + \Delta_r C^{\ominus}_p (T' - T) \qquad \text{Lei de Kirchhoff} \quad (3.6)$$

em que

$$\Delta_r C^{\ominus}_p = 2C^{\ominus}_{p,\mathrm{m}}(\mathrm{H_2O,l}) - \{2C^{\ominus}_{p,\mathrm{m}}(\mathrm{H_2,g}) + C^{\ominus}_{p,\mathrm{m}}(\mathrm{O_2,g})\}$$

Observe que essa combinação tem a mesma forma que a de uma entalpia de reação, e que os coeficientes estequiométricos aparecem também de forma semelhante. Em geral, $\Delta_r C^{\ominus}_p$ é a diferença entre as somas das capacidades caloríficas padrão dos produtos e dos reagentes, ponderadas pelos coeficientes estequiométricos correspondentes:

$$\Delta_r C^{\ominus}_p = \sum \nu C^{\ominus}_{p,\mathrm{m}}(\text{produtos}) - \sum \nu C^{\ominus}_{p,\mathrm{m}}(\text{reagentes}) \qquad (3.7)$$

Vemos que, como previsto anteriormente, a entalpia-padrão de uma reação em uma dada temperatura pode ser obtida da entalpia-padrão da mesma reação em outra temperatura se conhecermos as capacidades caloríficas padrão a pressão constante de todas as substâncias que participam da reação. Esses valores são fornecidos na *Seção de Dados*. A dedução da lei de Kirchhoff pressupõe que as capacidades caloríficas são constantes na faixa de temperatura de interesse, de modo que a lei funciona melhor se a variação de temperatura é pequena (de não mais que aproximadamente 100 K).

Exemplo 3.6

Aplicação da lei de Kirchhoff

A entalpia-padrão de formação da água gasosa a 25 °C é −241,82 kJ mol^{-1}. Estime o seu valor a 100 °C.

Estratégia Inicialmente escrevemos a equação química e identificamos os coeficientes estequiométricos. Calculamos então os valores de $\Delta_r C^{\ominus}_p$ a partir dos dados existentes na *Seção de Dados* usando a Eq. 3.7 e levamos o resultado na Eq. 3.6.

Solução A equação química é

$$\mathrm{H_2(g)} + \tfrac{1}{2}\,\mathrm{O_2(g)} \rightarrow \mathrm{H_2O(g)}$$

e as capacidades caloríficas molares a pressão constante da $\mathrm{H_2O(g)}$, do $\mathrm{H_2(g)}$ e do $\mathrm{O_2(g)}$ são 33,58 J K^{-1} mol^{-1}, 28,84 J K^{-1} mol^{-1} e 29,37 J K^{-1} mol^{-1}, respectivamente. Segue-se que

$$\begin{aligned}\Delta_r C^{\ominus}_p &= C^{\ominus}_{p,\mathrm{m}}(\mathrm{H_2O,g}) - \{C^{\ominus}_{p,\mathrm{m}}(\mathrm{H_2,g}) + \tfrac{1}{2}C^{\ominus}_{p,\mathrm{m}}(\mathrm{O_2,g})\}\\ &= (33{,}58\ \mathrm{J\,K^{-1}\,mol^{-1}}) - \{(28{,}84\ \mathrm{J\,K^{-1}\,mol^{-1}})\\ &\quad + \tfrac{1}{2} \times (29{,}37\ \mathrm{J\,K^{-1}\,mol^{-1}})\}\\ &= -9{,}95\ \mathrm{J\,K^{-1}\,mol^{-1}} = -9{,}95 \times 10^{-3}\ \mathrm{kJ\,K^{-1}\,mol^{-1}}\end{aligned}$$

Então, como $T' - T = +75$ K, obtemos da Eq. 3.6

$$\begin{aligned}\Delta_r H^{\ominus}(T') &= (-241{,}82\ \mathrm{kJ\,mol^{-1}}) + (-9{,}95 \times 10^{-3}\ \mathrm{kJ\,K^{-1}\,mol^{-1}})\\ &\quad \times (75\ \mathrm{K})\\ &= (-241{,}82\ \mathrm{kJ\,mol^{-1}}) - (0{,}75\ \mathrm{kJ\,mol^{-1}})\\ &= -242{,}57\ \mathrm{kJ\,mol^{-1}}\end{aligned}$$

O valor experimental é −242,58 kJ mol^{-1}.

Exercício proposto 3.8

Calcule a entalpia-padrão de formação do $\mathrm{NH_3(g)}$ a 400 K utilizando os dados da *Seção de Dados*.

Resposta: −48,4 kJ mol^{-1}

O cálculo realizado no Exemplo 3.6 mostra que a entalpia-padrão de reação a 100 °C é muito pouco diferente da obtida a 25 °C. Isso se deve ao fato de a variação da entalpia de reação ser proporcional à *diferença* entre as capacidades caloríficas dos produtos e dos reagentes, e de essa diferença não ser muito grande. Geralmente, as entalpias de reação variam pouco com a temperatura, se a variação na temperatura for pequena. Uma primeira e razoável aproximação é admitir que as entalpias-padrão de reação são independentes da temperatura. Quando a faixa de temperatura for muito grande para que se possa admitir com segurança que as capacidades caloríficas são constantes, deve ser utilizada a Eq. 3.6 para a dependência empírica da capacidade calorífica de cada substância com a temperatura: a expressão resultante é mais fácil de ser desenvolvida por meio de um programa matemático.

Verificação de conceitos importantes

- ☐ **1** O estado-padrão de uma substância é a substância pura a 1 bar.
- ☐ **2** A entalpia-padrão de transição, $\Delta_{trs}H^{\ominus}$, é a variação de entalpia molar quando uma substância em uma fase se transforma em outra fase, com ambas as fases em seus estados-padrão.
- ☐ **3** A entalpia-padrão do inverso de um processo é o negativo da entalpia-padrão do processo direto, sob as mesmas condições, $\Delta_{\text{inverso}}H = -\Delta_{\text{direto}}H$.
- ☐ **4** A entalpia-padrão de um processo é a soma das entalpias-padrão dos processos individuais nos quais podemos considerar que ele possa ser dividido, como em $\Delta_{sub}H^{\ominus} = \Delta_{fus}H^{\ominus} + \Delta_{vap}H^{\ominus}$.
- ☐ **5** A lei de Hess afirma que a entalpia-padrão de uma reação é a soma das entalpias-padrão das reações nas quais a reação global pode ser dividida.
- ☐ **6** A entalpia-padrão de formação de um composto, $\Delta_f H^{\ominus}$, é a entalpia-padrão de reação para a formação do composto a partir de seus elementos em seus estados de referência.
- ☐ **7** A pressão constante, os compostos exotérmicos são aqueles para os quais $\Delta_f H^{\ominus} < 0$; compostos endotérmicos são aqueles para os quais $\Delta_f H^{\ominus} > 0$.

Mapa conceitual das equações importantes

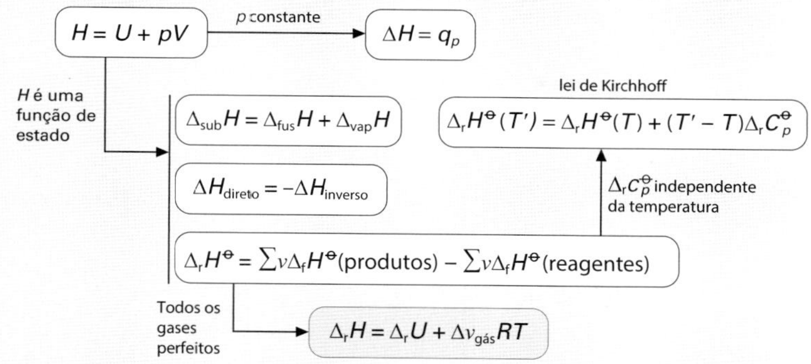

Uma caixa azul indica que a equação só é válida para gases perfeitos.

Questões e exercícios

Questões teóricas

3.1 Defina os termos: (a) entalpia-padrão de vaporização; (b) entalpia-padrão de fusão; (c) entalpia-padrão de sublimação; (d) entalpia-padrão de ionização; (e) entalpia-padrão de ganho de elétron; (f) entalpia média de ligação. Identifique uma aplicação para cada termo.

3.2 Defina os termos: (a) entalpia-padrão de reação; (b) entalpia-padrão de combustão; (c) entalpia-padrão de formação. Identifique uma aplicação para cada termo.

3.3 Um aparelho de ar-condicionado primitivo, para uso em lugares onde não há energia elétrica, pode ser construído pendurando-se algumas tiras de tecido molhadas em água. Explique por que essa estratégia é eficiente.

3.4 Por que é importante distinguir entre o estado-padrão e o estado de referência de um elemento?

3.5 Discuta as limitações das expressões:
(a) $\Delta_r H = \Delta_r U + \Delta \nu_{gás} RT$, (b) $\Delta_r H^\ominus(T') = \Delta_r H^\ominus(T) + \Delta_r C_p^\ominus \times (T' - T)$.

3.6 Na literatura mais antiga, sendo ainda muito comum, você encontrará as expressões 'calor de combustão' e 'calor latente de vaporização'. Por que as expressões 'entalpia de combustão' e 'entalpia de vaporização' são mais adequadas?

Exercícios

Considere todos os gases como perfeitos, a menos que exista informação em contrário. Todos os dados termoquímicos são a 298,15 K.

3.1 Calcule a diferença entre a entalpia-padrão de formação do CO_2(g) pela nova definição (a 1 bar) e o seu valor usando a definição antiga (a 1 atm).

3.2 Misturas líquidas de sódio e potássio são usadas como líquidos de refrigeração em alguns reatores nucleares, pois conseguem resistir à intensa radiação contida no núcleo do reator. Calcule o calor necessário para fundir 250 kg de sódio metálico a 371 K.

3.3 Calcule o calor necessário para evaporar 1,00 kg de água a (a) 25 °C, (b) 100 °C.

3.4 O isopropanol (2-propanol) é normalmente usado como "álcool de fricção", para aliviar as dores causadas por contusões em práticas esportivas. Sua ação é devida ao efeito de resfriamento que acompanha a sua rápida evaporação quando aplicado sobre a pele. Uma amostra desse álcool foi aquecida à ebulição em um experimento para determinar a sua entalpia de vaporização. Quando uma corrente elétrica de 0,812 A proveniente de uma fonte de 11,5 V passou por 303 s provocou a vaporização de 4,27 g do álcool. Qual é a entalpia molar de vaporização do isopropanol em seu ponto de ebulição?

3.5 Os refrigeradores utilizam a absorção do calor necessário para vaporizar um líquido volátil. Um fluorcarbono líquido, investigado com o objetivo de substituir um clorofluorcarbono, tem $\Delta_{vap}H^\ominus = +32{,}0$ kJ mol^{-1}. Calcule q, w, ΔH e ΔU quando 2,50 mols do composto são vaporizados a 250 K e 750 Torr.

3.6 Use as informações da Tabela 3.1 para calcular o calor total necessário para fundir 100 g de gelo a 0 °C, aquecer o líquido até 100 °C e vaporizá-lo nessa temperatura. Faça um gráfico da temperatura contra o tempo, admitindo que o calor é fornecido à amostra numa velocidade constante.

3.7 A entalpia de sublimação do cálcio a 25 °C é de 178,2 kJ mol^{-1}. Quanta energia deve ser fornecida (à temperatura e pressão constantes) a 5,0 g de cálcio sólido para produzir um plasma (um gás de partículas carregadas) composto de íons Ca^{2+} e elétrons?

3.8 Calcule a diferença entre a entalpia-padrão de ionização do Ca(g) a Ca^{2+}(g) e a variação de energia interna associada ao processo, a 25 °C.

3.9 Calcule a diferença entre a entalpia-padrão de ganho de elétron do Br(g) e a variação de energia interna associada ao processo, a 25 °C.

3.10 Qual é a quantidade de calor (a temperatura e pressão constantes) necessária para aquecer 10,0 g de cloro gasoso (Cl_2) para produzir um plasma (um gás de partículas carregadas, nesse caso íons) composto dos íons Cl^- e Cl^+? A entalpia de ionização do Cl(g) é +1257,5 kJ mol^{-1} e a entalpia de ganho de elétron é −354,8 kJ mol^{-1}.

3.11 Use os dados contidos no Exercício 3.10 para identificar (a) a entalpia-padrão de ionização do Cl^-(g) e (b) a variação de energia interna molar associada ao processo.

3.12 As variações de entalpia que ocorrem na dissociação sucessiva das ligações no NH_3(g) são de 460, 390 e 314 kJ mol^{-1}, respectivamente. (a) Qual é a entalpia média da ligação N—H? (b) Você espera que a energia interna média da ligação seja maior ou menor que a entalpia média da ligação?

3.13 Use as entalpias de ligação e as entalpias médias de ligação para estimar (a) a entalpia da reação de glicólise utilizada por bactérias anaeróbicas como uma fonte de energia, $C_6H_{12}O_6$(aq) → 2 $CH_3CH(OH)COOH$(aq), ácido lático, que é produzido pela formação do ácido pirúvico, $CH_3COCOOH$, e pela ação da lactatodesidrogenase e (b) a entalpia da combustão da glicose. Despreze as contribuições das entalpias de fusão e vaporização.

3.14 O etano é descartado por queima em larga escala ao sair dos poços de petróleo, pois é inerte e de uso comercial muito restrito. Seria ele um bom combustível? A entalpia-padrão da reação 2 C_2H_6(g) + 7 O_2(g) → 4 CO_2(g) + 6 H_2O(l) é −3120 kJ mol^{-1}. (a) Qual é a entalpia-padrão de combustão do etano? (b) Qual é a entalpia específica de combustão do etano? (c) O etano é um combustível mais ou menos eficiente que o metano?

3.15 As entalpias-padrão de formação são encontradas com facilidade, mas precisamos, muitas vezes, das entalpias-padrão de combustão. A entalpia-padrão de formação do etilbenzeno é −12,5 kJ mol^{-1}. Calcule a sua entalpia-padrão de combustão.

3.16 As reações de combustão são relativamente fáceis de serem realizadas e estudadas, e os resultados obtidos podem ser combinados para fornecer valores de entalpias de outros tipos de reação. Como uma ilustração, calcule a entalpia-padrão de hidrogenação do cicloexeno a cicloexano sabendo-se que as entalpias-padrão de combustão dos dois compostos são −3752 kJ mol^{-1} (ciclo-hexeno) e −3953 kJ mol^{-1} (ciclo-hexano).

3.17 Um projeto eficiente de uma fábrica de produtos químicos depende da capacidade do projetista em estimar e usar o calor produzido em uma etapa do processo para alimentar um outro processo. A entalpia-padrão da reação N_2(g) + 3 H_2(g) → 2 NH_3(g) é −92,22 kJ mol^{-1}. Qual é a variação de entalpia quando (a) 1,00 t de N_2(g) é consumida? (b) 1,00 t de NH_3(g) é formada?

3.18 Calcule a energia interna padrão de formação do acetato de metila líquido (etanoato de metila, CH_3COOCH_3) a 298 K, a partir de sua entalpia-padrão de formação, que é −442 kJ mol^{-1}.

3.19 A entalpia-padrão de combustão do antraceno é −7163 kJ mol^{-1}. Calcule sua entalpia-padrão de formação.

3.20 Quando se queimam 320 mg de naftaleno, $C_{10}H_8$(s), em uma bomba calorimétrica, a temperatura se eleva de 3,05 K. Calcule a capacidade calorífica do calorímetro. De quanto a temperatura se elevará na combustão de 100 mg de fenol, C_6H_5OH(s), no mesmo calorímetro e nas mesmas condições?

3.21 As reservas de energia da glicose são de grande importância na avaliação de processos metabólicos. Quando 0,3212 g de glicose são queimadas em uma bomba calorimétrica de capacidade calorífica 641 J K^{-1}, a temperatura sobe de 7,793 K. Calcular (a) a entalpia molar padrão de combustão, (b) a energia interna padrão de combustão e (c) a entalpia-padrão de formação da glicose.

3.22 A combustão completa do ácido fumárico em uma bomba calorimétrica liberou 1333 kJ de calor, por mol de HOOCCH=CHCOOH(s) a 298 K. Calcule (a) a energia interna de combustão, (b) a entalpia de formação do ácido fumárico.

3.23 As entalpias médias de ligação das ligações C—C, C—H, C—O, C=O e O—H são 348, 412, 360, 743 e 463 kJ mol^{-1}, respectivamente. A combustão de um combustível como o octano é exotérmica, porque ligações relativamente fracas se quebram para formar ligações relativamente mais fortes. Use essa informação para justificar por que a glicose tem uma entalpia específica menor que o lipídio ácido decanoico ($C_{10}H_{20}O_2$) apesar de ambos os compostos terem massas molares semelhantes.

3.24 Calcule a entalpia-padrão de dissolução do AgI(s) em água com os dados de entalpias-padrão de formação do sólido e dos íons em solução aquosa.

3.25 A entalpia-padrão de decomposição do complexo amarelo NH_3SO_2 em NH_3 e SO_2 é +40 kJ mol^{-1}. Calcule a entalpia-padrão de formação do NH_3SO_2.

3.26 A entalpia-padrão de combustão da grafita é −393,5 kJ mol^{-1} e a do diamante é −395,41 kJ mol^{-1}. Calcule a entalpia-padrão da transição C(s, grafita) → C(s, diamante).

3.27 As pressões no interior da Terra são muito maiores que na superfície; é preciso considerar essa diferença ao usarmos dados termoquímicos em determinações geoquímicas. Use as informações do Exercício 3.26, juntamente com as massas específicas da grafita (2,250 g cm^{-3}) e do diamante (3,510 g cm^{-3}) para calcular a energia interna da transição quando a amostra está sob pressão de 150 kbar.

3.28 O homem produz, em média, cerca de 10 MJ de calor por dia, devido à sua atividade metabólica. O principal mecanismo de perda de calor se dá pela evaporação da água. (a) Se o corpo humano fosse um sistema isolado de massa igual a 65 kg e com a capacidade calorífica da água, qual seria a elevação de temperatura do corpo? (b) Os corpos humanos são, na verdade, sistemas abertos. Que massa de água deve ser evaporada por dia para manter a temperatura do corpo constante?

3.29 O gás usado nos acampamentos é basicamente constituído de propano. A entalpia-padrão de combustão do gás propano é −2220 kJ mol^{-1} e a entalpia-padrão de vaporização do líquido é +15 kJ mol^{-1}. Calcule (a) a entalpia-padrão e (b) a energia interna padrão de combustão do líquido.

3.30 Classifique como endotérmica ou exotérmica: (a) uma reação de combustão com $\Delta_r H^{\ominus}$ = −2020 kJ mol^{-1}; (b) uma dissolução com $\Delta H^{\ominus}$ = +4,0 kJ mol^{-1}; (c) a vaporização; (d) a fusão; (e) a sublimação.

3.31 As entalpias-padrão de formação são de grande utilidade, pois permitem calcular as entalpias-padrão de uma ampla gama de reações de interesse em química, biologia, geologia e na indústria. Use as informações da *Seção de Dados* para calcular as entalpias-padrão das seguintes reações:

(a) $2\ NO_2(g) \rightarrow N_2O_4(g)$

(b) $NO_2(g) \rightarrow {}^1/_2\ N_2O_4(g)$

(c) $3\ NO_2(g) + H_2O(l) \rightarrow 2\ HNO_3(aq) + NO(g)$

(d) Ciclopropano (g) → propeno(g)

(e) $HCl(aq) + NaOH(aq) \rightarrow NaCl(aq) + H_2O(l)$

3.32 Calcule a entalpia-padrão de formação do N_2O_5 a partir dos seguintes dados:

$2\ NO(g) + O_2(g) \rightarrow 2\ NO_2(g) \quad \Delta_r H^\ominus = -114{,}1\ kJ\ mol^{-1}$

$4\ NO_2(g) + O_2(g) \rightarrow 2\ N_2O_5(g) \quad \Delta_r H^\ominus = -110{,}2\ kJ\ mol^{-1}$

$N_2(g) + O_2(g) \rightarrow 2\ NO(g) \quad \Delta_r H^\ominus = -180{,}5\ kJ\ mol^{-1}$

3.33 Dados de capacidade calorífica podem ser usados para estimar a entalpia-padrão de reação em uma temperatura a partir do seu valor em uma outra temperatura. Use as informações contidas na *Seção de Dados* para estimar a entalpia-padrão da reação $2\ NO(g) \rightarrow N_2O_4(g)$ a 100 °C a partir do seu valor a 25 °C.

3.34 Determine o valor da entalpia de vaporização da água a 100 °C a partir de seu valor a 25 °C (44,01 kJ mol^{-1}) dadas as capacidades caloríficas a pressão constante de 75,29 J K^{-1} mol^{-1} e 33,58 J K^{-1} mol^{-1} para o líquido e o gás, respectivamente.

3.35 É útil saber prever, sem realizar um cálculo detalhado, se um aumento na temperatura provocará um aumento ou uma diminuição na entalpia da reação. A capacidade calorífica molar a pressão constante de um gás de moléculas lineares é aproximadamente $^7/_2\ R$, e a de um gás de moléculas não lineares, cerca de $4R$. Decida se as entalpias-padrão das seguintes reações aumentam ou diminuem com o aumento de temperatura:

(a) $2\ H_2(g) + O_2(g) \rightarrow 2\ H_2O(g)$

(b) $N_2(g) + 3\ H_2(g) \rightarrow 2\ NH_3(g)$

(c) $CH_4(g) + 2\ O_2(g) \rightarrow CO_2(g) + 2\ H_2O(g)$

3.36 A capacidade calorífica molar da água líquida é aproximadamente $9R$. Decida se as entalpias-padrão das reações (a) e (c) no Exercício 3.35 aumentam ou diminuem com o aumento de temperatura se a água for produzida como um líquido.

Projetos

O símbolo ‡ indica que o cálculo é necessário.

3.37‡ Este exercício explora a calorimetria diferencial de varredura mais detalhadamente. (a) Em muitos termogramas experimentais, como o mostrado na Figura 3.5, a linha base do lado esquerdo da transição está em um nível diferente da linha base do lado direito. Explique essa observação. (b) Você tem à sua disposição uma amostra de um polímero P puro e uma amostra de P que acabou de ser sintetizado em um enorme reator químico, e que pode conter impurezas. Descreva como você usaria a calorimetria diferencial de varredura para determinar a composição percentual molar de P na amostra supostamente impura.

3.38‡ Vamos explorar aqui a lei de Kirchhoff (Eq. 3.6) em mais detalhes. (a) Obtenha uma versão da lei de Kirchhoff para a dependência da energia interna de reação com a temperatura. (b) A formulação da lei de Kirchhoff dada pela Eq. 3.6 é válida quando a diferença entre as capacidades caloríficas é independente da temperatura na faixa de temperatura de interesse. Suponha que $\Delta_r C_p^\ominus = a + bT + c/T^2$. Obtenha uma expressão mais acurada da lei de Kirchhoff em termos dos parâmetros a, b e c. Expresse inicialmente a variação da entalpia de reação para uma mudança infinitesimal de temperatura como $dH = \Delta_r C_p dT$. Substitua a expressão para a variação das capacidades caloríficas na reação. Integre essa expressão entre as duas temperaturas de interesse.

3.39 Vamos explorar neste projeto a termodinâmica dos carboidratos como combustíveis biológicos. É útil saber que a glicose e frutose são açúcares simples com a fórmula molecular $C_6H_{12}O_6$. A sacarose (o açúcar de mesa) é um açúcar complexo que tem a fórmula molecular $C_{12}H_{22}O_{11}$. A sacarose consiste em uma unidade de glicose ligada de forma covalente a uma unidade de frutose (uma molécula de água é liberada na reação entre a glicose e a frutose para formar sacarose). Não há nenhuma recomendação quanto ao consumo de carboidratos na dieta alimentar. Alguns nutricionistas recomendam dietas pobres em carboidratos, fazendo das gorduras a fonte maior de obtenção de energia. Entretanto, as dietas mais comuns são as que pelo menos 65 % de nossas calorias alimentares venham de carboidratos. (a) Uma porção média de macarrão contém 40 g de carboidratos. Que porcentagem das necessidades calóricas diárias de uma pessoa em dieta de 2200 calorias (1 Cal = 1 kcal) essa porção representa? (b) A massa de um tablete típico de glicose é de 2,5 g. Calcule a energia liberada, na forma de calor, quando um tablete de glicose é queimado ao ar. (c) A que altura poderíamos subir com a energia liberada pelo tablete de glicose supondo que 25 % da energia está disponível para o trabalho? (d) A entalpia-padrão de combustão da glicose deve ser maior ou menor do que a temperatura do corpo a 25 °C? (e) Calcule a energia liberada, na forma de calor, quando um cubo de açúcar de mesa, de massa igual a 1,5 g, é queimado ao ar. (f) A que altura poderíamos subir com a energia liberada pelo cubo de açúcar de mesa, supondo que 25 % da energia está disponível para o trabalho?

4

Termodinâmica: a Segunda Lei

Algumas coisas acontecem, outras não. Um gás se expande ocupando inteiramente o recipiente que o contém, mas um gás que esteja ocupando um recipiente não se contrai de repente para um volume menor. Um objeto quente esfria e a sua temperatura tende para a mesma temperatura das suas vizinhanças, mas um objeto frio não fica de repente mais quente que as suas vizinhanças. Hidrogênio e oxigênio se combinam explosivamente (desde que seja utilizada uma faísca) e formam água, mas a água presente nos oceanos e lagos não se decompõe gradualmente em hidrogênio e oxigênio. Essas observações cotidianas sugerem que as transformações podem ser divididas em duas classes. A **transformação espontânea** é aquela que pode ocorrer sem que seja feito trabalho para provocá-la. A transformação espontânea tem tendência natural a ocorrer. A **transformação não espontânea** só pode ser provocada fazendo-se trabalho. A transformação não espontânea não tem nenhuma tendência natural de ocorrer. Pode-se *fazer* com que transformações não espontâneas ocorram, mas é necessário que seja realizado trabalho: um gás pode ser comprimido em um volume menor desde que seja empurrado por um pistão; a temperatura de um objeto frio pode ser elevada forçando-se a passagem de uma corrente elétrica através de um aquecedor em contato com o objeto; e a água pode ser decomposta pela passagem de uma corrente elétrica. Porém, em cada caso precisamos agir de algum modo sobre o sistema para provocar a transformação não espontânea. Deve haver alguma propriedade que seja responsável pela distinção entre esses dois tipos de transformação.

Ao longo deste capítulo iremos usar os termos 'espontâneo' e 'não espontâneo' no sentido termodinâmico. Quer dizer, esses termos serão usados para indicar se uma transformação tem ou não uma *tendência* natural a ocorrer. Em termodinâmica o termo espontâneo não tem nada a ver com velocidade. Algumas transformações espontâneas são muito rápidas, como a reação de precipitação que ocorre quando se misturam soluções de cloreto de sódio e nitrato de prata. Entretanto, algumas transformações espontâneas são tão lentas que não se observa nenhuma mudança, mesmo depois de milhões de anos. Por exemplo, embora a decomposição do benzeno em carbono e hidrogênio seja espontânea, essa decomposição não ocorre em uma velocidade mensurável em condições normais, e o benzeno é um reagente comum de laboratório que pode durar na prateleira (em princípio) por milhões de anos. A termodinâmica lida com a tendência de ocorrer uma transformação, mas não nos informa sobre a velocidade com que essa tendência é percebida.

Entropia

Precisamos nos deter apenas por alguns instantes para identificar a razão por que algumas transformações são espontâneas e outras não. Essa razão *não* é a tendência do sistema em se deslocar para um estado de energia menor. Esse ponto é facilmente estabelecido identificando-se um exemplo de uma transformação espontânea em que não há nenhuma variação de energia. A expansão isotérmica de um gás perfeito no vácuo é espontânea, mas a energia total do gás não varia porque as moléculas continuam se deslocando com a mesma velocidade média e, assim, a sua energia cinética total se mantém constante. Mesmo em um processo em que a energia de um sistema diminui (como no resfriamento espontâneo de um bloco de metal quente), a Primeira Lei exige que a energia do sistema, assim como a energia das vizinhanças, seja constante. Portanto, nesse caso, a energia de outra parte do universo tem de aumentar se a energia diminuir na região que nos interessa. Por exemplo, um bloco quente de metal em contato com um bloco frio resfria e perde energia; porém, o segundo bloco fica mais quente e aumenta a sua energia. É igualmente válido dizer que o segundo bloco se move espontaneamente para uma energia maior, ou dizer que o primeiro bloco tem uma tendência para se deslocar para uma energia menor!

4.1 O sentido da transformação espontânea

Veremos agora que *a força motriz aparente que é responsável pela transformação espontânea é a tendência da energia de se dispersar e da matéria de se tornar desordenada.* Por exemplo, inicialmente todas as moléculas de um gás podem estar em uma região de um recipiente, mas o movimento aleatório e incessante dessas moléculas assegura que as mesmas se espalharão rapidamente por todo o volume do recipiente (Fig. 4.1). Como o movimento é muito desordenado, há uma pequeníssima probabilidade de que todas as moléculas se movimentem simultaneamente de volta para a região do recipiente que ocupavam no começo. Nesse exemplo, o sentido natural da transformação corresponde à dispersão mais desordenada da matéria.

Uma explicação semelhante pode ser dada para o resfriamento espontâneo, mas agora precisamos considerar a dispersão da energia em vez da dispersão da matéria. Em um bloco de metal quente os átomos oscilam intensamente, e quanto mais quente o bloco, mais intenso é o movimento. As vizinhanças mais frias também consistem em átomos oscilantes, mas o seu movimento é menos vigoroso. Os átomos do bloco quente, ao oscilar com intensidade, empurram os átomos das vizinhanças, e a energia dos átomos no bloco quente é transferida para os átomos das vizinhanças (Fig. 4.2). O processo continua até que a intensidade com que os átomos no sistema

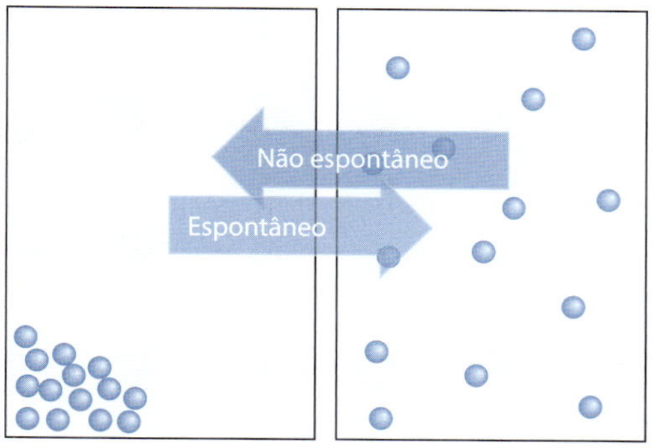

Figura 4.1 Um tipo fundamental de processo espontâneo é a dispersão da matéria. Essa tendência é responsável pelo processo espontâneo de um gás em se espalhar e ocupar por completo o recipiente em que está contido. É extremamente improvável que todas as partículas se desloquem para uma pequena região do recipiente. (Em geral, o número de partículas é da ordem de 10^{23}.)

estão oscilando diminua e se torne igual à dos átomos nas vizinhanças. O fluxo oposto de energia é muito improvável. É altamente improvável que haja um fluxo líquido de energia para o sistema como resultado de os átomos do sistema serem empurrados pelas moléculas das vizinhanças, as quais estão oscilando menos intensamente. Nesse caso, o sentido natural da mudança corresponde à dispersão da energia.

A tendência em direção à dispersão da energia também explica o fato de que, apesar de numerosos esforços, mostrou-se impossível construir um dispositivo como o ilustrado na Figura 4.3, no qual o calor, provavelmente proveniente da queima de um combustível, é extraído de um reservatório quente e todo convertido em trabalho, como o trabalho de movimentar um automóvel. Todas as máquinas térmicas reais têm uma região quente, a 'fonte', e uma região fria, o 'fonte'. Observa-se que alguma energia precisa ser descartada para a fonte fria como calor, e não usada como trabalho. Em termos moleculares, apenas uma parte da energia armazenada nos átomos e moléculas da fonte quente pode ser usada para produzir trabalho e transferida para as vizinhanças de forma ordenada. Para uma máquina produzir trabalho, alguma energia deve ser transferida para a fonte fria como calor, para estimular o movimento desordenado de seus átomos e moléculas.

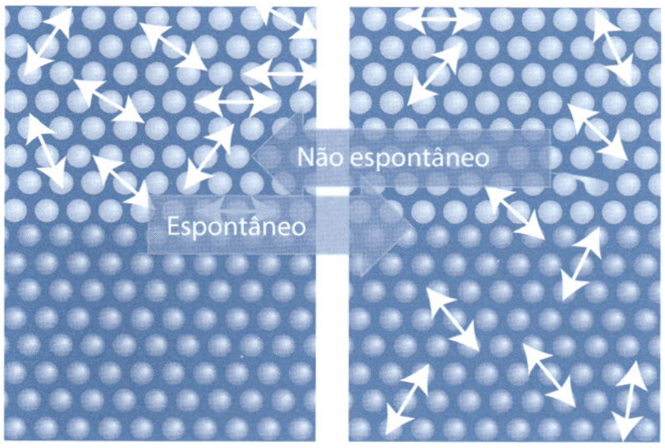

Figura 4.2 Outro tipo fundamental de processo espontâneo é a dispersão da energia (representada pelas setas pequenas). Nesses diagramas, as esferas claras representam o sistema e as esferas escuras representam as vizinhanças. As setas duplas representam o movimento térmico dos átomos.

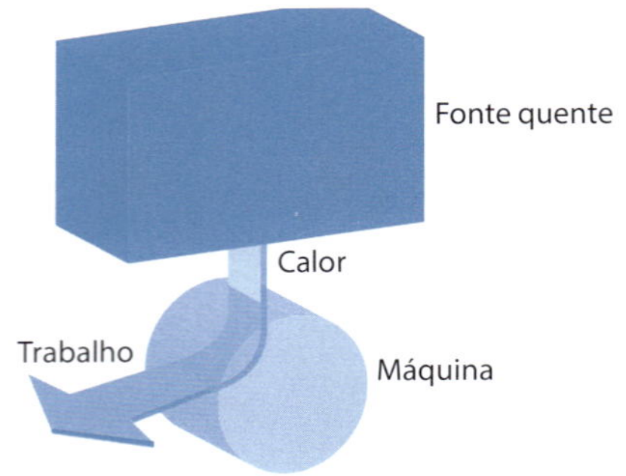

Figura 4.3 A Segunda Lei nega a possibilidade do processo aqui ilustrado, no qual o calor é totalmente transformado em trabalho sem que haja nenhuma outra transformação. O processo não está em conflito com a Primeira Lei, porque a energia é conservada.

Resumindo, identificamos um único tipo básico de processo físico espontâneo:

Matéria e energia tendem a se dispersar.

Por 'dispersar' queremos dizer espalhar de maneira desordenada pelo espaço ou, se a matéria estiver confinada a uma região específica, por sua estrutura se tornar desordenada, como quando um sólido se funde. Vamos ver agora por que esse processo natural resulta em algumas reações químicas serem espontâneas e outras não. Pode parecer surpreendente que a tendência para a desordem possa explicar a formação de sistemas tão ordenados como as proteínas e as células biológicas. Não obstante, veremos, posteriormente, que estruturas organizadas podem surgir pela dispersão da matéria e da energia. Veremos que, de fato, a tendência para a desordem explica as transformações em todas as suas formas.

4.2 Entropia e a Segunda Lei

A medida da dispersão desordenada usada na termodinâmica é chamada de **entropia**, S. Inicialmente, podemos considerar a entropia como um sinônimo para o aumento da dispersão desordenada, mas em breve iremos ver que a entropia pode ser definida precisamente e medida quantitativamente e, depois, aplicada às reações químicas. Nesse ponto, só precisamos saber que, quando a matéria e a energia tornam-se dispersas, a entropia aumenta. Sendo assim, podemos expressar o princípio básico responsável pelas transformações como a **Segunda Lei da Termodinâmica:**

A entropia de um sistema isolado tende a aumentar — A Segunda Lei

O 'sistema isolado' pode constituir-se do sistema no qual estamos particularmente interessados (um béquer contendo reagentes) e nas vizinhanças do sistema: os dois componentes formam conjuntamente um pequeno 'universo' no sentido termodinâmico.

Para progredirmos e para que possamos transformar a Segunda Lei em uma formulação quantitativa útil, precisamos definir, com exatidão, a entropia. Vamos usar a seguinte definição para a *variação* de entropia de um sistema mantido a temperatura constante:

$$\Delta S = \frac{q_{rev}}{T} \qquad \text{Definição} \quad \text{Variação de entropia} \quad (4.1)$$

Ou seja, a variação de entropia de uma substância é igual à energia transferida *reversivelmente* como calor, dividida pela temperatura na qual a transferência ocorre. Existem três pontos que precisamos entender sobre a definição da Eq. 4.1: o significado do termo 'reversível', ou seja, por que o calor (e não o trabalho) aparece no numerador e por que a temperatura aparece no denominador.

- *Por que reversível?* Encontramos o conceito de reversibilidade na Seção 2.4, na qual vimos que esse conceito se refere à capacidade de uma variação infinitesimal de uma variável poder mudar a direção de um processo. A reversibilidade mecânica refere-se à igualdade das pressões que atuam em ambos os lados de uma parede móvel. A reversibilidade térmica, aquela envolvida na Eq. 4.1, refere-se à igualdade das temperaturas em ambos os lados de uma parede que é condutora térmica. A transferência reversível de calor é uma transferência que se restringe a dois corpos com a mesma temperatura e que ocorre de modo suave e cuidadoso. Fazendo a transferência reversível, asseguramos que não há formação de áreas quentes no objeto que depois se dispersam de modo espontâneo e que, consequentemente, aumentam a entropia.
- *Por que calor e não trabalho no numerador?* Consideremos agora por que o calor e não o trabalho aparece na Eq. 4.l. Lembre-se da Seção 2.3 em que, para transferir energia como calor, fazemos uso do movimento desordenado das moléculas, enquanto, para transferir energia como trabalho, fazemos uso do movimento ordenado. É razoável que a variação de entropia – a variação no grau da desordem – seja proporcional à transferência de energia que ocorre quando se faz uso do movimento desordenado no lugar do movimento ordenado.
- *Por que temperatura no denominador?* A presença da temperatura no denominador na Eq. 4.1 leva em conta a desordem que já está presente. Se determinada quantidade de energia é transferida como calor para um objeto quente (no qual os átomos têm grande movimento térmico desordenado), então a desordem adicional gerada é menos significativa que se a mesma quantidade de energia fosse transferida como calor a um objeto frio, no qual o movimento térmico dos átomos é menor. A diferença é semelhante à que existe quando espirramos em uma rua barulhenta (ambiente análogo a uma temperatura alta) e quando espirramos em uma biblioteca silenciosa (ambiente análogo a uma temperatura baixa).

■ Breve ilustração 4.1 Variação de entropia

A transferência de 100 kJ de calor para uma massa grande de água, a 0 °C (273 K), resulta numa variação de entropia igual a

$$\Delta S = \frac{q_{rev}}{T} = \frac{100 \times 10^3\ \text{J}}{273\ \text{K}} = +366\ \text{J K}^{-1}$$

Usamos uma grande massa de água para assegurar que a temperatura da amostra não muda quando o calor é transferido. A mesma transferência a 100 °C (373 K) resulta em

$$\Delta S = \frac{100 \times 10^3\ \text{J}}{373\ \text{K}} = +268\ \text{J K}^{-1}$$

A variação de entropia é maior na temperatura menor.

Uma nota sobre a boa prática As unidades de entropia são joules por kelvin ($J\ K^{-1}$). A entropia é uma propriedade extensiva. Quando consideramos a entropia molar, uma propriedade intensiva, as unidades são joules por kelvin por mol ($J\ K^{-1}\ mol^{-1}$).

A entropia é uma função de estado, uma propriedade cujo valor só depende do estado presente no sistema.[1] A entropia é uma medida do estado atual de desordem do sistema e o modo pelo qual essa desordem foi alcançada não é importante para seu valor atual. Uma amostra de água líquida, com massa igual a 100 g, a 60 °C e 98 kPa, tem sempre exatamente o mesmo grau de desordem molecular – a mesma entropia – independentemente do que ocorreu no passado. A implicação de a entropia ser uma função de estado é que uma mudança em seu valor, quando um sistema sofre uma mudança de estado, é independente de como a mudança de estado foi provocada.

Impacto na tecnologia 4.1

Máquinas térmicas, refrigeradores e bombas de calor

Uma aplicação prática da entropia é na discussão da eficiência de máquinas térmicas, refrigeradores e bombas de calor. Como mencionado no texto, para atingir a espontaneidade – uma máquina é inútil se tiver que ser forçada a operar – alguma energia deve ser descartada como calor para uma fonte fria. É fácil calcular a energia mínima que deve ser descartada dessa forma, se pensarmos sobre o fluxo de energia e a variação de entropia da fonte quente e da fonte fria. Para simplificar a discussão, vamos exprimi-la em termos da magnitude das trocas de calor e de trabalho, que iremos escrever como $|q|$ e $|w|$, respectivamente (assim, se $q = -100$ J, $|q| = 100$ J). O trabalho máximo – e, portanto, a eficiência máxima – é obtido quando todas as transferências de energia ocorrem reversivelmente, e é o que vamos admitir no que se segue.

Suponha que a fonte quente está à temperatura T_{quente}. Então, quando a energia $|q|$ é removida reversivelmente dessa fonte sob a forma de calor, sua entropia varia de $-|q|/T_{quente}$. Suponha que seja permitido um fluxo reversível de energia $|q'|$, na forma de calor, para uma fonte fria à temperatura T_{fria}. Desse modo, a entropia dessa fonte varia de $+|q'|/T_{fria}$ (Fig. 4.4). Assim, a variação total de entropia é

$$\Delta S_{total} = \overbrace{-\frac{|q|}{T_{quente}}}^{\text{Diminuição de entropia da fonte quente}} \overbrace{+\frac{|q'|}{T_{fria}}}^{\text{Aumento de entropia do fonte fria}}$$

A máquina não irá operar espontaneamente se essa variação de entropia for negativa, e se torna espontânea apenas quando ΔS_{total} fica positivo. Essa variação de sinal ocorre quando $\Delta S_{total} = 0$, que é atingido quando

$$|q'| = \frac{T_{fria}}{T_{quente}} \times |q|$$

Se tivermos de descartar uma energia $|q'|$ para uma fonte fria, a energia máxima que pode ser extraída como trabalho é $|q| - |q'|$. Segue-se que a **eficiência**, η (eta), da máquina, a razão entre o trabalho produzido e o calor absorvido, é

$$\eta = \frac{\text{trabalho produzido}}{\text{calor absorvido}} = \frac{|q| - |q'|}{|q|} = 1 - \frac{|q'|}{|q|} = 1 - \frac{T_{fria}}{T_{quente}}$$

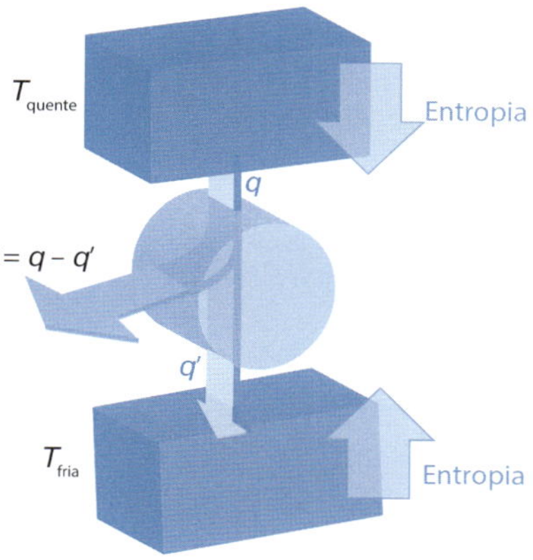

Figura 4.4 O fluxo de energia em uma máquina térmica. Para o processo ser espontâneo, a diminuição de entropia da fonte quente deve ser compensada pelo aumento de entropia da fonte fria. Entretanto, como a fonte fria está em uma temperatura mais baixa, nem toda a energia removida da fonte quente precisa ser depositada no fonte fria, e a diferença fica disponível como trabalho.

Este resultado notável nos diz que a eficiência de uma máquina térmica perfeita (a que opera reversivelmente e sem defeitos mecânicos como o atrito) depende apenas das temperaturas da fonte quente e da fonte fria. Mostra-nos que a eficiência máxima (a mais próxima a $\eta = 1$) é atingida por intermédio de uma fonte tão fria quanto possível e de uma fonte tão quente quanto possível.

■ Breve ilustração 4.2 Eficiência máxima

A eficiência máxima de uma usina geradora de eletricidade que usa vapor d'água a 200 °C (473 K), com descarte a 20 °C (293 K) é

$$\eta = 1 - \frac{\overbrace{293\ \text{K}}^{T_{fria}}}{\underbrace{473\ \text{K}}_{T_{quente}}} = 1 - \frac{293}{473} = 0{,}381$$

ou 38,1 %.

Um refrigerador pode ser analisado de forma semelhante (Fig. 4.5). A variação de entropia quando uma energia $|q|$ é retirada reversivelmente como calor de um interior frio à temperatura T_{fria} é $-|q|/T_{fria}$. A variação de entropia quando uma energia $|q'|$ é transferida reversivelmente como calor para o ambiente exterior à temperatura T_{quente} é $+|q'|/T_{quente}$. A variação total de entropia seria negativa se $|q'| = |q|$, e o refrigerador não funcionaria. Entretanto, se aumentarmos o fluxo de entropia para o exterior quente pela realização de trabalho no refrigerador, a variação de entropia do exterior pode ser aumentada ao ponto de compensar a diminuição de entropia do interior frio, e o refrigerador funciona. O cálculo da eficiência máxima desse processo é deixado como exercício (veja o Projeto 4.34).

Uma bomba de calor é simplesmente um refrigerador com relação ao qual estamos mais interessados no fornecimento de calor para o exterior do que no resfriamento atingido no interior. Você deve mostrar (veja o Projeto 4.34) que a eficiência

[1] Para uma demonstração dessa afirmativa, veja o livro *Físico-Química* (2010), dos mesmos autores (LTC Editora).

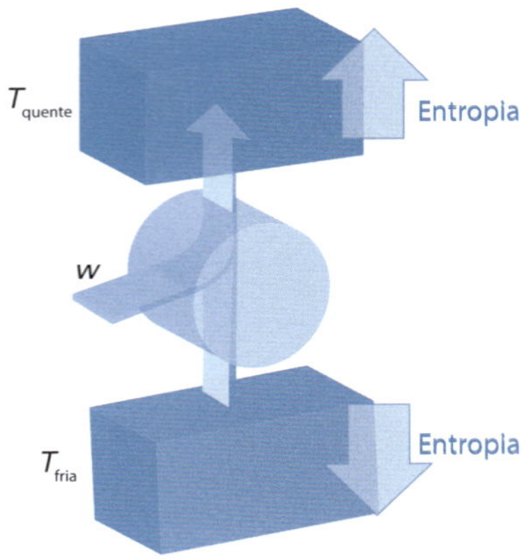

Figura 4.5 O fluxo de energia como calor de uma fonte fria para um sumidouro quente se torna factível se trabalho é fornecido para aumentar o fluxo de energia. Dessa maneira, o aumento de entropia do sumidouro quente pode cancelar a diminuição de entropia da fonte fria.

de uma bomba de calor perfeita, medida pelo calor produzido dividido pelo trabalho realizado, também depende da razão entre as duas temperaturas.

4.3 A variação de entropia em uma expansão

Podemos frequentemente confiar em nossa intuição para julgar se a entropia aumenta ou diminui quando uma substância sofre uma transformação física. Por exemplo, a entropia de uma amostra de gás aumenta quando o gás se expande porque as moléculas conseguem se deslocar em um volume maior e, assim, têm grau de desordem maior. Entretanto, a vantagem da Eq. 4.1 é que, por meio da mesma, podemos expressar o aumento *quantitativamente* e fazer cálculos numéricos. Por exemplo, como mostrado na Dedução 4.1, podemos usar a definição para calcular a variação de entropia quando um gás perfeito se expande isotermicamente de um volume V_i até um volume V_f e obter

$$\Delta S = nR \ln \frac{V_f}{V_i} \quad \text{Gás perfeito} \quad \text{Variação de entropia em uma expansão isotérmica} \qquad (4.2)$$

Já frisamos a importância da leitura das equações para entender o seu significado físico. Neste caso:

- se $V_f > V_i$, como em uma expansão, então $V_f/V_i > 1$ e o logaritmo é positivo. Consequentemente, a Eq. 4.2 prevê um valor positivo para ΔS, correspondendo a um aumento da entropia, exatamente como previsto (Fig. 4.6).
- A variação de entropia é independente da temperatura na qual a expansão isotérmica ocorre. Mais trabalho terá de ser feito se a temperatura for alta (pois a pressão externa deve ser igualada à pressão mais elevada do gás) e desse modo mais energia, na forma de calor, deve ser fornecida para manter a temperatura constante. A temperatura no denominador de Eq. 4.1 é maior, mas o 'espirro' (em termos da analogia apresentada anteriormente) também é maior, e o dois efeitos se cancelam.

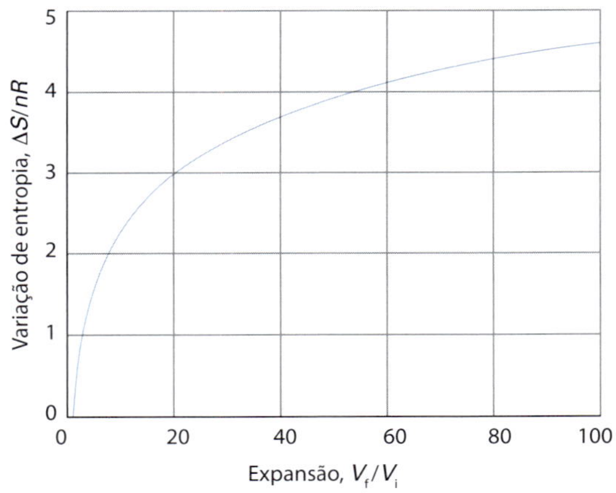

Figura 4.6 A entropia de um gás perfeito aumenta de forma logarítmica (acompanhando o ln V) quando o volume aumenta.

Dedução 4.1

A variação de entropia de um gás perfeito com o volume

Precisamos conhecer o q_{rev}, a energia transferida como calor no decorrer de uma transformação *reversível* na temperatura T. Da Eq. 2.6, sabemos que a energia transferida como calor para um gás perfeito quando esse gás sofre uma expansão isotérmica reversível de um volume V_i para um volume V_f a uma temperatura T é dada por

$$q_{rev} = nRT \ln \frac{V_f}{V_i}$$

Segue-se que

$$\Delta S = \frac{q_{rev}}{T} = \frac{nRT \ln(V_f/V_i)}{T} \overset{\text{cancelando } T}{=} nR \ln \frac{V_f}{V_i}$$

que é a Eq. 4.2.

■ **Breve ilustração 4.3** A variação de entropia em uma expansão

Quando o volume ocupado por 1,00 mol de moléculas de um gás perfeito é duplicado, sob temperatura constante, $V_f/V_i = 2$ e

$$\Delta S = (1{,}00 \text{ mol}) \times (8{,}3145 \text{ J K}^{-1} \text{ mol}^{-1}) \times \ln 2$$
$$= +5{,}76 \text{ J K}^{-1}$$

Exercício proposto 4.1

Calcule a variação de entropia quando a pressão de um gás perfeito varia isotermicamente de p_i a p_f.

Resposta: $\Delta S = nR \ln(p_i/p_f)$

Há aqui um ponto sutil, mas importante. A definição na Eq. 4.1 usa a transferência *reversível* de calor, e isso é o que precisamos para a dedução da Eq. 4.2. Contudo, a entropia é uma função de estado e o seu valor é independente do caminho entre os estados inicial e final. Essa independência do caminho significa que, embora tenhamos usado um caminho reversível para calcular ΔS, o mesmo valor é obtido para uma transformação irreversível (por exemplo, uma expansão livre) entre os mesmos dois estados. Não podemos usar um caminho irreversível para calcular ΔS, mas o valor calculado por um caminho reversível se aplica seja qual for o caminho percorrido na prática entre os estados inicial e final especificados. Você pode ter observado que na Breve ilustração 4.3 não foi especificado como a expansão ocorreu, salvo que é isotérmica.

4.4 A variação de entropia em um aquecimento

Devemos esperar que a entropia de uma amostra aumente quando a temperatura cresce de T_i para T_f, pois a desordem térmica do sistema é maior quando a temperatura é mais alta, quando as moléculas se movem mais intensamente. Para calcular a variação de entropia, voltamos para a definição dada pela Eq. 4.l e obtemos, como mostrado na Dedução 4.2, desde que a capacidade calorífica seja constante na faixa de temperatura de interesse,

$$\Delta S = C \ln \frac{T_f}{T_i} \quad \text{Capacidade calorífica constante} \quad \text{Variação de entropia no aquecimento} \qquad (4.3)$$

em que C é a capacidade calorífica do sistema; se a pressão for mantida constante durante o aquecimento, usamos a capacidade calorífica a pressão constante, C_p, e se o volume for mantido constante, usamos a capacidade calorífica em volume constante, C_V.

Novamente, vamos interpretar a equação:

- Quando $T_f > T_i$, $T_f/T_i > 1$, o que implica ser o logaritmo positivo e $\Delta S > 0$, a entropia aumenta com o aumento da temperatura (Fig. 4.7).
- Quanto maior a capacidade calorífica da substância, maior a variação de entropia para determinada elevação de temperatura. Uma capacidade calorífica alta implica que muito calor é necessário para produzir determinada alteração na temperatura. Assim, o 'espirro' deve ser mais forte no caso de a capacidade calorífica ser pequena e, correspondentemente, o aumento da entropia ser maior.

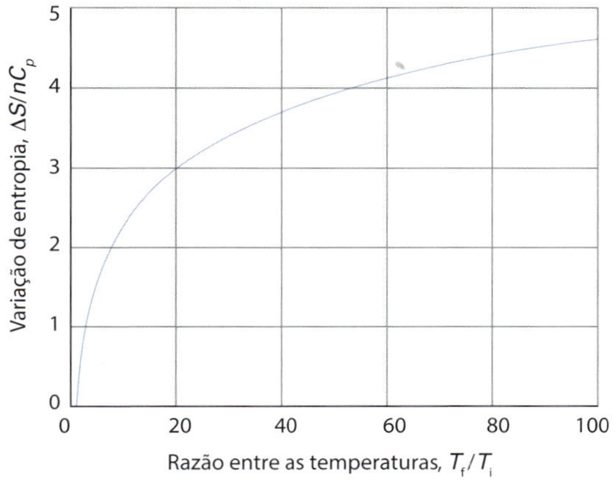

Figura 4.7 A entropia de uma amostra, que tem uma capacidade calorífica que é independente da temperatura, por exemplo, a de um gás monoatômico perfeito, aumenta logaritmicamente (acompanhando o ln T) quando a temperatura cresce. O aumento é proporcional à capacidade calorífica da amostra.

Dedução 4.2

A variação de entropia com a temperatura

A Eq. 4.1 refere-se à transferência de calor para um sistema sob temperatura T. Em geral, a temperatura muda quando aquecemos um sistema, logo não podemos usar a Eq. 4.1 diretamente. Vamos admitir, no entanto, que transferimos somente uma energia infinitesimal, dq, para o sistema, e assim haverá somente uma mudança infinitesimal na temperatura. Nessa condição, o erro será desprezível se a temperatura no denominador da Eq. 4.1 for mantida constante e igual a T durante a transferência. Como resultado, a entropia aumenta de uma quantidade infinitesimal dS dada por

$$dS = \frac{dq_{rev}}{T}$$

Para calcular dq, lembramos da Seção 2.5 na qual a capacidade calorífica C é $q/\Delta T$, e em que ΔT é a variação finita na temperatura. Para o caso de uma variação infinitesimal dT, causada por uma transferência infinitesimal de calor, escrevemos $C = dq/dT$. Essa relação também se aplica quando a transferência de energia é realizada reversivelmente. Segue-se que $dq_{rev} = CdT$ e, portanto, que

$$dS = \frac{CdT}{T}$$

A variação total de entropia, ΔS, quando a temperatura muda de T_i para T_f é a soma (a integral; veja Ferramentas do químico 2.1) de todos esses termos infinitesimais com T geralmente diferente para cada uma das etapas infinitesimais:

$$\Delta S = \int_{T_i}^{T_f} \frac{CdT}{T} \qquad (4.4)$$

Para muitas substâncias e para pequenos intervalos de temperatura, podemos considerar C como constante. Isso é estritamente verdade para um gás monoatômico perfeito. Fazendo-se essa consideração, então C pode sair da integral e a variação de entropia é calculada do seguinte modo:

$$\Delta S = \int_{T_i}^{T_f} \frac{CdT}{T} = C\int_{T_i}^{T_f} \frac{dT}{T} = C \ln \frac{T_f}{T_i}$$

Usamos a mesma integração que foi feita na Dedução 2.2, com os limites avaliados de forma semelhante.

■ **Breve ilustração 4.4** A variação de entropia com o aquecimento

Quando a variação de entropia é calculada em volume constante, a capacidade calorífica a ser usada na Eq. 4.3 é $C_{V,m}$. Por exemplo, a variação de entropia molar quando hidrogênio gasoso é aquecido de 20 °C até 30 °C em volume constante é (assumindo que $C_{V,m}$ = 22,44 J K^{-1} mol^{-1} é constante nesse intervalo de temperatura):

$$\Delta S_m = C_{V,m} \ln \frac{T_f}{T_i} = (22{,}44 \text{ J K}^{-1} \text{ mol}^{-1}) \times \ln \frac{\overbrace{303 \text{ K}}^{30\ °\text{C}}}{\underbrace{293 \text{ K}}_{20\ °\text{C}}}$$

$$= +0{,}75 \text{ J K}^{-1} \text{ mol}^{-1}$$

Quando não podemos admitir que a capacidade calorífica é constante no intervalo de temperatura de interesse, caso de todos os sólidos sob baixas temperaturas, devemos considerar a variação de C com a temperatura. Como mostramos na rápida dedução a seguir, Dedução 4.3, o resultado é

$$\Delta S = \text{área sob o gráfico de } C/T \text{ contra } T, \text{ entre } T_i \text{ e } T_f \qquad (4.5)$$

Base experimental para determinar a variação de entropia

Dedução 4.3

A variação de entropia quando a capacidade calorífica varia com a temperatura

Na Dedução 4.2 obtivemos, após admitir que a capacidade calorífica era constante, que

$$\Delta S = \int_{T_i}^{T_f} \frac{C\,dT}{T}$$

A Eq. 4.4 é o nosso ponto de partida. Tudo que precisamos reconhecer é o resultado padrão no cálculo, ilustrado na Dedução 2.2 e em Ferramentas do químico 2.1, de que a integral de uma função entre dois limites é a área sob a curva da função entre os dois limites. Nesse caso, a função é *C/T*, a capacidade calorífica em cada temperatura dividida por aquela temperatura.

O procedimento de cálculo para a variação de entropia é ilustrado na Figura 4.8:

- Primeiro, medimos e tabulamos a capacidade calorífica no intervalo de temperatura de interesse (Fig. 4.8a).
- Depois, dividimos cada valor de C pela temperatura correspondente para obter C/T de cada temperatura, e fazemos o gráfico de C/T em função de T (Fig. 4.8b).
- Por último, calculamos a área sob a curva entre as temperaturas T_i e T_f (Fig. 4.8b). A única forma confiável de fazer isso é ajustar um polinômio em T aos dados experimentais e usar um computador para calcular a integral.

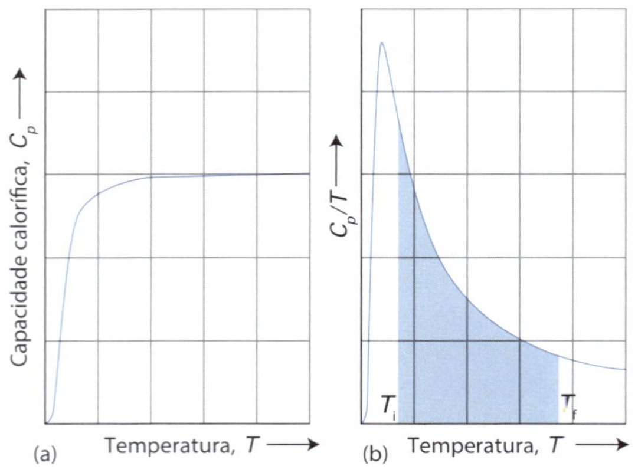

Figura 4.8 A determinação experimental da variação de entropia de uma amostra que tem uma capacidade calorífica que varia com a temperatura envolve: (a) medição da capacidade calorífica no intervalo de temperatura de interesse; fazendo-se, então, um gráfico de C_p/T em função de T e (b) determinação da área sob a curva (área escura vista no gráfico). A capacidade calorífica de todos os sólidos tende a zero quando a temperatura diminui.

4.5 A variação de entropia em uma transição de fase

Podemos inferir que a entropia de uma substância aumenta quando a mesma se funde e quando ferve, uma vez que suas moléculas se tornam mais desordenadas quando essa substância passa de sólido para líquido e de líquido para vapor. A transferência de energia, na forma de calor, ocorre reversivelmente quando um sólido está em sua temperatura de fusão. Se a temperatura das vizinhanças é infinitesimalmente menor que a do sistema, a energia flui para fora do sistema como calor e a substância se congela. Se a temperatura for infinitesimalmente maior, então a energia flui para dentro do sistema como calor e a substância se funde. Além disso, como a transição ocorre sob pressão constante, podemos identificar o calor transferido por mol de substância como a entalpia de fusão. Desse modo, a **entropia de fusão**, $\Delta_{fus}S$, a variação de entropia por mol de substância, na temperatura de fusão, T_f (com f agora representando fusão) é

$$\Delta_{fus}S = \frac{\Delta_{fus}H(T_f)}{T_f} \qquad (4.6)$$

Na temperatura de fusão — Entropia de fusão

Observe que precisamos usar a entalpia de fusão *na temperatura de fusão*. Para obter a entropia-padrão de fusão, $\Delta_{fus}S^{\ominus}$, na temperatura de fusão, usamos a temperatura de fusão a 1 bar e a entalpia-padrão de fusão correspondente àquela temperatura. Todas as entalpias de fusão são positivas (a fusão é endotérmica: necessita de calor), assim todas as entropias de fusão também são positivas: a desordem aumenta na fusão. Por exemplo, a entropia da água aumenta quando a água se funde, pois a estrutura ordenada do gelo é destruída quando o líquido se forma (Fig. 4.9).

Breve ilustração 4.5 A entropia de fusão

Usando a Eq. 4.6 e as informações da Tabela 3.1, a entropia do gelo a 0 °C é:

$$\Delta_{fus}S = \frac{\overbrace{6{,}01\ \text{kJ mol}^{-1}}^{\Delta_{fus}H(T_f)\ \text{da água}}}{\underbrace{273{,}15\ \text{K}}_{T_f\ \text{da água}}} = +2{,}20\times10^{-2}\ \overbrace{\text{kJ}}^{10^3\,\text{J}}\ \text{K}^{-1}\ \text{mol}^{-1}$$

$$= +22{,}0\ \text{J K}^{-1}\ \text{mol}^{-1}$$

A entropia de outros tipos de transição pode ser discutida semelhantemente. Assim, a entropia de vaporização, $\Delta_{vap}S$, à

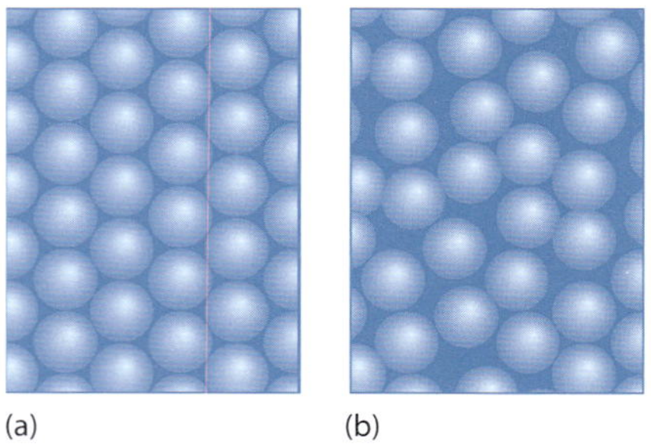

Figura 4.9 Quando um sólido, representado pelo arranjo ordenado de esferas (a), se funde, as moléculas formam um líquido, mais caótico, o arranjo desordenado de esferas (b). Como resultado, a entropia da amostra aumenta.

temperatura de ebulição, T_{eb}, de um líquido está relacionada com a sua entalpia de vaporização, àquela temperatura, por

$$\Delta_{vap}S = \frac{\Delta_{vap}H(T_{eb})}{T_{eb}} \quad \text{Na temperatura de ebulição} \quad \text{Entropia de vaporização} \quad (4.7)$$

Para usar essa fórmula, usamos a entalpia de vaporização à temperatura de ebulição. Para o valor padrão, $\Delta_{vap}S^{\ominus}$, usamos os dados correspondentes a 1 bar. Como a vaporização é endotérmica para todas as substâncias, todas as entropias de vaporização são positivas. O aumento da entropia na vaporização está de acordo com o que esperamos quando um líquido compacto se transforma em um gás.

■ Breve ilustração 4.6 A entropia de vaporização

Usando a Eq. 4.7 e as informações da Tabela 3.1, a entropia de vaporização da água a 100 °C é

$$\Delta_{vap}S = \frac{\overbrace{40{,}7\ \text{kJ mol}^{-1}}^{\Delta_{vap}H(T_{eb})\text{ da água}}}{\underbrace{373{,}2\ \text{K}}_{T_{eb}\text{ da água}}} = +1{,}09\times10^{-1}\ \text{kJ K}^{-1}\ \text{mol}^{-1}$$

$$= +109\ \text{J K}^{-1}\ \text{mol}^{-1}$$

As entropias de vaporização permitem obter uma relação empírica conhecida como **regra de Trouton:**

> Trouton observou que $\Delta_{vap}H^{\ominus}(T_{eb})/T_{eb}$ tem, aproximadamente, o mesmo valor (cerca de 85 J K^{-1} mol^{-1}) para todos os líquidos, exceto quando a ligação de hidrogênio ou algum outro tipo de interação molecular específica está presente. — Regra de Trouton

As informações presentes na Tabela 4.1 fornecem suporte para essa regra. Sabemos, no entanto, que a quantidade $\Delta_{vap}H^{\ominus}(T_{eb})/T_{eb}$ é a entropia de vaporização do líquido em seu ponto de ebulição. Desse modo, a regra de Trouton é explicada se todos os líquidos tiverem, aproximadamente, a mesma entropia de vaporização em seus respectivos pontos de ebulição. Essa igualdade aproximada é esperada porque, quando um líquido vaporiza, a fase densa compacta muda para uma fase gasosa altamente dispersa que ocupa, aproximadamente, o mesmo volume, qualquer que seja a natureza da substância. Portanto, esperamos com boa aproximação que o aumento da desordem, e, portanto, da entropia de vaporização, seja quase o mesmo para todos os líquidos em suas temperaturas de ebulição.

As exceções à regra de Trouton incluem os líquidos nos quais as interações entre as moléculas fazem com que o líquido seja menos desordenado do que se existisse um arranjo ao acaso de moléculas. Por exemplo, o valor alto para a água indica que as moléculas de H_2O se mantêm unidas formando alguma espécie de estrutura ordenada pelas ligações de hidrogênio. Como resultado, a variação de entropia é maior quando esse líquido relativamente ordenado forma um gás desordenado. O valor alto para o mercúrio tem uma explicação semelhante, mas, nesse caso, surge da presença de ligações metálicas no líquido, que organizam os átomos em padrões mais definidos do que seria se tais ligações estivessem ausentes.

Tabela 4.1

Entropias de vaporização a 1 atm, no ponto de ebulição normal

	$\Delta_{vap}S/(J\ K^{-1}\ mol^{-1})$
Amônia, NH_3	97,4
Benzeno, C_6H_6	87,2
Bromo, Br_2	88,6
Tetracloreto de carbono, CCl_4	85,9
Cicloexano, C_6H_{12}	85,1
Sulfeto de hidrogênio, H_2S	87,9
Mercúrio, Hg(l)	94,2
Água, H_2O	109,1

■ Breve ilustração 4.7 Regra de Trouton

Podemos calcular a entalpia de vaporização do bromo líquido a partir de sua temperatura de ebulição, 59,2 °C. Não existe ligação de hidrogênio nem nenhum outro tipo de interação especial, de modo que usamos a regra de Trouton depois da conversão do ponto de ebulição para 332,4 K:

$$\Delta_{vap}H^{\ominus} \approx (332{,}4\ \text{K}) \times (85\ \text{J K}^{-1}\ \text{mol}^{-1}) = 28\ \text{kJ mol}^{-1}$$

O valor experimental é 29 kJ mol^{-1}.

Exercício proposto 4.2

Calcule a entalpia de vaporização do etano em seu ponto de ebulição, que é –88,6 °C.

Resposta: 16 kJ mol^{-1}

Para calcular a entropia de transição de fase a uma temperatura diferente da temperatura de transição, temos de fazer dois cálculos adicionais, como mostrado no Exemplo 4.1, visto a seguir.

Exemplo 4.1

Cálculo da entropia e vaporização

Calcule a entropia de vaporização da água a 25 °C a partir de dados termodinâmicos e de sua entalpia de vaporização no ponto normal de ebulição.

Estratégia A forma mais conveniente de proceder é realizar três cálculos. Primeiro, calculamos a variação de entropia para o aquecimento da água líquida de 25 °C a 100 °C (usando a Eq. 4.3 com os dados da Tabela 2.1 para o líquido). Em seguida, usamos a Eq. 4.7 e os dados da Tabela 3.1 para calcular a entropia de transição a 100 °C. Depois, calculamos a variação de entropia para o resfriamento do vapor de 100 °C a 25 °C (usando novamente a Eq. 4.3, porém agora com os dados da Tabela 2.1 para o vapor). Finalmente, adicionamos as três contribuições. As etapas podem ser hipotéticas.

Solução Da Eq. 4.3, com os dados da Tabela 2.1 para o líquido:

$$\Delta S_1 = C_{p,m}(H_2O,l)\ \ln\frac{T_f}{T_i}$$

$$= (75{,}29\ \text{J K}^{-1}\ \text{mol}^{-1}) \times \ln\frac{373\ \text{K}}{298\ \text{K}}$$

$$= +16{,}9\ \text{J K}^{-1}\ \text{mol}^{-1}$$

Da Eq. 4.7 e os dados da Tabela 3.1:

$$\Delta S_2 = \frac{\Delta_{vap}H(T_{eb})}{T_{eb}} = \frac{4{,}07\times10^4 \text{ J K}^{-1}\text{ mol}^{-1}}{373 \text{ K}}$$

$$= +109 \text{ J K}^{-1}\text{ mol}^{-1}$$

Da Eq. 4.3 com os dados da Tabela 2.1 para o vapor:

$$\Delta S_1 = C_{p,m}(H_2O,g) \ln\frac{T_f}{T_i}$$

$$= (33{,}58 \text{ J K}^{-1}\text{ mol}^{-1})\times\ln\frac{298 \text{ K}}{373 \text{ K}}$$

$$= -7{,}54 \text{ J K}^{-1}\text{ mol}^{-1}$$

A soma das três variações de entropia é a entropia de transição a 25 °C:

$$\Delta_{vap} S(298 \text{ K}) = \Delta S_1 + \Delta S_2 + \Delta S_3 = +118 \text{ J K}^{-1}\text{ mol}^{-1}$$

Exercício proposto 4.3

Calcule a entropia de vaporização do benzeno a 25 °C a partir dos seguintes dados: T_{eb} = 353,2 K, $\Delta_{vap}H^{\ominus}(T_{eb})$ = 30,8 kJ mol^{-1}, $C_{p,m}$(l) = 136,1 J K^{-1} mol^{-1}, $C_{p,m}$(g) = 81,6 J K^{-1} mol^{-1}.

Resposta: 96,4 J K^{-1} mol^{-1}

4.6 Variação de entropia nas vizinhanças

Podemos usar a definição de entropia da Eq. 4.1 para calcular a variação de entropia nas vizinhanças em contato com o sistema à temperatura T:

$$\Delta S_{viz} = \frac{q_{viz,rev}}{T}$$

As vizinhanças são tão extensas que permanecem sob pressão constante independentemente dos eventos que ocorrem no sistema, logo $q_{viz,rev} = \Delta H_{viz}$. A entalpia é uma função de estado, assim uma mudança em seu valor é independente do processo, e o mesmo valor da ΔH_{viz} será atingido independentemente de como o calor seja transferido. Portanto, podemos retirar o índice 'rev' em q e escrever

$$\Delta S_{viz} = \frac{q_{viz}}{T} \qquad (4.8)$$

Variação de entropia das vizinhanças em termos do aquecimento das vizinhanças

Podemos usar esta fórmula para calcular a variação de entropia das vizinhanças, independentemente de a transformação no sistema ser reversível ou não.

Exemplo 4.2

Cálculo da variação de entropia das vizinhanças

Normalmente, uma pessoa em repouso aquece as vizinhanças a uma taxa de cerca de 100 W. Calcule a entropia que essa pessoa gera nas vizinhanças no decorrer de um dia, a 20 °C.

Estratégia Podemos calcular a variação aproximada de entropia a partir da Eq. 4.8, uma vez que tenhamos calculado a energia transferida como calor. Para achar esta quantidade, usamos 1 W = 1 J s^{-1} e o fato de que há 86.400 s em um dia. Convertemos a temperatura para kelvins.

Solução O calor transferido para as vizinhanças no decorrer de um dia é

$$q_{viz} = (86.400 \text{ s}) \times (100 \text{ J s}^{-1}) = 86.400 \times 100 \text{ J}$$

O aumento de entropia das vizinhanças é, portanto,

$$\Delta S_{viz} = \frac{q_{viz}}{T} = \frac{86.400\times100 \text{ J}}{293 \text{ K}} = +2{,}95\times10^4 \text{ J K}^{-1}$$

Isto é, a produção de entropia é cerca de 30 kJ K^{-1}. Só para estar vivo, cada pessoa no planeta contribui com, aproximadamente, 30 kJ K^{-1} por dia para a entropia das suas vizinhanças. O uso de transportes, máquinas e comunicações gera muito mais do que isso.

Exercício proposto 4.4

Suponha que um réptil pequeno desprenda 0,50 W. Qual a entropia gerada pelo réptil no decorrer de um dia, na água do lago onde vive, cuja temperatura é de 15 °C?

Resposta: +150 J K^{-1}

A Eq. 4.8 é expressa em termos da energia fornecida como calor às *vizinhanças*, q_{viz}. Normalmente, temos informações sobre a energia fornecida ou liberada como calor pelo *sistema*, q. As duas quantidades estão relacionadas por $q_{viz} = -q$. Por exemplo, se q = +100 J, um fluxo de entrada de 100 J, então q_{viz} = −100 J, indicando que as vizinhanças perderam 100 J. Portanto, neste estágio, podemos substituir q_{viz} por $-q$ na Eq. 4.8 e escrever

$$\Delta S_{viz} = -\frac{q}{T} \qquad (4.9)$$

Variação de entropia das vizinhanças em termos do aquecimento do sistema

Esta expressão está em função das propriedades do sistema. Além disso, é aplicável seja o processo que está ocorrendo no sistema reversível, ou não.

Para obtermos uma interpretação da Eq. 4.9, vamos considerar dois cenários:

- Suponha que um gás perfeito se expanda isotérmica e reversivelmente de V_i até V_f. A variação de entropia do próprio gás (o sistema) é determinada por meio da Eq. 4.2. Para calcular a variação de entropia nas vizinhanças, levamos em conta que q, o calor necessário para manter constante a temperatura, é dado na Dedução 4.1. Por conseguinte:

$$\Delta S_{viz} = -\frac{q}{T} = -\frac{nRT\ln(V_f/V_i)}{T} \overset{\text{cancelando } T}{=} -nR\ln\frac{V_f}{V_i}$$

  A variação de entropia nas vizinhanças é, portanto, o negativo da variação de entropia do sistema e a variação de entropia total para o processo reversível é zero.

- Vamos admitir, agora, que o gás se expanda de modo isotérmico, mas livre (p_{ex} = 0), entre os mesmos dois volumes. A variação de entropia do sistema é a mesma, pois a entropia é uma função de estado. Entretanto, como ΔU = 0, com relação à expansão isotérmica de um gás perfeito sem que tenha havido nenhum trabalho, nenhum calor é transferido das vizinhanças. Como q = 0, segue-se da Eq. 4.9 (que, lembre-se, pode ser usada tanto para a transferência de calor reversível como irreversível) que $\Delta S_{viz} = 0$. A variação total de entropia é então igual à variação de entropia do sistema, que é positiva. Vemos que, para esse processo irreversível, a entropia do universo aumentou, de acordo com a Segunda Lei.

Se uma reação química ou uma transição de fase ocorre em pressão constante, podemos identificar q na Eq. 4.9 com a variação de entalpia do sistema, e obter

$$\Delta S_{viz} = -\frac{\Delta H}{T} \quad \text{Pressão constante} \quad \text{Variação de entropia das vizinhanças} \qquad (4.10)$$

Esta expressão de enorme importância será o centro da nossa discussão sobre o equilíbrio químico. Vemos que é consistente com o senso comum: se o processo for exotérmico, ΔH é negativo e então ΔS_{viz} é positivo. A entropia das vizinhanças aumenta se o calor for transferido para as mesmas. Se o processo for endotérmico ($\Delta H > 0$), então a entropia das vizinhanças diminui.

4.7 A interpretação molecular da entropia

Referimo-nos frequentemente à 'desordem molecular' e interpretamos a quantidade de entropia termodinâmica em termos desse conceito até agora definido de forma imprecisa. Entretanto, o conceito de desordem pode ser expresso precisamente e usado para calcular a entropia. O procedimento necessário será descrito no Capítulo 22, pois baseia-se em informações que ainda não conhecemos. Entretanto, é possível compreender a base da abordagem que será utilizada no Capítulo 22 e ver como a mesma esclarece o que já sabemos até agora.

A equação fundamental de que necessitamos é a **fórmula de Boltzmann,** originalmente proposta por Ludwig Boltzmann no final do século XIX (e gravada como epitáfio em sua tumba):

$$S = k \ln W \quad \text{Fórmula de Boltzmann para a entropia} \qquad (4.11)$$

na qual $k = 1{,}381 \times 10^{-23}$ J K^{-1} é a constante de Boltzmann (Fundamentos 0.11). A grandeza W é o número de maneiras pelas quais as moléculas da amostra podem ser distribuídas correspondendo à mesma energia total, e é formalmente chamada de 'peso' de uma 'configuração' da amostra. Cada maneira de se distribuírem as moléculas de um sistema (com a restrição de manter a energia total constante) é chamada de um 'microestado' do sistema.

■ Breve ilustração 4.8 O peso de uma configuração

Suponha que tenhamos um pequeno sistema de quatro moléculas A, B, C e D, que podem ocupar três níveis igualmente espaçados de energia, 0, ε e 2ε, sabendo-se que a energia total é 4ε. Os 19 arranjos mostrados na Figura 4.10 são possíveis, logo $W = 19$ e o sistema tem 19 microestados.

Exercício proposto 4.5

Quantos arranjos são possíveis para o caso de três moléculas que possam ocupar três níveis igualmente espaçados de energia, 0, ε e 2ε, sabendo-se que a energia total é 3ε?

Resposta: 7

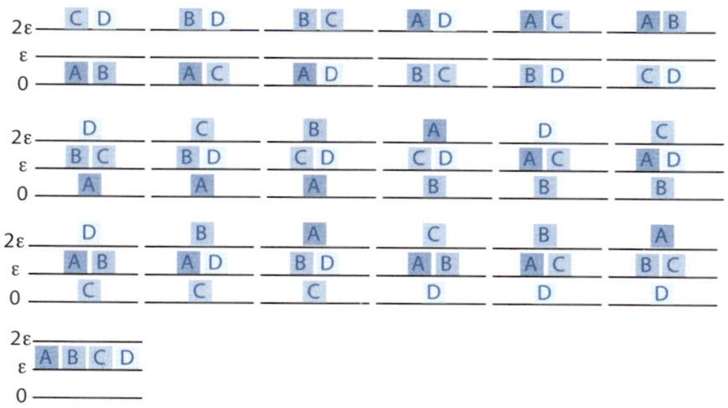

Figura 4.10 Os 19 arranjos de quatro moléculas (representadas pelos blocos) em um sistema com três níveis de energia e uma energia total 4ε.

A entropia calculada pela expressão de Boltzmann é também denominada **entropia estatística.** Pode-se observar que se $W = 1$, o que corresponde a um único microestado (uma única maneira de obter dada energia, todas as moléculas estão exatamente no mesmo estado), então $S = 0$ uma vez que $\ln 1 = 0$. Entretanto, se o sistema pode existir em mais de um microestado, tem-se que $W > 1$ e $S > 0$. Esses são resultados importantes, aos quais iremos voltar na Seção 4.9. No momento, devemos observar que, se as moléculas no sistema têm acesso a um número maior de níveis de energia, podem existir mais maneiras de obter determinada energia total. Ou seja, existem mais microestados para dado valor de energia total, W é maior e a entropia é maior que quando existem menos níveis possíveis. Portanto, a interpretação estatística da entropia resumida pela fórmula de Boltzmann é consistente com a nossa afirmação prévia de que a entropia está relacionada com a dispersão da energia. Por exemplo, quando ocorre a expansão de um gás perfeito, os níveis de energia translacional possíveis se tornam mais próximos (Fig. 4.11; esta é uma conclusão da teoria quântica que nós iremos verificar no Capítulo 12). Assim, é possível se distribuírem as moléculas nesses níveis de mais maneiras do que quando o volume do recipiente é menor e os níveis de energia se encontram mais distantes. Isto é, quando o recipiente se expande, W aumenta, e, portanto, S também aumenta. Não é coincidência que a expressão termodinâmica para ΔS (Eq. 4.2) seja proporcional

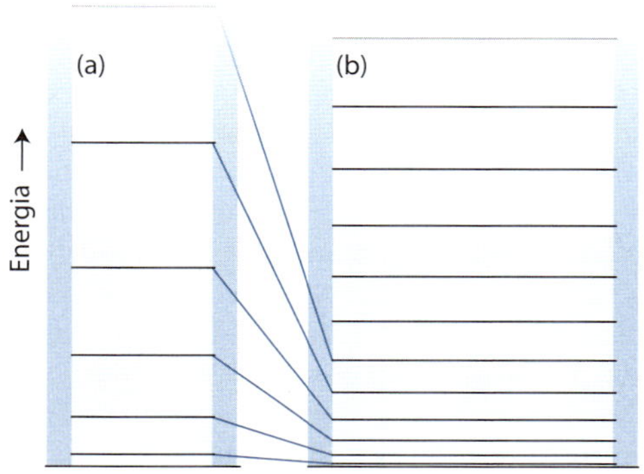

Figura 4.11 À medida que uma caixa se expande, os níveis de energia das partículas em seu interior ficam mais próximos. A certa temperatura, o número de arranjos que correspondem à mesma energia total é maior quando os níveis de energia estão mais próximos do que quando estão mais afastados.

a um logaritmo: o logaritmo na fórmula de Boltzmann nos conduz à mesma expressão logarítmica (veja o Capítulo 22).

■ Breve ilustração 4.9 Utilizando a expressão de Boltzmann

Suponhamos que um polímero flexível e de cadeia grande possa adotar $1,0 \times 10^{31}$ conformações distintas da mesma energia. Segue da Eq. 4.11 que a entropia do polímero é

$$S = \overbrace{(1{,}381\times10^{-23}\ \mathrm{J\ K^{-1}})}^{k}\times\ln\overbrace{(1{,}0\times10^{31})}^{W} = 9{,}9\times10^{-22}\ \mathrm{J\ K^{-1}}$$

Multiplicando o resultado obtido pela constante de Avogadro, obtém-se a entropia molar: $S_m = 6{,}0 \times 10^2\ \mathrm{J\ K^{-1}mol^{-1}}$.

A fórmula de Boltzmann também esclarece a definição termodinâmica da entropia (Eq. 4.1), em especial o papel da temperatura. As moléculas em um sistema sob altas temperaturas podem ocupar um grande número dos níveis de energia disponíveis, de modo que uma pequena transferência de energia para o sistema, sob a forma de calor, provocará uma mudança relativamente pequena no número dos níveis de energia acessíveis. Consequentemente, o número de microestados não aumenta muito, nem a entropia do sistema. De forma oposta, as moléculas em um sistema sob baixas temperaturas podem acessar menos níveis de energia (a $T = 0$, apenas o nível de mais baixa energia é acessível). Nessas circunstâncias, a transferência da mesma quantidade de energia por aquecimento aumentará significativamente o número de níveis de energia acessíveis e o número de microestados. Portanto, a variação de entropia, devido ao aquecimento, será maior quando a energia for transferida para um corpo frio do que para um corpo quente. Esse argumento sugere que a variação de entropia deve ser inversamente proporcional à temperatura na qual a transferência ocorre, como na Eq. 4.1.

4.8 Entropia absoluta e a Terceira Lei da termodinâmica

O procedimento gráfico, resumido pela Figura 4.8, para a determinação da diferença de entropia de uma substância em duas temperaturas tem uma aplicação muito importante. Se $T_i = 0$, então a área no gráfico, entre $T = 0$ e sob uma temperatura T qualquer, dá o valor de $\Delta S = S(T) - S(0)$. Estamos supondo que não haja nenhuma transição de fase para temperaturas menores do que a temperatura T. Se houver qualquer transição de fase (por exemplo, fusão) no intervalo de temperatura de interesse, então a entropia de cada transição, na temperatura de transição, é calculada por meio de uma equação como a Eq. 4.6. Em qualquer caso, em $T = 0$, todo o movimento dos átomos desaparece e não há nenhuma desordem térmica. Além disso, se a substância é perfeitamente cristalina, com cada átomo em uma posição bem definida, assim também não existe nenhuma desordem espacial. Podemos suspeitar, portanto, que em $T = 0$, a entropia é nula. Quando estudarmos a mecânica quântica, iremos ver que as moléculas não perdem toda a sua energia vibracional, retendo assim algum movimento mesmo em $T = 0$. Entretanto, todas estão em um mesmo estado (o de mais baixa energia), e, nesse sentido, não têm nenhuma desordem térmica.

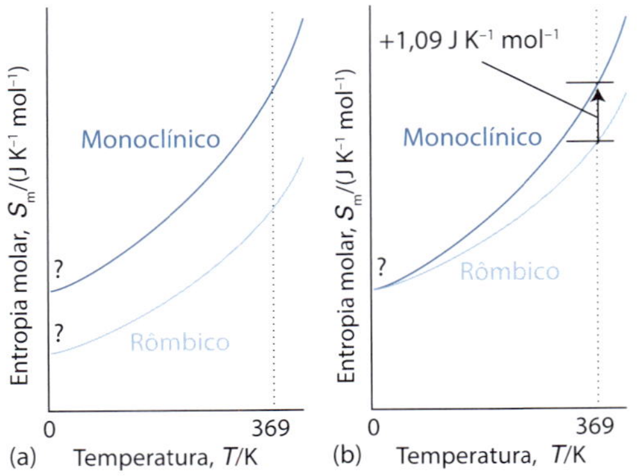

Figura 4.12 (a) As entropias molares do enxofre monoclínico e do enxofre rômbico variam com a temperatura conforme se verifica nesta figura. Nesse estágio, ainda não conhecemos seus valores em $T = 0$. (b) Quando deslocamos as duas curvas, de modo a fazer com que a separação entre elas seja igual à entropia de transição medida na temperatura de transição, verificamos que as entropias das duas formas são as mesmas em $T = 0$.

Um exemplo da evidência termodinâmica para a conclusão de que $S(0) = 0$ é o seguinte. O enxofre sofre uma transição de fase de rômbico para monoclínico, a 96 °C (369 K), e a entalpia da transição é $+402\ \mathrm{J\ mol^{-1}}$. A entropia da transição é então $\Delta S = (+402\ \mathrm{J\ K^{-1}\ mol^{-1}})/(369\ \mathrm{K}) = +1{,}09\ \mathrm{J\ K^{-1}\ mol^{-1}}$, nessa temperatura. Podemos também medir a entropia molar de cada fase em relação ao seu valor em $T = 0$, determinando a capacidade calorífica de $T = 0$ até a temperatura de transição (Fig. 4.12). Neste momento, ainda não sabemos os valores das entropias em $T = 0$. Porém, como vemos na figura, para igualar a entropia de transição observada a 369 K, é necessário que *as entropias molares das duas formas cristalinas sejam as mesmas em $T = 0$*. Não podemos dizer que as entropias são zero em $T = 0$, mas a partir dos dados experimentais sabemos que são as mesmas. Essa observação é generalizada na **Terceira lei da termodinâmica:**

> As entropias de todas as substâncias perfeitamente cristalinas são as mesmas em $T = 0$. — A Terceira Lei

Por conveniência (e de acordo com a nossa compreensão da entropia sendo uma medida da desordem), consideramos esse valor comum como zero. Por conseguinte, com essa convenção, e de acordo com a terceira lei,

> $S(0) = 0$ para todos os materiais cristalinos perfeitamente ordenados.

A **entropia da Terceira Lei** em qualquer temperatura, $S(T)$, é igual à área sob a curva no gráfico de C/T contra T, entre $T = 0$ e a temperatura T (Fig. 4.13). Se há transições de fase (por exemplo, fusão) no intervalo de temperatura de interesse, a entropia de cada transição à temperatura de transição é calculada da mesma forma que na Eq. 4.6, e sua contribuição é somada às contribuições de cada uma das fases, como mostrado na Figura 4.14. A entropia da Terceira Lei, em geral chamada simplesmente 'entropia' de uma substância, depende da pressão. Selecionamos, portanto, uma pressão padrão (1 bar) e registramos a **entropia molar padrão,** $S_m^{\ominus}$, a entropia molar de uma substância em seu estado padrão à temperatura de interesse. Na Tabela 4.2 apresentamos alguns valores a 298,15 K (temperatura convencional em que se registram os dados).

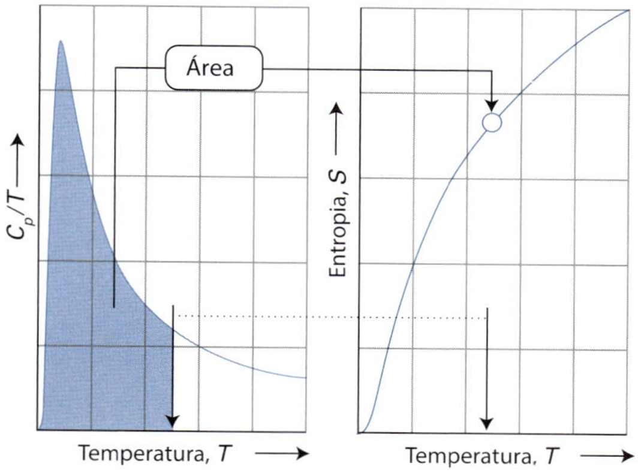

Figura 4.13 A entropia absoluta (ou entropia da Terceira Lei) de uma substância é calculada estendendo-se a medida das capacidades caloríficas até $T = 0$ (ou o mais perto possível desse valor) e determinando-se a área no gráfico de C_p/T contra T até a temperatura de interesse. A área é igual à entropia absoluta à temperatura T.

Somente com muita dificuldade é que as capacidades caloríficas podem ser medidas em temperaturas muito baixas, em particular próximo de $T = 0$. Porém, como foi mencionado na Seção 2.9, verificou-se que muitas substâncias não metálicas têm uma capacidade calorífica que obedece à **lei T^3 de Debye:**

Em temperaturas perto de
$$T = 0,\ C_{p,\mathrm{m}} = aT^3 \qquad \text{Lei } T^3 \text{ de Debye} \qquad (4.12a)$$

pela qual a é uma constante empírica que depende da substância e que é determinada ajustando-se a Eq. 4.12a a uma série de medidas de capacidade calorífica perto de $T = 0$. Conhecendo o valor de a, é fácil calcular, como mostramos na Dedução vista a seguir, a entropia molar em baixas temperaturas:

Em temperaturas perto de
$$T = 0,\ S_\mathrm{m}(T) = \tfrac{1}{3}C_{p,\mathrm{m}}(T) \qquad \text{Entropia em baixas temperaturas} \qquad (4.12b)$$

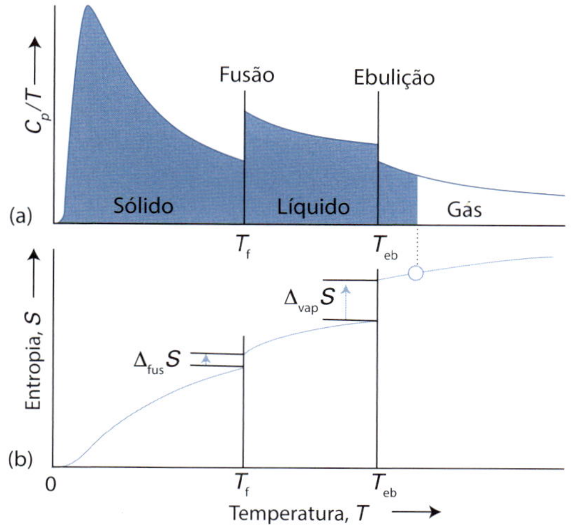

Figura 4.14 Determinação da entropia a partir de dados de capacidade calorífica. (a) Variação de C_p/T com a temperatura da amostra. (b) A entropia é igual à área sob a curva superior até a temperatura de interesse mais a entropia de cada transição de fase entre $T = 0$ e a temperatura de interesse.

Tabela 4.2

Entropias molares padrão de algumas substâncias a 298,15 K*

Substância	$S^\ominus_\mathrm{m}$/(J K^{-1} mol^{-1})
Gases	
Amônia, NH_3	192,5
Dióxido de carbono, CO_2	213,7
Hélio, He	126,2
Hidrogênio, H_2	130,7
Neônio, Ne	146,3
Nitrogênio, N_2	191,6
Oxigênio, O_2	205,1
Vapor de água, H_2O	188,8
Líquidos	
Água, H_2O	69,9
Benzeno, C_6H_6	173,3
Etanol, CH_3CH_2OH	160,7
Sólidos	
Carbonato de cálcio, $CaCO_3$	92,9
Carbonato de magnésio, $MgCO_3$	65,7
Chumbo, Pb	64,8
Cloreto de sódio, NaCl	72,1
Cobre, Cu	33,2
Diamante, C	2,4
Estanho, Sn (branco)	51,6
Sn (cinza)	44,1
Grafita, C	5,7
Óxido de cálcio, CaO	39,8
Óxido de magnésio, MgO	26,9
Sacarose, $C_{12}H_{22}O_{11}$	360,2

*Veja a *Seção de Dados* para mais valores.

Ou seja, a entropia molar em temperatura baixa, T, é igual a um terço da capacidade calorífica sob pressão constante àquela temperatura. A lei T^3 de Debye se aplica estritamente a C_p, mas C_p e C_V convergem quando $T \to 0$. Assim, podemos também usá-la para estimar C_V sem erro significativo a baixas temperaturas.

Dedução 4.4

Entropia perto de $T = 0$

Novamente, usamos a expressão geral, Eq. 4.4, para a variação de entropia associada a uma variação de temperatura obtida na Dedução 4.2, com ΔS interpretado como $S(T_f) - S(T_i)$, considerando valores molares e supondo que o aquecimento ocorre sob pressão constante.

$$S_\mathrm{m}(T_f) - S_\mathrm{m}(T_i) = \int_{T_i}^{T_f} \frac{C_{p,\mathrm{m}}}{T}\,\mathrm{d}T$$

Se fizermos $T_i = 0$ e T_f igual a um valor geral T de temperatura, transformamos essa expressão em

$$S_\mathrm{m}(T) - \overbrace{S_\mathrm{m}(0)}^{0} = \int_0^T \frac{C_{p,\mathrm{m}}}{T}\,\mathrm{d}T$$

Segundo a Terceira Lei, $S(0) = 0$, e conforme a lei T^3 de Debye, $C_{p,m} = aT^3$, logo

$$S_m(T) = \int_0^T \frac{aT^3}{T}\,dT = a\int_0^T T^2\,dT$$

Neste ponto, podemos usar a integral padrão

$$\int x^2 dx = \tfrac{1}{3}x^3 + \text{constante}$$

para escrever

$$\int_0^T T^2 dT = (\tfrac{1}{3}T^3 + \text{constante})\Big|_0^T$$
$$= (\tfrac{1}{3}T^3 + \text{constante}) - \text{constante} = \tfrac{1}{3}T^3$$

Podemos concluir que

$$S_m(T) = \tfrac{1}{3}aT^3 = \tfrac{1}{3}C_{p,m}(T)$$

como na Eq. 4.12b.

4.9 A interpretação molecular da Terceira Lei

Podemos facilmente verificar que a fórmula de Boltzmann (Eq. 4.11) concorda com o valor da Terceira Lei, $S(0) = 0$. Quando $T = 0$, todas as moléculas têm de estar em seu nível mais baixo de energia. Como existe apenas um único arranjo de moléculas, $W = 1$ e, como $\ln 1 = 0$, a Eq. 4.11 dá $S = 0$ também. Podemos igualmente ver que a fórmula de Boltzmann é consistente com a entropia de uma substância ser sempre positiva (pois $W \geq 1$, e assim o logaritmo natural que aparece na Eq. 4.11 nunca será negativo), e aumentar com a temperatura. Quanto $T > 0$, as moléculas de uma amostra podem ocupar níveis de energia acima do mais baixo; de modo que muitos arranjos diferentes das mesmas moléculas corresponderão à mesma energia total (Fig. 4.15). Isto é, quando $T > 0$, $W > 1$ e de acordo com a Eq. 4.11 a entropia se eleva acima de zero (porque $\ln W > 0$ quando $W > 1$).

Vale a pena parar um instante para analisar os valores na Tabela 4.2 a fim de verificar que são consistentes com a nossa interpretação molecular da entropia. Por exemplo, a entropia molar padrão do diamante (2,4 J K^{-1} mol^{-1}) é menor do que a da grafita (5,70 J K^{-1} mol^{-1}). Essa diferença é consistente com o fato de os átomos estarem unidos menos rigidamente na grafita do que no diamante e, por isso, a sua desordem térmica é correspondentemente maior. As entropias molares padrão do gelo, da água e do vapor de água, a 25 °C, são, respectivamente, 45, 70 e 189 J K^{-1} mol^{-1}, e o aumento nos valores corresponde à desordem crescente em ir de um sólido para um líquido e, deste último, para um gás.

A fórmula de Boltzmann fornece-nos uma explicação para uma conclusão muito surpreendente: a entropia de algumas substâncias é maior que zero em $T = 0$, contradizendo aparentemente a Terceira Lei. Quando a entropia do monóxido de carbono gasoso é medida termodinamicamente (a partir de dados de capacidade calorífica e de ponto de ebulição, e assumindo por meio da Terceira Lei que a entropia é zero em $T = 0$), observa-se que $S_m^{\ominus}(298\ \text{K}) = 192$ J K^{-1} mol^{-1}. No entanto, quando a fórmula de Boltzmann é usada e os dados moleculares relevantes são incluídos, a entropia molar padrão calculada é 198 J K^{-1} mol^{-1}. Uma explicação seria que os cálculos termodinâmicos deixaram de considerar uma transição de fase no monóxido de carbono sólido que teria contribuído com os 6 J K^{-1} mol^{-1} restantes. Uma explicação alternativa é que as moléculas de CO são desordenadas no sólido, mesmo em $T = 0$, e que há uma contribuição para a entropia em $T = 0$ proveniente de uma desordem de localização que está congelada. Essa contribuição é denominada **entropia residual** de um sólido.

Podemos calcular o valor da entropia residual usando a fórmula de Boltzmann e supondo que, em $T = 0$, cada molécula de CO pode se encontrar em uma de duas orientações (Fig. 4.16). Desse modo, o número total de maneiras de distribuir N moléculas é $(2 \times 2 \times 2\ldots)_{N\ \text{vezes}} = 2^N$. Portanto,

$$S = k \ln 2^N = Nk \ln 2$$

(Usamos $\ln x^a = a \ln x$; veja Ferramentas do químico 2.2.) A entropia residual molar é obtida substituindo N pela constante de Avogadro:

$$S_m = N_A k \ln 2 = R \ln 2$$

Essa expressão tem o valor de 5,8 J K^{-1} mol^{-1}, em bom acordo com o valor necessário para tornar o valor termodinâmico coerente com o valor estatístico; em vez de usar $S_m(0) = 0$ no cálculo termodinâmico, devemos usar $S_m(0) = 5{,}8$ J K^{-1} mol^{-1}.

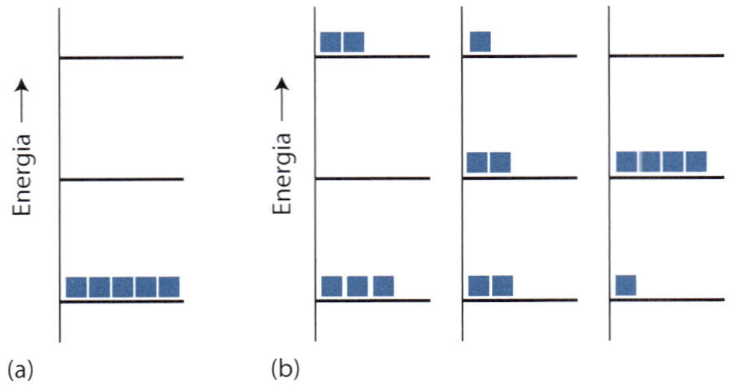

Figura 4.15 Os arranjos de moléculas nos níveis de energia disponíveis determinam o valor da entropia estatística. (a) Em $T = 0$, há apenas um arranjo possível: todas as moléculas devem estar no seu nível de energia mais baixo. (b) Quando $T > 0$, vários arranjos podem corresponder à mesma energia total. Nesse caso simples, $W = 3$.

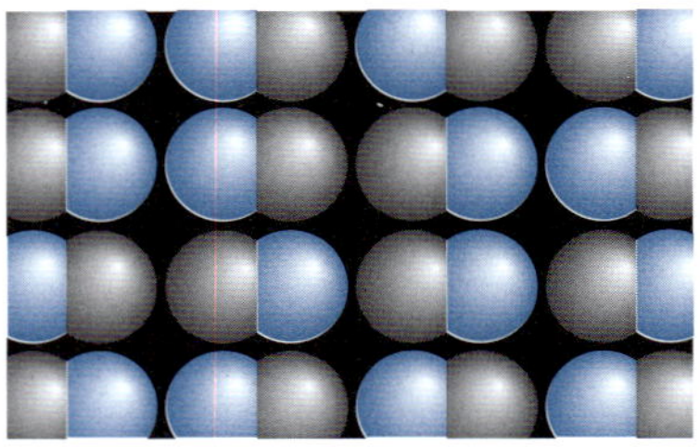

Figura 4.16 A desordem de localização de uma substância explica a entropia residual de moléculas que podem adotar uma de duas orientações em $T = 0$ (neste caso, CO). Se há N moléculas na amostra, haverá 2^N arranjos possíveis com a mesma energia.

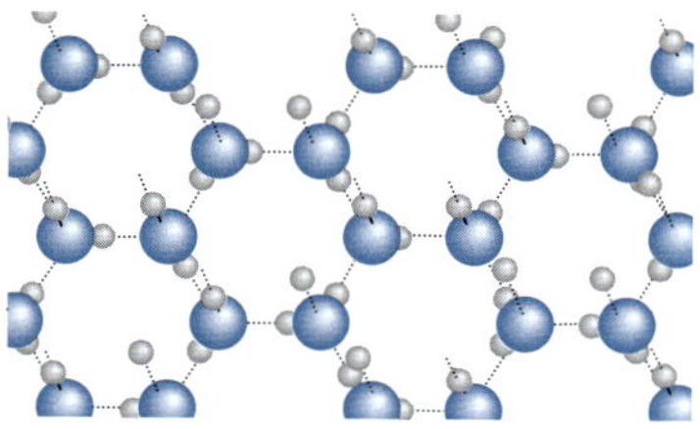

Figura 4.17 A origem da entropia residual do gelo é a aleatoriedade na localização do átomo de hidrogênio nas ligações O—H···H entre moléculas vizinhas. Observe que cada molécula tem duas ligações O—H curtas e duas ligações de hidrogênio O···H longas. Esse diagrama esquemático mostra um arranjo possível.

■ **Breve ilustração 4.10** Entropia residual

O gelo tem uma entropia residual de 3,4 J K^{-1} mol^{-1}. Esse valor pode ser explicado pela desordem de localização dos átomos de H que ficam entre moléculas vizinhas. Assim, embora cada molécula de H_2O tenha duas ligações covalentes O—H curtas e duas ligações O···H—O longas, há uma aleatoriedade em termos de quais ligações são longas e quais são curtas (Fig. 4.17). Quando a estatística dessa desordem é analisada para uma amostra que contém N moléculas, obtém-se que $W = (3/2)^N$. Segue-se então que a entropia residual deve ser $S = k \ln (3/2)^N = Nk \ln 3/2$. Portanto, a entropia residual molar é $S_m(0) = R \ln 3/2$, que tem o valor 3,4 J K^{-1} mol^{-1}, de acordo com o valor experimental.

Exercício proposto 4.6

Calcule a entropia residual molar de um sólido cujas moléculas possam existir em seis orientações de igual energia em $T = 0$.

Resposta: $S_m(0)$ = 14,9 J K^{-1} mol^{-1}

4.10 A entropia-padrão de reação

Agora passamos para a área da química, na qual os reagentes se transformam nos produtos. Quando há formação resultante de um gás em uma reação, como em uma combustão, podemos prever que normalmente a entropia aumenta. Quando há um consumo resultante de gás, como na fotossíntese, é, em geral, correto prever que a entropia diminua. Entretanto, para estimarmos um valor quantitativo da variação de entropia e para prever o sinal da variação quando nenhum gás estiver envolvido, precisamos realizar um cálculo detalhado.

A diferença de entropia molar entre os produtos e os reagentes em seus respectivos estados-padrão é chamada de **entropia-padrão de reação,** $\Delta_r S^\ominus$. Essa diferença pode ser expressa em termos das entropias molares das substâncias, do mesmo modo como usamos na entalpia-padrão de reação:

$$\Delta_r S^\ominus = \sum \nu S_m^\ominus(\text{produtos}) - \sum \nu S_m^\ominus(\text{reagentes}) \qquad \text{Entropia-padrão de reação} \qquad (4.13)$$

em que os ν são os coeficientes estequiométricos na equação química.

■ **Breve ilustração 4.11** Entropia-padrão de reação

Para a reação $2\,H_2(g) + O_2(g) \rightarrow 2\,H_2O(l)$ esperamos uma entropia de reação negativa, tendo em vista que gases são consumidos na reação. Para determinar o valor explicitamente, usamos os valores da *Seção de Dados* para escrever

$$\begin{aligned}\Delta_r S^\ominus &= 2S_m^\ominus(H_2O,l) - \{2S_m^\ominus(H_2,g) + S_m^\ominus(O_2,g)\}\\ &= 2(70\ \text{J K}^{-1}\ \text{mol}^{-1}) - \{2(131\ \text{J K}^{-1}\ \text{mol}^{-1})\\ &\quad + (205\ \text{J K}^{-1}\ \text{mol}^{-1})\}\\ &= -327\ \text{J K}^{-1}\ \text{mol}^{-1}\end{aligned}$$

Uma nota sobre a boa prática Não cometa o erro de fixar as entropias molares padrão dos elementos como iguais a zero: essas entropias têm valores diferentes de zero (desde que $T > 0$), conforme já discutimos.

Exercício proposto 4.7

(a) Calcule a entropia-padrão de reação para $N_2(g) + 3\,H_2(g) \rightarrow 2\,NH_3(g)$, a 25 °C. (b) Qual a variação de entropia quando 2 mol de H_2 reagem?

Resposta: (a) (Usando valores da Tabela 4.2) −198,7 J K^{-1} mol^{-1}; (b) −132,5 J K^{-1}

4.11 A espontaneidade das reações químicas

O resultado do cálculo na Breve Ilustração 4.11 deve ser, à primeira vista, muito surpreendente. Sabemos que a reação entre o hidrogênio e o oxigênio é espontânea e que, uma vez iniciada, avança explosivamente. Não obstante, a variação de entropia que a acompanha é negativa: a reação resulta em menos desordem, contudo é espontânea!

A resolução desse aparente paradoxo realça uma característica da entropia que se repete ao longo da química: *é essencial considerar a entropia tanto do sistema como das suas vizinhanças ao decidir se um processo é espontâneo ou não.* A redução da entropia de 327 J K^{-1} mol^{-1} só está relacionada com o sistema na mistura reacional $2\,H_2(g) + O_2(g) \rightarrow 2\,H_2O(l)$. Para aplicar a Segunda Lei corretamente, precisamos calcular a entropia *total*, a soma das variações de entropia no sistema e nas vizinhanças que, conjuntamente, formam o 'sistema isolado' a que se refere a Segunda Lei. Pode ser que a entropia do sistema diminua quando ocorre uma transformação, mas pode haver um aumento mais do que compensador na entropia das vizinhanças, de modo que a variação global da entropia seja positiva. O oposto também pode ser verdade: pode ocorrer uma grande diminuição na entropia das vizinhanças quando a entropia do sistema aumenta. Nesse caso, estaríamos errados em concluir que a transformação é espontânea somente a partir do aumento da entropia do sistema. *Sempre que consideramos as implicações da entropia, é necessário que levemos em conta, sem exceção, a variação total do sistema e das suas vizinhanças.*

Para calcular a variação de entropia nas vizinhanças, quando uma reação ocorre sob pressão constante, usamos a Eq. 4.10, interpretando o ΔH naquela expressão como a entalpia-padrão da reação, $\Delta_r H^\ominus$.

■ **Breve ilustração 4.12** Variação de entropia nas vizinhanças, devido a uma reação química

Por exemplo, para a reação de formação da água 2 $H_2(g)$ + $O_2(g) \rightarrow 2\ H_2O(l)$, com $\Delta_r H^{\ominus} = -572\ \text{kJ mol}^{-1}$, a variação de entropia das vizinhanças (que são mantidas a 25 °C, a mesma temperatura da mistura reacional) é

$$\Delta_r S_{viz} = -\frac{\Delta_r H^{\ominus}}{T} = -\frac{(-572\times10^3\ \text{J mol}^{-1})}{298\ \text{K}}$$
$$= +1{,}92\times10^3\ \text{J K}^{-1}\ \text{mol}^{-1}$$

Podemos ver agora que a variação total de entropia é positiva:

$$\Delta_r S_{total} = (-327\ \text{J K}^{-1}\ \text{mol}^{-1}) + (1{,}92\times10^3\ \text{J K}^{-1}\ \text{mol}^{-1})$$
$$= +1{,}59\times10^3\ \text{J K}^{-1}\ \text{mol}^{-1}$$

Esse cálculo confirma que a reação é espontânea em condições-padrão. Nesse caso, a espontaneidade é resultado da desordem considerável que a reação gera nas vizinhanças: a água é levada a se formar, embora $H_2O(l)$ tenha uma entropia mais baixa do que os reagentes gasosos pela tendência da energia em se dispersar nas vizinhanças.

Exercício proposto 4.8

Calcule a variação de entropia das vizinhanças para a reação $N_2(g) + 3\ H_2(g) \rightarrow 2\ NH_3(g)$, a 25 °C. A entalpia-padrão da reação é conhecida $\Delta_r H^{\ominus} = -92{,}2\ \text{kJ mol}^{-1}$, assim como a entropia-padrão da reação $\Delta_r S^{\ominus} = -199\ \text{J K}^{-1}\ \text{mol}^{-1}$, nessa temperatura.

Resposta: $+111\ \text{J K}^{-1}\ \text{mol}^{-1}$

A energia de Gibbs

Um dos problemas ao se considerar a entropia já deve ter ficado claro: temos de trabalhar com duas variações de entropia, a variação no sistema e a variação nas vizinhanças e depois verificar o sinal da soma entre elas. O grande teórico norte-americano J. W. Gibbs (1839-1903), responsável pela fundamentação da termodinâmica química no fim do século XIX, descobriu como combinar esses dois cálculos em um só. A combinação dos dois procedimentos na realidade vem a ser de muito maior relevância do que a simples economia de trabalho no cálculo, e ao longo deste livro iremos ver as consequências da metodologia desenvolvida por Gibbs.

4.12 Funções do sistema

A variação de entropia total que ocorre devido a um processo é $\Delta S_{total} = \Delta S + \Delta S_{viz}$, em que ΔS é a variação de entropia do sistema; para uma transformação espontânea, $\Delta S_{total} > 0$. Se o processo ocorrer sob pressão e temperatura constantes, podemos usar Eq. 4.10 para expressar a variação da entropia das vizinhanças em termos da variação de entalpia do sistema, ΔH. Quando a expressão resultante é inserida na equação acima, obtemos

$$\Delta S_{total} = \Delta S - \frac{\Delta H}{T} \quad \text{Temperatura e pressão constantes} \quad \text{Variação total da entropia} \quad (4.14)$$

A grande vantagem dessa fórmula é que expressa a variação da entropia total do sistema e das suas vizinhanças em termos somente das propriedades do sistema. A única restrição é que a pressão e a temperatura permanecem constantes no decorrer do processo.

Vamos agora dar um passo muito importante. Para começar, introduziremos a **energia de Gibbs**, G, que é definida como

$$G = H - TS \quad \text{Definição} \quad \text{Energia de Gibbs} \quad (4.15)$$

A energia de Gibbs, geralmente, é chamada de 'energia livre' ou 'energia livre de Gibbs'. Como H, T e S são funções de estado, G também é uma função de estado. A variação da energia de Gibbs, ΔG, sob temperatura constante, surge devido às variações da entalpia e da entropia e é dada por

$$\Delta G = \Delta H - T\Delta S \quad \text{Temperatura constante} \quad \text{Variação da energia de Gibbs} \quad (4.16)$$

Comparando as Eqs. 4.14 e 4.16, obtemos

$$\Delta G = -T\Delta S_{total} \quad \text{Temperatura e pressão constantes} \quad \text{Variação da energia de Gibbs} \quad (4.17)$$

Vemos que, sob temperatura e pressão constantes, a variação da energia de Gibbs de um sistema é proporcional à variação global de entropia do sistema mais a das suas vizinhanças.

A diferença em sinal entre ΔG e ΔS_{total} implica que a condição para um processo ser espontâneo muda de $\Delta S_{total} > 0$, em termos da entropia total (que é sempre verdade), para $\Delta G < 0$, em termos da energia de Gibbs (com relação a processos que ocorrem sob temperatura e pressão constantes). Ou seja, *em uma transformação espontânea, sob temperatura e pressão constantes, a energia de Gibbs diminui* (Fig. 4.18).

Pode parecer mais natural pensar em um sistema como se deslocando para um valor mais baixo de alguma propriedade. Porém, nunca se deve esquecer que, dizer que um sistema tende a se deslocar para uma energia de Gibbs menor, é só um modo diferente de dizer que um sistema e suas vizinhanças tendem, juntos, para uma entropia total maior. O *único* critério de espontaneidade é a entropia total do sistema e das suas vizinhanças; a energia de Gibbs é apenas outra maneira de expressar a variação da entropia total em função somente das

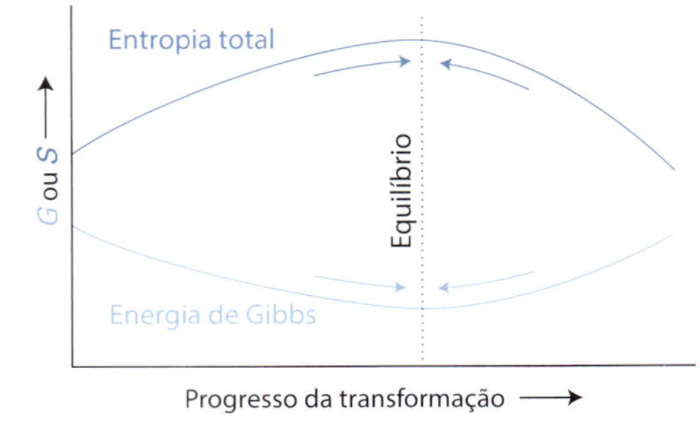

Figura 4.18 (a) O critério para uma transformação ser espontânea é o aumento da entropia do sistema e das suas vizinhanças. (b) Dado que se aceite a limitação de trabalhar a uma pressão e temperatura constantes, podemos nos deter inteiramente nas propriedades do sistema e expressar o critério de espontaneidade como uma tendência do sistema em se deslocar para um estado com uma energia de Gibbs menor.

propriedades do sistema, e só é válida para processos que ocorrem sob temperatura e pressão constantes. Todas as reações químicas espontâneas, em condições de temperatura e pressão constantes, inclusive as responsáveis pelos processos de crescimento, aprendizagem e reprodução, são reações que ocorrem no sentido da energia de Gibbs menor, ou – em outra forma de exprimir a mesma coisa – resultam em um crescimento da entropia total do sistema e suas vizinhanças.

4.13 Propriedades da energia de Gibbs

Além de ser um critério de espontaneidade, uma segunda característica da energia de Gibbs é que *o valor de* ΔG *para um processo é igual à quantidade máxima de trabalho de não expansão que pode ser extraído do processo sob temperatura e pressão constantes*. Por **trabalho de não expansão**, w', queremos dizer todas as formas de trabalho diferentes daquela que surge da expansão do sistema. Pode incluir o trabalho elétrico, se o processo ocorre dentro de uma célula eletroquímica ou de uma célula biológica, ou outros tipos de trabalho mecânico, como o movimento de uma mola ou a contração de um músculo (vimos exemplos no Capítulo 2). Para demonstrar essa propriedade, precisamos combinar a Primeira Lei e a Segunda Lei. Como mostramos na Dedução 4.5, vista a seguir, obtemos

$$\Delta G = w'_{\text{máx}} \qquad \text{Temperatura e pressão constantes} \qquad \text{Energia de Gibbs e o trabalho de não expansão} \qquad (4.18)$$

■ Breve ilustração 4.13 Trabalho de não expansão

As experiências mostram que, para a formação de 1 mol de $H_2O(l)$ a 25 °C e 1 bar, $\Delta H = -286$ kJ e $\Delta G = -237$ kJ. Segue que até 237 kJ de trabalho de não expansão podem ser extraídos da reação entre o hidrogênio e o oxigênio formando 1 mol de $H_2O(l)$ a 25 °C. Se a reação ocorrer em uma pilha combustível – um dispositivo que usa uma reação química para produzir uma corrente elétrica semelhante aos usados nos ônibus espaciais – então até 237 kJ de energia elétrica podem ser gerados para cada mol de H_2O produzido. Essa energia é suficiente para manter uma lâmpada de 60 W acesa por cerca de 1,1 h. Se nenhuma energia for extraída como trabalho, então 286 kJ (em geral, ΔH) de energia serão produzidos como calor. Se uma parte da energia liberada é usada para fazer trabalho, então até 237 kJ (em geral, ΔG) de trabalho de não expansão podem ser obtidos.

Dedução 4.5

Trabalho máximo de não expansão

Precisamos considerar transformações infinitesimais, que tornam mais fácil lidar com processos reversíveis. Nosso objetivo é deduzir a relação entre a variação infinitesimal da energia de Gibbs, dG, que acompanha um processo, e a quantidade máxima de trabalho de não expansão que ocorre no processo, dw'. Começamos com a forma infinitesimal da Eq. 4.16,

Sob temperatura constante: $dG = dH - TdS$

em que, como é usual, d simboliza uma diferença infinitesimal. Uma regra útil para a manipulação de expressões termodinâmicas é substituir nas mesmas as definições dos termos que aí aparecem. Fazemos isso duas vezes. Primeiramente, usamos a expressão para a variação da entalpia sob pressão constante (Eq. 2.13: $dH = dU + pdV$) e obtemos

Sob temperatura e pressão constantes:
$$dG = dH - TdS = dU + pdV - TdS$$

Então substituímos dU em termos das contribuições infinitesimais do trabalho e do calor ($dU = dw + dq$):

$$dG = dU + pdV - TdS = dw + dq + pdV - TdS$$

Uma nota sobre a boa prática Como previamente mencionado no Capítulo 2, uma vez que calor e trabalho referem-se ao processo, e a energia interna é uma propriedade termodinâmica do sistema, o símbolo d apresenta significados diferentes quando associado a q, w e U. Especificamente, dU representa uma variação infinitesimal da energia interna do sistema, contudo, dq e dw representam uma *transferência* muito pequena de energia sob a forma de calor e de trabalho, respectivamente.

O trabalho feito no sistema consiste no trabalho de expansão, $-p_{ex}dV$, e no trabalho de não expansão, dw'. Portanto,

$$dG = dw + dq + pdV - TdS$$
$$= -p_{ex}dV + dw' + dq + pdV - TdS$$

Essa dedução é válida para qualquer processo que ocorra sob temperatura e pressão constantes.

Agora particularizamos para o caso de uma transformação reversível. Para o trabalho de expansão ser reversível, precisamos igualar p e p_{ex}. Nesse caso, o primeiro e o quarto termos à direita da expressão se cancelam. Além disso, como a transferência de calor também é reversível, podemos substituir dq por TdS, o que faz com que o terceiro e o quinto termos também se cancelem:

$$dG = -pdV + dw' + TdS + pdV - TdS$$

Ficamos com

Sob temperatura e pressão constantes, para um processo reversível: $dG = dw'_{rev}$

O trabalho máximo é realizado durante uma transformação reversível (Seção 2.4), assim, outro modo de escrever essa expressão é

Sob temperatura e pressão constantes: $dG = dw'_{\text{máx}}$

Como essa relação se mantém para cada etapa infinitesimal entre os estados inicial e final especificados, aplica-se também à transformação global. Assim, obtemos a Eq. 4.18.

Exemplo 4.3

Cálculo da variação da energia de Gibbs

Admita que um pássaro pequeno tenha uma massa de 30 g. Qual é a massa mínima de glicose que esse pássaro tem de consumir para voar para um galho que está situado 10 m acima do solo? A variação da energia de Gibbs proveniente da oxidação de 1,0 mol de $C_6H_{12}O_6(s)$ formando dióxido de carbono e água a 25 °C, é −2828 kJ.

Estratégia Em primeiro lugar, precisamos calcular o trabalho necessário para elevar uma massa m até uma altura h na superfície da Terra. Como vimos na Eq. 0.11, esse trabalho é igual a mgh em que g é a aceleração da gravidade. Trata-se de um trabalho de não expansão que pode ser igualado com ΔG. Precisamos determinar a quantidade de substância que corresponde à variação necessária da energia de Gibbs, e depois converter essa quantidade para massa por meio da massa molar da glicose.

Solução O trabalho de não expansão a ser feito é

$$w' = mgh = (30 \times 10^{-3}\ \text{kg}) \times (9{,}81\ \text{m s}^{-2}) \times (10\ \text{m})$$
$$= 3{,}0 \times 9{,}81 \times 1{,}0 \times 10^{-1}\ \text{J}$$

(porque 1 kg $\text{m}^2\ \text{s}^{-2}$ = 1 J). O número de mols de glicose, n, que deve ser oxidado para dar uma variação da energia de Gibbs com esse valor, admitindo que 1 mol forneça 2828 kJ, é

$$n = \frac{3{,}0 \times 9{,}81 \times 1{,}0 \times 10^{-1}\ \text{J}}{2{,}828 \times 10^{6}\ \text{J mol}^{-1}}$$

$$\overset{\text{cancelando J}}{=} \frac{3{,}0 \times 9{,}81 \times 1{,}0 \times 10^{-7}}{2{,}828}\ \text{mol}$$

Portanto, como a massa molar, M, da glicose é 180 g mol^{-1}, a massa, m, de glicose que deve ser oxidada é

$$m = nM = \left(\frac{3{,}0 \times 9{,}81 \times 1{,}0 \times 10^{-7}}{2{,}828}\ \text{mol}\right) \times (180\ \text{g mol}^{-1})$$

$$\overset{\text{cancelando mol}}{=} 1{,}9 \times 10^{-4}\ \text{g}$$

Isto é, o pássaro precisa consumir pelo menos 0,19 mg de glicose para o esforço mecânico (e mais ainda se o pássaro pensasse sobre isso).

Exercício proposto 4.9

Um cérebro humano que trabalha intensamente, talvez um que esteja envolvido com físico-química, opera com cerca de 25 W (1 W = 1 J s^{-1}). Que massa de glicose deve ser consumida para sustentar essa potência por uma hora?

Resposta: 5,7 g

A grande importância da energia de Gibbs na química deve estar começando a ficar clara. E, neste estágio, estamos vendo que se trata de uma medida dos recursos do trabalho de não expansão das reações químicas: se conhecemos ΔG, então sabemos o trabalho máximo de não expansão que podemos obter de uma reação, de alguma maneira. Em alguns casos, o trabalho de não expansão é extraído como energia elétrica. Esse é o caso quando a reação ocorre em uma pilha eletroquímica, da qual a pilha combustível é um caso especial, como iremos ver no Capítulo 9. Em outros casos, a reação pode ser usada na síntese de outras moléculas. É o caso das células biológicas, nas quais a energia de Gibbs disponível pela hidrólise do ATP (sigla inglesa do trifosfato de adenosina), formando ADP, é usada na síntese de proteínas a partir de aminoácidos para a contração muscular e para fazer funcionar os circuitos neuronais em nossos cérebros. Na verdade, uma argumentação simples envolvendo a entropia e a energia de Gibbs leva facilmente a uma explicação de por que a vida é consistente com a Segunda Lei (veja Impacto na biologia 4.2).

Essa interpretação pode ser expressa em termos de $\Delta G = \Delta H - T\Delta S$. Vimos na Seção 2.9 *que na ausência de trabalho de não expansão* ΔH corresponde à energia transferida como calor (sob pressão constante). Entretanto, em um processo reversível $T\Delta S$ é também igual à energia transferida como calor mesmo que outros processos, inclusive o trabalho de não expansão, estejam ocorrendo. Assim, a diferença entre essas duas quantidades deve representar a energia transferida por esses outros processos, especificamente o trabalho de não expansão realizado pelo sistema.

Impacto na biologia 4.2

A vida e a Segunda Lei

Toda reação química espontânea, sob condições de temperatura e pressão constantes, inclusive as envolvidas nos processos de crescimento, aprendizagem e reprodução, são reações que se desenvolvem na direção da diminuição da energia de Gibbs, ou – usando outra maneira de expressar a mesma coisa – são reações que resultam no aumento da entropia global do sistema e das suas vizinhanças. Baseado nestas ideias é possível explicar por que a vida, que é considerada como um conjunto de processos biológicos que ocorrem em um corpo altamente organizado, se desenvolve de acordo com a Segunda Lei da termodinâmica.

As condições celulares asseguram que muitas das reações que produzem a quebra dos alimentos nos organismos sejam espontâneas. Por exemplo, a dissociação de macromoléculas, como os açúcares e gorduras em moléculas menores, leva a uma dispersão de matéria na célula. A energia também é dispersada quando é liberada na reorganização das ligações químicas em alimentos que se tornam oxidados. Mais difícil de justificar é a necessidade de organização de um grande número de moléculas sob a forma de células biológicas que, por sua vez, se agrupam formando organismos para que a vida possa existir. Só para nos certificarmos, a entropia do sistema – o organismo – é muito pequena, pois a matéria se torna menos dispersa quando as moléculas se agrupam para formar células, tecidos, órgãos, e assim por diante. No entanto, a diminuição da entropia do sistema ocorre às custas de um aumento da entropia das vizinhanças.

Para entendermos esse ponto, precisamos saber que as células crescem e funcionam pela conversão parcial em trabalho da energia obtida do sol ou da oxidação dos alimentos. O restante dessa energia é liberado sob a forma de calor nas vizinhanças, assim $q_{viz} > 0$ e $\Delta S_{viz} > 0$. Como em qualquer processo, a vida sendo espontânea os organismos desenvolvem-se desde que o aumento da entropia das vizinhanças do organismo compense o decréscimo de entropia devido a seu crescimento. Por outro lado, pode-se dizer que $\Delta G < 0$ com relação à soma total dos processos físicos e químicos que chamamos de vida.

Verificação de conceitos importantes

☐ **1** Uma transformação espontânea é aquela que tende a ocorrer sem que para isso seja feito trabalho.

☐ **2** Matéria e energia tendem a se dispersar.

☐ **3** A Segunda Lei estabelece que a entropia de um sistema isolado tende a crescer.

☐ **4** Em geral, a variação de entropia que ocorre durante o aquecimento de um sistema é igual à área sob o gráfico de C/T em função de T entre as duas temperaturas de interesse.

☐ 5 A Terceira Lei da termodinâmica estabelece que a entropia de todas as substâncias perfeitamente cristalinas é a mesma em $T = 0$ (e pode ser tomada como zero).

☐ 6 A entropia residual de uma substância é sua entropia em $T = 0$ devido a qualquer desordem de localização restante.

☐ 7 Sob temperatura e pressão constantes, um sistema tende a evoluir na direção da energia de Gibbs decrescente.

☐ 8 Sob temperatura e pressão constantes, a variação da energia de Gibbs durante um processo é igual ao trabalho máximo de não expansão que o processo pode realizar.

Mapa conceitual das equações importantes

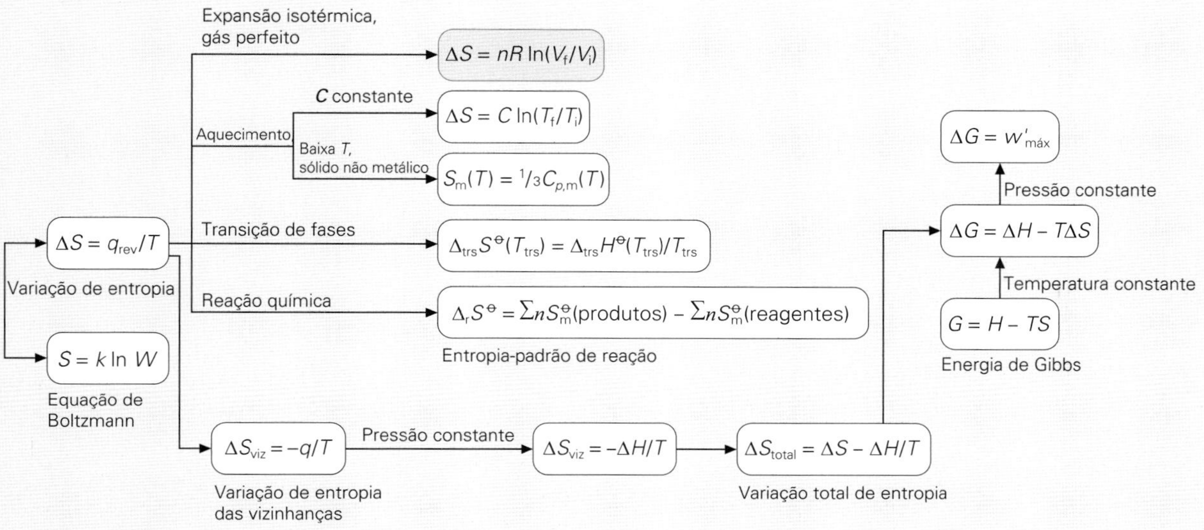

Uma caixa azul indica que a equação só é válida para gases perfeitos.

Questões e exercícios

Questões teóricas

4.1 Explique um critério simples para um processo ser classificado como espontâneo.

4.2 Explique em termos moleculares por que a entropia de um gás aumenta (a) com o volume, (b) com a temperatura?

4.3 Justifique a regra de Trouton. Quais são as fontes de discrepância?

4.4 Justifique a identificação da entropia estatística com a entropia termodinâmica.

4.5 Sob que circunstâncias as propriedades do sistema sozinhas podem ser usadas para identificar a direção da transformação espontânea?

4.6 A evolução da vida exige a organização de um grande número de moléculas nas células biológicas. A formação de organismos vivos viola a Segunda Lei da termodinâmica? Explique claramente sua conclusão e apresente argumentos detalhados para apoiá-la.

Exercícios

Considere todos os gases como perfeitos, a menos que existam informações em contrário. Todos os dados termoquímicos são a 298,15 K.

4.1 Um peixe dourado nada em uma tigela de água, a 20 °C. Durante certo espaço de tempo, o peixe transfere 120 J para a água, como resultado do seu metabolismo. Qual a variação da entropia da água admitindo-se que não há perdas para o ambiente?

4.2 Imagine que você ponha um cubo de gelo, de massa igual a 100 g, em um copo de água que está um pouco acima de 0 °C. Quando o gelo derrete, aproximadamente 33 kJ de energia são absorvidos do ambiente como calor. Qual é a variação de entropia (a) da amostra (o gelo), (b) do ambiente (o copo de água)?

4.3 Uma amostra de alumínio, de massa igual a 1,00 kg, é resfriada, sob pressão constante, de 300 K para 250 K. Calcule a energia que deve ser removida como calor e a variação de entropia da amostra. A capacidade calorífica molar do alumínio é 24,35 J K^{-1} mol^{-1}.

4.4 Calcule a variação de entropia quando (a) 100 g de gelo derrete a 0 °C, (b) 100 g de água aquece de 0 °C a 100 °C e (c) 100 g de água vaporiza a 100 °C. Utilize os valores de cada etapa para calcular a variação de entropia quando 100 g de gelo transforma-se em vapor d'água a 100 °C. Admita que as mudanças são provocadas por um aquecedor que fornece energia a uma taxa constante e esboce um gráfico que mostre (a) a variação de temperatura do sistema, (b) a entalpia do sistema, (c) a entropia do sistema como uma função do tempo.

4.5 Calcule a variação de entropia molar quando uma amostra de nitrogênio se expande isotermicamente de 1,0 dm^3 para 5,5 dm^3.

4.6 Uma amostra de dióxido de carbono que ocupa inicialmente 15,0 dm^3, a 250 K e 1,00 atm, é comprimida isotermicamente. A que volume o gás deve ser comprimido para reduzir a sua entropia em 10,0 J K^{-1}?

4.7 Sempre que um gás se expande isotermicamente quando exalamos, quando um frasco é aberto, e assim por diante, o gás sofre um aumento de entropia. Uma amostra de metano gasoso de massa igual a 15 g, a 260 K e 105 kPa, se expande isotermicamente e (a) reversivelmente, (b) irreversivelmente até que sua pressão seja 1,5 kPa. Calcule a variação de entropia do gás.

4.8 Qual é a variação de entropia de 100 g de água quando é aquecida da temperatura ambiente (20 °C) até a temperatura do corpo (37 °C)? Use $C_{p,m}$ = 75,5 J K^{-1} mol^{-1}.

4.9 Calcule a variação de entropia de 1,0 kg de chumbo quando se resfria de 500 °C a 100 °C. Use $C_{p,m}$ = 26,44 J K^{-1} mol^{-1}.

4.10 Calcule a variação de entropia molar quando uma amostra de argônio for comprimida de 2,0 dm^3 para 500 cm^3 e, simultaneamente, aquecida de 300 K para 400 K. Considere $C_{V,m} = \frac{3}{2}R$.

4.11 Um gás perfeito monoatômico, a uma temperatura T_i, se expande isotermicamente até atingir o dobro do seu volume inicial. A que temperatura o gás deve ser resfriado para fazer com que a sua entropia volte ao valor inicial? Considere $C_{V,m} = \frac{3}{2}R$.

4.12 Em certa máquina cíclica (tecnicamente, um *ciclo de Carnot*), um gás perfeito se expande isotérmica e reversivelmente, e, em seguida, adiabática ($q = 0$) e reversivelmente. Na etapa de expansão adiabática, a temperatura diminui. Ao fim da etapa de expansão, a amostra é comprimida reversivelmente, primeiro isotermicamente e depois adiabaticamente, de tal modo que no final alcança o volume e a temperatura iniciais. Faça um gráfico da entropia contra a temperatura para o ciclo completo.

4.13 Calcule a entropia molar do cloreto de potássio a 5,0 K sabendo que sua capacidade calorífica nessa temperatura é 1,2 mJ K^{-1} mol^{-1}.

4.14 Calcule a variação de entropia quando 100 g de água, a 80 °C, são misturadas com 100 g de água a 10 °C em um recipiente termicamente isolado. Considere que $C_{p,m}$ = 75,5 J K^{-1} mol^{-1}.

4.15 A entalpia da transição de fase grafita → diamante que, na pressão de 100 kbar, ocorre a 2000 K, é +1,9 kJ mol^{-1}. Calcule a variação de entropia da transição, nessa temperatura.

4.16 A entalpia de vaporização do clorofórmio (triclorometano), $CHCl_3$, é 29,4 kJ mol^{-1} no seu ponto de ebulição normal de 334,88 K. (a) Calcule a entropia de vaporização do clorofórmio nessa temperatura. (b) Qual a variação de entropia das vizinhanças?

4.17 Calcule a entropia de fusão de um composto a 25 °C sabendo que sua entalpia de fusão é 36 kJ mol^{-1} no seu ponto de fusão a 151 °C. As capacidades caloríficas molares (sob pressão constante) do líquido e do sólido são 33 J K^{-1} mol^{-1} e 17 J K^{-1} mol^{-1}, respectivamente.

4.18 O octano é um dos componentes típicos da gasolina. Calcule (a) a entropia de vaporização, (b) a entalpia de vaporização do octano que entra em ebulição a 126 °C sob pressão de 1 atm.

4.19 Suponha que o peso de uma configuração de N moléculas em um gás de volume é proporcional a V^N. Use a fórmula de Boltzmann para deduzir a variação de entropia quando o gás se expande isotermicamente de V_i a V_f.

4.20 Uma molécula de $FClO_3$ pode adotar quatro orientações no sólido com diferença de energia desprezível. Qual é a sua entropia residual molar?

4.21 Sem calcular, estime se as entropias-padrão das reações seguintes são positivas ou negativas:

(a) Ala–Ser–Thr–Lys–Gly–Arg–Ser $\xrightarrow{\text{tripsina}}$ Ala–Ser–Thr–Lys + Gly–Arg

(b) $N_2(g) + 3\,H_2(g) \rightarrow 2\,NH_3(g)$

(c) $ATP^{4-}(aq) + 2\,H_2O(l) \rightarrow ADP^{3-}(aq) + HPO_4^{2-}(aq) + H_3O^+(aq)$

4.22 Utilize os valores de entropias-padrão molares da *Seção de Dados* para calcular a entropia-padrão de reação, a 298 K, de

(a) $2\,CH_3CHO(g) + O_2(g) \rightarrow 2\,CH_3COOH(l)$

(b) $2\,AgCl(s) + Br_2(l) \rightarrow 2\,AgBr(s) + Cl_2(g)$

(c) $Hg(l) + Cl_2(g) \rightarrow HgCl_2(s)$

(d) $Zn(s) + Cu^{2+}(aq) \rightarrow Zn^{2+}(aq) + Cu(s)$

(e) $C_{12}H_{22}O_{11}(s) + 12\,O_2(g) \rightarrow 12\,CO_2(g) + 11\,H_2O(l)$

4.23 Suponha que quando se exercita, você consome 100 g de glicose e que toda a energia liberada como calor permanece em seu corpo a 37 °C. Qual a variação de entropia do seu corpo?

4.24 Calcule a entropia-padrão de reação e a variação de entropia das vizinhanças (a 298 K) para a reação $N_2(g) + 3\,H_2(g) \rightarrow 2\,NH_3(g)$.

4.25 As capacidades caloríficas molares, sob pressão constante, de moléculas gasosas lineares são iguais a, aproximadamente, $\frac{7}{2}R$ e, no caso de moléculas gasosas não lineares, valem aproximadamente $4R$. Calcule a variação da entropia-padrão de reação das duas reações apresentadas a seguir, quando a temperatura aumenta de 10 K sob pressão constante:

(a) $2\,H_2(g) + O_2(g) \rightarrow 2\,H_2O(g)$

(b) $CH_4(g) + 2\,O_2(g) \rightarrow CO_2(g) + 2\,H_2O(g)$

4.26 Use as informações obtidas no Exercício 4.24 para calcular a energia de Gibbs padrão de reação de $N_2(g) + 3\,H_2(g) \rightarrow 2\,NH_3(g)$.

4.27 Em determinada reação biológica, que ocorre no corpo a 37 °C, a variação de entalpia é −135 kJ mol^{-1} e a variação de entropia é −136 J K^{-1} mol^{-1}. (a) Calcule a variação da energia de Gibbs. (b) A reação é espontânea? (c) Calcule a variação total de entropia do sistema e das vizinhanças.

4.28 A variação da energia de Gibbs que ocorre na oxidação da $C_6H_{12}O_6(s)$, formando dióxido de carbono e vapor de água, a 25 °C, é −2828 kJ mol^{-1}. Quanta glicose uma pessoa com um peso de 65 kg precisa consumir para subir 10 m de altura?

4.29 Pilhas combustíveis estão sendo desenvolvidas para utilizar combustíveis orgânicos; oportunamente essas pilhas poderão ser usadas para acionar pequenas máquinas intravenosas que irão corrigir tecidos doentes. Qual é o trabalho máximo de não expansão que pode ser obtido pelo metabolismo de 1,0 mg de sacarose a dióxido de carbono e água?

4.30 A formação da glutamina a partir de glutamato e íons de amônia necessita 14,2 kJ mol^{-1} de energia. Essa energia é fornecida pela hidrólise do ATP a ADP mediada pela enzima glutamina sintetase. (a) Dado que a variação da energia de Gibbs para a hidrólise do ATP corresponde a $\Delta G = -31$ kJ mol^{-1}, nas condições que prevalecem numa célula típica, pode a hidrólise levar à formação da glutamina? (b) Quantos mols de ATP devem ser hidrolisados para formar 1 mol de glutamina?

4.31 A hidrólise do fosfato de acetila tem $\Delta G = -42$ kJ mol^{-1} nas condições biológicas típicas. Se o fosfato de acetila fosse sintetizado pelo acoplamento com a hidrólise do ATP, qual o número mínimo de moléculas de ATP que precisariam estar envolvidas?

4.32 Admita que o raio de uma célula típica seja 10 μm e que dentro dessa célula 10^6 moléculas de ATP são hidrolisadas a cada segundo. Qual é a densidade de potência da célula em watts por metro cúbico (1 W = 1 J s^{-1})? Uma bateria de computador desprende, aproximadamente, 15 W e tem um volume de 100 cm^3. Tem maior densidade de potência: a célula ou a bateria? (Para dados, veja o Exercício 4.31.)

Projetos

O símbolo ‡ indica que o cálculo é necessário.

4.33‡ A Eq. 4.3 está baseada na hipótese de que a capacidade calorífica é independente da temperatura. Suponha que a capacidade calorífica dependa da temperatura segundo a expressão $C = a + bT + c/T^2$. Obtenha uma expressão para a variação de entropia que ocorre durante o aquecimento de T_i a T_f. *Sugestão:* Veja a Dedução 4.2.

4.34 Vamos explorar aqui a termodinâmica dos refrigeradores e bombas de calor. (a) Utilize a argumentação discutida em Impacto na tecnologia 4.1 para a definição da eficiência de uma máquina térmica e mostre que o melhor *coeficiente de performance de resfriamento*, c_{fria}, a razão entre a energia extraída como calor a T_{fria} e a energia fornecida como trabalho em um refrigerador perfeito é, $c_{fria} = T_{fria}/(T_{quente} - T_{fria})$. Qual é a taxa máxima de extração de energia como calor em um refrigerador doméstico de 200 W operando a 5,0 °C em um ambiente a 22 °C? (b) Mostre que o melhor *coeficiente de performance de aquecimento* c_{quente}, a razão entre a energia produzida como calor a T_{quente} e a energia fornecida como trabalho em uma bomba de calor perfeita é, $c_{quente} = T_{quente}/(T_{quente} - T_{fria})$. Qual é a potência máxima de uma bomba de calor que consome 2,5 kW operando a 18,0 °C e aquecendo um ambiente a 22 °C?

4.35‡ A dependência da capacidade térmica de um sólido não metálico com a temperatura segue a lei T^3 de Debye em temperaturas muito baixas, com $C_{p,m} = aT^3$. (a) Deduza a expressão para o cálculo da variação da entropia molar quando aquecemos esse tipo de sólido. (b) Para nitrogênio sólido $a = 6{,}15 \times 10^{-3}$ J K^{-4} mol^{-1}. Qual é a entropia molar do nitrogênio sólido a 5 K?

5

Equilíbrio de fases: substâncias puras

A ebulição, o congelamento e a conversão da grafita em diamante são exemplos de **transições de fase,** ou mudanças de fase sem mudança de composição química. Muitas mudanças de fase são fenômenos cotidianos comuns e a sua descrição é uma parte importante da físico-química. Essas mudanças ocorrem quando um sólido se transforma em líquido, como na fusão do gelo, ou um líquido se transforma em vapor, como na vaporização da água em nossos pulmões. Ocorrem também quando uma fase sólida se transforma em outra fase sólida, como na conversão da grafita em diamante sob altas pressões, ou no processo de fabricação do aço, quando uma fase do ferro se converte em outra fase por aquecimento. A tendência de uma substância em formar um cristal líquido, uma fase distinta com propriedades intermediárias entre as do sólido e do líquido, norteia o desenvolvimento de telas para dispositivos eletrônicos. Mudanças de fase também são geologicamente importantes. O carbonato de cálcio, por exemplo, se deposita normalmente como aragonita, entretanto gradualmente se transforma em uma outra forma cristalina, a calcita.

Este capítulo trata de dois aspectos da transição de fases. Na primeira parte, vamos estudar o que a termodinâmica tem a nos dizer a respeito de como as transições de fase respondem a variações na pressão e na temperatura. Na segunda parte, iremos ver como regiões correspondentes a fases estáveis podem ser representadas em diagramas.

A termodinâmica da transição

A energia de Gibbs, $G = H - TS$, de uma substância, na qual H é sua entalpia, e S a sua entropia, será o centro de tudo que iremos ver a seguir. Precisamos saber como seu valor depende da pressão e da temperatura. À medida que investigarmos essas dependências, adquiriremos uma visão mais ampla das propriedades termodinâmicas da matéria e das transições pelas quais passa.

5.1 A condição de estabilidade

Inicialmente, precisamos estabelecer a importância da energia de Gibbs *molar*, $G_m = G/n$, na discussão das transições de fase de uma substância pura. A energia de Gibbs molar, uma propriedade intensiva, depende da fase da substância. Por exemplo, a energia de Gibbs molar da água líquida é, em geral, diferente da do vapor de água na mesma temperatura e na mesma pressão. Quando um número de mols n da substância muda da fase 1 (por exemplo, líquido), com energia de Gibbs molar $G_m(1)$, para a fase 2 (por exemplo, vapor), com energia de Gibbs molar $G_m(2)$, a variação da energia de Gibbs é dada por

$$\Delta G = nG_m(2) - nG_m(1) = n\{G_m(2) - G_m(1)\}$$

Sabemos que uma transformação espontânea, sob temperatura e pressão constantes, é acompanhada por um valor negativo de ΔG. Logo, essa expressão mostra que uma mudança da fase 1 para fase 2 é espontânea se a energia de Gibbs molar da fase 2 é menor do que a da fase 1, pois $G_m(2) - G_m(1) < 0$. Em outras palavras:

> Uma substância tem uma tendência espontânea de mudar para a fase com a menor energia de Gibbs molar.

Se sob certa temperatura e pressão a fase sólida de uma substância tem uma energia de Gibbs molar menor do que sua fase líquida, então a fase sólida é termodinamicamente mais estável e o líquido congelará (ou, pelo menos, terá essa tendência). Se o oposto for verdade, a fase líquida é termodinamicamente mais estável e ocorrerá a fusão do sólido. Por exemplo, a 1 atm, o gelo tem uma energia de Gibbs molar menor do que a da água líquida quando a temperatura está abaixo de 0 °C. Nessas condições, a água se transforma espontaneamente em gelo.

Breve ilustração 5.1 Estabilidade termodinâmica

A energia de Gibbs de transição do estanho branco metálico (Sn-α) a estanho cinza não metálico (Sn-β) é +0,13 kJ mol^{-1} a 298 K. Vimos na Seção 3.5 que o estado de referência de um elemento é definido pela sua forma mais estável sob as condições existentes. A energia molar de Gibbs do estanho metálico branco (Sn-α) é menor do que a do estanho cinza não metálico (Sn-β) em 0,13 kJ mol^{-1}. A forma termodinamicamente mais estável e, portanto, o estado de referência a 298 K é o estanho metálico branco (Sn-α).

5.2 Variação da energia de Gibbs com a pressão

Para discutir como as transições de fase dependem da pressão, precisamos saber como a energia de Gibbs varia com ela. Mostramos na Dedução vista a seguir que quando a temperatura é mantida constante e a pressão sofre uma pequena variação Δp, a energia de Gibbs molar da substância varia de

$$\Delta G_m = V_m \Delta p \qquad (5.1)$$

em que V_m é o volume molar da substância. Essa expressão é válida quando o volume molar é constante no intervalo de pressão de interesse.

Dedução 5.1

Variação de G com a pressão

Começamos com a definição da energia de Gibbs $G = H - TS$, e provocamos uma variação infinitesimal no volume, temperatura e pressão. Como resultado, H muda para $H + dH$, T muda para $T + dT$, S muda para $S + dS$ e G muda para $G + dG$. Após a mudança,

$$G + dG = H + dH - (T + dT)(S + dS)$$
$$= H + dH - TS - TdS - SdT - dTdS$$

O G à esquerda cancela o $H - TS$ (em azul) à direita, e o infinitésimo de segunda ordem $dTdS$, é tão pequeno que pode ser desprezado, restando

$$dG = dH - TdS - SdT$$

Para avançar, precisamos saber como a entalpia varia. De sua definição $H = U + pV$, e de forma semelhante, mudando U para $U + dU$, e assim por diante:

$$H + dH = U + dU + (p + dp)(V + dV)$$
$$= U + dU + pV + pdV + Vdp + dpdV$$

Assim, desprezando o infinitésimo de segunda ordem $dpdV$ e fazendo com que o H na esquerda cancele com $U + pV$ à direita (em azul) podemos escrever

$$dH = dU + pdV + Vdp$$

Substituindo essa expressão na anterior, obtemos

$$dG = dU + pdV + Vdp - TdS - SdT$$

Neste ponto, precisamos saber como varia a energia interna, dU, quando quantidades infinitesimais de energia são fornecidas sob a forma de calor e trabalho, dq e dw, e escrevemos

$$dU = dq + dw$$

Se consideramos inicialmente apenas variações reversíveis, podemos substituir dq por TdS (pois $dS = dq_{rev}/T$) e dw por $-pdV$ (pois $dw = -p_{ex}dV$ e $p_{ex} = p$ para uma variação reversível), obtendo

$$dU = TdS - pdV$$

Substituímos agora essa expressão na expressão para dG, obtendo então

$$dG = TdS - pdV + pdV + Vdp - TdS - SdT$$

Obtemos, assim, o importante resultado visto a seguir:

$$dG = Vdp - SdT$$

Há aqui um ponto sutil, mas importante. Para obter esse resultado, supomos que as variações nas condições foram realizadas reversivelmente. Entretanto, G é uma função de estado, e uma variação em seu valor é independente do caminho. Desse modo, a Eq. 5.2 é válida para qualquer variação, não apenas uma variação reversível.

Se agora decidirmos manter a temperatura constante, então $dT = 0$ na Eq. 5.2; isso leva a

$$dG = Vdp$$

e, para grandezas molares, $dG_m = V_m dp$. Essa expressão é exata, mas se aplica apenas a uma variação infinitesimal na pressão. Para uma variação finita, substituímos dG_m e dp por ΔG_m e Δp, respectivamente, e obtemos a Eq. 5.1, desde que o volume molar seja constante no intervalo de interesse.

Uma nota sobre a boa prática Quando confrontado com uma demonstração em termodinâmica, volte às definições fundamentais (como fizemos por três vezes sucessivas nesta dedução: primeiro a de G, depois a de H e, por fim, a de U).

O que a Eq. 5.1 indica? Em primeiro lugar, note que, como todos os volumes molares são positivos:

- Um aumento na pressão ($\Delta p > 0$) resulta em um aumento na energia de Gibbs molar ($\Delta G_m > 0$).

Vemos também que:

- Com relação a determinada variação de pressão, a variação resultante da energia de Gibbs molar é maior para as substâncias que têm volumes molares maiores.

Portanto, como o volume molar de um gás é muito maior do que o de uma fase condensada (um líquido ou um sólido), a dependência de G_m com p é muito maior para um gás do que para uma fase condensada. Para a maioria das substâncias (a água é uma exceção) o volume molar da fase líquida é maior do que o da fase sólida. Assim, para a maioria das substâncias, o coeficiente angular do gráfico de G_m contra p é maior para um líquido do que para um sólido. Essas características estão ilustradas na Figura 5.1.

Como vemos na Figura 5.1, quando aumentamos a pressão sobre uma substância, a energia de Gibbs molar da fase gasosa aumenta mais do que a do líquido, que por sua vez aumenta mais do que a do sólido. Como o sistema tem uma tendência para se converter no estado de menor energia de Gibbs molar, as curvas mostram que, em baixas pressões, a fase gasosa é mais estável, e em pressões mais altas, a fase líquida se torna a mais estável e, em seguida, a fase sólida se torna a mais estável. Em outras palavras, com o aumento da pressão, a substância condensa-se num líquido e, com um aumento posterior da pressão, pode ocorrer a formação de um sólido.

Podemos usar a Eq. 5.1 para prever a forma real das curvas semelhantes às da Figura 5.1. Com relação a um sólido ou a um líquido, o volume molar é quase independente da pressão, e a Eq. 5.1 é uma excelente aproximação para a variação da energia de Gibbs molar e com $\Delta G_m = G_m(p_f) - G_m(p_i)$ e $\Delta p = p_f - p_i$, podemos escrever

$$G_m(p_f) = G_m(p_i) + V_m(p_f - p_i) \quad \text{Líquido ou sólido} \quad \text{Dependência de } G_m \text{ com a pressão} \qquad (5.3a)$$

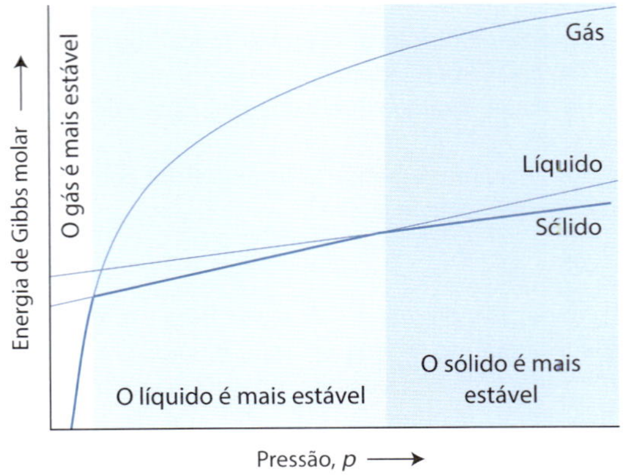

Figura 5.1 Variação da energia de Gibbs molar com a pressão. A região em que a energia de Gibbs molar de determinada fase é mínima está representada por uma curva azul escura, e a região correspondente de estabilidade de cada fase está indicada nas faixas coloridas ao longo da ilustração.

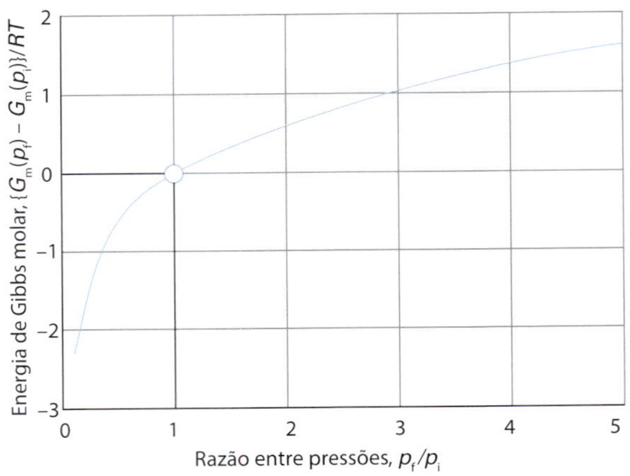

Figura 5.2 Variação da energia de Gibbs molar de um gás perfeito com a pressão.

Essa equação mostra que a energia de Gibbs molar de um sólido ou líquido aumenta linearmente com a pressão. Entretanto, como o volume molar de uma fase condensada é muito pequeno, a dependência é muito pouco pronunciada, e para as faixas típicas de pressão de interesse geral, podemos ignorar a dependência de G com a pressão. A energia de Gibbs molar de um gás, entretanto, depende da pressão, e como o volume molar de um gás é grande, a dependência é significativa. Mostramos na Dedução vista a seguir que

$$G_m(p_f) = G_m(p_i) + RT \ln\frac{p_f}{p_i} \quad \text{Gás perfeito} \quad \text{Dependência de } G_m \text{ com a pressão} \qquad (5.3b)$$

Essa equação mostra que a energia de Gibbs molar aumenta logaritmicamente (acompanhando o ln p) com a pressão (Fig. 5.2). O patamar da curva sob pressões elevadas reflete o fato de que, à medida que V_m se torna menor, G_m responde menos à pressão.

Dedução 5.2

Variação da energia de Gibbs de um gás perfeito com a pressão

Iniciamos com a expressão exata para o efeito de uma variação infinitesimal de pressão obtida na Dedução 5.1, $dG_m = V_m dp$. Para uma variação de pressão de p_i até p_f, precisamos somar (integrar) todas essas variações infinitesimais, escrevendo

$$\Delta G_m = \int_{p_i}^{p_f} V_m dp$$

Para calcular essa integral, precisamos saber como o volume molar depende da pressão. Para um gás perfeito, $V_m = RT/p$. Então

$$\Delta G_m = \int_{p_i}^{p_f} V_m dp \overset{V_m=RT/p}{=} \int_{p_i}^{p_f} \frac{RT}{p} dp \overset{RT \text{ é constante}}{=} RT\int_{p_i}^{p_f} \frac{1}{p} dp = RT \ln\frac{p_f}{p_i}$$

Na última linha usamos a integral padrão, que discutimos em Ferramentas do químico 2.1:

$$\int \frac{1}{x} dx = \ln x + \text{constante}$$

Finalmente, com $\Delta G_m = G_m(p_f) - G_m(p_i)$, obtemos a Eq. 5.3b.

Exemplo 5.1

Determinação da variação da energia de Gibbs com a pressão

Água líquida e gelo estão em equilíbrio a 0 °C; assim, possuem a mesma energia de Gibbs molar. Qual o efeito no valor da diferença da energia de Gibbs molar quando a pressão é aumentada de 1,0 bar para 100 bar? A massa específica das duas fases a 0 °C é ρ(gelo) = 0,9150 g cm^{-3} e ρ(líquido) = 0,9999 g cm^{-3}.

Estratégia Primeiramente escreva a equação para a diferença da energia de Gibbs molar, a dada pressão, depois use a Eq. 5.3a para expressar como essa diferença muda com a variação da pressão. O volume molar está relacionado com a massa específica por $V_m = M/\rho$, na qual M é a massa molar da água (18,02 g mol^{-1}).

Solução A diferença na energia de Gibbs molar na pressão p_f é

$$\begin{aligned}\Delta G_m(p_f) &= G_m(\text{líquido},p_f) - G_m(\text{gelo},p_f)\\ &= \{G_m(\text{líquido},p_i) + V_m(\text{líquido})(p_f - p_i)\} - \{G_m(\text{gelo},p_i)\\ &\quad + V_m(\text{gelo})(p_f - p_i)\}\\ &= \Delta G_m(p_i) + \{V_m(\text{líquido}) - V_m(\text{gelo})\}(p_f - p_i)\end{aligned}$$

Como a diferença é zero na pressão inicial (pois as fases estão em equilíbrio)

$$\begin{aligned}\Delta G_m(p_f) &= \{V_m(\text{líquido}) - V_m(\text{gelo})\}(p_f - p_i)\\ &\overset{V_m=M/\rho}{=} M\left\{\frac{1}{\rho(\text{líquido})} - \frac{1}{\rho(\text{gelo})}\right\}(p_f - p_i)\end{aligned}$$

Agora, substituindo os valores numéricos:

$$\begin{aligned}\Delta G_m &= \overbrace{(18{,}02\ \text{g mol}^{-1})}^{M}\\ &\quad\times\left\{\underbrace{\frac{1}{0{,}9999\ \text{g cm}^{-3}}}_{\rho(\text{líquido})} - \underbrace{\frac{1}{0{,}9150\ \text{g cm}^{-3}}}_{\rho(\text{gelo})}\right\}\times\overbrace{(99\ \text{kPa})}^{(p_f-p_i)}\\ &= -165\ \text{kPa cm}^3\ \text{mol}^{-1} = -165\times\left(\overbrace{10^3\ \overbrace{\text{N m}^{-2}}^{\text{Pa}}}^{\text{kPa}}\right)\\ &\quad\times\left(\overbrace{10^{-6}\ \text{m}^3}^{1\ \text{cm}^3}\right)\text{mol}^{-1}\\ &= \overbrace{-165\times10^{-3}\ \overbrace{\text{N m}}^{\text{J}}}^{\text{mJ}}\ \text{mol}^{-1} = -165\ \text{mJ mol}^{-1}\end{aligned}$$

A diferença é negativa, de modo que a transição de gelo para água líquida é espontânea para esse aumento de pressão.

Exercício proposto 5.1

Calcule a diferença na energia de Gibbs molar da água líquida e seu vapor a 100 °C quando a pressão aumenta de 1,00 bar para 2,00 bar. Qual mudança de fase seria espontânea? Ignore o efeito muito pequeno da pressão sobre a fase líquida.

Resposta: +2,15 kJ mol^{-1}; a condensação é espontânea.

5.3 Variação da energia de Gibbs com a temperatura

Consideramos agora como a energia de Gibbs molar varia com a temperatura. Para pequenas variações na temperatura, mostramos na Dedução vista a seguir que a variação na energia de Gibbs molar, a pressão constante, é dada por

$$\Delta G_m = -S_m\Delta T \qquad \text{Dependência de } G_m \text{ com a temperatura} \qquad (5.4)$$

em que $\Delta G_m = G_m(T_f) - G_m(T_i)$ e $\Delta T = T_f - T_i$. Essa expressão é válida desde que a entropia da substância não se altere no intervalo de temperatura de interesse.

Dedução 5.3

Variação da energia de Gibbs com a temperatura

O ponto de partida para essa rápida dedução é a Eq. 5.2 ($dG = Vdp - SdT$), a expressão obtida na Dedução 5.1 para a variação da energia de Gibbs molar quando ambas, pressão e temperatura, variam infinitesimalmente. Se mantivermos a pressão constante $dp = 0$ e a Eq. 5.2 (para grandezas molares), temos:

$$dG_m = -S_m dT$$

Essa expressão é exata. Se admitirmos que a entropia molar não se altera no intervalo de temperatura de interesse, podemos substituir as variações infinitesimais por variações finitas e obter a Eq. 5.4.

A Eq. 5.4 mostra que, como a entropia molar é positiva,

Um aumento na temperatura ($\Delta T > 0$) resulta em uma diminuição de G_m ($\Delta G_m < 0$).

Vemos ainda que, para determinada mudança de temperatura, a variação da energia de Gibbs molar é proporcional à entropia molar. Para uma dada substância, há mais desordem espacial em fase gasosa que em uma fase condensada, portanto, a entropia molar da fase gasosa é maior do que a de uma fase condensada. Assim, a energia de Gibbs molar diminui mais acentuadamente com a temperatura para um gás do que para uma fase condensada. A entropia molar da fase líquida de uma substância é maior do que a da sua fase sólida, logo o coeficiente angular é menos acentuado para um sólido. A Figura 5.3 resume essas características.

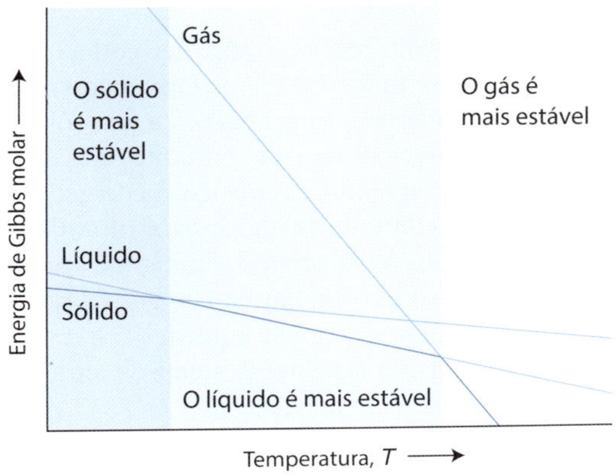

Figura 5.3 Variação da energia de Gibbs molar com a temperatura. Todas as energias de Gibbs molares diminuem com o aumento da temperatura. As regiões de temperatura em que a forma sólida, a forma líquida e a forma gasosa de uma substância têm a energia de Gibbs molar mínima estão indicadas pelas faixas azul claras e pela linha mais escura.

Exemplo 5.2

Cálculo do efeito da temperatura na energia de Gibbs

Água líquida e gelo estão em equilíbrio a 0 °C sob uma pressão de 1 bar. Qual o efeito na diferença da energia de Gibbs molar entre as duas fases, quando a temperatura aumenta em 1 °C?

Estratégia Escreva uma expressão para a diferença da energia de Gibbs molar na segunda temperatura, depois use a Eq. 5.4 para relacionar essa diferença à diferença na temperatura de equilíbrio, que sabemos ser 0. As entropias molares necessárias são S_m(gelo) = 37,99 J K^{-1} mol^{-1} e S_m(líquido) = 69,91 J K^{-1} mol^{-1}, a 25 °C, mas esses valores diferem muito pouco dos seus valores a 0 °C.

Solução A diferença da energia de Gibbs molar na temperatura final T_f é

$$\begin{aligned}\Delta G_m(T_f) &= G_m(\text{líquido}, T_f) - G_m(\text{gelo}, T_f)\\ &= \{G_m(\text{líquido}, T_i) - S_m(\text{líquido})(T_f - T_i)\} - \{G_m(\text{gelo}, T_i)\\ &\quad - S_m(\text{gelo})(T_f - T_i)\}\\ &= \Delta G_m(T_i) - \{S_m(\text{líquido}) - S_m(\text{gelo})\}(T_f - T_i)\end{aligned}$$

A diferença da energia de Gibbs é zero na temperatura inicial ($\Delta G_m(T_i) = 0$), então

$$\Delta G_m(T_f) = -\{S_m(\text{líquido}) - S_m(\text{gelo})\}(T_f - T_i)$$

Agora, substituindo os dados:

$$\begin{aligned}\Delta G_m(T_f) &= -\Big\{\overbrace{69{,}91\text{ J K}^{-1}\text{ mol}^{-1}}^{S_m(\text{líquido})} - \overbrace{37{,}99\text{ J K}^{-1}\text{ mol}^{-1}}^{S_m(\text{gelo})}\Big\} \times \overbrace{(1\text{ K})}^{T_f - T_i}\\ &= -31{,}92\text{ J mol}^{-1}\end{aligned}$$

A diferença é negativa, o que significa que a transição de sólido para líquido é espontânea na temperatura mais elevada.

Exercício proposto 5.2

Vapor d'água e água líquida estão em equilíbrio a 100 °C; qual é o efeito na diferença (líquido → vapor) da energia de Gibbs molar quando diminuímos a temperatura para 98 °C? Use as entropias molares necessárias como aquelas na temperatura de 25 °C; veja a *Seção de Dados*.

Resposta: +238 J mol^{-1}; a condensação é espontânea.

A Figura 5.3 também revela a razão termodinâmica pela qual as substâncias se fundem e vaporizam quando a temperatura aumenta. Em temperaturas baixas, a fase sólida tem a menor energia de Gibbs molar, e é, portanto, a mais estável. Porém, quando a temperatura aumenta, a energia de Gibbs molar da fase líquida diminui, ficando abaixo do valor da fase sólida e ocorre a fusão da substância. Em temperaturas ainda maiores, a energia de Gibbs molar da fase gasosa fica abaixo da energia de Gibbs molar da fase líquida, e o gás se torna a fase mais estável. Em outras palavras, acima de certa temperatura, o líquido vaporiza em um gás.

Podemos também começar a entender por que algumas substâncias, como o dióxido de carbono, sublimam sem formar um líquido primeiro. Não há nenhuma exigência para que as três retas fiquem exatamente nas posições em que foram desenhadas na Figura 5.3: a reta que corresponde ao líquido, por exemplo, poderia estar na posição em que foi desenhada na Figura 5.4. Nesse caso, vemos que em nenhuma

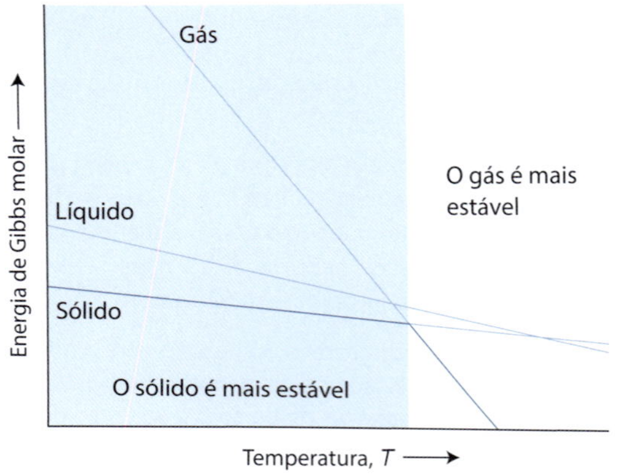

Figura 5.4 Se a reta correspondente à energia de Gibbs da fase líquida não intercepta a reta correspondente à fase sólida (sob determinada pressão) antes que a reta da fase gasosa intercepte a do sólido, o líquido não é estável, em qualquer temperatura, nessa pressão. Essa substância sublima.

temperatura (sob determinada pressão) a fase líquida tem a menor energia de Gibbs molar possível. Uma substância com esse comportamento se converte espontânea e diretamente do sólido para o vapor. Isto é, a substância sublima.

A **temperatura de transição, T_{trs},** entre duas fases, por exemplo, entre a fase líquida e a fase sólida ou entre os estados ordenado e desordenado de uma proteína, é a temperatura, sob determinada pressão, em que as energias de Gibbs molares das duas fases são iguais. Acima da temperatura de transição sólido-líquido a fase líquida é termodinamicamente mais estável; abaixo dela, a fase sólida é mais estável.

Breve ilustração 5.2 Transição de fases

A 1 atm, a temperatura de transição gelo-água líquida é 0 °C, e para a transição estanho cinza-estanho branco é 13 °C. Na temperatura de transição, as energias de Gibbs molares das duas fases são idênticas e não há nenhuma tendência para que uma das fases se transforme na outra. Nessa temperatura, portanto, as duas fases estão em equilíbrio. A 1 atm, o gelo e a água líquida estão em equilíbrio a 0 °C e os dois alótropos do estanho estão em equilíbrio a 13 °C.

Conforme estamos sempre ressaltando, quando se usam argumentos termodinâmicos, é importante lembrar a distinção entre a espontaneidade de uma transição de fase e a sua velocidade. *A espontaneidade é uma tendência, não necessariamente uma realidade*. Uma transição de fase prevista como espontânea pode ocorrer tão lentamente que não tem importância na prática. Por exemplo, em temperaturas e pressões normais, a energia de Gibbs molar da grafita é 3 kJ mol^{-1} menor do que a do diamante, logo há uma tendência termodinâmica para o diamante se converter em grafita. Porém, para essa transição ocorrer, os átomos de carbono do diamante têm de mudar de posição. Como as ligações entre os átomos são muito fortes e o número de ligações que devem mudar simultaneamente é muito grande, esse processo é extremamente lento, exceto em temperaturas altas. Nos gases e nos líquidos, a mobilidade das moléculas permite, em geral, que as transições de fase ocorram rapidamente, mas em sólidos a instabilidade termodinâmica pode ficar congelada, e uma fase termodinamicamente instável pode persistir por milhares de anos.

Diagramas de fase

O **diagrama de fase** de uma substância é um mapeamento que mostra as condições de temperatura e pressão em que as diferentes fases são termodinamicamente mais estáveis (Fig. 5.5). Por exemplo, no ponto A da ilustração, a fase vapor da substância é termodinamicamente a mais estável, mas em C a fase líquida é a mais estável.

As fronteiras entre as regiões em um diagrama de fase, que são chamadas de **curvas de equilíbrio**, fornecem os valores de p e T nos quais as duas fases coexistem em equilíbrio. Por exemplo, se o sistema é preparado de modo a ter uma pressão e temperatura representadas pelo ponto B, então o líquido e seu vapor estão em equilíbrio (semelhantemente ao que ocorre entre a água líquida e o vapor d'água a 1 atm e 100 °C). Se a temperatura diminui, sob pressão constante, o sistema se desloca para o ponto C, no qual o líquido é estável (do mesmo modo que para a água a 1 atm e no intervalo de temperatura entre 0 °C e 100 °C). Se a temperatura diminui ainda mais, até atingir o ponto D, então a fase sólida e a fase líquida estão em equilíbrio (assim como o gelo e a água líquida a 1 atm e 0 °C). Uma diminuição adicional da temperatura leva o sistema para a região em E, na qual o sólido é a fase estável.

5.4 Curvas de equilíbrio

A pressão do vapor em equilíbrio com sua fase condensada é denominada **pressão de vapor** da substância. A curva de equilíbrio líquido-vapor em um diagrama de fase, a curva que mostra as condições nas quais líquido e vapor estão em equilíbrio, é, portanto, um gráfico da pressão de vapor do líquido contra a temperatura. A pressão de vapor aumenta com a temperatura porque, de acordo com a distribuição de Boltzmann, quando a temperatura se eleva, mais moléculas têm energia suficiente para escapar de seus vizinhos no líquido.

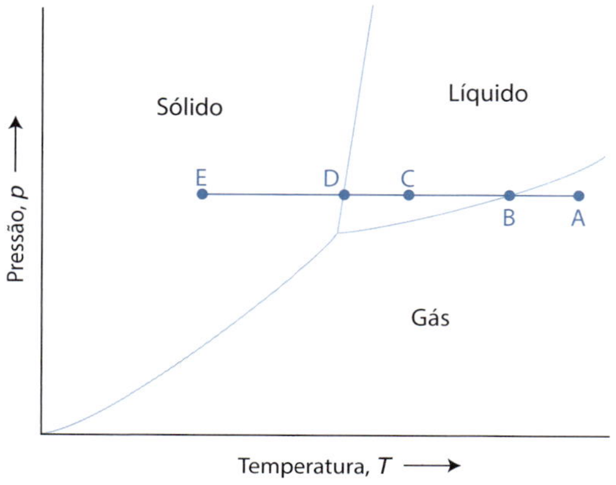

Figura 5.5 Um diagrama de fase típico, mostrando as regiões de pressão e temperatura nas quais cada uma das fases é a mais estável. As curvas de equilíbrio entre as fases (três são mostradas nesta figura) dão os valores de pressão e temperatura nos quais as duas fases, separadas pela curva, estão em equilíbrio. O significado dos pontos A, B, C, D e E (também referidos na Figura 5.8) é explicado no texto.

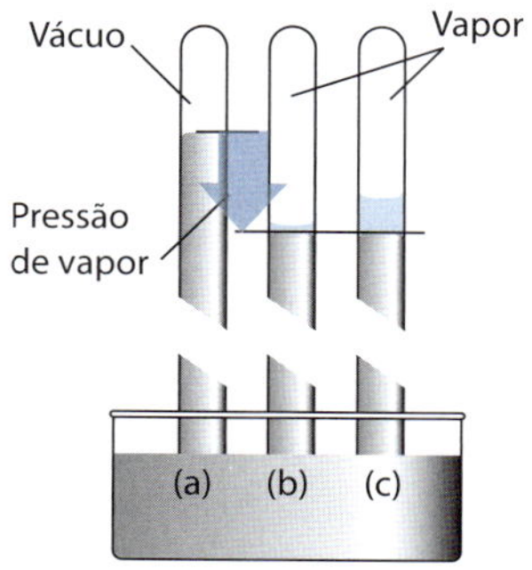

Figura 5.6 Quando um volume pequeno de líquido é introduzido no vácuo, acima do mercúrio, em um barômetro, (a) a altura da coluna de mercúrio diminui (b) de um valor que é proporcional à pressão de vapor do líquido. (c) A mesma pressão é observada independentemente da quantidade de líquido presente (é necessário que algum líquido esteja presente).

Para determinar a curva de equilíbrio líquido-vapor, faz-se, simplesmente, a medição da pressão do vapor em função da temperatura. Uma técnica possível consiste em introduzir um líquido na extremidade superior de um barômetro de mercúrio, onde praticamente existe vácuo, e medir de quanto a coluna diminui de altura (Fig. 5.6). Para assegurar que a pressão exercida pelo vapor é realmente a pressão de vapor, temos que adicionar líquido suficiente para que um pouco permaneça depois do vapor se formar, pois só assim as fases líquida e vapor estão em equilíbrio. Podemos, então, mudar a temperatura e determinar outro ponto da curva de equilíbrio, e assim sucessivamente (Fig. 5.7).

Suponhamos que temos um líquido em um cilindro provido com um pistão. Se for aplicada uma pressão maior do que a pressão de vapor do líquido, o vapor desaparece, o pistão encosta na superfície do líquido, e o sistema se desloca para um dos pontos na região do 'líquido' no diagrama de fase. Somente uma fase está presente. Se, ao contrário, reduzirmos a pressão no sistema para um valor abaixo da pressão de vapor, o sistema se desloca para um dos pontos na região do 'vapor' no diagrama. A redução da pressão pode ser feita puxando-se suficientemente o pistão, de modo que todo o

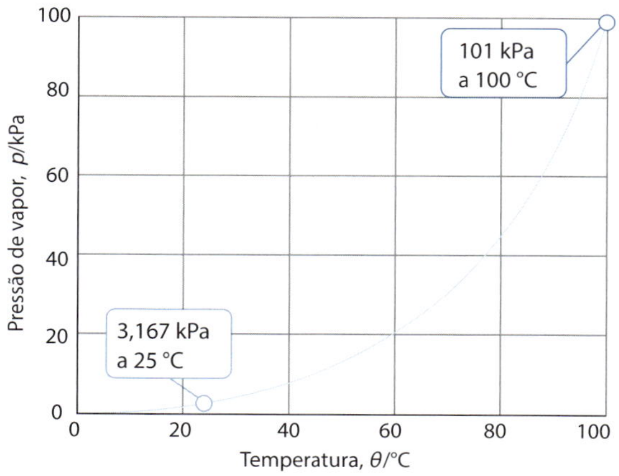

Figura 5.7 Variação experimental da pressão de vapor da água com a temperatura.

líquido evapore; enquanto algum líquido estiver presente, a pressão no sistema permanece constante e igual ao valor da pressão de vapor do líquido.

■ Breve ilustração 5.3 O efeito da pressão na transição de fase

A 25 °C água líquida e vapor d'água estão em equilíbrio com uma pressão de vapor de 3,2 kPa. Se a pressão é aumentada para, por exemplo, 7,0 kPa, a energia de Gibbs do vapor aumenta mais do que a energia de Gibbs do líquido. O vapor deixa de ser termodinamicamente estável. Consequentemente, o vapor condensa por completo em água líquida.

A mesma abordagem pode ser usada para se obter a curva de equilíbrio sólido-vapor, que é a representação gráfica da pressão de vapor do sólido contra a temperatura. A **pressão de vapor de sublimação** de um sólido, a pressão do vapor em equilíbrio com um sólido em determinada temperatura, é normalmente muito menor do que a de um líquido.

É necessário um procedimento mais sofisticado para determinar a localização dos pontos na curva de equilíbrio sólido-sólido, como a que se observa, por exemplo, entre a calcita e a aragonita, pois a transição entre duas fases sólidas é mais difícil de detectar. Uma das metodologias é usar a **análise térmica**, que aproveita o calor liberado durante uma transição. Em uma experiência de análise térmica típica, deixa-se uma amostra resfriar e a sua temperatura é monitorada. Quando a transição ocorre, o calor é liberado e o resfriamento cessa até que a transição esteja completa (Fig. 5.8). A temperatura de transição se torna evidente a partir da forma do gráfico e é usada para marcar um ponto no diagrama de fase. A pressão pode ser alterada, e a correspondente temperatura de transição determinada.

Qualquer ponto na curva de equilíbrio representa uma pressão e uma temperatura em que existe um 'equilíbrio dinâmico' entre as duas fases adjacentes. Um estado de **equilíbrio dinâmico** é um estado em que um processo inverso está ocorrendo com a mesma velocidade que o processo direto. Embora possa haver uma grande atividade em nível molecular, não há nenhuma alteração líquida nas propriedades macroscópicas

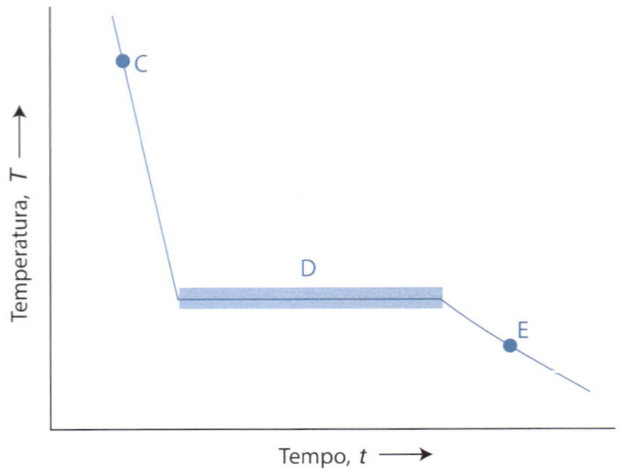

Figura 5.8 Curva de resfriamento para a seção C—E da reta horizontal na Figura 5.5. A parada em D corresponde a uma pausa no resfriamento enquanto o líquido congela e libera sua entalpia de transição. Essa parada permite que localizemos T_f mesmo quando a transição não possa ser determinada visualmente.

ou na aparência da amostra. Por exemplo, qualquer ponto na curva de equilíbrio líquido-vapor representa um estado de equilíbrio dinâmico no qual vaporização e condensação ocorrem com as mesmas velocidades. Moléculas estão deixando a superfície do líquido em certa velocidade e moléculas estão voltando da fase gasosa para o líquido na mesma velocidade; como resultado, não há nenhuma variação líquida no número de moléculas no vapor e, consequentemente, nenhuma alteração na sua pressão. Do mesmo modo, um ponto na curva de equilíbrio sólido-líquido representa as condições de pressão e de temperatura em que as moléculas estão incessantemente escapando da superfície do sólido e passando para o líquido. Entretanto, fazem isso com uma velocidade que é exatamente igual àquela com que as moléculas no líquido estão se ligando à superfície do sólido, e com isso passando à fase sólida.

5.5 Localização das curvas de equilíbrio

A termodinâmica nos proporciona um modo de prever a localização das curvas de equilíbrio. Admitamos que duas fases estejam em equilíbrio sob determinadas pressão e temperatura. Então, se alterarmos a pressão, teremos de ajustar a temperatura em um valor diferente para garantir que as duas fases permaneçam em equilíbrio. Em outras palavras, deve haver uma relação entre a variação na pressão, Δp, que exercemos e a variação da temperatura, ΔT, que temos de fazer de modo a assegurar que as duas fases permaneçam em equilíbrio. Mostramos na Dedução a seguir que a relação entre a variação na temperatura e a variação na pressão necessária para manter o equilíbrio é dada pela **equação de Clapeyron:**

$$\Delta p = \frac{\Delta_{trs}H}{T\Delta_{trs}V} \times \Delta T \qquad \text{Equação de Clapeyron} \qquad (5.5a)$$

em que $\Delta_{trs}H$ é a entalpia de transição e $\Delta_{trs}V$ é o volume da transição (a variação no volume molar quando ocorre a transição); essas duas grandezas são especificadas na Dedução a seguir. Essa forma da equação de Clapeyron é válida para pequenas variações de pressão e temperatura, pois somente assim $\Delta_{trs}H$, $\Delta_{trs}V$ e T podem ser considerados constantes ao longo do intervalo.

Dedução 5.4

A equação de Clapeyron

Essa dedução também é baseada na Eq. 5.2 ($dG = Vdp - SdT$), a relação obtida na Dedução 5.1.

Considere duas fases: 1 (por exemplo, um líquido) e 2 (um vapor). Sob certa pressão e temperatura as duas fases estão em equilíbrio e $G_m(1) = G_m(2)$, no qual $G_m(1)$ é a energia de Gibbs molar da fase 1 e $G_m(2)$ a da fase 2 (Fig. 5.9). Agora, variamos a pressão em uma quantidade infinitesimal dp e a temperatura de uma quantidade infinitesimal dT. A energia de Gibbs molar de cada fase varia conforme será visto a seguir:

Fase 1: $dG_m(1) = V_m(1)dp - S_m(1)dT$

Fase 2: $dG_m(2) = V_m(2)dp - S_m(2)dT$

em que $V_m(1)$ e $S_m(1)$ são o volume molar e a entropia molar da fase 1 e $V_m(2)$ e $S_m(2)$ as de fase 2. As duas fases estavam em equilíbrio antes da mudança, assim as duas energias de Gibbs molares eram iguais. As duas fases ainda estão em equilíbrio

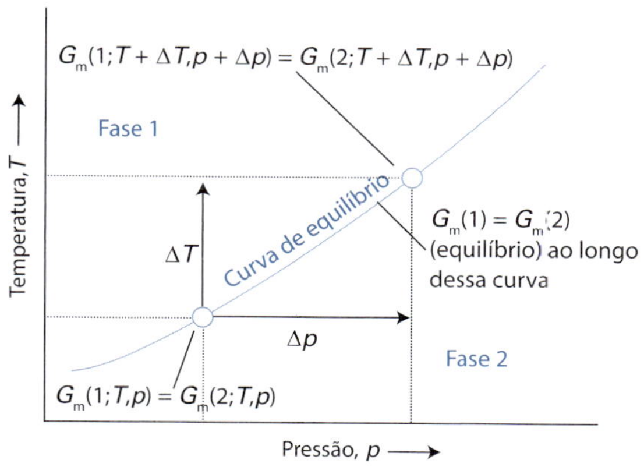

Figura 5.9 No equilíbrio, duas fases têm a mesma energia de Gibbs molar. Quando a temperatura é alterada, para que as duas fases permaneçam em equilíbrio, a pressão deve ser alterada de modo que as energias de Gibbs das duas fases permaneçam iguais.

depois que a pressão e a temperatura foram alteradas, logo as suas energias de Gibbs molares ainda são iguais. Portanto, as duas *variações* da energia de Gibbs molar devem ser iguais, $dG_m(1) = dG_m(2)$ e podemos escrever

$$V_m(2)dp - S_m(2)dT = V_m(1)dp - S_m(1)dT$$

Essa equação pode ser reescrita na forma

$$\{V_m(2) - V_m(1)\}dp = \{S_m(2) - S_m(1)\}dT$$

A entropia de transição, $\Delta_{trs}S$, é a diferença entre as duas entropias molares e o volume de transição, $\Delta_{trs}V$, é a diferença entre os volumes molares das duas fases:

$$\Delta_{trs}V = V_m(2) - V_m(1);\ \Delta_{trs}S = S_m(2) - S_m(1)$$

Podemos escrever então

$$\Delta_{trs}V dp = \Delta_{trs}S dT$$

ou

$$dp = \frac{\Delta_{trs}S}{\Delta_{trs}V} dT$$

Vimos no Capítulo 4 que a entropia de transição está relacionada com a entalpia de transição por $\Delta_{trs}S = \Delta_{trs}H/T_{trs}$; logo, podemos também escrever

$$dp = \frac{\Delta_{trs}H}{T\Delta_{trs}V} dT \qquad (5.5b)$$

Retiramos o subscrito 'trs' da temperatura porque todos os pontos da curva de equilíbrio – os únicos pontos que estamos considerando – são temperaturas de transição. Essa expressão é exata. Para variações de pressão e temperatura pequenas o suficiente para que $\Delta_{trs}H$, $\Delta_{trs}V$ e T possam ser considerados constantes, as variações infinitesimais dp e dT podem ser substituídas por variações finitas, e temos então a Eq. 5.5a.

A equação de Clapeyron fornece o coeficiente angular (o valor de $\Delta p/\Delta T$) de qualquer curva de equilíbrio em termos da entalpia e do volume da transição. Para a curva de equilíbrio sólido-líquido, a entalpia de transição é a entalpia de fusão, que é positiva porque a fusão é sempre endotérmica. Para a maioria das substâncias, o volume molar aumenta ligeiramente na fusão, logo $\Delta_{trs}V$ é positivo, embora pequeno. Assim, o coeficiente angular da curva de equilíbrio é grande e positivo (curva crescente da esquerda para a direita) e, portanto, uma grande variação na pressão leva apenas a um pequeno aumento na temperatura de fusão. A água é muito diferente, pois embora sua fusão seja endotérmica, seu volume molar *diminui* na fusão (a água líquida é mais densa que o gelo a 0 °C e por essa razão o gelo flutua na água); logo $\Delta_{trs}V$ é pequeno, mas negativo. Consequentemente, o coeficiente angular da curva de equilíbrio gelo-água é acentuado, mas negativo (curva decrescente da esquerda para a direita). Neste caso, uma grande variação na pressão produz um pequeno abaixamento na temperatura de fusão do gelo.

Exemplo 5.3

Determinação do efeito da pressão na temperatura de ebulição

Determine um valor típico do efeito do aumento da pressão sobre o ponto de ebulição de um líquido.

Estratégia Inicialmente, vamos calcular um valor típico de dp/dT para o caso da vaporização. Assim, reescrevemos a Eq. 5.5 como

$$\frac{dp}{dT} = \frac{\Delta_{trs}H}{T\Delta_{trs}V} \overset{trs\to vap}{\overbrace{=}} \frac{\Delta_{vap}H}{T\Delta_{vap}V}$$

Em seguida, precisamos calcular o lado direito da equação. No ponto de ebulição, o termo $\Delta_{vap}H/T$ é dado pela regra de Trouton: 85 J K^{-1} mol^{-1} (Seção 4.5). Como o volume molar de um gás é muito maior que o volume molar de um líquido, podemos escrever $\Delta_{vap}V = V_m(g) - V_m(l) \approx V_m(g)$, e usar para $V_m(g)$ o volume molar de um gás perfeito (pelo menos para baixas pressões). Finalmente, invertemos o valor calculado de dp/dT para obter dT/dp e, consequentemente, uma estimativa de quanto se altera o ponto de ebulição com a pressão.

Solução Da equação dos gases perfeitos, $V_m = RT/p$ é cerca de 25 dm^3 mol^{-1} = $2{,}5 \times 10^{-2}$ m^3 mol^{-1} a 1 atm e para uma temperatura próxima, mas acima da temperatura ambiente, T = 298K. Portanto,

$$\frac{dp}{dT} \approx \frac{\overbrace{85\ J\ K^{-1}\ mol^{-1}}^{\Delta_{vap}H/T}}{\underbrace{2{,}5\times10^{-2}\ m^3\ mol^{-1}}_{V_m}} \overset{1\ J=1\ Pa\ m^3}{\overbrace{=}} \overbrace{3{,}4\times10^{3}\ Pa\ K^{-1}}^{0{,}034\ atm}$$

em que usamos 1 J = 1 Pa m^3. Esse valor corresponde a 0,034 atm K^{-1} e, portanto, dT/dp = 29 K atm^{-1}. Assim, para uma variação de +0,1 atm na pressão pode-se esperar uma variação de cerca de +3 K na temperatura de ebulição.

Exercício proposto 5.3

Determine dT/dp para a água em seu ponto normal de ebulição, segundo as informações da Tabela 3.1

Resposta: 28 K atm^{-1}

Não podemos usar a Eq. 5.5 para investigar a curva de equilíbrio líquido-vapor, salvo em pequenos intervalos de temperatura e pressão, pois não podemos admitir que o volume do vapor, e, portanto, o volume de transição, seja independente da pressão. Contudo, se admitirmos que o vapor se comporta como um gás perfeito, então (veja a Dedução a seguir) a relação entre a variação da pressão e a variação da temperatura é dada pela **equação de Clausius-Clapeyron:**

$$\Delta(\ln p) = \frac{\Delta_{vap}H}{RT^2} \times \Delta T \qquad \text{Vapor gás perfeito} \qquad \text{Equação de Clausius-Clapeyron} \qquad (5.6)$$

A Eq. 5.6 mostra que quando a temperatura de um líquido aumenta ($\Delta T > 0$) sua pressão de vapor também aumenta (um aumento no logaritmo de p, $\Delta(\ln p) > 0$, implica que p aumenta).

Dedução 5.5

A equação de Clausius-Clapeyron

Para a curva de equilíbrio líquido-vapor, o símbolo 'trs' na forma exata da equação de Clapeyron, Eq. 5.5b na Dedução 5.4, se torna 'vap', e a equação pode ser escrita como

$$\frac{dp}{dT} \overset{trs \to vap}{\overbrace{=}} \frac{\Delta_{vap}H}{T\Delta_{vap}V}$$

Como o volume molar de um gás é muito maior que o volume molar de um líquido, o volume de vaporização, $\Delta_{vap}V = V_m(g) - V_m(l)$, é aproximadamente igual ao volume molar do próprio gás. Portanto, com boa aproximação,

$$\frac{dp}{dT} = \frac{\Delta_{vap}H}{T\Delta_{vap}V} = \frac{\Delta_{vap}H}{T\{V_m(g) - V_m(l)\}} \overset{V_m(g) \gg V_m(l)}{\overbrace{\approx}} \frac{\Delta_{vap}H}{TV_m(g)}$$

Para avançar em nossa dedução, podemos considerar o vapor como um gás perfeito e escrever o seu volume molar como $V_m = RT/p$. Então

$$\frac{dp}{dT} = \frac{\Delta_{vap}H}{TV_m(g)} \overset{V_m(g)=RT/p}{\overbrace{=}} \frac{\Delta_{vap}H}{T(RT/p)} = \frac{p\Delta_{vap}H}{RT^2}$$

e, portanto,

$$\frac{dp}{p} = \frac{\Delta_{vap}H}{RT^2} dT$$

Um resultado padrão do cálculo, que discutimos em Ferramentas do químico 2.1, é que $d \ln x/dx = 1/x$; assim (após multiplicar ambos os lados por dx), $dx/x = d \ln x$. Segue então que podemos escrever a última equação como a equação de Clausius-Clapeyron:

$$d(\ln p) = \frac{\Delta_{vap}H}{RT^2} dT$$

Se os intervalos de temperatura e pressão forem pequenos, as variações infinitesimais $d(\ln p)$ e dT podem ser substituídas por variações finitas, e obtemos a Eq. 5.6.

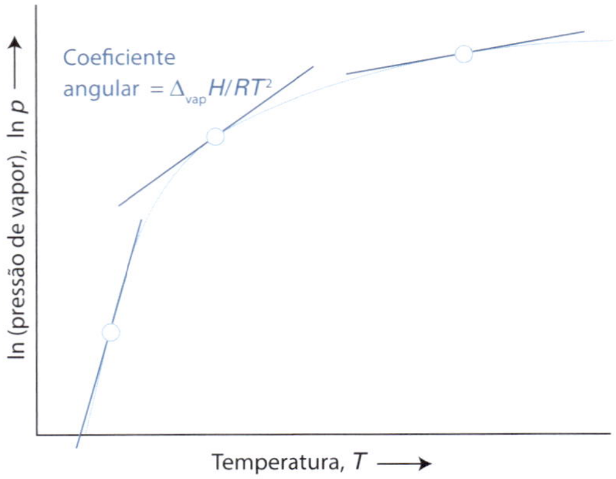

Figura 5.10 A equação de Clausius-Clapeyron fornece o coeficiente angular da curva do logaritmo da pressão de vapor de uma substância em função da temperatura. O coeficiente angular em determinada temperatura é proporcional à entalpia de vaporização da substância.

Uma importante aplicação da equação de Clausius-Clapeyron é permitir a obtenção de uma expressão que mostra como a pressão de vapor varia com a temperatura e, assim, mostra como a variação depende das propriedades moleculares. Segue da Eq. 5.6, como também é mostrado na Dedução vista a seguir, que a pressão de vapor p' a uma temperatura T' está relacionada com a pressão de vapor p a uma temperatura T por

$$\ln p' = \ln p + \frac{\Delta_{vap}H}{R}\left(\frac{1}{T} - \frac{1}{T'}\right) \qquad \text{Dependência da pressão de vapor com a temperatura} \qquad (5.7)$$

A Eq. 5.7 nos permite calcular a pressão de vapor em uma temperatura se soubermos o seu valor em outra temperatura. A equação nos informa que:

> Para determinada variação de temperatura, quanto maior a entalpia de vaporização, maior a variação da pressão de vapor.

A água, por exemplo, tem uma entalpia de vaporização alta devido às fortes ligações de hidrogênio que mantém as moléculas unidas no líquido, então podemos esperar que sua pressão de vapor aumente rapidamente com o aumento da temperatura. O benzeno não faz ligações de hidrogênio, tem uma entalpia de vaporização muito menor e, portanto, tem uma pressão de vapor que varia muito menos acentuadamente com a temperatura.

Dedução 5.6

Dependência da pressão de vapor com a temperatura

Para obter a expressão explícita da pressão de vapor em qualquer temperatura (Eq. 5.7), reescrevemos a última equação apresentada na Dedução anterior na forma

$$d(\ln p) = \frac{\Delta_{vap}H}{RT^2} dT$$

e integramos ambos os lados. Se a pressão de vapor for p na temperatura T e p' quando a temperatura for T', essa integração toma a forma

$$\int_{\ln p}^{\ln p'} d(\ln p) = \int_{T}^{T'} \frac{\Delta_{vap}H}{RT^2} dT$$

Uma nota sobre a boa prática Quando realizar uma integração, certifique-se de que os limites se aplicam a cada lado da expressão. Neste caso, os limites inferiores são $\ln p$ à esquerda e T à direita, e os superiores são $\ln p'$ e T', respectivamente.

A integral na esquerda resulta em:

$$\int_{\ln p}^{\ln p'} d(\ln p) \overset{\int_a^b dx=b-a}{=} \ln p' - \ln p \overset{\ln x - \ln y = \ln \frac{x}{y}}{=} \ln \frac{p'}{p}$$

Para resolvermos a integral da direita, supomos que a entalpia de vaporização é constante no intervalo de temperatura de interesse; assim, juntamente com R pode sair da integral:

$$\int_T^{T'} \frac{\Delta_{vap}H}{RT^2} dT \overset{\Delta_{vap}H/R \text{ a constante}}{=} \frac{\Delta_{vap}H}{R} \int_T^{T'} \frac{1}{T^2} dT$$

$$= \frac{\Delta_{vap}H}{R}\left(\frac{1}{T} - \frac{1}{T'}\right)$$

Para obter esse resultado usamos a integral padrão (Ferramentas do Químico 2.1)

$$\int \frac{1}{x^2} = -\frac{1}{x} + \text{constante}$$

Igualando-se as duas integrais anteriores obtemos a Eq. 5.7.

Uma nota sobre a boa prática Observe as aproximações que são feitas em uma dedução. Nessas duas últimas deduções fizemos três: (1) o volume molar do gás é muito maior que o do líquido; (2) o vapor se comporta como um gás perfeito; (3) a entalpia de vaporização é independente da temperatura no intervalo de interesse. As aproximações limitam as formas pelas quais uma expressão pode ser usada para resolver problemas.

Observe, também, que podemos reescrever a Eq. 5.7 na forma

$$\ln p = \overbrace{\ln p' + \frac{\Delta_{vap}H}{RT'}}^{A} - \overbrace{\frac{\Delta_{vap}H}{RT}}^{B/T}$$

Esta equação tem a forma

$$\ln p = A - \frac{B}{T} \tag{5.8}$$

em que A e B são constantes e o valor de A depende das unidades adotadas para p. Essa é a forma na qual as pressões de vapor são normalmente encontradas (Tabela 5.1 e Fig. 5.11).

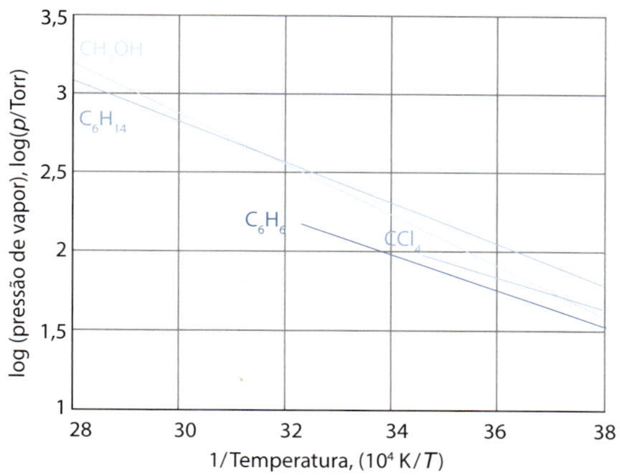

Figura 5.11 Pressão de vapor de algumas substâncias com base nos dados da Tabela 5.1. O gráfico é do logaritmo comum, da pressão de vapor, não do logaritmo natural ($\ln x = \ln 10 \times \log x$).

■ Breve ilustração 5.4 Variação da Pressão de Vapor com a Temperatura

A pressão de vapor do benzeno na faixa de 0-42 °C pode ser expressa na forma da Eq. 5.8:

$$\ln(p/\text{kPa}) = 16{,}319 - \frac{4110 \text{ K}}{T}$$

como $B = 4110$ K e sendo $B = \Delta_{vap}H/R$, de acordo com a discussão anterior, então

$$\Delta_{vap}H = BR = (4110 \text{ K}) \times (8{,}3145 \text{ J K}^{-1} \text{ mol}^{-1})$$
$$= 34{,}2 \text{ kJ mol}^{-1}$$

Uma nota sobre a boa prática Você às vezes encontrará a Eq. 5.8 escrita sem unidades, ou com as unidades entre parênteses. É muito melhor incluir as unidades de tal forma que todas as grandezas fiquem adimensionais, como nesta Breve ilustração: p/kPa é um número adimensional.

Exercício proposto 5.4

Para o benzeno na faixa de 42-100 °C, $\ln(p/\text{kPa}) = 15{,}61 - (3384 \text{ K})/T$. Determine o ponto de ebulição normal do benzeno. (O ponto de ebulição normal é a temperatura na qual a pressão de vapor é 1 atm; veja a seguir.)

Resposta: 80,2 °C; o valor real é 80,1 °C

Tabela 5.1
*Pressão de vapor**

Substância	*A*	*B*/K	Intervalo de temperatura (°C)
Benzeno, C_6H_6(l)	16,32	4110	0 a +42
	15,61	3884	42 a 100
Hexano, C_6H_{14}(l)	15,77	3811	−10 a +90
Metanol, CH_3OH(l)	18,25	4610	−10 a +80
Metilbenzeno, $C_6H_5CH_3$(l)	17,17	4713	−92 a +15
Fósforo, P4(s, branco)	20,21	7592	20 a 44
Trióxido de enxofre SO_3(l)	21,06	5225	24 a 48
Tetraclorometano, CCl_4(l)	16,42	4078	−19 a +20

**A* e *B* são as constantes na expressão $\ln(p/\text{kPa}) = A - B/T$.

5.6 Pontos característicos

Como já vimos, quando a temperatura de um líquido aumenta, sua pressão de vapor aumenta. Inicialmente, consideremos o que observaríamos quando um líquido é aquecido em um recipiente aberto. Sob determinada temperatura, a pressão de vapor fica igual à pressão externa. Nessa temperatura, o vapor pode se expandir indefinidamente contra a atmosfera das vizinhanças. Além disso, como não há nenhuma restrição para a expansão, bolhas de vapor podem se formar no próprio líquido. Essa condição é conhecida como **ebulição.** A temperatura na qual a pressão de vapor de um líquido é igual à pressão externa é chamada de **temperatura** ou **ponto de ebulição.** Quando a pressão externa é 1 atm, a temperatura de ebulição é chamada de **ponto de ebulição normal,** T_{eb}. Assim, podemos prever o ponto de ebulição normal de um líquido observando no diagrama de fase qual o valor da temperatura em que a pressão de vapor é 1 atm. O uso de 1 atm, em vez de 1 bar, na definição do ponto de ebulição normal é histórico: a temperatura de ebulição a 1 bar é chamada **ponto de ebulição padrão.**

Consideremos agora o que acontece quando aquecemos o líquido em um recipiente fechado. Como o vapor não pode escapar, sua massa específica aumenta na medida em que a pressão de vapor se eleva, e eventualmente a massa específica do vapor fica igual à do líquido restante. Nesse momento a superfície entre as duas fases desaparece, conforme representado na Figura 1.15. A temperatura em que a superfície desaparece é a temperatura crítica, T_c, que foi vista anteriormente na Seção 1.10. A pressão de vapor na temperatura crítica é chamada de **pressão crítica,** p_c, e a temperatura crítica e a pressão crítica identificam o **ponto crítico** da substância (veja Tabela 5.2). Se exercermos pressão em uma amostra que esteja acima da sua temperatura crítica, produz-se um fluido mais denso. Contudo, nenhuma superfície aparece para separar as duas partes da amostra, e uma única fase uniforme, um **fluido supercrítico,** continua ocupando o recipiente. Podemos então concluir que *um líquido não pode ser produzido pela aplicação de uma pressão sobre uma substância se estiver em sua temperatura crítica ou acima da mesma*. É por isso que a curva de equilíbrio líquido-vapor em um diagrama de fase termina no ponto crítico (Fig. 5.12).

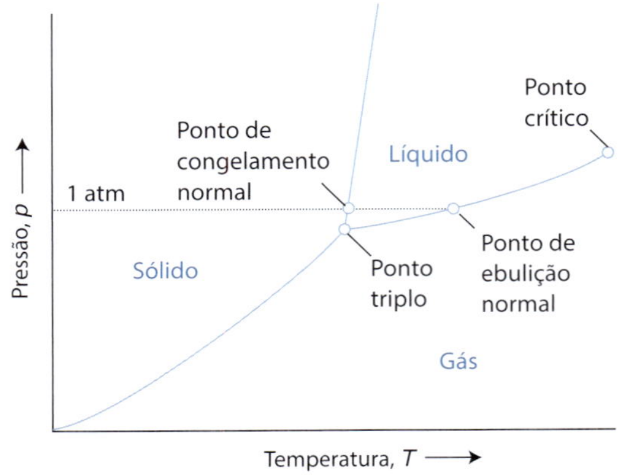

Figura 5.12 Os pontos significativos de um diagrama de fase. A curva de equilíbrio líquido-vapor termina no ponto crítico. No ponto triplo, sólido, líquido e vapor estão em equilíbrio dinâmico. O ponto de congelamento normal é a temperatura em que o líquido congela quando a pressão é 1 atm; o ponto de ebulição normal é a temperatura em que a pressão de vapor do líquido é 1 atm.

Tabela 5.2
*Constantes críticas**

	p_c/atm	V_c/(cm^3 mol^{-1})	T_c/K
Água, H_2O	218	55	647
Amônia, NH_3	111	73	406
Argônio, Ar	48	75	151
Benzeno, C_6H_6	49	260	563
Bromo, Br_2	102	135	584
Cloro, Cl_2	76	124	417
Dióxido de carbono, CO_2	73	94	304
Etano, C_2H_6	48	148	305
Eteno, C_2H_4	51	124	283
Hidrogênio, H_2	13	65	33
Metano, CH_4	46	99	191
Oxigênio, O_2	50	78	155

*O volume crítico, V_c, é o volume molar na pressão crítica e na temperatura crítica.

A temperatura em que as fases líquida e sólida de uma substância coexistem em equilíbrio, sob determinada pressão, é a **temperatura** ou **ponto de fusão** da substância. Como uma substância se funde na mesma temperatura em que se congela, a 'temperatura de fusão' é sinônimo de **temperatura** ou **ponto de congelamento.** A curva de equilíbrio sólido-líquido mostra, então, como a temperatura de fusão de um sólido varia com a pressão. A temperatura de fusão quando a pressão sobre a amostra é de 1 atm é chamada **ponto de fusão normal** ou **ponto de congelamento normal,** T_f. Um líquido congela quando a energia das moléculas no líquido é tão baixa que elas não podem escapar das forças atrativas de suas vizinhanças, e perdem a sua mobilidade.

Há um conjunto de condições em que três fases diferentes (normalmente sólido, líquido e vapor) coexistem simultaneamente em equilíbrio. É representado pelo **ponto triplo,** no qual as três curvas de equilíbrio se encontram. O ponto triplo de uma substância pura é uma propriedade física inalterável e característica da substância. Para a água, o ponto triplo é 273,16 K e 611 Pa. Nesse ponto, e em nenhuma outra combinação de pressão e temperatura, coexistem em equilíbrio gelo, água líquida e vapor d'água. No ponto triplo, as velocidades de cada processo direto e inverso são iguais (mas as três diferentes velocidades não são necessariamente as mesmas).

O ponto triplo e o ponto crítico são características importantes de uma substância porque representam um limite para a existência da fase líquida. Como vemos na Figura 5.13a, se o coeficiente angular da curva de equilíbrio sólido-líquido for como indicado no diagrama:

O ponto triplo marca a menor temperatura em que o líquido pode existir.

O ponto crítico marca a maior temperatura em que o líquido pode existir.

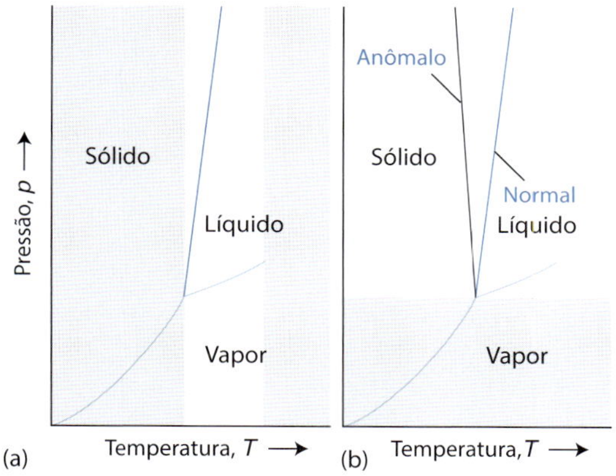

Figura 5.13 (a) Para substâncias que têm diagramas de fase semelhantes ao apresentado (que é comum para a maioria das substâncias, com a importante exceção da água), o ponto triplo e o ponto crítico marcam o intervalo de temperatura em que a substância pode existir como um líquido. As áreas sombreadas mostram as regiões de temperatura em que um líquido não pode existir como uma fase estável. (b) Um líquido não pode existir como uma fase estável se a pressão estiver abaixo da pressão do ponto triplo, para líquidos normais ou anômalos.

Veremos na Seção 5.8 que para alguns poucos materiais (notavelmente a água) a curva de equilíbrio sólido-líquido se inclina na direção oposta, e então somente a segunda das conclusões anteriores é pertinente (veja a Figura 5.13b).

Impacto na tecnologia 5.1

Fluidos supercríticos

O dióxido de carbono supercrítico, $scCO_2$, é o centro das atenções em um número cada vez maior de processos que requerem o uso de solventes. A temperatura e pressão críticas, 31,0 °C (304,2 K) e 72,9 atm (7,39 MPa), respectivamente, são facilmente obtidas e o dióxido de carbono é barato. A massa específica do $scCO_2$ no seu ponto crítico é de 0,45 g cm^{-3}. Entretanto, as propriedades de transporte de fluidos supercríticos dependem fortemente de sua massa específica, que por sua vez é muito sensível à pressão e à temperatura. Por exemplo, as densidades podem ser ajustadas de um valor próximo ao valor de um gás de 0,1 g cm^{-3} para o valor de um gás (0,1 g cm^{-3}) ou de um líquido (1,2 g cm^{-3}). Uma regra prática simples é que a solubilidade de um soluto é uma função exponencial da massa específica do fluido supercrítico, de forma que um pequeno aumento na pressão, particularmente em torno do ponto crítico, pode ter um grande efeito na solubilidade.

Uma grande vantagem do $scCO_2$ é de não deixar resíduos nocivos após ter sido evaporado. Esse fato, juntamente com sua baixa temperatura crítica, faz com que seja o solvente ideal no processamento de alimentos e na produção de fármacos. É usado, por exemplo, para remover a cafeína do café. O fluido supercrítico também vem sendo crescentemente utilizado na lavagem a seco, o que evita o uso de substâncias carcinogênicas e altamente nocivas ao meio ambiente como os hidrocarbonetos clorados.

O CO_2 supercrítico vem sendo usado desde os anos sessenta como fase móvel em **cromatografia de fluido supercrítico** (sigla inglesa SFC), que foi preterida pela técnica, mais conveniente, da cromatografia líquida de alta eficiência (CLAE). Entretanto, observa-se um novo interesse em SFC, pois existem separações possíveis com essa técnica, como a separação de lipídios e fosfolipídios, que não são facilmente realizadas com a CLAE. Amostras tão pequenas quanto 1 pg podem ser analisadas. A principal vantagem da SFC é que os coeficientes de difusão em fluidos supercríticos são uma ordem de grandeza maiores que em líquidos. Assim, há menos resistência à transferência de solutos através da coluna, resultando em separações rápidas ou de maior resolução.

O principal problema do $scCO_2$ é que não é um bom solvente, e é necessário o uso de surfactantes para induzir alguns solutos de interesse a se dissolverem. De fato, a lavagem a seco que usa $scCO_2$ depende da disponibilidade de surfactantes baratos; o mesmo acontece quando no uso do $scCO_2$ como solvente de catalisadores homogêneos, como complexos metálicos. Há em princípio duas abordagens principais para se resolver o problema da solubilização. Uma solução é de se usar estabilizantes poliméricos fluorados ou à base de siloxano, que permitem a ocorrência de reações de polimerização no $scCO_2$. A desvantagem desses estabilizantes para o uso comercial é seu preço elevado. Uma alternativa muito mais barata é o uso de copolímeros de poli(éter-carbonato). Os copolímeros ficam mais solúveis no $scCO_2$ ajustando a proporção entre os grupos éter e carbonato.

A temperatura crítica da água é 374 °C (647 K) e sua pressão crítica é 218 atm (221 MPa). As condições de uso de scH_2O são, portanto, muito mais drásticas que as de $scCO_2$ e as propriedades do fluido são altamente sensíveis à pressão. Assim, à medida que a massa específica de scH_2O diminui, as características de uma solução mudam de uma solução aquosa para uma solução não aquosa, e eventualmente para uma solução gasosa. Uma consequência é que os mecanismos de reação podem mudar de iônico para radical.

5.7 A regra das fases

Neste ponto, podemos especular se *quatro* fases de uma única substância poderiam estar em equilíbrio (como, por exemplo, as duas formas sólidas do estanho, o estanho líquido e o vapor de estanho). Para explorar essa questão utilizamos o critério termodinâmico para as quatro fases estarem em equilíbrio. No equilíbrio, as quatro energias de Gibbs molares teriam de ser iguais, e poderíamos escrever

$$G_m(1) = G_m(2) \quad G_m(2) = G_m(3) \quad G_m(3) = G_m(4)$$

(As outras igualdades $G_m(1) = G_m(4)$ etc. estão implícitas nessas três equações.) Cada uma das energias de Gibbs é uma função da pressão e da temperatura; assim deveríamos pensar nessas três relações como três equações para duas incógnitas, p e T. Em geral, três equações para duas incógnitas não têm solução. Por exemplo, as três equações $5x + 3y = 4$, $2x + 6y = 5$ e $x + y = 1$ não tem nenhuma solução (tente). Portanto, podemos concluir que as quatro energias de Gibbs molares não poderiam ser iguais. Em outras palavras, *quatro fases de uma substância pura não podem coexistir em equilíbrio mútuo.*

A conclusão a que chegamos é um caso especial de um dos resultados mais elegantes da termodinâmica química. A **regra das fases**, que é obtida na Dedução vista a seguir, foi deduzida por Gibbs e estabelece que, para um sistema em equilíbrio,

$$F = C - P + 2 \qquad \text{Regra das fases} \qquad (5.9)$$

Nessa expressão, F é o número de graus de liberdade, C é o número de componentes e P é o número de fases:

- O **número de componentes**, C, em um sistema é o número mínimo de espécies independentes, necessário para definir a composição de todas as fases presentes no sistema.

A definição é fácil de aplicar quando as espécies presentes em um sistema não reagem, pois simplesmente contamos o número total de espécies químicas presentes. Por exemplo, a água pura é um sistema com um componente ($C = 1$) e uma mistura de etanol e água é um sistema com dois componentes ($C = 2$).

- O **número de graus de liberdade**, F, de um sistema é o número de variáveis intensivas (como a pressão, a temperatura, ou as frações molares, que são independentes da quantidade de matéria na amostra) que podem variar independentemente, sem perturbar o número de fases em equilíbrio.

Dedução 5.7

A regra das fases

Começamos contando o número total de variáveis intensivas. A pressão, p, e a temperatura, T, contam como 2. Podemos especificar a composição de uma fase especificando a fração molar de $C - 1$ componentes. Precisamos especificar somente $C - 1$ e não todas as C frações molares porque $x_1 + x_2 + \cdots + x_C = 1$, assim, todas as frações molares são conhecidas se todas menos uma forem especificadas. Como existem P fases, o número total de variáveis de composição é $P(C - 1)$. Neste ponto, o número total de variáveis intensivas é $P(C - 1) + 2$.

No equilíbrio, o potencial químico de um componente J precisa ser o mesmo em todas as fases:

$$\mu_J(1) = \mu_J(2) = \ldots = \mu_J(P) \text{ para } P \text{ fases}$$

Isto é, existem $P - 1$ equações deste tipo a serem satisfeitas para cada componente J. Como há C componentes, o número total de equações é $C(P - 1)$. Cada equação reduz a nossa liberdade em variar uma das $P(C - 1) + 2$ variáveis intensivas. Segue, então, que o número total de graus de liberdade é

$$F = P(C - 1) + 2 - C(P - 1) = C - P + 2$$

que é a Eq. 5.9.

Para um sistema com um componente, como a água pura, fixamos $C = 1$ e a regra das fases se reduz a $F = 3 - P$. Quando só uma fase está presente, $F = 2$, isso implica que p e T podem variar independentemente. Em outras palavras, um sistema de uma única fase é representado por uma *região*, em um diagrama de fase. Quando duas fases estão em equilíbrio $F = 1$. Isso quer dizer que o equilíbrio de duas fases é representado por uma *curva* num diagrama de fase: uma curva num gráfico mostra como o valor de uma variável muda quando o valor da outra variável é alterado (Fig. 5.14). Essa restrição significa

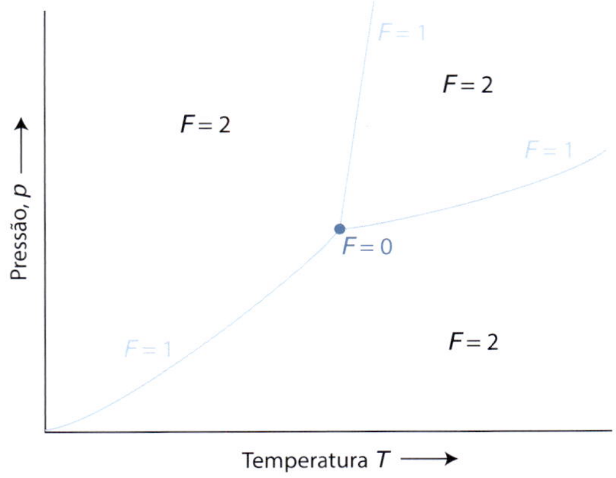

Figura 5.14 As características de um diagrama de fase representam diferentes graus de liberdade. Quando somente uma fase está presente, $F = 2$, e a pressão e a temperatura podem variar independentemente. Quando duas fases estão presentes em equilíbrio, $F = 1$: se a temperatura muda, a pressão tem de ser modificada por um valor específico. Quando três fases estão presentes em equilíbrio, $F = 0$, não há liberdade para mudar nenhuma das variáveis.

que a pressão não pode variar livremente quando fixamos a temperatura. Em vez de fixar a temperatura podemos fixar a pressão, mas, tendo feito isso, as duas fases entram em equilíbrio numa única temperatura definida. Portanto, o congelamento (ou qualquer outra transição de fase) ocorre numa temperatura definida sob determinada pressão. Quando três fases estão em equilíbrio $F = 0$. Essa 'condição invariante' especial pode ser estabelecida somente em uma temperatura e pressão definidas. O equilíbrio das três fases é representado então por um *ponto*, o ponto triplo, no diagrama de fase. Se fixássemos $P = 4$, teríamos o resultado absurdo de que F é negativo; esse resultado está de acordo com a conclusão do começo desta seção de que quatro fases não podem estar em equilíbrio em um sistema de um único componente.

Exemplo 5.4

A utilização da regra das fases

Uma solução saturada de sulfato de cobre(II), com excesso de sólido, está presente em equilíbrio com seu vapor em um recipiente fechado. (a) Quantas fases e componentes estão presentes? (b) Quantos graus de liberdades estão disponíveis e quais são eles?

Estratégia Use as definições de C e P discutidas anteriormente e depois a regra das fases para determinar F.

Solução (a) O sistema possui dois componentes, água e sulfato de cobre(II), então $C = 2$. Poderíamos considerar que o sistema seria constituído de água e dos íons Cu^{2+} e SO_4^{2-}, mas as concentrações iônicas não são independentes. Há três fases presentes (a solução líquida, o excesso de sólido e o vapor), então $P = 3$. (b) Segue da regra das fases que,

$$F = 2 - 3 + 2 = 1$$

O único grau de liberdade pode ser considerado a temperatura que, quando varia, também varia a pressão de vapor. As duas grandezas intensivas não podem variar de forma independente.

Exercício proposto 5.5

Repita o exemplo anterior para o caso de não haver excesso de soluto sólido presente.

Resposta: (a) $C = 2$, $P = 2$; (b) $F = 2$, temperatura e composição podem variar

5.8 Diagramas de fase de substâncias típicas

Veremos agora como essas características gerais aparecem nos diagramas de fase de algumas substâncias puras.

A Figura 5.15 é o diagrama de fase da água. A curva de equilíbrio líquido-vapor mostra como a pressão de vapor da água líquida varia com a temperatura. Podemos usar essa curva, que é apresentada com mais detalhes na Figura 5.7, para verificar como a temperatura de ebulição varia em função da pressão externa.

■ Breve ilustração 5.5 As fases da água

Quando a pressão externa é 19,9 kPa (a uma altitude de 12 km), a água ferve a 60 °C porque essa é a temperatura na qual a sua pressão de vapor é 19,9 kPa. A curva de equilíbrio sólido-líquido na Figura 5.15, que é vista em mais detalhes na Figura 5.16, mostra como a temperatura de fusão da água depende da pressão. Por exemplo, embora o gelo derreta a 0 °C e 1 atm, derrete a –1 °C quando a pressão é de 130 bar. A inclinação muito pronunciada da curva de equilíbrio indica que são necessárias pressões enormes para causar mudanças significativas. Observe que a curva de equilíbrio é decrescente da esquerda para a direita, o que indica, como havíamos antecipado, que a temperatura de fusão do gelo diminui quando a pressão aumenta.

Exercício proposto 5.6

Qual é a pressão mínima na qual o líquido é a fase termodinamicamente estável da água a 25 °C?

Resposta: 3,17 kPa (veja a Fig. 5.7)

A razão para esse comportamento incomum da água, comentado na *Breve ilustração* anterior, em que a temperatura de fusão do gelo diminui quando a pressão aumenta, pode ser atribuído ao fato de que o volume diminui quando ocorre a fusão do gelo: essa diminuição favorece a transformação do sólido em um líquido mais denso quando a pressão aumenta. A diminuição no volume é resultado de a estrutura cristalina do gelo ser muito aberta. Como mostrado na Figura 5.17, as moléculas de água são mantidas separadas, assim como juntas, pelas ligações de hidrogênio entre as mesmas, mas a estrutura é parcialmente destruída na fusão e o líquido é mais denso que o sólido.

A Figura 5.15 mostra que a água tem muitas fases sólidas diferentes, além do gelo comum ('gelo I', mostrado na Figura 5.17). Essas fases sólidas diferem na arrumação das moléculas de água: sob influência de pressões muito altas, as ligações de hidrogênio deformam-se e as moléculas de H_2O adotam arranjos diferentes. Esse **polimorfismo**, ou fases sólidas diferentes do gelo, pode ser responsável pelo deslocamento das geleiras, pois o gelo no fundo das geleiras experimenta pressões muito altas por se situar sobre rochas irregulares. A visível e súbita explosão do cometa de Halley em 1991 pode ter sido causada pela conversão de uma forma de gelo em outra no seu interior.

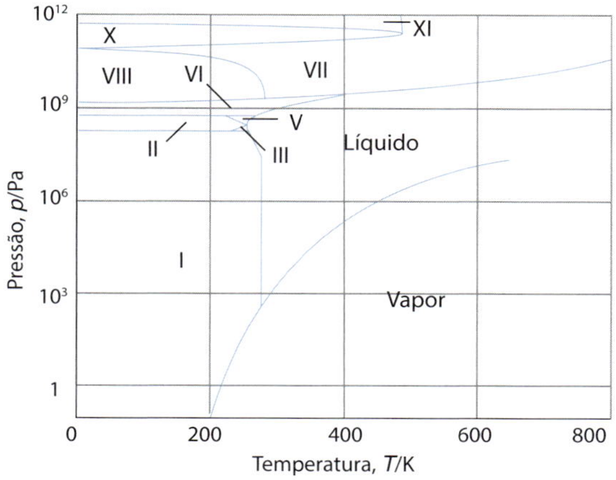

Figura 5.15 Diagrama de fase para a água mostrando as fases sólidas diferentes.

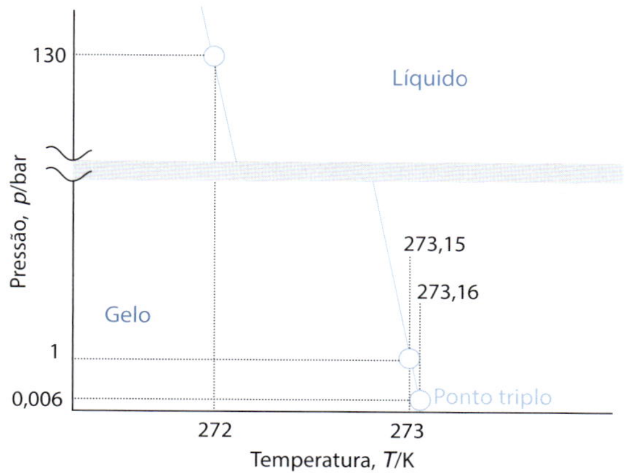

Figura 5.16 A curva de equilíbrio sólido-líquido da água em mais detalhes. O gráfico é esquemático, não está em escala.

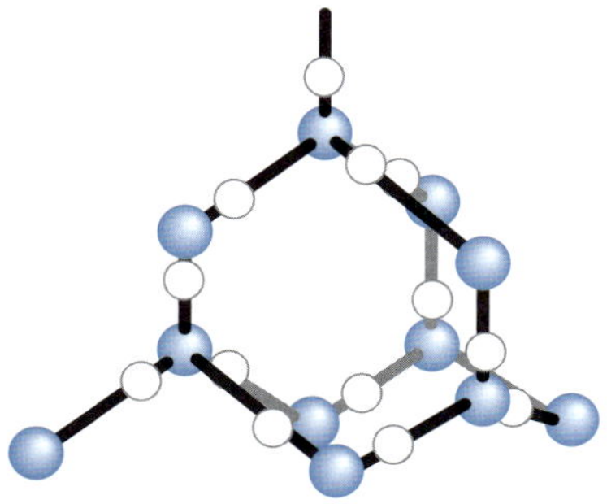

Figura 5.17 Estrutura do gelo-I. Cada átomo de O está no centro de um tetraedro de quatro átomos de O à distância de 276 pm. O átomo central está ligado a dois átomos de H por duas ligações curtas O—H e a dois átomos de H de moléculas vizinhas por duas ligações de hidrogênio longas. Como um todo, a estrutura consiste em planos de anéis hexagonais empilhados de moléculas de H_2O (como a forma em cadeira do ciclo-hexano). Esta estrutura é parcialmente destruída na fusão, e o líquido resultante é mais denso que o sólido.

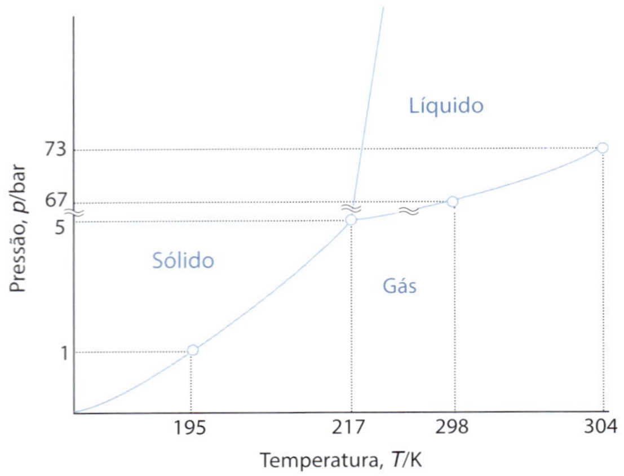

Figura 5.18 Diagrama de fase do dióxido de carbono. Observe que, como o ponto triplo se localiza bem acima da pressão atmosférica, o dióxido de carbono líquido não existe nas condições normais (uma pressão de pelo menos 5,11 bar tem que ser aplicada). Endereços de Bancos de Dados *on line* para dados de transições de fase, incluindo diagramas de fase, podem ser encontrados no site da LTC Editora.

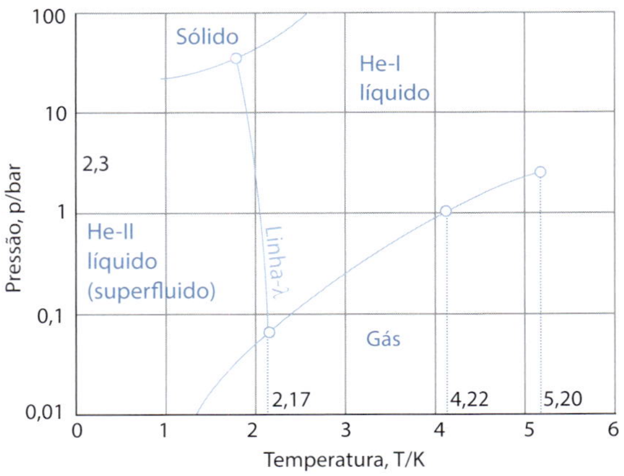

Figura 5.19 O diagrama de fase para o hélio-4. A 'linha-l' indica as condições nas quais as duas fases líquidas estão em equilíbrio. O hélio-I é um líquido convencional e o hélio-II é um superfluido. Observe que uma pressão de pelo menos 20 bar deve ser aplicada para que o hélio sólido possa ser obtido.

A Figura 5.18 mostra o diagrama de fase para o dióxido de carbono. As características a serem notadas incluem a inclinação da curva de equilíbrio sólido-líquido: esse coeficiente angular positivo é típico para quase todas as substâncias. O coeficiente angular positivo indica que a temperatura de fusão do dióxido de carbono sólido aumenta quando a pressão aumenta. Como o ponto triplo (217 K, 5,11 bar) fica bem acima da pressão atmosférica ordinária, o dióxido de carbono líquido não existe nas pressões atmosféricas normais, em qualquer temperatura, e o sólido sublima quando deixado ao ar livre (daí o nome 'gelo-seco'). Para se obter dióxido de carbono líquido, é necessário exercer uma pressão de pelo menos 5,11 bar.

Cilindros de dióxido de carbono geralmente contêm o dióxido de carbono líquido ou o gás comprimido; se o gás e o líquido estiverem presentes dentro do cilindro, então a 20 °C a pressão deve ser aproximadamente 65 atm. Quando o gás escapa através da válvula de pressão, esfria pelo efeito Joule-Thomson de modo que, quando o gás surge em uma região na qual a pressão é de somente 1 atm, condensa-se num sólido finamente dividido, parecido com neve.

A Figura 5.19 mostra o diagrama de fase do hélio. O hélio se comporta de modo incomum em baixas temperaturas. Por exemplo, as fases sólida e gasosa do hélio nunca estão em equilíbrio, mesmo em baixas temperaturas: os átomos são tão leves que, mesmo em baixas temperaturas, vibram com amplitude suficientemente grande para que o sólido se despedace. O hélio sólido pode ser obtido, mas somente mantendo os átomos juntos pela aplicação de pressão. Uma segunda característica única do hélio é que o hélio-4 puro tem duas fases líquidas. A fase simbolizada por He-I no diagrama se comporta como um líquido normal e a outra fase, o He-II, é um **superfluido**; ele é chamado assim porque flui sem viscosidade. O hélio é a única substância conhecida que apresenta no diagrama de fase uma curva de equilíbrio líquido-líquido. Entretanto, pesquisas recentes sugerem que a água pode também ter uma fase líquida superfluida.

5.9 A estrutura molecular dos líquidos

Uma questão que deveria surgir em nossa mente é a base molecular do material que apresentamos, em especial a natureza molecular da fase líquida pura. Essa é a questão que iremos tratar agora.

O ponto de partida para o estudo dos gases é a distribuição totalmente aleatória das moléculas de um gás perfeito. O ponto de partida para o estudo dos sólidos é a estrutura bem ordenada dos cristais perfeitos (Capítulo 17). O estado líquido está entre esses dois extremos: há alguma estrutura e alguma desordem. As partículas de um líquido são mantidas unidas por forças moleculares do tipo que iremos investigar no Capítulo 15, mas suas energias cinéticas se comparam às suas energias potenciais. Como consequência, embora as moléculas não estejam livres para escapar do seio do material, a estrutura é muito móvel como um todo. O fluxo das moléculas é como uma multidão de espectadores deixando um estádio.

Em um cristal, as partículas estão em posições definidas (na ausência de defeitos e do movimento térmico). Essa regularidade se mantém até longas distâncias (até a extremidade do cristal, bilhões de moléculas além); assim, dizemos que os cristais têm **ordem de longo alcance.** Quando o cristal se funde, a ordem de longo alcance é perdida e para qualquer direção que olhemos em longas distâncias, a partir de certa partícula, há igual probabilidade de encontrarmos uma segunda partícula. Entretanto, pode haver uma ordem remanescente próxima à primeira partícula. Suas vizinhas mais próximas podem ainda manter aproximadamente as suas posições originais; mesmo se forem deslocadas por outras partículas, essas podem ocupar as posições vagas deixadas pelas que se foram. A existência dessa **ordem de curto alcance** é devida principalmente às forças intermoleculares que exercem sua influência a curtas distâncias. Por exemplo, qualquer molécula de H_2O na água líquida está envolvida por outras moléculas situadas nos vértices de um tetraedro, com arranjo semelhante ao do gelo. As forças intermoleculares (nesse caso, principalmente ligações de hidrogênio) são fortes o suficiente para influenciar a estrutura local até o ponto de ebulição.

A 'estrutura' característica de um líquido é representada em termos da **função de distribuição de pares**, $g(r)$. Essa função é definida de tal maneira que $g(r)\Delta r$ é a probabilidade de uma molécula poder ser encontrada em qualquer ponto de uma finíssima casca esférica de raio r e espessura Δr. Em um cristal, a função de distribuição de pares apresenta uma série de picos que correspondem a moléculas sendo encontradas em posições fixas, relativas a qualquer molécula escolhida. Temos então a primeira camada de moléculas vizinhas, a segunda camada de moléculas vizinhas, e assim por diante. Em um líquido, esses picos não estão perfeitamente definidos uma vez que as moléculas não se encontram em posições fixas e precisas (Fig. 5.20). Em pequenas distâncias, em relação a uma dada molécula, existe alguma ordem de curto alcance, e a função de distribuição de pares apresenta uma sequência de oscilações. Em distâncias maiores e quando não existe ordem de longo alcance, essas oscilações desaparecem, e existe uma probabilidade uniforme de se encontrarem outras moléculas.

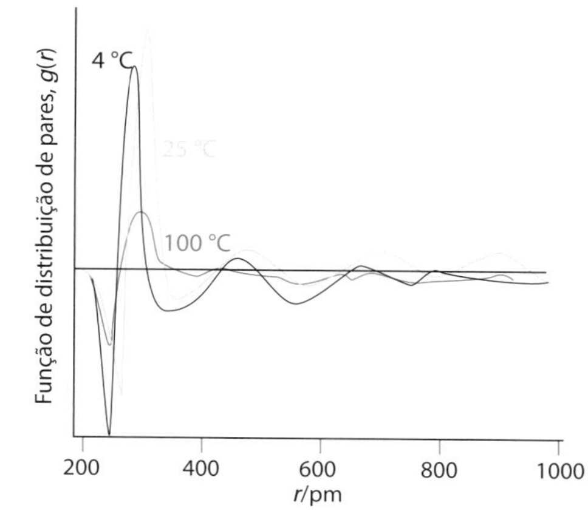

Figura 5.20 Função de distribuição de pares de átomos de oxigênio na água líquida em três diferentes temperaturas. Observe a expansão com o aumento da temperatura.

Verificação de conceitos importantes

- ☐ **1** A energia de Gibbs molar de um líquido ou de um sólido é praticamente independente da pressão.
- ☐ **2.** Um diagrama de fase de uma substância pura mostra as condições de pressão e temperatura nas quais suas várias fases são mais estáveis.
- ☐ **3** Uma curva de equilíbrio mostra as pressões e temperaturas nas quais duas fases estão em equilíbrio.
- ☐ **4** O coeficiente angular de uma curva de equilíbrio é dado pela equação de Clapeyron; veja *Mapa conceitual* a seguir.
- ☐ **5** O coeficiente angular da curva de equilíbrio líquido-vapor é dado pela equação de Clausius-Clapeyron, ver *Mapa conceitual* a seguir.
- ☐ **6** A pressão de vapor de um líquido é a pressão do vapor em equilíbrio com o líquido e depende da temperatura na forma $\ln p = A - B/T$.
- ☐ **7** A temperatura de ebulição é a temperatura em que a pressão de vapor é igual à pressão externa; o ponto de ebulição normal é a temperatura na qual a pressão de vapor é 1 atm.
- ☐ **8** A temperatura crítica é a temperatura acima da qual uma substância não forma um líquido.
- ☐ **9** O ponto triplo é a condição de pressão e temperatura na qual três fases estão mutuamente em equilíbrio.
- ☐ **10** A estrutura de um líquido é caracterizada pela existência de ordem de curto alcance devido principalmente às forças intermoleculares que atuam a curtas distâncias.
- ☐ **11** A ordem de curto alcance é caracterizada por oscilações largas no gráfico da função de distribuição de pares contra a distância a partir de uma dada molécula.

Mapa conceitual das equações importantes

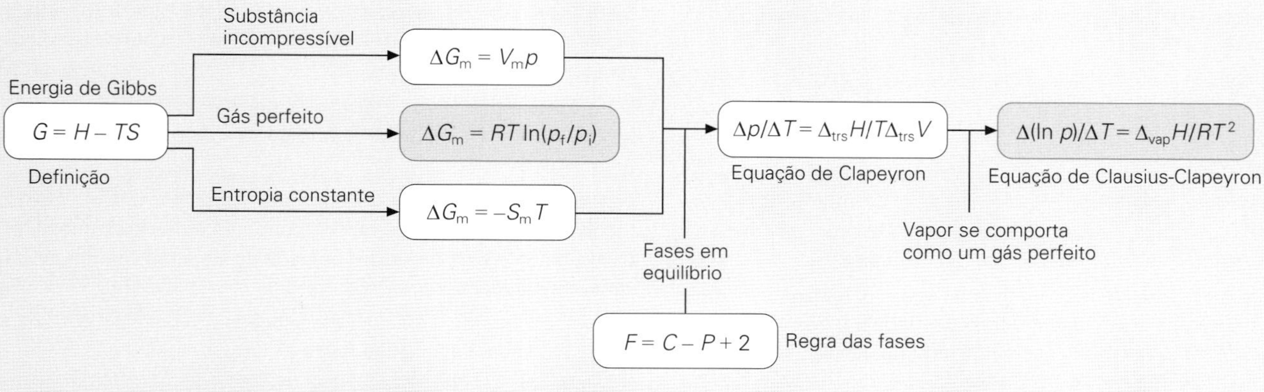

Uma caixa azul indica que a equação só é válida para gases perfeitos.

Questões e exercícios

Questões teóricas

5.1 Por que a energia de Gibbs molar varia com (a) a temperatura, (b) a pressão?

5.2 Discuta as consequências para a estabilidade de fases da energia de Gibbs molar variar com a temperatura e com a pressão.

5.3 Sem fazer nenhum cálculo, determine se a energia de Gibbs molar de um gás aumentará ou diminuirá, em relação ao seu valor para um gás 'perfeito', devido à presença de (a) interações atrativas, (b) interações repulsivas, entre as moléculas do gás.

5.4 Explique o significado das equações de Clapeyron e de Clausius-Clapeyron.

5.5 Use a regra das fases para esboçar a forma do diagrama de fase do enxofre, que tem duas fases sólidas, uma líquida e uma vapor. Identifique o número de graus de liberdade para cada possível combinação de equilíbrio de fase.

5.6 Explique o que se entende por 'estrutura de um líquido'.

5.7 O uso de fluidos supercríticos para a extração de um componente de uma mistura complexa não se limita à descafeinização do café. Pesquise na biblioteca e na *internet* e prepare um resumo dos princípios, vantagens, desvantagens e usos atuais da tecnologia de extração de fluidos supercríticos.

Exercícios

Considere todos os gases como perfeitos, a menos que exista informação em contrário. Todos os dados termoquímicos são a 298,15 K.

5.1 A energia de Gibbs padrão de formação do enxofre rômbico é zero e a do enxofre monoclínico é +0,33 kJ mol^{-1}, a 25 °C. Que espécie polimórfica é mais estável nessa temperatura?

5.2 O carbono pode existir como diamante, grafita e outras formas alotrópicas. A anergia de Gibbs padrão de formação do diamante é 2,900 kJ mol^{-1} maior que a da grafita, a 298 K. Qual destas duas formas alotrópicas é a mais estável nessa temperatura?

5.3 A massa específica do enxofre rômbico é 2,070 g cm^{-3} e a do enxofre monoclínico é 1,957 g cm^{-3}. Podemos esperar que o enxofre monoclínico se torne mais estável do que o enxofre rômbico pela aplicação de pressão?

5.4 Calcule a variação da energia de Gibbs molar do dióxido de carbono (considerado perfeito), a 20 °C, quando a sua pressão parcial no ar muda isotermicamente de 1,0 bar para (a) 3,0 bar, (b) $2,7 \times 10^{-4}$ atm, a sua pressão parcial no ar seco ao nível do mar.

5.5 Uma amostra de vapor de água, a 200 °C, é isotermicamente comprimida de 350 cm^3 para 120 cm^3. Qual é a variação da energia de Gibbs molar?

5.6 A entropia molar padrão do enxofre rômbico é 31,80 J K^{-1} mol^{-1} e a do enxofre monoclínico é 32,6 J K^{-1} mol^{-1}. (a) O aumento da temperatura pode fazer com que o enxofre monoclínico fique mais estável que o enxofre rômbico? (b) Se isso ocorrer, a que temperatura acontecerá a transição a 1 bar? (Veja o Exercício 5.1 para obter os dados.)

5.7 A entropia molar padrão do benzeno é 173,3 J K^{-1} mol^{-1}. Calcule a variação da energia de Gibbs molar padrão quando o benzeno for aquecido de 25 °C para 45 °C.

5.8 As entropias molares padrões de água sólida (gelo), água líquida e vapor são 37,99, 69,91 e 188,83 J K^{-1} mol^{-1}, respectivamente. Num único gráfico, mostre como a energia de Gibbs de cada uma dessas fases varia com a temperatura.

5.9 Um recipiente aberto contendo (a) água, (b) benzeno, (c) mercúrio é colocado em um laboratório que mede 5,0 m × 4,3 m × 2,2 m, a 25 °C. Que massa de cada uma das substâncias será encontrada no ar se não houver nenhuma ventilação? (As pressões de vapor são (a) 2,3 kPa, (b) 10 kPa, (c) 0,30 Pa.)

5.10 (a) Use a equação de Clapeyron para calcular o coeficiente angular da curva de equilíbrio sólido-líquido da água, em um diagrama de fase da pressão contra a temperatura. A entalpia de fusão é 6,008 kJ mol^{-1} e as massas específicas do gelo e da água, a 0 °C, são 0,916 71 e 0,999 84 g cm^{-3}, respectivamente. Determine a entropia de fusão expressando-a em termos da entalpia de fusão e do ponto de fusão do gelo. (b) Calcule a pressão necessária para diminuir o ponto de fusão do gelo de 1 °C.

5.11 A temperatura de ebulição normal do dietil éter, $(C_2H_5)_2O$, é 307,7 K e a sua entalpia padrão de evaporação é 27,4 kJ mol^{-1}. Utilize a equação de Clausius-Clapeyron para determinar a pressão de vapor do dietil éter líquido a 298,15 K.

5.12 O valor médio da entalpia de vaporização da propanona, C_3H_6O, no intervalo de temperatura de 280 a 340 K, é 30,2 kJ mol^{-1}. A sua pressão de vapor é 30,600 kPa a 298,15 K. Calcule a temperatura de ebulição normal da propanona.

5.13 Dada a parametrização da pressão de vapor pela Eq. 5.8 e pela Tabela 5.1, qual é (a) a entalpia de vaporização, (b) o ponto de ebulição normal do hexano?

5.14 Suponha que desejamos expressar a pressão de vapor dada pela Eq. 5.8 em torr. Quais seriam os valores de *A* e *B* para o metilbenzeno? Veja a Tabela 5.1 para os dados.

5.15 A pressão de vapor do mercúrio a 20 °C é 160 mPa; qual é a sua pressão de vapor a 40 °C dado que a sua entalpia de vaporização é 59,30 kJ mol^{-1}?

5.16 A pressão de vapor da piridina é 50,0 kPa a 365,7 K e o ponto de ebulição normal é 388,4 K. Qual é a entalpia de vaporização da piridina?

5.17 Calcule o ponto de ebulição do benzeno dado que sua pressão de vapor é 20 kPa a 35 °C e 50,0 kPa a 58,8 °C.

5.18 Uma solução saturada de Na_2SO_4, com excesso do sólido, está presente em equilíbrio com seu vapor em um recipiente fechado. (a) Quantas fases e componentes estão presentes? (b) Qual é o número de graus de liberdade do sistema? Identifique as variáveis independentes.

5.19 Suponha que a solução mencionada no Exercício 5.18 não esteja saturada. (a) Quantas fases e componentes estão presentes? (b) Qual é o número de graus de liberdade do sistema? Identifique as variáveis independentes.

5.20 Numa manhã fria e seca, depois de uma geada, a temperatura é de −5 °C e a pressão parcial da água na atmosfera caiu a 2 Torr. O gelo sublimará? Que pressão parcial de água faz com que o gelo permaneça no solo?

5.21 (a) Recorra à Figura 5.15 e descreva as mudanças que seriam observadas quando um vapor de água a 1,0 bar e 400 K é resfriado, sob pressão constante, até 260 K. (b) Sugira qual a forma do gráfico da temperatura contra o tempo, se energia for removida numa velocidade constante. Para estimar as inclinações relativas das curvas de resfriamento, é necessário saber que as capacidades caloríficas molares sob pressão constante do vapor de água, da água líquida e da água sólida são, aproximadamente, $4R$, $9R$ e $4{,}5R$; as entalpias de transição são dadas na Tabela 3.1.

5.22 Recorra à Figura 5.16 e descreva as mudanças que seriam observadas quando o resfriamento ocorre na pressão do ponto triplo.

5.23 Use o diagrama de fase da Figura 5.18 para estabelecer o que seria observado quando uma amostra de dióxido de carbono, inicialmente a 1,0 atm e 298 K, é submetida ao seguinte ciclo: (a) aquecimento a pressão constante até 320 K, (b) compressão isotérmica até 100 atm, (c) resfriamento sob pressão constante até 210 K, (d) descompressão isotérmica até 1,0 atm, (e) aquecimento sob pressão constante até 298 K.

5.24 Determine, utilizando o diagrama de fase para o hélio, Figura 5.19, se o hélio-I é mais ou menos denso que o hélio-II.

Projetos

O símbolo ‡ indica que o cálculo é necessário.

5.25‡ Aqui exploramos as propriedades termodinâmicas de um gás e a sua capacidade de condensar-se em um líquido. Admita que um gás obedece à equação de estado de van der Waals, sendo os efeitos repulsivos muito maiores do que os atrativos (isto é, despreze o parâmetro a). (a) Encontre uma expressão para a variação da energia de Gibbs molar quando a pressão muda de p_i para p_f. Utilize a metodologia descrita na Dedução 5.2. (b) A variação é maior ou menor do que para um gás perfeito? (c) Calcule a diferença percentual entre o gás de van der Waals e o gás perfeito para o dióxido de carbono sofrendo uma variação de pressão de 1,0 atm para 10,0 atm. (d) No ponto crítico de um gás, $dp/dV = 0$ e $d^2p/dV^2 = 0$. Essas relações identificam um ponto de inflexão das isotermas na Figura 1.18. Mostre que um gás descrito pela equação de estado $p = nRT/V - an^2/V^2 + bn^3/V^3$ apresenta comportamento crítico e expresse as constantes críticas em termos dos parâmetros a e b.

5.26‡ A equação de Clausius-Clapeyron foi deduzida na Seção 5.5 admitindo-se que a entalpia de vaporização é independente da temperatura no intervalo de temperatura de interesse. (a) A entalpia de vaporização da água é 40,656 kJ mol^{-1} na sua temperatura de ebulição normal, 373 K. Admitindo-se que a entalpia de vaporização não varia com a temperatura, utilize a Eq. 5.7 para calcular a pressão de vapor da água a 308 K. (b) Deduza uma versão melhorada da equação admitindo que a entalpia de vaporização tem a forma $\Delta_{vap}H = a + bT$. (c) Para a água no intervalo de 298–373 K, $a = 57{,}373$ kJ mol^{-1} e $b = -44{,}801$ J K^{-1} mol^{-1}. Use sua versão melhorada da equação de Clausius-Clapeyron para calcular um valor mais confiável para a pressão de vapor da água a 308 K.

6

Equilíbrio físico: as propriedades das misturas

Nós deixamos agora o estudo dos materiais puros e de suas transformações limitadas, mas importantes, e vamos examinar as misturas de substâncias. Iremos considerar apenas **misturas homogêneas**, ou soluções, nas quais a composição é uniforme por menor que seja a amostra. O componente de menor abundância é o **soluto**, e o de maior abundância é o **solvente**. Entretanto, esses termos são normalmente, mas não invariavelmente, reservados para sólidos dissolvidos em líquidos; um líquido misturado com outro é normalmente chamado uma 'mistura' de dois líquidos. Neste capítulo, vamos considerar principalmente as **soluções não eletrolíticas**, nas quais o soluto não está presente na forma de íons. Exemplos são a sacarose dissolvida em água, o enxofre dissolvido no dissulfeto de carbono e uma mistura de etanol com água. Vamos adiar para o Capítulo 9 os problemas especiais de **soluções eletrolíticas**, nas quais o soluto consiste em íons que interagem fortemente uns com os outros.

A descrição termodinâmica das misturas

Precisamos de um conjunto de conceitos que nos permitam aplicar a termodinâmica a misturas de composição variável. Em primeiro lugar, devemos estar aptos a definir a composição da mistura. Já encontramos a fração molar, na Seção 1.3, em nossa discussão de misturas de gases, mas agora vamos precisar introduzir os conceitos de concentração molar e molalidade. Em segundo lugar, também precisamos descrever as propriedades da mistura. Já vimos como usar a pressão parcial, a contribuição de um componente da mistura gasosa para a pressão total, para discutir as propriedades das misturas de gases. Para uma descrição mais geral da termodinâmica das misturas, temos que introduzir outras propriedades 'parciais', cada uma sendo a contribuição que um componente particular faz à mistura.

6.1 Medidas de concentração

A **concentração molar,** c_J ou [J] de um soluto J dissolvido em um solvente é definida como a razão entre a quantidade química (ou número de mols) de J, n_J, dividida pelo volume da solução, V:

$$c_J = \frac{n_J}{V} \quad \text{Definição Concentração molar} \quad (6.1)$$

Uma nota sobre a boa prática O termo informal *molaridade* é amplamente utilizado, embora nem sempre de forma apropriada. Falamos da concentração molar de um soluto ou da molaridade de uma solução, mas não da molaridade de um soluto.

A concentração molar é normalmente expressa em unidades de mols por decímetro cúbico (mol dm^{-3}, que os químicos representam como M e leem como 'molar'). Nós definimos a **concentração molar padrão** como $c^{\ominus}$ = 1 mol dm^{-3} exatamente. Para preparar uma solução de concentração molar conhecida, dissolve-se uma quantidade conhecida de soluto em um pouco do solvente, e, em seguida, adiciona-se mais solvente para se obter o volume total desejado V. O volume V, na definição de concentração molar, é o volume da solução e não o volume do solvente utilizado para preparar a solução.

Exemplo 6.1

Preparando uma solução

Um químico deseja preparar uma solução aquosa de sulfato de cobre de volume igual a 100 cm^3 e concentração molar de 0,250 mol dm^{-3}. Que massa de sulfato de cobre hidratado, $CuSO_4 \cdot 5H_2O$, é necessária?

Estratégia Use a Eq. 6.1 na forma $n_J = c_JV$ para determinar a quantidade de $CuSO_4 \cdot 5H_2O$ necessário. Depois, use a relação entre massa molar e número de mols que foi apresentada em Fundamentos ($n = m/M$, na forma $m = nM$) para determinar a massa que corresponde a esse número de mols.

Solução Como 1 cm^3 = 10^{-3} dm^3, 100 cm^3 correspondem a 0,100 dm^3. Da Eq. 6.1, a quantidade de $CuSO_4 \cdot 5H_2O$ necessária é, portanto,

$$n = cV = 0{,}250 \text{ mol dm}^{-3} \times 0{,}100 \text{ dm}^3 = 2{,}50 \times 10^{-4} \text{ mol}$$

A massa molar do $CuSO_4 \cdot 5H_2O$ é M = 249,68 g mol^{-1}; logo, a massa necessária é

$$m = n \times M = 2{,}50 \times 10^{-4} \text{ mol} \times 249{,}68 \text{ g mol}^{-1} = 0{,}0624 \text{ g}$$

que é equivalente a 62,4 mg.

Exercício proposto 6.1

Determine a concentração do soluto em uma solução aquosa de volume 250 cm^3 que contém uma massa de 13,2 g de fenol, C_6H_5OH.

Resposta: 0,561 mol dm^{-3}

A **concentração em massa** (aqui representada como c. Atente para essa unidade, escrevendo, em alguns casos, c_{massa}), é a massa de soluto dividida pelo volume da solução. A concentração em massa é expressa em gramas (ou quilogramas) por decímetro cúbico (g dm^{-3}) e está relacionada com a concentração molar por

$$c_{massa} = \frac{[J]}{M} \quad \text{Concentração em massa} \quad (6.2)$$

em que M é a massa molar do soluto J.

A **molalidade,** b_J, de um soluto é definida como a razão entre a quantidade (ou número de mols) do soluto J dividida pela massa do solvente utilizado para formar a solução.

$$b_J = \frac{n_J}{m_{solvente}} \quad \text{Definição Molalidade} \quad (6.3)$$

A molalidade de um soluto é normalmente expressa em unidades de mols por quilograma (mol kg^{-1}, que os químicos em geral representam como m e leem como 'molal'). A **molalidade padrão** da solução é definida como $b^{\ominus}$ = 1 mol kg^{-1} exatamente. Uma distinção importante entre concentração molar e molalidade é que, enquanto a primeira é definida em termos do volume da *solução*, a molalidade é definida em termos da massa do *solvente* utilizado para preparar a solução. A concentração molar de um soluto varia com a temperatura à medida que a solução se expande e se contrai, mas a molalidade permanece constante.

Para soluções diluídas em água, os valores numéricos da molalidade e da concentração molar diferem muito pouco, pois 1 dm^3 de solução consiste quase todo em água, e tem uma massa próxima de 1 kg; para soluções aquosas concentradas e para todas as soluções não aquosas, com massas específicas diferentes de 1 g cm^{-3}, os dois valores são muito diferentes.

Exemplo 6.2

Relação entre fração molar e molalidade

Qual é a fração molar das moléculas de glicose, $C_6H_{12}O_6$, em $C_6H_{12}O_6$(aq) 0,140 m?

Estratégia Consideramos uma amostra que contém (exatamente) 1 kg de solvente e, desse modo, uma quantidade $n_G = b_G \times (1 \text{ kg})$ de mols de soluto. O número de mols das moléculas de água em exatamente 1 kg de água é $n_W = (1 \text{ kg})/M_W$, em que M_W é a massa molar da água. Referimo-nos *exatamente* a 1 kg de água para evitar problemas com algarismos significativos. Podemos, em seguida, calcular a fração molar de moléculas de glicose como a razão entre o número de mols de soluto, n_{soluto}, e o número total de mols de água e soluto $n = n_{soluto} + n_W$.

Solução O número de mols de moléculas de glicose em exatamente 1 kg de água é

$$n_{soluto} = (0{,}140 \text{ mol kg}^{-1}) \times (1 \text{ kg}) = 0{,}140 \text{ mol}$$

O número de mols de moléculas de água em exatamente 1 kg (10^3 g) de água é

$$n_W = \frac{10^3 \text{ g}}{18{,}02 \text{ g mol}^{-1}} = \frac{10^3}{18{,}02} \text{ mol}$$

O número total de mols de moléculas presentes é

$$n = n_{soluto} + n_W = 0{,}140 \text{ mol} + \frac{10^3}{18{,}02} \text{ mol}$$

A fração molar das moléculas de glicose é, portanto,

$$x_{soluto} = \frac{n_{soluto}}{n} = \frac{0{,}140 \text{ mol}}{0{,}140 + (10^3/18{,}02) \text{ mol}} = 2{,}52 \times 10^{-3}$$

Exercício proposto 6.2

Calcule a fração molar das moléculas de sacarose, $C_{12}H_{22}O_{11}$, em $C_{12}H_{22}O_{11}$(aq) 1,22 m.

Resposta: $2{,}15 \times 10^{-2}$

6.2 Propriedades parciais molares

Uma **propriedade parcial molar** é a contribuição (por mol) que uma substância faz para uma propriedade total da mistura. A grandeza parcial molar de mais fácil visualização é o **volume parcial molar**, V_J, de uma substância J, a contribuição que J faz para o volume total de uma mistura. Propriedades parciais molares são também representadas colocando-se uma barra sobre o símbolo, como em $\bar{V}_J$. Temos que atentar para o fato de que, apesar de 1 mol de uma substância, quando pura, ter um volume característico, 1 mol da mesma substância pode contribuir diferentemente para o volume total de uma mistura, pois as moléculas se arrumam de formas diferentes nas substâncias puras e nas misturas.

■ **Breve ilustração 6.1** Volume parcial molar

Imaginemos um grande volume de água pura. A adição de mais 1 mol de H_2O provoca um aumento no volume de 18 cm^3. Entretanto, quando adicionamos 1 mol de H_2O a um grande volume de etanol puro, o volume aumenta apenas em 14 cm^3. O volume ocupado por mol de moléculas de água na água pura é de 18 cm^3 mol^{-1}; 14 cm^3 mol^{-1} é o volume ocupado por mol de moléculas de água em etanol praticamente puro. Em outras palavras, o volume parcial molar da água na água pura é 18 cm^3 mol^{-1} e o volume parcial molar da água no etanol puro é 14 cm^3 mol^{-1}. Nesse último caso, há tanto etanol presente que cada molécula de H_2O está envolvida apenas por moléculas de etanol e o arranjo das moléculas faz com que as moléculas de água ocupem um volume de apenas 14 cm^3.

O volume parcial molar de uma mistura de água/etanol com composição intermediária é uma indicação do volume que as moléculas de H_2O ocupam quando envolvidas por uma mistura de moléculas que representam a composição global da solução (por exemplo, metade de água e metade de etanol, quando a fração molar de ambos os componentes é 0,5). O volume parcial molar do etanol varia quando a composição da solução é alterada, pois o ambiente químico de uma molécula de etanol se altera do etanol puro até o da água pura à medida que a proporção de água aumenta e o volume ocupado pelas moléculas de etanol varia acompanhando a mudança de composição. A Figura 6.1 mostra a variação dos dois volumes parciais molares em toda a faixa de composição, a 25 °C.

Uma vez conhecidos os volumes parciais molares V_A e V_B de dois componentes A e B de uma mistura com a composição (e temperatura) de interesse, mostramos na Dedução vista a seguir que podemos obter o volume total V da mistura pela expressão

$$V = n_A V_A + n_B V_B \qquad (6.4)$$

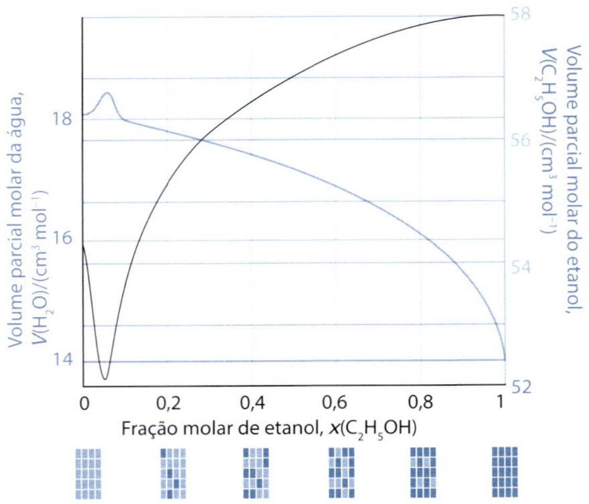

Figura 6.1 Volumes parciais molares da água e do etanol a 25 °C. Observe que as escalas são diferentes (água à esquerda e etanol à direita).

Dedução 6.1

Volume total e volume parcial molar

Considere uma amostra de grande tamanho, contendo uma mistura com a composição especificada. Quando certo número de mols n_A de A é adicionado, a composição permanece virtualmente constante, mas o volume da amostra aumenta de $n_A V_A$. Da mesma forma, quando certo número de mols n_B de B é adicionado, o volume aumenta de $n_B V_B$. O aumento total no volume é de $n_A V_A + n_B V_B$. A mistura agora ocupa um volume maior, mas a proporção entre os componentes continua a mesma. Em seguida, retiramos do sistema, de volume ampliado, uma amostra que contém n_A mols de A e n_B mols de B. O volume dessa amostra é $n_A V_A + n_B V_B$. Uma vez que o volume é uma função de estado, a mesma amostra poderia ter sido preparada simplesmente misturando-se as quantidades apropriadas de A e de B.

Se você preferir usar argumentos matemáticos, então, considere o que se segue. Quando a composição da mistura, sob temperatura e pressão constantes, varia pela adição de dn_A de A e dn_B de B, então, o volume total da mistura varia de

$$dV = V_A dn_A + V_B dn_B$$

Desde que as proporções relativas de A e B sejam mantidas constantes tal como foram adicionadas, a mistura tem a mesma composição e os dois volumes parciais, dessa forma, são constantes. Portanto, para calcular o volume total, integramos dV quando n_A e n_B variam simultaneamente de 0 até seus valores finais com os V_J tratados como constantes:

$$V = \overbrace{\int_0^{n_A} V_A dn_A + \int_0^{n_B} V_B dn_B}^{n_A:n_B \text{ constante}} = V_A \int_0^{n_A} dn_A + V_B \int_0^{n_B} dn_B$$
$$= V_A n_A + V_B n_B$$

tal como na Eq. 6.4. Embora tenhamos previsto as duas integrações como ligadas (para preservar a composição constante), como V é uma função de estado, o resultado final na Eq. 6.4 é válido mesmo que a solução seja de fato preparada.

Exemplo 6.1

Usando os volumes parciais molares

Qual é o volume total de uma mistura de 50,0 g de etanol e 50 g de água, a 25 °C?

Estratégia Para usarmos a Eq. 6.4, precisamos das frações molares de cada substância e dos respectivos volumes parciais molares. Calculamos as frações molares da mesma forma que no Exercício proposto 1.2, usando as massas molares dos componentes para calcular os números de mols por meio da expressão $n_J = m_J/M_J$. Podemos então encontrar os volumes parciais molares correspondentes às frações molares calculadas utilizando a Figura 6.1.

Solução As massas molares do CH_3CH_2OH e da H_2O são 46,07 g mol^{-1} e 18,02 g mol^{-1}, respectivamente. Portanto, o número de mols presentes na mistura é

$$n_{\text{etanol}} = \frac{50{,}0\ \text{g}}{46{,}07\ \text{g mol}^{-1}} = 1{,}09\ \text{mol}$$

$$n_{\text{água}} = \frac{50{,}0\ \text{g}}{18{,}02\ \text{g mol}^{-1}} = 2{,}77\ \text{mol}$$

para um total de 3,86 mol. Assim, $x_{\text{etanol}} = 0{,}282$ e $x_{\text{água}} = 0{,}718$. De acordo com a Figura 6.1, os volumes parciais molares das duas substâncias em uma mistura dessa composição são 56 cm^3 mol^{-1} e 18 cm^3 mol^{-1}, respectivamente. Desse modo, da Eq. 6.4 o volume total da mistura é

$$V = \overbrace{(1{,}09\ \text{mol})\times(56\ \text{cm}^3\ \text{mol}^{-1})}^{\text{Contribuição do etanol}} + \overbrace{(2{,}77\ \text{mol})\times(18\ \text{cm}^3\ \text{mol}^{-1})}^{\text{Contribuição da água}}$$

$$\underbrace{=}_{\text{cancelando mol}} 1{,}09\times 56 + 2{,}77\times 18\ \text{cm}^3 = 110\ \text{cm}^3$$

Exercício proposto 6.3

Use a Figura 6.1 para calcular a massa específica de uma mistura de 20 g de água e 100 g de etanol.

Resposta: 0,84 g cm^{-3}

Vamos estender agora o conceito de grandeza parcial molar a outras funções de estado. A mais importante, para nossos objetivos, é a **energia de Gibbs parcial molar**, G_J, de uma substância J, que é a contribuição (por mol de J) de J para a energia de Gibbs total de uma mistura. Segue-se que, tal como no caso do volume, se conhecemos as energias de Gibbs parciais molares de duas substâncias A e B em uma mistura de dada composição, então podemos calcular a energia de Gibbs total da mistura por uma expressão semelhante à Eq. 6.4:

$$G = n_A G_A + n_B G_B \qquad (6.5a)$$

A energia de Gibbs parcial molar tem exatamente o mesmo significado que o volume parcial molar. Por exemplo, o etanol tem determinado valor da energia de Gibbs parcial molar quando está puro (com cada molécula envolvida por outras moléculas de etanol), e tem um valor diferente de energia de Gibbs parcial molar em uma solução aquosa de certa composição (porque, então, cada molécula de etanol está envolvida por uma mistura de moléculas de etanol e de água).

A energia de Gibbs parcial molar é tão importante em química que recebeu um nome especial e um símbolo. De agora em diante, nós a chamaremos de **potencial químico**, e a representaremos por μ (mi). Dessa maneira, a Eq. 6.5a se torna

$$G = n_A\mu_A + n_B\mu_B \qquad \text{Energia de Gibbs total de uma mistura} \qquad (6.5b)$$

em que μ_A é o potencial químico de A na mistura e μ_B o potencial químico de B. Formalmente, o potencial químico é o coeficiente angular de um gráfico da energia de Gibbs total representada em função do número de mols da substância J (que pode ser A ou B) presente na mistura, com a temperatura, pressão e número de mols de outros componentes mantidos constantes.[1] No decorrer deste capítulo e no próximo, veremos que o nome 'potencial químico' é muito apropriado, pois ficará claro que μ_J mede a capacidade de J em produzir transformações físicas e químicas. Uma substância com um valor elevado do potencial químico tem uma grande capacidade, num sentido que iremos explorar mais adiante, de impulsionar uma reação ou outro processo físico qualquer.

Para avançarmos mais no assunto, precisamos agora de uma fórmula explícita para a variação do potencial químico de uma substância com a composição da mistura. Nosso ponto de partida é a Eq 5.3b:

$$G_m(p_f) = G_m(p_i) + RT\ln\frac{p_f}{p_i}$$

que nos mostra como a energia de Gibbs molar de um gás perfeito depende da pressão. Inicialmente, fazemos $p_f = p$, a pressão de interesse, e $p_i = p^{\ominus}$, a pressão padrão (1 bar). Na última pressão, a energia de Gibbs molar tem o seu valor padrão, $G_m^{\ominus}$, de modo que podemos escrever

$$G_m\overbrace{(p)}^{p_f} \overbrace{=}^{\text{dado } p_i = p^{\ominus}} \overbrace{G_m(p_i)}^{G_m^{\ominus}} + RT\ln\frac{\overbrace{p}^{p_f}}{\underbrace{p_i}_{p^{\ominus}}}$$

$$= G_m^{\ominus} + RT\ln\frac{p}{p^{\ominus}} \qquad (6.6)$$

A seguir, para uma *mistura* de gases perfeitos, interpretamos p como a pressão *parcial* do gás (Seção 1.3), e G_m passa a ser a energia de Gibbs *parcial* molar, ou seja, o potencial químico. Portanto, para uma mistura de gases perfeitos, para cada componente J presente em uma pressão parcial p_J,

$$\mu_J = \mu_J^{\ominus} + RT\ln\frac{p_J}{p^{\ominus}} \qquad \text{Gás perfeito} \qquad \text{Potencial químico} \qquad (6.7a)$$

Nesta expressão, $\mu_J^{\ominus}$ é o **potencial químico padrão** do gás J, que é idêntico à sua energia de Gibbs molar padrão, o valor de G_m para o gás puro à pressão de 1 bar. Se adotarmos a convenção de que sempre que p_J aparecer em uma fórmula, deve ser interpretada como $p_J/p^{\ominus}$ (desse modo, se a pressão é de 2,0 bar, $p_J = 2{,}0$), podemos escrever a Eq. 6.7a de uma forma mais simples:

$$\mu_J = \mu_J^{\ominus} + RT\ln p_J \qquad (6.7b)$$

[1] Usando a notação matemática apropriada introduzida na Seção 2.8, o potencial químico é escrito como $\mu_J = (\partial G/\partial n_J)_{T,p,n_B}$.

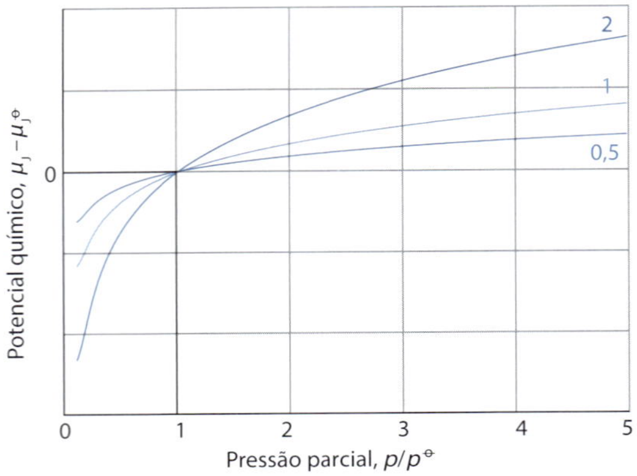

Figura 6.2 A variação do potencial químico com a pressão parcial de um gás perfeito em três temperaturas distintas (nas razões 0,5:1:2). Observe que o potencial químico aumenta com a pressão e, para dada pressão, aumenta com a temperatura.

A Figura 6.2 ilustra a dependência entre o potencial químico de um gás perfeito e a pressão, tal como predita por essa equação. O potencial químico se torna infinitamente negativo à medida que a pressão do gás tende a zero. Quando a pressão aumenta a partir do zero, o potencial químico aumenta até o seu valor padrão em 1 bar (porque ln 1 = 0) e então cresce lentamente (logaritmicamente, como ln p) à medida que a pressão aumenta ainda mais.

Como sempre, podemos nos familiarizar com uma equação se entendermos o que a mesma nos diz. Neste caso:

- ln p_J cresce à medida que p_J cresce. Assim, a Eq. 6.7 nos diz que quanto maior a pressão parcial de um gás, maior o seu potencial químico.

Essa conclusão é consistente com a interpretação de ser o potencial químico um indicador do potencial de uma substância em ser quimicamente ativa: quanto maior a pressão parcial, mais quimicamente ativa é a espécie. Nesse caso, o potencial químico representa a tendência da substância em reagir quando está em seu estado padrão (significado do termo $\mu^\ominus$) mais uma tendência adicional que reflete se a substância está sob outra pressão. Para certa quantidade de substância, uma pressão mais alta dá à substância mais 'vigor' químico, tal como a compressão de uma mola aumenta o vigor físico (ou seja, permite que a mola realize mais trabalho).

■ Breve ilustração 6.2 Potencial químico de um gás perfeito

Suponha que a pressão parcial de um gás perfeito em uma mistura seja reduzida. Segundo a Eq. 6.7a, a variação do potencial químico do gás é

$$\Delta\mu = \left(\mu^\ominus + RT\ln\frac{p_f}{p^\ominus}\right) - \left(\mu^\ominus + RT\ln\frac{p_i}{p^\ominus}\right)$$

$$= RT\left(\ln\frac{p_f}{p^\ominus} - \ln\frac{p_i}{p^\ominus}\right)$$

$$\underbrace{=}_{\ln a - \ln b = \ln(a/b)} RT\ln\frac{p_f/p^\ominus}{p_i/p^\ominus} = RT\ln\frac{p_f}{p_i}$$

Por exemplo, se a pressão parcial de um gás perfeito cai de 100 kPa para 50 kPa, quando o gás é consumido em uma reação a 298 K, a variação do potencial químico do gás é

$$\Delta\mu = (8{,}3145\ \text{J K}^{-1}\ \text{mol}^{-1}) \times (298\ \text{K}) \times \ln\frac{50\ \text{kPa}}{100\ \text{kPa}}$$

$$= -1{,}7 \times 10^3\ \text{J mol}^{-1} = -1{,}7\ \text{kJ mol}^{-1}$$

Vimos no Capítulo 5 que a energia de Gibbs molar de uma substância pura é a mesma em todas as fases em equilíbrio. Usamos o mesmo argumento na Dedução vista a seguir para mostrar que:

> Um sistema está em equilíbrio quando o potencial químico de cada substância tem o mesmo valor em todas as fases em que a substância ocorre.

Podemos pensar no potencial químico como o poder de impulsão de cada substância, e o equilíbrio é alcançado somente quando cada substância impulsiona com a mesma intensidade em todas as fases que ocupa.

Dedução 6.2

A uniformidade do potencial químico

Suponha que uma substância J ocorra em diferentes fases e em diferentes regiões de um sistema. Por exemplo, podemos ter uma mistura líquida de etanol e água e uma mistura de seus vapores. Seja μ_J(l) o potencial químico de J na mistura líquida e μ_J(g) o seu potencial químico no vapor. Podemos imaginar uma quantidade infinitesimal dn_J de J migrando do líquido para o vapor. Como resultado, a energia de Gibbs do líquido diminui de μ_J(l)dn_J, e a do vapor aumenta de μ_J(g)dn_J. A variação líquida da energia de Gibbs é

$$dG = \mu_J(g)dn_J - \mu_J(l)dn_J = \{\mu_J(g) - \mu_J(l)\}dn_J$$

Em equilíbrio, não há nenhuma tendência para que ocorra essa migração (e para o processo reverso, a migração do vapor para o líquido), logo dG = 0, o que acarreta em $\mu_J(g) = \mu_J(l)$. O raciocínio se aplica a cada substância do sistema. Portanto, *para que uma substância esteja em equilíbrio em um sistema, é preciso que o seu potencial químico seja o mesmo em todas as regiões do sistema.*

6.3 Formação espontânea de misturas

Todos os gases se misturam espontaneamente uns com os outros, pois as moléculas de um gás podem se misturar com as moléculas de outro gás. Como podemos mostrar *termodinamicamente* que a misturação é espontânea? Precisamos mostrar que, a temperatura e pressão constante, $\Delta G < 0$. A primeira etapa é, portanto, encontrar uma expressão para ΔG quando os dois gases se misturam e decidir se a expressão é negativa. Como veremos na Dedução a seguir, quando n_A mols de A e n_B mols de B de dois gases se misturam em temperatura T,

$$\Delta G = nRT\{x_A \ln x_A + x_B \ln x_B\} \quad \text{Gases perfeitos} \quad \text{Energia de Gibbs de mistura} \qquad (6.8)$$

com $n = n_A + n_B$ e os x_J são as frações molares dos componentes J na mistura.

Dedução 6.3

A energia de Gibbs de mistura

Vamos supor que tenhamos certo número de mols n_A de um gás perfeito A a certa temperatura T e pressão p, e certo número de mols n_B de um gás perfeito B na mesma temperatura e pressão. Inicialmente, os dois gases estão em compartimentos separados (Figura 6.3). A energia de Gibbs do sistema (os dois gases não misturados) é a soma de suas energias de Gibbs individuais:

$$G_i \overset{\text{Eq. 6.5b}}{=} n_A\mu_A + n_B\mu_B \overset{\text{Eq. 6.7b}}{=} n_A\{\mu_A^\ominus + RT\ln p\} + n_B\{\mu_B^\ominus + RT\ln p\}$$

Os potenciais químicos são os de dois gases, cada um deles na pressão p. Quando a partição é removida, a pressão total permanece a mesma, mas, pela lei de Dalton (Seção 1.3), as pressões parciais diminuem para $p_A = x_A p$ e $p_B = x_B p$, em que os x_J são as frações molares dos dois gases na mistura ($x_J = n_J/n$, com $n = n_A + n_B$). A energia de Gibbs final do sistema é, portanto,

$$G_f = n_A\{\mu_A^\ominus + RT\ln p_A\} + n_B\{\mu_B^\ominus + RT\ln p_B\}$$
$$= n_A\{\mu_A^\ominus + RT\ln x_A p\} + n_B\{\mu_B^\ominus + RT\ln x_B p\}$$

A diferença $G_f - G_i$ é a variação da energia de Gibbs que acompanha o processo de mistura. Os potenciais químicos padrão se cancelam e usando-se as relações (veja Ferramentas do químico 2.2):

$$\ln x_J p - \ln p \overset{\ln a - \ln b = \ln(a/b)}{=} \ln\frac{x_J p}{p} \overset{\text{Cancelando } p}{=} \ln x_J$$

para cada gás obtemos

$$\Delta G = RT\{n_A \ln x_A + n_B \ln x_B\} \overset{n_A = nx_A,\ n_B = nx_B}{=} nRT\{x_A \ln x_A + x_B \ln x_B\}$$

que é a Eq. 6.8

A Eq. 6.8 nos dá a variação da energia de Gibbs quando dois gases se misturam sob temperatura e pressão constantes (Fig. 6.4). O ponto crucial é que, como x_A e x_B são ambas menores que 1, os dois logaritmos são negativos ($\ln x < 0$ se $x < 1$), o que torna $\Delta G < 0$ em todas as composições. Portanto, *gases perfeitos se misturam espontaneamente em todas as proporções*. Além disso, se compararmos a Eq. 6.8 (escrita de forma ligeiramente diferente) com $\Delta G = \Delta H - T\Delta S$,

$$\Delta G = \overset{\Delta H}{0} + \overset{-T\Delta S}{T[nR\{x_A \ln x_A + x_B \ln x_B\}]}$$

podemos concluir que

$$\Delta H = 0 \quad \text{Gases perfeitos} \quad \text{Entalpia de mistura} \quad (6.9a)$$

$$\Delta S = -nR\{x_A \ln x_A + x_B \ln x_B\} \quad \text{Gases perfeitos} \quad \text{Entropia de mistura} \quad (6.9b)$$

Ou seja, não há variação de entalpia quando dois gases perfeitos se misturam, o que reflete o fato de não haver interações entre as moléculas. Ocorre um aumento na entropia, pois o gás misturado é mais desordenado que os gases não misturados (Fig. 6.5). A entropia das vizinhanças não é alterada, porque a entalpia do sistema é constante, de forma que nenhuma energia sob a forma de calor escapa para as vizinhanças. Segue-se que esse aumento na entropia do sistema é a 'força motriz' da misturação.

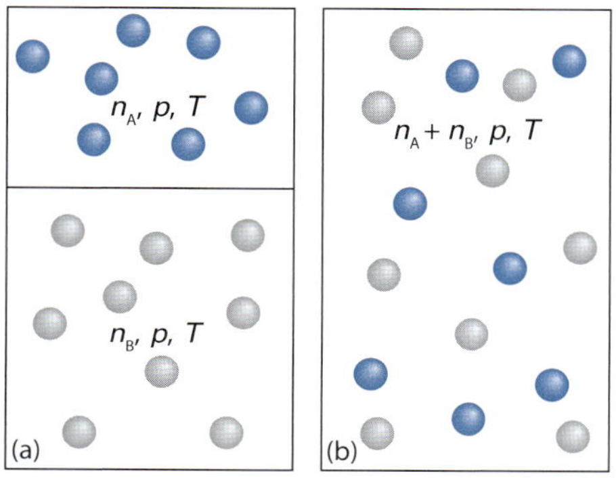

Figura 6.3 Os estados (a) inicial e (b) final de um sistema em que dois gases perfeitos se misturam. As moléculas não interagem; logo, a entalpia de mistura é zero. Entretanto, como o estado final é mais desordenado que o estado inicial, há um aumento de entropia.

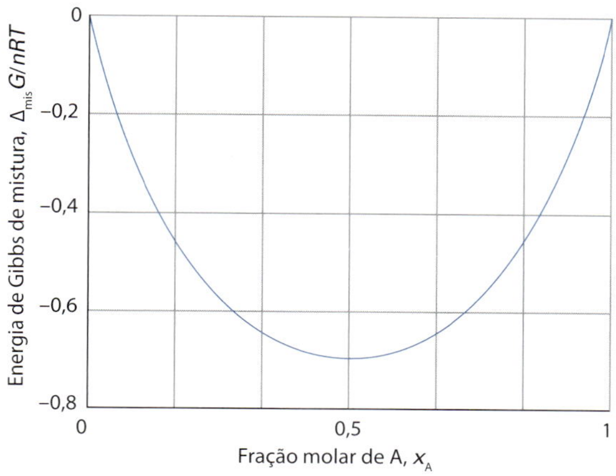

Figura 6.4 A variação da energia de Gibbs de mistura com a composição para dois gases perfeitos sob temperatura e pressão constantes. Observe que $\Delta G < 0$ para todas as composições, indicando que os dois gases se misturam espontaneamente em todas as proporções.

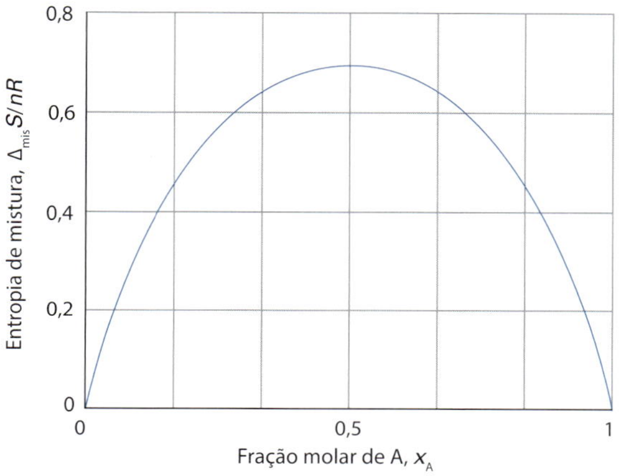

Figura 6.5 A variação da entropia de mistura com a composição para dois gases perfeitos sob temperatura e pressão constantes.

6.4 Soluções ideais

Em química, estamos interessados tanto em líquidos como em gases. Assim, precisamos de uma expressão para o potencial químico de uma substância em uma solução líquida. No que se segue usaremos a seguinte notação:

J representa uma substância em geral
A representa um solvente
B representa um soluto

Podemos prever que o potencial químico de uma espécie deve aumentar com a concentração, pois quanto maior a concentração, maior o 'vigor' químico.

(a) A lei de Raoult

A chave para a obtenção de uma expressão para o potencial químico de um soluto é o trabalho realizado pelo químico francês François Raoult (1830-1901), que passou a maior parte da sua vida medindo a pressão de vapor de soluções. Em geral, o vapor acima de uma mistura também é uma mistura; logo, a pressão total de vapor da mistura é a soma dos p_J, a **pressão parcial de vapor**, a contribuição para a pressão total de vapor de cada componente da mistura. Raoult mediu a pressão parcial de vapor de cada componente em equilíbrio dinâmico com a mistura líquida, e estabeleceu o que hoje se conhece como a **lei de Raoult:**

A pressão parcial de vapor de uma substância em uma mistura líquida é proporcional à sua fração molar na mistura e à sua pressão de vapor quando pura: $p_J = x_J p_J^*$ Lei de Raoult (6.10)

Nessa expressão, p_J^* é a pressão de vapor da substância pura. Por exemplo, quando a fração molar da água em uma solução aquosa é 0,90, então, uma vez que a lei de Raoult é obedecida, a pressão parcial do vapor d'água na solução é 90 % do valor da pressão de vapor da água pura. Essa conclusão é aproximadamente verdadeira, qualquer que seja a natureza do soluto e do solvente (Fig. 6.6).

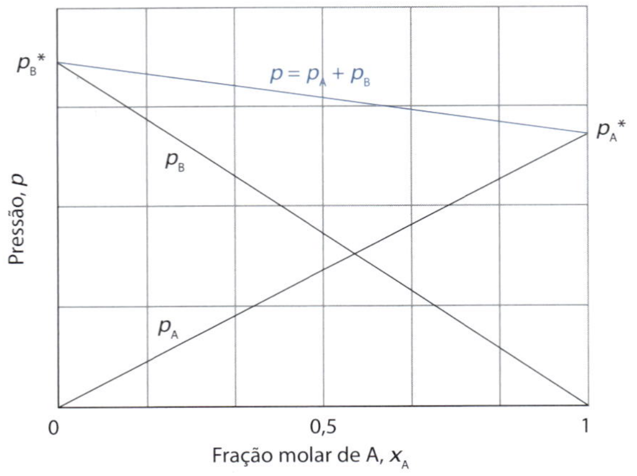

Figura 6.6 As pressões parciais de vapor dos componentes de uma mistura binária ideal são proporcionais às frações molares dos componentes na fase líquida. A pressão total de vapor é a soma das duas pressões parciais.

Breve ilustração 6.3 Lei de Raoult

Uma solução é preparada dissolvendo-se 1,5 mol de $C_{10}H_8$ (naftaleno) em 1,00 kg de benzeno (C_6H_6). Para calcular a pressão de vapor do benzeno na solução, expressamos a fração molar do benzeno, $x_{benzeno}$, como

$$x_{benzeno} = \frac{n_{benzeno}}{n_{benzeno} + n_{naftaleno}} \overset{n=m/M}{=} \frac{m_{benzeno}/M_{benzeno}}{(m_{benzeno}/M_{benzeno}) + n_{naftaleno}}$$

em que $m_{benzeno}$ e $M_{benzeno}$ são a massa e a massa molar do benzeno, respectivamente. Segue-se da Eq. 6.10 e da pressão de vapor do benzeno puro, $p^*_{benzeno} = 12,6$ kPa, a 25 °C, que

$$p_{benzeno} \overset{\text{lei de Raoult}}{=} x_{benzeno}\, p^*_{benzeno} = \frac{m_{benzeno}/M_{benzeno}}{(m_{benzeno}/M_{benzeno}) + n_{naftaleno}} p^*_{benzeno}$$
$$= \frac{(1{,}00\times10^3\ \text{g})/(78{,}54\ \text{g mol}^{-1})}{\{(1{,}00\times10^3\ \text{g})/(78{,}54\ \text{g mol}^{-1})\}+1{,}5\ \text{mol}} \times (12{,}6\ \text{kPa}) \overset{\text{Cancelando g e mol}}{=} 11{,}3\ \text{kPa}$$

A origem molecular da lei de Raoult é o efeito do soluto na entropia da solução. No solvente puro, as moléculas têm certa desordem e uma entropia correspondente; a pressão de vapor representa, então, a tendência do sistema e de suas vizinhanças de alcançar uma entropia maior. Quando um soluto está presente, a solução tem uma desordem maior que a do solvente puro, pois não podemos garantir que uma molécula escolhida ao acaso será a do solvente (Fig. 6.7). Como a entropia da solução é maior que a do solvente puro, a solução apresenta uma tendência menor de aumentar ainda mais sua entropia pela vaporização do solvente. Em outras palavras, a pressão de vapor do solvente na solução é menor que a do solvente puro.

Uma **solução ideal** é uma solução hipotética de um soluto B em um solvente A que obedece à lei de Raoult em toda a faixa de composição, de A puro até B puro. A lei é mais confiável

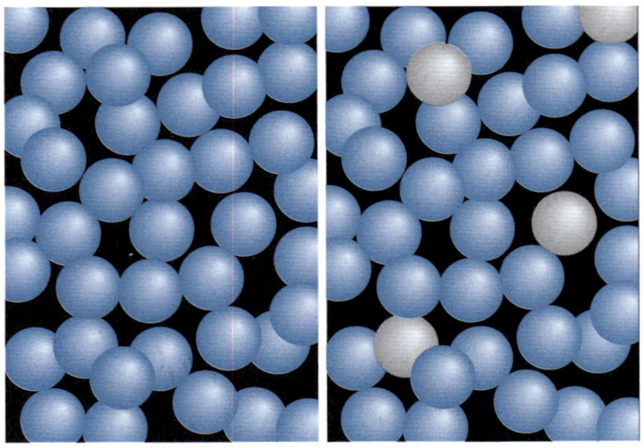

Figura 6.7 (a) Em um líquido puro, temos certeza de que qualquer molécula selecionada da amostra é uma molécula do solvente. (b) Quando um soluto está presente, não podemos afirmar que uma seleção ao acaso nos dará uma molécula do solvente, o que faz a entropia do sistema ser maior que na ausência do soluto.

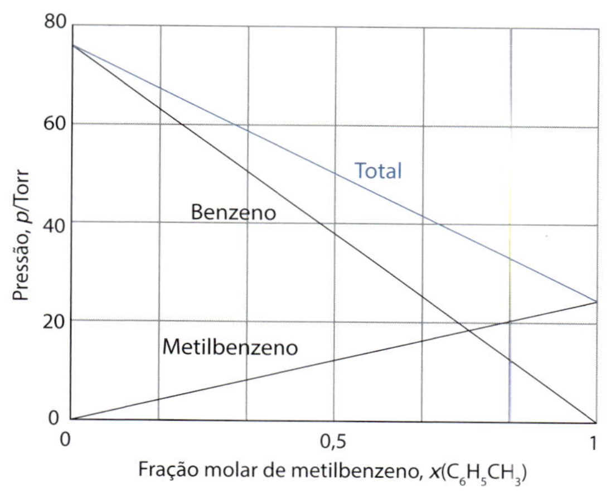

Figura 6.8 Duas substâncias semelhantes, neste caso benzeno e metilbenzeno (tolueno), se comportam quase idealmente, com pressões de vapor muito semelhantes ao do caso ideal ilustrado na Figura 6.6.

quando os componentes da mistura têm formas moleculares semelhantes e são mantidos na fase líquida por forças intermoleculares de natureza e intensidade semelhantes. Um exemplo é uma mistura de dois hidrocarbonetos estruturalmente semelhantes. Uma mistura de benzeno e metilbenzeno (tolueno) é uma boa aproximação para uma solução ideal, uma vez que as pressões parciais de vapor de cada componente satisfazem a lei de Raoult razoavelmente bem para toda a faixa de composição, do benzeno puro ao tolueno puro (Fig. 6.8).

Nenhuma mistura é perfeitamente ideal e as misturas reais apresentam desvios da lei de Raoult. Contudo, os desvios são pequenos para o componente da mistura que está em grande excesso (o solvente) e se tornam menores à medida que a concentração do soluto diminui (Fig. 6.9). Podemos, em geral, aceitar a validade da lei de Raoult para o solvente quando a solução é muito diluída. Mais formalmente, a lei de Raoult é uma *lei limite* (como a lei dos gases perfeitos), sendo estritamente válida apenas no limite de concentração nula.

(b) O potencial químico do solvente

A importância teórica da lei de Raoult é que, como relaciona a pressão de vapor com a composição, e como sabemos relacionar a pressão com o potencial químico, podemos usá-la para relacionar o potencial químico com a composição de uma solução. Como mostramos na Dedução a seguir, o potencial químico de um solvente A presente na solução com fração molar x_A é

$$\mu_A = \mu_A^* + RT \ln x_A \qquad \text{Solução ideal} \quad \text{Potencial químico do solvente} \qquad (6.11)$$

Em que μ_A^* é o potencial químico de A puro. Essa expressão é válida em toda a faixa de concentração de qualquer componente de uma solução ideal binária. É válida para o solvente de uma solução real se sua concentração se aproximar do solvente puro (A puro).

Uma nota sobre a boa prática Um asterisco (*) é usado para representar uma substância pura, mas que não esteja necessariamente em seu estado padrão. Apenas se a pressão for 1 bar é que μ_A^* será o potencial químico padrão de A, e será representado por $\mu_A^\ominus$.

A Figura 6.10 mostra a variação do potencial químico do solvente predita pela Eq. 6.11. A característica essencial é que:

- Como $x_A < 1$ implica que $\ln x_A < 0$, o potencial químico do solvente é menor em uma solução do que quando está puro (quando $x_A = 1$).

Desde que a solução seja ideal, um solvente no qual um soluto está presente tem menos 'vigor' químico (incluindo uma menor capacidade de gerar uma pressão de vapor) que quando está puro.

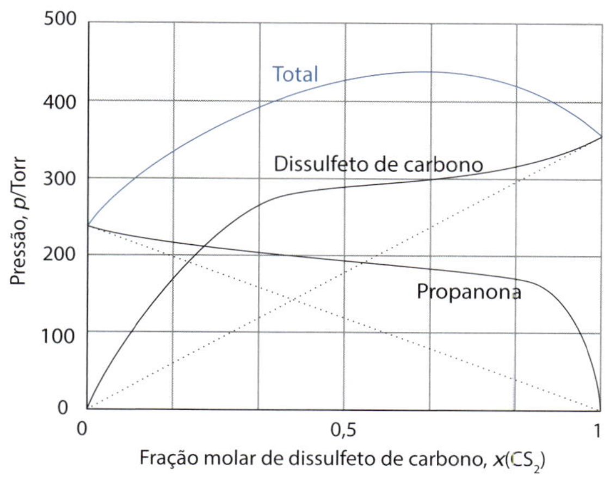

Figura 6.9 Desvios acentuados da idealidade são apresentados por substâncias quimicamente diferentes, neste caso dissulfeto de carbono e acetona (propanona). Observe, entretanto, cue a lei de Raoult é obedecida para a propanona quando apenas uma pequena quantidade de dissulfeto de carbono está presente (à esquerda), e pelo dissulfeto de carbono quando apenas uma pequena quantidade de acetona está presente (à direita).

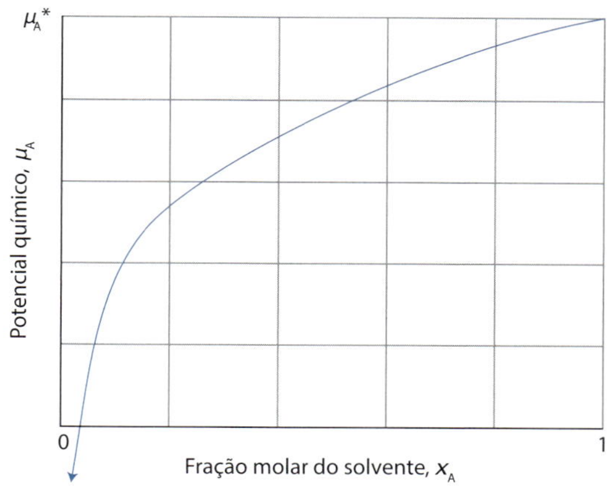

Figura 6.10 A variação do potencial químico do solvente com a composição da solução. Observe que o potencial químico do solvente é menor na mistura que no líquido puro (para um sistema ideal). Esse comportamento também é exibido por uma solução diluída na qual o solvente está quase puro (e obedece à lei de Raoult)

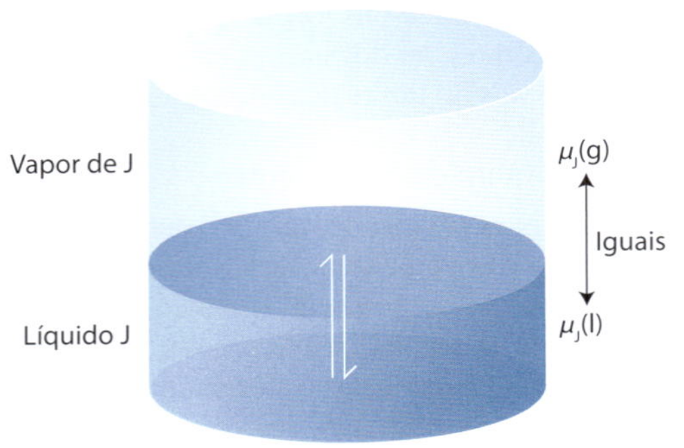

Figura 6.11 No equilíbrio, o potencial químico de uma substância em sua fase líquida é igual ao potencial químico da substância em sua fase vapor.

Dedução 6.4

O potencial químico de um solvente

Já verificamos que, quando um líquido A em uma mistura está em equilíbrio com seu vapor sob uma pressão parcial p_A, os potenciais químicos das duas fases são iguais (Fig. 6.11) e podemos escrever $\mu_A(l) = \mu_A(g)$. Entretanto, já temos a expressão para o potencial químico do vapor, Eq. 6.7b; assim, no equilíbrio,

$$\mu_A(l) = \mu_A^{\ominus}(g) + RT \ln p_A$$

De acordo com a lei de Raoult, $p_A = x_A p_A^*$, o que nos permite escrever

$$\mu_J(l) = \mu_A^{\ominus}(g) + RT \ln x_A p_A^* \overset{\ln(ab) = \ln a + \ln b}{\overbrace{=}} \mu_A^{\ominus}(g) + RT \ln p_A^* + RT \ln x_A$$

Os dois primeiros termos à direita, $\mu_A^{\ominus}(g)$ e $RT \ln p_A^*$, são independentes da composição da mistura. Podemos escrevê-los como a constante μ_A^*, o potencial químico do líquido puro A. Assim, obtemos a Eq. 6.11.

Breve ilustração 6.4 O potencial químico do solvente

A variação do potencial químico do benzeno causada pela presença de um soluto é dada por

$$\Delta\mu_{\text{benzeno}} = \overset{\mu^*_{\text{benzeno}} + RT \ln x_{\text{benzeno}}}{\overbrace{\mu_{\text{benzeno}}}} - \mu^*_{\text{benzeno}} = RT \ln x_{\text{benzeno}}$$

Se um soluto estiver presente em uma fração molar de 0,10, então, $x_{\text{benzeno}} = 0{,}90$ e, a 298 K, a variação do potencial químico é

$$\Delta\mu_{\text{benzeno}} = (8{,}3145 \text{ J K}^{-1} \text{ mol}^{-1}) \times (298 \text{ K}) \times \ln 0{,}90$$
$$\overset{\text{cancelando K}}{\overbrace{=}} -2{,}6 \times 10^2 \text{ J mol}^{-1}$$
$$= -0{,}26 \text{ kJ mol}^{-1}$$

O processo de misturação para formar uma solução ideal é espontâneo? Para responder a essa questão, precisamos descobrir se o ΔG deste processo é negativo. O cálculo é essencialmente o mesmo que para a mistura de dois gases perfeitos, e concluímos que

$$\Delta G = nRT\{x_A \ln x_A + x_B \ln x_B\} \quad \text{Solução ideal} \quad \text{Energia de Gibbs para dissolução} \qquad (6.12)$$

exatamente como para dois gases perfeitos. Da mesma forma que para dois gases perfeitos, a entalpia e a entropia de mistura são

$$\Delta H = 0 \quad \text{Solução ideal} \quad \text{Entalpia de mistura} \qquad (6.13a)$$

$$\Delta S = -nR\{x_A \ln x_A + x_B \ln x_B\} \quad \text{Solução ideal} \quad \text{Entropia de mistura} \qquad (6.13b)$$

O valor de ΔH indica que, embora haja interação entre as moléculas (diferentemente dos gases perfeitos), as interações médias soluto-soluto, solvente-solvente e soluto-solvente são as mesmas, e o soluto forma a solução sem variação de entalpia. A força motriz da misturação é o aumento de entropia do sistema à medida que um componente se mistura com o outro (conforme Figura 6.5).

Uma nota sobre a boa prática A 'idealidade' implica serem as interações médias as mesmas. Um gás 'perfeito' é um caso especial de um sistema ideal no qual as interações intermoleculares médias não só são as mesmas, mas também iguais a zero. A maioria dos cientistas não faz esta útil distinção, usando o nome 'gás ideal' em vez de 'gás perfeito'.

6.5 Soluções diluídas ideais

A lei de Raoult fornece uma boa descrição da pressão de vapor do *solvente* em uma solução muito diluída, quando o solvente A está quase puro. Vamos apresentar aqui uma descrição termodinâmica do soluto.

Em geral, não podemos esperar que a lei de Raoult forneça uma boa descrição da pressão de vapor do soluto B, pois o mesmo está longe de ser puro em uma solução muito diluída. Em uma solução diluída, cada molécula do soluto está envolvida pelo solvente quase puro e isso torna o seu ambiente químico bastante distinto daquele no qual está puro. Salvo quando o soluto e o solvente são muito semelhantes (como no caso do benzeno e metilbenzeno), é muito improvável que a pressão de vapor do soluto fique relacionada de forma simples com a do soluto puro.

(a) Lei de Henry

Verificou-se experimentalmente que, em soluções diluídas, a pressão de vapor do soluto é, de fato, proporcional à sua fração molar em solução, assim como para o solvente. Contudo, diferentemente do solvente, a constante de proporcionalidade não é, em geral, a pressão de vapor do soluto puro. Essa dependência linear, embora distinta, foi descoberta pelo químico inglês Willian Henry (1775-1836), e se traduz na **lei de Henry**:

A pressão de vapor de um soluto volátil B é proporcional à sua fração molar em uma solução:

$$p_B = K'_H x_B \quad \text{Lei de Henry} \qquad (6.14)$$

Nesta equação, K'_H, que é chamada de **constante da lei de Henry**, é característica do soluto e escolhida de tal forma que a linha reta predita pela Eq. 6.14 é tangente à curva experimental em $x_B = 0$ (Fig. 6.12). A lei de Henry é normalmente obedecida apenas em baixas concentrações do soluto (próximas de $x_B = 0$). Soluções que são diluídas o suficiente para que o soluto obedeça à lei de Henry são chamadas de **soluções diluídas ideais**.

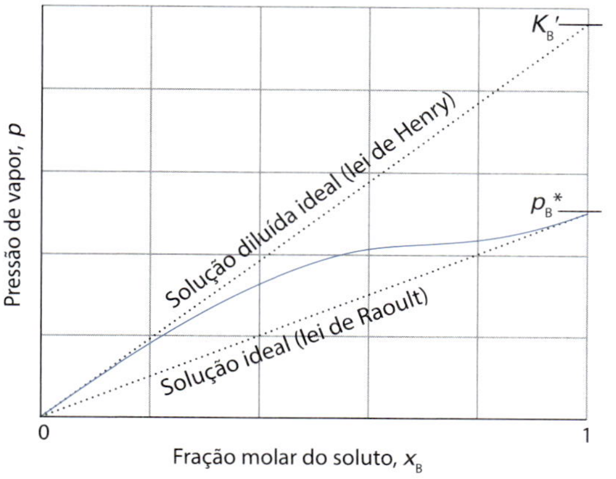

Figura 6.12 Quando um componente (o solvente) está quase puro, comporta-se segundo a lei de Raoult, e tem uma pressão de vapor proporcional à sua fração molar na mistura líquida, sendo o coeficiente angular da reta a pressão de vapor do componente puro, p*. Quando a mesma substância é o componente em menor quantidade (o soluto), sua pressão de vapor continua sendo proporcional à sua fração molar, porém a constante de proporcionalidade agora é K_H' (isto é, especificamente K_H' para o soluto B).

Exemplo 6.4

Verificação das leis de Raoult e de Henry

As pressões parciais de vapor de cada componente em uma mistura de propanona (acetona, A) e triclorometano (clorofórmio, C) foram medidas a 35 °C, com os seguintes resultados:

x_C	0	0,20	0,40	0,60	0,80	1
p_C/kPa	0	4,7	11	18,9	26,7	36,4
p_A/kPa	43,3	33,3	23,3	12,3	4,9	0

Confirme que a mistura obedece à lei de Raoult para o componente em grande excesso e a lei de Henry para o componente em menor quantidade. Obtenha as constantes da lei de Henry.

Estratégia O procedimento original é fazer o gráfico das pressões parciais de vapor contra a fração molar. Para verificar a lei de Raoult comparamos os dados à reta $p_J = x_J p_J^*$ para cada componente na região em que se encontra em grande excesso, agindo, portanto, como solvente. Verificamos a lei de Henry encontrando a reta $p_J = K_H' x_J$ que é tangente a cada pressão parcial de vapor quando x_J é pequeno, de forma que o componente pode ser tratado como o soluto.

Solução Os dados estão representados na Fig. 6.13 juntamente com as retas da lei de Raoult. A lei de Henry fornece $K_H' = 20{,}0$ kPa para a propanona e $K_H' = 22{,}0$ kPa para o triclorometano. Observe como os dados se desviam das leis de Raoult e de Henry mesmo para pequenos afastamentos de $x = 1$ e $x = 0$, respectivamente.

Exercício proposto 6.4

As pressões de vapor do clorometano em várias frações molares em uma mistura a 25 °C são dadas por:

x	0,005	0,009	0,019	0,024
p/kPa	27,3	48,4	101	126

Estime a constante da lei de Henry.

Resposta: 5 MPa

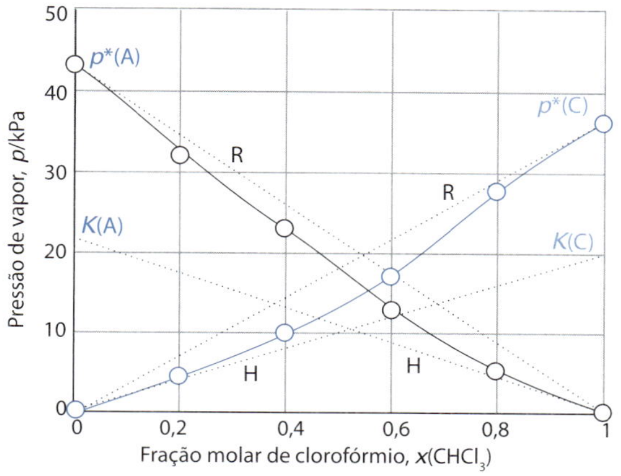

Figura 6.13 Pressões parciais de vapor obtidas experimentalmente para uma mistura de triclorometano, CCl_3 (C), e propanona, CH_3COCH_3 (acetona, A), baseadas nos dados do Exemplo 6.4. O comportamento da lei de Henry é representado por H e o da lei de Raoult por R.

A lei de Henry geralmente é escrita para mostrar como a concentração molar do gás dissolvido depende da sua pressão parcial na fase vapor acima do solvente:

$$[B] = K_H p_B \quad \text{Outra versão da lei de Henry} \quad (6.15)$$

Escrita dessa maneira, e com a pressão em quilopascais, a constante da lei de Henry, K_H, é expressa em mols por decímetro cúbico por quilopascal (mol dm^{-3} kPa^{-1}). As constantes da lei de Henry de alguns gases estão listadas na Tabela 6.1. Essa forma da lei com essas unidades torna fácil o cálculo da concentração molar do gás dissolvido, bastando simplesmente multiplicar a pressão parcial do gás (em quilopascais) pela constante apropriada. A Eq. 6.15 é usada, por exemplo, para estimar a concentração de O_2 nas águas naturais (veja o Exemplo 6.5). O conhecimento das constantes da lei de Henry para gases em gorduras e lipídios é importante para a discussão da respiração, especialmente quando a pressão parcial do oxigênio é anormal, como em mergulhos ou no montanhismo (veja Impacto 6.1).

Tabela 6.1
Constantes da lei de Henry para gases dissolvidos em água a 25 °C

	K_H/(mol m^{-3} kPa^{-1})
Dióxido de carbono, CO_2	$3{,}39 \times 10^{-1}$
Hidrogênio, H_2	$7{,}78 \times 10^{-3}$
Metano, CH_4	$1{,}48 \times 10^{-2}$
Nitrogênio, N_2	$6{,}48 \times 10^{-3}$
Oxigênio, O_2	$1{,}30 \times 10^{-2}$

Exemplo 6.5

Determinando se a água natural pode manter vida aquática

A concentração de O_2 na água exigida para manter a vida aquática é de cerca de 4 mg dm^{-3}. Qual é a pressão parcial mínima do oxigênio na atmosfera que permite atingir essa concentração?

Estratégia A estratégia do cálculo é determinar a pressão parcial do oxigênio que, segundo a lei de Henry (escrita conforme a Eq. 6.15), corresponde à concentração especificada.

Solução A Eq. 6.15 torna-se

$$p_{O_2} = \frac{[O_2]}{K_H}$$

Observamos que a concentração molar de O_2 é

$$[O_2] \overbrace{=}^{[J]=c_{massa}/M} \frac{4{,}0\times10^{-3}\ \text{g dm}^{-3}}{32\ \text{g mol}^{-1}} = \frac{4{,}0\times10^{-3}}{32}\frac{\text{mol}}{\text{dm}^3}$$

$$= \frac{4{,}0\times10^{-3}}{32}\frac{\text{mol}}{10^{-3}\ \text{m}^3} = \frac{4{,}0}{32}\ \text{mol m}^{-3}$$

Da Tabela 6.1, temos que K_H para o oxigênio na água é $1{,}30 \times 10^{-2}$ mol m^{-3} kPa^{-1}; portanto, a pressão parcial necessária para atingir a concentração estabelecida é

$$p_{O_2} = \frac{(4{,}0/32)\ \text{mol m}^{-3}}{1{,}30\times10^{-2}\ \text{mol m}^{-3}\ \text{kPa}^{-1}} = 9{,}6\ \text{kPa}$$

A pressão parcial do oxigênio ao nível do mar é 21 kPa (158 Torr), que é maior que 9 kPa (72 Torr); logo, a concentração desejada pode ser mantida sob condições normais.

Uma nota sobre a boa prática O número de algarismos significativos no resultado de um cálculo não deve exceder o número nos dados.

Exercício proposto 6.5

Qual é a pressão parcial necessária para dissolver 21 g de metano em 100 g de benzeno a 25 °C ($K_H = 5{,}69 \times 10^4$ kPa, para a lei de Henry na forma dada na Eq. 6.15)?

Resposta: 57 kPa ($4{,}3 \times 10^2$ Torr)

(b) O potencial químico do soluto

A lei de Henry nos permite escrever uma expressão para o potencial químico de um soluto em uma solução diluída. Mostramos na Dedução a seguir que o potencial químico do soluto, quando presente em solução com fração molar x_B, é dado por

$$\mu_B = \mu_B^* + RT \ln x_B \qquad \text{Potencial químico do soluto em termos da fração molar} \qquad (6.16)$$

Essa expressão, ilustrada na Figura 6.14, se aplica quando a lei de Henry é válida, em soluções diluídas ideais. O potencial químico do soluto tem seu valor 'puro' quando está presente sozinho ($x_B = 1$, $\ln 1 = 0$) e um valor menor quando dissolvido ($x_B < 1$, $\ln x_B < 0$).

Dedução 6.5

O potencial químico do soluto

Aplicamos o mesmo raciocínio da Dedução 6.4. Quando um soluto B em uma solução está em equilíbrio com seu vapor a uma pressão parcial p_B, podemos escrever $\mu_B(l) = \mu_B(g)$ e (da Eq. 6.7)

$$\mu_B(l) = \mu_B^{\ominus}(g) + RT \ln p_B$$

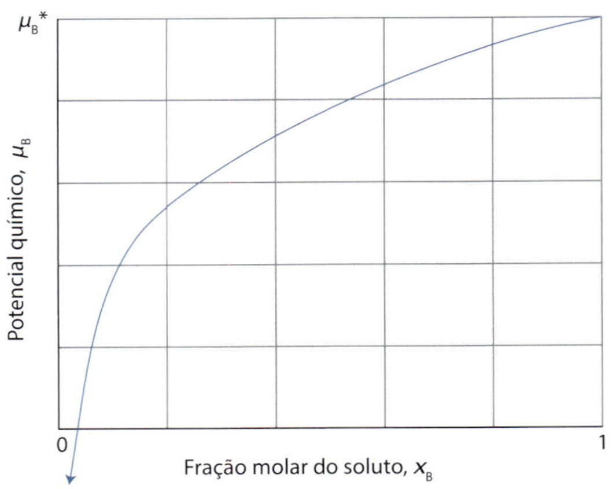

Figura 6.14 A variação do potencial químico do soluto com a composição da solução, expressa em termos da fração molar do soluto. Observe que o potencial químico do soluto é menor na mistura do que no soluto puro (para um sistema ideal). Esse comportamento deve ser exibido por uma solução diluída na qual o solvente está quase puro e o soluto obedece à lei de Henry.

Segundo a lei de Henry, $p_B = K_H' x_B$; logo, segue-se que

$$\mu_B(l) = \mu_B^{\ominus}(g) + RT \ln K_H' x_B = \overbrace{\mu_B^{\ominus}(g) + RT \ln K_H'}^{\mu_B^*} + RT \ln x_B$$

Os termos $\mu_B^{\ominus}(g)$ e $RT \ln K_H'$ são independentes da composição da mistura, podendo ser combinados na constante μ_B^*, o potencial químico do líquido B puro. Tem-se, então, a Eq. 6.16.

Frequentemente, precisamos exprimir a composição de uma solução em termos da concentração molar do soluto, [B], em vez da fração molar. A fração molar do soluto e a concentração molar são proporcionais em soluções diluídas, o que nos permite escrever x_B = constante × $[B]/c^{\ominus}$, em que a concentração molar padrão é introduzida para garantir que a constante é adimensional. Então, a Eq. 6.16 se torna

$$\mu_B = \mu_B^* + RT \ln[\text{constante} \times ([B]/c^{\ominus})]$$

$$\overbrace{=}^{\ln ab = \ln a + \ln b} \overbrace{\mu_B^* + RT \ln(\text{constante})}^{\mu_B^{\ominus}} + RT \ln([B]/c^{\ominus})$$

Uma nota sobre a boa prática Não tem sentido tomar o logaritmo de grandezas com unidades; logo, sempre se certifique de que o x de $\ln x$ é um número puro.

Desde que a pressão seja 1 bar, podemos combinar os dois primeiros termos em uma única constante, $\mu_B^{\ominus}$, e escrever essa relação como

$$\mu_B = \mu_B^{\ominus} + RT \ln([B]/c^{\ominus}) \qquad \text{Potencial químico do soluto em termos da concentração molar} \qquad (6.17a)$$

Essa equação é a melhor forma de escrever a relação; mas é complicada e no restante do capítulo escreveremos $[B]/c^{\ominus}$ simplesmente como [B] e – para satisfazer ao requisito mencionado na nota sobre a boa prática – interpretar [B] como a concentração molar com as unidades excluídas (tratamos a pressão de forma semelhante anteriormente no capítulo).

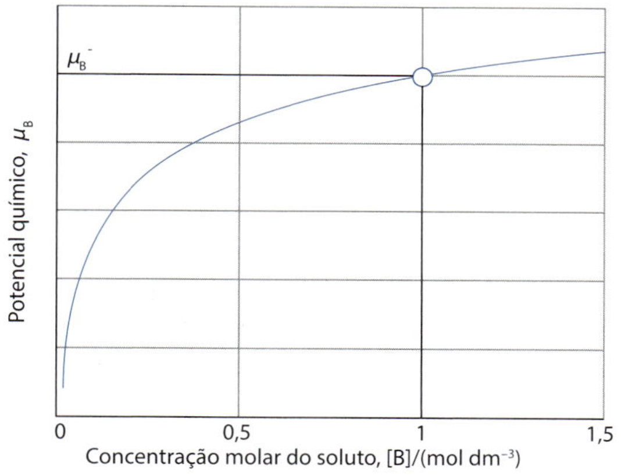

Figura 6.15 A variação do potencial químico do soluto com a composição da solução que obedece à lei de Henry, expressa em termos da concentração molar do soluto. O potencial químicc tem o valor padrão em [B] = 1 mol dm^{-3}.

Desse modo, se de fato [B] = 0,1 mol dm^{-3}, de forma que $[B]/c^{\ominus} = 0{,}1$, de agora em diante escreveremos simplesmente [B] = 0,1 e usaremos a Eq. 6.17a na forma

$$\mu_B = \mu_B^{\ominus} + RT\ln[B] \quad \text{Versão simplificada da Eq. 6.17a} \quad (6.17b)$$

A Figura 6.15 ilustra a variação do potencial químico com a concentração predita por essa equação. O potencial químico do soluto tem o seu valor padrão quando a concentração molar do soluto é 1 mol dm^{-3} (isto é, $c^{\ominus}$).

Impacto na biologia 6.1

Solubilidade dos gases e respiração

Inalamos cerca de 500 cm^3 de ar a cada respiração. A entrada do ar é um resultado da variação no volume dos pulmões quando o diafragma sofre uma descompressão e o peito se expande, resultando numa queda de pressão de aproximadamente 100 Pa em relação à pressão atmosférica. A expiração ocorre quando o diafragma se expande e o peito se contrai, resultando numa diferença de pressão de cerca de 100 Pa acima da pressão atmosférica. O volume total do ar nos pulmões é de cerca de 6 dm^3, e o volume adicional de ar que pode ser exalado após uma respiração normal é de cerca de 1,5 dm^3. Certa quantidade de ar permanece nos pulmões para evitar o colapso dos alvéolos pulmonares.

O efeito das trocas gasosas entre o sangue e o ar nos alvéolos pulmonares indica que a composição do ar nos pulmões é diferente daquela da atmosfera e varia ao longo de todo c ciclo respiratório. O gás contido nos alvéolos é, na verdade, uma mistura de ar que acaba de ser inalado com ar que está para ser exalado. A concentração de oxigênio presente no sangue arterial equivale a uma pressão parcial de cerca de 40 Torr (5,3 kPa), sendo de cerca de 100 Torr (13,3 kPa) a pressão parcial do ar que acaba de ser inalado nos alvéolos pulmonares. O sangue arterial permanece nos capilares que passam pelas paredes dos alvéolos por cerca de 0,75 s, porém o gradiente de pressão é tão acentuado que fica completamente saturado com oxigênio em 0,25 s. Se os pulmões retêm fluidos (como na pneumonia), a membrana respiratória engrossa, diminuindo grandemente a difusão, e os tecidos do corpo começam a sofrer de falta de oxigênio. O dióxido de carbono se movimenta na direção oposta, por meio dos tecidos respiratórios, mas o gradiente de pressão parcial é muito menor, correspondendo a cerca de 45 Torr (6,0 kPa) no sangue e 40 Torr (5,3 kPa) no ar em equilíbrio nos alvéolos pulmonares. Entretanto, como o dióxido de carbono é muito mais solúvel que o oxigênio nos fluidos alveolares, iguais quantidades de oxigênio e dióxido de carbono são trocadas a cada respiração.

Uma câmara de oxigênio hiperbárica, na qual o gás está sob alta pressão parcial, é usada para tratar certos tipos de doenças. O envenenamento por monóxido de carbono pode ser tratado dessa forma, assim como as consequências de um choque. Doenças causadas por bactérias anaeróbicas, como a gangrena e o tétano, também podem ser tratadas dessa forma, pois as bactérias não podem proliferar em elevadas concentrações de oxigênio.

6.6 Soluções reais: atividades

Nenhuma solução real é ideal e muitas soluções se desviam do comportamento de solução diluída ideal tão logo a concentração do soluto se eleve acima de um pequeno valor. Na termodinâmica, tentamos sempre preservar a forma das equações desenvolvidas para os sistemas ideais, de modo a permitir passar facilmente de um tipo de sistema para outro. Este é o pensamento por trás da introdução da **atividade**, a_J, de uma substância, que é uma espécie de concentração efetiva. A atividade é definida de forma que a expressão

$$\mu_J = \mu_J^{\ominus} + RT\ln a_J \quad \text{Potencial químico em termos da atividade} \quad (6.18)$$

é verdadeira em *todas* as concentrações e tanto para o solvente quanto para o soluto.

Para soluções ideais, $a_J = x_J$, e a atividade de cada componente é igual à sua fração molar. Para soluções diluídas ideais, a comparação da Eq. 6.18 com a Eq. 6.17a mostra que $a_B = [B]/c^{\ominus}$, e a atividade do soluto é igual ao valor numérico de sua concentração molar. Com relação às soluções reais, escrevemos

$$\begin{aligned}&\text{Para o solvente:} && a_A = \gamma_A x_A \\ &\text{Para o soluto:} && a_B = \gamma_B[B]/c^{\ominus}\end{aligned} \quad \text{Atividade em termos do coeficiente de atividade} \quad (6.19)$$

em que γ (gama), em cada caso, é o **coeficiente de atividade.** Ambos, a atividade e o coeficiente de atividade são adimensionais. Os coeficientes de atividade dependem da composição da solução e devemos observar que:

- Como o solvente se comporta mais de acordo com a lei de Raoult à medida que se torna puro, $\gamma_A \to 1$ quando $x_A \to 1$.
- Como o soluto se comporta mais de acordo com a lei de Henry à medida que a solução se torna mais diluída, $\gamma_B \to 1$ quando $[B] \to 0$.

Essas convenções e relações entre as atividades são apresentadas na Tabela 6.2.

As atividades e os coeficientes de atividade são normalmente estigmatizados como 'fatores de camuflagem'. De certa forma, isso é verdade. Entretanto, pela sua introdução, é possível obter expressões termodinamicamente exatas para as propriedades de soluções não ideais. Além disso, é possível, em alguns casos, medir ou calcular o coeficiente de atividade de uma espécie em solução. Neste livro, vamos normalmente obter relações termodinâmicas em termos de atividades, mas,

Tabela 6.2
*Atividades e estados padrão**

Substância	Estado padrão	Atividade, *a*
Sólido	Sólido puro, 1 bar	1
Líquido	Líquido puro, 1 bar	1
Gás	Gás puro, 1 bar	$p/p^{\ominus}$
Soluto	Concentração molar de 1 mol dm^{-3}	$[J]/c^{\ominus}$

$p^{\ominus}$ = 1 bar (= 105 Pa), $c^{\ominus}$ = 1 mol dm^{-3}

*As atividades são para gases perfeitos e soluções ideais; todas as atividades são adimensionais.

quando quisermos entrar em contato com medições reais, igualaremos as atividades aos valores 'ideais' da Tabela 6.2.

Propriedades coligativas

Um soluto ideal não produz nenhum efeito na entalpia de uma solução no sentido de que a entalpia de mistura é zero. Contudo, afeta a entropia, introduzindo um grau de desordem que não está presente no solvente puro, e verificamos pela Eq. 6.13b que $\Delta S > 0$ quando dois componentes se misturam para formar uma solução ideal. Podemos, portanto, esperar que um soluto modifique as propriedades físicas da solução. Além de baixar a pressão de vapor do solvente, como já foi considerado, um soluto não volátil produz três efeitos principais:

- Eleva o ponto de ebulição de uma solução.
- Abaixa o ponto de congelamento da solução.
- Dá origem a uma pressão osmótica.

(O significado desse último efeito será explicado em breve). Como essas propriedades surgem de variações na desordem do solvente, e como o aumento da desordem é independente das espécies usadas para provocá-lo, todas dependem, para um dado solvente, apenas do número de partículas de soluto presentes e não de sua identidade química. Por essa razão, são chamadas de **propriedades coligativas**, nas quais 'coligativa' significa 'o que depende do conjunto'. Assim, uma solução aquosa 0,01 mol kg^{-1} de qualquer não eletrólito tem o mesmo ponto de ebulição, o mesmo ponto de congelamento e a mesma pressão osmótica.

6.7 A modificação dos pontos de ebulição e de congelamento

Como indicado anteriormente, o efeito de um soluto é o de elevar o ponto de ebulição de um solvente e de baixar o seu ponto de congelamento. É um resultado empírico, que pode ser justificado pelo cálculo realizado na Dedução a seguir, que a **elevação do ponto de ebulição**, ΔT_{eb}, e o **abaixamento do ponto de congelamento**, ΔT_f, são ambos proporcionais à molalidade, b_B, do soluto:

$$\Delta T_b = K_b b_B \qquad \text{Elevação do ponto de ebulição} \qquad (6.20a)$$

$$\Delta T_f = K_f b_B \qquad \text{Abaixamento do ponto de congelamento} \qquad (6.20b)$$

Tabela 6.3
Constantes crioscópicas e ebulioscópicas

Solvente	K_f/(K kg mol^{-1})	K_{eb}/(K kg mol^{-1})
Ácido acético	3,90	3,07
Água	1,86	0,51
Benzeno	5,12	2,53
Cânfora	40	
Dissulfeto de carbono	3,8	2,37
Fenol	7,27	3,04
Naftaleno	6,94	5,8
Tetraclorometano	30	4,95

K_{eb} é a **constante ebulioscópica** e K_f é a **constante crioscópica** do solvente. Também são conhecidas como 'constante do ponto de ebulição' e 'constante do ponto de congelamento', respectivamente. As duas constantes podem ser calculadas a partir de outras propriedades do solvente, mas é melhor considerá-las como constantes empíricas (Tabela 6.3).

■ Breve ilustração 6.5 Abaixamento do ponto de congelamento

Para estimar o abaixamento crioscópico da solução preparada pela dissolução de 3,0 g (um cubo) de sacarose ($C_{12}H_{22}O_{11}$) em 100 g de água, devemos primeiramente expressar a molalidade da sacarose como:

$$b_{\text{sacarose}} = \frac{n_{\text{sacarose}}}{m_{\text{água}}} \overset{n=m/M}{\overbrace{=}} \frac{m_{\text{sacarose}}/M_{\text{sacarose}}}{m_{\text{água}}} = \frac{m_{\text{sacarose}}}{M_{\text{sacarose}}m_{\text{água}}}$$

em que m_{sacarose} e M_{sacarose} são a massa e a massa molar da sacarose, respectivamente. Segue-se da Eq. 6.20b e Tabela 6.3 que

$$\Delta T_f \overset{\text{Eq. 6.20b}}{\overbrace{=}} K_{f,\text{água}} \frac{m_{\text{sacarose}}}{M_{\text{sacarose}}m_{\text{água}}}$$

$$= (1{,}86\ \text{K kg mol}^{-1}) \times \frac{3{,}0\ \text{g}}{(343{,}88\ \text{g mol}^{-1}) \times (0{,}100\ \text{kg})} \overset{\text{cancelando kg, g e mol}}{\overbrace{=}} 0{,}16\ \text{K}$$

Para entendermos a origem desses efeitos, vamos fazer duas hipóteses simplificadoras:

- O soluto não é volátil; logo, não está presente na fase vapor.
- O soluto é insolúvel no solvente sólido; logo, não aparece na fase sólida.

Por exemplo, uma solução de sacarose em água consiste em um soluto (sacarose) que não é volátil, e, portanto, nunca aparece no vapor, que é apenas vapor d'água puro. A sacarose também permanece no solvente líquido quando o gelo começa a se formar, então o gelo se mantém puro.

A origem das propriedades coligativas é a diminuição do potencial químico do solvente pela presença do soluto, como expressa pela Eq. 6.11. Vimos na Seção 5.3 que os pontos de

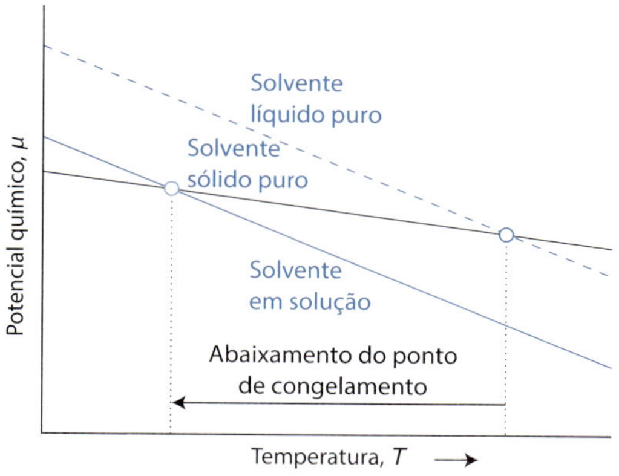

Figura 6.16 Os potenciais químicos do solvente sólido puro e do solvente líquido puro diminuem com a temperatura, e o ponto de interseção, em que o potencial químico do líquido fica acima daquele do sólido, marca o ponto de congelamento do solvente puro. Um soluto diminui o potencial químico do solvente líquido, mas não altera o do sólido. Como resultado, o ponto de interseção se desloca para a esquerda, diminuindo, desse modo, o ponto de congelamento.

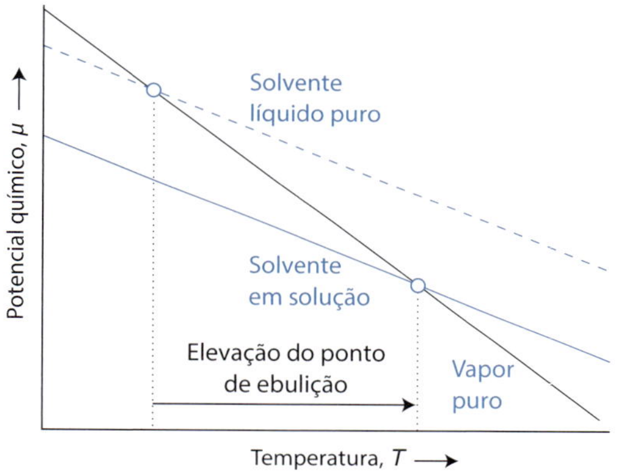

Figura 6.17 Os potenciais químicos do vapor do solvente puro e do solvente líquido puro diminuem com a temperatura, e o ponto de interseção, em que o potencial químico do vapor fica abaixo daquele do líquido, marca o ponto de ebulição do solvente puro. Um soluto diminui o potencial químico do solvente líquido, mas não altera o do vapor. Como resultado, o ponto de interseção se desloca para a direita, elevando, desse modo, o ponto de ebulição.

congelamento e de ebulição correspondem às temperaturas nas quais o gráfico da energia de Gibbs molar do líquido intercepta os gráficos das energias de Gibbs molares das fases sólida e gasosa, respectivamente. Como estamos agora tratando de misturas, devemos raciocinar em termos da energia de Gibbs *parcial* molar (o potencial químico) do solvente. A presença do soluto diminui o potencial químico do líquido, mas, como as fases sólida e vapor se mantêm puras, os seus potencias químicos permanecem inalterados. Assim, vemos na Figura 6.16 que o ponto de congelamento se move para um valor mais baixo; da mesma forma, vemos pela Figura 6.17 que o ponto de ebulição se move para valores mais altos. Em outras palavras, o ponto de congelamento diminui, o ponto de ebulição aumenta, e o líquido existe em uma faixa mais ampla de temperatura. A Dedução a seguir mostra como exprimir essas variações quantitativamente.

Dedução 6.6

A modificação das temperaturas de transição

Para obter uma expressão para a elevação do ponto de ebulição, observamos que, à temperatura normal (isto é, a 1 atm) de ebulição, T^*_{eb}, de um solvente puro A, o vapor do solvente e o líquido estão em equilíbrio a 1 atm, logo, seus potenciais químicos são iguais:

$$\mu^*_A(g, 1\text{ atm}, T^*_{eb}) = \mu^*_A(l, 1\text{ atm}, T^*_{eb})$$

Para simplificar, não vamos mais especificar a pressão como 1 atm, mas lembre-se de que esse é o seu valor. Na presença de um soluto B, a fração molar de A é reduzida de 1 a $x_A = 1 - x_B$ e o ponto de ebulição é, então, T_{eb}; assim, como o vapor do solvente e o líquido permanecem em equilíbrio sob essas novas condições,

$$\mu^*_A(g, T_{eb}) = \mu_A(l, x_A, T_{eb})$$

Esta igualdade é ilustrada na Figura 6.18. De acordo com a Eq. 6.11, o potencial químico do solvente na solução está relacionado com a sua fração molar por

$$\mu_A(l, x_A, T_{eb}) = \mu^*_A(l, T_{eb}) + RT_{eb} \ln x_A$$

Portanto, a última equação se torna

$$\mu^*_A(g, T_{eb}) = \mu^*_A(l, T_{eb}) + RT_b \ln x_A$$

que se rearranja como

$$\ln x_A = \frac{\mu^*_A(g, T_{eb}) - \mu^*_A(l, T_{eb})}{RT_{eb}}$$

O potencial químico de uma substância pura é igual à energia de Gibbs molar da substância; logo, esta expressão é a mesma que

$$\ln x_A = \frac{\overbrace{G_m(g, T_{eb}) - G_m(l, T_{eb})}^{\Delta_{vap}G(T_{eb})}}{RT_{eb}} = \frac{\Delta_{vap}G(T_{eb})}{RT_{eb}}$$

Quando $x_A = 1$ (e $\ln x_A = 0$), o solvente líquido puro, o ponto de ebulição é T^*_{eb}, e podemos escrever

$$0 = \frac{\Delta_{vap}G(T^*_{eb})}{RT^*_{eb}}$$

A diferença dessas duas equações é

$$\ln x_A = \frac{\Delta_{vap}G(T_{eb})}{RT_{eb}} - \frac{\Delta_{vap}G(T^*_{eb})}{RT^*_{eb}}$$

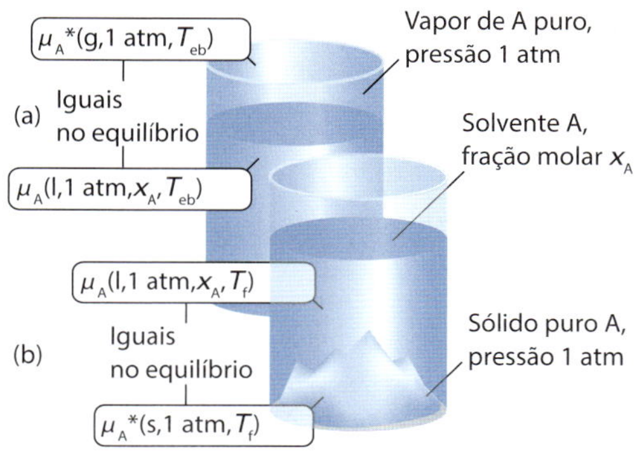

Figura 6.18 O equilíbrio entre as fases e a correspondente relação entre os potenciais químicos do solvente em solução no (a) ponto de ebulição normal e (b) ponto de congelamento normal.

Agora utilizamos $\Delta G = \Delta H - T\Delta S$ e a independência aproximada de ΔH e ΔS em relação à temperatura para transformar essa equação em

$$\ln x_A \overbrace{=}^{\Delta_{vap}G(T)=\Delta_{vap}H(T)-T\Delta_{vap}S(T)} \frac{\Delta_{vap}H(T_{eb}) - T_{eb}\Delta_{vap}S(T_{eb})}{RT_{eb}} - \frac{\Delta_{vap}H(T^*_{eb}) - T^*_{eb}\Delta_{vap}S(T^*_{eb})}{RT^*_{eb}}$$

Supomos agora que, no intervalo de temperaturas de interesse, a entalpia e a entropia de vaporização são independentes da temperatura; logo, cada uma pode ser escrita como um termo constante:

$$\ln x_A = \frac{\Delta_{vap}H}{RT_{eb}} - \frac{\Delta_{vap}S}{R} - \frac{\Delta_{vap}H}{RT^*_{eb}} + \frac{\Delta_{vap}S}{R} \overbrace{=}^{\text{Cancelando os termos em azul}} \frac{\Delta_{vap}H}{R}\left(\frac{1}{T_{eb}} - \frac{1}{T^*_{eb}}\right)$$

Agora usamos $\ln x_A = \ln(1 - x_B) \approx -x_B$ (veja Ferramentas do químico 6.1) para expressar essa equação na forma

$$-x_B \approx \frac{\Delta_{vap}H}{R}\left(\frac{1}{T_{eb}} - \frac{1}{T^*_{eb}}\right)$$

ou

$$x_B \approx -\frac{\Delta_{vap}H}{R}\left(\frac{1}{T_{eb}} - \frac{1}{T^*_{eb}}\right) = \frac{\Delta_{vap}H}{R}\left(\frac{1}{T^*_{eb}} - \frac{1}{T_{eb}}\right) = \frac{\Delta_{vap}H}{R}\left(\frac{T_{eb} - T^*_{eb}}{T^*_{eb}T_{eb}}\right)$$

Estamos quase ao final. Inicialmente observamos que a elevação do ponto de ebulição é $\Delta T_{eb} = T_{eb} - T^*_{eb}$. Então, notamos também que como o valor de T_{eb} é muito próximo do de T^*_{eb}, introduz-se um pequeno erro ao substituir $T^*_{eb}T_{eb}$ por T^{*2}_{eb}. Neste caso, chegamos a

$$x_B \approx \frac{\Delta_{vap}H}{R} \times \frac{\Delta T_{eb}}{T^{*2}_{eb}}$$

que pode ser escrita como

$$\Delta T_{eb} \approx \frac{RT^{*2}_{eb}}{\Delta_{vap}H} \times x_B$$

Neste ponto, vemos que a elevação do ponto de ebulição é proporcional à fração molar do soluto B e independente de sua natureza ($\Delta_{vap}H$ e T_{eb} são propriedades do solvente). A fração molar do soluto é proporcional à sua molalidade, b_B, e a equação que deduzimos tem a forma $\Delta T_{eb} = K_{eb}b_B$, como na Eq. 6.20.

O cálculo do abaixamento do ponto de congelamento começa com a condição de equilíbrio ilustrada na Figura 6.18b, que implica

$$\mu^*_A(s, T_f) = \mu_A(l, x_A, T_f) \quad \text{a 1 atm}$$

O cálculo se desenvolve exatamente da mesma forma, e obtemos

$$\Delta T_f \approx \frac{RT^{*2}_f}{\Delta_{fus}H} \times x_B$$

com $\Delta T_f = T^*_f - T_f$, como na Eq. 6.20.

A elevação do ponto de ebulição é muito pequena para ter um significado prático. Uma consequência prática do abaixamento do ponto de congelamento e, portanto, do abaixamento do ponto de fusão do sólido puro, é a sua utilização em química orgânica para avaliar a pureza de uma amostra, pois qualquer impureza diminui o ponto de fusão de uma substância em relação ao seu valor aceitável. A água salgada dos oceanos congela em uma temperatura inferior à da água pura, e sal é espalhado nas rodovias para retardar o início do congelamento. A adição de um 'anticongelante' aos motores dos automóveis, e, por processos naturais, aos peixes do mar Ártico, é comumente citada como exemplo de abaixamento do ponto de congelamento, mas as concentrações envolvidas são muito elevadas para que os argumentos que foram usados até agora possam ser aplicados. O 1,2-etanodiol ('glicol') usado como anticongelante somente interfere na ligação entre as moléculas de água. Da mesma maneira, as proteínas anticongelantes dos peixes do Ártico agem como ligantes a pequenos cristais de gelo e evitam que cristais maiores se formem.

Ferramentas do químico 6.1 Séries de potência e expansões

É possível, e frequentemente útil, expressar uma função $f(x)$ como uma soma especial de termos chamada de **série de potência** da forma

$$f(x) = c_0 + c_1x + c_2x^2 + \cdots$$

em que c_n são constantes. As séries a seguir são empregadas frequentemente em físico-química. As aproximações são válidas se $x << 1$.

$$(1 + x)^{-1} = 1 - x + x^2 - \cdots \approx 1 - x$$
$$e^x = 1 + x + \tfrac{1}{2}x^2 + \tfrac{1}{6}x^3 + \cdots \approx 1 + x$$
$$\ln x = (x - 1) - \tfrac{1}{2}(x - 1)^2 + \tfrac{1}{3}(x - 1)^3 - \cdots$$
$$\ln(1 + x) = x - \tfrac{1}{2}x^2 + \tfrac{1}{3}x^3 - \cdots \approx x$$
$$(1 + x)^{1/2} = 1 + \tfrac{1}{2}x - \tfrac{1}{8}x^2 + \cdots$$

6.8 Osmose

O fenômeno da **osmose** (da palavra grega que significa 'impulso') é a passagem de um solvente puro para uma solução que dele está separada por uma membrana semipermeável. Uma **membrana semipermeável** é uma membrana permeável ao solvente, mas não ao soluto. A membrana pode ter orifícios microscópicos, amplos o bastante para permitir que moléculas de água a atravessem, mas não íons ou moléculas de carboidratos com seu volumoso revestimento de moléculas de água hidratantes. A **pressão osmótica,** Π (letra pi maiúscula), é a pressão que deve ser aplicada à solução para interromper o fluxo de entrada do solvente.

Na montagem simples ilustrada na Figura 6.19, a pressão que se opõe à passagem do solvente para dentro da solução se origina da pressão hidrostática da coluna de solução que a própria osmose produz. Essa coluna é formada quando o solvente puro flui através da membrana para a solução e empurra a coluna de solução tubo acima. Atinge-se o equilíbrio quando a pressão descendente, exercida pela coluna de solução, se iguala à pressão osmótica ascendente. Uma complicação desse sistema é que a entrada do solvente na solução leva à sua

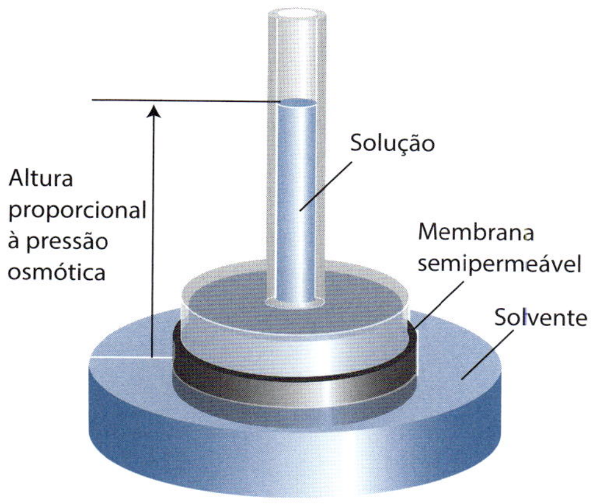

Figura 6.19 Em um experimento simples de osmose, uma solução é separada do solvente puro por uma membrana semipermeável. O solvente puro atravessa a membrana e a solução sobe no tubo interno. O fluxo líquido cessa quando a pressão exercida pela coluna de líquido é igual à pressão osmótica da solução.

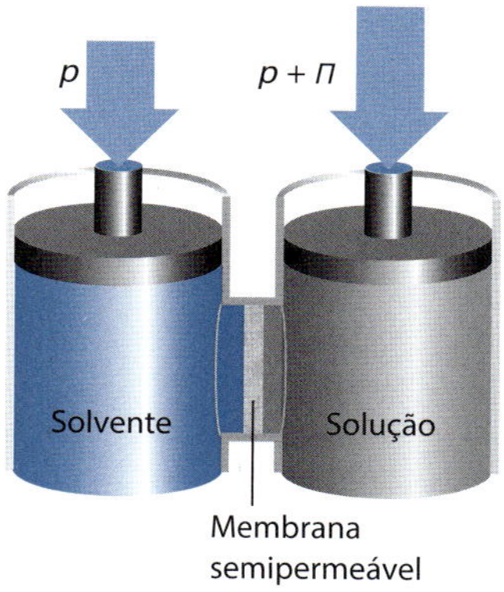

Figura 6.20 A base do cálculo da pressão osmótica. A presença de um soluto diminui o potencial químico do solvente no compartimento à direita, mas a aplicação de pressão o eleva. A pressão osmótica é a pressão necessária para igualar o potencial químico do solvente nos dois compartimentos.

diluição. Assim, a montagem descrita é de tratamento matemático mais difícil do que um sistema em que uma pressão externamente aplicada se opõe a qualquer fluxo de solvente para dentro da solução.

A pressão osmótica de uma solução é proporcional à concentração do soluto. Na realidade, mostramos na Dedução vista a seguir que a expressão da pressão osmótica de uma solução ideal, denominada **equação de van't Hoff**, tem uma semelhança estranha com a expressão da pressão de um gás perfeito.

$$\Pi V \approx n_B RT \qquad \text{Solução ideal} \qquad \text{equação de van't Hoff} \qquad (6.21a)$$

Como $n_B/V = [B]$, a concentração molar do soluto, uma forma mais simples desta equação é

$$\Pi \approx [B]RT \qquad \text{Solução ideal} \qquad \text{Outra versão da equação de van't Hoff} \qquad (6.21b)$$

Essa equação se aplica apenas a soluções suficientemente diluídas para que se comportem como soluções diluídas ideais.

Dedução 6.7

A equação de van't Hoff

O tratamento termodinâmico da osmose utiliza-se do fato de que, no equilíbrio, o potencial químico do solvente A é o mesmo em cada lado da membrana (Fig. 6.20). A relação inicial é, portanto,

$$\mu_A(\text{solvente puro na pressão } p) = \mu_A(\text{solvente na solução na pressão } p + \Pi)$$

O solvente puro está à pressão atmosférica, p, e a solução, a uma pressão $p + \Pi$ por conta da pressão adicional, Π, que tem de ser exercida sobre a solução para estabelecer o equilíbrio. Escreveremos o potencial químico do solvente puro, à pressão p, como $\mu^*_A(p)$. O potencial químico do solvente na solução é reduzido pelo soluto, mas é elevado por conta da pressão maior, $p + \Pi$, que atua sobre a solução. Representaremos esse potencial químico por $\mu_A(x_A, p + \Pi)$. Nossa tarefa é encontrar a pressão adicional Π necessária para balancear a redução do potencial químico causada pelo soluto.

A condição do equilíbrio escrito acima é

$$\mu^*_A(p) = \mu_A(x_A, p + \Pi)$$

Levamos em conta o efeito do soluto, utilizando a Eq. 6.11:

$$\mu_A(x_A, p + \Pi) \overset{\text{eq 6.11}}{=} \mu^*_A(p + \Pi) + RT \ln x_A$$

O efeito da pressão sobre um líquido (supostamente incompressível) é dado pela Eq. 5.1 ($\Delta G_m = V_m \Delta p$), mas agora expresso em termos do potencial químico e do volume molar parcial do solvente:

$$\mu^*_A(p + \Pi) = \mu^*_A(p) + V_A \Delta p$$

Neste ponto identificamos a diferença na pressão Δp como Π. Logo,

$$\mu^*_A(p + \Pi) = \mu^*_A(p) + V_A \Pi$$

Quando combinamos essa relação com $\mu^*_A(p) = \mu^*_A(p + \Pi) + RT \ln x_A$ obtemos

$$\mu^*_A(p) = \mu^*_A(p) + V_A \Pi + RT \ln x_A$$

e, portanto, após cancelarmos $\mu^*_A(p)$,

$$-RT \ln x_A = \Pi V_A$$

A fração molar do solvente x_A é igual a $1 - x_B$, em que x_B é a fração molar das moléculas do soluto. Em uma solução diluída, $\ln(1 - x_B)$ é aproximadamente igual a $-x_B$ (Ferramentas do químico 6.1). Assim esta equação se torna

$$RTx_B \approx \Pi V_A$$

Quando a solução é diluída, $x_B = n_B/n \approx n_B/n_A$. Logo,

$$RTn_B \approx n_A \Pi V_A \overset{n_A V_A = V}{=} \Pi V$$

em que V é o volume do solvente, que é a Eq. 6.21a.

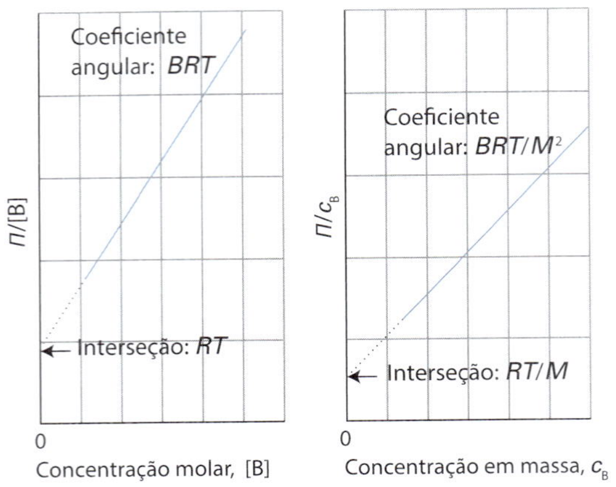

Figura 6.21 A reta e a extrapolação feitas para analisar os resultados de um experimento de osmometria.

A osmose ajuda as células biológicas a manter suas estruturas. As membranas celulares são semipermeáveis, e permitem a passagem de água, pequenas moléculas e íons hidratados, impedindo a passagem dos biopolímeros sintetizados dentro da célula. A diferença de concentração de solutos dentro e fora da célula dá origem a uma pressão osmótica, e a água passa para a solução mais concentrada, no interior da célula, carregando pequenas moléculas nutrientes. A entrada de água também mantém a célula inchada, enquanto a desidratação faz a célula encolher.

Uma das aplicações mais comuns da osmose é a **osmometria**, a medição de massas molares de proteínas e polímeros sintéticos a partir da pressão osmótica de suas soluções. Como essas enormes moléculas dissolvem para produzir soluções que estão longe de serem ideais, supomos que a equação de van't Hoff é apenas o primeiro termo de uma expansão:

$$\Pi = [\mathrm{B}]RT\{1 + B[\mathrm{B}] + \cdots\} \qquad \text{Equação de van't Hoff expandida} \qquad (6.22a)$$

Exatamente a mesma estratégia foi empregada na Seção 1.12 para estender a equação do gás perfeito para gases reais e levou à equação de estado do virial. O parâmetro empírico B, nessa expressão, é denominado **coeficiente virial osmótico.** Para utilizar a Eq. 6.22a, reescrevêmo-la de forma que ofereça uma reta, dividindo ambos os lados por [B]:

$$\overbrace{\frac{\Pi}{[\mathrm{B}]}}^{y} = \overbrace{RT}^{=\text{interseção}} + \overbrace{BRT}^{+\text{coeficiente angular}}\;\overbrace{[\mathrm{B}]}^{\times x} \qquad (6.22b)$$

Conforme ilustramos no exemplo a seguir, podemos encontrar a massa molar do soluto B medindo a pressão osmótica em uma série de concentrações, em massa por volume, e traçando uma reta de $\Pi/[\mathrm{B}]$ em função de [B] (Figura 6.21).

Exemplo 6.6

Utilizando a osmometria para determinar a massa molar

As pressões osmóticas de soluções de uma enzima, representada por B, em água, a 298 K, são dadas abaixo. Determine a massa molar da enzima.

$c_\mathrm{B}/(\mathrm{g\ dm^{-3}})$	1,00	2,00	4,00	7,00	9,00
Π/Pa	27	70	197	500	785

Estratégia Primeiramente, precisamos expressar a Eq. 6.22b em termos da concentração em massa por volume, c_B. A concentração molar [B] do soluto está relacionada com a concentração em massa por volume, $c_\mathrm{B} = m_\mathrm{B}/V$, por

$$c_\mathrm{B} = \frac{m_\mathrm{B}}{V} = \overbrace{\frac{m_\mathrm{B}}{n_\mathrm{B}}}^{M} \times \overbrace{\frac{n_\mathrm{B}}{V}}^{[\mathrm{B}]} = M \times [\mathrm{B}]$$

em que M é a massa molar do soluto; portanto, $[\mathrm{B}] = c_\mathrm{B}/M$. Com essa substituição, a Eq. 6.22b fica

$$\overbrace{\frac{\Pi M}{c_\mathrm{B}}}^{\Pi/[\mathrm{B}]} = RT + \overbrace{\frac{BRTc_\mathrm{B}}{M}}^{BRT[\mathrm{B}]} + \cdots$$

A divisão por M dá

$$\overbrace{\frac{\Pi}{c_\mathrm{B}}}^{y} = \overbrace{\frac{RT}{M}}^{=\text{interseção}} + \overbrace{\left(\frac{BRT}{M^2}\right)}^{+\text{coeficiente angular}} \overbrace{c_\mathrm{B}}^{\times x} + \cdots$$

Segue que, traçando a curva Π/c_B contra c_B, os resultados deverão se localizar em uma reta com interseção de RT/M no eixo vertical em $c_\mathrm{B} = 0$. Assim sendo, localizando-se a interseção por extrapolação dos dados até $c_\mathrm{B} = 0$, podemos encontrar a massa molar do soluto.

Solução Os seguintes valores de Π/c_B podem ser calculados a partir dos dados:

$c_\mathrm{B}/(\mathrm{g\ dm^{-3}})$	1,00	2,00	4,00	7,00	9,00
$(\Pi/\mathrm{Pa})/(c_\mathrm{B}/\mathrm{g\ dm^{-3}})$	27	35	49,2	71,4	87,2

Os pontos encontram-se traçados na Figura 6.22. A interseção com o eixo vertical em $c_\mathrm{B} = 0$ (que é mais facilmente obtida por meio da regressão linear e de um programa matemático, como foi feito aqui) está em

$$\frac{\Pi/\mathrm{Pa}}{c_\mathrm{B}/(\mathrm{g\ dm^{-3}})} = 19{,}8$$

que podemos reescrever como

$$\Pi/c_\mathrm{B} = 19{,}8\ \mathrm{Pa\ g^{-1}\ dm^3}$$

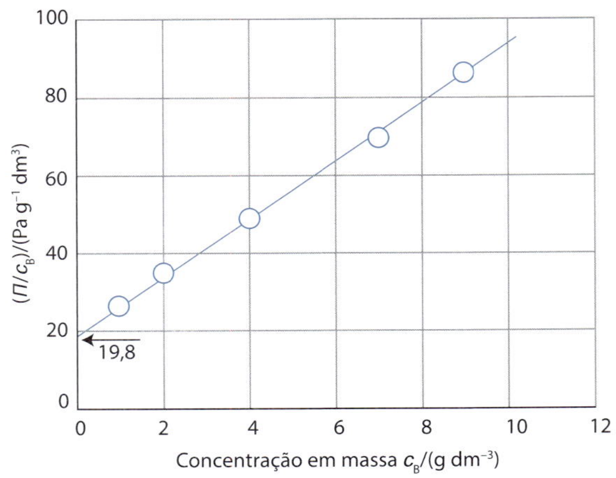

Figura 6.22 Gráfico dos dados do Exemplo 6.6. A massa molar é determinada a partir da interseção em $c_\mathrm{B} = 0$.

Portanto, como essa interseção é igual a RT/M, podemos escrever:

$$M = \frac{RT}{19{,}8\ \text{Pa g}^{-1}\ \text{dm}^3}$$

Segue que

$$M = \frac{\overbrace{(8{,}3145\times10^3\ \text{J K}^{-1}\ \text{mol}^{-1})}^{R}\times\overbrace{(298\ \text{K})}^{T}}{19{,}8\ \text{Pa g}^{-1}\ \text{dm}^3}$$

$$\underbrace{=}_{\text{Cancelando K e J (1 J = 1 Pa m}^3\text{)}} 1{,}25\times10^5\ \text{g mol}^{-1}$$

A massa molar da enzima é, portanto, próxima de 125 kg mol^{-1}.

Uma nota sobre a boa prática Os gráficos devem ser traçados com eixos marcados com números puros. Observe como as grandezas representadas estão divididas por suas unidades, de modo que c_B/(g dm^{-3}), por exemplo, é um número adimensional. Levando as unidades em todos os estágios do cálculo terminamos com as unidades corretas para M. É melhor proceder sistematicamente dessa maneira do que tentar imaginar as unidades ao final do cálculo.

Exercício proposto 6.6

As pressões osmóticas de uma solução de poli(cloreto de vinila), PVC, em dioxano, a 25 °C, eram as seguintes:

c/(g dm^{-3})	0,50	1,00	1,50	2,00	2,50
Π/Pa	33,6	35,2	36,8	38,4	40,0

Determine a massa molar do polímero.

Resposta: 77 kg mol^{-1}

Quando uma pressão maior do que a pressão osmótica é aplicada à solução, há uma tendência termodinâmica de que o solvente escoe da solução para o solvente puro. Esse processo é chamado de **osmose reversa.** A osmose reversa é de grande importância para a purificação da água do mar fazendo com que se torne potável e possa ser usada para irrigação. Existem muitas plantas de osmose reversa operando em torno do mundo para suprir de água regiões áridas e deficientes de água. O principal problema técnico é a fabricação de membranas semipermeáveis que sejam suficientemente fortes para suportar as altas pressões necessárias, mas que permitam um fluxo econômico.

Diagramas de fase de misturas

Como na discussão de substâncias puras (Capítulo 5), o diagrama de fase de uma mistura mostra qual fase é a mais estável para as condições dadas. No entanto, para misturas, a composição é uma variável, além da pressão e temperatura.

Será útil manter em mente as implicações da regra de fase ($F = C - P + 2$, Eq. 5.9). Vamos considerar apenas **misturas binárias**, que são misturas de dois componentes (como etanol e água) e poderemos, portanto, fazer $C = 2$. Então, $F = 4 - P$. Por simplicidade, mantemos a pressão constante (em 1 atm, por exemplo), usando um dos graus de liberdade, e escrevemos $F' = 3 - P$ para o número de graus de liberdade restantes.

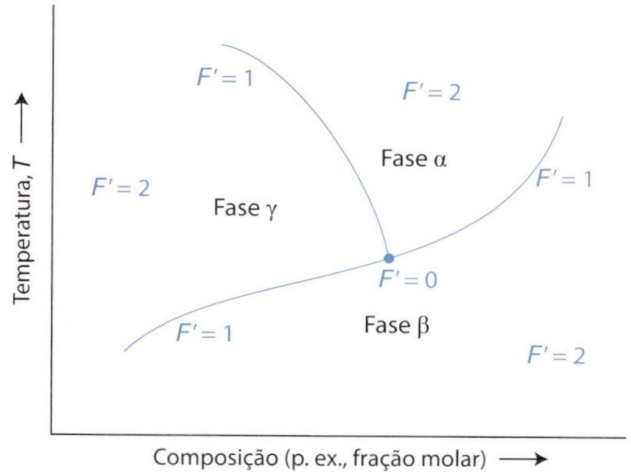

Figura 6.23 A interpretação de um diagrama de fase de temperatura-composição a pressão constante. Em uma região em que há apenas uma fase presente, F' = 2 e composição e temperatura podem ser alteradas. Em uma curva de equilíbrio, em que duas fases estão em equilíbrio, F' = 1 e apenas uma variável pode ser alterada independentemente. Em um ponto no qual três fases estão presentes, F' = 0 e temperatura e composição são fixas.

Um desses graus de liberdade é a temperatura, o outro é a composição. Assim, devemos ser capazes de ilustrar os equilíbrios de fase do sistema em um **diagrama de temperatura-composição,** em que um dos eixos é a temperatura e o outro, a fração molar. Em uma região em que existe apenas uma fase, $F' = 2$ e tanto a temperatura quanto a composição podem ser variadas (Fig. 6.23). Se duas fases estiverem presentes em equilíbrio, $F' = 1$, e apenas uma das duas variáveis pode ser alterada à vontade. Por exemplo, se alteramos a composição, então, de forma a manter o equilíbrio entre as duas fases, temos de ajustar a temperatura também. Tais equilíbrios de duas fases, dessa forma, definem uma linha no diagrama de fase. Se há três fases presentes, $F' = 0$ e não há nenhum grau de liberdade para o sistema. Para se estabelecer o equilíbrio entre três fases, temos de adotar uma temperatura e uma composição específicas. Tal condição é, portanto, representada por um ponto no diagrama de fase.

6.9 Misturas de líquidos voláteis

Em primeiro lugar, consideramos o diagrama de fase de uma mistura binária de dois componentes voláteis. Esse tipo de sistema é importante para o entendimento da destilação fracionada, que é uma técnica de ampla utilização na indústria e no laboratório. Intuitivamente, podemos esperar que o ponto de ebulição de uma mistura de dois líquidos voláteis varie suavemente do ponto de ebulição de um dos componentes puros, quando apenas aquele líquido está presente, até o ponto de ebulição do outro componente puro, quando apenas esse líquido está presente. Esse comportamento é em geral corroborado pela prática, e a Figura 6.24 mostra uma curva típica do ponto de ebulição em função da composição (a curva inferior).

O vapor em equilíbrio com a mistura em ebulição é também uma mistura dos dois componentes. Devemos esperar que o vapor seja mais rico na substância mais volátil do que a mistura líquida. Essa diferença também é, muitas vezes, encontrada na prática, e a curva superior na ilustração mostra a

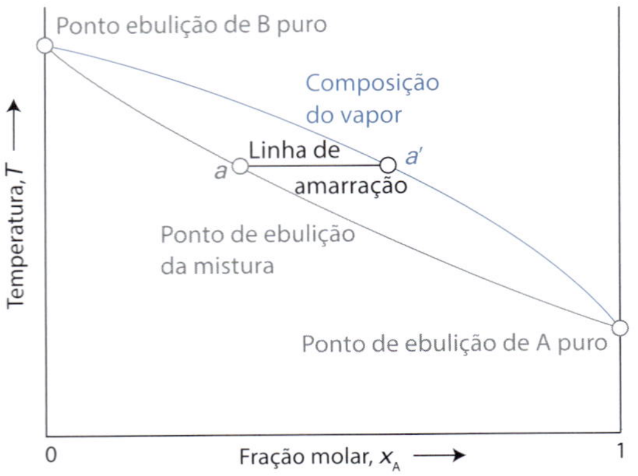

Figura 6.24 Um diagrama de temperatura-composição para uma mistura binária de líquidos voláteis. A linha de amarração une os pontos que representam as composições do líquido e do vapor que estão em equilíbrio em cada temperatura. A curva inferior é um gráfico do ponto de ebulição da mistura em função da composição.

composição do vapor em equilíbrio com o líquido em ebulição. Para identificarmos a composição do vapor, observamos o ponto de ebulição da mistura líquida (ponto a, por exemplo) e traçamos uma **linha de amarração** horizontal, uma linha que une as duas fases que estão em equilíbrio uma com a outra, até cruzar a curva superior. Seu ponto de interseção (a') fornece a composição do vapor. Nesse exemplo, vemos que a fração molar de A, no vapor, é de cerca de 0,6. Como se esperava, o vapor é mais rico do que o líquido no componente mais volátil. Gráficos como esses são determinados empiricamente, medindo-se os pontos de ebulição de uma série de misturas (para traçar a curva inferior do ponto de ebulição em função da composição), e medindo-se a composição do vapor em equilíbrio com cada mistura em ebulição (para traçar os pontos correspondentes da curva de vapor-composição).

Podemos acompanhar as mudanças que ocorrem durante a destilação fracionada de uma mistura de líquidos voláteis, seguindo o que acontece quando uma mistura de composição a_1 é aquecida (Fig. 6.25). A mistura ferve em a_2, e seu vapor tem composição a'_2. Esse vapor condensa em um líquido com a mesma composição, quando tiver subido até uma parte mais fria da 'coluna de fracionamento', uma coluna vertical empacotada com anéis ou pérolas de vidro, para dar uma grande área de superfície. Esse condensado ferve à temperatura correspondente ao ponto a_3 e produz um vapor de composição a'_3. Esse vapor é ainda mais rico no componente mais volátil. Condensa-se em um líquido que ferve à temperatura correspondente ao ponto a_4. O ciclo se repete até quase A puro emergir do topo da coluna.

Embora muitas misturas líquidas binárias tenham diagramas de temperatura-composição que se assemelham com aquele mostrado na Figura 6.25, em uma série de casos importantes há diferenças marcantes. Por exemplo, observa-se às vezes um máximo na curva de ponto de ebulição (Fig. 6.26). Esse comportamento é sinal de que interações favoráveis entre as moléculas dos dois componentes reduzem a pressão de vapor da mistura abaixo do valor ideal. Exemplos desse comportamento incluem misturas de triclorometano/propanona e ácido nítrico/água. Também são observadas curvas de tempe-

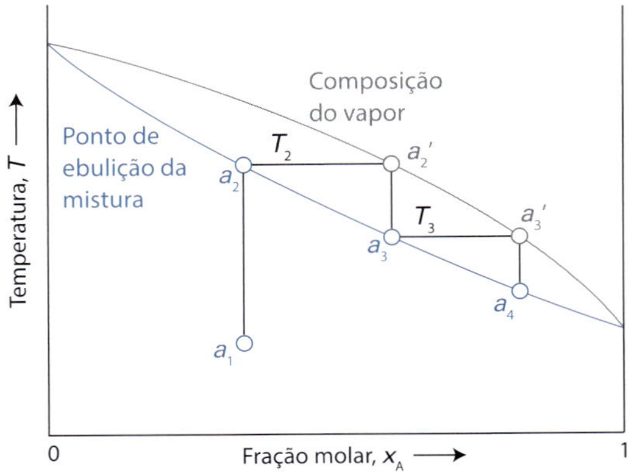

Figura 6.25 O processo de destilação fracionada pode ser representado por uma série de etapas em um digrama de temperatura-composição como o da Figura 6.24. A mistura líquida inicial pode estar a uma temperatura e ter uma composição como aquela representada pelo ponto a_1, fervendo à temperatura T_2, e o vapor em equilíbrio com o líquido em ebulição tem composição a'_2. Se aquele vapor é condensado (até a_3 ou abaixo), o condensado resultante ferve a T_3 e dá origem a um vapor de composição representada por a'_3. À medida que a sucessão de vaporizações e condensações tem continuidade, a composição do destilado move-se na direção de A puro (o componente mais volátil).

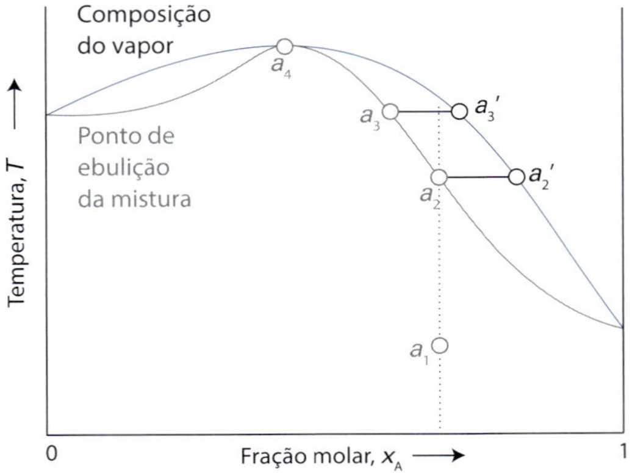

Figura 6.26 O diagrama de temperatura-composição para um azeótropo de máximo. À medida que a destilação fracionada prossegue, a composição do líquido remanescente move-se na direção de a_4; todavia, uma vez atingido esse ponto, o vapor em equilíbrio com aquele líquido tem a mesma composição; assim, a mistura evapora com uma composição constante, não podendo ser obtida nenhuma separação adicional.

ratura-composição que passam por um mínimo (Fig. 6.27). Esse comportamento indica que as interações (A,B) são desfavoráveis e, assim, que a mistura é mais volátil do que a esperada com base em simples associação das duas espécies. Exemplos incluem dioxano/água e etanol/água.

Há importantes consequências para destilação quando o diagrama de temperatura-composição tem um máximo ou um mínimo. Considere um líquido de composição a_1, à direita do máximo da Figura 6.26, que em a_2 e seu vapor (de composição a'_2) é mais rico no componente mais volátil A. Se esse vapor é removido, a composição do líquido restante move-se na direção de a_3. O vapor em equilíbrio com esse líquido em ebulição tem composição a'_3: observe que as duas composições são mais semelhantes do que o par original (a_3 e a'_3 estão mais próximos do que a_2 e a'_2). Se aquele vapor é removido, a

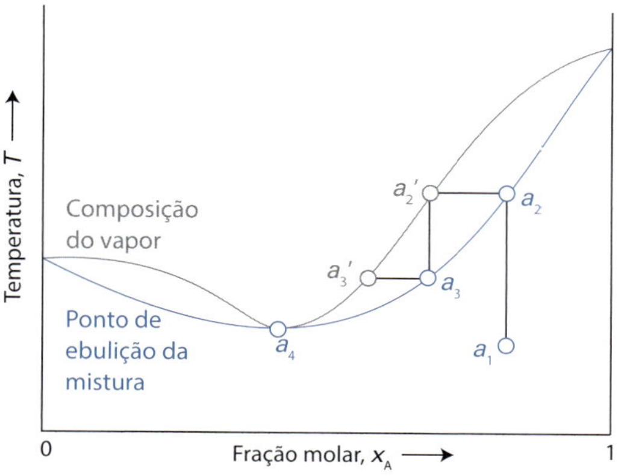

Figura 6.27 O diagrama de temperatura-composição para um azeótropo de mínimo. À medida que a destilação fracionada prossegue, a composição do vapor move-se na direção de a_4; todavia, uma vez atingido esse ponto, o vapor em equilíbrio com aquele líquido tem a mesma composição; desse modo, a mistura evapora com uma composição constante, não podendo ser obtida nenhuma separação adicional do destilado.

composição do líquido em ebulição muda na direção de a_4 e o vapor daquela mistura em ebulição tem uma composição idêntica à do líquido. Neste momento, ocorre evaporação sem mudança de composição. Diz-se que a mistura forma um **azeótropo** (das palavras gregas que significam 'ferver sem alterar'). Quando a composição azeotrópica tiver sido atingida, a destilação não consegue separar os dois líquidos, porque o condensado retém a composição do líquido. Um exemplo de formação de azeótropo é ácido clorídrico/água. Essa mistura é azeotrópica quando a composição é de 80 % de água (% ponderal) e ferve inalterada a 108,6 °C.

O sistema apresentado na Figura 6.27 também é azeotrópico, mas mostra esse caráter de uma maneira diferente. Suponha que iniciamos com uma mistura de composição a_1 e acompanhamos as mudanças da composição do vapor que sobe pela coluna de fracionamento. A mistura ferve em a_2 para dar um vapor de concentração a_2'. Esse vapor condensa na coluna em um líquido de mesma composição (agora marcado como a_3). Esse líquido atinge o equilíbrio com seu vapor em a_3', que condensa mais acima, no tubo, para produzir um líquido da mesma composição. Portanto, o fracionamento muda o vapor na direção da composição azeotrópica em a_4, mas a composição não consegue mover-se além de a_4, porque, agora, o vapor e o líquido possuem a mesma composição. Consequentemente, o vapor azeotrópico emerge do topo da coluna. Um exemplo é etanol/água, que ferve inalterado, quando o teor de água é 4 % e a temperatura, 78 °C.

6.10 Diagramas de fase líquido-líquido

Líquidos parcialmente miscíveis são líquidos que não se misturam em todas as proporções. Um exemplo é uma mistura de hexano e nitrobenzeno: quando os dois líquidos são misturados, o líquido consiste em duas fases líquidas: uma delas é uma solução saturada de hexano em nitrobenzeno e a outra, uma solução saturada de nitrobenzeno em hexano. Como as duas solubilidades variam com a temperatura, a composição e proporções das duas fases mudam assim que muda a temperatura. Podemos empregar um diagrama de temperatura-composição para mostrar a composição do sistema em cada temperatura.

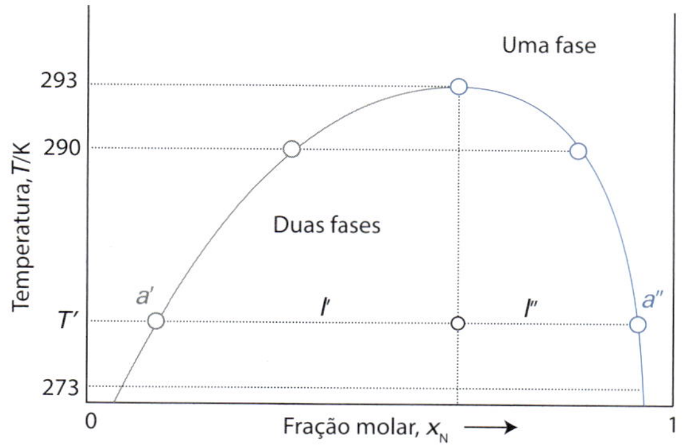

Figura 6.28 O diagrama de temperatura-composição para hexano e nitrobenzeno, a 1 atm. A temperatura crítica superior da solução, T_{CS}, é a temperatura, acima da qual não ocorre nenhuma separação de fases. Para esse sistema, o seu valor é igual a 293 K (quando a pressão é 1 atm).

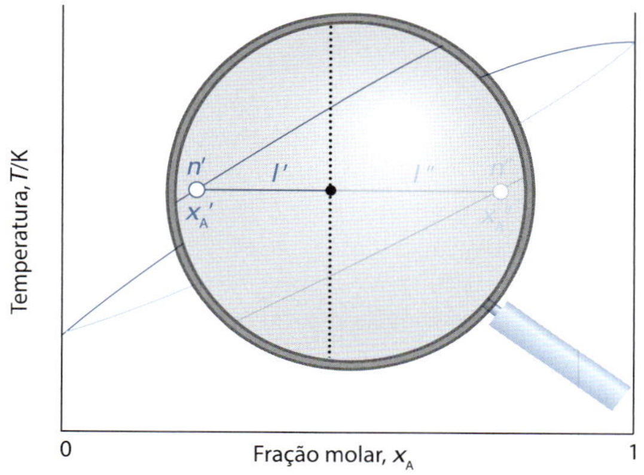

Figura 6.29 As coordenadas e composições a que se refere a regra da alavanca.

Suponha que adicionamos uma pequena quantidade de nitrobenzeno ao hexano, a uma temperatura T'. O nitrobenzeno dissolve-se completamente; entretanto, à medida que mais nitrobenzeno é adicionado, surge um momento em que não se dissolve mais. A amostra, agora, consiste em duas fases em equilíbrio uma com a outra, sendo que a mais abundante consiste em hexano saturado com nitrobenzeno, e a menos abundante com um traço de nitrobenzeno saturado com hexano. No diagrama de temperatura-composição ilustrado na Figura 6.28, a composição da primeira é representada pelo ponto a' e a da última, pelo ponto a''. As abundâncias relativas das duas fases são dadas pela **regra da alavanca** (Fig. 6.29):

$$\frac{\text{Número de mols da fase de composição } a''}{\text{Número de mols da fase de composição } a'} = \frac{l'}{l''}$$

A regra da alavanca (6.23)

Dedução 6.8

A regra da alavanca

Escrevemos $n = n' + n''$, em que n' é número total de mols em uma das fases, n'' é o número total de mols na outra fase, e n é o número total de mols na amostra. O número total de mols de A na amostra é nx_A, em que x_A é a fração molar global de A na amostra (essa é a quantidade representada ao longo do eixo horizontal). O número total de mols de A também é a soma dos seus números de mols nas duas fases, em que as frações molares são x'_A e x''_A, respectivamente:

$$nx_A = n'x'_A + n''x''_A$$

Podemos também multiplicar cada lado da relação $n = n' + n''$ por x_A e obter

$$nx_A = n'x_A + n''x_A$$

Então, igualando essas duas expressões obtemos inicialmente

$$n'x'_A + n''x''_A = n'x_A + n''x_A$$

e então após uma pequena manipulação

$$n'(x'_A - x_A) = n''(x_A - x''_A)$$

ou (de acordo com a Fig. 6.29)

$$n'l' = n''l''$$

que é a Eq. 6.23.

Exemplo 6.7

Interpretando um diagrama de fase líquido-líquido

Uma mistura de 50 g (0,59 mol) de hexano e 50 g (0,41 mol) de nitrobenzeno foi preparada a 290 K. Quais as composições das fases e em que proporções ocorrem? A que temperatura a amostra deve ser aquecida para se obter uma única fase?

Estratégia A resposta está baseada na Figura 6.28. Em primeiro lugar, precisamos identificar a linha de amarração correspondente à temperatura especificada: os pontos em suas extremidades fornecem as composições das duas fases em equilíbrio. Em seguida, identificamos a localização, no eixo horizontal, correspondente à composição global do sistema e traçamos uma linha vertical. No ponto em que essa linha corta a linha de amarração, dividindo-a nos dois segmentos necessários ao uso da regra da alavanca, Eq. 6.23. Com relação à parte final, observamos a temperatura em que a mesma linha vertical intercepta a curva de equilíbrio entre as fases: nessa temperatura e acima, o sistema consiste em uma fase única.

Solução Representamos o hexano por H e o nitrobenzeno por N. A linha de amarração horizontal, a 290 K, intercepta a curva de equilíbrio entre as fases em $x_N = 0,37$ e em $x_N = 0,83$. Portanto, essas frações molares são as composições das duas fases. A composição global do sistema corresponde a $x_N = 0,41$, então, traçamos uma linha vertical correspondendo a essa fração molar. A regra da alavanca, então, dá a proporção das quantidades de cada fase como

$$\frac{l'}{l''} = \frac{0,41 - 0,37}{0,83 - 0,41} = \frac{0,04}{0,42} = 0,1$$

Concluímos que, nessa temperatura, a fase rica em hexano é dez vezes mais abundante do que a fase rica em nitrobenzeno. O aquecimento da amostra até 292 K faz com que a mesma se localize na região de uma única fase.

Exercício proposto 6.7

Repita o problema para 50 g de hexano e 100 g de nitrobenzeno, a 273 K.

Resposta: $x_N = 0,09$ e $0,95$, na proporção de 1:1,3; 290 K

À medida que mais nitrobenzeno é adicionado à mistura de duas fases, à temperatura T', mais escassamente o hexano se dissolve no nitrobenzeno. A composição global se desloca para a direita do diagrama de fase, mas as composições das duas fases em equilíbrio permanecem a' e a''. A diferença é que a quantidade da segunda fase aumenta às custas da primeira. Atinge-se um ponto em que há tanto nitrobenzeno presente que o mesmo pode dissolver todo o hexano, e o sistema se reverte a uma fase única. Agora, o ponto que representa composição e temperatura global fica, na ilustração, à direita da curva de equilíbrio entre as fases, e o sistema é uma fase única.

A **temperatura crítica superior da solução, T_{cs},** (também denominada *temperatura consoluta superior*) é o limite superior de temperaturas em que ocorre separação de fases. Acima da temperatura crítica superior da solução os dois componentes são inteiramente miscíveis. Em termos moleculares, essa temperatura existe, porque o maior o movimento térmico das moléculas conduz a uma maior miscibilidade dos dois componentes. Em termos termodinâmicos, a energia de Gibbs da mistura torna-se negativa acima de certa temperatura, independentemente da composição.

Alguns sistemas apresentam uma **temperatura crítica inferior da solução, T_{ci},** (também denominada *temperatura consoluta inferior*) abaixo da qual se misturam em todas as proporções e acima da qual formam duas fases. Um exemplo é água e trietilamina (Fig. 6.30). Nesse caso, sob baixas temperaturas, os dois componentes são mais miscíveis, porque formam um complexo fraco; a temperaturas mais elevadas, os complexos deixam de existir e os dois componentes são menos miscíveis.

Alguns poucos sistemas possuem temperaturas críticas superior e inferior. A razão pode ser encontrada no fato de que, depois que os complexos fracos foram rompidos, levando

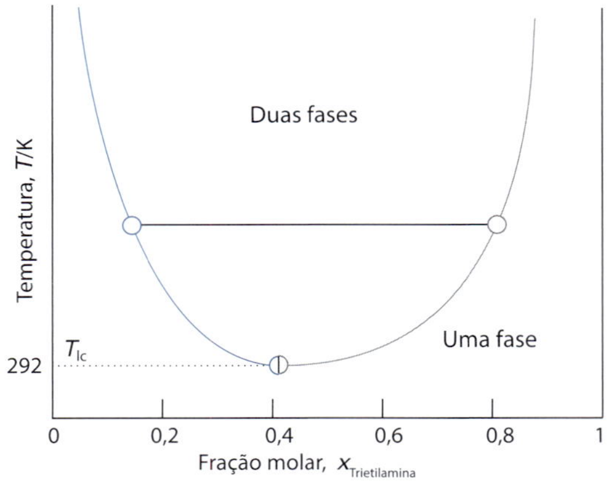

Figura 6.30 O diagrama de temperatura-composição para água e trietilamina. A temperatura crítica inferior da solução, T_{ci}, é a temperatura abaixo da qual nenhuma separação de fases ocorre. Para esse sistema, o seu valor é de 292 K (quando a pressão é de 1 atm).

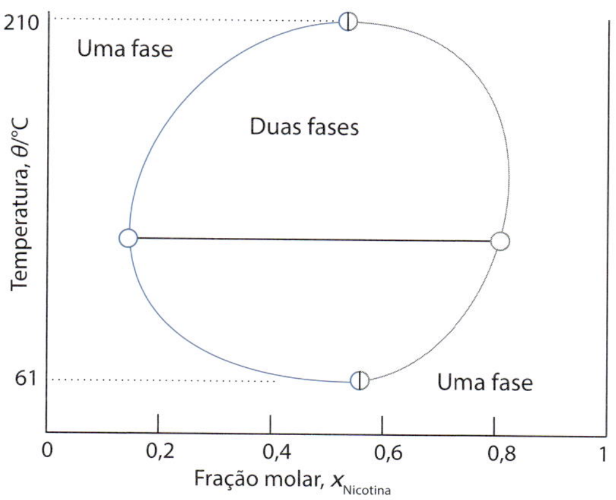

Figura 6.31 O diagrama de temperatura-composição para água e nicotina, que tem temperaturas críticas superior e inferior da solução. Observe as temperaturas altas no gráfico: o diagrama corresponde a uma amostra sob pressão.

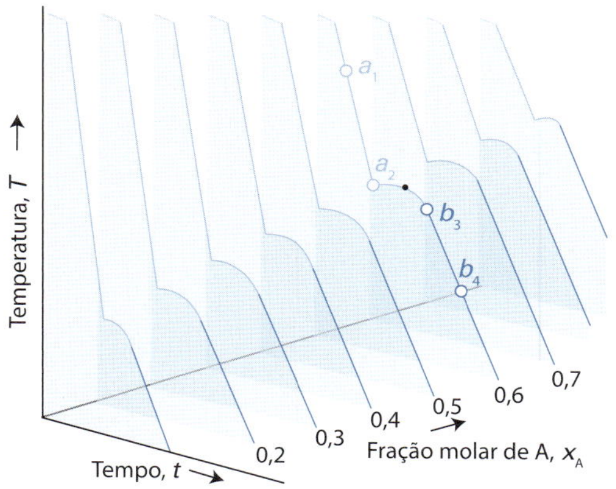

Figura 6.33 As curvas de resfriamento para a liga mostrada na Figura 6.32; os pontos marcados correspondem aos do diagrama de fase.

à miscibilidade parcial, o movimento térmico sob temperaturas mais altas novamente homogeneiza a mistura, como no caso de líquidos comuns parcialmente miscíveis. Um dos exemplos é nicotina e água, que são parcialmente miscíveis entre 61 °C e 210 °C (Fig. 6.31).

6.11 Diagramas de fase líquido-sólido

Diagramas de fase também são utilizados para mostrar as regiões de temperatura e composição nas quais sólidos e líquidos existem em sistemas binários. Tais diagramas são úteis na discussão das técnicas que são empregadas no preparo de materiais de alta pureza utilizados na indústria eletrônica, sendo também de grande importância na metalurgia.

A Figura 6.32 mostra um diagrama de fase simples para uma liga de dois metais que são miscíveis em todas as proporções. A ***liquidus*** é a linha acima da qual a amostra está completamente líquida; a ***solidus*** é a linha abaixo da qual a amostra está completamente sólida. Quando uma amostra de composição e temperatura a_1 é resfriada, em a_2, deposita inicialmente um sólido de composição b_2. À medida que a temperatura é reduzida, a composição de equilíbrio do sólido depositado se desloca para b_3, e a do líquido resultante se move para a_3. Abaixo da solidus, somente o sólido com a composição original está presente.

Diagramas de fase como esse são construídos acompanhando-se a **curva de resfriamento** em uma série de concentrações (Fig. 6.33). As diferentes inclinações das curvas de resfriamento da fase líquida e da fase sólida se devem às suas diferentes capacidades caloríficas: a velocidade de perda de energia como calor de uma amostra é proporcional à diferença de temperatura entre a mesma e suas vizinhanças. A variação de temperatura será grande se a capacidade calorífica for pequena (a partir de $\Delta T = q/C$), e pequena se a capacidade calorífica for grande. O resfriamento até a temperatura das vizinhanças também é mais lento quando as vizinhanças estão em temperatura constante. A inclinação variável entre as temperaturas correspondentes à *liquidus* e à *solidus* é devido ao caráter exotérmico da transição de fase: a liberação progressiva de calor à medida que o sólido se forma retarda o resfriamento. A Figura 6.34 mostra uma sequência de curvas de resfriamento traçadas em função da composição inicial do líquido, porém sem a dependência com o tempo. Ligando os pontos que finalizam cada região de resfriamento, a *liquidus* e a *solidus* podem ser construídas.

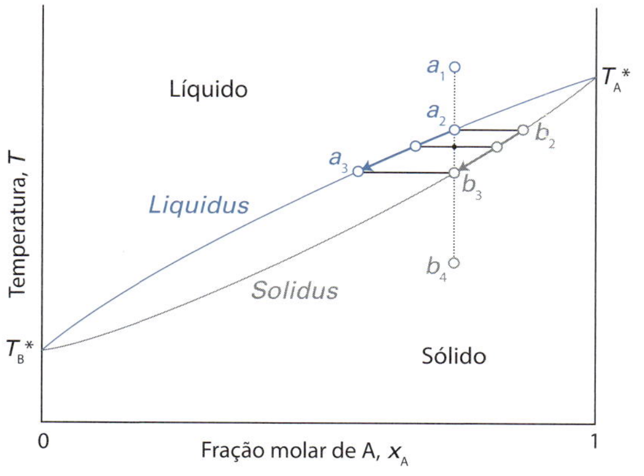

Figura 6.32 O diagrama de fase para uma liga formada a partir de dois metais (com pontos de fusão normal T_A^* e T_B^* para os metais puros) que são miscíveis em todas as proporções nas fases líquida e sólida.

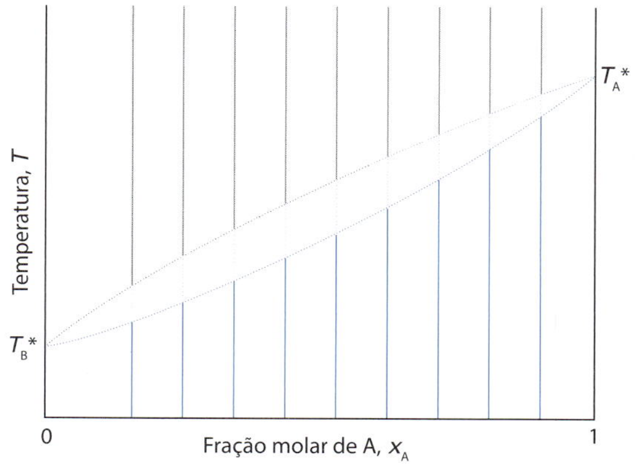

Figura 6.34 Quando a dependência das curvas de resfriamento da Figura 6.33 com o tempo é removida e cada curva é traçada verticalmente contra a fração molar de A, a *liquidus* e a *solidus* podem ser identificadas e o diagrama de fase construído.

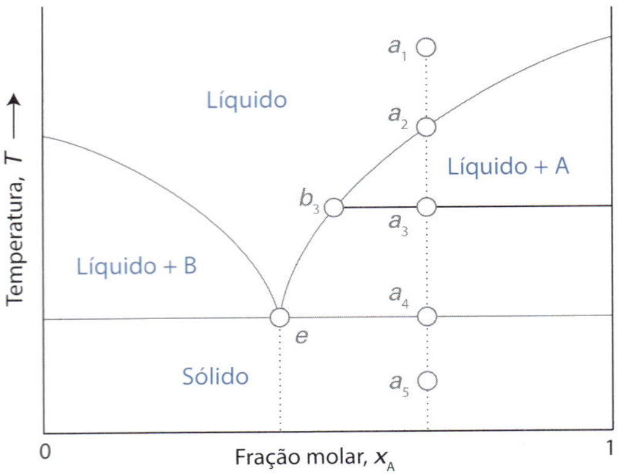

Figura 6.35 O diagrama de temperatura-composição para dois sólidos quase imiscíveis e seus líquidos completamente miscíveis. A linha vertical que passa em *e* corresponde à composição eutética, a mistura com o ponto de fusão mais baixo.

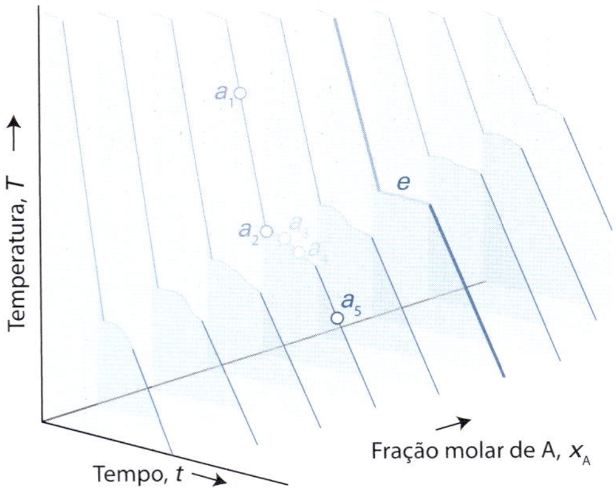

Figura 6.36 As curvas de resfriamento do sistema mostrado na Figura 6.35. Para uma amostra de composição representada pela linha vertical de a_1 até a_5, a velocidade de resfriamento diminui em a_2 porque o sólido A solidifica até que a composição eutética é alcançada, quando surge um platô. A curva de resfriamento na composição eutética *e* tem uma parada completa em *e*, quando o eutético solidifica sem variação na composição.

A Figura 6.35 apresenta o diagrama de fase para um sistema composto por dois metais quase completamente imiscíveis até seus pontos de fusão (como o antimônio e o bismuto). Considere o líquido fundido de composição a_1. Quando o líquido é resfriado para a_2, o sistema entra na região de duas fases representada por 'Líquido + A'. Começa a ocorrer a formação do sólido A quase puro e o líquido restante torna-se mais rico em B. No resfriamento para a_3, mais sólido se forma, e as quantidades relativas do sólido e líquido (que se encontram em equilíbrio) são fornecidas pela regra da alavanca: neste ponto, há quantidades praticamente iguais do sólido e do líquido. A fase líquida é mais rica em B do que anteriormente (sua composição é dada por b_3), pois A foi depositado. Em a_4, existe menos líquido do que em a_3, sendo sua composição dada por *e*. Esse líquido agora solidifica, para dar um sistema de duas fases de A quase puro e B quase puro e, resfriando-se para a_5, não provoca nenhuma outra mudança da composição.

A linha vertical que passa em *e* na Figura 6.35 corresponde à **composição eutética** (o nome vem das palavras gregas para 'facilmente derretido'). Um sólido com a composição eutética funde-se, sem mudança da composição, na mais baixa temperatura de qualquer mistura. Soluções de composição à direita de *e* depositam A à medida que resfriam, e as soluções à esquerda depositam B: apenas a mistura eutética (sem contar A puro e B puro) solidifica-se em uma única temperatura definida, sem ocorrer a separação gradativa de um ou de outro componente do líquido.

Um eutético tecnologicamente importante é a solda, que consiste em 67 % de estanho e 33 % de chumbo em massa e que se funde a 183 °C. A formação do eutético ocorre na grande maioria dos sistemas de ligas binárias. É de grande importância para a microestrutura dos materiais sólidos, pois, embora um sólido eutético seja um sistema de duas fases, cristaliza em uma mistura quase homogênea de microcristais. As duas fases microcristalinas podem ser distinguidas por microscopia e técnicas estruturais, como a difração por raios X (Capítulo 17).

As curvas de resfriamento são úteis para detectar eutéticos. Podemos ver como são utilizadas considerando a velocidade de resfriamento que segue a linha vertical para baixo, partindo de a_1, na Figura 6.35. O líquido resfria-se uniformemente até atingir a_2, quando A começa a ser depositado. Agora, o resfriamento fica mais lento, porque a solidificação de A é exotérmica, retardando o resfriamento (Fig. 6.36). Quando o líquido remanescente atinge a composição eutética, a temperatura mantém-se constante até toda a amostra ter se solidificado: essa pausa na queda da temperatura é conhecida como a **parada eutética.** Se o líquido tiver, de início, a composição eutética *e*, então, o líquido se resfria uniformemente até atingir a temperatura de congelamento do eutético, quando há uma longa parada eutética à medida que toda a amostra se solidifica, exatamente como no congelamento de um líquido puro.

Impacto na tecnologia 6.2

Ultrapureza e impureza controlada

Os avanços tecnológicos vêm exigindo materiais de extrema pureza. Por exemplo, os dispositivos semicondutores consistem em silício ou germânio quase perfeitamente puro dopados de maneira precisamente controlada. Para que esses materiais operem satisfatoriamente, o nível de impureza deve ser mantido abaixo de 1 em 10^9. A técnica de **refino por zona** faz uso das propriedades de não equilíbrio das misturas. Baseia-se no fato de que as impurezas são mais solúveis na amostra fundida do que no sólido, de modo que são arrastadas completamente pela passagem de uma zona fundida repetidamente, de uma ponta a outra, ao longo da amostra (Fig. 6.37). Na prática, um trem de zonas quentes e frias é arrastado repetidamente, de uma ponta a outra. A zona na extremidade da amostra é o coletor de impurezas: depois que o aquecedor passa por ela, resfria-se em um sólido impuro que pode ser descartado.

Podemos empregar um diagrama de fase para discutir refino por zona, mas temos de considerar o fato de que a zona fundida se move ao longo da amostra e que a amostra não é uniforme nem na temperatura nem na composição. Considere um líquido (que representa a zona fundida) em uma linha vertical, em a_1 na

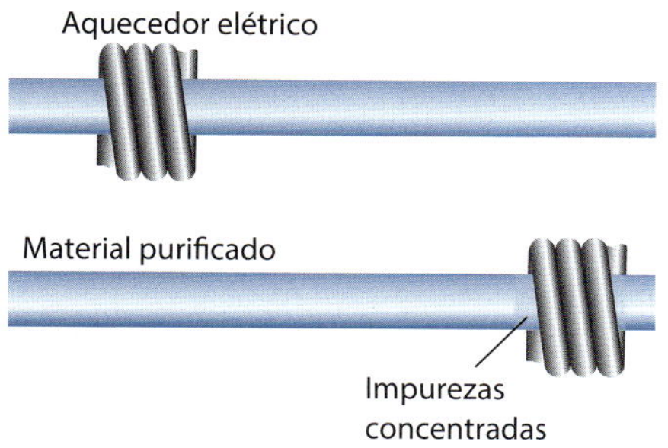

Figura 6.37 No procedimento de refino por zona um aquecedor é utilizado para fundir uma pequena região de uma longa amostra cilíndrica do sólido impuro. Essa zona é arrastada até a outra extremidade da barra. À medida que se move, concentra impurezas. Se essa operação é repetida diversas vezes, as impurezas se acumulam em uma das extremidades da barra, podendo ser descartadas.

Figura 6.38, e deixe-o esfriar, sem que a amostra inteira chegue ao equilíbrio completo. Se a temperatura cair para a_2, é depositado um sólido de composição b_2, e o líquido restante (a zona sobre a qual passou o aquecedor) fica em a_2'. Ao resfriar esse líquido, seguindo a linha vertical para baixo, que passa por a_2', é depositado um sólido de composição b_3 e o líquido fica em a_3'. O processo continua até que a última gota de líquido a se solidificar esteja severamente contaminada com A. Uma série de fatos em nossa experiência diária nos mostra que líquidos impuros congelam dessa maneira. Por exemplo, um cubo de gelo é transparente próximo à superfície, mas enevoado no interior. A água utilizada para fazer gelo normalmente contém ar dissolvido; o congelamento se processa a partir da superfície, e o ar é acumulado na fase líquida que se retrai. O ar não consegue escapar do

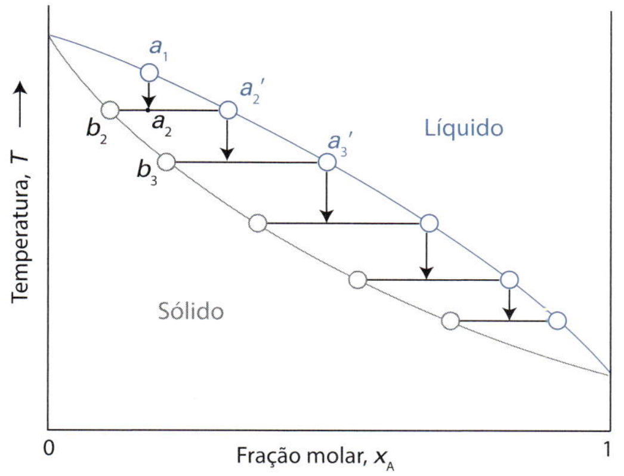

Figura 6.38 Um diagrama binário de temperatura-composição pode ser utilizado para discussão do refino por zona, conforme explicado no texto.

interior do cubo; assim, quando a água congela, o ar fica aprisionado em uma nuvem de minúsculas bolhas.

Uma modificação de refino por zona é o **nivelamento por zona**. Essa técnica é usada para introduzir quantidades controladas de impureza (por exemplo, de índio no germânio). Uma amostra rica no dopante que será utilizado é colocada no início da amostra principal e levada à fusão. A zona é, então, arrastada repetidamente em direções alternadas por meio da amostra, em que deposita uma distribuição uniforme da impureza.

6.12 A lei da distribuição de Nernst

Suponha que adicionamos um composto a uma mistura de dois líquidos imiscíveis e deixamos as duas fases se separar em camadas. O que podemos dizer sobre a concentração relativa do composto, que representamos por C, nas duas camadas?

Essa questão pode ser respondida usando-se o potencial químico, pois, no equilíbrio, o potencial químico do composto, μ_C, deve ser o mesmo em cada fase: $\mu_C(1) = \mu_C(2)$. Supondo que cada solução é, em si, uma solução diluída ideal, segue-se

$$\mu_C^{\ominus}(1) + RT\ln x_C(1) = \mu_C^{\ominus}(2) + RT\ln x_C(2)$$

Os dois estados padrão são diferentes porque estamos usando a lei de Henry para definir os potenciais químicos e as constantes que aparecem na lei mudam com o solvente. Segue que

$$\mu_C^{\ominus}(1) - \mu_C^{\ominus}(2) = RT\ln x_C(2) - RT\ln x_C(1)$$

e, portanto, que

$$\ln\left(\frac{x_C(2)}{x_C(1)}\right) = \frac{\mu_C^{\ominus}(1) - \mu_C^{\ominus}(2)}{RT}$$

O lado direito é uma constante para dado par de líquidos, e assim chegamos à **lei da distribuição de Nernst:**

$$\frac{x_C(2)}{x_C(1)} = \text{constante} \qquad \text{Lei da distribuição de Nernst} \qquad (6.24)$$

Ou seja, independentemente da concentração global (desde que ambas as soluções se comportem idealmente), a razão entre as frações molares nas duas fases é a mesma.

■ Breve ilustração 6.6 A lei da distribuição de Nernst

Suponha que certa quantidade de ácido benzoico, C_6H_5COOH, é adicionada a uma mistura de benzeno e água; o ácido se distribui entre as duas fases de tal forma que a razão entre suas frações molares é uma constante. Se o dobro da quantidade de ácido for adicionada à mistura, a razão entre as frações molares será a mesma.

Verificação de conceitos importantes

- ☐ 1 Uma grandeza parcial molar é a contribuição de um componente (por mol) para a propriedade global de uma mistura.
- ☐ 2 O potencial químico de um componente é a energia de Gibbs parcial molar do componente na mistura.
- ☐ 3 Uma solução ideal é aquela em que ambos os componentes obedecem à lei de Raoult em toda a faixa de composição.
- ☐ 4 Uma solução diluída ideal é aquela em que o soluto obedece à lei de Henry.

☐ 5 A atividade de uma substância é uma concentração efetiva; veja a Tabela 6.2.

☐ 6 Uma propriedade coligativa é uma propriedade que depende do número de partículas do soluto, não de sua identidade química; essas partículas surgem do efeito de um soluto na entropia da solução.

☐ 7 Propriedades coligativas incluem o abaixamento da pressão de vapor, o abaixamento do ponto de congelamento, a elevação do ponto de ebulição e a pressão osmótica.

☐ 8 Os equilíbrios entre fases (sob pressão constante) são representados por linhas no diagrama de fase temperatura-composição.

☐ 9 As abundâncias relativas das fases são obtidas pela regra da alavanca (veja o Mapa conceitual das equações importantes).

☐ 10 Um azeótropo é uma mistura que se vaporiza e se condensa sem variação de composição.

☐ 11 Um eutético é uma mistura que se congela e se funde sem variação de composição.

Mapa conceitual das equações importantes

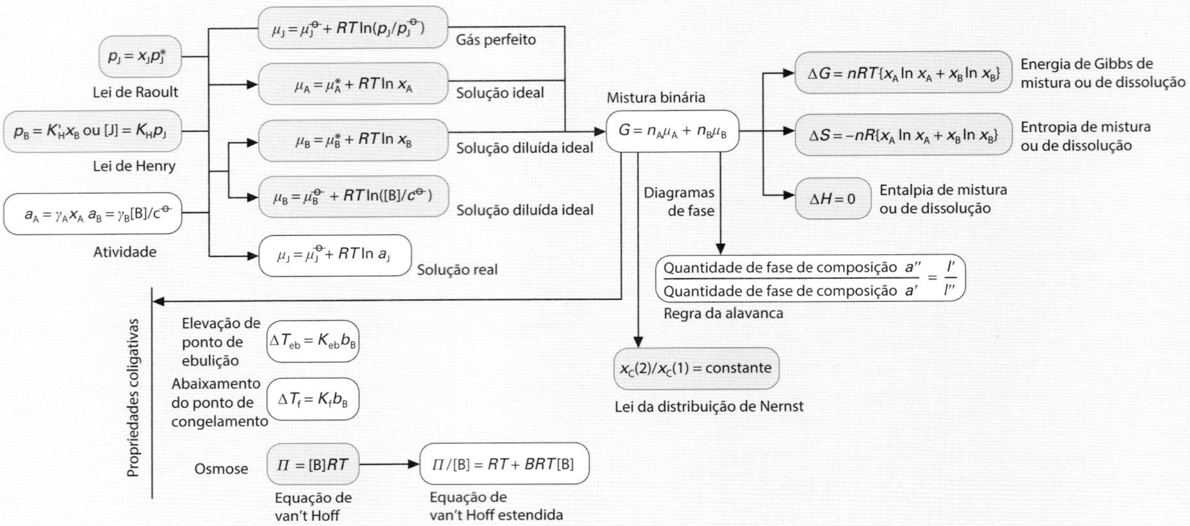

Os boxes azuis indicam relações válidas para gases perfeitos, soluções ideais e soluções diluídas ideais.

Questões e exercícios

Questões teóricas

6.1 Explique o significado de uma propriedade parcial molar e de como a mesma depende da composição.

6.2 Defina e descreva as aplicações do potencial químico de uma substância.

6.3 Enuncie e justifique o critério termodinâmico para o equilíbrio entre uma solução e seu vapor.

6.4 Justifique as leis de Raoult e de Henry em termos das interações moleculares em uma mistura.

6.5 Explique a origem das propriedades coligativas.

6.6 O que se entende por atividade de um soluto?

6.7 Explique a origem da osmose em termos da termodinâmica e das propriedades moleculares da mistura.

6.8 Explique como medidas de pressão osmótica podem ser usadas para determinar a massa molar de um polímero.

Exercícios

6.1 Que massa de cloreto de sódio, NaCl, deverá ser dissolvida em água suficiente para preparar 300 cm^3 de NaCl(aq) 1,00 M?

6.2 Uma massa de 5,96 g de di-idrogenofosfato de sódio hidratado, $Na_2HPO_4 \cdot 7H_2O$, foi dissolvida em 250 cm^3 de água, a 298 K. Calcule a molalidade do soluto na solução resultante, dado que a massa específica da água, a essa temperatura, é 0,997 g cm^{-3}.

6.3 Foi preparada uma solução aquosa pela dissolução de 34,5 g de sacarose, $C_{12}H_{22}O_{11}$, em água suficiente para produzir 250 cm^3 de solução. A massa específica da solução resultante foi 1040 kg m^{-3}. Calcule a concentração molar e a molalidade da sacarose na solução.

6.4 Calcule as frações molares das moléculas de uma mistura que contém 56 g de benzeno (C_6H_6) e 120 g de tolueno ($C_6H_5CH_3$).

6.5 O ar seco pode ser considerado como constituído por 75,53 % em massa de nitrogênio, N_2, e 23,14 % em massa de oxigênio, O_2. O restante é formado principalmente por argônio. Quais são as frações molares dessas três substâncias principais?

6.6 Determine a fração molar de moléculas de glicina, NH_2CH_2COOH, em uma solução aquosa na qual a molalidade da glicina é 0,100 mol kg^{-1}.

6.7 Os volumes parciais molares da propanona e do triclorometano em uma mistura na qual a fração molar de $CHCl_3$ é 0,4693, são 74,166 cm^3 mol^{-1} e 80,235 cm^3 mol^{-1}, respectivamente. Qual o volume de uma solução com massa total de 1,000 kg?

6.8 Use a Figura 6.1 para fazer a estimativa do volume total de uma solução formada pela mistura de 50,0 cm^3 de etanol com 50,0 cm^3 de água. As massas específicas dos dois líquidos são 0,789 e 1,000 g cm^{-3}, respectivamente.

6.9 De quanto difere o potencial químico do dióxido de carbono a 310 K e 2,0 bar do seu valor padrão nessa temperatura?

6.10 O estado padrão de uma substância era definido como 1 atm a certa temperatura. De quanto a definição atual do potencial químico padrão (a 1 bar) difere do seu valor antigo a 298,15 K?

6.11 Calcule (a) a energia de Gibbs (molar) da mistura, (b) a entropia (molar) da mistura, quando os dois componentes principais do ar (nitrogênio e oxigênio) são misturados para formar ar, a 298 K. As frações molares de N_2 e O_2 são, respectivamente, 0,78 e 0,22. A mistura é espontânea?

6.12 Suponhamos, agora, que se adicione argônio à mistura do Exercício 6.11, para tornar a composição mais próxima do ar real, com frações molares 0,780, 0,210 e 0,0096, respectivamente. Qual é a mudança adicional da energia de Gibbs e entropia molares, a 298 K? A mistura é espontânea?

6.13 Deduza a Eq. 6.12, que mostra como a energia de Gibbs de mistura varia com as frações molares de dois componentes em uma solução ideal. Siga o método empregado na Dedução 6.3. A energia de Gibbs inicial dos componentes não misturados é $G_i = n_A \mu_A^* + n_B \mu_B^*$; depois de misturados, use os potenciais químicos da Eq. 6.11.

6.14 Foi preparada uma solução dissolvendo-se 2,33 g de C_{60} (buckminsterfulereno) em 100,0 g de tolueno (metilbenzeno). Dado que a pressão de vapor do tolueno puro é 5,00 kPa, a 30 °C, qual é a pressão de vapor do tolueno nesta solução?

6.15 Estime a pressão de vapor da água do mar, a 20 °C, dado que a pressão de vapor da água pura é 2,338 kPa, àquela temperatura, e o soluto é constituído principalmente de íons Na^+ e Cl^-, cada qual presente em cerca de 0,50 ml dm^{-3}.

6.16 Preparou-se uma solução dissolvendo-se iodo, I_2, em tetraclorometano, CCl_4, a 25 °C. Quais são as frações molares do soluto e do solvente para um soluto de molalidade 0,100 mol kg^{-1}? A seguir, calcule a variação do potencial químico do solvente causada pelo soluto.

6.17 A 300 K, as pressões de vapor de soluções diluídas de HCl em GeC_{l4} líquido são as seguintes:

x(HCl)	0,005	0,012	0,019
p/kPa	32,0	76,9	121,8

Mostre que a solução obedece à lei de Henry nessa faixa de frações molares e calcule a constante da lei de Henry a 300 K.

6.18 Calcule a concentração do dióxido de carbono em gordura, dado que a constante da lei de Henry é 8,6 × 10^4 Torr e que a pressão parcial do dióxido de carbono é 55 kPa.

6.19 Que pressão parcial de hidrogênio resulta em uma concentração molar de 1,0 mmol dm^{-3} na água a 25 °C?

6.20 O aumento do dióxido de carbono atmosférico resulta em maiores concentrações de dióxido de carbono dissolvido em águas naturais. Use a lei de Henry e os dados da Tabela 6.1 para calcular a solubilidade de CO_2 em água, a 25 °C, quando sua pressão parcial é (a) 3,8 kPa, (b) 50,0 kPa.

6.21 As frações molares de N_2 e O_2 em água, ao nível do ar, são aproximadamente 0,78 e 0,21. Calcule as molalidades da solução formada em um frasco aberto com água, a 25 °C.

6.22 Uma máquina de carbonatação de água é disponível para uso caseiro e funciona fornecendo dióxido de carbono a 1,0 atm. Estime a concentração molar do CO_2 na água carbonatada produzida pela máquina.

6.23 A 90 °C, a pressão de vapor do tolueno (metilbenzeno) é 53 kPa e a do *o*-xileno (1,2-dimetilbenzeno), 20 kPa. Qual é a composição da mistura líquida que ferve a 25 °C quando a pressão é de 0,50 atm? Qual a composição do vapor produzido?

6.24 As pressões de vapor dos dois componentes A e B de uma mistura binária variam segundo as expressões:

$$p_A/\text{Torr} = 861x - 790x^2 + 245x^3 + 100x^4$$

$$p_B/\text{Torr} = 749 - 749x + 404x^2 - 404x^3$$

Confirme que a mistura segue a lei de Raoult para o componente em grande excesso e a lei de Henry para o componente em pequena quantidade. Obtenha as constantes da lei de Henry.

6.25 As pressões de vapor dos dois componentes A e B de uma mistura binária variam como a seguir:

x_A	0	0.20	0.40	0.60	0.80	1
p_A/Torr	0	70	173	295	422	539
p_B/Torr	701	551	391	237	101	0

Confirme que a mistura segue a lei de Raoult para o componente em grande excesso e a lei de Henry para o componente em pequena quantidade. Obtenha as constantes da lei de Henry.

6.26 Qual é a variação do potencial químico da glicose quando sua concentração na água a 20 °C muda de 0,10 mol dm^{-3} para 1,00 mol dm^{-3}?

6.27 A pressão de vapor de uma amostra de benzeno é 53,0 kPa, a 60,6 °C, mas caiu para 51,2 kPa quando 0,133 g de um composto orgânico foi dissolvido em 5,00 g do solvente. Calcule a massa molar do composto.

6.28 Estime o ponto de congelamento de 200 cm^3 de água adoçada com 2,5 g de sacarose. Trate a solução como ideal.

6.29 Estime o ponto de congelamento de 200 cm^3 de água, aos quais foram adicionados 2,5 g de cloreto de sódio. Trate a solução como ideal.

6.30 A adição de 28,0 g de um composto a 750 g de tetraclorometano, CCl_4, baixou em 5,40 K o ponto de congelamento do solvente. Calcule a massa molar do composto.

6.31 Um composto A existia em equilíbrio com seu dímero, A_2, em solução de propanona. Derive uma expressão para a constante de equilíbrio $K = [A_2]/[A]^2$ em termos do abaixamento da pressão de vapor causada por dada concentração do composto. *Sugestão:* Suponha que uma fração f das moléculas de A está presente na forma do dímero. O abaixamento da pressão de vapor é proporcional à concentração total das moléculas de A e A_2, independentemente de suas identidades químicas.

6.32 A pressão osmótica de uma solução aquosa de ureia, a 300 K, é 150 kPa. Calcule o ponto de congelamento da mesma solução.

6.33 A pressão osmótica de uma solução de poliestireno em tolueno (metilbenzeno) foi medida a 25 °C com os seguintes resultados:

$c/(\text{g dm}^{-3})$	2,042	6,613	9,521	12,602
Π/Pa	58,3	188,2	270,8	354,6

Calcule a massa molar do polímero.

6.34 Foi determinada a massa molar de uma enzima dissolvendo-a em água e medindo-se a altura, h, da solução resultante marcada em um tubo capilar, a 20 °C. Foram obtidos os dados vistos a seguir.

$c/(\text{mg cm}^{-3})$	3,221	4,618	5,112	6,722
h/cm	5,746	8,238	9,119	11,990

A pressão osmótica pode ser calculada a partir da altura da coluna, $\Pi = \rho g h$, considerando-se a massa específica da solução como $\rho = 1{,}000 \text{ g cm}^{-3}$ e a aceleração da gravidade como $g = 9{,}81 \text{ m s}^{-2}$. Determine a massa molar da enzima.

6.35 Foram obtidos os seguintes dados de temperatura-composição para uma mistura de octano (O) e tolueno (T), a 760 Torr, em que x é a fração molar no líquido e y, a fração molar no vapor em equilíbrio.

θ/°C	110,9	112,0	114,0	115,8	117,3	119,0	120,0	123,0
x_T	0,908	0,795	0,615	0,527	0,408	0,300	0,203	0,097
y_T	0,923	0,836	0,698	0,624	0,527	0,410	0,297	0,164

Os pontos de ebulição são 110,6 °C para o touleno e 125,6 °C para o octano. Trace o gráfico do diagrama temperatura-composição da mistura. Qual é a composição do vapor em equilíbrio com o líquido de composição (a) $x_T = 0{,}250$ e (b) $x_O = 0{,}250$?

6.36 A Figura 6.39 ilustra o diagrama de fase de dois líquidos parcialmente miscíveis, que podem ser considerados como sendo a água (A) e o 2-metil-1-propanol (B). Descreva o que será observado quando for aquecida uma mistura de composição b_3, dando, em cada estágio, o número, a composição e as quantidades relativas das fases presentes.

6.37 Esboce o diagrama de fase do sistema NH_3/N_2H_4, dado que as duas substâncias não formam composto um com o outro, que o NH_3 congela a −78 °C e o N_2H_4, a +2 °C, e que um eutético se forma quando a fração molar do N_2H_4 é 0,07 e que o eutético funde a −80 °C.

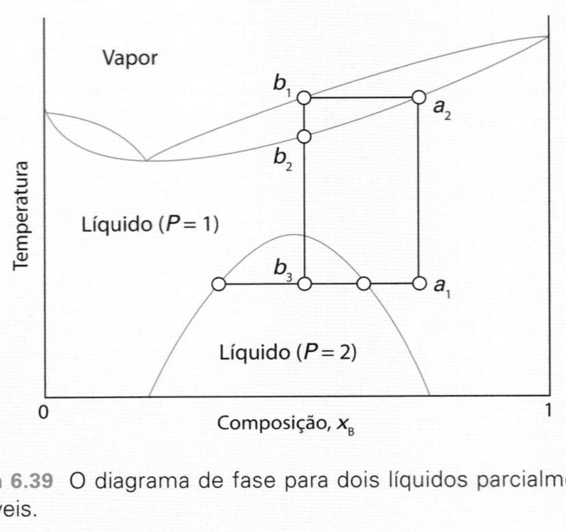

Figura 6.39 O diagrama de fase para dois líquidos parcialmente miscíveis.

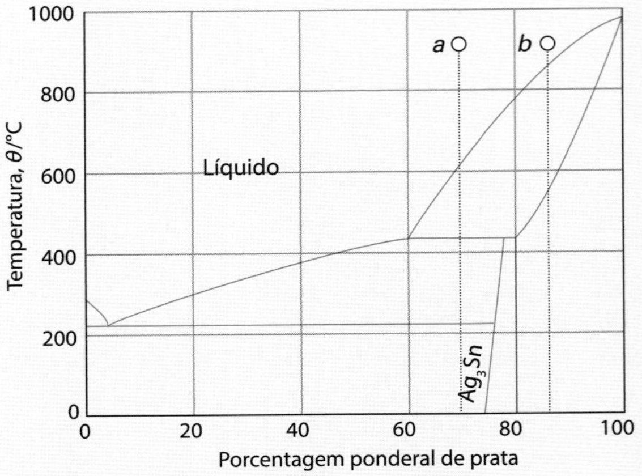

Figura 6.40 O diagrama de fase prata/estanho.

6.38 A Figura 6.40 é o diagrama de fase prata/estanho. Indique as regiões e descreva o que será observado quando líquidos de composições a e b forem resfriados até 200 °C.

6.39 Faça o esquema das curvas de resfriamento para as composições a e b da Figura 6.40.

6.40 Use o diagrama de fase da Figura 6.40 para determinar (a) a solubilidade da prata no estanho a 800 °C, (b) a solubilidade do Ag_3Sn na prata a 460 °C, e (c) a solubilidade do Ag_3Sn na prata a 300 °C.

6.41 A Figura 6.41 mostra uma parte do diagrama de fase de uma liga de cobre e alumínio. Descreva o que será observado quando um fundente de composição a for resfriado. Qual é a solubilidade do cobre no alumínio a 500 °C?

6.42 A Figura 6.42 mostra uma parte do diagrama de fase típico do aço comum. Descreva o que será observado quando um fundente de composição a for resfriado até a temperatura ambiente.

6.43 Hexano e perfluoroexano (C_6F_{14}) mostram miscibilidade parcial abaixo de 22,70 °C. Na temperatura crítica superior, a concentração crítica é $x = 0{,}355$, em que x é a fração molar de C_6F_{14}. A 22,0 °C, as duas soluções em equilíbrio têm $x = 0{,}24$ e $x = 0{,}48$, respectivamente, e a 21,5 °C as frações molares são 0,22 e 0,51. Esboce o diagrama de fase. Descreva as mudanças de fase que ocorrem quando é adicionado perfluoroexano a uma quantidade fixa de hexano, a (a) 23 °C, (b) 25 °C.

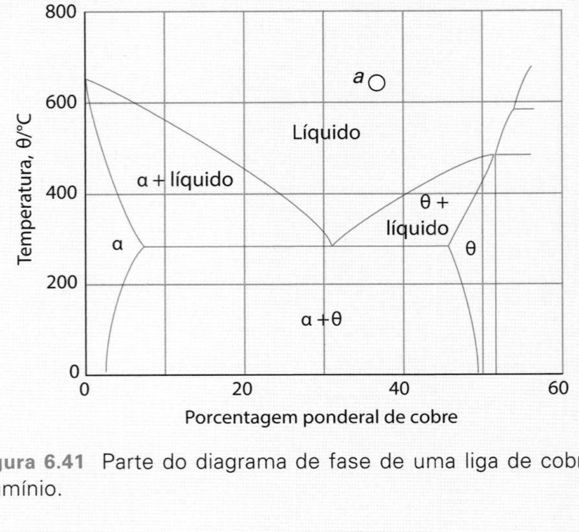

Figura 6.41 Parte do diagrama de fase de uma liga de cobre e alumínio.

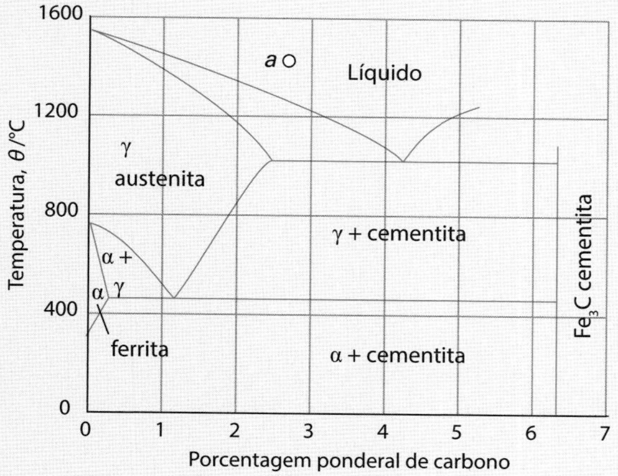

Figura 6.42 Parte do diagrama de fase típico do aço comum.

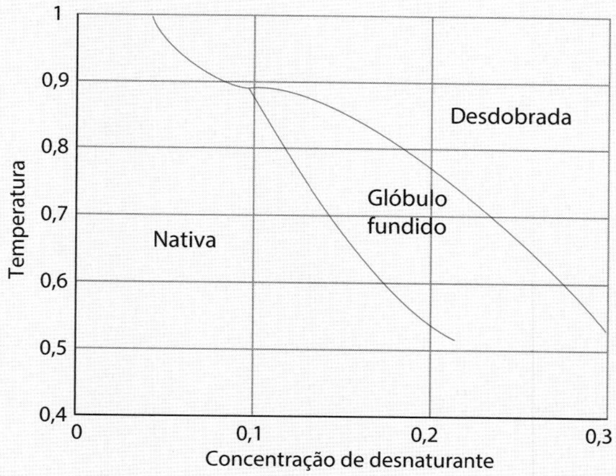

Figura 6.43 Diagrama de fase teórico para um modelo de proteína.

6.44 Em um estudo teórico de polímeros semelhantes à proteína foi obtido o diagrama de fase ilustrado na Figura 6.43, que mostra três regiões estruturais: a forma nativa, a forma desdobrada, e uma forma de 'glóbulo fundido'. (a) A forma de glóbulo fundido é estável quando a concentração do desnaturante está abaixo de 0,1? (b) Descreva o que ocorre ao polímero assim que a forma nativa é aquecida na presença de desnaturante em uma concentração de 0,15.

6.45 Em um estudo experimental de sistemas de material sintético semelhantes a membranas foi obtido um diagrama de fase como o ilustrado na Figura 6.44. Os dois componentes são dielaidoilfosfatidilcolina (DEL) e dipalmitoilfosfatidilcolina (DPL). Explique o que acontece quando uma mistura líquida de composição x_{DEL} = 0,5 é resfriada a partir de 45 °C.

6.46 Quando se misturam 2,0 g de aspirina em um frasco contendo dois líquidos imiscíveis, observa-se que as frações molares de aspirina nos dois líquidos são 0,11 e 0,18. Quando se adiciona mais 1,0 g de aspirina, observa-se que a fração molar no primeiro líquido aumenta para 0,15. Que valor você espera para a fração molar no segundo líquido?

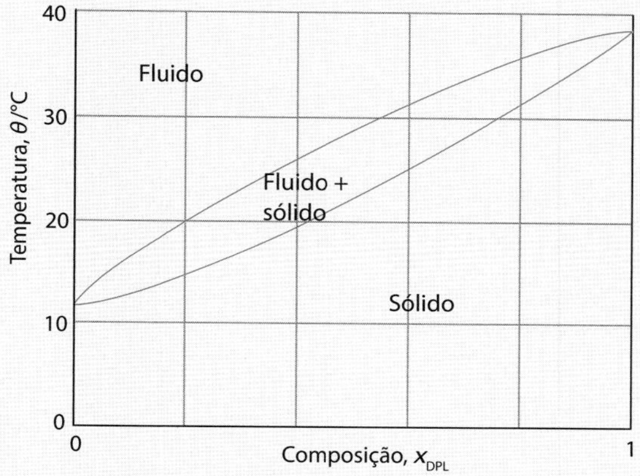

Figura 6.44 O diagrama de fase para um sistema de dois componentes formadores de membrana.

Projetos

O símbolo ‡ indica que o cálculo é necessário.

6.47‡ (a) O volume parcial molar do etanol em uma mistura com água a 25 °C é $V_{etanol}/(cm^3\ mol^{-1})$ = 54,6664 − 0,727 88b + 0,084 768b^2, em que b é o valor numérico da molalidade do etanol. Faça um gráfico do volume parcial molar do etanol em função de b e identifique a composição em que o volume parcial molar é mínimo. Expresse essa composição como fração molar. (b) Use a diferenciação para identificar o mínimo na parte (a).

6.48‡ (a) O volume total de uma mistura água/etanol, a 25 °C, é dado pela expressão V/cm^3 = 1002,93 + 54,6664b − 0,363 94b^2 + 0,028 256b^3, em que b é o valor numérico da molalidade do etanol. Com as informações do Exercício 6.47, obtenha uma expressão para o volume parcial molar da água. Faça o gráfico dessa curva. Mostre que o volume parcial molar da água apresenta um máximo no qual o volume parcial molar do etanol é um mínimo.

6.49 A hemoglobina, a proteína do sangue responsável pelo transporte de oxigênio, se liga a cerca de 1,34 cm^3 de oxigênio por grama. O sangue normal tem uma concentração de hemoglobina de 150 g dm^{-3}. A hemoglobina nos pulmões está 97 % saturada com oxigênio, mas nos capilares a saturação é de apenas 75 %. (a) Qual é o volume de oxigênio liberado por 100 cm^3 de sangue que flui dos pulmões para os capilares? A respiração a alta pressão, como ocorre no mergulho submarino com auxílio de equipamento, leva a uma elevação na concentração de oxigênio dissolvido. A constante da lei de Henry na forma $c = Kp$ para a solubilidade do nitrogênio é 0,18 μg/(g de H_2O atm). (b) Qual é a massa de nitrogênio dissolvida em 100 g de água saturada com ar a 4,0 atm e 20 °C? Compare a sua resposta com aquela para 100 g de água saturada com ar a 1,0 atm. (O ar é 78,08 % molar em N_2.) (c) Se o nitrogênio é quatro vezes mais solúvel em tecidos adiposos que na água, qual é o aumento da concentração de nitrogênio nos tecidos adiposos quando se vai de 1 atm a 4 atm?

7

Equilíbrio químico: os princípios

Agora chegamos ao ponto no qual a química real começa. A termodinâmica química é usada para prever se uma mistura de reagentes tem uma tendência espontânea em se transformar em produtos, prever a composição da mistura de reação em equilíbrio e prever como essa composição será modificada pela alteração das condições. Embora raramente seja permitido que as reações na indústria alcancem o equilíbrio, conhecer se o equilíbrio favorece os reagentes ou os produtos sob certas condições é uma boa indicação da viabilidade de um processo. Isso também é verdade para as reações bioquímicas nas quais a ausência do equilíbrio é a vida e o equilíbrio, a morte.

Há uma palavra de alerta que deve sempre ser lembrada: *a termodinâmica nada diz a respeito das velocidades de reação*. Tudo o que pode fazer é identificar se determinada mistura de reação tem tendência a formar produtos, mas não pode dizer se essa tendência será ou não concretizada. Os Capítulos 10 e 11 exploram o que determina as velocidades das reações químicas. Entretanto, embora a termodinâmica nada possa dizer sobre velocidades, é importante ter em mente a visão física de que os equilíbrios químicos são *dinâmicos*, e que, no equilíbrio, as velocidades da reação direta e inversa são iguais, com os produtos se decompondo na mesma velocidade à medida que são formados. Esse caráter dinâmico indica que as reações químicas são suscetíveis às variações que ocorrem nas condições; embora a termodinâmica nada diga sobre a rapidez com que as reações químicas respondem, pode ser usada para predizer como respondem, por exemplo, tendendo a formar mais produtos à medida que a temperatura aumenta.

Fundamentação termodinâmica

O critério termodinâmico para uma transformação espontânea, sob temperatura e pressão constantes, é $\Delta G < 0$. A ideia principal que orienta o desenvolvimento deste capítulo é, portanto, que

> Sob temperatura e pressão constantes, uma mistura de reação tende a ajustar sua composição até que sua energia de Gibbs seja um mínimo.

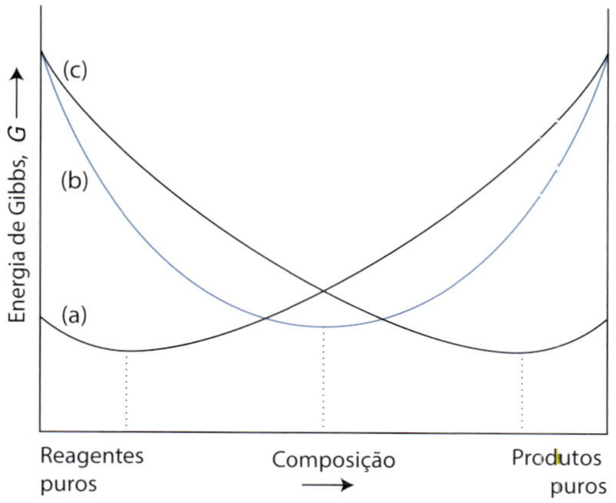

Figura 7.1 A variação da energia de Gibbs de uma mistura de reação em função do avanço da reação; reagentes puros à esquerda e produtos puros à direita. (a) Esta reação 'não ocorre': o mínimo da energia de Gibbs está localizado muito perto dos reagentes. (b) Essa reação alcança o equilíbrio com quantidades, aproximadamente, iguais de reagentes e produtos presentes na mistura. (c) Essa reação é quase completa, com o mínimo da energia de Gibbs localizado muito perto dos produtos puros.

Se a energia de Gibbs de uma mistura varia de acordo com a Figura 7.1a, quantidades muito pequenas dos reagentes se convertem em produtos antes que G alcance seu valor mínimo e a reação 'não ocorre'. Se G varia como é mostrado na Figura 7.1c, então uma proporção alta de produtos tem que se formar antes de G alcançar seu mínimo e a reação 'ocorre'. Em muitos casos, a mistura em equilíbrio não contém praticamente nenhum reagente ou nenhum produto. Muitas reações têm uma energia de Gibbs que varia como na Figura 7.1b. Nesse caso, no equilíbrio, a mistura de reação contém quantidades significativas de reagentes e produtos. Um dos objetivos deste capítulo é aprender como usar os dados termodinâmicos para prever a composição em equilíbrio e ver como essa composição depende das condições do sistema.

7.1 A energia de Gibbs de reação

Para exemplificar as ideias anteriores, consideramos duas importantes reações. Uma é a isomerização da glicose-6-fosfato (**1**, G6P) para frutose-6-fosfato (**2**, F6P), que é uma etapa inicial na decomposição anaeróbia da glicose:

$$G6P(aq) \rightleftharpoons F6P(aq) \qquad (R1)$$

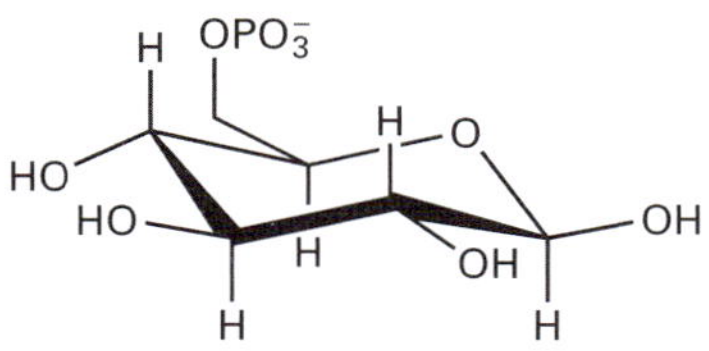

1 Glicose-6-fosfato

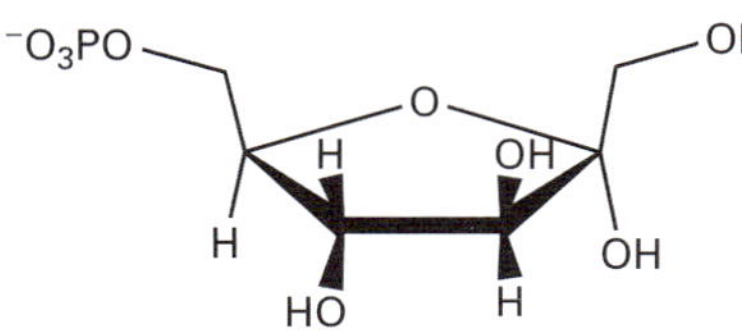

2 Frutose-6-fosfato

Essa reação ocorre no meio aquoso da célula. A segunda reação é a síntese da amônia, que é de grande importância para a indústria e a agricultura:

$$N_2(g) + 3\,H_2(g) \rightleftharpoons 2\,NH_3(g) \qquad (R2)$$

Essas duas reações são exemplos específicos de uma reação geral da forma

$$a\,A + b\,B \rightleftharpoons c\,C + d\,D \qquad (R3)$$

em que os estados físicos dos reagentes e produtos são arbitrários.

Inicialmente, consideramos a reação A. Vamos admitir que, num curto intervalo de tempo, enquanto a reação está avançando, o número de mols da G6P varia de $-\Delta n$. Como resultado dessa variação do número de mols, a contribuição da G6P para a energia de Gibbs total do sistema varia de $-\mu_{G6P}\Delta n$, em que μ_{G6P} é o potencial químico (energia de Gibbs parcial molar) da G6P na mistura de reação. No mesmo intervalo de tempo, o número de mols da F6P varia de $+\Delta n$, assim sua contribuição para a energia de Gibbs total varia de $+\mu_{F6P}\Delta n$, em que μ_{F6P} é o potencial químico da F6P. Considerando-se que Δn é suficientemente pequeno para que a composição fique praticamente constante, podemos dizer que a variação líquida da energia de Gibbs do sistema é dada por

$$\Delta G = \mu_{F6P}\Delta n - \mu_{G6P}\Delta n$$

Se dividimos por Δn, obtemos a **energia de Gibbs de reação**, $\Delta_r G$:

$$\Delta_r G = \frac{\Delta G}{\Delta n} = \mu_{F6P} - \mu_{G6P} \qquad (7.1a)$$

Há duas maneiras de interpretar $\Delta_r G$. A primeira é como diferença entre os potenciais químicos dos produtos e dos reagentes *correspondentes à composição da mistura de reação*. A segunda, porque, se $\Delta_r G$ é a variação de G dividida pela variação da composição, podemos entender que $\Delta_r G$ é o coeficiente angular do gráfico de G contra a composição do sistema (Fig. 7.2).

A síntese da amônia é um exemplo um pouco mais complicado. Se o número de mols de N_2 varia de $-\Delta n$, então, a partir

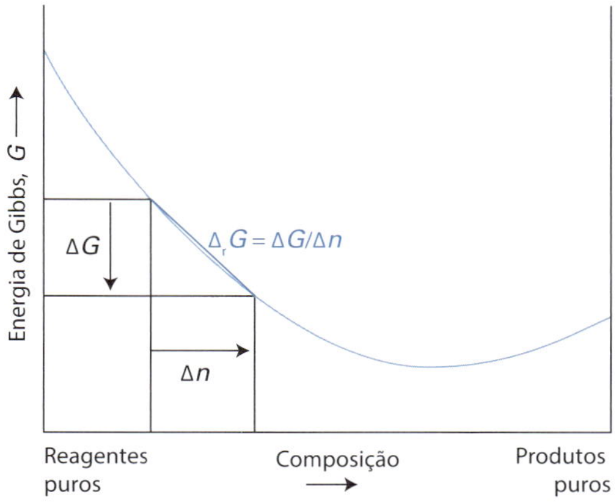

Figura 7.2 Variação da energia de Gibbs com o avanço da reação mostrando como a energia de Gibbs de reação, $\Delta_r G$, está relacionada com o coeficiente angular da curva em determinada composição.

da estequiometria da reação, sabemos que a variação do número de mols de H_2 será $-3\Delta n$ e que a variação do número de mols de NH_3 será $+2\Delta n$. Cada uma das variações contribui para a variação da energia de Gibbs total da mistura, de modo que a variação global é

$$\Delta G = \mu_{NH_3} \times 2\Delta n - \mu_{N_2} \times \Delta n - \mu_{H_2} \times 3\Delta n$$
$$= (2\mu_{NH_3} - \mu_{N_2} - 3\mu_{H_2})\Delta n$$

em que os μ_J são os potenciais químicos das espécies presentes na mistura de reação. Nesse caso, portanto, a energia de Gibbs da reação é

$$\Delta_r G = \frac{\Delta G}{\Delta n} = 2\mu_{NH_3} - (\mu_{N_2} + 3\mu_{H_2}) \qquad (7.1b)$$

Observe que cada potencial químico está multiplicado pelo coeficiente estequiométrico correspondente e que os reagentes são subtraídos dos produtos. Para a reação geral C,

$$\Delta_r G = (c\mu_C + d\mu_D) - (a\mu_A + b\mu_B) \qquad \text{Energia de Gibbs de reação} \qquad (7.1c)$$

O potencial químico de uma substância depende da composição da mistura na qual está presente e quanto maior é a concentração, ou a pressão parcial, de uma substância em uma mistura, mais alto é o seu potencial químico. Logo, $\Delta_r G$ muda quando a composição é alterada (Fig. 7.3). Lembre-se de que $\Delta_r G$ é o *coeficiente angular* do gráfico de G contra composição. Vemos que $\Delta_r G < 0$, e o coeficiente angular de G é negativo (diminui da esquerda para a direita), quando a mistura é rica nos reagentes A e B, pois, nesta condição, μ_A e μ_B são altos. Ao contrário, $\Delta_r G > 0$, e o coeficiente angular de G é positivo (cresce da esquerda para a direita), quando a mistura é rica nos produtos C e D, pois, então, μ_C e μ_D são altos.

Nas composições que correspondem a $\Delta_r G < 0$ a reação tende a formar mais produtos. Nas composições correspondendo a $\Delta_r G > 0$, a reação *inversa* é espontânea, e os produtos tendem a se transformarem em reagentes. Quando $\Delta_r G = 0$ (no mínimo do gráfico no qual o coeficiente angular é zero), a reação não tem nenhuma tendência a formar produtos ou reagentes. Em outras palavras, a reação está no equilíbrio, ou seja, *o critério para o equilíbrio químico sob temperatura e pressão constantes* é

$$\Delta_r G = 0 \qquad \text{Temperatura e pressão constante} \qquad \text{Condição de equilíbrio} \qquad (7.2)$$

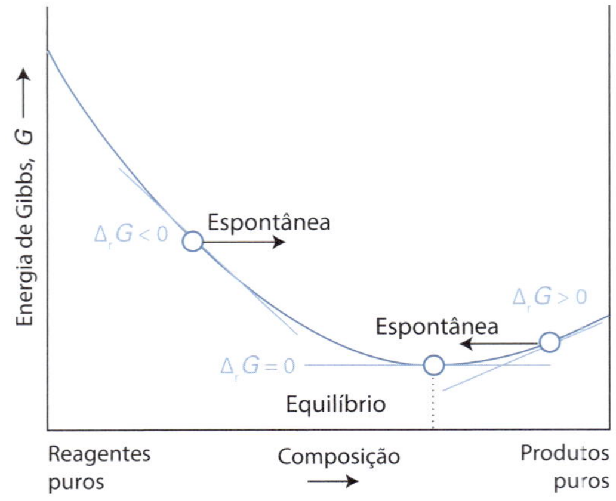

Figura 7.3 No mínimo da curva, correspondendo ao equilíbrio, $\Delta_r G = 0$. À esquerda do mínimo, $\Delta_r G < 0$ e a reação direta é espontânea. À direita do mínimo, $\Delta_r G > 0$ e a reação inversa é espontânea.

7.2 A variação de $\Delta_r G$ com a composição

Nosso próximo passo é descobrir como $\Delta_r G$ varia com a composição do sistema. Uma vez cientes disso, poderemos identificar a composição que corresponde a $\Delta_r G = 0$. Nosso ponto de partida é a expressão geral para a dependência do potencial químico em relação à composição, obtida na Seção 6.6:

$$\mu_J = \mu_J^\ominus + RT \ln a_J \qquad (7.3)$$

em que a_J é a atividade das espécies J. Quando estamos lidando com sistemas ideais, que é o caso deste capítulo, usamos as convenções e relações dadas na Tabela 6.2:

Para solutos em uma solução ideal, $a_J = [J]/c^\ominus$, a concentração molar de J relativa ao valor padrão $c^\ominus = 1$ mol dm^{-3}.

Para gases perfeitos, $a_J = p_J/p^\ominus$, a pressão parcial de J relativa à pressão padrão $p^\ominus = 1$ bar.

Para sólidos e líquidos puros, $a_J = 1$.

Como no Capítulo 6, para simplificar a forma das expressões que se seguem, não vamos escrever $c^\ominus$ e $p^\ominus$ explicitamente.

Substituindo a Eq. 7.3 na Eq. 7.1c obtemos

$$\Delta_r G = \left\{c\Big(\overbrace{\mu_C^\ominus + RT\ln a_C}^{\mu_C}\Big) + d\Big(\overbrace{\mu_D^\ominus + RT\ln a_D}^{\mu_D}\Big)\right\} - \left\{a\Big(\overbrace{\mu_A^\ominus + RT\ln a_A}^{\mu_A}\Big) + b\Big(\overbrace{\mu_B^\ominus + RT\ln a_B}^{\mu_B}\Big)\right\}$$
$$= \{(c\mu_C^\ominus + d\mu_D^\ominus) - (a\mu_A^\ominus + b\mu_B^\ominus)\} + RT\{c\ln a_C + d\ln a_D - a\ln a_A - b\ln a_B\}$$

O primeiro termo à direita na segunda igualdade (azul claro) é a **energia de Gibbs padrão de reação,** $\Delta_r G^\ominus$:

$$\Delta_r G^\ominus = (c\mu_C^\ominus + d\mu_D^\ominus) - (a\mu_A^\ominus + b\mu_B^\ominus) \qquad (7.4a)$$

Como o estado padrão se refere às substâncias puras, os potenciais químicos padrão nessa expressão são as energias de Gibbs molares padrão das substâncias (puras). Portanto, a Eq. 7.4a pode ser escrita como

$$\Delta_r G^\ominus = \{cG_m^\ominus(C) + dG_m^\ominus(D)\} - \{aG_m^\ominus(A) + bG_m^\ominus(B)\} \qquad \text{Energia de Gibbs padrão de reação} \qquad (7.4b)$$

Brevemente, retornaremos a essa importante grandeza para uma análise mais detalhada. Neste momento, portanto, sabemos que

$$\Delta_r G = \Delta_r G^\ominus + RT\{c\ln a_C + d\ln a_D - a\ln a_A - b\ln a_B\}$$

e a expressão para $\Delta_r G$ está começando a ficar muito mais simples.

De modo a avançar, rearranjamos os termos restantes na expressão de $\Delta_r G$ (azul claro) da seguinte maneira, usando as propriedades dos logaritmos definidas em Ferramentas do químico 2.2:

$$c \ln a_C + d \ln a_D - a \ln a_A - b \ln a_B$$

$$\overset{a\ln x=\ln x^a}{=} \ln a_C^c + \ln a_D^d - \ln a_A^a - \ln a_B^b$$

$$\overset{\ln x+\ln y=\ln xy}{=} \ln a_C^c a_D^d - \ln a_A^a a_B^b$$

$$\overset{\ln x-\ln y=\ln \frac{x}{y}}{=} \ln \frac{a_C^c a_D^d}{a_A^a a_B^b}$$

Neste ponto, deduzimos que

$$\Delta_r G = \Delta_r G^{\ominus} + RT \ln \frac{a_C^c\, a_D^d}{a_A^a\, a_B^b}$$

Para simplificar a aparência dessa expressão ainda mais, introduzimos o **quociente de reação** (adimensional), Q, para a reação C:

$$Q = \frac{a_C^c\, a_D^d}{a_A^a\, a_B^b} \qquad \text{Definição} \qquad \text{Quociente de reação} \qquad (7.5)$$

Observe que Q tem a forma dos produtos divididos pelos reagentes, com a atividade de cada uma das espécies elevada a uma potência igual ao seu coeficiente estequiométrico na reação. Neste momento, podemos escrever a expressão global da energia de Gibbs de reação, em qualquer composição da mistura de reação, como

$$\Delta_r G = \Delta_r G^{\ominus} + RT \ln Q \qquad \text{Dependência de } \Delta_r G \text{ com a composição} \qquad (7.6)$$

Essa equação simples, mas extremamente importante, aparecerá diversas vezes em formas diferentes.

Exemplo 7.1

Escrevendo um quociente de reação

Escreva os quocientes de reação das reações R1 e R2.

Estratégia Identifique as expressões apropriadas para as atividades dos reagentes e produtos, e insira essas expressões na definição de Q (na Eq. 7.5). Simplifique as expressões usando a convenção que nem $c^{\ominus}$ nem $p^{\ominus}$ é escrita explicitamente.

Solução O quociente de reação da reação R1 é

$$Q = \frac{a_{F6P}}{a_{G6P}}$$

Para soluções diluídas, podemos exprimir a atividade do soluto como $a_B = [B]/c^{\ominus}$, e o quociente de reação é, portanto,

$$Q = \frac{[F6P]/c^{\ominus}}{[G6P]/c^{\ominus}} = \frac{[F6P]}{[G6P]}$$

Nesse exemplo, o $c^{\ominus}$ se cancela. Para a reação R2, a síntese da amônia, uma reação em fase gasosa, o quociente de reação é

$$Q = \frac{a_{NH_3}^2}{a_{N_2} a_{H_2}^3} = \frac{(p_{NH_3}/p^{\ominus})^2}{(p_{N_2}/p^{\ominus})(p_{H_2}/p^{\ominus})^3} = \frac{p_{NH_3}^2 p^{\ominus 2}}{p_{N_2} p_{H_2}^3}$$

Quando a pressão padrão não está escrita explicitamente, essa expressão se simplifica para

$$Q = \frac{p_{NH_3}^2}{p_{N_2} p_{H_2}^3}$$

em que p_J é o valor numérico da pressão parcial de J em bar (de modo que, se p_{NH_3} = 2 bar, escrevemos apenas p_{NH_3} = 2 quando usamos essa expressão).

Exercício proposto 7.1

Escreva o quociente de reação para a reação de esterificação $CH_3COOH + C_2H_5OH \rightarrow CH_3COOC_2H_5 + H_2O$. (Todos os quatro componentes estão presentes na mistura de reação como líquidos: a mistura não é uma solução aquosa.)

Resposta: $Q = [CH_3COOC_2H_5][H_2O]/[CH_3COOH][C_2H_5OH]$

7.3 Reações em equilíbrio

Quando a reação alcança o equilíbrio, a composição não tem mais nenhuma tendência a mudar, pois $\Delta_r G = 0$ e a reação não é espontânea em nenhum sentido. No equilíbrio, o quociente de reação tem determinado valor chamado de **constante de equilíbrio**, K, da reação:

$$K = Q_{\text{equilíbrio}}$$

$$= \left(\frac{a_C^c\, a_D^d}{a_A^a a_B^b}\right)_{\text{equilíbrio}} \qquad \text{Definição} \qquad \text{Constante de equilíbrio} \qquad (7.7)$$

Normalmente não escreveremos 'equilíbrio'; o contexto das fórmulas sempre tornará claro que Q se refere a um estágio *arbitrário* da reação, enquanto K, o valor de Q no equilíbrio, é calculado a partir da composição de *equilíbrio*. Segue agora da Eq. 7.6, que no equilíbrio

$$0 = \Delta_r G^{\ominus} + RT \ln K$$

e, portanto, que

$$\Delta_r G^{\ominus} = -RT \ln K \qquad \text{Relação entre } \Delta_r G^{\ominus} \text{ e } K \qquad (7.8)$$

Essa é uma das equações mais importantes de toda termodinâmica química. É usada principalmente para prever o valor da constante de equilíbrio de qualquer reação a partir dos dados termodinâmicos tabelados, semelhantes àqueles da *Seção de dados*. Alternativamente, podemos usá-la para determinar $\Delta_r G^{\ominus}$, medindo a constante de equilíbrio de uma reação.

■ **Breve ilustração 7.1** A constante de equilíbrio

Suponha que, para a reação $H_2(g) + I_2(s) \rightarrow 2\, HI(g)$, a 25 °C, se saiba que $\Delta_r G^{\ominus}$ = +3,40 kJ mol^{-1}; então, para calcular a constante de equilíbrio, escrevemos

$$\ln K = -\frac{\Delta_r G^{\ominus}}{RT} = -\frac{3{,}40 \times 10^3 \text{ J mol}^{-1}}{(8{,}3145 \text{ J K}^{-1}\text{mol}^{-1}) \times (298{,}15 \text{ K})}$$

$$= -\frac{3{,}40 \times 10^3}{8{,}3145 \times 298{,}15}$$

Essa expressão permite determinar que ln K = −1,37, mas, para evitar erros de arredondamento, deixamos o cálculo para

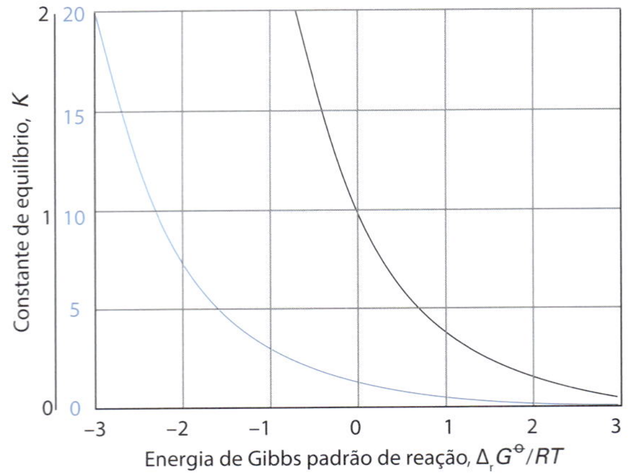

Figura 7.4 Relação entre a energia de Gibbs padrão de reação e a constante de equilíbrio da reação. A curva mais clara está aumentada por um fator de 10.

a próxima etapa, na qual usamos a relação $e^{\ln x} = x$, em que $x = K$, para escrever

$$K = e^{-\frac{3,40\times10^3}{8,3145\times298,15}} = 0,25$$

Uma nota sobre a boa prática Todas as constantes de equilíbrio e quocientes de reação são números adimensionais.

Exercício proposto 7.2

A constante de equilíbrio da reação $N_2(g) + 3\ H_2(g) \rightarrow 2\ NH_3(g)$, a 25 °C, é $5,8 \times 10^5$. Qual é (a) a energia de Gibbs da reação no equilíbrio, (b) a energia de Gibbs padrão de reação?

Resposta: (a) 0, (b) –32,90 kJ mol^{-1}

Uma característica importante da Eq. 7.8 é que por seu intermédio vemos que $K > 1$ se $\Delta_r G^\ominus < 0$. Falando de modo geral, $K > 1$ indica que os produtos são dominantes no equilíbrio (Fig. 7.4); assim podemos concluir que

Uma reação é termodinamicamente possível se $\Delta_r G^\ominus < 0$.

Reações para as quais $\Delta_r G^\ominus < 0$ são denominadas **exergônicas**. Por sua vez, como, de acordo com a Eq. 7.8, $K < 1$ se $\Delta_r G^\ominus > 0$, então sabemos que os reagentes serão dominantes em uma mistura de reação no equilíbrio se $\Delta_r G^\ominus > 0$. Em outras palavras,

Uma reação não é termodinamicamente possível (no sentido de $K < 1$) se com $\Delta_r G^\ominus > 0$.

Reações para as quais $\Delta_r G^\ominus > 0$ são denominadas **endergônicas**. Entretanto, deve-se ter cuidado ao considerarmos essas regras, pois os produtos só serão significativamente mais abundantes que os reagentes se $K \gg 1$ (maior do que, aproximadamente, 10^3) e até mesmo uma reação com $K < 1$ pode ter uma abundância razoável de produtos no equilíbrio.

A Tabela 7.1 resume as condições em que $\Delta_r G^\ominus < 0$ e $K > 1$. Como $\Delta_r G^\ominus = \Delta_r H^\ominus - T\Delta_r S^\ominus$, a energia de Gibbs padrão de reação é certamente negativa se simultaneamente $\Delta_r H^\ominus < 0$ (a reação é exotérmica) e $\Delta_r S^\ominus > 0$ (o sistema reacional se torna mais desordenado, por exemplo, como quando se forma um gás). A energia de Gibbs padrão de reação também

Tabela 7.1
Critérios termodinâmicos de espontaneidade

(1) Se a reação é exotérmica ($\Delta_r H^\ominus < 0$) e $\Delta_r S^\ominus > 0$
$\Delta_r G^\ominus < 0$ e $K > 1$ em todas as temperaturas
(2) Se a reação é exotérmica ($\Delta_r H^\ominus < 0$) e $\Delta_r S^\ominus < 0$
$\Delta_r G^\ominus < 0$ e $K > 1$ contanto que $T < \Delta_r H^\ominus/\Delta_r S^\ominus$
(3) Se a reação é endotérmica ($\Delta_r H^\ominus > 0$) e $\Delta_r S^\ominus > 0$
$\Delta_r G^\ominus < 0$ e $K > 1$ contanto que $T > \Delta_r H^\ominus/\Delta_r S^\ominus$
(4) Se a reação é endotérmica ($\Delta_r H^\ominus > 0$) e $\Delta_r S^\ominus < 0$
$\Delta_r G^\ominus < 0$ e $K > 1$ em nenhuma temperatura

é negativa se a reação for endotérmica ($\Delta_r H^\ominus > 0$) e $T\Delta_r S^\ominus$ for suficientemente grande e positiva. Observe que, para uma reação endotérmica ter $\Delta_r G^\ominus < 0$, é necessário que a sua entropia padrão de reação *seja* positiva. Além disso, a temperatura tem que ser suficientemente alta para que $T\Delta_r S^\ominus$ seja maior que $\Delta_r H^\ominus$ (Fig. 7.5). A passagem de $\Delta_r G^\ominus$ de positivo para negativo, correspondendo à mudança de $K < 1$ (a reação 'não ocorre') para $K > 1$ (a reação 'ocorre'), se dá numa temperatura em que $\Delta_r H^\ominus - T\Delta_r S^\ominus$ é 0, ou seja,

$$T = \frac{\Delta_r H^\ominus}{\Delta_r S^\ominus} \qquad (7.9)$$

Temperatura mínima para a espontaneidade de uma reação endotérmica

Breve ilustração 7.2 Espontaneidade de uma reação endotérmica

Considere a decomposição térmica (endotérmica) do carbonato de cálcio:

$$CaCO_3(s) \rightarrow CaO(s) + CO_2(g)$$

Para esta reação $\Delta_r H^\ominus = +178$ kJ mol^{-1} e $\Delta_r S^\ominus = +161$ J K^{-1} mol^{-1}. A temperatura de decomposição, a temperatura na qual a decomposição se torna espontânea, é

$$T = \frac{\overbrace{1,78\times10^5\ \mathrm{J\ mol^{-1}}}^{\Delta_r H^\ominus}}{\underbrace{161\ \mathrm{J\ K^{-1}\ mol^{-1}}}_{\Delta_r S^\ominus}} = 1,11\times10^3\ \mathrm{K}$$

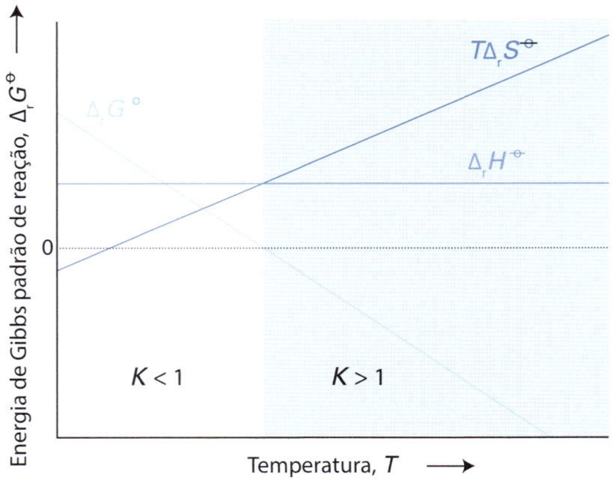

Figura 7.5 Uma reação endotérmica pode ter $K > 1$ contanto que a temperatura seja alta o bastante para $T\Delta_r S^\ominus$ ser suficientemente grande, de modo que quando subtraído de $\Delta_r H^\ominus$ o resultado seja negativo.

ou aproximadamente 832 °C. Como a entropia de decomposição é semelhante para todas as reações desse tipo (todas envolvem a decomposição de um sólido em um gás), podemos concluir que a temperatura de decomposição dos sólidos aumenta quando suas entalpias de decomposição aumentam.

7.4 A energia de Gibbs padrão de reação

A energia de Gibbs padrão de reação, $\Delta_r G^{\ominus}$, é central para a discussão dos equilíbrios químicos e o cálculo das constantes de equilíbrio. Vimos que é definida como a diferença das energias de Gibbs molares padrão dos produtos e dos reagentes, ponderadas pelos coeficientes estequiométricos, ν, da equação química:

$$\Delta_r G^{\ominus} = \sum \nu G_m^{\ominus}(\text{produtos}) - \sum \nu G_m^{\ominus}(\text{reagentes}) \quad (7.10)$$

Definição | Energia de Gibbs padrão de reação

em que, como de costume, Σ indica que devemos considerar a soma dos itens que o seguem. Por exemplo, a energia de Gibbs padrão de reação para a reação R1 é a diferença entre as energias de Gibbs molares da frutose-6-fosfato e da glicose-6-fosfato, em uma solução de concentração 1 mol dm^{-3} e 1 bar.

Não podemos calcular $\Delta_r G^{\ominus}$ a partir das próprias energias de Gibbs molares padrão, pois estas grandezas não são conhecidas. Uma metodologia prática é calcular a entalpia padrão de reação a partir das entalpias padrão de formação (Seção 3.5), a entropia padrão de reação a partir das entropias da Terceira Lei (Seção 4.10) e então combinar estas duas grandezas usando

$$\Delta_r G^{\ominus} = \Delta_r H^{\ominus} - T\Delta_r S^{\ominus} \quad (7.11)$$

■ Breve ilustração 7.3 A energia de Gibbs padrão de reação a partir de dados termodinâmicos

Para calcular a energia de Gibbs padrão de reação, a 25 °C, para a reação $H_2(g) + \frac{1}{2} O_2(g) \rightarrow H_2O(l)$, observamos que

$$\Delta_r H^{\ominus} = \Delta_f H^{\ominus}(H_2O, l) - \overbrace{0}^{\Delta_f H^{\ominus}(H_2)} - \overbrace{0}^{\frac{1}{2}\Delta_f H^{\ominus}(O_2)} = -285{,}83 \text{ kJ mol}^{-1}$$

A entropia padrão de reação, calculada no Capítulo 4, é $\Delta_r S^{\ominus} = -163{,}34$ J K^{-1} mol^{-1}, que, como 163,34 J é igual a 0,163 34 kJ, corresponde a −0,163 34 kJ K^{-1} mol^{-1}. Portanto, a partir da Eq. 7.11

$$\Delta_r G^{\ominus} = (-285{,}83 \text{ kJ mol}^{-1}) - (298{,}15 \text{ K}) \times (-0{,}163\,34 \text{ kJ K}^{-1}\text{ mol}^{-1}) = -237{,}13 \text{ kJ mol}^{-1}$$

Exercício proposto 7.3

Use a informação na *Seção de dados* para determinar a energia de Gibbs padrão da reação $3\, O_2(g) \rightarrow 2\, O_3(g)$ a partir das entalpias padrão de formação e das entropias padrão

Resposta: +326,4 kJ mol^{-1}

Vimos na Seção 3.5 como usar as entalpias padrão de formação das substâncias para calcular as entalpias padrão de reação. Podemos usar a mesma técnica para as energias de Gibbs padrão de reação. Para fazer isso, consideramos a **energia de Gibbs padrão de formação**, $\Delta_f G^{\ominus}$, de uma substância como:

> A energia de Gibbs padrão de formação é a energia de Gibbs padrão de reação (por mol da substância) para sua formação a partir dos seus elementos nos seus estados de referência.

O conceito de estado de referência foi introduzido em Seção 3.5; a temperatura é arbitrária, mas quase sempre consideramos 25 °C (298 K, mais precisamente 298,15 K). Por exemplo, a energia de Gibbs padrão de formação da água líquida, $\Delta_f G^{\ominus}(H_2O, l)$, é a energia de Gibbs padrão de reação para

$$H_2(g) + \tfrac{1}{2} O_2(g) \rightarrow H_2O(l)$$

e é igual a −237 kJ mol^{-1}, a 298 K. Algumas energias de Gibbs padrão de formação podem ser encontradas na Tabela 7.2 e na *Seção de dados*. Como consequência dessa definição, a energia de Gibbs padrão de formação de um elemento em seu estado de referência é zero porque as reações como, por exemplo, C(s, grafita) → C(s, grafita) são nulas (quer dizer, não acontece nada). A energia de Gibbs padrão de formação de um elemento em uma fase diferente da fase de seu estado de referência é diferente de zero:

$$C(s, \text{grafita}) \rightarrow C(s, \text{diamante})$$
$$\Delta_f G^{\ominus}(C, \text{diamante}) = +2{,}90 \text{ kJ mol}^{-1}$$

Tabela 7.2
*Energias de Gibbs padrão de formação a 298,15 K**

Substância	$\Delta_f G^{\ominus}$/(kJ mol^{-1})
Gases	
Amônia, NH_3	−16,45
Dióxido de carbono, CO_2	−394,36
Tetróxido de dinitrogênio, N_2O_4	+97,89
Iodeto de hidrogênio, HI	+1,70
Dióxido de nitrogênio, NO_2	+51,31
Dióxido de enxofre, SO_2	−300,19
Água, H_2O	−228,57
Líquidos	
Benzeno, C_6H_6	+124,3
Etanol, CH_3CH_2OH	−174,78
Água, H_2O	−237,13
Sólidos	
Carbonato de cálcio, $CaCO_3$	−1128,8
Óxido de ferro(III), Fe_2O_3	−742,2
Brometo de prata, AgBr	−96,90
Cloreto de prata, AgCl	−109,79

*Valores adicionais são dados na *Seção de Dados*, e endereços para Bancos de Dados podem ser encontrados no site da LTC Editora.

Muitos dos valores existentes nas tabelas foram compilados combinando a entalpia padrão de formação da substância com as entropias padrão do composto e dos elementos, conforme ilustrado anteriormente, mas existem outras fontes de dados e nós encontraremos algumas dessas fontes mais adiante.

As energias de Gibbs padrão de formação podem ser combinadas para se obter a energia de Gibbs padrão de quase todas as reações. Usamos a expressão, agora familiar,

$$\Delta_r G^{\ominus} = \sum \nu \Delta_f G^{\ominus}(\text{produtos}) - \sum \nu \Delta_f G^{\ominus}(\text{reagentes}) \quad (7.12)$$

Implementação prática — Energia de Gibbs padrão de reação

Breve ilustração 7.4 A energia de Gibbs padrão de reação a partir das energias de Gibbs de formação

Para determinar a energia de Gibbs padrão de reação para

$2\,CO(g) + O_2(g) \rightarrow 2\,CO_2(g)$

fazemos o seguinte cálculo:

$$\begin{aligned}\Delta_r G^{\ominus} &= 2\Delta_f G^{\ominus}(CO_2, g) - \{2\Delta_f G^{\ominus}(CO, g) + \Delta_f G^{\ominus}(O_2, g)\}\\ &= 2 \times (-394\ \text{kJ mol}^{-1}) - \{2 \times (-137\ \text{kJ mol}^{-1}) + 0\}\\ &= -514\ \text{kJ mol}^{-1}\end{aligned}$$

Exercício proposto 7.4

Calcule a energia de Gibbs padrão da reação de oxidação da amônia a óxido nítrico de acordo com a equação $4\,NH_3(g) + 5\,O_2(g) \rightarrow 4\,NO(g) + 6\,H_2O(g)$.

Resposta: $-959{,}42$ kJ mol^{-1}

As energias de Gibbs padrão de formação dos compostos têm o seu próprio significado e também são úteis nos cálculos de K. Trata-se de uma medida da 'altitude termodinâmica' de um composto, acima ou abaixo de um 'nível do mar' de estabilidade representado pelos elementos nos seus estados de referência (Fig. 7.6). Se a energia de Gibbs padrão de formação é positiva e o composto fica acima do 'nível do mar', então o composto tem uma tendência espontânea de descer para o nível do mar termodinâmico e se decompor nos seus elementos. Isto é, $K < 1$ para a reação da sua formação. Dizemos que um composto com $\Delta_f G^{\ominus} > 0$ é **termodinamicamente instável** em relação aos seus elementos, ou que é um **composto endergônico**. Assim, o ozônio, para o qual $\Delta_f G^{\ominus} = +163$ kJ mol^{-1}, tem uma tendência espontânea a se decompor em oxigênio sob condições padrão a 25 °C. Mais precisamente, a constante de equilíbrio para a reação $^3/_2\ O_2(g) \rightleftharpoons O_3(g)$ é menor que 1 (muito menor na realidade, pois $K = 2{,}7 \times 10^{-29}$). Porém, embora o ozônio seja termodinamicamente instável, pode existir se as reações que o convertem em oxigênio forem lentas. É isto o que ocorre na atmosfera superior, e as moléculas de O_3 na camada de ozônio existem por longos espaços de tempo. O benzeno ($\Delta_f G^{\ominus} = +124$ kJ mol^{-1}) também é termodinamicamente instável em relação aos seus elementos ($K = 1{,}8 \times 10^{-22}$). Entretanto, o fato de os recipientes com benzeno serem artigos de laboratório de uso cotidiano nos ajuda a lembrar da observação feita no início do capítulo de que *a espontaneidade é uma tendência termodinâmica que pode não ocorrer na prática com uma velocidade significativa*.

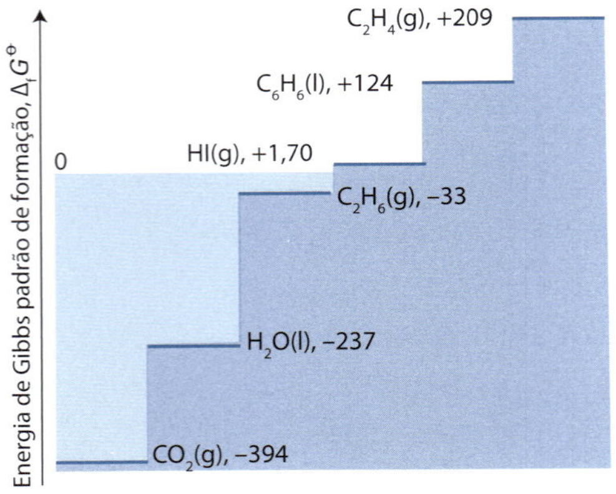

Figura 7.6 A energia de Gibbs padrão de formação de um composto é como uma medida da altitude do composto acima (ou abaixo) do nível do mar: compostos que ficam acima do nível do mar têm uma tendência espontânea para se decompor nos seus elementos (e com isso atingir o nível do mar). Compostos que ficam abaixo do nível do mar são estáveis em relação à sua decomposição nos seus elementos. Os valores numéricos estão em quilojoules por mol.

Outra observação útil que pode ser feita sobre as energias de Gibbs padrão de formação é que não há nenhum interesse em se procurar sínteses *diretas* de um composto termodinamicamente instável a partir dos seus elementos (nas condições padrão, na temperatura à qual os dados se aplicam), porque a reação não ocorre no sentido desejado: a reação *inversa*, a decomposição, é espontânea. Compostos endergônicos devem ser sintetizados por meio de rotas alternativas ou nas condições para as quais as suas energias de Gibbs de formação sejam negativas e fiquem abaixo do nível do mar termodinâmico.

Compostos com $\Delta_f G^{\ominus} < 0$ (correspondendo a $K > 1$ para as suas reações de formação) são tidos como **termodinamicamente estáveis** em relação aos seus elementos, sendo denominados **compostos exergônicos**. Compostos exergônicos ficam abaixo do nível do mar termodinâmico dos elementos (nas condições padrão). Um exemplo de um composto exergônico é o etano, com $\Delta_f G^{\ominus} = -33$ kJ mol^{-1}: o sinal negativo mostra que a formação do etano gasoso é espontânea no sentido de que $K > 1$ (na realidade, $K = 7{,}1 \times 10^5$, a 25 °C).

Impacto na bioquímica 7.1

Reações acopladas em processos bioquímicos

Uma reação que não é espontânea pode avançar no sentido direto ao ser induzida por uma reação que é espontânea. Uma analogia mecânica simples é um par de pesos unido por um fio (Fig. 7.7): o peso mais leve se elevará quando o peso mais pesado descer. Embora o peso mais leve tenha uma tendência natural em se mover para baixo, seu acoplamento ao peso mais pesado resulta na sua ascensão. O análogo termodinâmico é uma reação endergônica (o análogo do peso mais leve) sendo forçada a ocorrer pelo acoplamento a uma reação exergônica (o análogo do peso mais pesado que cai). A reação global é espontânea porque a soma $\Delta_r G + \Delta_r G'$ é negativa. Toda a atividade de manutenção da vida depende de acoplamentos desse tipo; são as reações de oxidação dos alimentos que atuam como os pesos pesados que fazem com que outras reações ocorram e resultem na formação de proteínas, a partir de aminoácidos, nas ações dos músculos

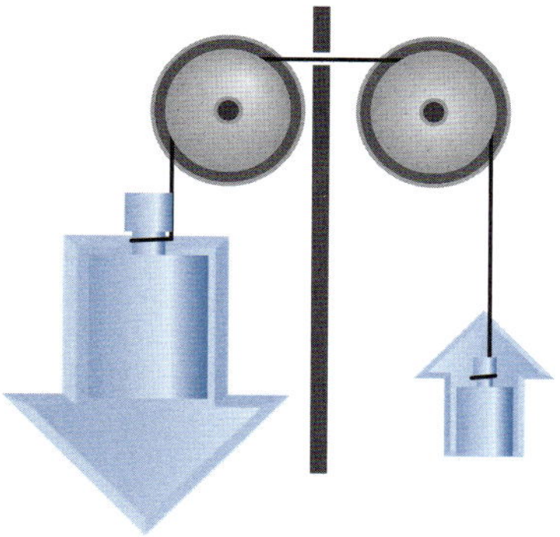

Figura 7.7 Se dois pesos são acoplados como mostrado nesta figura, então o peso mais pesado moverá o peso mais leve em sua direção não espontânea: o processo global será espontâneo. Os pesos são os análogos de duas reações químicas uma reação com um ΔG negativo e grande em módulo pode forçar outra reação com um ΔG menor em módulo a ocorrer na sua direção não espontânea.

que permitem os deslocamentos e, até mesmo, nas atividades do cérebro para reflexão, aprendizagem e imaginação.

A função do trifosfato de adenosina, ATP (**3**), por exemplo, é armazenar a energia que fica disponível quando os alimentos são metabolizados e, então, quando houver necessidade, fornecê-la para uma grande variedade de processos, incluindo a contração muscular, a reprodução e a visão. A essência da ação do ATP é a sua capacidade de perder o seu grupo fosfato terminal por meio de hidrólise e formar o difosfato de adenosina, ADP (**4**):

$$ATP(aq) + H_2O(l) \rightarrow ADP(aq) + P_i^-(aq) + H^+(aq)$$

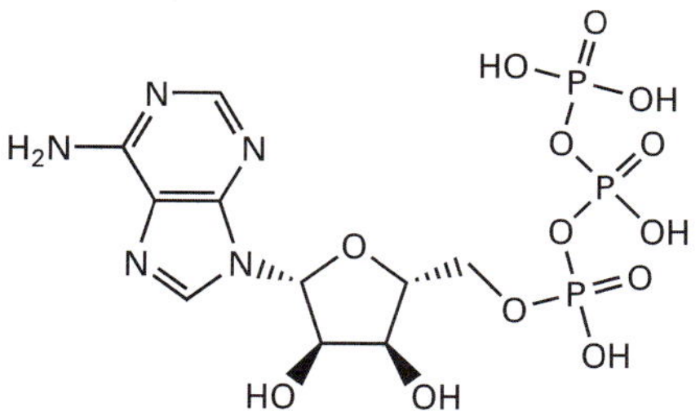

3 ATP

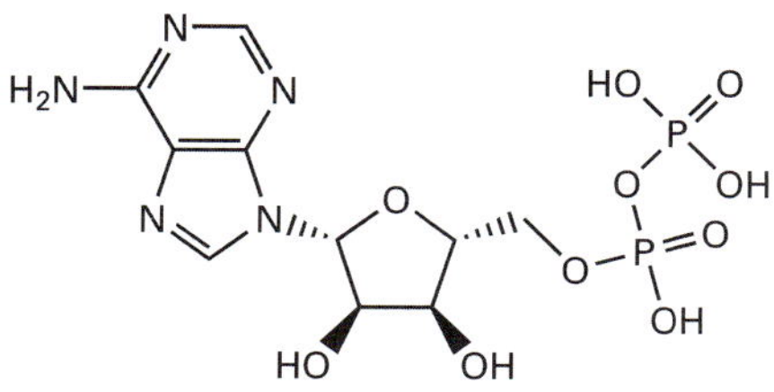

4 ADP

em que P_i^- representa um grupo fosfato inorgânico como o $H_2PO_4^-$. Essa reação é exergônica nas condições que prevalecem nas células e pode induzir uma reação endergônica na direção direta a progredir se enzimas adequadas estiverem disponíveis para acoplar as reações. Por exemplo, a fosforilação endergônica da glicose é acoplada à hidrólise do APT na célula, de modo que a reação líquida

$$\text{glicose}(aq) + ATP(aq) \rightarrow G6P(aq) + ADP(aq)$$

é exergônica e inicia a glicólise.

Antes de discutir quantitativamente a hidrólise do ATP, precisamos observar que o estado padrão convencional com base nos íons hidrogênio ($a = 1$, correspondendo a pH = 0, uma solução fortemente ácida; lembre-se, da química introdutória, de que pH = $-\log a_{H_3O^+} \approx -\log [H_3O^+]$) não é apropriado às condições biológicas normais dentro das células, em que o pH = $-\log a_{H_3O^+}$ é próximo de 7. Consequentemente, em bioquímica é comum a adoção do **estado padrão biológico**, em que o pH é igual a 7, ou seja, uma solução neutra. Adotaremos essa convenção nesta seção e vamos simbolizar as correspondentes grandezas padrão como $G^{\oplus}$, $H^{\oplus}$ e $S^{\oplus}$. Outra convenção para simbolizar o estado padrão biológico é escrever $X^{\circ\prime}$ ou $X^{\ominus\prime}$.

Os valores das grandezas, com base no padrão biológico, para a hidrólise do ATP, a 37 °C (310 K, à temperatura normal do corpo) são

$$\Delta_r G^{\oplus} = -31 \text{ kJ mol}^{-1} \qquad \Delta_r H^{\oplus} = -20 \text{ kJ mol}^{-1}$$

$$\Delta_r S^{\oplus} = +34 \text{ kJ mol}^{-1}$$

Portanto, nessas condições, a hidrólise é exergônica ($\Delta_r G < 0$), e 31 kJ mol^{-1} estão disponíveis para induzir (conduzir) outras reações. Por causa de seu caráter exergônico, a ligação ADP-fosfato foi chamada de 'ligação fosfato de alta energia'. Esse nome significa que existe uma grande tendência para ocorrer reação por meio dessa ligação, não devendo ser confundido com ligação 'forte' no sentido químico normal (o de um alto valor de entalpia de ligação). Na realidade, até mesmo no sentido biológico essa não é uma 'energia muito alta'. A ação do ATP depende de a força de ligação envolvida na reação ser intermediária. Assim, o ATP atua como um doador de fosfato para vários aceptores (como a glicose), mas é recarregado com um novo grupo fosfato por doadores de fosfato mais fortes nas etapas de fosforilação no ciclo da respiração.

7.5 A composição de equilíbrio

O valor em módulo de uma constante de equilíbrio é uma boa indicação *qualitativa* da viabilidade de uma reação independentemente de o sistema ser ideal ou não. Falando em termos gerais, se $K >> 1$ (normalmente $K > 10^3$, correspondendo a $\Delta_r G^{\ominus} < -17$ kJ mol^{-1}, a 25 °C), a reação tem uma forte tendência para formar produtos. Se $K << 1$ (isto é, para $K < 10^{-3}$, correspondendo a $\Delta_r G^{\ominus} > +17$ kJ mol^{-1}, a 25 °C), a composição no equilíbrio consistirá em reagentes praticamente inalterados. Se K é próximo de 1 (ficando normalmente entre 10^{-3} e 10^3), então quantidades significativas de reagentes e produtos estarão presentes no equilíbrio.

Uma constante de equilíbrio expressa a composição de uma mistura em equilíbrio como uma razão de produtos de atividades. Mesmo que limitemos nossa atenção a sistemas ideais, ainda assim é necessário que algum trabalho seja feito para que se possa obter as concentrações reais, ou as pressões parciais, dos reagentes e produtos no equilíbrio a partir dos seus valores iniciais.

Exemplo 7.2

Cálculo de uma composição de equilíbrio 1

Calcule a fração f de F6P em solução, em que f é definida como

$$f = \frac{[F6P]}{[F6P] + [G6P]}$$

na qual G6P e F6P estão em equilíbrio a 25 °C (reação R1) dado que $\Delta_r G^\ominus = +1{,}7$ kJ mol^{-1} nessa temperatura.

Estratégia Expressamos f em termos de K. Para fazer isso, reconhecemos que se o numerador e o denominador na expressão de f são simultaneamente divididos por [G6P], então as razões [F6P]/[G6P] podem ser substituídas por K. Calculamos o valor de K usando a Eq. 7.8.

Solução A divisão do numerador e do denominador por [G6P] dá

$$f = \frac{\overbrace{[\mathrm{F6P}]/[\mathrm{G6P}]}^{K}}{\underbrace{[\mathrm{F6P}]/[\mathrm{G6P}]}_{K}+1} = \frac{K}{K+1}$$

Encontramos a constante de equilíbrio usando $K = e^{\ln K}$ e reescrevendo a Eq. 7.8 na forma

$$K = e^{-\Delta_r G^\ominus/RT}$$

Primeiro observamos que, como +1,7 kJ mol^{-1} é igual a $+1{,}7 \times 10^3$ J mol^{-1},

$$\frac{\Delta_r G^\ominus}{RT} = \frac{1{,}7\times 10^3 \text{ J mol}^{-1}}{(8{,}3145 \text{ J K}^{-1}\text{ mol}^{-1})\times(298\text{ K})} = \frac{1{,}7\times 10^3}{8{,}3145\times 298}$$

Portanto,

$$K = e^{-\frac{1{,}7\times 10^3}{8{,}3145\times 298}} = 0{,}50$$

e

$$f = \frac{0{,}50}{0{,}50+1} = 0{,}33$$

Ou seja, no equilíbrio, 33 % do soluto são formados por F6P e 67 % são formados por G6P.

Exercício proposto 7.5

Calcule a composição de uma solução na qual dois isômeros A e B estão em equilíbrio ($A \rightleftharpoons B$) a 37 °C e $\Delta_r G^\ominus = -2{,}2$ kJ mol^{-1}.

Resposta: A fração de B no equilíbrio é $f = 0{,}70$

Em casos mais complicados, é melhor organizar o trabalho necessário em um procedimento sistemático, que se assemelha a uma planilha eletrônica, construindo uma tabela com cada uma das colunas reservadas para cada uma das espécies presentes na mistura (a substância deve aparecer no topo da coluna) e nas linhas seguintes:

1. As concentrações molares iniciais dos solutos ou as pressões parciais iniciais dos gases.
2. As variações dessas grandezas que têm que ocorrer para o sistema alcançar equilíbrio.
3. Os valores resultantes no equilíbrio.

Na maioria dos casos, não conhecemos a variação que tem de ocorrer para o sistema alcançar equilíbrio; assim a variação na concentração ou na pressão parcial de uma espécie é escrita como x e a estequiometria da reação é usada para escrever as variações correspondentes das outras espécies. Quando os valores no equilíbrio (na última linha da tabela) são substituídos na expressão para a constante de equilíbrio, obtemos uma equação para x em termos de K. Essa equação pode ser resolvida para x e, consequentemente, as concentrações de todas as espécies no equilíbrio podem ser determinadas.

Exemplo 7.3

Cálculo de uma composição de equilíbrio 2

Suponha que, em um processo industrial, N_2 a 1,00 bar é misturado com H_2, a 3,00 bar, e que os dois gases, juntamente com a amônia, que é o produto da mistura, atingem o equilíbrio em um reator de volume constante (na presença de um catalisador, de modo que a reação avança rapidamente). Na temperatura da reação, determinou-se experimentalmente que $K = 977$ para a reação R2. Quais são as pressões parciais de equilíbrio dos três gases?

Estratégia Proceda como foi feito anteriormente. Escreva a equação química da reação e a expressão para K. Faça a tabela de equilíbrio, expressando K em termos de x e resolva a equação para x. Como o volume do vaso de reação é constante, cada uma das pressões parciais é proporcional ao número de moléculas presentes ($p_J = n_J RT/V$). Assim, as relações estequiométricas se aplicam diretamente às pressões parciais. Em geral, a solução da equação para x admite vários valores de x matematicamente possíveis. Selecione a solução quimicamente aceitável considerando os sinais das concentrações ou das pressões parciais previstas, que têm de ser positivos. Confirme a exatidão do cálculo substituindo as pressões parciais calculadas no equilíbrio na expressão para a constante de equilíbrio e verifique se o valor calculado dessa maneira é igual ao valor experimental usado no cálculo.

Solução A equação química é a reação R2, $N_2(g) + 3\,H_2(g) \rightarrow 2\,NH_3(g)$, e a constante de equilíbrio é

$$K = \frac{p_{NH_3}^2}{p_{N_2}p_{H_2}^3}$$

com as pressões parciais nos valores de equilíbrio (e, como usual, em relação a $p^\ominus$). A tabela de equilíbrio é

Substância:	N_2	H_2	NH_3
Pressão parcial inicial/bar	1,00	3,00	0
Variação/bar	$-x$	$-3x$	$+2x$
Pressão parcial no equilíbrio/bar	$1{,}00 - x$	$3{,}00 - 3x$	$2x$

A constante de equilíbrio para a reação é, portanto,

$$K = \frac{\overbrace{(2x)}^{p_{NH_3}}{}^2}{\underbrace{(1{,}00-x)}_{p_{N_2}}\underbrace{(3{,}00-3x)}_{p_{H_2}}{}^3} = \frac{4x^2}{27(1{,}00-x)^4}$$

Nossa tarefa é resolver essa equação para x. Como $K = 977$, essa equação é rearranjada inicialmente na forma

$$977 = \frac{4}{27}\left(\frac{x}{(1{,}00-x)^2}\right)^2$$

e então, após multiplicar ambos os lados por $^{27}/_4$ e obter a raiz quadrada,

$$\overbrace{\sqrt{\frac{27\times 977}{4}}}^{g} = \frac{x}{(1{,}00-x)^2}$$

Para manter a forma dessa equação simples, escrevemos $g = (27 \times 977/4)^{1/2}$, de modo que se torna

$$g = \frac{x}{(1{,}00-x)^2} = \frac{x}{1{,}00 - 2{,}00x + x^2}$$

Essa expressão pode ser agora rearrumada na forma

$$gx^2 - 2{,}00gx + 1{,}00g = x$$

e então na forma

$$\underbrace{gx^2}_{ax^2} - \underbrace{(2{,}00g+1)x}_{+bx} + \underbrace{1{,}00g}_{+c} = 0$$

Essa equação tem a forma de uma equação quadrática (veja o Ferramentas do químico 7.1) com $a = g$, $b = -(2{,}00g + 1)$ e $c = 1{,}00g$. Suas soluções são $x = 1{,}12$ e $x = 0{,}895$. Como p_{N_2} não pode ser negativa e $p_{N_2} = 1{,}00 - x$ (da tabela de equilíbrio), sabemos que x não pode ser maior que 1,00; logo, selecionamos $x = 0{,}895$ como a solução aceitável. Segue então da última linha da tabela de equilíbrio que (retornando com a unidade bar):

$$p_{N_2} = 0{,}10 \text{ bar} \qquad p_{H_2} = 0{,}32 \text{ bar} \qquad p_{NH_3} = 1{,}8 \text{ bar}$$

Essa é a composição da mistura de reação no equilíbrio. Observe que, como K é grande (da ordem de 10^3), os produtos dominam. Para verificar o resultado, calculamos

$$\frac{p_{NH_3}^2}{p_{N_2}p_{H_2}^3} = \frac{1{,}8^2}{0{,}10\times 0{,}32^3} = 9{,}9\times 10^2$$

O resultado está perto do valor experimental (a origem da discrepância decorre dos erros de arredondamento).

Ferramentas do químico 7.1 Equações quadráticas

Uma equação quadrática é uma equação da forma

$$ax^2 + bx + c = 0$$

Essa equação tem as soluções ('raízes')

$$x = \frac{-b \pm \sqrt{b^2 - 4ac}}{2a}$$

Frequentemente há razões físicas para se escolher uma raiz em lugar da outra. Por exemplo, se x representa uma concentração ou uma pressão, então, x tem de ser positivo.

Às vezes ajuda mostrar as raízes graficamente. Um gráfico de $y = ax^2 + bx + c$ é uma parábola (Esquema 7.1), que intercepta o eixo x horizontal (em que $y = 0$) nas duas raízes da equação.

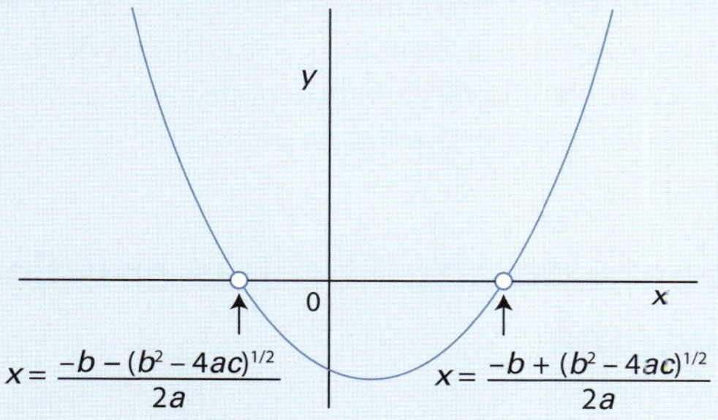

Esquema 7.1 Representação gráfica das raízes de uma equação quadrática.

Exercício proposto 7.6

Em uma experiência para estudar a formação de óxidos de nitrogênio na exaustão de jatos, mistura-se N_2 a 0,100 bar com O_2 a 0,200 bar e deixa-se que os dois gases atinjam o equilíbrio, juntamente com o produto da mistura de reação, que é o NO, em um reator de volume constante. Considere $K = 3{,}4 \times 10^{-21}$, a 800 K. Qual é a pressão parcial do NO no equilíbrio?

Resposta: 8,2 pbar

7.6 A constante de equilíbrio em termos de concentração

Um ponto importante que vale a pena destacar é que a constante de equilíbrio K calculada a partir dos dados termodinâmicos refere-se a atividades. Para reações em fase gasosa, isso significa pressões parciais (e explicitamente, $p_J/p^{\ominus}$). Essa condição é algumas vezes enfatizada escrevendo-se K como K_p, mas este hábito é desnecessário se a origem termodinâmica de K é relembrada. Em aplicações práticas, no entanto, podemos querer discutir reações em fase gasosa em termos de concentrações molares. A constante de equilíbrio é então representada por K_c, e para a reação R2 é

$$K_c = \frac{[NH_3]^2}{[N_2][H_2]^3}$$

com, como usual, a concentração molar [J] sendo interpretada como $[J]/c^{\ominus}$ com $c^{\ominus} = 1 \text{ mol dm}^{-3}$. Para obter o valor de K_c dos dados termodinâmicos, temos primeiro que calcular K e, então, converter K para K_c usando, como mostrado na Dedução vista a seguir, a relação

$$K = K_c \times \left(\frac{c^{\ominus}RT}{p^{\ominus}}\right)^{\Delta\nu_{\text{gás}}} \qquad \text{Relação entre } K \text{ e } K_c \qquad (7.13a)$$

Nessa expressão, $\Delta\nu_{\text{gás}}$ é a diferença entre os coeficientes estequiométricos das espécies em fase gasosa, produtos–reagentes. Obtemos uma forma muito conveniente dessa expressão substituindo os valores de $c^{\ominus}$, $p^{\ominus}$ e R, o que nos dá

$$K = K_c \times \left(\frac{T}{\underbrace{12{,}027 \text{ K}}_{p^{\ominus}/c^{\ominus}R}}\right)^{\Delta\nu_{\text{gás}}} \qquad (7.13b)$$

Para calcular K_c a partir de K, rearranjamos a expressão em

$$K_c = \frac{K}{(T/12{,}027 \text{ K})^{\Delta\nu_{\text{gás}}}} \qquad (7.13c)$$

Dedução 7.1

A relação entre K e K_c

Nessa dedução, precisamos ser exigentes a respeito das unidades, e escreveremos as constantes de equilíbrio da reação R3 em toda a sua totalidade como

$$K = \frac{a_C^c a_D^d}{a_A^a a_B^b} = \frac{(p_C/p^{\ominus})^c(p_D/p^{\ominus})^d}{(p_A/p^{\ominus})^a(p_B/p^{\ominus})^b} \qquad K_c = \frac{([C]/c^{\ominus})^c([D]/c^{\ominus})^d}{([A]/c^{\ominus})^a([B]/c^{\ominus})^b}$$

A inclusão de $p^{\ominus}$ e $c^{\ominus}$ assegura que as duas constantes de equilíbrio são adimensionais. Agora, usamos a lei do gás perfeito para substituir cada pressão parcial por

$$p_J = n_J RT/V = [J]RT$$

(pois $[J] = n_J/V$). Esta substituição faz com que a expressão para K se transforme em

$$K = \frac{\left(\overbrace{[C]RT}^{p_C}/p^{\ominus}\right)^c\left(\overbrace{[D]RT}^{p_D}/p^{\ominus}\right)^d}{\left(\underbrace{[A]RT}_{p_A}/p^{\ominus}\right)^a\left(\underbrace{[B]RT}_{p_B}/p^{\ominus}\right)^b} = \frac{[C]^c[D]^d}{[A]^a[B]^b}\times\left(\frac{RT}{p^{\ominus}}\right)^{(c+d)-(a+b)}$$

A seguir, reconhecemos que

$$K_c = \frac{[C]^c[D]^d}{[A]^a[B]^b} \times \left(\frac{1}{c^{\ominus}}\right)^{(c+d)-(a+b)},$$

$$\text{logo} \quad \frac{[C]^c[D]^d}{[A]^a[B]^b} = K_c \times (c^{\ominus})^{(c+d)-(a+b)}$$

e, portanto (substituindo a expressão em azul claro na equação por K), concluímos que

$$K = K_c \times \left(\frac{c^{\ominus}RT}{p^{\ominus}}\right)^{(c+d)-(a+b)}$$

Obtemos a Eq. 7.13 escrevendo $(c + d) - (a + b) = \Delta \nu_{gás}$.

■ **Breve ilustração 7.5** Cálculo de K_c a partir de K

Para a reação R2 temos que $\Delta\nu_{gás} = 2 - (1 + 3) = -2$; portanto, da Eq. 7.13c,

$$K_c = \frac{K}{(T/12{,}027\ \text{K})^{-2}} = K \times \left(\frac{T}{12{,}027\ \text{K}}\right)^2$$

A 298 K, $K = 5{,}8 \times 10^5$, de modo que nesta temperatura

$$K_c = 5{,}8 \times 10^5 \times \left(\frac{298\ \text{K}}{12{,}027\ \text{K}}\right)^2 = 3{,}6 \times 10^8$$

7.7 Interpretação molecular da constante de equilíbrio

Podemos ter uma compreensão mais profunda da origem e do significado da constante de equilíbrio K considerando a distribuição de Boltzmann (Fundamentos 0.10) de moléculas sobre os estados acessíveis de um sistema constituído pelos reagentes e produtos. Quando os átomos podem trocar de parceiros, como em uma reação química, os estados disponíveis do sistema incluem arranjos em que os átomos estão presentes tanto na forma de reagentes quanto na forma de produtos: esses arranjos têm seus conjuntos característicos de níveis de energia, mas a distribuição de Boltzmann não faz distinção entre suas identidades, somente suas energias. Os átomos se distribuem sobre ambos os conjuntos de níveis de energia conforme a distribuição de Boltzmann (Fig. 7.8). A quantidade de reagentes é a soma de todas as suas populações e a quantidade de produtos,

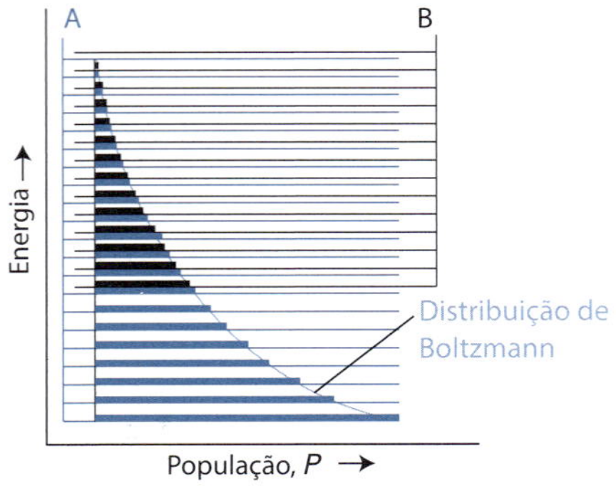

Figura 7.8 A distribuição de Boltzmann de populações sobre os níveis de energia de duas espécies A e B com densidades de níveis de energia semelhantes. A reação A → B é endotérmica neste exemplo. O grosso da população está associado à espécie A; assim, essa espécie é a dominante no equilíbrio.

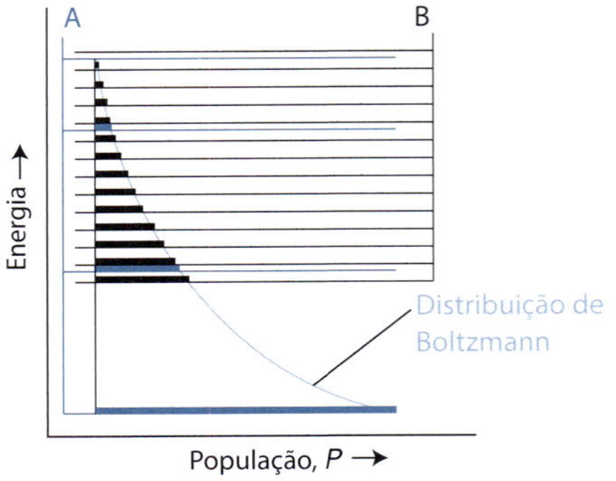

Figura 7.9 Mesmo que a reação A → B seja endotérmica, a densidade dos níveis de energia em B é muitíssimo maior do que em A; a população associada com B é maior do que a associada com A; logo, B é dominante no equilíbrio.

a soma de todas as suas populações. A dada temperatura, existe uma distribuição específica de populações e, consequentemente, uma composição específica da mistura de reação.

Pode-se verificar da Figura 7.8 que, se os reagentes e os produtos tiverem séries semelhantes de níveis de energia molecular, então a espécie dominante em uma mistura de reação em equilíbrio será a espécie com o conjunto mais baixo de níveis de energia. Contudo, o fato de a constante de equilíbrio estar relacionada com a energia de Gibbs é sinal de que tanto a entropia quanto a energia são importantes. A sua importância pode ser avaliada observando-se a Figura 7.9. Vemos que, embora os níveis de energia B sejam mais elevados que os de energia A, neste exemplo estão muito mais próximos entre si. Dessa forma, sua população total pode ser considerável e B pode, inclusive, dominar a mistura de reação em equilíbrio. Níveis de energia muito próximos se correlacionam com uma entropia elevada; assim, nesse caso, vemos que os efeitos entrópicos predominam sobre os efeitos energéticos adversos. Isto é, uma entalpia de reação positiva leva a uma diminuição da constante de equilíbrio (ou seja, pode-se esperar que uma reação endotérmica tenha uma composição de equilíbrio que favorece os reagentes). No entanto, se a entropia de reação for positiva, a composição de equilíbrio pode favorecer os produtos, apesar do caráter endotérmico da reação.

Resposta do equilíbrio às condições do sistema

Na química introdutória, encontramos a regra empírica prática conhecida como o **princípio de Le Chatelier:**

> Quando um sistema no equilíbrio é sujeito a uma perturbação, a composição do sistema se ajusta de modo a minimizar o efeito da perturbação.

Por exemplo, se um sistema é comprimido, então pode-se esperar que a posição do equilíbrio se desloque na direção que conduz a uma redução no número de moléculas na fase gasosa, pois isso tende a minimizar o efeito da compressão. O princípio de Le Chatelier, no entanto, é somente uma regra prática, e para entender por que as reações respondem como o fazem, e para calcular a nova composição no equilíbrio, necessitamos usar a termodinâmica. Precisamos lembrar que algumas mudanças nas condições afetam o valor de $\Delta_r G^\ominus$ e, portanto, de K (a temperatura é o único exemplo), enquanto outras mudanças alteram as consequências de K ter um valor fixo definido sem alterar o seu valor (a pressão, por exemplo).

7.8 O efeito da temperatura

De acordo com o princípio de Le Chatelier, podemos esperar que uma reação responda a um abaixamento de temperatura liberando calor e que responda a um aumento de temperatura absorvendo calor. Ou seja:

> Quando a temperatura aumenta, a composição no equilíbrio de uma reação exotérmica tende a se deslocar no sentido dos reagentes; a composição no equilíbrio de uma reação endotérmica tende a se deslocar no sentido dos produtos.

Em cada caso, a resposta tende a minimizar o efeito da elevação da temperatura. Mas *por que* reações no equilíbrio respondem desse modo? O princípio de Le Chatelier é só uma regra prática e não dá nenhuma pista da razão para esse comportamento. Como veremos agora, a origem do efeito é a dependência de $\Delta_r G^\ominus$, e então de K, com a temperatura.

Inicialmente, consideramos o efeito da temperatura sobre $\Delta_r G^\ominus$. Usamos a relação $\Delta_r G^\ominus = \Delta_r H^\ominus - T\Delta_r S^\ominus$ e fazemos a suposição de que nem a entalpia de reação nem a entropia de reação variam muito com a temperatura (pelo menos, em pequenos intervalos). Segue-se que

$$\text{Variação em } \Delta_r G^\ominus = -(\text{variação em } T) \times \Delta_r S^\ominus \qquad (7.14)$$

Essa expressão é fácil de se usar quando há um consumo ou a formação de gás porque, como vimos (Seção 4.5), a formação de gás domina o sinal da entropia de reação.

■ Breve ilustração 7.6 O efeito da temperatura

Considere as três reações

(i) $\tfrac{1}{2}\,C(s) + \tfrac{1}{2}\,O_2(g) \rightarrow \tfrac{1}{2}\,CO_2(g)$

(ii) $C(s) + \tfrac{1}{2}\,O_2(g) \rightarrow CO(g)$

(iii) $CO(g) + \tfrac{1}{2}\,O_2(g) \rightarrow CO_2(g)$

todas importantes na discussão da extração de metais a partir dos seus minérios. Na reação (i), a quantidade de gás é constante; assim a entropia de reação é pequena e $\Delta_r G^\ominus$ para essa reação varia muito pouco com a temperatura. Como na reação (ii) há um aumento líquido na quantidade de moléculas de gás, de $\tfrac{1}{2}$ mol para 1 mol, a entropia de reação é grande e positiva; então, $\Delta_r G^\ominus$ para essa reação diminui nitidamente com o aumento da temperatura. Na reação (iii), há uma diminuição líquida semelhante na quantidade de moléculas de gás, de $\tfrac{3}{2}$ mol para 1 mol; assim, $\Delta_r G^\ominus$ para esta reação aumenta nitidamente com a diminuição da temperatura. Essas observações estão resumidas na Figura 7.10.

Agora considere o efeito da temperatura sobre o próprio K. O valor de K varia, porque $-\Delta_r G^\ominus/RT$ varia à medida que T varia. A princípio, esse problema parece complicado, pois T e $\Delta_r G^\ominus$ aparecem na expressão de K. No entanto, como mostramos na Dedução vista a seguir, o efeito da temperatura

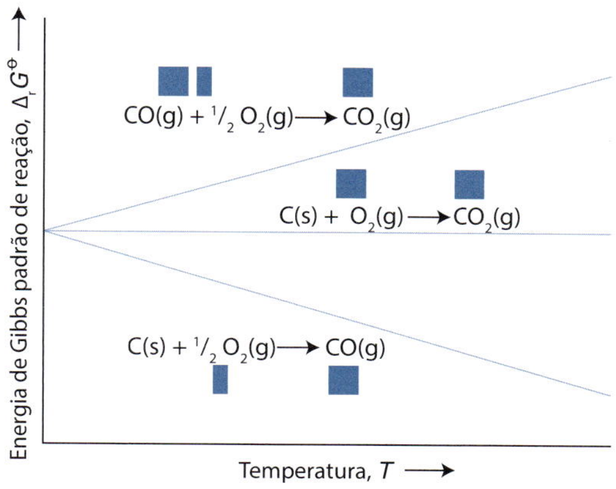

Figura 7.10 A variação da energia de Gibbs de reação com a temperatura depende da entropia de reação e, portanto, da produção líquida ou do consumo líquido de gás em uma reação (como indicado pelas caixas, que mostram as quantidades relativas em cada lado das equações). A energia de Gibbs de uma reação que produz gás diminui com o aumento da temperatura. A energia de Gibbs de uma reação que resulta num consumo líquido de gás aumenta com a temperatura.

pode ser expresso de forma muito simples como a **equação de van't Hoff:**[1]

$$\ln K' = \ln K + \frac{\Delta_r H^\ominus}{R}\left(\frac{1}{T} - \frac{1}{T'}\right) \qquad \text{Equação de van't Hoff} \qquad (7.15)$$

em que K é a constante de equilíbrio na temperatura T e K' é seu valor quando a temperatura é T'. Portanto, tudo que precisamos saber para calcularmos a dependência da constante de equilíbrio em relação à temperatura é a entalpia padrão de reação.

Dedução 7.2

A equação de van't Hoff

Como fizemos anteriormente, usamos a aproximação de que a entalpia padrão de reação e a entropia padrão de reação são independentes da temperatura no intervalo de interesse. Desse modo, a dependência de $\Delta_r G^\ominus$ em relação à temperatura origina-se do T na expressão $\Delta_r G^\ominus = \Delta_r H^\ominus - T\Delta_r S^\ominus$. A uma temperatura T,

$$\ln K = -\frac{\Delta_r G^\ominus}{RT} \overset{\Delta_r G^\ominus = \Delta_r H^\ominus - T\Delta_r S^\ominus}{=} -\frac{\Delta_r H^\ominus}{RT} + \frac{\Delta_r S^\ominus}{R}$$

A outra temperatura T', quando $\Delta_r G^{\ominus\prime} = \Delta_r H^\ominus - T'\Delta_r S^\ominus$ e a constante de equilíbrio é K', obtém-se uma expressão semelhante:

$$\ln K' = -\frac{\Delta_r G^\ominus}{RT'} \overset{\Delta_r G^\ominus = \Delta_r H^\ominus - T'\Delta_r S^\ominus}{=} -\frac{\Delta_r H^\ominus}{RT'} + \frac{\Delta_r S^\ominus}{R}$$

A diferença entre as duas (observando que os dois termos em azul claro se cancelam) é

$$\ln K' - \ln K = \frac{\Delta_r H^\ominus}{R}\left(\frac{1}{T} - \frac{1}{T'}\right)$$

que é a equação de van't Hoff, Eq. 7.15.

Vamos explorar a informação na equação de van't Hoff. Considere o caso quando $T' > T$. Então o termo entre parên-

[1] Para distinguir a equação de van't Hoff da equação de van't Hoff para pressão osmótica, Seção 6.8, essa última é, às vezes, chamada de *isócora de van't Hoff*.

teses na Eq. 7.15 é positivo. Se $\Delta_r H^{\ominus} > 0$, correspondendo a uma reação endotérmica, o termo inteiro da direita é positivo. Neste caso, portanto, $\ln K' > \ln K$. Sendo assim, concluímos que $K' > K$ para uma reação endotérmica. Em geral,

> A constante de equilíbrio de uma reação endotérmica aumenta com a temperatura.

O oposto é verdade quando $\Delta_r H^{\ominus} < 0$, assim podemos concluir que:

> A constante de equilíbrio de uma reação exotérmica diminui com o aumento da temperatura.

A distribuição de Boltzmann nos dá uma compreensão quanto a essas conclusões. O arranjo típico de níveis de energia para uma reação endotérmica é mostrado na Figura 7.11a. Quando a temperatura aumenta, a distribuição de Boltzmann ajusta-se e as populações variam conforme mostrado. A variação corresponde a um aumento de população dos estados de energia mais alta à custa da população dos estados de energia mais baixa. Vemos que os estados que se originam das moléculas de B ficam mais ocupados à custa das moléculas de A. Portanto, a população total dos estados de B aumenta e B torna-se mais abundante na mistura em equilíbrio. Por outro lado, se a reação é exotérmica (Fig. 7.11b), então, um aumento da temperatura aumenta a ocupação dos estados de A (que começam em energia mais alta) à custa dos estados de B; assim, os reagentes tornam-se mais abundantes.

O efeito da temperatura em K é de considerável importância comercial e industrial. Por exemplo, a síntese da amônia é exotérmica; assim, sua constante de equilíbrio diminui conforme a temperatura aumenta; na realidade, K cai abaixo de 1 quando a temperatura aumenta além de 200 °C. Infelizmente, a reação é lenta a baixas temperaturas e só é comercialmente interessante se a temperatura excede a, aproximadamente, 750 °C, mesmo na presença de um catalisador; mas então K é muito pequeno. Ainda neste capítulo, iremos ver como Fritz Haber, o inventor do processo de Haber para a síntese comercial da amônia, pôde superar essa dificuldade. Outro exemplo é a oxidação do nitrogênio:

$$N_2(g) + O_2(g) \rightarrow 2\,NO(g)$$

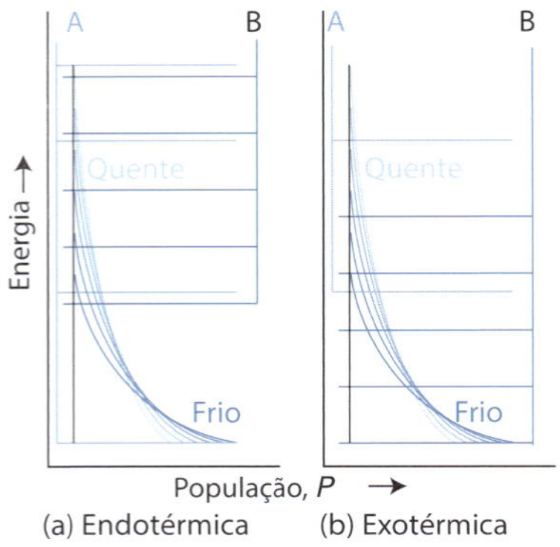

Figura 7.11 O efeito da temperatura sobre um equilíbrio químico pode ser interpretado em termos da variação da distribuição de Boltzmann com a temperatura e o efeito da variação dessa população das espécies. (a) Em uma reação endotérmica, a população de B aumenta à custa de A quando a temperatura aumenta. (b) Em uma reação exotérmica, ocorre o oposto.

Essa reação é endotérmica ($\Delta_r H^{\ominus} = +180$ kJ mol^{-1}) em grande parte como consequência da entalpia de ligação do N_2 ser muito alta, de modo que sua constante de equilíbrio aumenta com a temperatura. É por isso que o monóxido de nitrogênio (óxido nítrico) é formado em quantidades significativas na exaustão quente dos motores dos jatos e na exaustão quente dos motores de máquinas de combustão interna, o que vai contribuir para os problemas causados pela chuva ácida.

Uma observação final sobre esse assunto é que, para usar a equação de van't Hoff na dependência de K_c com a temperatura, convertemos inicialmente K a K_c usando a Eq. 7.13 na temperatura em que a conversão se aplica, a Eq. 7.15 para converter K à nova temperatura, e então novamente a Eq. 7.13 para converter K a K_c, mas agora com a nova temperatura. Como você deve estar percebendo, é melhor continuar usando K.

7.9 O efeito da compressão

Vimos que o princípio de Le Chatelier sugere que o efeito da compressão (diminuição do volume) em uma reação em fase gasosa no equilíbrio se dá do seguinte modo:

> Quando um sistema no equilíbrio estiver comprimido, a composição do equilíbrio da fase gasosa se ajusta para reduzir o número de moléculas na fase gasosa.

Por exemplo, na síntese da amônia, reação B, quatro moléculas de reagente dão duas moléculas de produto, de modo que a compressão favorece a formação da amônia. Realmente, essa é a chave para solucionar o dilema de Haber, pois, trabalhando com gases altamente comprimidos, Haber pôde aumentar o rendimento da formação da amônia. A pressão exerce um papel importante na captação e liberação do oxigênio a partir do transporte de oxigênio e armazenamento de proteínas.

Breve ilustração 7.7 O efeito da compressão

Para a reação $2\,NO_2(g) \rightleftharpoons N_2O_4(g)$, a formação de produtos é acompanhada de uma diminuição do número de moléculas em fase gasosa: $\Delta\nu_{gás} = 1 - 2 = -1$. O princípio de Le Chatelier sugere que, se o vaso de reação for comprimido, a composição de equilíbrio da mistura se ajustará de modo a reduzir o número de moléculas em fase gasosa. Portanto, para essa reação, a compressão favorece a formação de produtos.

Exercício proposto 7.7

A formação de produtos na reação $4\,NH_3(g) + 5\,O_2(g) \rightleftharpoons 4\,NO(g) + 6\,H_2O(g)$ é favorecida pela compressão ou pela expansão do vaso de reação?

Resposta: expansão

Vamos explorar a base termodinâmica desta dependência. Primeiro, notamos que $\Delta_r G^{\ominus}$ é definido como a diferença entre as energias de Gibbs das substâncias nos seus estados padrão, ou seja, 1 bar. Segue que $\Delta_r G^{\ominus}$ tem o mesmo valor qualquer que seja a pressão real usada na reação. Então, como $\ln K$ é proporcional a $\Delta_r G^{\ominus}$:

> K é independente da pressão na qual a reação é realizada.

Assim, se a mistura de reação em que a amônia está sendo sintetizada é comprimida isotermicamente, a constante de equilíbrio permanece inalterada.

Essa conclusão muito surpreendente não deve ser mal interpretada. O valor de K é independente da pressão que atua sobre o sistema, mas, como as pressões parciais aparecem na expressão de K de forma muito complicada, isso não significa que as pressões parciais ou as concentrações *individuais* venham a ficar inalteradas. Por exemplo, suponha que o volume do recipiente em que a reação $H_2(g) + I_2(s) \longrightarrow 2\,HI(g)$ alcançou o equilíbrio seja reduzido por um fator de 2 e que o sistema alcance o equilíbrio novamente. Se as pressões parciais simplesmente dobrassem (ou seja, não houvesse nenhum ajuste da composição por meio de reação adicional), a constante de equilíbrio variaria de

$$K = \frac{p_{HI}^2}{p_{H_2}} \quad \text{para} \quad K' \overbrace{=}^{p_J \to 2p_J} \frac{(2p_{HI})^2}{2p_{H_2}} = 2K$$

Porém, vimos que a compressão deixa K inalterado. Portanto, as duas pressões parciais têm que se ajustar por diferentes quantidades. Nesse exemplo, K' permanecerá igual a K se a pressão parcial do HI variar de um fator menor que 2 e a pressão parcial do H_2 aumentar de um fator maior que 2. Em outras palavras, a composição no equilíbrio tem de se deslocar no sentido dos reagentes para preservar a constante de equilíbrio.

Podemos mostrar esse efeito quantitativamente expressando as pressões parciais em termos das frações molares e da pressão total. Para a reação anterior, encontramos que

$$K = \frac{p_{HI}^2}{p_{H_2}} \overbrace{=}^{p_J = x_J p} \frac{x_{HI}^2 p^2}{x_{H_2} p} = \frac{x_{HI}^2 p}{x_{H_2}}$$

Para K permanecer constante quando a pressão aumenta, a razão entre as frações molares tem de diminuir, implicando que a proporção de HI na mistura tem que aumentar. Como $x_{HI} + x_{H_2} = 1$, a dependência explícita das frações molares pode ser encontrada substituindo-se $x_{H_2} = 1 - x_{HI}$, o que dá

$$K = \frac{x_{HI}^2 p}{1 - x_{HI}}$$

e resolvendo a equação quadrática resultante

$$\overbrace{px_{HI}^2}^{ax^2} + \overbrace{Kx_{HI}}^{+bx} \overbrace{-K}^{+c} = 0$$

para x_{HI}, utilizando a fórmula contida em Ferramentas do químico 7.1:

$$x_{HI} = \frac{\overbrace{-K}^{-b} \pm \left(\overbrace{K^2}^{b^2} + \overbrace{4Kp}^{-4ac}\right)^{1/2}}{\underbrace{2p}_{2a}} = \frac{K}{2p}\left\{-1 \pm \left(1 + \frac{4p}{K}\right)^{1/2}\right\}$$

Como a fração molar tem de ser positiva, escolhemos a seguinte solução:

$$x_{HI} = \left(\frac{K}{2p}\right)\left\{-1 + \left(1 + \frac{4p}{K}\right)^{1/2}\right\} \tag{7.16}$$

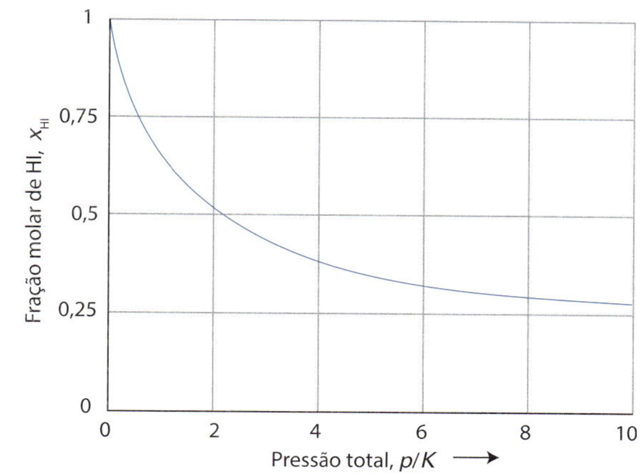

Figura 7.12 Fração molar das moléculas de HI em uma mistura de reação de H_2 e HI em fase gasosa como uma função da pressão (expressa como $4p/K$); o I_2 está sempre presente como um sólido.

A dependência das frações molares de acordo com essa expressão é mostrada na Figura 7.12. Quando a pressão é muito baixa no sentido de que $4p/K \ll 1$, podemos substituir a raiz quadrada usando as informações de Ferramentas do químico 6.1 e escrever

$$\left(1 + \frac{4p}{K}\right)^{1/2} \overbrace{=}^{(1+x)^{1/2} = 1 + \frac{1}{2}x - \frac{1}{8}x^2 + \cdots} 1 + \frac{2p}{K} - \frac{2p^2}{K^2} + \cdots$$

Então,

$$x_{HI} = \frac{K}{2p}\left\{-1 + 1 + \frac{2p}{K} - \frac{2p^2}{K^2} + \cdots\right\} = 1 - \frac{p}{K} + \cdots$$

e, à medida que p se aproxima de zero, x_{HI} se aproxima de 1 e o equilíbrio fica inteiramente a favor de HI.

Uma nota sobre a boa prática Quando um fator aumenta e outro diminui, sempre calcule o limite de uma expressão deste modo: nunca confie em considerar um termo simplesmente igual a zero.

A compressão não tem nenhum efeito na composição quando o número de moléculas da fase gasosa é o mesmo nos reagentes e nos produtos. Um exemplo é a síntese do iodeto de hidrogênio, na qual todas as três substâncias estão presentes em fase gasosa e a equação química é $H_2(g) + I_2(g) \longrightarrow 2\,HI(g)$ no lugar de $H_2(g) + I_2(s) \longrightarrow 2\,HI(g)$.

Um exemplo mais sutil é o efeito da adição de um gás inerte a uma mistura de reação contida dentro de um vaso de volume constante. A pressão global aumenta quando o gás (por exemplo, argônio) é adicionado, mas a adição de um gás inerte não afeta as pressões *parciais* dos outros gases presentes: a pressão parcial de um gás perfeito (Seção 1.3), a pressão que um gás exerceria se ocupasse sozinho o vaso, é independente da presença ou da ausência de quaisquer outros gases. Portanto, nestas circunstâncias, não somente a constante de equilíbrio permanece inalterada, mas as pressões parciais dos reagentes e produtos permanecem as mesmas qualquer que seja a estequiometria da reação.

7.10 A presença de um catalisador

Um catalisador é uma substância que acelera uma reação sem aparecer na equação química global. As enzimas são as versões biológicas dos catalisadores. Vamos estudar a ação dos catalisadores na Seção 11.12, e neste momento não precisamos saber em detalhes como atuam, só necessitamos saber que fazem com que os reagentes se transformem mais rapidamente em produtos.

Embora o novo caminho de reação seja mais rápido, os reagentes iniciais e os produtos finais são os mesmos. A grandeza $\Delta_r G^{\ominus}$ é definida como a diferença entre as energias de Gibbs molar padrão dos produtos e dos reagentes, de modo que é independente do caminho entre os mesmos. Logo, um caminho alternativo entre os reagentes e os produtos deixa $\Delta_r G^{\ominus}$ e, portanto, K inalterados. Isto é:

A presença de um catalisador não altera a constante de equilíbrio de uma reação e não tem nenhum efeito na composição de equilíbrio da mistura reacional.

Impacto na bioquímica 7.2

Ligação do oxigênio à mioglobina e hemoglobina

A proteína mioglobina (Mb) armazena O_2 no músculo e a proteína hemoglobina (Hb) transporta O_2 no sangue; a hemoglobina é constituída de quatro moléculas semelhantes à mioglobina. Em cada proteína, a molécula de O_2 se liga a um íon de ferro em um grupo heme, e cada componente semelhante à mioglobina da hemoglobina responde à mudança na forma dos outros quando o O_2 aí se liga.

Inicialmente, consideramos o equilíbrio entre a Mb e o O_2:

$$\mathrm{Mb(aq)} + \mathrm{O_2(g)} \rightleftharpoons \mathrm{MbO_2(aq)} \qquad K = \frac{[\mathrm{MbO_2}]}{p[\mathrm{Mb}]}$$

em que p é o valor numérico da pressão parcial do O_2 gasoso (em bar). Segue que a **saturação fracionária**, s, a fração de moléculas de Mb que são oxigenadas, é

$$s = \frac{\overbrace{[\mathrm{MbO_2}]}^{\text{Concentração de Mb oxigenada}}}{\underbrace{[\mathrm{Mb}]+[\mathrm{MbO_2}]}_{\text{Concentração total de MB}}} = \frac{\overbrace{[\mathrm{MbO_2}]/[\mathrm{Mb}]}^{Kp}}{1+\underbrace{[\mathrm{MbO_2}]/[\mathrm{Mb}]}_{Kp}} = \frac{Kp}{1+Kp}$$

A dependência de s com p é vista na Figura 7.13.

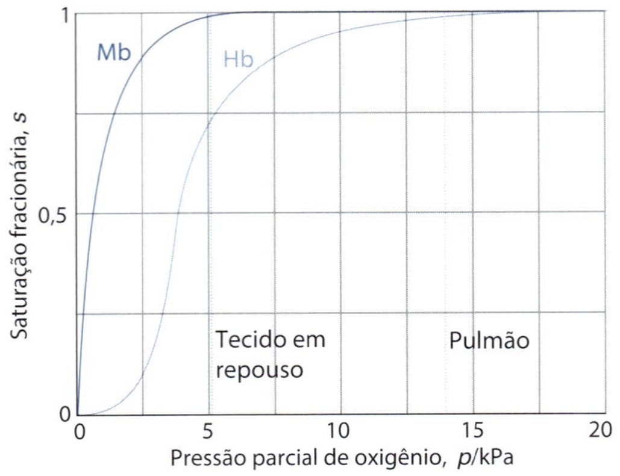

Figura 7.13 Variação da saturação fracionária das moléculas de mioglobina e de hemoglobina com a pressão parcial de oxigênio. As formas diferentes das curvas explicam as diferentes funções biológicas das duas proteínas.

Consideremos agora o equilíbrio entre a Hb e o O_2:

$$\mathrm{Hb(aq)} + \mathrm{O_2(g)} \rightleftharpoons \mathrm{HbO_2(aq)} \qquad K_1 = \frac{[\mathrm{HbO_2}]}{p[\mathrm{Hb}]}$$

$$\mathrm{HbO_2(aq)} + \mathrm{O_2(g)} \rightleftharpoons \mathrm{Hb(O_2)_2(aq)} \qquad K_2 = \frac{[\mathrm{Hb(O_2)_2}]}{p[\mathrm{HbO_2}]}$$

$$\mathrm{Hb(O_2)_2(aq)} + \mathrm{O_2(g)} \rightleftharpoons \mathrm{Hb(O_2)_3(aq)} \qquad K_3 = \frac{[\mathrm{Hb(O_2)_3}]}{p[\mathrm{Hb(O_2)_2}]}$$

$$\mathrm{Hb(O_2)_3(aq)} + \mathrm{O_2(g)} \rightleftharpoons \mathrm{Hb(O_2)_4(aq)} \qquad K_4 = \frac{[\mathrm{Hb(O_2)_4}]}{p[\mathrm{Hb(O_2)_3}]}$$

Para desenvolver uma expressão para s, expressamos $[\mathrm{Hb(O_2)_2}]$ em termos de $[\mathrm{HbO_2}]$ usando K_2, e, então, expressamos $[\mathrm{HbO_2}]$ em termos de [Hb] usando K_1. Faz-se o mesmo procedimento para todas as outras concentrações de $\mathrm{Hb(O_2)_3}$ e $\mathrm{Hb(O_2)_4}$. Segue-se que

$$[\mathrm{HbO_2}] = K_1 p[\mathrm{Hb}] \qquad [\mathrm{Hb(O_2)_2}] = K_1K_2p^2[\mathrm{Hb}]$$
$$[\mathrm{Hb(O_2)_3}] = K_1K_2K_3p^3[\mathrm{Hb}] \qquad [\mathrm{Hb(O_2)_4}] = K_1K_2K_3K_4p^4[\mathrm{Hb}]$$

Como $\mathrm{HbO_2}$ contribui com uma molécula de O_2, $\mathrm{Hb(O_2)_2}$ contribui com duas e assim por diante. A concentração total de O_2 ligado é

$$[\mathrm{O_2}]_{\text{ligado}} = [\mathrm{HbO_2}] + 2[\mathrm{Hb(O_2)_2}] + 3[\mathrm{Hb(O_2)_3}] + 4[\mathrm{Hb(O_2)_4}]$$
$$= (1 + 2K_2p + 3K_2K_3p^2 + 4K_2K_3K_4p^3)K_1p[\mathrm{Hb}]$$

e a concentração total de hemoglobina é

$$[\mathrm{Hb}]_{\text{total}} = (1 + K_1p + K_1K_2p^2 + K_1K_2K_3p^3 + K_1K_2K_3K_4p^4)[\mathrm{Hb}]$$

Como cada molécula de Hb tem quatro sítios nos quais o O_2 pode se ligar, a saturação fracionária é

$$s = \frac{[\mathrm{O_2}]_{\text{ligado}}}{4[\mathrm{Hb}]_{\text{total}}}$$
$$= \frac{(1+2K_2p+3K_2K_3p^2+4K_2K_3K_4p^3)K_1p}{4(1+K_1p+K_1K_2p^2+K_1K_2K_3p^3+K_1K_2K_3K_4p^4)}$$

Um ajuste razoável aos dados experimentais pode ser obtido com $K_1 = 0{,}01$, $K_2 = 0{,}02$, $K_3 = 0{,}04$ e $K_4 = 0{,}08$, quando p é expressa em quilopascal (kPa).

A ligação do O_2 à hemoglobina é um exemplo de **ligação cooperativa**, na qual a ligação de um ligante (neste caso O_2) a um biopolímero (neste caso Hb) se torna mais favorável termodinamicamente (ou seja, a constante de equilíbrio aumenta) quando o número de ligantes ligados aumenta até o número máximo de sítios de ligação. Vemos o efeito da cooperatividade na Figura 7.13. Diferente da curva de saturação da mioglobina, a curva de saturação da hemoglobina é uma *sigmoide* (na forma de um S): a saturação fracionária é pequena a baixas concentrações de ligante, aumenta acentuadamente a concentrações de ligante intermediárias e então tende a se tornar constante para concentrações de ligante altas. A ligação cooperativa do O_2 pela hemoglobina é explicada por um **efeito alostérico**, em que um ajuste da conformação de uma molécula, devido à sua ligação a um substrato, afeta a facilidade com que uma molécula subsequente de substrato se liga.

As formas diferentes das duas curvas de saturação para a mioglobina e hemoglobina têm consequências importantes para o modo com que o O_2 fica disponível no corpo: em particular, a forma mais pronunciada da curva de saturação da Hb indica que a Hb pode transportar O_2 mais eficientemente nos pulmões e pode descarregá-lo mais eficientemente em regiões diferentes do organismo. Nos pulmões, em que $p \approx 14$ kPa, $s \approx 0{,}98$, representando uma saturação quase completa. No tecido muscular em repouso, p é equivalente a aproximadamente 5 kPa, correspondendo a $s \approx 0{,}75$. Esse número indica que existe ainda O_2 suficiente disponível para que possa ocorrer uma onca súbita de atividade. Se a pressão parcial local cair a 3 kPa, s cai a aproximadamente 0,1. Observe que a parte mais inclinada da curva se situa no intervalo de pressão parcial de oxigênio típico dos tecidos. Por outro lado, a mioglobina só começa a liberar O_2 quando p cai abaixo de aproximadamente 3 kPa; desse modo, a mioglobina atua como uma reserva que só será utilizada quando o oxigênio da Hb já foi usado.

Verificação de conceitos importantes

- ☐ **1** A energia de Gibbs de reação, $\Delta_r G$, é o coeficiente angular de um gráfico da energia de Gibbs contra a composição.
- ☐ **2** A condição de equilíbrio químico sob temperatura e pressão constantes é $\Delta_r G = 0$.
- ☐ **3** A constante de equilíbrio é o valor do quociente de reação no equilíbrio.
- ☐ **4** Reações para as quais $\Delta_r G^{\ominus} < 0$ são exergônicas; reações para as quais $\Delta_r G^{\ominus} > 0$ são endergônicas.
- ☐ **5** Um composto é termodinamicamente estável em relação aos seus elementos se $\Delta_r G^{\ominus} < 0$.
- ☐ **6** A constante de equilíbrio de uma reação é independente da presença de um catalisador e independente da pressão.
- ☐ **7** A variação da constante de equilíbrio com a temperatura é expressa pela equação de van't Hoff.
- ☐ **8** A constante de equilíbrio K aumenta com a temperatura se $\Delta_r H^{\ominus} > 0$ (uma reação endotérmica), e diminui se $\Delta_r H^{\ominus} < 0$ (uma reação exotérmica).
- ☐ **9** Quando um sistema em equilíbrio é comprimido, a composição de um equilíbrio em fase gasosa se ajusta de tal modo a reduzir o número de moléculas na fase gasosa.

Mapa conceitual das equações importantes

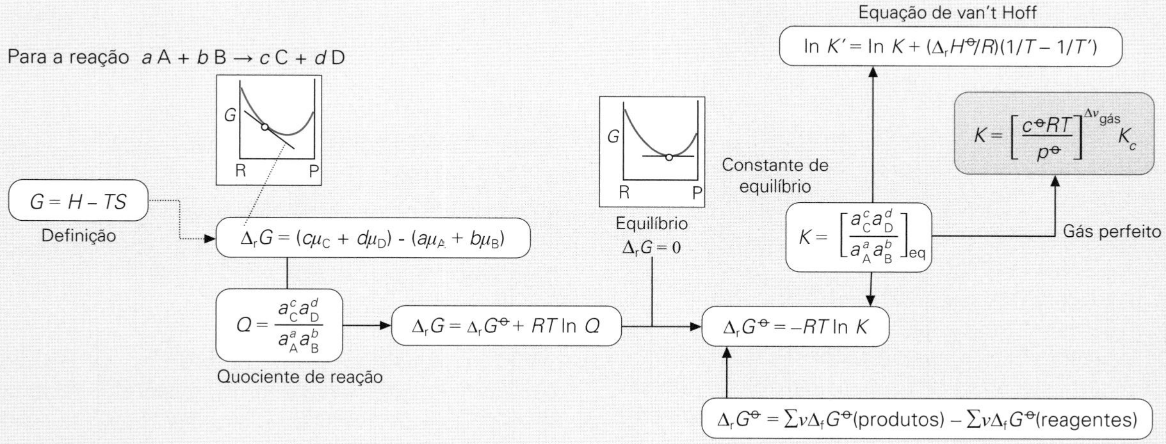

Um boxe sombreado em azul indica uma relação válida exclusivamente para gases perfeitos.

Questões e exercícios

Questões teóricas

7.1 Explique como a mistura de reagentes e produtos afeta a posição do equilíbrio químico.

7.2 Explique como uma reação que não é espontânea pode ser induzida pelo acoplamento com uma reação espontânea.

7.3 Enuncie e explique o princípio de Le Chatelier em termos de grandezas termodinâmicas. Pode haver exceções ao princípio de Le Chatelier?

7.4 Sugira como a constante de equilíbrio termodinâmico e a constante de equilíbrio expressa em termos de pressões parciais podem responder diferentemente a variações na pressão e na temperatura.

7.5 Identifique e justifique as aproximações feitas na obtenção da equação de van't Hoff, Eq. 7.15.

Exercícios

7.1 Escreva os quocientes de reação para as reações vistas a seguir, fazendo a aproximação de substituir as atividades pelas concentrações molares ou pelas pressões parciais:

(a) $2\ CH_3COCOOH(aq) + 5\ O_2(g) \rightleftharpoons 6\ CO_2(g) + 4\ H_2O(l)$

(b) $Fe(s) + PbSO_4(aq) \rightleftharpoons FeSO_4(aq) + Pb(s)$

(c) $Hg_2Cl_2(s) + H_2(g) \rightleftharpoons 2\ HCl(aq) + 2\ Hg(l)$

(d) $2\ CuCl(aq) \rightleftharpoons Cu(s) + CuCl_2(aq)$

7.2 O borneol é um composto aromático obtido da árvore de madeira de cânfora de Bornéu e Sumatra. A energia de Gibbs padrão de reação para a isomerização do borneol (**5**) a isoborneol (**6**), na fase gasosa a 503 K, é +9,4 kJ mol^{-1}. Calcule a energia de Gibbs de reação em uma mistura que consiste em 0,15 mol de borneol e 0,30 mol de isoborneol, quando a pressão total for 600 Torr.

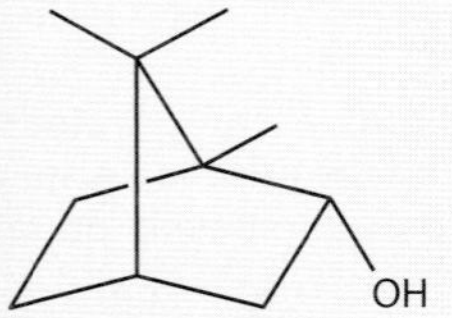

5 d-Borneol

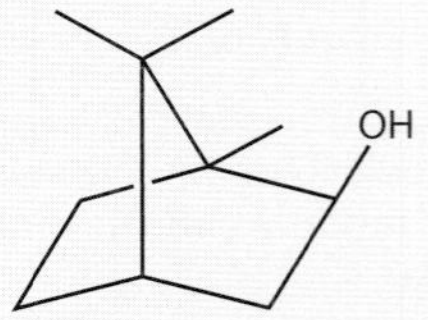

6 d-Isoborneol

7.3 A energia de Gibbs padrão para a hidrólise do ATP formando ADP, descrita no Impacto na bioquímica 7.1, é –30,5 kJ mol^{-1}. Qual é a energia de Gibbs de reação em um ambiente a 37 °C, em que as concentrações do ATP, do ADP e do P_i são todas iguais a (a) 1,0 mmol dm^{-3},(b) 1,0 μmol dm^{-3}?

7.4 A distribuição de íons Na^+ que cruzam uma membrana biológica típica é 10 mmol dm^{-3}, dentro da célula, e 140 mmol dm^{-3}, fora da célula. No equilíbrio as concentrações são iguais. Qual é a diferença da energia de Gibbs entre os dois lados da membrana, a 37 °C?

7.5 Escreva as expressões para as constantes de equilíbrio das seguintes reações:

(a) $CO(g) + Cl_2(g) \rightleftharpoons COCl(g) + Cl(g)$

(b) $2\ SO_2(g) + O_2(g) \rightleftharpoons 2\ SO_3(g)$

(c) $H_2(g) + Br_2(g) \rightleftharpoons 2\ HBr(g)$

(d) $2\ O_3(g) \rightleftharpoons 3\ O_2(g)$

7.6 Uma das reações mais extensivamente estudadas na química industrial é a síntese da amônia, pois sua produção afeta a eficiência de toda a economia. A energia de Gibbs padrão de formação do $NH_3(g)$ é –16,5 kJ mol^{-1}, a 298 K. Qual é a energia de Gibbs da reação quando as pressões parciais do N_2, do H_2 e do NH_3 (considerados como gases perfeitos) são 3,0 bar, 1,0 bar e 4,0 bar, respectivamente? Qual é o sentido espontâneo da reação nesse caso?

7.7 Se a constante de equilíbrio para a reação $A + B \rightleftharpoons C$ é 0,432, qual seria a constante de equilíbrio para a reação escrita como $C \rightleftharpoons A + B$?

7.8 A constante de equilíbrio para a reação $A + B \rightleftharpoons 2\ C$ é $7{,}2 \times 10^5$. Qual a constante de equilíbrio para a reação escrita como (a) $2\ A + 2\ B \rightleftharpoons 4$, (b) $^1/_2\ A + {}^1/_2\ B \rightleftharpoons C$?

7.9 A constante de equilíbrio para a isomerização do *cis*-2-buteno para *trans*-2-buteno é K = 2,07, a 400 K. Calcule a energia de Gibbs padrão de reação para a isomerização.

7.10 A energia de Gibbs padrão de reação para a isomerização do *cis*-2-penteno a *trans*-2-penteno, a 400 K, é –3,67 kJ mol^{-1}. Calcule a constante de equilíbrio da isomerização.

7.11 Uma reação tem uma energia de Gibbs padrão de –320 kJ mol^{-1} e uma segunda reação tem uma energia de Gibbs padrão de –55 kJ mol^{-1}. Qual é a razão entre as suas constantes de equilíbrio a 300 K?

7.12 Uma reação catalisada por uma enzima, em um ciclo bioquímico, tem uma constante de equilíbrio que é 8,4 vezes a constante de equilíbrio de uma segunda reação. Se a energia de Gibbs padrão da primeira reação é –250 kJ mol^{-1}, qual é a energia de Gibbs padrão de reação da segunda reação?

7.13 Qual é o valor da constante de equilíbrio de uma reação em que $\Delta_r G^\ominus = 0$?

7.14 As energias de Gibbs padrão de reação (a pH = 7) para as hidrólises da glicose-1-fosfato, glicose-6-fosfato e glicose-3-fosfato são –21, –14 e –9,2 kJ mol^{-1}. Calcule as constantes de equilíbrio para as hidrólises a 37 °C.

7.15 Use as informações na *Seção de dados* para classificar os compostos seguintes como endergônicos ou exergônicos: (a) glicose, (b) metilamina, (c) octano, d) etanol.

7.16 Use a informação da *Seção de dados* para calcular a temperatura em que (a) o $CaCO_3$ se decompõe espontaneamente e (b) o $CuSO_4 \cdot 5H_2O$ sofre desidratação.

7.17 A entalpia padrão da reação $Zn(s) + H_2O(g) \rightarrow ZnO(s) + H_2(g)$ é aproximadamente constante e igual a +224 kJ mol^{-1}, de 920 K até 1280 K. A energia de Gibbs padrão de reação é +33 kJ mol^{-1} a 1280 K. Admitindo que as duas grandezas permanecem constantes, calcule a temperatura em que a constante de equilíbrio fica maior que 1.

7.18 Combine as entropias de reação, calculadas para as reações seguintes, com as entalpias de reação e calcule as energias de Gibbs padrão de reação, a 298 K:

(a) $HCl(g) + NH_3(g) \rightarrow NH_4Cl(s)$

(b) $2\ Al_2O_3(s) + 3\ Si(s) \rightarrow 3\ SiO_2(s) + 4\ Al(s)$

(c) $Fe(s) + H_2S(g) \rightarrow FeS(s) + H_2(g)$

(d) $FeS_2(s) + 2\ H_2(g) \rightarrow Fe(s) + 2\ H_2S(g)$

(e) $2\ H_2O_2(l) + H_2S(g) \rightarrow H_2SO_4(l) + 2\ H_2(g)$

7.19 Use as energias de Gibbs de formação da *Seção de dados* para decidir quais das reações seguintes têm $K > 1$, a 298 K.

(a) $2\ CH_3CHO(g) + O_2(g) \rightleftharpoons 2\ CH_3COOH(l)$

(b) $2\ AgCl(s) + Br_2(l) \rightleftharpoons 2\ AgBr(s) + Cl_2(g)$

(c) $Hg(l) + Cl_2(g) \rightleftharpoons HgCl_2(s)$

(d) $Zn(s) + Cu^{2+}(aq) \rightleftharpoons Zn^{2+}(aq) + Cu(s)$

(e) $C_{12}H_{22}O_{11}(s) + 12\ O_2(g) \rightleftharpoons 12\ CO_2(g) + 11\ H_2O(l)$

7.20 A entalpia padrão de combustão do fenol sólido, C_6H_5OH, é –3054 kJ mol^{-1}, a 298 K, e sua entropia molar padrão é 144,0 J K^{-1} mol^{-1}. Calcule a energia de Gibbs padrão de formação do fenol a 298 K.

7.21 A energia de Gibbs padrão de reação para a hidrólise do ATP a ADP é +10 kJ mol^{-1} a 298 K. Qual é o valor do estado padrão biológico?

7.22 A reação

$$\text{Piruvato}^-(aq) + NADH(aq) + H^+(aq) \rightarrow \text{lactato}^-(aq) + NAD^+(aq)$$

em que NAD^+ é a forma oxidada do dinucleotídeo nicotinamida, ocorre nas células dos músculos durante exercícios vigorosos e pode levar à cãibra. Calcule a energia de Gibbs padrão biológico para a reação a 310 K, dado que $\Delta_r G^\ominus = -66{,}6$ kJ mol^{-1}.

7.23 A energia de Gibbs padrão biológico de reação para a remoção do grupo de fosfato do monofosfato de adenosina é −14 kJ mol^{-1}, a 298 K. Seguindo o Impacto na bioquímica 7.1, qual o valor da energia de Gibbs padrão termodinâmico de reação?

7.24 A reação global de glicólise é $C_6H_{12}O_6(aq) + 2\,NAD^+(aq) + 2\,ADP(aq) + 2\,P_i^-(aq) + 2\,H_2O(l) \rightarrow 2\,CH_3COCO_2^-(aq) + 2\,NADH(aq) + 2\,ATP(aq) + 2\,H_3O^+(aq)$. Para essa reação, $\Delta_r G^\oplus = -80{,}6$ kJ mol^{-1} a 298 K. Qual é o valor de $\Delta_r G^\ominus$? Use a relação $\Delta_r G = \Delta_r G^\ominus + RT \ln Q$ com o valor apropriado de Q para a presença de H_3O^+ em pH = 7.

7.25 A segunda etapa da glicólise é a isomerização da glicose-6-fosfato (G6P) a frutose-6-fosfato (F6P). O Exemplo 7.2 considerou o equilíbrio entre F6P e G6P. Trace um gráfico para mostrar como a energia de Gibbs de reação varia com a fração f de F6P em solução. Dê nome às regiões do gráfico que correspondem à formação espontânea de F6P e G6P, respectivamente.

7.26 A constante de equilíbrio para a isomerização do borneol, $C_{10}H_{17}OH$, a isoborneol em fase gasosa (veja Exercício 7.2), a 503 K, é 0,106. Uma mistura consistindo em 6,70 g de borneol e 12,5 g de isoborneol em um recipiente de volume igual a 5,0 dm^3 é aquecida a 503 K e atinge o equilíbrio. Calcule as frações molares das duas substâncias no equilíbrio.

7.27 Calcule a composição de um sistema no qual nitrogênio e o hidrogênio são misturados com pressões parciais de 1,00 bar e 4,00 bar e atingem o equilíbrio com seu produto, a amônia, em condições nas quais $K = 89{,}8$.

7.28 Em uma mistura gasosa de $SbCl_5$, $SbCl_3$ e Cl_2 em equilíbrio a 500 K, $p_{SbCl_5} = 0{,}17$ bar e $p_{SbCl_3} = 0{,}22$ bar. Calcule a pressão parcial do Cl_2 no equilíbrio, dado que $K = 3{,}5 \times 10^{-4}$ para a reação $SbCl_5(g) \rightleftharpoons SbCl_3(g) + Cl_2(g)$.

7.29 A constante de equilíbrio para a reação $PCl_5(g) \rightleftharpoons PCl_3(g) + Cl_2(g)$ é $K = 0{,}36$ a 400 K. (a) Sabendo-se que 1,5 g de PCl_5 foi colocado inicialmente em um recipiente de volume igual a 250 cm^3, determine as concentrações molares na mistura em equilíbrio. (b) Qual é a porcentagem de PCl_5 decomposto a 400 K?

7.30 No processo Haber para a amônia, $K = 0{,}036$ para a reação $N_2(g) + 3\,H_2(g) \rightleftharpoons 2\,NH_3(g)$ a 500 K. Se um reator é carregado com pressões parciais de 0,020 bar de N_2 e 0,020 bar de H_2, qual será a pressão parcial dos componentes no equilíbrio?

7.31 A pressão de equilíbrio do H_2 sobre uma mistura de urânio e hidreto de urânio sólidos, a 500 K, é 1,04 Torr. Calcule a energia de Gibbs padrão de formação do $UH_3(s)$, a 500 K.

7.32 A constante de equilíbrio para a reação $I_2(g) \rightleftharpoons 2\,I(g)$ é 0,26 a 1000 K. Qual é o valor correspondente de K_c?

7.33 A energia de Gibbs padrão de reação para a reação $H_2(g) + {}^1/_2O_2(g) \rightarrow H_2O(l)$ é −237,13 kJ mol^{-1}, a 25 °C. Determine a constante de equilíbrio em termos da concentração, K_c, na temperatura mencionada.

7.34 Qual é a entalpia padrão de uma reação para a qual a constante de equilíbrio (a) duplica, (b) cai à metade, quando a temperatura aumenta de 10 K a 298 K?

7.35 A pressão de vapor de dissociação (a pressão dos produtos gasosos em equilíbrio com o reagente sólido) do NH_4Cl, a 427 °C, é 608 kPa, mas, a 459 °C, sobe a 1115 kPa. Calcule (a) a constante de equilíbrio, (b) a energia de Gibbs padrão de reação, (c) a entalpia padrão, (d) a entropia padrão de dissociação, todas a 427 °C. Admita que o vapor se comporta como um gás perfeito e que $\Delta H^\ominus$ e $\Delta S^\ominus$ são independentes da temperatura no intervalo considerado.

7.36 Use os dados vistos a seguir sobre a reação $H_2(g) + Cl_2(g) \rightleftharpoons 2\,HCl(g)$ para determinar a entalpia padrão de reação:

T/K	300	500	1000
K	$4{,}0 \times 10^{31}$	$4{,}0 \times 10^{18}$	$5{,}1 \times 10^{8}$

7.37 A constante de equilíbrio da reação $2\,C_3H_6(g) \rightleftharpoons C_2H_4(g) + C_4H_8(g)$ é obtida pelo ajuste da expressão

$$\ln K = -1{,}04 - \frac{1088\ \text{K}}{T} + \frac{1{,}51 \times 10^{-2}\ \text{K}^2}{T^2}$$

entre 300 K e 600 K. Calcule a entalpia padrão de reação e a entropia padrão de reação, a 400 K. *Sugestão.* Comece calculando ln K a 390 K e 410 K; então use a Eq. 7.15 para determinar a entalpia padrão de reação. Para determinar a entropia padrão de reação, calcule os valores para a energia de Gibbs padrão de reação em cada temperatura, empregando a Eq. 7.8 e, então, aplique a Eq. 7.11.

7.38 Expresse a constante de equilíbrio para $N_2O_4(g) \rightleftharpoons 2\,NO_2(g)$ em termos da fração α de N_2O_4 que se dissociou e da pressão total p da mistura de reação. Mostre que quando o grau de dissociação é pequeno ($\alpha \ll 1$), α é inversamente proporcional à raiz quadrada da pressão total ($\alpha \propto p^{-1/2}$).

Projetos

O símbolo ‡ indica que o cálculo é necessário.

7.39‡ Vamos explorar aqui a equação de van't Hoff em mais detalhes. (a) A ligação no iodo molecular é fraca e o vapor de iodo quente contém uma parcela de átomos de iodo. Quando 1,00 g de iodo (I_2) é aquecido a 1000 K em um recipiente fechado com um volume de 1,00 dm^3, a mistura no equilíbrio resultante contém 0,830 g de I_2. Calcule K para o equilíbrio de dissociação $I_2(g) \rightleftharpoons 2\,I(g)$. (b) A forma termodinamicamente exata da equação de van't Hoff (Eq.7.15) é $d(\ln K)/dT = \Delta_r H^\ominus/RT^2$. Use os dados da parte (a) para deduzir uma expressão para a dependência da entalpia padrão de reação com a temperatura para a reação considerada aqui e trace um gráfico para mostrar essa dependência. (c) A equação de van't Hoff (Eq. 7.15) se aplica a K, não a K_c. Encontre a correspondente expressão para K_c.

7.40 As curvas de saturação mostradas no Impacto na bioquímica 7.2 podem ser modeladas matematicamente pela equação

$$\log \frac{s}{1-s} = \nu \log p - \nu \log K$$

em que s é a saturação, p é a pressão parcial de O_2 (especificamente, $p/p^\ominus$), K é uma constante (não a constante de ligação para um ligante), e ν é o *coeficiente de Hill*, que varia de 1, quando não há nenhuma cooperação, até N quando todos ou nenhum dos N ligantes se ligam (N = 4 na Hb). O coeficiente de Hill para a mioglobina é 1 e para a hemoglobina é 2,8. (a) Determine a constante K para a Mb e a Hb a partir do gráfico de saturação fracionária (em s = 0,5) e depois calcule a saturação fracionária da Mb e da Hb para os seguintes valores de p/kPa: 1,0, 1,5, 2,5, 4,0, 8,0. (b) Use a informação da parte (a) para calcular o valor de s nos mesmos valores de p admitindo que ν tem o valor máximo

8

Equilíbrio químico: soluções

Neste capítulo vamos examinar algumas consequências do equilíbrio químico dinâmico. Vamos nos concentrar no equilíbrio que existe nas soluções dos ácidos, das bases e de seus sais em água, em que o processo de transferência de prótons é suficientemente rápido para garantirmos que o equilíbrio seja mantido em todos os instantes. A ligação entre o Capítulo 7 e a discussão realizada aqui é que, uma vez que a temperatura seja mantida constante, *a constante de equilíbrio permanece inalterada, ainda que as atividades individuais possam se alterar*. Assim sendo, se uma substância é adicionada a uma mistura em equilíbrio, as outras substâncias presentes têm as suas abundâncias ajustadas para que o valor de K seja mantido constante.

Equilíbrios de transferência de prótons

As reações entre ácidos e bases são de importância central na química e em suas aplicações, como na análise química e na síntese. Uma aplicação particularmente importante do equilíbrio de transferência de prótons é nas células vivas, pois apenas pequenas flutuações na concentração de equilíbrio de íons hidrogênio podem provocar doenças, danos nas células e morte. Em todo este capítulo, deve ser lembrado que um íon hidrogênio livre (H^+, um próton) não existe em água: está sempre está ligado a uma molécula de água e existe como H_3O^+, um íon hidrônio.

8.1 Teoria de Brønsted-Lowry

Segundo a **teoria de Brønsted-Lowry** de ácidos e bases, um **ácido** é um doador de prótons e uma **base** é um receptor de prótons.[1] O próton, que no presente contexto representa o íon hidrogênio, H^+, tem uma grande mobilidade, portanto, ácidos e bases em água estão sempre em equilíbrio com as suas contrapartes protonadas e desprotonadas, bem como com

[1] Existem várias definições diferentes de ácidos e bases, mas, neste livro, vamos discutir somente os ácidos e bases de Brønsted-Lowry.

íons hidrônio (H_3O^+). Assim sendo, um ácido HA, como o HCN, estabelece instantaneamente o equilíbrio

$$HA(aq) + H_2O(l) \rightleftharpoons H_3O^+(aq) + A^-(aq)$$

$$K = \frac{a_{H_3O^+}a_{A^-}}{a_{HA}a_{H_2O}} \qquad (8.1a)$$

Uma base B (como o NH_3) estabelece instantaneamente o equilíbrio

$$B(aq) + H_2O(l) \rightleftharpoons BH^+(aq) + OH^-(aq)$$

$$K = \frac{a_{BH^+}a_{OH^-}}{a_B a_{H_2O}} \qquad (8.1b)$$

Nesses equilíbrios, A^- é a **base conjugada** do ácido HA, e BH^+ é o **ácido conjugado** da base B. Mesmo na ausência de um ácido ou de uma base, a transferência de prótons ocorre entre as moléculas de água, e, assim, **o equilíbrio de autoprotólise**

$$2\,H_2O(l) \rightleftharpoons H_3O^+(aq) + OH^-(aq)$$

$$K = \frac{a_{H_3O^+}a_{OH^-}}{a_{H_2O}^2} \qquad \text{Equilíbrio de autoprotólise} \quad (8.2)$$

existe sempre. A autoprotólise também pode ser denominada *autoionização*.

Como deve ser familiar ao leitor, a partir dos textos de química geral, a concentração de íons hidrônio é, em geral, expressa em termos do pH, que é formalmente definido como

$$pH = -\log a_{H_3O^+} \qquad \text{Definição} \quad \text{A escala de pH} \quad (8.3)$$

em que o logaritmo é na base 10 (veja Ferramentas do químico 2.2). Em uma abordagem mais simplificada, a atividade do íon hidrônio é substituída pelo valor numérico da sua concentração molar $[H_3O^+]$. Isso equivale a considerar o coeficiente de atividade γ como igual a 1 e escrever $a_{H_3O^+} = [H_3O^+]/c^{\ominus}$, com $c^{\ominus} = 1$ mol dm^{-3}. Entretanto, devemos ressaltar que a substituição das atividades pelas concentrações molares, em geral, não é adequada. Como as interações iônicas são de longo alcance, essa substituição só deve ser feita para soluções extremamente diluídas (menores que cerca de 10^{-3} mol dm^{-3}).

Breve ilustração 8.1 A escala de pH

Se a concentração molar de H_3O^+ é 2,0 mmol dm^{-3} (em que 1 mmol = 10^{-3} mol), então

$$pH \approx -\log(2{,}0 \times 10^{-3}) = 2{,}70$$

Se a concentração molar fosse dez vezes menor, 0,20 mmol dm^{-3}, então o pH seria 3,70. Observe que *quanto maior for o valor do pH, menor será a concentração dos íons hidrônio na solução* e que uma variação de 1 unidade de pH corresponde a uma variação de dez vezes na concentração molar dos íons hidrônio.

Exercício proposto 8.1

A morte pode ocorrer se o pH do plasma sanguíneo de um indivíduo variar mais de ±0,4 em relação ao seu valor normal de 7,4. Qual é a faixa aproximada de variação da concentração molar de íons hidrogênio para a qual a vida pode ser mantida?

Resposta: 16 nmol dm^{-3} a 100 nm dm^{-3} (1 nmol = 10^{-9} mol)

8.2 Protonação e desprotonação

Todas as soluções a serem tratadas neste capítulo são extremamente tão diluídas que nos permitem considerar a água presente como praticamente pura, tendo, portanto, atividade unitária (veja a Tabela 6.2). Ao fazermos $a_{H_2O} = 1$, para todas as soluções aqui consideradas, a constante de equilíbrio resultante é denominada **constante de acidez**, K_a, do ácido HA:

$$K_a = \frac{a_{H_3O^+}a_{A^-}}{a_{HA}} \approx \frac{([H_3O^+]/c^{\ominus})([A^-]/c^{\ominus})}{[HA]/c^{\ominus}} \qquad \text{Definição} \quad \text{Constante de acidez} \quad (8.4a)$$

Esta expressão muito incômoda é normalmente escrita na forma

$$K_a = \frac{[H_3O^+][A^-]}{[HA]} \qquad (8.4b)$$

com '[J]' sendo interpretado como $[J]/c^{\ominus}$ (isto é, como o valor numérico da concentração molar de J com as unidades mol dm^{-3} eliminadas). A constante de acidez também é denominada *constante de ionização do ácido*, e, de forma menos adequada (porque a desprotonação não é uma simples fragmentação em átomos), *constante de dissociação*. Os seus valores são, em geral, tabulados como o negativo do logaritmo decimal:

$$pK_a = -\log K_a \qquad (8.5)$$

Segue-se, da Eq. 7.8, na forma $\ln K = -\Delta_r G^{\ominus}/RT$, que o pK_a é proporcional a $\Delta_r G^{\ominus}$ para a reação de transferência de prótons (veja o Exercício 8.8). Portanto, o manuseio do pK_a e grandezas relacionadas é na realidade uma manipulação disfarçada da energia de Gibbs padrão de reação. Observe que, se $\Delta_r G^{\ominus} > 0$, correspondente a um equilíbrio de desprotonação tendendo fortemente a favor dos reagentes (as moléculas do ácido original), então, $pK_a > 0$ também.

O valor da constante de acidez indica a extensão da ocorrência da transferência de prótons em equilíbrio em solução aquosa. Quanto menor o valor de K_a, e, portanto, maior o valor de pK_a, menor a concentração de moléculas desprotonadas. Resumindo, quanto maior o valor do pK_a, mais fraco é o ácido. A maioria dos ácidos tem $K_a < 1$ (e em geral muito menor do que 1), com $pK_a > 0$, indicando assim uma pequena desprotonação em água. Esses ácidos são classificados como **ácidos fracos.** Poucos ácidos, em especial, em soluções aquosas, HCl, HBr, HI, HNO_3, H_2SO_4 e $HClO_4$, são classificados como **ácidos fortes**, e são, em geral, considerados como estando totalmente desprotonados em água. O ácido sulfúrico, H_2SO_4, é um ácido forte se consideramos apenas a sua primeira desprotonação; a segunda desprotonação (a desprotonação do HSO_4^-) é fraca.

A expressão análoga para uma base é chamada de **constante de basicidade**, K_b:

$$K_b = \frac{a_{BH^+}a_{OH^-}}{a_B} \approx \frac{[BH^+][OH^-]}{[B]}$$

$$pK_b = -\log K_b \qquad \text{Definição} \quad \text{Constante de basicidade} \quad (8.6)$$

em que usamos a mesma convenção para interpretar '[J]' que a usada na Eq. 8.5. Uma **base forte** está totalmente protonada em solução, tendo $K_b > 1$. Um exemplo é o íon óxido, O^{2-}, que não existe em solução aquosa, sendo imediatamente convertido no seu ácido conjugado OH^-. Uma **base fraca** não está totalmente protonada em água, tendo $K_b < 1$ (em geral, muito menor do que 1). A amônia, NH_3, e seus derivados orgânicos, as aminas, são bases fracas em água. Apenas uma pequena fração de suas moléculas existe sob a forma do ácido conjugado (NH_4^+ ou RNH_3^+).

A **constante de autoprotólise** da água, K_w, é a constante de equilíbrio, Eq. 8.2, com a atividade da água considerada igual a 1:

$$K_w = a_{H_3O^+}a_{OH^-} \qquad pK_w = -\log K_w \qquad \text{Definição} \qquad \text{Constante de autoprotólise} \quad (8.7)$$

A 25 °C, a única temperatura que iremos considerar neste capítulo, $K_w = 1{,}00 \times 10^{-14}$ e $pK_w = 14{,}00$. Conforme pode ser confirmado pela multiplicação das duas constantes, a constante de acidez do ácido conjugado, BH^+, de uma base B (a constante de equilíbrio para a reação $BH^+ + H_2O \rightleftharpoons H_3O^+ + B$) está relacionada com a constante de basicidade de B (a constante de equilíbrio para a reação $B + H_2O \rightleftharpoons BH^+ + OH^-$) por

$$K_aK_b = \frac{a_{H_3O^+}a_B}{a_{BH^+}} \times \frac{a_{BH^+}a_{OH^-}}{a_B} \overset{\text{cancelando os termos em destaque}}{=} a_{H_3O^+}a_{OH^-} = K_w \quad (8.8a)$$

A implicação dessa relação é que K_a aumenta quando K_b diminui para manter, dessa forma, o produto igual à constante K_w. Ou seja, à *medida que a força de uma base diminui, a força de seu ácido conjugado aumenta*, e vice-versa. Tomando-se o negativo do logaritmo de ambos os lados da Eq. 8.8a, obtém-se (utilizando as expressões dadas em Ferramentas do químico 2.2)

$$\log K_aK_b \overset{\log xy=\log x+\log y}{=} \underbrace{\log K_a}_{-pK_a} + \underbrace{\log K_b}_{-pK_b} = \underbrace{\log K_w}_{-pK_w}$$

e, portanto,

$$pK_a + pK_b = pK_w \qquad \text{Relação entre } pK_a \text{ e } pK_b \quad (8.8b)$$

A grande vantagem dessa equação é que permite escrever o valor de pK_b de uma base em termos do pK_a de seu ácido conjugado. Assim sendo, as forças de todos os ácidos e de todas as bases podem ser apresentadas em uma única tabela (Tabela 8.1).

■ Breve ilustração 8.2 Constantes de acidez e de basicidade

Se a constante de acidez do ácido conjugado ($CH_3NH_3^+$) da base metilamina (CH_3NH_2) for tabelada como $pK_a = 10{,}56$,

$$CH_3NH_3^+(aq) + H_2O(l) \rightleftharpoons H_3O^+(aq) + CH_3NH_2(aq)$$
$$pK_a = 10{,}56$$

podemos inferir que a constante de basicidade da metilamina, a constante de equilíbrio para

$$CH_3NH_2(aq) + H_2O(l) \rightleftharpoons CH_3NH_3^+(aq) + OH^-(aq)$$

é

$$pK_b = pK_w - pK_a = 14{,}00 - 10{,}56 = 3{,}44$$

Outra relação útil é obtida tomando-se o logaritmo comum de ambos os lados da definição de K_w, Eq 8.7, obtendo-se

$$\log a_{H_3O^+}a_{OH^-} \overset{\log xy=\log x+\log y}{=} \underbrace{\log a_{H_3O^+}}_{-pH} + \underbrace{\log a_{OH^-}}_{-pOH} = \underbrace{\log K_w}_{-pK_w}$$

e, por conseguinte,

$$pH + pOH = pK_w \qquad \text{Relação entre pH e pOH} \quad (8.9)$$

em que $pOH = -\log a_{OH^-}$. Essa equação de extrema importância indica que as atividades (em uma abordagem simplificada, as concentrações molares) dos íons hidrônio e dos íons hidróxido estão relacionadas por uma relação inversa: quando a primeira aumenta, a segunda diminui, mantendo-se, assim, o valor do pK_w.

O grau de desprotonação de um ácido fraco em solução depende da sua constante de acidez e da concentração inicial do ácido, a concentração de sua preparação. A **fração desprotonada**, $f_{\text{desprotonada}}$, a fração de moléculas HA do ácido que cederam prótons, é dada por

$$\text{Fração desprotonada} = \frac{\text{concentração molar de equilíbrio da base conjugada}}{\text{concentração inicial do ácido}}$$

$$f_{\text{desprotonada}} = \frac{[A^-]_{\text{equilíbrio}}}{[HA]_{\text{como preparada}}} \qquad \text{Fração de ácido desprotonado} \quad (8.10a)$$

A extensão com que uma base fraca B é protonada é expressa em termos da **fração protonada**, $f_{\text{protonada}}$:

$$\text{Fração protonada} = \frac{\text{concentração molar de equilíbrio do ácido conjugado}}{\text{concentração inicial da base}}$$

$$f_{\text{protonada}} = \frac{[BH^+]_{\text{equilíbrio}}}{[B]_{\text{como preparada}}} \qquad \text{Fração de ácido protonado} \quad (8.10b)$$

Podemos determinar o pH de uma solução de um ácido fraco, ou de uma base fraca, e calcular as frações definidas anteriormente, utilizando a técnica da tabela de equilíbrio descrita na Seção 7.5.

Exemplo 8.1

Cálculo do grau de desprotonação de um ácido fraco

Determine o pH e a fração das moléculas de CH_3COOH desprotonadas em uma solução 0,15 M de $CH_3COOH(aq)$.

Estratégia O objetivo é calcular a composição de equilíbrio da solução. Assim sendo, usamos a técnica utilizada no Exemplo 7.3, em que *x* é a variação da concentração molar de íons H_3O^+ necessária para se atingir o equilíbrio. Vamos desprezar a pequeníssima quantidade de íons hidroxila presentes na água pura. Após a determinação de *x*, podemos calcular o $pH = -\log x$. Como podemos prever que o grau de desprotonação é pequeno (o ácido é fraco), usamos a aproximação de ser *x* muito pequeno para simplificar as equações.

Solução Vamos construir, primeiramente, a tabela de equilíbrio a seguir:

Espécie:	CH_3COOH	H_3O^+	$CH_3CO_2^-$
Concentração inicial/(mol dm^{-3})	0,15	0	0
Variação para atingir o equilíbrio/(mol dm^{-3})	$-x$	$+x$	$+x$
Concentração de equilíbrio/(mol dm^{-3})	$0,15 - x$	x	x

O valor de x é determinado inserindo-se as concentrações de equilíbrio na expressão da constante de acidez:

$$K_a = \frac{\overbrace{[H_3O^+]}^{x}\overbrace{[CH_3CO_2^-]}^{x}}{\underbrace{[CH_3COOH]}_{0,15-x}} = \frac{x \times x}{0,15 - x}$$

Nota sobre a boa prática O ácido acético (ácido etanoico) é escrito como CH_3COOH porque os dois átomos de oxigênio não são equivalentes; sua base conjugada, o íon acetato (íon etanoato), é escrita como $CH_3CO_2^-$, pois os dois átomos de oxigênio são agora equivalentes (por ressonância).

Tabela 8.1

Constantes de acidez e basicidade a 298,15 K

Ácido/base	K_b	pK_b	K_a	pK_a
Ácidos fracos mais fortes				
Ácido tricloroacético, CCl_3COOH	$3,3 \times 10^{-14}$	13,48	$3,0 \times 10^{-1}$	0,52
Ácido benzenossulfônico, $C_6H_5SO_3H$	$5,0 \times 10^{-14}$	13,30	2×10^{-1}	0,70
Ácido iódico, HIO_3	$5,9 \times 10^{-14}$	13,23	$1,7 \times 10^{-1}$	0,77
Ácido sulfuroso, H_2SO_3	$6,3 \times 10^{-13}$	12,19	$1,6 \times 10^{-2}$	1,81
Ácido cloroso, $HClO_2$	$1,0 \times 10^{-12}$	12,00	$1,0 \times 10^{-2}$	2,00
Ácido fosfórico, H_3PO_4	$1,3 \times 10^{-12}$	11,88	$7,6 \times 10^{-3}$	2,12
Ácido cloroacético, $CH_2ClCOOH$	$7,1 \times 10^{-12}$	11,15	$1,4 \times 10^{-3}$	2,85
Ácido lático, $CH_3CH(OH)COOH$	$1,2 \times 10^{-11}$	10,92	$8,4 \times 10^{-4}$	3,08
Ácido nitroso, HNO_2	$2,3 \times 10^{-11}$	10,63	$4,3 \times 10^{-4}$	3,37
Ácido fluorídrico, HF	$2,9 \times 10^{-11}$	10,55	$3,5 \times 10^{-4}$	3,45
Ácido fórmico, HCOOH	$5,6 \times 10^{-11}$	10,25	$1,8 \times 10^{-4}$	3,75
Ácido benzoico, C_6H_5COOH	$1,5 \times 10^{-10}$	9,81	$6,5 \times 10^{-5}$	4,19
Ácido acético, CH_3COOH	$5,6 \times 10^{-10}$	9,25	$1,8 \times 10^{-5}$	4,75
Ácido carbônico, H_2CO_3	$2,3 \times 10^{-8}$	7,63	$4,3 \times 10^{-7}$	6,37
Ácido hipocloroso, HClO	$3,3 \times 10^{-7}$	6,47	$3,0 \times 10^{-8}$	7,53
Ácido hipobromoso, HBrO	$5,0 \times 10^{-6}$	5,31	$2,0 \times 10^{-9}$	8,69
Ácido bórico, $B(OH)_3H$†	$1,4 \times 10^{-5}$	4,86	$7,2 \times 10^{-10}$	9,14
Ácido cianídrico, HCN	$2,0 \times 10^{-5}$	4,69	$4,9 \times 10^{-10}$	9,31
Fenol, C_6H_5OH	$7,7 \times 10^{-5}$	4,11	$1,3 \times 10^{-10}$	9,89
Ácido hipoiodoso, HIO	$4,3 \times 10^{-4}$	3,36	$2,3 \times 10^{-11}$	10,64
Ácidos fracos mais fracos				
Bases fracas mais fracas				
Ureia, $CO(NH_2)_2$	$1,3 \times 10^{-14}$	13,90	$7,7 \times 10^{-1}$	0,10
Anilina, $C_6H_5NH_2$	$4,3 \times 10^{-10}$	9,37	$2,3 \times 10^{-5}$	4,63
Piridina, C_5H_5N	$1,8 \times 10^{-9}$	8,75	$5,6 \times 10^{-6}$	5,25
Hidroxilamina, NH_2OH	$1,1 \times 10^{-8}$	7,97	$9,1 \times 10^{-7}$	6,03
Nicotina, $C_{10}H_{11}N_2$	$1,0 \times 10^{-6}$	5,98	$1,0 \times 10^{-8}$	8,02
Morfina, $C_{17}H_{19}O_3N$	$1,6 \times 10^{-6}$	5,79	$6,3 \times 10^{-9}$	8,21
Hidrazina, NH_2NH_2	$1,7 \times 10^{-6}$	5,77	$5,9 \times 10^{-9}$	8,23
Amônia, NH_3	$1,8 \times 10^{-5}$	4,75	$5,6 \times 10^{-10}$	9,25
Trimetilamina, $(CH_3)_3N$	$6,5 \times 10^{-5}$	4,19	$1,5 \times 10^{-10}$	9,81
Metilamina, CH_3NH_2	$3,6 \times 10^{-4}$	3,44	$2,8 \times 10^{-11}$	10,56
Dimetilamina, $(CH_3)_2NH$	$5,4 \times 10^{-4}$	3,27	$1,9 \times 10^{-11}$	10,73
Etilamina, $C_2H_5NH_2$	$6,5 \times 10^{-4}$	3,19	$1,5 \times 10^{-11}$	10,81
Trietilamina, $(C_2H_5)_3N$	$1,0 \times 10^{-3}$	2,99	$1,0 \times 10^{-11}$	11,01
Bases fracas mais fortes				

*Valores para ácidos polipróticos – aqueles capazes de doar mais de um próton – referem-se à primeira desprotonação.

†O equilíbrio de transferência de prótons é $B(OH)_3(aq) + 2\,H_2O(l) \rightleftharpoons H_3O^+(aq) + B(OH)_4^-(aq)$.

Pode-se reescrever a expressão como uma equação quadrática e resolvê-la como no Exemplo 7.3, conforme explicado em Ferramentas do químico 7.1. Entretanto, vamos utilizar o fato de ser x muito pequeno e substituir $0{,}15 - x$ por 0,15 (esta aproximação é válida se $x \ll 0{,}15$, o que é provável já que o ácido é fraco, mas que deve ser verificada ao fim dos cálculos, quando x tiver sido determinado). Assim, a equação simplificada $K_a = x^2/0{,}15$ pode ser reescrita como $0{,}15 \times K_a = x^2$, e então,

$$x = (0{,}15 \times K_a)^{1/2} = (0{,}15 \times 1{,}8 \times 10^{-5})^{1/2} = 1{,}6 \times 10^{-3}$$

em que tomamos o valor da constante de acidez, K_a, da Tabela 8.1. Portanto,

$$\mathrm{pH} = -\log(1{,}6 \times 10^{-3}) = 2{,}80$$

Cálculos desse tipo raramente são mais acurados que na primeira casa decimal no pH (sendo muito otimista), pois o efeito das interações entre os íons foi desprezado em nossos cálculos. Assim sendo, o resultado final deve ser escrito como pH = 2,8. A fração desprotonada, $f_{\text{desprotonada}}$, é

$$f_{\text{desprotonada}} = \frac{[CH_3CO_2^-]_{\text{equilíbrio}}}{[CH_3COOH]_{\text{como preparada}}} = \frac{x}{0{,}15} = \frac{1{,}6 \times 10^{-3}}{0{,}15} = 0{,}011$$

Ou seja, apenas 1,1 % das moléculas de ácido acético doou um próton.

Uma nota sobre a boa prática Quando se admite uma aproximação, deve-se verificar ao final dos cálculos se a aproximação é consistente com o resultado obtido. Nesse caso, admitimos que $x \ll 0{,}15$ e obtivemos $x = 0{,}011$, que é consistente.

Exercício proposto 8.2

Determine o pH de uma solução 0,010 M de $CH_3CH(OH)COOH(aq)$ (ácido lático) utilizando os dados da Tabela 8.1. Estime, antes de realizar os cálculos, se o pH é maior ou menor do que o pH calculado de uma solução de ácido acético de mesma concentração.

Resposta: 2,5

Exemplo 8.2

Cálculo do pH de uma solução diluída de um ácido fraco

Calcule o pH de uma solução $1{,}5 \times 10^{-4}$ M de $CH_3COOH(aq)$, tomando o cuidado de considerar a solução como diluída, mas que não pode ser tratada pela aproximação empregada no Exemplo 8.1.

Estratégia Proceda conforme descrito no Exemplo 8.1, mas, como a solução é muito mais diluída, e, consequentemente, o grau de desprotonação pode não ser pequeno (ainda que o ácido seja fraco), esteja preparado para resolver exatamente a equação quadrática que resulta da manipulação da expressão para K_a (veja Ferramentas do químico 7.1).

Solução Como no Exemplo 8.1, construímos a tabela de equilíbrio a seguir.

Espécie:	CH_3COOH	H_3O^+	$CH_3CO_2^-$
Concentração inicial/(mol dm^{-3})	$1{,}5 \times 10^{-4}$	0	0
Variação para atingir o equilíbrio/(mol dm^{-3})	$-x$	$+x$	$+x$
Concentração de equilíbrio/(mol dm^{-3})	$1{,}5 \times 10^{-4} - x$	x	x

Se tivéssemos seguido o mesmo procedimento do Exemplo 8.1, calcularíamos $x = 5{,}2 \times 10^{-5}$, que, embora seja menor do que a concentração inicial, não é muito menor. Portanto, temos que resolver a equação quadrática:

$$\overbrace{1}^{a}x^2 + \overbrace{K_a}^{b}x \overbrace{- (1{,}5 \times 10^{-4})K_a}^{c} = 0$$

com $K_a = 1{,}8 \times 10^{-5}$, a partir da Tabela 8.1. Assim, da expressão contida em Ferramentas do químico 7.1,

$$x = \frac{\overbrace{-1{,}8 \times 10^{-5}}^{b=K_a} \pm \left\{\overbrace{(-1{,}8 \times 10^{-5})^2}^{b^2} - \overbrace{4\overbrace{(1)}^{a} \times \overbrace{(-1{,}5 \times 10^{-4} \times \underbrace{1{,}8 \times 10^{-5}}_{K_a})}^{c}}^{4ac}\right\}^{1/2}}{2 \times \underbrace{1}_{a}}$$

$$= 4{,}4 \times 10^{-5} \text{ ou } -6{,}2 \times 10^{-5}$$

Como x é igual à concentração de H_3O^+, não pode ser negativo; desse modo, selecionamos $x = 4{,}4 \times 10^{-5}$. Segue que pH = 4,4. (O cálculo sem exatidão, no qual se teria admitido, desde o início, que $x \ll 1{,}5 \times 10^{-4}$, daria 4,3.)

Exercício proposto 8.3

Calcule o pH de uma solução $1{,}5 \times 10^{-4}$ M de $CH_3CH(OH)COOH(aq)$ (ácido lático) a partir dos dados da Tabela 8.1

Resposta: 3,9

Exemplo 8.3

Cálculo do grau de protonação de uma base fraca

O ácido conjugado da base quinolina (**1**) tem $pK_a = 4{,}88$. Calcule o pH e a fração de moléculas protonadas em uma solução aquosa 0,010 M de quinolina.

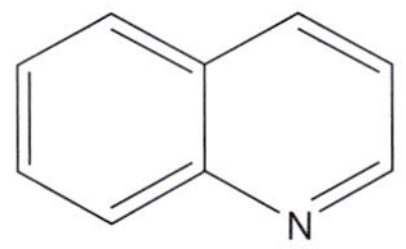

1 Quinolina

Estratégia O cálculo do pH de uma base em solução envolve mais uma etapa além daquela na determinação do pH de um ácido em solução. A primeira etapa é calcular a concentração de íons OH^- na solução utilizando-se a técnica da tabela de equilíbrio, e exprimi-la como o pOH da solução. A etapa adicional consiste em converter o pOH calculado em pH utilizando-se o equilíbrio de autoprotólise da água, Eq. 8.2, na forma $\mathrm{pH} = pK_w - \mathrm{pOH}$, com $pK_w = 14{,}00$, a 25 °C. Também precisamos calcular $pK_b = pK_w - pK_a$.

Solução Primeiramente, podemos escrever

$$pK_b = 14{,}00 - 4{,}88 = 9{,}12, \text{ correspondente a}$$
$$K_b = 10^{-9{,}12} = 7{,}6 \times 10^{-10}$$

Construímos a tabela de equilíbrio a seguir, na qual Q representa a quinolina, e QH^+ o seu ácido conjugado:

Espécie:	Q	OH^-	QH^+
Concentração inicial/(mol dm^{-3})	0,010	0	0
Variação para atingir o equilíbrio/(mol dm^{-3})	$-x$	$+x$	$+x$
Concentração de equilíbrio/(mol dm^{-3})	$0,010 - x$	x	x

O valor de x é determinado inserindo-se as concentrações de equilíbrio na expressão da constante de basicidade:

$$K_b = \frac{\overbrace{[OH^-]}^{x}\overbrace{[QH^+]}^{x}}{\underbrace{[Q]}_{0,010-x}} = \frac{x \times x}{\underbrace{0,010 - x}_{\approx 0,010}} \approx \frac{x^2}{0,010}$$

Consideramos $x << 0,010$. Então, a equação simplificada $K_b = x^2/0,010$ se reescreve como

$$x = (0,010 \times K_b)^{1/2} = (0,010 \times 7,6 \times 10^{-10})^{1/2} = 2,8 \times 10^{-6}$$

Esse valor é consistente com a hipótese de ser $x \ll 0,010$. Portanto,

$$pOH = -\log\overbrace{[OH^-]}^{x} = -\log(2,8 \times 10^{-6}) = 5,55$$

e, assim, pH = 14,00 – 5,55 = 8,45, ou, aproximadamente, 8,4. A fração protonada, $f_{protonada}$, é dada por

$$f_{protonada} = \frac{[QH^+]_{equilíbrio}}{[Q]_{como\ preparada}} = \frac{x}{0,010} = \frac{2,8 \times 10^{-6}}{0,010} = 2,8 \times 10^{-4}$$

ou 1 molécula em cerca de 3500.

Exercício proposto 8.4

O pK_a para a primeira protonação da nicotina (**2**) é de 8,02. Qual é o pH e a fração de moléculas protonadas em uma solução aquosa 0,015 M de nicotina?

Resposta: 10,1; 1/120

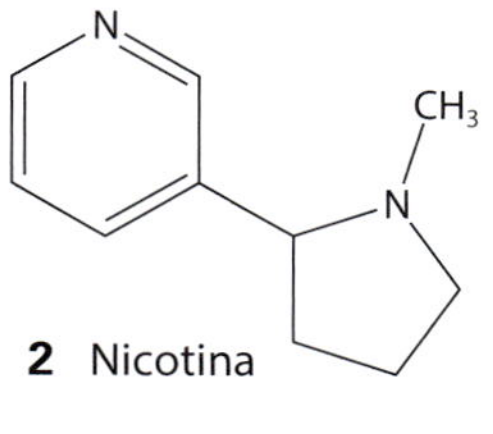

2 Nicotina

8.3 Ácidos polipróticos

Um **ácido poliprótico** é um composto molecular que pode ceder mais de um próton. Dois exemplos são o ácido sulfúrico, H_2SO_4, que pode ceder até dois prótons, e o ácido fosfórico, H_3PO_4, que pode ceder até três prótons. Podemos considerar um ácido poliprótico como uma espécie química que dá origem a uma série de ácidos de Brønsted, à medida que cede, de forma sucessiva, seus prótons. Assim, o ácido sulfúrico dá origem a dois ácidos de Brønsted, o próprio H_2SO_4, e o HSO_4^-, e o ácido fosfórico dá origem a três ácidos de Brønsted, H_3PO_4, $H_2PO_4^-$ e o HPO_4^{2-}.

Para uma espécie H_2A com dois prótons ácidos (por exemplo, o H_2SO_4), temos que considerar os seguintes equilíbrios sucessivos

$$H_2A(aq) + H_2O(l) \rightleftharpoons H_3O^+(aq) + HA^-(aq)$$

$$K_{a1} = \frac{a_{H_3O^+}a_{HA^-}}{a_{H_2A}}$$

$$HA^-(aq) + H_2O(l) \rightleftharpoons H_3O^+(aq) + A^{2-}(aq)$$

$$K_{a2} = \frac{a_{H_3O^+}a_{A^{2-}}}{a_{HA^-}}$$

No primeiro equilíbrio, HA^- é a base conjugada de H_2A. No segundo equilíbrio, HA^- atua como um ácido, e A^{2-} é a sua base conjugada. Valores numéricos de constantes de acidez de ácidos polipróticos são apresentados na Tabela 8.2. Para todos os casos, K_{a2} é menor que K_{a1}, em geral em três ordens de magnitude para moléculas pequenas, pois o segundo próton é mais difícil de ser removido, devido, em parte, à carga negativa do HA^-, o que atrai a carga positiva do H^+ e impede sua saída. As enzimas são ácidos polipróticos, pois possuem muitos prótons que podem ser cedidos para uma molécula de substrato ou para o meio aquoso circundante que existe dentro de uma célula. As sucessivas constantes de acidez de uma enzima diferem muito menos entre si porque as moléculas são extremamente grandes, de modo que a perda de um próton, em uma dada parte da molécula, tem uma pequena influência na facilidade de liberação de outro próton, localizado a certa distância do primeiro.

Tabela 8.2

Constantes de acidez sucessivas de ácidos polipróticos a 298,15 K

Ácido	K_{a1}	pK_{a1}	K_{a2}	pK_{a2}	K_{a3}	pK_{a3}
Ácido carbônico, H_2CO_3	$4,3 \times 10^{-7}$	6,37	$5,6 \times 10^{-11}$	10,25		
Ácido sulfídrico, H_2S	$1,3 \times 10^{-7}$	6,88	$7,1 \times 10^{-15}$	14,15		
Ácido oxálico, $(COOH)_2$	$5,9 \times 10^{-2}$	1,23	$6,5 \times 10^{-5}$	4,19		
Ácido fosfórico, H_3PO_4	$7,6 \times 10^{-3}$	2,12	$6,2 \times 10^{-8}$	7,21	$2,1 \times 10^{-13}$	12,67
Ácido fosforoso, H_2PO_3	$1,0 \times 10^{-2}$	2,00	$2,6 \times 10^{-7}$	6,59		
Ácido sulfúrico, H_2SO_4	Forte		$1,2 \times 10^{-2}$	1,92		
Ácido sulfuroso, H_2SO_3	$1,5 \times 10^{-2}$	1,81	$1,2 \times 10^{-7}$	6,91		
Ácido tartárico, $C_2H_4O_2(COOH)_2$	$6,0 \times 10^{-4}$	3,22	$1,5 \times 10^{-5}$	4,82		

Exemplo 8.4

Cálculo da concentração de íons carbonato em uma solução de ácido carbônico

A água subterrânea contém dióxido de carbono, ácido carbônico, íons bicarbonato e íons carbonato dissolvidos, todos esses em uma concentração muito pequena. Determine a concentração molar de íons CO_3^{2-} em uma solução na qual água e CO_2 estão em equilíbrio.

Estratégia Temos de ser muito cuidadosos na interpretação dos cálculos que envolvem o ácido carbônico, pois o equilíbrio entre o CO_2 dissolvido e o H_2CO_3 só é atingido muito lentamente. Esse equilíbrio é atingido de modo facilitado nos organismos pela enzima anidrase carbônica. Começamos com o equilíbrio que produz o íon de interesse (por exemplo, A^{2-}), e escrevemos a sua atividade em termos da constante de acidez de sua formação (K_{a2}). Essa expressão contém a atividade do ácido conjugado (HA^-), a qual pode ser expressa em termos da atividade de seu ácido conjugado (H_2A) usando a constante de acidez apropriada (K_{a1}). Este equilíbrio domina o processo para o caso de moléculas pequenas, havendo uma diferença marcante entre as diversas constantes de acidez. Assim sendo, é possível fazer as aproximações adequadas nessa etapa do cálculo.

Solução O íon CO_3^{2-}, a base conjugada do ácido HCO_3^-, é produzido no equilíbrio

$$HCO_3^-(aq) + H_2O(l) \rightleftharpoons H_3O^+(aq) + CO_3^{2-}(aq)$$

$$K_{a2} = \frac{a_{H_3O^+}a_{CO_3^{2-}}}{a_{HCO_3^-}}$$

Assim,

$$a_{CO_3^{2-}} = \frac{a_{HCO_3^-}K_{a2}}{a_{H_3O^+}}$$

Os íons HCO_3^- são produzidos no equilíbrio

$$H_2CO_3(aq) + H_2O(l) \rightleftharpoons H_3O^+(aq) + HCO_3^-(aq)$$

Um íon H_3O^+ é produzido para cada íon HCO_3^- produzido. Essas duas concentrações não são exatamente idênticas, pois uma pequena quantidade de HCO_3^- é perdida na segunda desprotonação e assim ocorre, também, um pequeno aumento da concentração de H_3O^+. Da mesma forma, o HCO_3^- é uma base fraca e abstrai um próton da água formando H_2CO_3. Contudo, essas variações secundárias podem ser desprezadas em um cálculo aproximado. Como as concentrações molares de HCO_3^- e de H_3O^+ são praticamente as mesmas, podemos também admitir que as atividades são praticamente iguais e fazer $a_{HCO_3^-} \approx a_{H_3O^+}$, que implica que $a_{CO_3^{2-}} \approx K_{a_2}$. Então, quando é feita a aproximação de que $a_{CO_3^{2-}} = [CO_3^{2-}]/c^{\ominus}$, obtemos

$$[CO_3^{2-}] \approx K_{a2}c^{\ominus}$$

Como sabemos da Tabela 8.2 que pK_{a2} = 10,25, segue que $[CO_3^{2-}] = 5{,}6 \times 10^{-11}c^{\ominus}$ e, portanto, se de fato o equilíbrio foi atingido, a concentração de íons CO_3^{2-} é $5{,}6 \times 10^{-11}$ mol dm^{-3} e (dentro da aproximação que fizemos) independente da concentração de H_2CO_3 presente no início.

Exercício proposto 8.5

Calcule a concentração molar dos íons S^{2-} em uma solução de $H_2S(aq)$.

Resposta: $7{,}1 \times 10^{-15}$ mol dm^{-3}

Exemplo 8.5

Cálculo da composição de uma solução de ácido diprótico em frações de espécies

O ácido oxálico, $H_2C_2O_4$ (ácido etanodioico, HOOC—COOH), existe em solução em equilíbrio com $HC_2O_4^-$ e $C_2O_4^{2-}$. Mostre como a composição de uma solução aquosa que contém 0,010 mol dm^{-3} de ácido oxálico varia com o pH.

Estratégia Esperamos encontrar a espécie completamente protonada ($H_2C_2O_4$) em pH baixo, a parcialmente protonada ($HC_2O_4^-$) em pH intermediário e completamente desprotonada ($C_2O_4^{2-}$) em pH alto. Escrevemos as expressões para as duas constantes de acidez, considerando o $H_2C_2O_4$ como o ácido de origem, e uma expressão para a concentração de ácido oxálico. Resolvemos as expressões resultantes para a fração de cada espécie em termos da concentração do íon hidrônio.

Solução As duas constantes de acidez são

$$H_2C_2O_4(aq) + H_2O(l) \rightleftharpoons H_3O^+(aq) + HC_2O_4^-(aq)$$

$$K_{a1} = \frac{[H_3O^+][HC_2O_4^-]}{[H_2C_2O_4]}$$

$$HC_2O_4^-(aq) + H_2O(l) \rightleftharpoons H_3O^+(aq) + C_2O_4^{2-}(aq)$$

$$K_{a2} = \frac{[H_3O^+][C_2O_4^{2-}]}{[HC_2O_4^-]}$$

Também sabemos que a concentração total de ácido oxálico em todas as suas formas, sua concentração inicial $O = [H_2C_2O_4]_{\text{na preparação}}$, é

$$[H_2C_2O_4] + [HC_2O_4^-] + [C_2O_4^{2-}] = O$$

Temos agora três equações para três concentrações desconhecidas: $[H_2C_2O_4]$, $[HC_2O_4^-]$ e $[C_2O_4^{2-}]$. Para resolver as equações, trabalhamos sistematicamente, primeiro usando K_{a1} para exprimir $[HC_2O_4^-]$ em termos de $[H_2C_2O_4]$:

$$[HC_2O_4^-] = \frac{K_{a1}[H_2C_2O_4]}{[H_3O^+]}$$

Em seguida, usando K_{a2} para exprimir $[C_2O_4^{2-}]$ em termos de $[HC_2O_4^-]$

$$[C_2O_4^{2-}] \overbrace{=}^{\text{expressão para } K_{a2}} \frac{K_{a2}[HC_2O_4^-]}{[H_3O^+]} \overbrace{=}^{\text{expressão para } [HC_2O_4^-]} \frac{K_{a1}K_{a2}[H_2C_2O_4]}{[H_3O^+]^2}$$

A expressão para a concentração total O pode ser agora escrita em termos de $[H_2C_2O_4]$ e $[H_3O^+]$:

$$O = [H_2C_2O_4] + \overbrace{\frac{K_{a1}[H_2C_2O_4]}{[H_3O^+]}}^{[HC_2O_4^-]} + \overbrace{\frac{K_{a1}K_{a2}[H_2C_2O_4]}{[H_3O^+]^2}}^{[C_2O_4^{2-}]}$$

$$= \left\{1 + \frac{K_{a1}}{[H_3O^+]} + \frac{K_{a1}K_{a2}}{[H_3O^+]^2}\right\}[H_2C_2O_4]$$

$$= \frac{1}{[H_3O^+]^2}\{[H_3O^+]^2 + [H_3O^+]K_{a1} + K_{a1}K_{a2}\}[H_2C_2O_4]$$

em que eliminamos o fator $1/[H_3O^+]^2$ para simplificar as próximas etapas do cálculo. Segue que as frações f de cada espécie presente em solução são

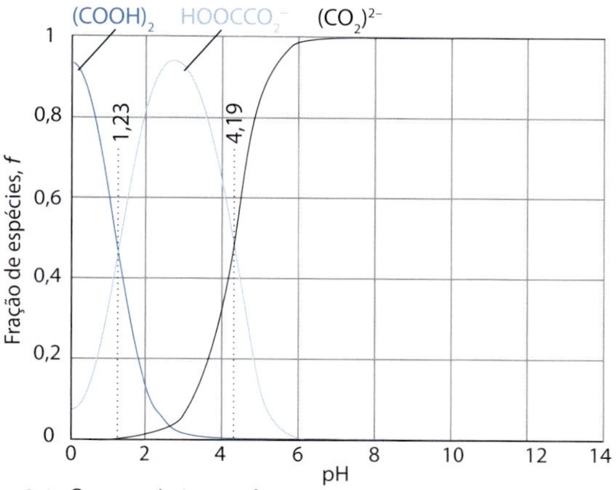

Figura 8.1 Composição em frações de espécies das formas protonada e desprotonada do ácido oxálico em solução aquosa em função do pH. Observe que os pares conjugados estão presentes em concentrações iguais quando o pH é igual ao pK_a da forma ácida do par conjugado.

$$f(H_2C_2O_4) = \frac{[H_2C_2O_4]}{O}$$

$$= \frac{[H_2C_2O_4]}{(1/[H_3O^+])^2\{[H_3O^+]^2 + [H_3O^+]K_{a1} + K_{a1}K_{a2}\}[H_2C_2O_4]}$$

cancelando $[H_2C_2O_4]$

$$= \frac{[H_3O^+]^2}{[H_3O^+]^2 + [H_3O^+]K_{a1} + K_{a1}K_{a2}} \quad (8.11a)$$

e, de forma semelhante,

$$f(HC_2O_4^-) = \frac{[HC_2O_4^-]}{O}$$

$$= \frac{[H_3O^+]K_{a1}}{[H_3O^+]^2 + [H_3O^+]K_{a1} + K_{a1}K_{a2}} \quad (8.11b)$$

$$f(C_2O_4^{2-}) = \frac{[C_2O_4^{2-}]}{O}$$

$$= \frac{K_{a1}K_{a2}}{[H_3O^+]^2 + [H_3O^+]K_{a1} + K_{a1}K_{a2}} \quad (8.11c)$$

Essas frações são representadas graficamente em função do pH = $-\log[H_3O^+]$ na Figura 8.1 (de modo que $[H_3O^+]$ em cada expressão é dado por 10^{-pH}). Observe, no gráfico, que

- o $H_2C_2O_4$ é a espécie dominante em pH < pK_{a1},
- o $H_2C_2O_4$ e o $H_2C_2O_4^-$ têm a mesma concentração em pH = pK_{a1} e
- o $H_2C_2O_4^-$ é a espécie dominante em pH > pK_{a1}, até que o $C_2O_4^{2-}$ torna dominante.

Exercício proposto 8.6

Construa o diagrama para a fração de espécies protonadas em uma solução de ácido carbônico.

Resposta: Figura 8.2

Esteja preparado para aproveitar a simetria das expressões: uma inspeção das três expressões para as frações de espécies presentes no Exemplo 8.5 mostra uma simetria na forma da $[H_3O^+]$ e dos *Ks*. Observando essa simetria, torna-se possível escrever a expressão para as espécies presentes em uma solução de um ácido triprótico sem realizar cálculos adicionais.

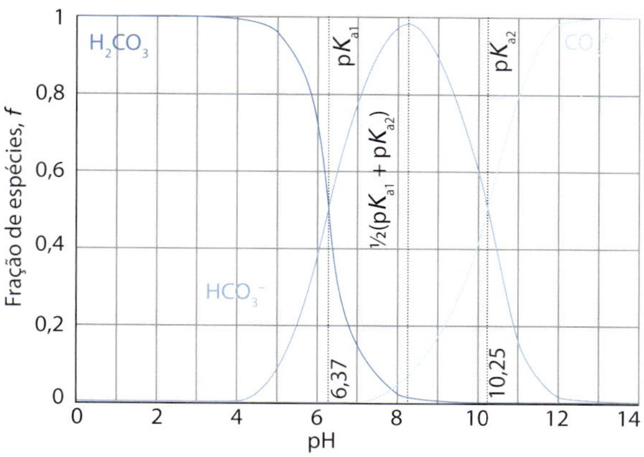

Figura 8.2 Composição em frações de espécies das formas protonada e desprotonada do ácido carbônico em solução aquosa em função do pH.

Exemplo 8.6

Cálculo da composição de uma solução de ácido triprótico em frações de espécies

O ácido fosfórico, H_3PO_4, existe em solução em equilíbrio com o $H_2PO_4^-$, o HPO_4^{2-} e o PO_4^{3-}. Escreva expressões para a composição fracionária dessas quatro espécies.

Estratégia Em uma solução aquosa de ácido fosfórico, H_3PO_4, devem ser considerados os equilíbrios a seguir:

$$H_3PO_4(aq) + H_2O(l) \rightleftharpoons H_3O^+(aq) + H_2PO_4^-(aq)$$

$$K_{a1} = \frac{[H_3O^+][H_2PO_4^-]}{[H_3PO_4]}$$

$$H_2PO_4^-(aq) + H_2O(l) \rightleftharpoons H_3O^+(aq) + HPO_4^{2-}(aq)$$

$$K_{a2} = \frac{[H_3O^+][HPO_4^{2-}]}{[H_2PO_4^-]}$$

$$HPO_4^{2-}(aq) + H_2O(l) \rightleftharpoons H_3O^+(aq) + PO_4^{3-}(aq)$$

$$K_{a3} = \frac{[H_3O^+][PO_4^{3-}]}{[HPO_4^{2-}]}$$

Prosseguimos utilizando a abordagem do Exemplo 8.5:

- Começamos escrevendo uma expressão para P = $[H_3PO_4]_{\text{na preparação}}$ e H.
- Em seguida, escrevemos expressões para f(H_3PO_4), f($H_2PO_4^-$), f(HPO_4^{2-}) e f(PO_4^{3-}). Simplificamos a tarefa estendendo as expressões no Exemplo 8.5 para o caso de um ácido triprótico.

Solução Escrevemos

$$P = [H_3PO_4]_{\text{como preparado}}$$
$$= [H_3PO_4] + [H_2PO_4^-] + [HPO_4^{2-}] + [PO_4^{3-}]$$
$$H = [H_3O^+]^3 + K_{a1}[H_3O^+]^2 + K_{a1}K_{a2}[H_3O^+] + K_{a1}K_{a2}K_{a3}$$

Por extensão direta das expressões escritas no Exemplo 8.5, escrevemos

$$f(H_3PO_4) = \frac{[H_3O^+]^3}{H} \qquad f(H_2PO_4^-) = \frac{K_{a1}[H_3O^+]^2}{H}$$

$$f(HPO_4^{2-}) = \frac{K_{a1}K_{a2}[H_3O^+]}{H} \qquad f(PO_4^{3-}) = \frac{K_{a1}K_{a2}K_{a3}}{H}$$

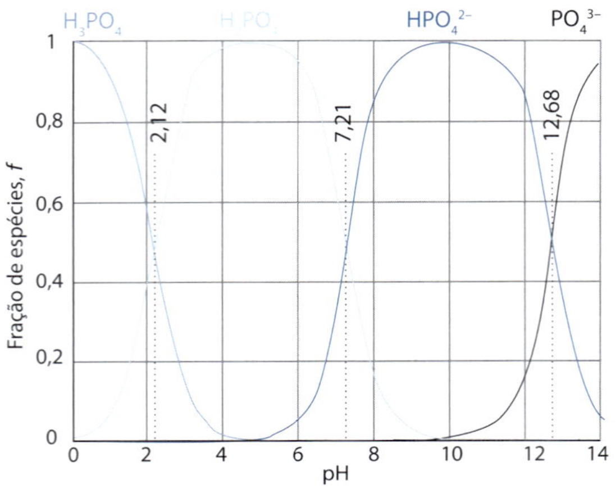

Figura 8.3 Composição fracionária das formas protonada e desprotonada do ácido fosfórico em solução aquosa em função do pH.

Exercício proposto 8.7

Faça o diagrama da fração de espécies protonadas em uma solução aquosa de ácido fosfórico.

Resposta: Figura 8.3

Podemos resumir o comportamento obtido nos Exemplos 8.5 e 8.6 (e ilustrado nas Figuras 8.1 a 8.3) da seguinte maneira. Considere cada par ácido–base conjugado, com constante de acidez K_a; então:

- A forma ácida é a dominante em pH < pK_a.
- O par conjugado tem concentrações iguais em pH = pK_a.
- A forma básica é a dominante em pH > pK_a.

Em cada caso, as outras formas possíveis do sistema poliprótico podem ser ignoradas, desde que os valores de pK_a não sejam muito próximos.

8.4 Sistemas anfipróticos

Uma espécie **anfiprótica** é uma molécula ou um íon que pode tanto receber como ceder prótons. Por exemplo, o HCO_3^- pode agir como um ácido (formando CO_3^{2-}) e como uma base (formando H_2CO_3). O problema que desejamos tratar é o do pH de uma solução de um sal com um ânion anfiprótico, como, uma solução de $NaHCO_3$. A solução é ácida, devido ao caráter ácido do HCO_3^-, ou é básica, devido ao caráter básico do ânion? Como mostramos na Dedução vista a seguir, o pH de uma solução desse tipo é

$$\mathrm{pH} = \tfrac{1}{2}(\mathrm{p}K_{a1} + \mathrm{p}K_{a2}) \quad \text{pH de solução salina anfiprótica} \quad (8.12)$$

Essa expressão é válida desde que a concentração molar do sal seja alta no sentido de que (usando a notação da Dedução vista a seguir) $S/c^{\ominus} \gg K_w/K_{a2}$ e $S/c^{\ominus} \gg K_{a1}$, em que S é a concentração inicial do sal. Se essas condições não forem satisfeitas, deve ser utilizada uma expressão muito mais complicada.[2]

[2] Veja o Capítulo 4 do livro *Physical Chemistry for the Life Sciences* (2011) destes mesmos autores.

■ Breve ilustração 8.3 O pH de uma solução de uma espécie anfiprótica

Caso o sal dissolvido seja o bicarbonato de sódio, podemos imediatamente concluir, a partir dos valores de pK_a dos equilíbrios sucessivos, que o pH da solução *em qualquer concentração* (desde que a aproximação seja válida) é

$$\mathrm{pH} = \tfrac{1}{2}(\underbrace{6{,}37}_{\mathrm{p}K_{a1}} + \underbrace{10{,}25}_{\mathrm{p}K_{a2}}) = 8{,}31$$

A solução é básica. Como $K_w/K_{a2} = 2 \times 10^{-4}$ e $K_{a1} = 4{,}3 \times 10^{-7}$, esse resultado é confiável, desde que $[NaHCO_3]_{\text{como preparada}}/c^{\ominus} \gg 2 \times 10^{-4}$ (isto é, $[NaHCO_3]_{\text{como preparada}} \gg 0{,}2$ mmol dm^{-3}).

Podemos tratar da mesma forma uma solução de di-hidrogenofosfato de potássio. Nesse caso, temos que considerar apenas a segunda e a terceira constantes de acidez do H_3PO_4 porque a protonação do H_3PO_4 é insignificante.

$$\mathrm{pH} = \tfrac{1}{2}(\underbrace{7{,}21}_{\mathrm{p}K_{a2}} + \underbrace{12{,}67}_{\mathrm{p}K_{a3}}) = 9{,}94$$

Como $K_w/K_{a3} = 0{,}05$ e $K_{a2} = 6{,}2 \times 10^{-8}$, essa expressão é confiável desde que $[KH_2PO_4]_{\text{como preparada}}/c^{\ominus} \gg 0{,}05$ (ou seja, $[KH_2PO_4]_{\text{como preparada}} \gg 0{,}5$ mol dm^{-3}).

Dedução 8.1

O pH de uma solução salina anfiprótica

Imaginemos que preparamos uma solução do sal MHA com concentração inicial S, em que HA^- representa o ânion anfiprótico (por exemplo, HCO_3^-), e M^+ é o cátion (por exemplo, Na^+). A tabela de equilíbrio pode ser escrita como

Espécie	H_2A	HA^-	A^{2-}	H_3O^+
Concentração molar inicial/(mol dm^{-3})	0	S	0	0
Variação para atingir o equilíbrio/(mol dm^{-3})	$+x$	$-(x+y)$	$+y$	$+(y-x)$
Concentração de equilíbrio/(mol dm^{-3})	x	$S-x-y$	y	$y-x$

As duas constantes de acidez são

$$K_{a1} = \frac{\overbrace{[H_3O^+]}^{y-x}\overbrace{[HA^-]}^{S-x-y}}{\underbrace{[H_2A]}_{x}} = \frac{(y-x)(S-x-y)}{x}$$

$$K_{a2} = \frac{\overbrace{[H_3O^+]}^{y-x}\overbrace{[A^{2-}]}^{y}}{\underbrace{[HA^-]}_{S-x-y}} = \frac{(y-x)y}{S-x-y}$$

A multiplicação dessas duas expressões, observando da tabela de equilíbrio que, no equilíbrio, $y - x = [H_3O^+]$, fornece

$$K_{a1}K_{a2} = \frac{(y-x)(S-x-y)}{x}\frac{(y-x)y}{S-x-y} \overset{\text{cancelando termos}}{=} \frac{\overbrace{(y-x)^2}^{[H_3O^+]^2}y}{x}$$

$$= [H_3O^+]^2 \times \frac{y}{x}$$

A seguir, mostramos que, com boa aproximação, $y/x \approx 1$ e, portanto, $[H_3O^+] = (K_{a1}K_{a2})^{1/2}$. Para essa etapa, reescrevemos a expressão de K_{a1} como segue:

$$xK_{a1} = (y - x)(S - x - y) = Sy - y^2 - Sx + x^2$$

Uma vez que xK_{a1}, x^2 e y^2 são todos muito pequenos quando comparados com os termos que contêm S, essa expressão se reduz a

$$0 \approx Sy - Sx$$

Concluímos que $x \approx y$ e, portanto, $y/x \approx 1$, conforme necessário. Obtém-se agora a Eq. 8.12 tomando-se o logaritmo comum de ambos os lados de $[H_3O^+] = (K_{a1}K_{a2})^{1/2}$.

Sais em água

Os íons presentes quando um sal é adicionado à água podem ter caráter ácido ou básico, alterando, assim, o pH da solução. Por exemplo, quando adicionamos cloreto de amônio à água, são formados um ácido (NH_4^+) e uma base (Cl^-). A solução contém um ácido fraco (NH_4^+), e uma base muito fraca (Cl^-). O efeito resultante é que a solução é ácida. Analogamente, uma solução de acetato de sódio consiste em um íon sem caráter ácido ou básico (o íon Na^+), e uma base ($CH_3CO_2^-$). O efeito líquido é que a solução é básica, com um pH maior que 7.

A determinação do pH da solução é feita da mesma maneira que para um ácido ou uma base 'convencional'. Pela teoria de Brønsted-Lowry, não existe nenhuma distinção entre um ácido 'convencional', como o ácido acético, e um ácido conjugado de uma base (como o NH_4^+).

■ Breve ilustração 8.4 O pH de uma solução salina

Para calcularmos o pH de uma solução 0,010 M de NH_4Cl(aq) a 25 °C, devemos fazer exatamente o que foi feito no Exemplo 8.1, utilizando 0,010 mol dm^{-3} como a concentração inicial do ácido (NH_4^+). O valor de K_a a ser utilizado corresponde à constante de acidez do ácido NH_4^+, que é apresentado na Tabela 8.1. Pode-se, alternativamente, utilizar o valor de K_b da base conjugada (NH_3) desse ácido e converter essa grandeza para K_a utilizando-se a Eq. 8.8a ($K_aK_b = K_w$). Encontramos pH = 5,63, que corresponde a um pH ácido. Dessa mesma maneira, pode-se calcular o pH de uma solução de um sal de um ácido fraco, como o acetato de sódio. A tabela de equilíbrio é montada tratando-se o ânion $CH_3CO_2^-$ como uma base (o que corresponde à verdade), e usando para K_b o valor obtido a partir do valor de K_a correspondente ao seu ácido conjugado (CH_3COOH).

Exercício proposto 8.8

Determine o pH da solução $NH(CH_3)_3Cl$(aq) 0,0025 M, a 25 °C.

Resposta: 6,2

8.5 Titulações ácido-base

As constantes de acidez têm um papel importante nas titulações ácido-base, pois elas podem ser utilizadas para determinar o valor de pH que indica o **ponto estequiométrico.** Esse ponto representa o estágio da titulação no qual uma quantidade estequiometricamente equivalente de ácido foi adicionada a dada quantidade de base. Por motivos históricos, o ponto estequiométrico também é comumente chamado de 'ponto de equivalência' de uma titulação. O significado de ponto de viragem é explicado na Seção 8.7. O gráfico do pH do **analito,** a solução que está sendo analisada, contra o volume do **titulante,** a solução na bureta, adicionado é chamado de **curva de pH.** Esses gráficos apresentam uma série de características importantes e que continuam sendo muito úteis mesmo ainda hoje quando muitas titulações são realizadas por tituladores automáticos em que o pH é monitorado eletronicamente: os equipamentos de titulação automática baseiam-se nos conceitos que iremos discutir a seguir.

Primeiramente, vamos considerar a titulação de um ácido forte por uma base forte, como a titulação do ácido clorídrico pelo hidróxido de sódio aquoso. A reação é

$$HCl(aq) + NaOH(aq) \rightarrow NaCl(aq) + H_2O(l)$$

Inicialmente, o analito (ácido clorídrico) tem um pH baixo. No ponto estequiométrico, os íons presentes na solução (os íons Na^+ provenientes da base forte, e os íons Cl^- provenientes do ácido forte) têm pouca influência no pH, de modo que o pH é praticamente o da água pura, ou seja, pH = 7. Após o ponto estequiométrico, quando se adiciona base a uma solução neutra, o pH sobe rapidamente para um valor elevado. A curva de pH para essa titulação é mostrada na Figura 8.4.

A Figura 8.5 apresenta a curva de pH para a titulação de um ácido fraco (por exemplo, CH_3COOH) por uma base forte (NaOH). No ponto estequiométrico, a solução contém íons $CH_3CO_2^-$, íons Na^+, assim como íons provenientes da autoprotólise. A presença da base de Brønsted $CH_3CO_2^-$ na solução indica que podemos esperar ser o pH > 7. Em uma titulação de uma base fraca (por exemplo, NH_3) por um ácido forte (HCl), a solução contém, no ponto estequiométrico, íons NH_4^+ e íons Cl^-. Como o Cl^- é uma base de Brønsted muito fraca e o NH_4^+ é um ácido de Brønsted fraco, a solução será ácida e o seu pH será menor do que 7.

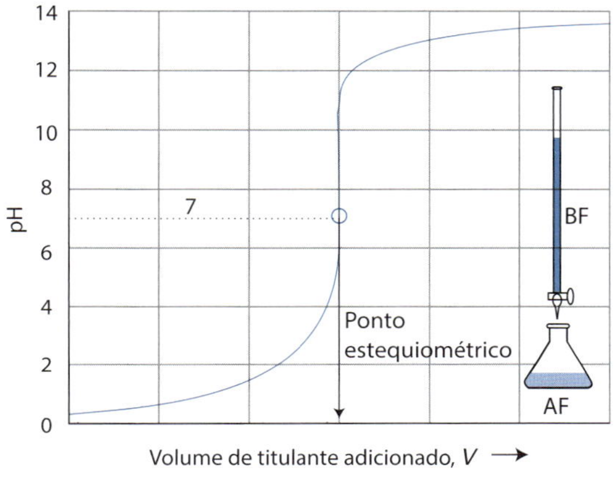

Figura 8.4 Curva de pH para a titulação de um ácido forte (o analito) por uma base forte (o titulante). Existe uma mudança acentuada de pH nas proximidades do ponto estequiométrico, pH = 7. O valor final do pH da solução é próximo do valor do pH do titulante.

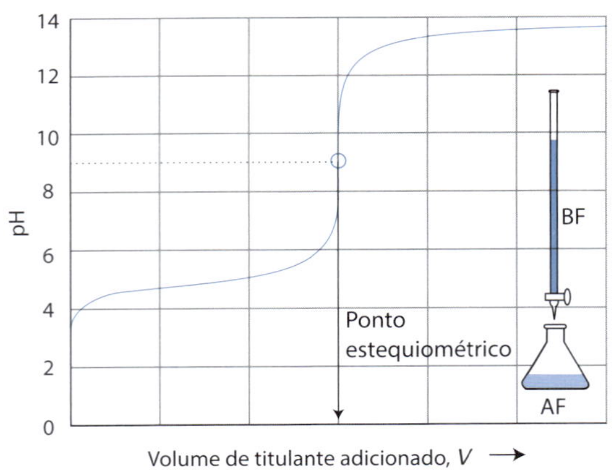

Figura 8.5 Curva de pH para a titulação de um ácido fraco (o analito) por uma base forte (o titulante). Observe que o ponto estequiométrico ocorre em pH > 7. A variação do pH nas proximidades do ponto estequiométrico é menos acentuada que na Figura 8.4. O pK_a do ácido corresponde ao valor do pH a meia distância do ponto estequiométrico.

Vamos agora analisar a forma da curva de pH na Figura 8.5 em termos das constantes de acidez das espécies envolvidas. As aproximações a serem feitas estão baseadas no fato de que o ácido é fraco e que, portanto, HA será mais abundante do que os íons A^- na solução. Além disso, quando HA está presente, produz uma quantidade de íons H_3O^+ muito superior, embora seja um ácido fraco, aos dos íons H_3O^+ provenientes da débil autoprotólise da água. Finalmente, quando temos base em excesso, após o ponto estequiométrico, a quantidade de íons OH^- provenientes da dissociação da base é muito maior do que a devida à autoprotólise da água.

Como exemplo específico, vamos supor que estamos titulando 25,00 cm^3 de uma solução 0,10 M de $CH_3COOH(aq)$ com uma solução 0,20 M de NaOH(aq) a 25 °C. Podemos calcular o pH no início de uma titulação de ácido fraco por base forte como foi feito no Exemplo 8.1, obtendo pH = 2,9. Ao adicionarmos o titulante, parte do ácido é convertida em sua base conjugada de acordo com a reação

$$CH_3COOH(aq) + OH^-(aq) \rightarrow H_2O(l) + CH_3CO_2^-(aq)$$

Suponhamos agora que titulante suficiente é adicionado para produzir uma concentração [base] da base conjugada e simultaneamente reduz a concentração do ácido para [ácido]. Então, como o ácido e sua base conjugada permanecem em equilíbrio:

$$CH_3COOH(aq) + H_2O(l) \rightleftharpoons H_3O^+(aq) + CH_3CO_2^-(aq)$$

podemos escrever

$$K_a = \frac{a_{H_3O^+} a_{CH_3CO_2^-}}{a_{CH_3COOH}} \approx \frac{a_{H_3O^+}[\text{base}]}{[\text{ácido}]}$$

Podemos inicialmente manipular esta expressão na forma

$$a_{H_3O^+} \approx \frac{K_a[\text{ácido}]}{[\text{base}]}$$

e, então, tomando logaritmos comuns, obtemos

$$\overbrace{\log a_{H_3O^+}}^{-\text{pH}} \approx \log \frac{K_a[\text{ácido}]}{[\text{base}]} \overbrace{=}^{\log xy = \log x + \log y} \overbrace{\log K_a}^{-\text{p}K_a} + \log \frac{[\text{ácido}]}{[\text{base}]}$$

que pode ser escrita como a **equação de Henderson-Hasselbalch**

$$\text{pH} \approx \text{p}K_a - \log \frac{[\text{ácido}]}{[\text{base}]} \qquad \text{Equação de Henderson-Hasselbalch} \qquad (8.13)$$

Exemplo 8.7

Determinação do pH em um estágio intermediário de uma titulação

Calcule o pH da solução após a adição de 5,00 cm^3 de titulante ao analito na titulação descrita anteriormente.

Estratégia Primeiramente, vamos determinar o número de mols de íon OH^- adicionados pelo titulante e então utilizar esse valor para calcular o número de mols restantes de CH_3COOH. Observe que, como na Eq. 8.13 temos uma razão entre as concentrações molares de ácido e base, os volumes da solução se cancelam, e podemos igualar a razão entre concentrações com a razão entre o número de mols:

$$\frac{[\text{ácido}]}{[\text{base}]} = \frac{n_{\text{ácido}}/V}{n_{\text{base}}/V} = \frac{n_{\text{ácido}}}{n_{\text{base}}}$$

Solução A adição de 5,00 cm^3, ou 5,00 × 10^{-3} dm^3 (pois 1 cm^3 = 10^{-3} dm^3), de titulante corresponde à adição de

$$n_{OH^-} = (5{,}00 \times 10^{-3}\ \text{dm}^3) \times (0{,}200\ \text{mol dm}^{-3})$$
$$= 1{,}00 \times 10^{-3}\ \text{mol}$$

Esse número de mols de OH^- (1,00 mmol) converte 1 mmol de CH_3COOH na base $CH_3CO_2^-$. O número de mols iniciais de CH_3COOH no analito é de

$$n_{CH_3COOH} = (25{,}00 \times 10^{-3}\ \text{dm}^3) \times (0{,}200\ \text{mol dm}^{-3})$$
$$= 2{,}50 \times 10^{-3}\ \text{mol}$$

assim, o número de mols restantes, após a adição do titulante, é de 1,50 mmol. Segue então, da equação de Henderson-Hasselbalch, que

$$\text{pH} \approx 4{,}75 - \log \frac{1{,}50 \times 10^{-3}}{1{,}00 \times 10^{-3}} = 4{,}6$$

Como esperado, a adição de uma base resultou em um aumento do pH inicial de 2,9. O valor calculado, de 4,6, deve ser considerado com cuidado, pois já mencionamos que esses cálculos são aproximados. Entretanto, deve-se observar que o pH teve um aumento em relação ao seu valor ácido inicial.

Exercício proposto 8.9

Calcule o pH da solução após a adição de mais 5,00 cm^3 de titulante.

Resposta: 5,4

No ponto a meia distância do ponto estequiométrico, no qual a quantidade de base adicionada é suficiente para neutralizar a metade da quantidade inicial de ácido, as concentrações de ácido e base são iguais; portanto, como log 1 = 0, a equação de Henderson-Hasselbalch dá

$$pH \approx pK_a \quad \text{pH a meia distância do ponto estequiométrico} \quad (8.14)$$

Na titulação que estamos analisando, pode-se verificar que, nesse ponto da titulação, $pH \approx 4{,}75$. Observe da curva de pH na Figura 8.5, como a variação do pH é muito mais lenta, quando comparada com a da etapa inicial: veremos adiante a importância desse ponto. A Eq. 8.14 nos permite determinar o valor do pK_a do ácido diretamente do pH da solução. De fato, um valor aproximado do pK_a pode ser calculado registrando-se o pH durante uma titulação e então localizando o ponto a meia distância do ponto estequiométrico.

No ponto estequiométrico, a quantidade de base adicionada é suficiente para converter todo o ácido na sua base conjugada, de modo que a solução consiste – nominalmente – apenas em íons $CH_3CO_2^-$. Esses íons são bases de Brønsted, de modo que podemos esperar que a solução seja básica com um pH bem acima de 7. Já foi discutido previamente como podemos determinar o pH de uma solução de uma base fraca em termos de sua concentração (Exemplo 8.3). Assim sendo, só nos falta calcular a concentração de $CH_3CO_2^-$ no ponto estequiométrico.

■ **Breve ilustração 8.5** O pH no ponto estequiométrico

Como o analito contém inicialmente 2,50 mmol de CH_3COOH, o volume de titulante necessário para a sua neutralização é o volume que contém o mesmo número de mols de base:

$$V_{base} = \frac{2{,}50 \times 10^{-3}\,\text{mol}}{0{,}200\ \text{mol dm}^{-3}} = 1{,}25 \times 10^{-2}\,\text{dm}^3$$

ou seja, 12,5 cm^3. O volume total de solução nesse ponto é, portanto, de 37,5 cm^3 e a concentração da base é

$$[CH_3CO_2^-] = \frac{2{,}50 \times 10^{-3}\ \text{mol}}{37{,}5 \times 10^{-3}\ \text{dm}^3} = 6{,}67 \times 10^{-2}\ \text{mol dm}^{-3}$$

Segue, então, de um cálculo semelhante ao do Exemplo 8.3 (com pK_b = 9,25 para o $CH_3CO_2^-$), que o pH da solução no ponto estequiométrico é 8,8.

É importante observar que o pH *no ponto estequiométrico de uma titulação de um ácido fraco por uma base forte está na região básica da escala de pH* (pH > 7). No ponto estequiométrico, a solução consiste em uma base fraca (a base conjugada do ácido fraco, nesse caso os íons $CH_3CO_2^-$) e cátions neutros (os íons Na^+ do titulante).

A forma geral da curva de pH sugerida por esses cálculos ao longo de uma titulação de um ácido fraco por uma base forte é apresentada na Figura 8.5. O pH aumenta lentamente do seu valor inicial, passando pelos valores dados pela equação de Henderson-Hasselbalch, quando o ácido e sua base conjugada estão presentes, até atingir as proximidades do ponto estequiométrico. O pH então muda rapidamente até atingir um valor característico de uma solução de um sal, que corresponde ao valor de pH de uma base fraca, a base conjugada do ácido original. O pH, então, eleva-se mais lentamente até atingir o valor correspondente ao de uma solução com excesso de base e, finalmente, aproxima-se do valor de pH da solução da

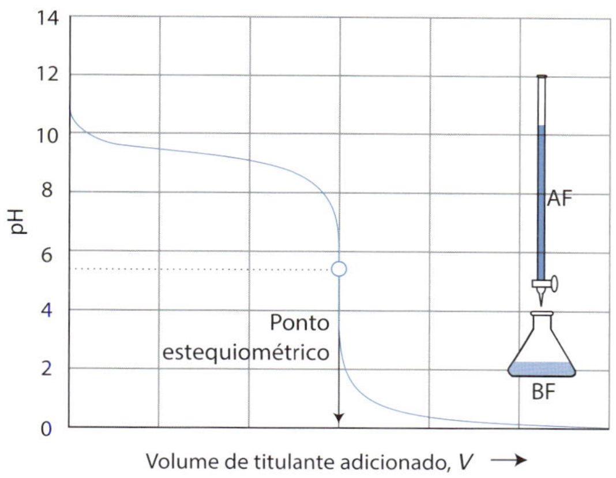

Figura 8.6 Curva de pH para a titulação de uma base fraca (o analito) por um ácido forte (o titulante). O ponto estequiométrico ocorre em pH < 7. O valor final do pH da solução é próximo do valor do pH do titulante.

base original. Nesse estágio da titulação, a quantidade de titulante adicionada é tão grande que a solução é essencialmente a solução titulante original. O ponto estequiométrico é determinado observando-se a região em que o pH varia acentuadamente passando pelo valor calculado na Breve ilustração 8.5.

Uma sequência similar de eventos ocorre quando o analito é uma base fraca (por exemplo, amônia) e o titulante é um ácido forte (por exemplo, ácido clorídrico). Nesse caso, a curva de pH é semelhante àquela apresentada na Figura 8.6. O pH decresce à medida que o ácido é adicionado, diminui rapidamente passando pelo valor de pH correspondente ao de uma solução de ácido fraco (o ácido conjugado da base original, nesse caso o NH_4^+), e então o pH se aproxima lentamente do valor correspondente ao do ácido forte original, que, nesse exemplo, é o HCl. O pH no ponto estequiométrico é o de uma solução de um ácido fraco, e é calculado como ilustrado no Exemplo 8.1.

8.6 Ação tamponante

A variação lenta do pH quando as concentrações do ácido e da base conjugadas são quase iguais, quando $pH \approx pK_a$, é o fundamento da **ação tamponante**, a capacidade de uma solução se opor à variação do seu pH quando uma pequena quantidade de um ácido forte, ou de uma base forte, é adicionada (Fig. 8.7).

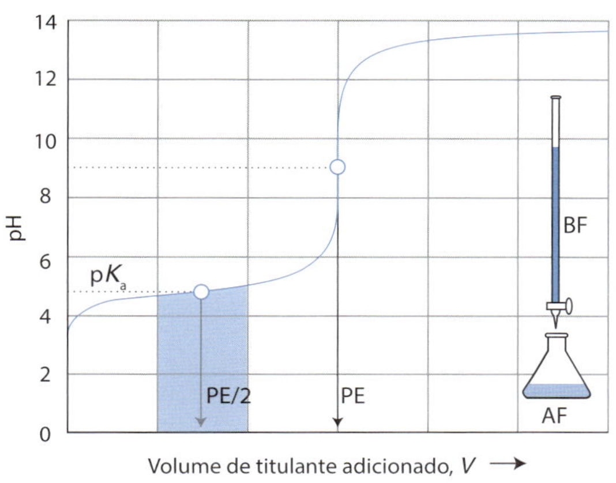

Figura 8.7 O pH da solução varia apenas lentamente na região que corresponde à meia distância do ponto estequiométrico. Nessa região, a solução está tamponada em um valor de pH próximo ao do pK_a.

Uma **solução tampão ácida** é aquela que estabiliza o pH de uma solução em um valor abaixo de 7. Em geral, essa solução é preparada utilizando-se um ácido fraco (por exemplo, ácido acético), e um sal que forneça a sua base conjugada (por exemplo, acetato de sódio). Uma **solução tampão básica** estabiliza o pH da solução em um valor acima de 7, e é preparada utilizando-se uma base fraca (por exemplo, amônia) e um sal que forneça o seu ácido conjugado (por exemplo, cloreto de amônio).

■ Breve ilustração 8.6 O pH de uma solução tampão

Suponha que queremos determinar o pH de uma solução tampão formada por quantidades iguais de $KH_2PO_4(aq)$ e $K_2HPO_4(aq)$. Os dois ânions presentes são $H_2PO_4^-$ e HPO_4^{2-}, sendo o primeiro o ácido conjugado do segundo:

$$H_2PO_4^-(aq) + H_2O(l) \rightleftharpoons H_3O^+(aq) + HPO_4^{2-}(aq)$$

de modo que precisamos do pK_a da forma ácida HPO_4^{2-}. Nesse caso podemos obtê-lo da Tabela 8.1, ou reconhecê-lo como o pK_{a2} do ácido fosfórico e obter o seu valor da Tabela 8.2. Em ambos os casos, $pK_a = 7{,}21$. Assim, a solução apresenta um efeito tamponante em pH = 7.

Exercício proposto 8.10

Determine o pH de uma solução tampão aquosa que contenha quantidades iguais de NH_3 e NH_4Cl.

Resposta: 9,25; mais realisticamente, 9

Um tampão ácido estabiliza o pH de uma solução porque a quantidade abundante de íons A^- (provenientes do sal) pode remover quaisquer íons H_3O^+ provenientes da adição de um ácido à solução; além disso, a quantidade em excesso de moléculas de HA pode produzir íons H_3O^+, que reagem com qualquer base adicionada. Analogamente, em um tampão básico, a base fraca B pode aceitar prótons quando um sal é adicionado à solução, e seu ácido conjugado BH^+ pode fornecer prótons, no caso de se adicionar uma base.

Essas capacidades podem ser expressas quantitativamente, considerando as variações na composição de equilíbrio de íons hidrônio na presença de um tampão. Esse comportamento é mais bem ilustrado com um exemplo específico.

Exemplo 8.8

Ilustrando o efeito de um tampão

Quando uma gota (digamos, 0,20 cm³) de HCl(aq) 1,0 mol dm⁻³ é adicionada a 25 cm³ de água pura, a concentração de íons hidrônio resultante aumenta para 0,0080 mol dm^{-3} e o pH cai de 7,0 para 2,1, uma grande variação. Imagine agora que a gota é adicionada a 25 cm^3 de uma solução tampão que é 0,040 mol dm^{-3} em $NaCH_3CO_2(aq)$ e 0,080 mol dm^{-3} em $CH_3COOH(aq)$. Qual será a variação de pH?

Estratégia A presença do ácido mostra que a mistura será um tampão ácido. Usamos a equação de Henderson-Hasselbalch (ou melhor, princípios fundamentais) para calcular o pH inicial. Calculamos então o número de mols do H_3O^+ adicionado na gota e as subsequentes variações nos números de mols de ácido acético e de íons acetato na solução. Usamos a equação de Henderson-Hasselbalch para calcular o pH da solução resultante.

Solução O pH inicial da solução tampão é

$$pH = \overbrace{4{,}75}^{pK_a} - \log \overbrace{\frac{0{,}080}{0{,}040}}^{[CH_3COOH]/[CH_3CO_2^-]} = 4{,}45$$

A gota de HCl(aq) contém

$$n(H_3O^+) = (0{,}20 \times 10^{-3}\ dm^3) \times (1{,}0\ mol\ dm^{-3}) = 0{,}20\ mmol$$

A solução tampão contém

$$n(CH_3CO_2^-) = (25 \times 10^{-3}\ dm^3) \times (0{,}040\ mol\ dm^{-3}) = 1{,}0\ mmol$$

$$n(CH_3COOH) = (25 \times 10^{-3}\ dm^3) \times (0{,}080\ mol\ dm^{-3}) = 2{,}0\ mmol$$

O íon acetato é protonado pelo ácido adicionado, reduzindo sua quantidade a 0,8 mmol. Como resultado, o número de mols de CH_3COOH aumenta de 2,0 para 2,2 mmol. O volume de solução quase não varia, e assim as duas concentrações se tornam 0,032 mol dm^{-3} em $NaCH_3CO_2(aq)$ e 0,088 mol dm^{-3} em $CH_3COOH(aq)$. Segue então, da equação de Henderson-Hasselbalch, que

$$pH = \overbrace{4{,}75}^{pK_a} - \log \overbrace{\frac{0{,}088}{0{,}032}}^{[CH_3COOH]/[CH_3CO_2^-]} = 4{,}31$$

A variação no pH é de 4,45 para 4,31, muito menor que na ausência do tampão.

Exercício proposto 8.11

Calcule a variação de pH quando 0,20 cm^3 de NaOH(aq) 1,5 mol dm^{-3} é adicionado a 30 cm^3 de (a) água pura e (b) um tampão de fosfato que é 0,20 mol dm^{-3} em $KH_2PO_4(aq)$ e 0,30 mol dm^{-3} em $K_2HPO_4(aq)$.

Resposta: (a) 7,00 para 9,00; (b) 7,39 para 4,42

Impacto na medicina 8.1

Ação tamponante no sangue

Tampões fisiológicos são responsáveis por manter o pH do sangue dentro de uma estreita faixa, de 7,37 a 7,43, estabilizando, então, as conformações ativas das macromoléculas biológicas e otimizando as velocidades das reações bioquímicas. Há dois sistemas tampão que ajudam a manter o pH do sangue relativamente constante: um provém do equilíbrio iônico ácido carbônico/bicarbonato (hidrogenocarbonato) e o outro envolve as formas protonada e desprotonada da hemoglobina, a proteína responsável pelo transporte de O_2 no sangue (Impacto 7.1).

O ácido carbônico se forma no sangue pela reação entre a água e o CO_2 gasoso proveniente da inalação do ar, sendo também um subproduto do metabolismo:

$$CO_2(g) + H_2O(l) \rightleftharpoons H_2CO_3(aq)$$

Nas células vermelhas do sangue, essa reação é catalisada pela enzima anidrase carbônica. O ácido carbônico aquoso é então desprotonado para formar um íon bicarbonato (hidrogenocarbonato):

$$H_2CO_3(aq) + H_2O(l) \rightleftharpoons H_3O^+(aq) + HCO_3^-(aq)$$

O fato de ser o pH do sangue normal aproximadamente igual a 7,4 implica que $[HCO_3^-]/[H_2CO_3] \approx 20$. O controle do pH do sangue no corpo é um exemplo de *homeostase*, a capacidade de um organismo de se opor a variações ambientais com respostas fisiológicas. Por exemplo, a concentração de ácido carbônico pode ser controlada pela respiração: o ar exalado remove do sistema o $CO_2(g)$ e o $H_2CO_3(aq)$, e assim o pH do sangue aumenta quando o ar é exalado. Ao contrário, a inalação aumenta a concentração de ácido carbônico no sangue e diminui o pH. Os rins também atuam no controle da concentração de íons hidrônio. Aí, a amônia formada pela liberação de nitrogênio de alguns aminoácidos (como a glutamina) se combina com os íons hidrônio em excesso e o íon amônio é excretado pela urina.

A condição conhecida como *alcalose* ocorre quando o pH do sangue sobe acima de 7,45. A *alcalose respiratória* é causada pela hiperventilação, ou respiração excessiva. O remédio mais simples consiste em respirar em um saco de papel a fim de aumentar os níveis de CO_2 inalado. A *alcalose metabólica* pode resultar de doenças, envenenamento, vômito recorrente e uso excessivo de diuréticos. O corpo pode compensar o aumento de pH no sangue diminuindo a velocidade de respiração.

A *acidose* ocorre quando o pH do sangue cai abaixo de 7,35. Na *acidose respiratória*, a respiração deficiente aumenta a concentração de CO_2 dissolvido e diminui o pH do sangue. A condição é comum em vítimas de inalação de fumaça e pacientes com asma, pneumonia e enfisema. O tratamento mais eficiente consiste em ventilar o paciente. A *acidose metabólica* é causada pela liberação de grandes quantidades de ácido lático ou outros subprodutos ácidos do metabolismo, que reagem com o íon bicarbonato para formar ácido carbônico, diminuindo assim o pH do sangue. A condição é comum em pacientes com diabetes e queimaduras graves.

A concentração de íons hidrônio no sangue é também controlada pela hemoglobina, que pode existir nas formas desprotonada (básica) e protonada (ácida), dependendo do estado de protonação de diversos resíduos de aminoácidos presentes na superfície da proteína. O equilíbrio iônico ácido carbônico/bicarbonato e os equilíbrios de prótons na hemoglobina também regulam a oxigenação do sangue. A chave para este mecanismo regulatório é o *efeito Bohr*, a observação de que a hemoglobina se liga fortemente ao O_2 quando desprotonada e libera O_2 quando protonada. Ocorre então que, quando os níveis de CO_2 dissolvido são elevados e o pH do sangue cai levemente, a hemoglobina se torna protonada e libera o O_2 ligado aos tecidos. Ao contrário, quando o CO_2 é exalado e o pH aumenta levemente, a hemoglobina fica desprotonada e se liga ao O_2.

8.7 Indicadores

A mudança acentuada do valor do pH nas proximidades do ponto estequiométrico de uma titulação ácido-base é a base da detecção por indicadores. Um **indicador ácido-base** é uma substância orgânica solúvel em água com uma forma ácida (HIn) e uma forma básica conjugada (In^-) de colorações diferentes. As duas formas estão em equilíbrio em solução:

$$HIn(aq) + H_2O(l) \rightleftharpoons H_3O^+(aq) + In^-(aq)$$

$$K_{In} = \frac{a_{H_3O^+}a_{In^-}}{a_{HIn}} \approx \frac{a_{H_3O^+}[In^-]}{[HIn]}$$

Os valores do pK_{In} de alguns indicadores são apresentados na Tabela 8.3. A razão entre as concentrações das formas ácida e básica do indicador é dada por

$$\frac{[In^-]}{[HIn]} \approx \frac{K_{In}}{a_{H_3O^+}}$$

Esta expressão pode ser reescrita (tomando-se os logaritmos comuns e utilizando os métodos dados em Ferramentas do químico 2.2) na forma

$$\log\frac{[In^-]}{[HIn]} \approx \log\frac{K_{In}}{a_{H_3O^+}} \overset{\log(x/y)=\log x-\log y}{=} \overbrace{\log K_{In}}^{-pK_{In}} - \overbrace{\log a_{H_3O^+}}^{-pH}$$

e escrita como

$$\log\frac{[In^-]}{[HIn]} \approx pH - pK_{In} \qquad (8.15)$$

■ Breve ilustração 8.7 Indicadores

À medida que o pH varia de um valor maior do que pK_{In} para um valor menor quando adicionamos um ácido à solução, a razão entre In^- e HIn muda de um valor muito menor do que 1 para um valor muito maior do que 1 (Fig. 8.8). Por exemplo, se pH = pK_{In} – 1, então $[In^-]/[HIn] = 10$, mas, se pH = pK_{In} + 1, então $[In^-]/[HIn] = 10^{-1}$, duas ordens de grandeza menor.

Tabela 8.3
Mudanças de cor dos indicadores

Indicador	Cor do ácido	Intervalo de pH da mudança de cor	pK_{In}	Cor da base
Azul de timol	Vermelho	1,2 a 2,8	1,7	Amarela
Metilorange	Vermelho	3,2 a 4,4	3,4	Amarela
Azul de bromofenol	Amarelo	3,0 a 4,6	3,9	Azul
Verde de bromocresol	Amarelo	4,0 a 5,6	4,7	Azul
Vermelho de metila	Vermelho	4,8 a 6,0	5,0	Amarela
Azul de bromotimol	Amarelo	6,0 a 7,6	7,1	Azul
Tornassol	Vermelho	5,0 a 8,0	6,5	Azul
Vermelho de fenol	Amarelo	6,6 a 8,0	7,9	Vermelha
Azul de timol	Amarelo	9,0 a 9,6	8,9	Azul
Fenolftaleína	Incolor	8,2 a 10,0	9,4	Rosa
Amarelo de alizarina	Amarelo	10,1 a 12,0	11,2	Vermelha
Alizarina	Vermelho	11,0 a 12,4	11,7	Púrpura

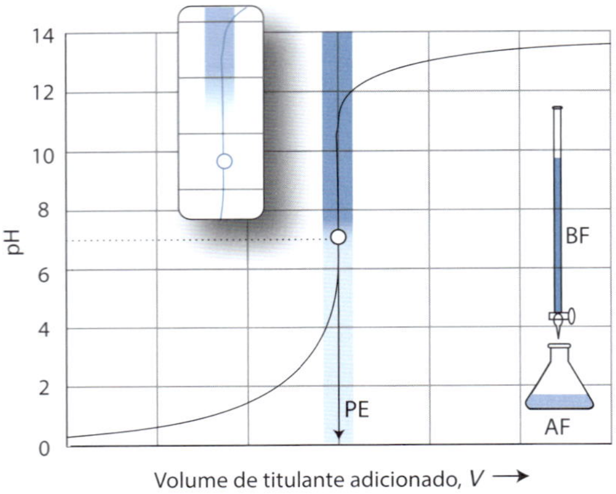

Figura 8.8 O intervalo de pH no qual o indicador sofre uma mudança de coloração está indicado pela faixa escura. Para uma titulação de um ácido forte por uma base forte, o ponto estequiométrico é indicado com exatidão por um indicador que mude de cor em pH = 7 (por exemplo, azul de bromotimol). No entanto, a variação de pH é tão acentuada que também são satisfatórios os resultados obtidos utilizando-se um indicador que tenha sua mudança de cor para valores de pH próximos a 7. Desse modo, a fenolftaleína (que tem pK_{In} = 9,4, ver Tabela 8.3) também é muito utilizada.

Exercício proposto 8.12

Qual é a razão entre as formas amarela e azul em uma solução de verde de bromocresol de pH (a) 3,7, (b) 4,7, (c) 5,7?

Resposta: (a) 10:1, (b) 1:1, (c) 1:10

No ponto estequiométrico, o pH varia abruptamente de várias unidades, de modo que a concentração de H_3O^+ muda de várias ordens de magnitude. O equilíbrio entre as duas formas do indicador se altera para acomodar a variação do pH. A forma HIn é a predominante no lado ácido do ponto estequiométrico, quando os íons H_3O^+ estão em abundância, e a forma In^- é a predominante no lado básico, quando a base pode remover prótons do HIn. Uma mudança de cor característica, na solução, assinala o ponto estequiométrico da titulação. A mudança na coloração da solução ocorre, na verdade, em um intervalo de pH, tipicamente de $pH \approx pK_{In} - 1$, quando a abundância de HIn é dez vezes maior do que a de In^-, a $pH \approx pK_{In} + 1$, quando a abundância de In^- é dez vezes maior do que a de HIn. O pH correspondente à metade do intervalo de mudança de cor, quando $pH \approx pK_{In}$, ou seja, quando as duas formas HIn e In^- estão presentes em igual abundância, é o **ponto de viragem** do indicador. Quando se escolhe adequadamente um indicador, o ponto de viragem do indicador coincide com o ponto estequiométrico da titulação.

Todo o cuidado deve ser tomado na escolha de um indicador, de tal forma que a mudança de sua cor ocorra em um pH apropriado para uma dada titulação. Mais especificamente, precisamos igualar o ponto de viragem e o ponto estequiométrico, e, portanto, selecionar um indicador para o qual o pK_{In} é aproximadamente igual ao valor do pH no ponto estequiométrico. Assim, em uma titulação de um ácido fraco por uma base forte o ponto estequiométrico tem pH > 7, e devemos escolher um indicador que tenha uma mudança de cor nesse

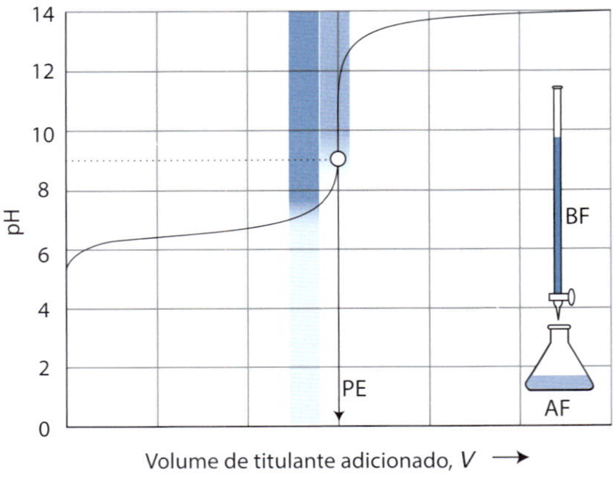

Figura 8.9 Em uma titulação de um ácido fraco por uma base forte, um indicador com $pK_{In} \approx 7$ (a faixa menor, por exemplo, azul de bromotimol) daria uma indicação falsa do ponto estequiométrico. É necessário utilizar um indicador que mude de cor nas proximidades do pH do ponto estequiométrico. Se esse se localiza em torno do pH = 9, a fenolftaleína seria adequada.

pH (Fig. 8.9). Analogamente, em uma titulação de uma base fraca por um ácido forte, deve-se selecionar um indicador com ponto de viragem em um pH < 7. Qualitativamente, devemos escolher um indicador com $pK_{In} \approx 7$ para titulações ácido forte por uma base forte, um indicador com $pK_{In} < 7$ para titulações base fraca por um ácido forte e um indicador com $pK_{In} > 7$ para titulações ácido fraco por uma base forte.

Equilíbrio de solubilidade

Um sólido se dissolve em um solvente até que a solução e o soluto sólido estejam em **equilíbrio.** Nesse ponto, a solução está **saturada**, e sua concentração molar é a **solubilidade molar** do sólido. Uma vez que as duas fases – o soluto sólido e a solução – estão em equilíbrio dinâmico, podemos utilizar o conceito de equilíbrio para discutir a composição da solução saturada. Deve ser observado que um equilíbrio de solubilidade é um exemplo de equilíbrio *heterogêneo*, em que as espécies estão em fases distintas (o soluto sólido e a solução). As propriedades de soluções aquosas de eletrólitos são, em geral, tratadas em termos de constantes de equilíbrio e serão discutidas nesta seção. Também trataremos, nesta seção, somente de compostos **pouco solúveis**, ou seja, compostos que se dissolvem em água numa quantidade muito pequena. Essa restrição torna-se necessária, pois as interações entre os íons são fatores complicadores em soluções mais concentradas, e técnicas mais avançadas devem ser então utilizadas para que os cálculos sejam confiáveis. Vamos nos concentrar, mais uma vez, nos aspectos e propriedades gerais em vez de procurar obter resultados numericamente precisos, limitando os cálculos numéricos a sistemas a 298 K.

8.8 A constante de solubilidade

O equilíbrio heterogêneo entre um composto iônico muito pouco solúvel, como o hidróxido de cálcio, $Ca(OH)_2$, e seus íons em uma solução aquosa é

$$\mathrm{Ca(OH)_2(s)} \rightleftharpoons \mathrm{Ca^{2+}(aq) + 2\ OH^-(aq)}$$

$$K_s = \frac{a_{\mathrm{Ca^{2+}}} a_{\mathrm{OH^-}}^2}{\underbrace{a_{\mathrm{Ca(OH)_2}}}_{1}} = a_{\mathrm{Ca^{2+}}} a_{\mathrm{OH^-}}^2$$

A constante de equilíbrio para um equilíbrio iônico desse tipo, lembrando que o sólido não aparece na expressão da constante de equilíbrio porque sua atividade é igual a 1, é chamada de **constante de solubilidade** (ou *'constante do produto de solubilidade'*, ou simplesmente *'produto de solubilidade'*). Para soluções muito diluídas, $a_J \approx [J]/c^{\ominus}$ e, como de costume, podemos substituir a atividade a_J de uma espécie química J pelo valor numérico da sua concentração molar. Valores experimentais de constantes de solubilidade são apresentados na Tabela 8.4.

Podemos interpretar a constante de solubilidade em termos do valor numérico da **solubilidade molar**, *s*, de um composto muito pouco solúvel. Para um composto iônico da forma A_xB_y composto de íons A^{a+} e B^{b-}, a concentração molar de cátions em solução é $[A^{a+}] = xs$ e a de ânions é $[B^{b-}] = ys$. Contanto que seja permitido substituir atividades por concentrações molares, a constante de solubilidade, então, é

$$K_s = [A^{a+}]^x[B^{b-}]^y = (xs)^x(ys)^y = x^x y^y s^{(x+y)}$$

■ Breve ilustração 8.8 A solubilidade de um sal

Segue da estequiometria do hidróxido de cálcio que a concentração molar dos íons Ca^+ em solução é igual à da do $Ca(OH)_2$ dissolvido em solução, de modo que $[Ca^{2+}] = s$. Do mesmo modo, como a concentração dos íons OH^- é duas vezes a das fórmulas unitárias do $Ca(OH)_2$, conclui-se que $[OH^-] = 2s$. Daí,

$$K_s \approx s \times (2s)^2 = 4s^3 \quad \text{e} \quad s \approx (\tfrac{1}{4}K_s)^{1/3}$$

Desse modo, utilizando a Tabela 8.4, temos $K_s = 5{,}5 \times 10^{-6}$, o que resulta em $s \approx 1 \times 10^{-2}$, e a solubilidade molar é 1×10^{-2} mol dm^{-3}.

Exercício proposto 8.13

O cobre está presente em diferentes minerais, por exemplo, na calcosita, Cu_2S. Qual é a solubilidade aproximada desse composto em água a 25 °C? Use os dados apresentados na Tabela 8.4 para o Cu_2S.

Resposta: $1{,}7 \times 10^{-16}$ mol dm^{-3}

O resultado obtido na Breve ilustração 8.8 é apenas aproximado, pois as interações entre os íons não foram consideradas. Entretanto, como o sólido é muito pouco solúvel, as concentrações dos íons em solução são pequenas e o erro introduzido é relativamente pequeno. As constantes de solubilidade (que são obtidas por meio de medições eletroquímicas, como as discutidas no Capítulo 9) fornecem um modo mais preciso de se medir a solubilidade de compostos praticamente insolúveis que uma medição direta da massa dissolvida.

Como os produtos de solubilidade são constantes de equilíbrio, podem ser calculados a partir de dados termodinâmicos, em particular das energias de Gibbs padrão de formação dos íons em solução usando a relação ($\Delta_r G^{\ominus} = -RT \ln K$). A determinação direta da solubilidade é muito difícil para a maioria dos sais insolúveis. Outra aplicação é na discussão da análise qualitativa, em que uma escolha judiciosa de concentrações guiada pelos valores de K_s pode levar à precipitação sucessiva de compostos (sulfetos, por exemplo) e à identificação dos elementos pesados (bário, por exemplo) presentes na mistura.

Tabela 8.4
Constantes de solubilidade a 298,15 K

Composto	Fórmula	K_s
Hidróxido de alumínio	$Al(OH)_3$	$1{,}0 \times 10^{-33}$
Sulfeto de antimônio	Sb_2S_3	$1{,}7 \times 10^{-93}$
Carbonato de bário	$BaCO_3$	$8{,}1 \times 10^{-9}$
fluoreto	BaF_2	$1{,}7 \times 10^{-6}$
sulfato	$BaSO_4$	$1{,}1 \times 10^{-10}$
Sulfeto de bismuto	Bi_2S_3	$1{,}0 \times 10^{-97}$
Carbonato de cálcio	$CaCO_3$	$8{,}7 \times 10^{-9}$
fluoreto	CaF_2	$4{,}0 \times 10^{-11}$
hidróxido	$Ca(OH)_2$	$5{,}5 \times 10^{-6}$
sulfato	$CaSO_4$	$2{,}4 \times 10^{-5}$
Brometo de cobre (I)	CuBr	$4{,}2 \times 10^{-8}$
cloreto	CuCl	$1{,}0 \times 10^{-6}$
iodeto	CuI	$5{,}1 \times 10^{-12}$
sulfeto	Cu_2S	$2{,}0 \times 10^{-47}$
Iodato de cobre(II)	$Cu(IO_3)_2$	$1{,}4 \times 10^{-7}$
oxalato	CuC_2O_4	$2{,}9 \times 10^{-8}$
sulfeto	CuS	$8{,}5 \times 10^{-45}$
Hidróxido de ferro(II)	$Fe(OH)_2$	$1{,}6 \times 10^{-14}$
sulfeto	FeS	$6{,}3 \times 10^{-18}$
Hidróxido de ferro(III)	$Fe(OH)_3$	$2{,}0 \times 10^{-39}$
Brometo de chumbo(II)	$PbBr_2$	$7{,}9 \times 10^{-5}$
cloreto	$PbCl_2$	$1{,}6 \times 10^{-5}$
fluoreto	PbF_2	$3{,}7 \times 10^{-8}$
iodato	$Pb(IO_3)_2$	$2{,}6 \times 10^{-13}$
iodeto	PbI_2	$1{,}4 \times 10^{-8}$
sulfato	$PbSO_4$	$1{,}6 \times 10^{-8}$
sulfeto	PbS	$3{,}4 \times 10^{-28}$
Fosfato de amônio–magnésio	$MgNH_4PO_4$	$2{,}5 \times 10^{-13}$
carbonato	$MgCO_3$	$1{,}0 \times 10^{-5}$
fluoreto	MgF_2	$6{,}4 \times 10^{-9}$
hidróxido	$Mg(OH)_2$	$1{,}1 \times 10^{-11}$
Cloreto de mercúrio(I)	Hg_2Cl_2	$1{,}3 \times 10^{-18}$
iodeto	Hg_2I_2	$1{,}2 \times 10^{-28}$
Sulfeto de mercúrio(II)	HgS preto:	$1{,}6 \times 10^{-52}$
	vermelho:	$1{,}4 \times 10^{-53}$
Hidróxido de níquel(II)	$Ni(OH)_2$	$6{,}5 \times 10^{-18}$
Brometo de prata	AgBr	$7{,}7 \times 10^{-13}$
carbonato	Ag_2CO_3	$6{,}2 \times 10^{-12}$
cloreto	AgCl	$1{,}6 \times 10^{-10}$
hidróxido	AgOH	$1{,}5 \times 10^{-8}$
iodeto	AgI	$1{,}5 \times 10^{-16}$
sulfeto	Ag_2S	$6{,}3 \times 10^{-51}$
Hidróxido de zinco	$Zn(OH)_2$	$2{,}0 \times 10^{-17}$
sulfeto	ZnS	$1{,}6 \times 10^{-24}$

8.9 O efeito do íon comum

O princípio de que a constante de equilíbrio permanece inalterada mesmo que as concentrações individuais das espécies possam variar pode ser aplicado a constantes de solubilidade, permitindo, assim, a avaliação do efeito da adição de espécies químicas a uma solução. Um exemplo particularmente importante é o efeito sobre a solubilidade de um composto pouco solúvel, devido à presença de outro soluto contendo um íon comum. Por exemplo, podemos considerar o efeito na solubilidade do cloreto de prata quando adicionamos cloreto de sódio a uma solução saturada de cloreto de prata; nesse caso, o Cl^- é o íon comum.

Sabemos o que esperar a partir do princípio de Le Chatelier (Capítulo 7): quando a concentração do íon comum aumenta, esperamos que o equilíbrio responda a este aumento tentando minimizá-lo. Como resultado, a solubilidade do sal original deve diminuir. Para tratar o efeito quantitativamente, observamos que a solubilidade molar do cloreto de prata em água pura está relacionada com a sua constante de solubilidade por $s \approx K_s^{1/2}$. Para avaliarmos o efeito do íon comum, vamos considerar que adicionamos íons Cl^- à solução, com uma concentração C mol dm^{-3}, que é muito maior que a de íons cloreto resultantes da presença do cloreto de prata. Portanto, podemos escrever

$$K_s = a_{Ag^+}a_{Cl^-} \approx ([Ag^+]/c^\ominus)(C/c^\ominus)$$

É muito perigoso desprezar os desvios em relação ao comportamento ideal para soluções eletrolíticas, de modo que a partir de agora os valores calculados servirão apenas como uma indicação das mudanças que podem ocorrer quando adicionamos um íon comum a uma solução de um sal muito pouco solúvel. Os aspectos qualitativos podem ser analisados, mas cálculos quantitativos não são confiáveis. Tendo essas considerações em mente, a solubilidade s' do cloreto de prata na presença de íons cloreto adicionados é

$$\frac{s'}{c^\ominus} = \frac{K_s}{C/c^\ominus} \quad \text{ou} \quad s' = \frac{K_s \times c^{\ominus 2}}{C} \tag{8.16}$$

A solubilidade apresenta uma grande redução devido à presença de um íon comum. A redução da solubilidade de um sal muito pouco solúvel, devido à presença de um íon comum, é denominada **efeito do íon comum**.

■ Breve ilustração 8.9 O efeito do íon comum

A solubilidade do cloreto de prata em água é de $1{,}3 \times 10^{-5}$ mol dm^{-3}. Portanto, a constante de solubilidade é

$$K_s \approx ([Ag^+]/c^\ominus)([Cl^-]/c^\ominus) = (s/c^\ominus) \times (s/c^\ominus) = (s/c^\ominus)^2$$

Na presença de NaCl(aq) 0,10 M,

$$s' = \frac{K_s \times c^{\ominus 2}}{C} \approx \frac{(s/c^\ominus)^2 \times c^{\ominus 2}}{C} = \frac{s^2}{C}$$

$$= \frac{(1{,}3 \times 10^{-5}\ \text{mol dm}^{-3})^2}{0{,}10\ \text{mol dm}^{-3}} = 1{,}7 \times 10^{-9}\ \text{mol dm}^{-3}$$

que é cerca de dez mil vezes menor.

Exercício proposto 8.14

Determine a solubilidade molar do fluoreto de cálcio, CaF_2, em (a) água, (b) uma solução 0,010 M de NaF(aq).

Resposta: (a) $2{,}2 \times 10^{-4}$ mol dm^{-3}; (b) $4{,}0 \times 10^{-7}$ mol dm^{-3}

8.10 O efeito de sais adicionados à solubilidade

Mesmo um sal que não tenha nenhum íon em comum com um sal muito pouco solúvel pode afetar a solubilidade deste último. Se a concentração do sal adicionado é baixa, a solubilidade do sal pouco solúvel aumenta. A explicação reside em um fenômeno que nos leva ao ponto central do Capítulo 9, no qual veremos que, em solução aquosa, os cátions tendem a ser encontrados próximo dos ânions, e os ânions, próximos dos cátions. Isto é, cada íon está em um ambiente, chamado 'atmosfera iônica', de cargas opostas. O desbalanceamento de carga não é grande, pois os íons se agitam incessantemente pelo movimento térmico, mas isso é suficiente para diminuir levemente a energia do íon central.

Quando um sal solúvel é adicionado à solução de um sal pouco solúvel, os numerosos íons do primeiro formam atmosferas iônicas em torno dos íons do sal pouco solúvel. Devido ao abaixamento de energia resultante, o sal pouco solúvel adquire uma tendência maior de se dissolver. Ou seja, a presença do sal adicionado aumenta a solubilidade do sal pouco solúvel.

Para determinar o efeito de um sal adicionado MX sobre um sal pouco solúvel AB, escrevemos a constante de solubilidade de AB em termos das atividades:

$$K_s = a_A a_B = \gamma_A \gamma_B [A][B] = \gamma_A \gamma_B s^2$$

Segue que $s = (K_s/\gamma_A\gamma_B)^{1/2}$ e, portanto, das Ferramentas do químico 2.2, que

$$\log s = \tfrac{1}{2}\log(K_s/\gamma_A\gamma_B) \overset{\log(x/y)=\log x - \log y}{=} \tfrac{1}{2}\log K_s - \tfrac{1}{2}\log \gamma_A\gamma_B$$

Veremos no Capítulo 9 que o logaritmo do produto dos coeficientes de atividade é proporcional à raiz quadrada da concentração, C, do sal adicionado, sendo $\log \gamma_A\gamma_B = -2AC^{1/2}$, em que A é uma constante que depende da natureza do solvente e da temperatura; para a água a 25 °C, $A = 0{,}51$. Segue então que

$$\log s = \tfrac{1}{2}\log K_s + AC^{1/2} \quad \text{AB na presença de MX} \quad \text{Efeito do sal adicionado} \tag{8.17}$$

Observe que $AC^{1/2}$ aumenta com o aumento da concentração do sal adicionado; por conseguinte, log S, e o próprio S, também aumentam, como foi previsto. A dependência linear de log S com $C^{1/2}$ é observada, mas apenas para baixas concentrações do sal adicionado.

■ **Breve ilustração 8.10** O efeito de sais adicionados na solubilidade

A solubilidade do AgCl em água a 25 °C é $s = K_s^{1/2}$, porque $K_s = 1{,}6 \times 10^{-10}$; logo, $s = 1{,}3 \times 10^{-5}$ mol dm^{-3}. Na presença de uma solução 0,10 mol dm^{-3} de $KNO_3(aq)$, sua solubilidade aumenta para

$$\log s = \tfrac{1}{2} \times \overbrace{\log(1{,}6 \times 10^{-10})}^{K_s} + \overbrace{0{,}5100}^{A} \times \overbrace{(0{,}10)^{1/2}}^{C^{1/2}} = -4{,}74$$

correspondendo a $s = 1{,}8 \times 10^{-5}$ mol dm^{-3}.

Exercício proposto 8.15

Determine a concentração do KNO_3 que resulta no aumento da solubilidade do AgCl, em água, para $2{,}1 \times 10^{-5}$ mol dm^{-3}.

Resposta: 0,19 mol dm^{-3}

Verificação de conceitos importantes

☐ 1 Na teoria de Brønsted–Lowry de ácidos e bases, um ácido é um doador de prótons e uma base é um receptor de prótons.

☐ 2 A força de um ácido HA é descrita em termos de sua constante de acidez, K_a, e de uma base B em termos de sua constante de basicidade, K_b.

☐ 3 Ácidos fracos têm $K_a < 1$, com $pK_a > 0$. Ácidos fortes comumente são considerados como completamente desprotonados em solução aquosa.

☐ 4 Uma base forte é completamente protonada em solução ($K_b > 1$). Uma base fraca não é completamente protonada em água ($K_b < 1$).

☐ 5 A forma ácida de uma espécie é dominante se $pH < pK_a$ e a forma básica é dominante se $pH > pK_a$.

☐ 6 Um ácido poliprótico é um composto molecular que pode doar mais de um próton.

☐ 7 Uma espécie anfiprótica é uma molécula ou um íon que pode tanto aceitar quanto doar prótons.

☐ 8 O pH de uma solução de um ácido fraco e sua base conjugada é dado pela equação de Henderson-Hasselbalch.

☐ 9 O pH de uma solução tampão que contém quantidades iguais de um ácido fraco e sua base conjugada é $pH = pK_a$.

☐ 10 Uma solução tampão ácida estabiliza a solução em um pH abaixo de 7, e é obtida preparando-se uma solução formada por um ácido fraco e um sal que fornece sua base conjugada.

☐ 11 Um tampão básico estabiliza uma solução em um pH acima de 7, e é obtido preparando-se uma solução formada por uma base fraca e um sal que fornece seu ácido conjugado.

☐ 12 O ponto de viragem da mudança de cor de um indicador ocorre em $pH = pK_{In}$; em uma titulação, escolha um indicador com um ponto de viragem que coincida com o ponto estequiométrico.

☐ 13 Um sólido dissolve-se em um solvente até a solução e o soluto sólido entrarem em equilíbrio. A solubilidade molar do sólido é a sua concentração molar nessa solução saturada.

☐ 14 O efeito do íon comum é a redução da solubilidade de um sal pouco solúvel pela presença de um íon comum.

☐ 15 Em baixas concentrações de um sal adicionado que não fornece íons comuns, a solubilidade de um sal pouco solúvel diminui.

Mapa conceitual das equações importantes

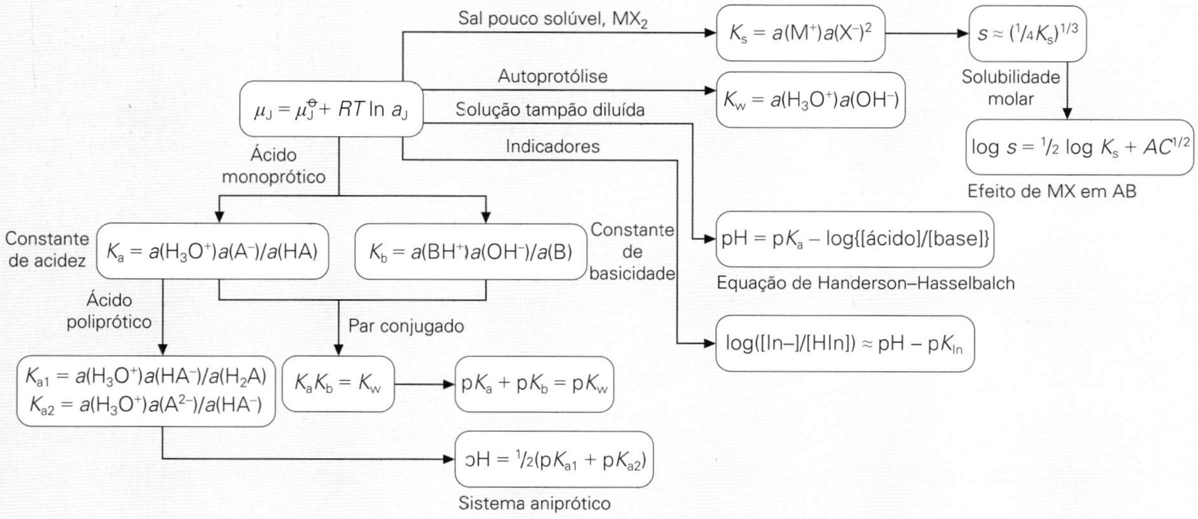

Questões e exercícios

Questões teóricas

8.1 Descreva as variações no pH que ocorrem durante a titulação de: (a) um ácido fraco por uma base forte, (b) uma base fraca por um ácido forte.

8.2 Descreva os fundamentos para a ação tamponante e a detecção com indicador.

8.3 Explique a diferença entre 'ponto estequiométrico (de equivalência)' e 'ponto de viragem' no contexto de uma titulação.

8.4 Descreva as mudanças na composição de uma solução do sal de um ácido triprótico à medida que o pH varia de 1 a 14.

8.5 Diga quais são os limites à generalização da expressão para o cálculo do pH de uma solução de sal anfiprótico. Dê os motivos para essas limitações.

8.6 Descreva e justifique as aproximações usadas na dedução da equação de Henderson-Hasselbalch.

8.7 Explique o efeito do íon comum.

Exercícios

8.1 Escreva as equações de equilíbrio de transferência de prótons, em solução aquosa, para os ácidos apresentados a seguir. Identifique o par ácido-base conjugado, para cada caso. (a) H_2SO_4, (b) HF (ácido fluorídrico), (c) $C_6H_5NH_3^+$ (íon anilínio), (d) $H_2PO_4^-$ (íon di-hidrogenofosfato), (e) HCOOH (ácido fórmico), (f) NH_2NH_3 (íon hidrazínio).

8.2 Numerosas espécies ácidas são encontradas em organismos vivos. Escreva as equações de equilíbrio de transferência de prótons, em solução aquosa, para os ácidos biologicamente importantes apresentados a seguir: (a) ácido lático ($CH_3CHOHCOOH$), (b) ácido glutâmico ($HOOCCH_2CH_2CH(NH_2)COOH$), (c) glicina (NH_2CH_2COOH), (d) ácido oxálico (HOOCCOOH).

8.3 Foram determinadas as concentrações molares dos íons H_3O^+, a 25 °C, nas soluções apresentadas a seguir. Calcule o pH e o pOH de cada solução: (a) $1{,}5 \times 10^{-5}$ mol dm^{-3} (uma amostra de água da chuva), (b) 1,5 mmol dm^{-3}, (c) $5{,}1 \times 10^{-14}$ mol dm^{-3}, (d) $5{,}01 \times 10^{-5}$ mol dm^{-3}.

8.4 Calcule a concentração molar dos íons H_3O^+ e o pH das seguintes soluções: (a) 25,0 cm^3 de uma solução de HCl(aq) 0,144 M adicionados a 25,0 cm^3 de uma solução de NaOH(aq) 0,125 M, (b) 25,0 cm^3 de uma solução de HCl(aq) 0,15 M adicionados a 35,0 cm^3 de uma solução de KOH(aq) 0,15 M, (c) 21,2 cm^3 de uma solução de HNO_3(aq) 0,22 M adicionados a 10,0 cm^3 de uma solução de NaOH(aq) 0,30 M.

8.5 Para aplicações biológicas e médicas é muitas vezes necessário considerar o equilíbrio de transferência de prótons na temperatura do corpo (37 °C). O valor de K_w para a água, na temperatura do corpo, é $2{,}5 \times 10^{-14}$. (a) Qual é o valor de $[H_3O^+]$ e do pH da água neutra a 37 °C? (b) Qual é a concentração molar dos íons OH^- e do pOH da água neutra a 37 °C?

8.6 Suponhamos que alguma coisa tenha saído errada no *Big Bang* e, em vez de termos o hidrogênio como o isótopo mais abundante, tivéssemos uma grande quantidade de deutério no universo. Este fato acarretaria uma série de pequenas alterações nos equilíbrios, em especial no equilíbrio de transferência de deutério de átomos pesados e bases. O valor de K_w para D_2O, a água pesada, a 25 °C, é $1{,}35 \times 10^{-15}$. (a) Escreva a equação química que representa a autoprotólise (mais precisamente, a autodeuterólise) do D_2O. (b) Determine o pK_w para D_2O, a 25 °C. (c) Calcule as concentrações molares de D_3O^+ e OD^- em uma água pesada neutra, a 25 °C. (d) Determine o pD e o pOD de uma água pesada neutra, a 25 °C. (e) Encontre a relação entre o pD, o pOD, e o p$K_w(D_2O)$.

8.7 Calcule o pH de uma solução 0,50 M de HCl(aq), admitindo comportamento ideal. O coeficiente médio de atividade nessa concentração é 0,769. Calcule um valor mais confiável do pH.

8.8 Use a equação de van't Hoff (Eq. 7.15) para obter uma expressão para o coeficiente angular de um gráfico de pK_a em função da temperatura.

8.9 O pK_w da água varia com a temperatura como se segue:

θ/°C	10	15	20	25	30	35
pK_w	14,5346	14,3463	14,1669	13,9965	13,8330	13,6801

Determine a entalpia padrão de desprotonação da água.

8.10 O pK_b da amônia em água varia com a temperatura como se segue:

θ/°C	10	15	20	25	30	35
pK_b	4,804	4,782	4,767	4,751	4,740	4,733

Obtenha tantas informações quanto possível a partir desses dados.

8.11 O pK_b da base orgânica nicotina (simbolizada por Nic) é 5,98. Escreva a reação de protonação correspondente, a reação de desprotonação do ácido conjugado e o valor do pK_a da nicotina.

8.12 Determine a fração de soluto desprotonada ou protonada nas seguintes soluções: (a) 0,25 M de C_6H_5COOH(aq), (b) 0,150 M de NH_2NH_2(aq) (hidrazina), (c) 0,112 M de $(CH_3)_3N$(aq) (trimetilamina).

8.13 Calcule o pH, o pOH, e a fração de soluto desprotonada ou protonada nas seguintes soluções aquosas: (a) 0,150 M de $CH_3CH(OH)COOH$(aq) (ácido lático), (b) $2{,}4 \times 10^{-4}$ M de $CH_3CH(OH)COOH$(aq), (c) 0,25 M de $C_6H_5SO_3H$(aq) (ácido benzenossulfônico).

8.14 O aminoácido tirosina tem pK_a = 2,20 para a desprotonação do seu grupo carboxila. Quais são as concentrações relativas de tirosina e de sua base conjugada em pH (a) 7, (b) 2,2, (c)1,5?

8.15 Calcule o pH das soluções dos ácidos apresentados a seguir, a 25 °C. (a) $1{,}0 \times 10^{-4}$ M de H_3BO_3(aq) (o ácido bórico atua como um ácido monoprótico), (b) 0,015 M de H_3PO_4(aq), (c) 0,10 M de H_2SO_3(aq).

8.16 Calcule as concentrações molares de $(COOH)_2$, $HOOCCO_2^-$, $(CO_2)_2^{2-}$, H_3O^+ e OH^- em $(COOH)_2$(aq) 0,15 M.

8.17 Calcule as concentrações molares de H_2S, HS^-, S^{2-}, H_3O^+ e OH^- em H_2S(aq) 0,065 M.

8.18 Mostre como a composição de uma solução aquosa 20 mmol dm^{-3} de glicina varia com o pH.

8.19 O íon hidrogenossulfito, HSO_3^-, é anfiprótico. Use os valores para as sucessivas constantes de acidez do ácido sulfuroso, H_2SO_3, na Tabela 8.2, para calcular o pH de uma solução aquosa de hidrogenossulfito de sódio, $NaHSO_3$.

8.20 Determine se as soluções aquosas dos sais a seguir, têm pH igual, maior, ou menor que 7. Se pH > 7, ou pH < 7, escreva uma equação química para justificar a sua resposta. (a) NH_4Br, (b) Na_2CO_3, (c) KF, (d) KBr, (e) $AlCl_3$, (f) $Co(NO_3)_2$.

8.21 Uma amostra de acetato de sódio, $NaCH_3CO_2$, de massa igual a 7,4 g, é utilizada para preparar 250 cm^3 de solução aquosa. Qual é o pH da solução?

8.22 Qual é o pH de uma solução quando 2,75 g de cloreto de amônio, NH_4Cl, são usados para preparar 100 cm^3 de solução aquosa?

8.23 Uma solução aquosa de volume igual a 1,0 dm^3 contém 10,0 g de brometo de potássio. Qual é a porcentagem de íons Br^- que estão protonados?

8.24 Esboce, da forma mais acurada possível, a curva de pH para a titulação de 25,0 cm^3 de uma solução de $Ba(OH)_2$(aq) 0,15 M com uma solução de HCl(aq) 0,22 M. Marque, sobre a curva, (a) o pH inicial, (b) o pH do ponto estequiométrico.

8.25 Mostre como a composição de uma solução aquosa que contém 30 mmol dm^{-3} de tirosina varia com o pH.

8.26 Calcule o pH de uma solução de hidrogeno-oxalato de sódio. Em que condições esse cálculo é razoavelmente confiável?

8.27 Calcule o pH das soluções (a) 0,10 M de NH_4Cl(aq), (b) 0,25 M de $NaCH_3CO_2$(aq), (c) 0,200 M de CH_3COOH(aq).

8.28 Uma amostra de volume igual a 25,0 cm^3 de uma solução 0,10 M de CH_3COOH(aq) é titulada com uma solução 0,10 M de NaOH(aq). O valor de K_a para o CH_3COOH é $1{,}8 \times 10^{-5}$. (a) Qual é o pH da solução 0,10 M de CH_3COOH(aq)? (b) Qual é o pH da solução após a adição de 10,0 cm^3 de solução 0,10 M de NaOH(aq)? (c) Qual é o volume de solução 0,10 M de NaOH(aq) necessário para se alcançar o ponto a meia distância do ponto estequiométrico? (d) Calcule o pH da solução nesse ponto a meia distância. (e) Qual é o volume de solução 0,10 M de NaOH(aq) necessário para se alcançar o ponto estequiométrico? (f) Calcule o pH da solução no ponto estequiométrico.

8.29 A meia distância do ponto estequiométrico de uma titulação de um ácido fraco por uma base forte, o pH foi medido como 5,16. Qual é a constante de acidez e o pK_a do ácido? Qual é o pH da solução 0,025 M do ácido?

8.30 Calcule o pH no ponto estequiométrico de uma titulação de 25,00 cm^3 de uma solução 0,150 M de ácido lático com uma solução 0,188 M de NaOH(aq).

8.31 Esboce a curva de pH de uma solução 0.10 M de $NaCH_3CO_2$(aq), com uma quantidade variável de ácido acético.

8.32 Existem diversos ácidos e bases orgânicos em nossas células, e a presença desses compostos altera o pH dos fluidos celulares. É útil saber determinar o pH de soluções de ácidos e bases, e fazer inferências a partir de valores medidos de pH. Uma solução de ácido lático e lactato de sódio, em iguais concentrações, tem um pH = 3,08. (a) Quais são os valores do pK_a e do K_a do ácido lático? (b) Qual seria o pH se o ácido tivesse o dobro da concentração do sal?

8.33 A base fraca chamada de Tris, ou mais precisamente, tris(hidroximetil)aminometano (**3**), tem pK_a = 8,3 a 20 °C. Essa substância é muito utilizada para produzir um tampão de aplicações bioquímicas. Em que pH você espera que a Tris atue como um tampão em uma solução que tem iguais concentrações molares de Tris e seu ácido conjugado?

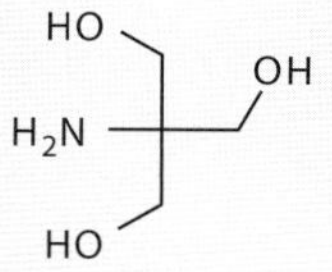

3 Tris(hidroximetil)aminometano

8.34 Uma solução tampão, de volume igual a 100 cm^3, é constituída de CH_3COOH(aq) 0,10 M e de $Na(CH_3CO_2)$(aq) 0,10 M. (a) Qual é o pH dessa solução? (b) Qual é o pH após a adição de 3,3 mmol de NaOH à solução tampão? (c) Qual é o pH após a adição de 6,0 mmol de HNO_3 à solução tampão inicial?

8.35 Determine a faixa de pH na qual cada uma das soluções tampão apresentadas a seguir serão efetivas. Assuma que as concentrações molares do ácido e de sua base conjugada são iguais: (a) lactato de sódio e ácido lático, (b) benzoato de sódio e ácido benzoico, (c) hidrogenofosfato de potássio e fosfato de potássio, (d) hidrogenofosfato de potássio e hidrogenofosfato de potássio, (e) hidroxilamina e cloreto de hidroxilamônio

8.36 Utilizando as informações das Tabelas 8.1 e 8.2, selecione tampões adequados para (a) pH = 2,2 e (b) pH = 7,0.

8.37 Escreva a expressão das constantes de solubilidade dos seguintes compostos: (a) AgI, (b) Hg_2S, (c) $Fe(OH)_3$, (d) Ag_2CrO_4.

8.38 Utilize os dados da Tabela 8.4 para determinar as solubilidades molares, em água, do (a) $BaSO_4$, (b) Ag_2CO_3, (c) $Fe(OH)_3$, (d) Hg_2Cl_2.

8.39 Use os dados da Tabela 8.4 para determinar a solubilidade, em água, de cada composto muito pouco solúvel, em sua respectiva solução: (a) brometo de prata em uma solução $1{,}4 \times 10^{-3}$ M de NaBr(aq), (b) carbonato de magnésio em uma solução $1{,}1 \times 10^{-5}$ M de Na_2CO_3(aq), (c) sulfato de chumbo(II) em uma solução 0,10 M de $CaSO_4$(aq), (d) hidróxido de níquel(II) em uma solução $2{,}7 \times 10^{-5}$ M de $NiSO_4$(aq).

8.40 A solubilidade do iodeto de mercúrio(I) em água, a 25 °C, é 5,5 fmol dm^{-3} (1 fmol = 10^{-15} mol). Qual é a energia de Gibbs padrão da dissolução do sal?

8.41 Podem-se usar dados termodinâmicos para predizer a solubilidade de compostos cuja determinação direta dessa propriedade é muito difícil. Determine a solubilidade do cloreto de mercúrio(II) em água, a 25 °C, utilizando dados de energia de Gibbs padrão de formação.

8.42 (a) Obtenha uma expressão para a razão entre as solubilidades do AgCl em duas temperaturas diferentes; admita que a entalpia padrão de solução do AgCl é independente da temperatura na faixa de interesse. (b) Você espera que a solubilidade do AgCl aumente ou diminua com o aumento de temperatura?

Projetos

8.43 Obtenha expressões para as frações de cada espécie presente em uma solução aquosa de lisina (**4**) em função do pH, e faça o gráfico do diagrama apropriado de evolução de cada espécie. Use os seguintes dados de constante de acidez: pK_a (H_3Lys^{2+}) = 2,18, pK_a (H_2Lys^+) = 8,95, pK_a (HLys) = 10,53.

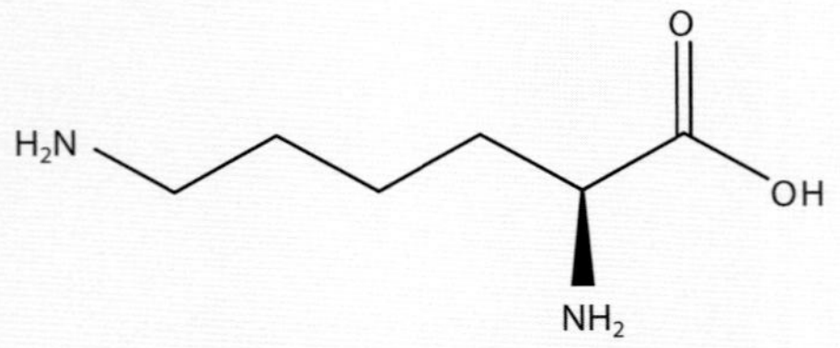

4 Lisina (Lys)

8.44 Usando a experiência adquirida na resolução do Exercício 8.43, e *sem fazer nenhum cálculo*, esboce o diagrama de evolução de espécies para a histidina (**5**) em água e marque os eixos com os valores significativos de pH. Use pK_a (H_3His^{2+}) = 1,77, pK_a (H_2His^+) = 6,10, pK_a (HHis) = 9,18.

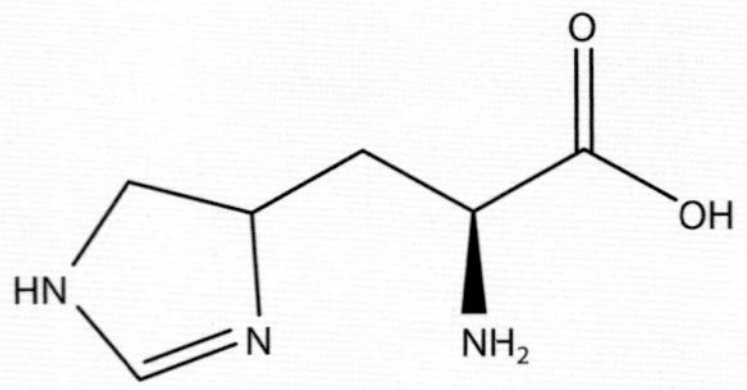

5 Histidina (His)

8.45 Vamos explorar aqui a ação tamponante no sangue de forma mais quantitativa. (a) Quais são os valores da razão [HCO_3^-]/[H_2CO_3] no início da acidose e da alcalose? (b) O *efeito Bohr* pode ser compreendido em termos da dependência do pH com o grau de cooperatividade na ligação do O_2 pela hemoglobina. Com base na descrição do efeito Bohr descrita neste capítulo e nas informações contidas no Exercício 7.40, o coeficiente de Hill da hemoglobina aumenta ou diminui com o pH?

9

Equilíbrio químico: eletroquímica

Processos que aparentemente não estão relacionados, como a combustão, a respiração, a fotossíntese e a corrosão, estão, na realidade, intimamente ligados. Em cada um deles, um elétron, muitas vezes acompanhado por um grupo de átomos, é transferido de uma espécie para outra. De fato, juntamente com a transferência de prótons típica das reações ácido-base, os processos nos quais ocorre uma transferência de elétrons, as **reações de oxirredução,** são os responsáveis por grande número de reações que ocorrem na química. As reações redox – o tópico principal deste capítulo – são de imensa importância prática, não apenas por nortear muitos processos bioquímicos e industriais, como também por ser a base da geração de eletricidade por intermédio de reações químicas e da investigação de reações por meio da medida de propriedades elétricas.

As medidas que serão descritas neste capítulo levam a um conjunto de dados muito útil na caracterização de soluções eletrolíticas e de uma ampla variedade de tipos de equilíbrio em solução. São também muito utilizados em química inorgânica para a análise da viabilidade de uma reação, sob o ponto de vista termodinâmico, bem como da estabilidade dos compostos. Em fisiologia, são usados para discussão dos detalhes da propagação de sinais nos neurônios.

Neste capítulo, vamos considerar eletrólitos e não eletrólitos. Deve ser familiar ao leitor dos cursos de química geral que um **eletrólito** (ou *solução eletrolítica*) é uma solução condutora de eletricidade. A maioria dos eletrólitos é de soluções iônicas, com os íons atuando como transportadores de carga. Um **não eletrólito** (ou *solução não eletrolítica*) é uma solução que não conduz eletricidade porque não há íons presentes.

Íons em solução

A diferença mais significativa entre uma solução eletrolítica e uma solução não eletrolítica é a presença de interações coulombianas de longo alcance entre os íons nas soluções eletrolíticas. Devido a essas interações, as soluções eletrolíticas exibem comportamento não ideal mesmo em concentrações muito baixas, porque as partículas do soluto, os íons, não se movem independentemente uns dos outros. Uma ideia da

Ferramentas do químico 9.1 A interação coulombiana

Como foi explicado em Fundamentos, a interação coulombiana entre duas cargas Q_1 e Q_2 separadas por uma distância r é descrita pela *energia potencial coulombiana*:

$$E_p = \frac{Q_1 Q_2}{4\pi\varepsilon_0 r}$$

em que $\varepsilon_0 = 8{,}854 \times 10^{-12}$ J^{-1} C^2 m^{-1} é a permissividade do vácuo. Observe que a interação é atrativa ($E_p < 0$) quando Q_1 e Q_2 têm sinais opostos e repulsiva ($E_p > 0$) quando seus sinais são iguais. A energia potencial de uma carga é zero quando está a uma distância infinita de outra carga. Quando as cargas estão separadas por um meio (como a água), a permissividade do vácuo é substituída pela permissividade do meio, ε:

$$E_p = \frac{Q_1 Q_2}{4\pi\varepsilon r}$$

A permissividade está relacionada com a permissividade do vácuo por $\varepsilon = \varepsilon_r\varepsilon_0$, em que ε_r é a *permissividade relativa* (antes denominada 'constante dielétrica'), determinada experimentalmente.

importância das interações íon-íon é obtida observando-se as distâncias médias entre os íons em solução em função da concentração molar c e, para se ter uma ideia da ordem de grandeza dessas distâncias, o correspondente número de moléculas de água que se ajustam entre eles:

c/(mol dm^{-3})	0,001	0,01	0,1	1	10
Distância/nm	12	5	3	1	0,5
Número de moléculas de H_2O	40	18	8	4	2

Veremos como levar em conta as interações entre os íons – que se tornam muito importantes para concentrações de 0,01 mol dm^{-3} e acima deste valor – na primeira parte deste capítulo. Uma segunda diferença entre uma solução eletrolítica e uma solução não eletrolítica é que um íon em solução responde à presença de um campo elétrico, migra por intermédio da solução e transporta carga de uma posição para outra. Nossos corpos são condutores elétricos e alguns dos pensamentos que você está tendo neste momento ao ler esta frase são devidos à migração de íons através de membranas presentes nos circuitos elétricos extremamente complexos de nossos cérebros.

Muitos dos assuntos abordados neste capítulo dependem da energia de interação entre os íons através da interação de Coulomb entre as cargas. As propriedades dessa interação são revistas na Ferramenta do químico 9.1.

9.1 A teoria de Debye-Hückel

Vimos que as propriedades termodinâmicas dos solutos são expressas em termos de suas atividades, a_J, que é uma espécie de concentração efetiva adimensional, e que as atividades estão relacionadas com as concentrações por meio da multiplicação por um coeficiente de atividade, γ_J. Existem várias maneiras de expressar a concentração; na primeira parte deste capítulo utilizamos a molalidade, b_J, e escrevemos

$$a_J = \gamma_J b_J / b^{\ominus} \qquad (9.1a)$$

em que $b^{\ominus} = 1$ mol kg^{-1}. Como a solução se torna ideal quando a molalidade se aproxima de zero, sabemos que $\gamma_J \to 1$ quando $b_J \to 0$. Para simplificar a notação, substituímos $b_J/b^{\ominus}$ pelo próprio b_J, tratamos b como o valor numérico da molalidade e escrevemos

$$a_J = \gamma_J b_J \qquad (9.1b)$$

Toda essa convenção significa que, para usar expressões nas quais b_J aparece, devemos expressá-lo em mols por quilograma (como 0,02 mol kg^{-1}), eliminar essas unidades (mol kg^{-1}) e usar apenas o seu valor numérico (0,02) nos cálculos.

Uma vez que a atividade da espécie J seja conhecida, podemos escrever o seu potencial químico usando

$$\mu_J = \mu_J^{\ominus} + RT \ln a_J \qquad (9.2)$$

As propriedades termodinâmicas da solução – tais como as constantes de equilíbrio de reação envolvendo íons – podem então ser obtidas do mesmo modo que para soluções ideais, mas com as atividades no lugar das concentrações. Entretanto, quando queremos relacionar os resultados que obtivemos com as observações experimentais, precisamos saber como relacionar as atividades com as concentrações. Ignoramos esse problema quando discutimos ácidos e bases, e simplesmente admitimos que todos os coeficientes de atividade eram 1. Neste capítulo, vamos ver como melhorar essa aproximação.

Um problema que temos que enfrentar desde o início é que cátions e ânions sempre ocorrem juntos em solução. Portanto, não há nenhum procedimento experimental para distinguir os desvios do comportamento ideal em função dos cátions daquele dos ânions: não podemos medir os coeficientes de atividade dos cátions e dos ânions separadamente. O melhor que podemos fazer experimentalmente é associar desvios do comportamento ideal como sendo devidos igualmente a cada espécie de íon e falar em termos de um **coeficiente médio de atividade,** $\gamma_\pm$. Para um sal MX, como o NaCl, mostramos na Dedução 9.1 que o coeficiente médio de atividade está relacionado com os coeficientes de atividade dos íons individuais da seguinte maneira:

$$\gamma_\pm = (\gamma_+\gamma_-)^{1/2} \qquad \text{Sal MX} \qquad \text{Coeficiente médio de atividade} \qquad (9.3a)$$

Para um sal M_pX_q, o coeficiente médio de atividade está relacionado com os coeficientes de atividade dos íons individuais como:

$$\gamma_\pm = (\gamma_+^p\gamma_-^q)^{1/s} \quad s = p + q \qquad \text{Sal } M_pX_q \qquad \text{Coeficiente médio de atividade} \qquad (9.3b)$$

Assim, para o $Mg_3(PO_4)_2$, em que $p = 3$, $q = 2$ e $s = 5$, o coeficiente médio de atividade para cada tipo de íon é $\gamma_\pm = (\gamma_+{}^3\gamma_-{}^2)^{1/5}$.

■ **Breve ilustração 9.1** Coeficiente médio de atividade (1)

Suponha que tenhamos encontrado uma maneira de calcular os coeficientes de atividade reais dos íons Na^+ e SO_4^{2-} no Na_2SO_4 (aq) 0,010 m e que tenhamos determinado os seus valores como sendo 0,65 e 0,84, respectivamente (esses valores são inventados). Então, o coeficiente médio de atividade seria

$$\gamma_\pm = \{(0{,}65)^2 \times (0{,}84)\}^{1/3} = 0{,}71$$

pois, $p = 2$, $q = 1$ e $s = 3$ (0,71 é o valor experimental real). Escreveríamos as atividades dos dois íons como

$$a_+ = \gamma_\pm b_+/b^\ominus = 0{,}71 \times (2 \times 0{,}010) = 0{,}014$$
$$a_- = \gamma_\pm b_-/b^\ominus = 0{,}71 \times (0{,}010) = 0{,}0071$$

Exercício proposto 9.1

O valor experimental do coeficiente médio de atividade para o $CaCl_2$(aq) 0,020 *m* é 0,664. Suponha que saibamos que o coeficiente de atividade do íon Cl^- é 0,811. Qual seria o coeficiente de atividade do íon Ca^{2+} nesta solução?

Resposta: 0,445

Dedução 9.1

Coeficientes médios de atividade

Para um sal MX que se dissocia completamente em solução, a energia de Gibbs molar dos íons é

$$G_m = \mu_+ + \mu_-$$

em que μ_+ e μ_- são os potenciais químicos dos cátions e dos ânions, respectivamente. Cada um dos potenciais químicos pode ser expresso em termos de uma molalidade b e um coeficiente de atividade γ usando a Eq. 9.2 ($\mu = \mu^\ominus + RT \ln a$) e então a Eq. 9.1 ($a = \gamma b$), dando

$$\begin{aligned} G_m &= \{\mu_+^\ominus + RT \ln a_+\} + \{\mu_-^\ominus + RT \ln a_-\} \\ &= \{\mu_+^\ominus + RT \ln \gamma_+ b_+\} + \{\mu_-^\ominus + RT \ln \gamma_- b_-\} \\ &\overset{\ln xy = \ln x + \ln y}{=} \{\mu_+^\ominus + RT \ln \gamma_+ + RT \ln b_+\} + \{\mu_-^\ominus + RT \ln \gamma_- + RT \ln b_-\} \end{aligned}$$

na qual utilizamos as regras para a manipulação de logaritmos de Ferramentas do químico 2.2. Usamos o mesmo procedimento novamente para combinar os dois termos envolvendo os coeficientes de atividade (em azul) como

$$G_m = \{\mu_+^\ominus + RT \ln b_+\} + \{\mu_-^\ominus + RT \ln b_-\} + RT \ln \gamma_+ \gamma_-$$

Escrevemos agora o termo no logaritmo final (em azul) como $\gamma_\pm^2$ para obter

$$\begin{aligned} G_m &= \{\mu_+^\ominus + RT \ln b_+\} + \{\mu_-^\ominus + RT \ln b_-\} + RT \ln \gamma_\pm^2 \\ &\overset{\ln x^2 = 2 \ln x}{=} \{\mu_+^\ominus + RT \ln b_+\} + \{\mu_-^\ominus + RT \ln b_-\} + 2RT \ln \gamma_\pm \\ &= \{\mu_+^\ominus + RT \ln b_+ + RT \ln \gamma_\pm\} + \{\mu_-^\ominus + RT \ln b_- + RT \ln \gamma_\pm\} \\ &\overset{\ln x + \ln y = \ln xy}{=} \{\mu_+^\ominus + RT \ln \gamma_\pm b_+\} + \{\mu_-^\ominus + RT \ln \gamma_\pm b_-\} \end{aligned}$$

Vemos que, com o coeficiente médio de atividade definido como na Eq. 9.3a, o desvio do comportamento ideal (expresso pelo coeficiente de atividade) é agora compartilhado igualmente entre os dois tipos de íons. Exatamente do mesmo modo, a energia de Gibbs de um sal M_pX_q pode ser escrita

$$G_m = p(\mu_+^\ominus + RT \ln \gamma_\pm b_+) + q(\mu_-^\ominus + RT \ln \gamma_\pm b_-)$$

com o coeficiente médio de atividade definido como na Eq. 9.3b.[1]

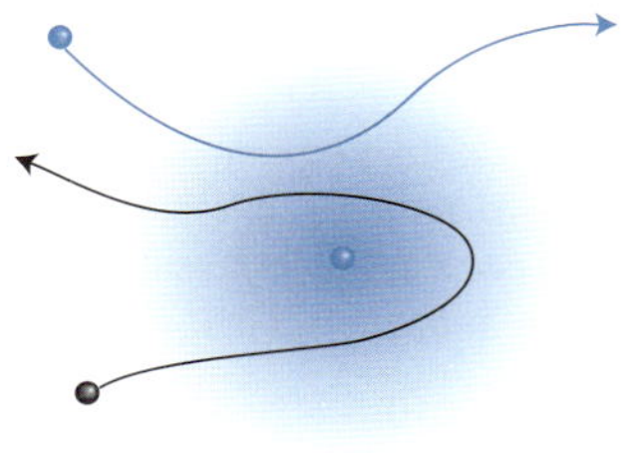

Figura 9.1 A atmosfera iônica envolvendo um íon consiste em um ligeiro excesso de carga oposta quando íons se movem por meio das vizinhanças do íon central, com os contraíons permanecendo muito mais tempo do que íons de mesma carga. A atmosfera iônica diminui a energia do íon central.

A questão que permanece em aberto, no entanto, é como os coeficientes médios de atividade podem ser calculados. Uma teoria que permite o cálculo dos seus valores em soluções muito diluídas foi desenvolvida por Peter Debye e Erich Hückel em 1923. Eles admitiram que cada íon em solução está envolvido por uma **atmosfera iônica** de cargas contrárias. Essa 'atmosfera' é na realidade o ligeiro desbalanceamento de carga que surge da competição entre o movimento térmico, que tende a manter todos os íons distribuídos uniformemente ao longo da solução, e a interação coulombiana entre os íons, que tende a atrair contraíons (íons de carga oposta) para as vizinhanças dos íons e repelir íons de cargas iguais (Fig. 9.1). Como resultado dessa competição, existe um ligeiro excesso de cátions próximo de qualquer ânion, gerando uma atmosfera iônica carregada positivamente em torno do ânion, e um ligeiro excesso de ânions próximo a qualquer cátion, gerando uma atmosfera iônica carregada negativamente em torno do cátion. Como cada íon está em uma atmosfera de carga oposta, sua energia é menor do que em uma solução uniforme, ideal, e, portanto, seu potencial químico é menor do que em uma solução ideal. Uma diminuição do potencial químico de um potencial de um íon abaixo do valor da sua solução ideal é equivalente ao coeficiente de atividade do íon ser menor que 1 (pois, ln γ é negativo quando $\gamma < 1$). Debye e Hückel foram capazes de obter uma expressão que é uma lei limite no sentido de que se torna crescentemente válida quando a concentração dos íons tende a zero. A **lei limite de Debye-Hückel**[2] é

$$\log \gamma_\pm = -A|z_+z_-|I^{1/2} \qquad \text{Lei limite de Debye–Hückel} \qquad (9.4)$$

(Observe o logaritmo habitual.) Nessa expressão, A é uma constante que para a água a 25 °C vale 0,509. Os z_J são os valores das cargas dos íons (assim, $z_+ = +1$ para o Na^+ e $z_- = -2$ para o SO_4^{2-}); as barras verticais significam que ignoramos o sinal do produto. A grandeza I é a **força iônica** da solução, que é definida em termos das molalidades dos íons como

$$I = \tfrac{1}{2}(z_+^2 b_+ + z_-^2 b_-)/b^\ominus \qquad \text{Definição} \qquad \text{Força iônica} \qquad (9.5a)$$

[1] Para os detalhes deste caso geral, veja o livro *Físico-Química* (2010), destes mesmos autores (LTC Editora); veja também Exercício 9.3.

[2] Para uma dedução da lei limite de Debye-Hückel, veja o livro *Físico-Química* (2010), destes mesmos autores (LTC Editora).

Breve ilustração 9.2 Coeficientes médios de atividade (2)

Para calcular o coeficiente médio de atividade para os íons no $NaSO_4$(aq) 0,0010 *m*, a 25 °C, primeiro calculamos a força iônica da solução a partir da Eq. 9.5a usando $b_+/b^{\ominus} = 2 \times 0{,}0010$ e $z_+ = +1$ para o Na^+ e $b_-/b^{\ominus} = 0{,}0010$ e $z_- = -2$ para o SO_4^{2-}:

$$I = \tfrac{1}{2}\{(+1)^2 \times (2 \times 0{,}0010) + (-2)^2 \times (0{,}0010)\} = 0{,}0030$$

A seguir, usamos a lei limite de Debye–Hückel, Eq. 9.4, para escrever

$$\log \gamma_\pm = -0{,}509 \times |(+1)||(-2)| \times (0{,}0030)^{1/2}$$
$$= -2 \times 0{,}509 \times (0{,}0030)^{1/2} = -0{,}056$$

Tomando os antilogaritmos

$$\gamma_\pm \overbrace{=}^{x=10^{\log x}} 0{,}88$$

O valor experimental é 0,886.

Exercício proposto 9.2

Calcule o coeficiente médio de atividade para os íons no $Al_2(SO_4)_3$ 0,00005 *m*, a 25 °C.

Resposta: 0,77

Quando calcular a força iônica, tenha certeza de incluir todos os íons presentes na solução, não apenas aqueles de interesse. Por exemplo, se você estiver calculando a força iônica de uma solução de cloreto de prata e nitrato de potássio, há contribuições para a força iônica de todos os quatro tipos de íons. Quando mais de dois íons contribuem para a força iônica, escrevemos:

$$I = \frac{1}{2}\overbrace{\sum_i z_i^2 b_i/b^{\ominus}}^{\text{Somatório sobre todos os íons presentes}} \qquad \text{Caso geral} \qquad \text{Força iônica} \qquad (9.5b)$$

em que z_i é o valor da carga de um íon *i* (positivo para os cátions e negativo para os ânions) e b_i é a sua molalidade.

Como já enfatizamos, a Eq. 9.4 é uma lei *limite* e é válida somente em soluções muito diluídas. Para soluções mais concentradas do que aproximadamente 10^{-3} mol dm^{-3} as interações íon-íon tornam-se muito importantes e é melhor usar uma modificação empírica conhecida como a **lei estendida de Debye-Hückel:**

$$\log \gamma_\pm = -\frac{A|z_+z_-|I^{1/2}}{1 + BI^{1/2}} + CI \qquad \text{Lei estendida de Debye-Hückel} \qquad (9.6)$$

na qual *B* e *C* são constantes adimensionais (Fig. 9.2). Embora *B* possa ser interpretado como uma medida da menor aproximação dos íons, é preferível que, semelhantemente a *C*, seja considerado um parâmetro empírico ajustável. Como sempre, é melhor interpretar esta equação do que tentar lembrá-la:

- Quando $BI^{1/2} \ll 1$ e CI é pequeno, a lei estendida reduz-se à lei limite.

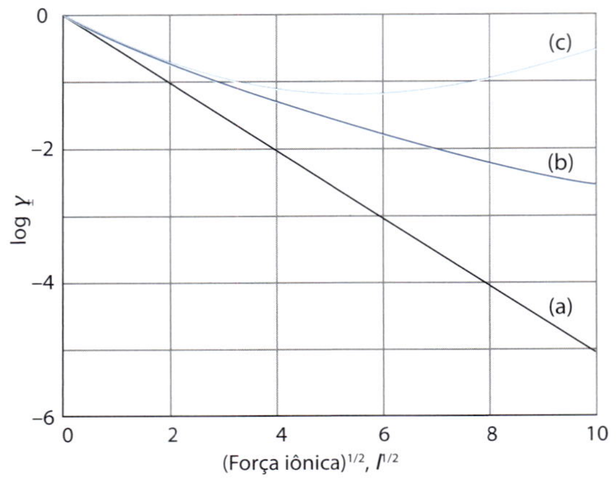

Figura 9.2 Variação do coeficiente de atividade com a força iônica de acordo com a teoria de Debye-Hückel estendida. (a) A lei limite para um eletrólito 1,1. (b) A lei estendida com *B* = 0,5. (c) A lei ainda mais estendida pela adição do termo *CI*; neste caso, com C = 0,2. A última forma da lei reproduz razoavelmente bem o comportamento observado experimentalmente.

- O termo proporcional a *I* torna-se mais importante do que os termos proporcionais a $I^{1/2}$ em forças iônicas maiores; como *CI* é positivo, aumenta o valor do $\log \gamma_\pm$ acima do seu valor na lei limite, conforme mostra a Figura 9.2.

9.2 A migração dos íons

Íons se movem em solução, e o estudo do seu movimento na presença de um gradiente de potencial fornece uma indicação do seu tamanho, do efeito da solvatação e detalhes do tipo de movimento que sofrem. A migração dos íons em solução é estudada por intermédio da medida da resistência elétrica de uma solução de concentração conhecida em uma célula como aquela ilustrada na Figura 9.3. Certos detalhes técnicos têm de ser considerados na prática, como o uso de corrente alternada para minimizar os efeitos da eletrólise, mas o ponto essencial é a determinação de *R* e, a partir de *R* e das dimensões da amostra, a condutividade κ (capa); veja Ferramentas do químico 9.2.

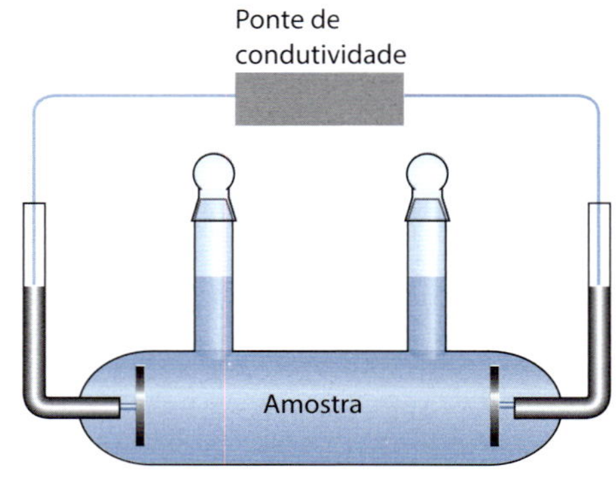

Figura 9.3 Uma célula de condutividade típica. A célula se torna parte de uma 'ponte' e mede-se a sua resistência. A condutividade é geralmente determinada comparando-se a resistência da célula com a de uma solução de condutividade conhecida. Usa-se uma corrente alternada para evitar a formação de produtos de decomposição nos eletrodos.

Ferramentas do químico 9.2 Corrente elétrica

A resistência, *R* (em ohms, Ω), da solução controla a corrente, *I* (em amperes, A), que passa quando uma diferença de potencial, $\mathcal{V}$ (em volts, V), é aplicada entre dois eletrodos de acordo com a lei de Ohm: $I = \mathcal{V}/R$ (veja o Apêndice 3 para informações adicionais sobre eletrostática).

A resistência de uma amostra depende da natureza e temperatura da substância; é proporcional ao seu comprimento, *L*, e inversamente proporcional à área de sua seção transversal, *A*, da amostra: $R \propto L/A$. A constante de proporcionalidade é denominada **resistividade**, ρ (rô), e escrevemos $R = \rho L/A$. A unidade de resistividade é o ohm metro (Ω m). O inverso da resistividade, $1/\rho$, é a **condutividade**, κ (capa), que é expressa em Ω^{-1} m^{-1}. O inverso de ohm aparece tão frequentemente em eletroquímica que recebeu um nome especial, o siemens (S, 1 S = 1 Ω^{-1}). Assim, as condutividades são expressas em siemens por metro (S m^{-1}).

O ampere (A) é uma das unidades básicas do SI. A carga é dada em coulombs, com 1 C = 1 A s. Para o potencial e a diferença de potencial, o volt, V, é definido como 1 V = 1 J C^{-1} (ou, em unidades básicas, 1 V = 1 kg m^2 A^{-1} s^{-3}) e para a resistência, o ohm, Ω, é definido como 1 Ω = 1 V A^{-1} (em unidades básicas, 1 Ω = 1 kg m^2 A^{-2} s^{-3}), de modo que 1 S = 1 A V^{-1}. Para a maioria das aplicações, é possível trabalhar em amperes, volts e coulombs.

Uma vez determinado o valor de κ (na prática, pela calibração da célula com uma solução de condutividade conhecida), obtemos a **condutividade molar**, Λ_m (lambda maiúsculo), quando a concentração molar do soluto é *c*, pela expressão

$$\Lambda_m = \frac{\kappa}{c}$$ Definição — Condutividade molar (9.7)

Com a concentração molar em mols por decímetro cúbico, a condutividade molar é expressa em siemens por metro por (mols por decímetro cúbico), ou S m^{-1} (mol dm^{-3})$^{-1}$. Essas unidades incômodas são úteis em aplicações práticas, mas podem ser simplificadas para siemens metro quadrado por mol (S m^2 mol^{-1}). Especificamente, a relação entre as unidades é

$$1 \text{ S m}^{-1} (\text{mol dm}^{-3})^{-1} = 1 \text{ mS m}^2 \text{ mol}^{-1}$$

em que 1 mS = 10^{-3} S.

A condutividade molar de um eletrólito *forte* (um que está totalmente dissociado em íons em solução, tal como a solução de um sal) varia com a concentração molar de acordo com a lei empírica descoberta por Friedrich Kohlrausch em 1876:

$$\Lambda_m = \Lambda_m^\circ - \mathcal{K}c^{1/2}$$ Eletrólito forte — Lei de Kohlrausch (9.8)

A constante Λ_m°, a **condutividade molar limite**, é a condutividade molar no limite de concentração tão baixa que os íons não mais interagem uns com os outros. A constante $\mathcal{K}$ leva em conta o efeito dessas interações, quando a concentração é diferente de zero. O fato de as interações provocarem uma dependência com a raiz quadrada da concentração sugere que as interações surgem de efeitos semelhantes àqueles responsáveis pelos coeficientes de atividade na teoria de Debye-Hückel, em particular o efeito de uma atmosfera iônica sobre as mobilidades dos íons. O fato de a condutividade molar *diminuir* com o aumento da concentração pode ser considerado como efeito retardador que um íon exerce sobre o movimento de outro íon. Vamos nos concentrar na condutividade limite.

Tabela 9.1

Condutividades iônicas, λ/(mS m^2 mol^{-1})*

Cátions		Ânions	
H^+ (H_3O^+)	34,96	OH^-	19,91
Li^+	3,87	F^-	5,54
Na^+	5,01	Cl^-	7,64
K^+	7,35	Br^-	7,81
Rb^+	7,78	I^-	7,68
Cs^+	7,72	CO_3^{2-}	13,86
Mg^{2+}	10,60	NO_3^-	7,15
Ca^{2+}	11,90	SO_4^{2-}	16,00
Sr^{2+}	11,89	$CH_3CO_2^-$	4,09
NH_4^+	7,35	HCO_2^-	5,46
$[N(CH_3)_4]^+$	4,49		
$[N(CH_2CH_3)_4]^+$	3,26		

*Os mesmos valores numéricos se aplicam quando as unidades são S m^{-1} (mol dm^{-3})$^{-1}$.

Quando os íons estão tão distantes que suas interações podem ser ignoradas, podemos imaginar que a condutividade molar se deve à migração independente de cátions em uma das direções e de ânions na direção oposta, e escrever

$$\Lambda_m^\circ = \lambda_+ + \lambda_-$$ Definição — Condutividades iônicas (9.9)

em que λ_+ e λ_- são as condutividades iônicas individuais dos cátions e ânions (Tabela 9.1)

A condutividade molar de um eletrólito *fraco* varia de uma forma mais complexa com a concentração do soluto. Esta variação reflete o fato de que o grau de ionização (ou, no caso de ácidos e bases fracos, o grau de desprotonação ou protonação) varia com a concentração, com relativamente mais íons presentes em baixas concentrações do que em altas. Como podemos utilizar dados tabelados de equilíbrio para relacionar as concentrações iônicas com a concentração nominal (inicial), podemos realizar medidas de condutividade molar para determinar constantes de acidez. O mesmo tipo de medidas pode também ser utilizado para acompanhar o andamento de reações em solução, contanto que as mesmas envolvam íons.

Exemplo 9.1

Determinação da constante de acidez pela condutividade de um ácido fraco

A condutividade molar do CH_3COOH(aq) 0,010 M é 1,65 mS m^2 mol^{-1}. Qual é a constante de acidez do ácido?

Estratégia As constantes de acidez foram apresentadas na Seção 8.2. Como o ácido acético é um eletrólito fraco, está apenas parcialmente desprotonado em solução aquosa. Apenas uma fração das moléculas do ácido presentes como íons contribui para a condução; assim, precisamos exprimir Λ_m em termos da fração desprotonada. Para isso, montamos uma tabela indicativa do equilíbrio, obtemos as concentrações molares dos íons H_3O^+ e $CH_3CO_2^-$ e relacionamos essas concentrações à condutividade molar observada.

Solução A tabela de equilíbrio para $CH_3COOH(aq) + H_2O(l) \rightleftharpoons H_3O^+(aq) + CH_3CO_2^-(aq)$ é

Espécie	CH_3COOH	H_3O^+	$CH_3CO_2^-$
Concentração molar inicial/(mol dm^{-3})	0,010	0	0
Variação/(mol dm^{-3})	$-x$	$+x$	$+x$
Concentração molar de equilíbrio/(mol dm^{-3})	$0{,}010 - x$	x	x

O valor de x é obtido substituindo-se as expressões que constam na última linha da tabela na expressão para K_a:

$$K_a = \frac{\overbrace{[H_3O^+]}^{x}\overbrace{[CH_3CO_2^-]}^{x}}{\underbrace{[CH_3COOH]}_{0{,}010-x}} = \frac{x^2}{0{,}010-x}$$

Na hipótese de ser x pequeno, substituímos $0{,}010 - x$ por 0,010 e determinamos que $x = (0{,}010K_a)^{1/2}$. (Se você preferir não fazer essa hipótese, pode proceder como no Exemplo 8.2.) A fração, α, de moléculas de CH_3COOH presentes como íons é, portanto, $x/0{,}010$, ou seja, $\alpha = (K_a/0{,}010)^{1/2}$. A condutividade molar da solução é, portanto, essa fração multiplicada pela condutividade molar do ácido acético calculada na hipótese de ser a desprotonação completa:

$$\Lambda_m = \alpha\Lambda_m^\circ = \alpha(\lambda_{H_3O^+} + \lambda_{CH_3CO_2^-})$$

em que $\Lambda_m^\circ = \lambda_{H_3O^+} + \lambda_{CH_3CO_2^-}$. Como

$$\lambda_{H_3O^+} + \lambda_{CH_3CO_2^-} = 34{,}96 + 4{,}09 \text{ mS m}^2 \text{ mol}^{-1} = 39{,}05 \text{ mS m}^2 \text{ mol}^{-1}$$

segue-se que $\alpha = (1{,}65 \text{ mS m}^2 \text{ mol}^{-1})/(39{,}05 \text{ mS m}^2 \text{ mol}^{-1}) = 0{,}0423$. Portanto,

$$K_a = 0{,}010\alpha^2 = 0{,}010 \times (0{,}0423)^2 = 1{,}8 \times 10^{-5}$$

Esse valor corresponde ao $pK_a = 4{,}75$.

Exercício proposto 9.3

A condutividade molar do HCOOH(aq) 0,0250 M é 4,61 mS m^2 mol^{-1}. Qual é o pK_a do ácido fórmico?

Resposta: 3,49

A capacidade de um íon em conduzir eletricidade depende da facilidade com que se move pela solução. Um íon sofre alteração ao ser submetido a um campo elétrico $\mathcal{E}$. No entanto, quanto mais rápido atravessar a solução, maior será a força retardadora que irá experimentar, proveniente da viscosidade do meio. Como resultado, o íon atinge uma velocidade limite denominada **velocidade de arraste**, s, que é proporcional à intensidade do campo aplicado:

$$s = u\mathcal{E} \qquad \text{Definição} \quad \text{Mobilidade} \quad (9.10)$$

A **mobilidade**, u, depende do raio, a, do íon e da viscosidade, e, conforme mostramos na Dedução a seguir, da viscosidade η (eta), da solução:

$$u = \frac{e|z|}{6\pi\eta a} \qquad (9.11a)$$

em que z é a carga do íon. A mobilidade de um íon determina a velocidade com que o mesmo pode transportar carga por uma solução e, portanto, sua condutividade molar. A relação entre os dois é[3]

$$\lambda_\pm = |z|u_\pm F \qquad \text{Condutividade e mobilidade} \quad (9.11b)$$

Dedução 9.2

A mobilidade iônica

Um *campo elétrico* faz com que atue uma força que acelera uma partícula carregada. Um íon de carga ze em um campo elétrico $\mathcal{E}$ (normalmente, em volts por metro, V m^{-1}) experimenta uma força de magnitude $|z|e\mathcal{E}$, que provoca a sua aceleração. Contudo, o íon sofre a ação de uma força retardadora devido ao seu movimento no meio; quanto mais rápido o íon se desloca, maior é essa força retardadora. A força retardadora, devida à viscosidade sobre uma partícula esférica de raio a que se desloca com uma velocidade s, é dada pela 'lei de Stokes':

$$F_{\text{viscosa}} = 6\pi\eta as \qquad \text{Lei de Stokes} \quad (9.12)$$

Quando a partícula atinge a velocidade de arraste, as forças de aceleração e de retardamento viscoso se igualam, de modo que podemos escrever

$$\overbrace{e|z|\mathcal{E}}^{\text{Força de aceleração}} = \overbrace{6\pi\eta as}^{\text{Força retardadora}}$$

Resolvendo essa expressão para s, obtemos

$$s = \frac{e|z|\mathcal{E}}{6\pi\eta a}$$

Neste ponto, podemos comparar essa expressão para a velocidade de arraste com a Eq. 9.10, e assim obtemos a expressão da mobilidade dada pela Eq. 9.11.

A Eq. 9.11 nos mostra que a mobilidade de um íon é alta quando tem carga elevada, quando é pequeno, e quando está em uma solução com baixa viscosidade. Esses aspectos parecem contradizer as tendências da Tabela 9.2, que lista as mobilidades de alguns íons. Por exemplo, as mobilidades dos cátions do Grupo 1 *aumentam* grupo abaixo, apesar de seus raios também aumentarem. A explicação é que o raio que se utiliza na Eq. 9.11 é o **raio hidrodinâmico**, o raio *efetivo* para a migração dos íons, levando-se em conta o corpo que se move como um todo. Quando um íon migra, carrega consigo moléculas de água de hidratação e, como íons pequenos são hidratados mais extensivamente do que íons grandes (porque dão origem a um campo elétrico mais intenso na sua vizinhança), aqueles de raio pequeno na realidade têm um raio

[3] Para uma dedução, veja *Físico-Química* (2010) destes mesmos autores (LTC Editora).

Tabela 9.2

Mobilidades iônicas em água a 298 K, $u/(10^{-8}\ m^2\ s^{-1}\ V^{-1})$

Cátions		Ânions	
H^+ (H_3O^+)	36,23	OH^-	20,64
Li^+	4,01	F^-	5,74
Na^+	5,19	Cl^-	7,92
K^+	7,62	Br^-	8,09
Rb^+	8,06	I^-	7,96
Cs^+	8,00	CO_3^{2-}	7.18
Mg^{2+}	5,50	NO_3^-	7,41
Ca^{2+}	6,17	SO_4^{2-}	8,29
Sr^{2+}	6,16		
NH_4^+	7,62		
$[N(CH_3)_4]^+$	4,65		
$[N(CH_2CH_3)_4]^+$	3,38		

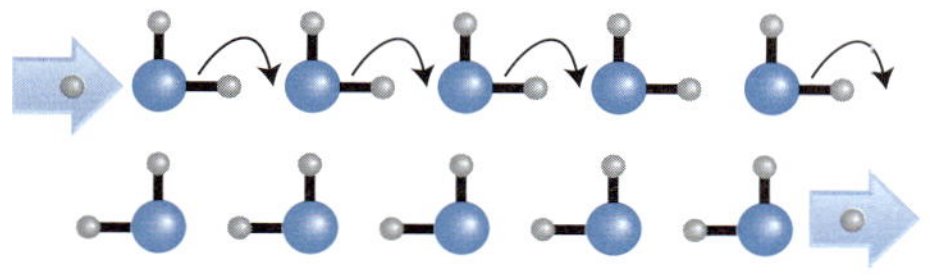

Figura 9.4 Uma versão simplificada do 'mecanismo de Grotthus' da condução dos prótons na água. O próton que deixa a cadeia à direita não é o mesmo próton que entra na cadeia à esquerda.

hidrodinâmico grande. Desse modo, o raio hidrodinâmico *diminui* Grupo 1 abaixo, porque a extensão da hidratação diminui com o aumento do raio iônico.

Um dos desvios significativos dessa tendência é a mobilidade muito alta do próton em água. Acredita-se que essa alta mobilidade reflete um mecanismo inteiramente diferente para condução, o **mecanismo de Grotthus**, em que o próton de uma molécula de H_2O migra para a molécula vizinha, o próton daquela molécula de H_2O migra para a sua vizinha e assim por diante ao longo de uma cadeia (Fig. 9.4). O movimento é, portanto, um movimento *efetivo* de um próton, não o movimento real de um único próton.

Impacto na bioquímica 9.1

Canais e bombas iônicas

O transporte controlado de moléculas e íons através das membranas biológicas está no centro de uma série de importantes processos celulares, tais como a transmissão de impulsos nervosos, a transferência de glicose para o interior dos glóbulos vermelhos do sangue e a síntese do ATP. Vamos examinar aqui, com certo detalhe, as diferentes maneiras com que os íons atravessam o ambiente 'não confortável' da bicamada lipídica.

Admitamos que a membrana sirva como uma barreira que dificulte a passagem de moléculas ou íons para dentro, ou para fora, da célula. A tendência termodinâmica para o transporte de uma espécie A através da membrana é parcialmente determinada por um gradiente de concentração (mais precisamente, por um gradiente de atividade) através da membrana, que por sua vez resulta em uma diferença da energia de Gibbs molar entre o interior e o exterior da célula

$$\Delta G_m = \overbrace{G_m(\text{int})}^{\mu^\ominus + RT\ln a_{\text{int}}} - \overbrace{G_m(\text{ext})}^{\mu^\ominus + RT\ln a_{\text{ext}}} = RT\ln\frac{a_{\text{int}}}{a_{\text{ext}}}$$

Essa equação implica ser o transporte para dentro da célula, de uma espécie neutra ou carregada, termodinamicamente favorável se $a_{\text{int}} < a_{\text{ext}}$ ou, considerando os coeficientes de atividade iguais a 1, $[A]_{\text{int}} < [A]_{\text{ext}}$. Se A é um íon, existe um segundo termo de ΔG_m, que é devido à diferença da energia potencial dos íons em cada lado da bicamada, em que a diferença de potencial eletrostático é $\Delta\phi = \phi_{\text{int}} - \phi_{\text{ext}}$, e a diferença de energia molar é $zF\Delta\phi$, em que z é o valor da carga do íon e F é a constante de Faraday, a magnitude da carga elétrica por mol de elétrons:

$$F = eN_A = 96\,485\ \text{C mol}^{-1} = 96{,}485\ \text{kC mol}^{-1}$$

A expressão final para ΔG_m é então

$$\Delta G_m = RT\ \ln\frac{[A]_{\text{int}}}{[A]_{\text{ext}}} + zF\Delta\phi$$

Esta equação implica que existe uma tendência, chamada de **transporte passivo**, das espécies químicas de se moverem ao longo do gradiente de concentração e do gradiente do potencial de membrana. Também é possível a transferência de compostos contrária a esses dois gradientes, mas neste caso o transporte ocorre acoplado a um processo exergônico, como, por exemplo, a hidrólise do ATP. Este processo é denominado **transporte ativo**.

O transporte de íons para dento e para fora da célula tem que ser intermediado (isto é, facilitado por outra espécie), pois o ambiente hidrofóbico da membrana não é favorável aos íons. Existem dois mecanismos para o transporte iônico: intermediação por uma molécula transportadora e transporte por intermédio de um *formador de canal*, uma proteína que cria um poro hidrofílico pelo qual o íon pode passar. Um exemplo de um formador de canal é o polipeptídeo gramicidina A, que aumenta a permeabilidade dos cátions como H^+, K^+ e Na^+.

Os *canais iônicos* são proteínas que alteram o movimento de íons específicos ao longo do gradiente do potencial de membrana. Essas proteínas são altamente específicas, existindo uma proteína canal para o Ca^{2+}, outra para o Cl^-, e assim por diante. A abertura do canal pode ser iniciada pela diferença de potencial entre os dois lados da membrana, ou por meio da ligação de uma molécula *efetivadora* a um sítio receptor específico no canal.

A **técnica de patch clamp** pode ser usada para medir o transporte de íons através de membranas celulares. Uma das possíveis montagens experimentais é vista na Figura 9.5. Com uma pequena sucção, um 'pedaço' (um *patch*) da membrana de uma célula inteira ou uma pequena seção de uma célula partida pode ser firmemente ligada à ponta de uma micropipeta cheia com uma solução eletrolítica contendo um condutor eletrônico, denominado **eletrodo de patch clamp**. Uma diferença de potencial (o 'clamp') é aplicada entre o eletrodo (o 'patch') e um condutor eletrônico intracelular em contato com o citossol da célula. Se a membrana é permeável a íons na diferença de potencial aplicada, uma corrente flui pelo circuito fechado que é formado. Utilizando-se uma micropipeta com uma ponta bem fina, diâmetro menor que 1 μm, podem-se medir correntes de íons da ordem de poucos picoamperes (1 pA = 10^{-12} A) passando através de seções de membranas que contêm apenas uma proteína formadora de canal.

Um excelente exemplo da importância dos canais iônicos está relacionado com a propagação de impulsos nervosos pelos neurônios, unidade básica do sistema nervoso. A membrana celular de um neurônio é mais permeável aos íons K^+ que aos íons Na^+ e Cl^-. A base do mecanismo de ação da célula nervosa consiste no uso de canais para Na^+ e K^+ para transportar esses

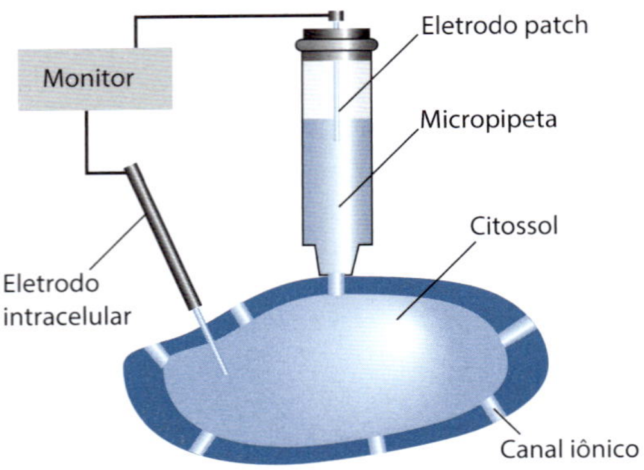

Figura 9.5 Uma representação da técnica de patch clamp para a medida de correntes iônicas através de membranas em células intactas. Uma seção da membrana contendo um canal iônico está em firme contato com a ponta de uma micropipeta contendo uma solução eletrolítica e o eletrodo de patch clamp. Um eletrodo intracelular é inserido no citossol da célula e os eletrodos são ligados a uma fonte e a um medidor de corrente.

íons através da membrana, modulando seu potencial. Por exemplo, a concentração do K^+ no interior de uma célula nervosa inativa é cerca de 20 vezes maior do que no exterior, enquanto a concentração de Na^+ no exterior da célula é cerca de 10 vezes maior do que no interior. A diferença nas concentrações dos íons resulta em uma diferença de potencial transmembrana da ordem de –62 mV, com o sinal negativo indicando que o lado de dentro tem um potencial menor. Essa diferença de potencial também é chamada de *potencial de repouso* da membrana celular.

A diferença de potencial transmembrana tem um papel especialmente interessante na transmissão dos impulsos nervosos. Assim que recebe um impulso, que é denominado de **potencial de ação**, um sítio na membrana celular nervosa se altera, ficando momentaneamente permeável aos íons Na^+, e o valor da diferença de potencial transmembrana muda. Para se propagar ao longo de uma célula nervosa, o potencial de ação tem que mudar o potencial transmembrana em pelo menos 20 mV, ficando com um valor menos negativo que –40 mV. A propagação ocorre quando o potencial de ação em um sítio da membrana ativa um potencial de ação em um sítio adjacente, sendo que os sítios atrás do pulso retornam para o potencial de repouso.

Íons tais como H^+, Na^+, K^+ e Ca^{2+} são, em geral, transportados ativamente através de uma membrana por proteínas integrais chamadas de *bombas iônicas*. As bombas iônicas são máquinas moleculares que funcionam adotando uma conformação que é permeável a um único íon, e não aos demais, dependendo do estado de fosforilação da proteína. Uma vez que a fosforilação da proteína requer a desfosforilação do ATP, a mudança de conformação que abre ou fecha o canal é endergônica e utiliza energia armazenada durante o metabolismo.

Células eletroquímicas

Uma **célula eletroquímica** consiste em dois condutores de elétrons (metal ou grafita, por exemplo) mergulhados em um eletrólito (um condutor iônico), que pode ser uma solução, um líquido ou um sólido. O condutor de elétrons e o eletrólito que o cerca formam um **eletrodo.** A estrutura física que os contém é chamada **compartimento eletródico.** Os dois eletrodos podem estar no mesmo compartimento (Fig. 9.6). Se os eletrólitos são diferentes, então os dois compartimentos podem ser ligados por uma **ponte salina,** que é uma solução eletrolítica que completa o circuito elétrico, permitindo que íons se movam entre os compartimentos (Fig. 9.7). Por outro lado, as duas soluções podem estar em contato físico direto (por exemplo, através de uma membrana porosa) e formar uma **junção líquida.** Porém, uma junção líquida introduz complicações na interpretação das medidas e não será considerada.

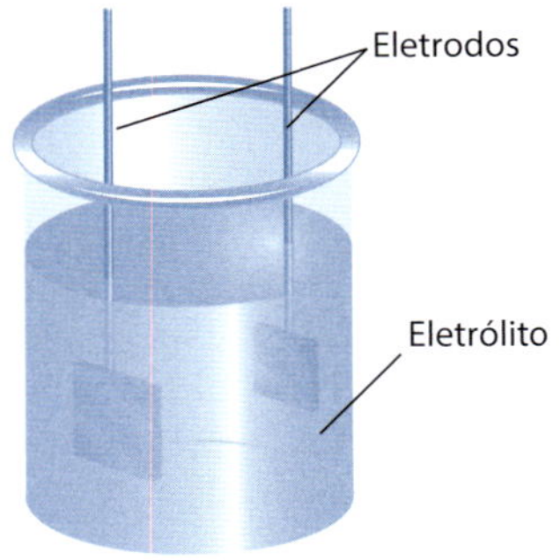

Figura 9.6 Montagem de uma célula eletroquímica em que os dois eletrodos estão imersos no mesmo eletrólito.

Uma **célula galvânica** (também chamada *célula voltaica*) é uma célula eletroquímica que produz eletricidade como resultado da reação espontânea que ocorre em seu interior. Uma **célula eletrolítica** é uma célula eletroquímica em que uma reação não espontânea é conduzida por uma fonte externa de corrente contínua. As pilhas secas, pilhas de mercúrio, pilhas de níquel-cádmio ('nicad') e pilhas de íons de lítio disponíveis comercialmente, utilizadas como fonte de alimentação para equipamentos elétricos, são todas células galvânicas e produzem eletricidade como resultado da reação química espontânea entre as substâncias inseridas nas mesmas durante a fabricação. Uma **célula de combustível** é uma célula galvânica em que os reagentes, tais como hidrogênio e oxigênio ou metano e oxigênio, são supridos por fonte externa. As células de combustível são utilizadas em naves espaciais tripuladas, estão começando a ser consideradas para uso em automóveis e as companhias fornecedoras de gás esperam que, um dia, elas possam ser utilizadas como uma fonte conveniente e compacta de eletricidade nos lares (veja Impacto 9.2). Enguias elétricas e peixes elétricos são versões biológicas de células de

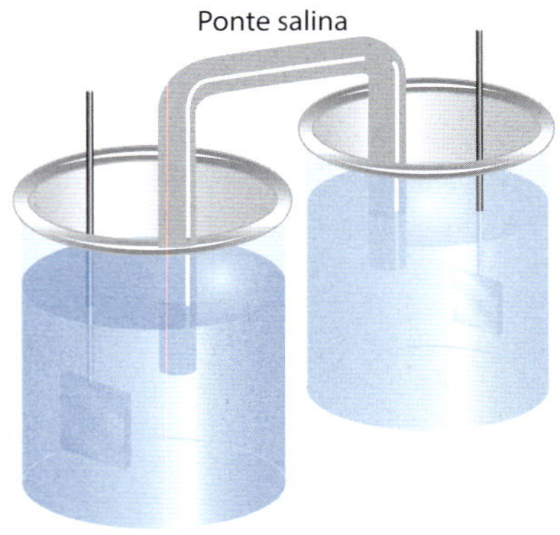

Figura 9.7 Quando os eletrólitos nos compartimentos eletródicos da célula são diferentes, precisam ser conectados de forma que os íons possam passar de um compartimento para o outro. Um dispositivo para ligar os compartimentos é uma ponte salina.

combustível, nos quais o combustível é o alimento e as células são adaptações de células musculares. As células eletrolíticas incluem o dispositivo utilizado para eletrolizar água em hidrogênio e oxigênio e na obtenção do alumínio a partir de seu óxido no **processo Hall-Hérault**. A eletrólise é o único meio comercialmente viável para produzir flúor. Os processos de transferência de elétrons que ocorrem na respiração e fotossíntese podem ser modelados por células eletroquímicas em que os elétrons são transferidos entre proteínas.

9.3 Meias reações e eletrodos

Uma reação redox é o resultado da perda de elétrons, e talvez de átomos, de uma espécie e seu ganho por outra espécie. É familiar, da química geral, identificarmos a perda de elétrons (oxidação) observando se um elemento passou ou não por um aumento do número de oxidação (veja Ferramentas do químico 9.3 para uma revisão dos números de oxidação). Identificamos o ganho de elétrons (redução) observando se um elemento sofreu ou não uma diminuição do número de oxidação. A necessidade de se quebrar e formar ligações covalentes em algumas reações redox, como na conversão de PCl_3 em PCl_5 ou de NO_2^- a NO_3^-, é uma das razões pelas quais essas reações frequentemente atingem o equilíbrio muito lentamente, muitas vezes muito mais do que as reações ácido-base de transferência de prótons.

Ferramentas do químico 9.3 Números de oxidação

Um **número de oxidação**, N_{ox}, é uma medida formal da extensão à qual um átomo pode ser considerado ter ganho ou perdido elétrons, quando integra um composto. O número de oxidação de uma forma não combinada do elemento, como o oxigênio na forma de O_2 e O_3, é zero. Para cátions monoatômicos, o número de oxidação é o mesmo que o número de carga do íon. Dessa forma, o número de oxidação do magnésio presente na forma de Mg^{2+} é +2 e o do cloro presente na forma de Cl^- é −1. O número de oxidação dos elementos presentes em espécies poliatômicas é calculado formalmente considerando-se o número de elétrons que passaram para o átomo mais eletronegativo. Assim, se o oxigênio está presente em um composto covalente, é considerado como tendo adquirido dois elétrons, para estar presente na forma de O^{2-} e, portanto, para ter número de oxidação −2. Os números de oxidação dos elementos diferentes do oxigênio são, então, calculados pela distribuição para a qual a soma dos números de oxidação de todos os átomos da espécie é igual à carga (inclusive 0) da espécie. Consequentemente, o SO_4^{2-} é considerado (mas somente para essa finalidade) como $S^{+6}(O^{2-})_4$ e, portanto, como sendo uma espécie em que o enxofre está presente com número de oxidação +6, simbolizado por S(+6). O oxigênio tem número de oxidação −2 em todos os seus compostos, exceto naqueles com flúor. Os números de oxidação são frequentemente representados por algarismos romanos, como em S(VI) ou Fe(III) para o Fe^{3+}.

Nós, mas nem todo mundo, distinguimos número de oxidação de **estado de oxidação**. O estado de oxidação é o estado físico em que um átomo daquele número de oxidação é considerado como presente nele. Assim, o oxigênio está no estado de oxidação −2 quando seu número de oxidação é −2, o enxofre está no estado de oxidação +6 no íon SO_4^{2-}.

Breve ilustração 9.3 Agentes oxidantes e redutores

Para identificar a espécie que sofreu oxidação e redução na reação $CuS(s) + O_2(g) \rightarrow Cu(s) + SO_2(g)$, observamos os números de oxidação vistos a seguir (em vermelho):

$$\overset{+2}{Cu}\overset{-2}{S}(s) + \overset{0}{O_2}(g) \rightarrow \overset{0}{Cu}(s) + \overset{+4}{S}\overset{-2}{O_2}(g)$$

Vemos que o Cu(+2) é reduzido a Cu(0), o S(−2) é oxidado a S(+4) e o O(0) é reduzido a O(−2).

Exercício proposto 9.4

Identifique os elementos que sofrem oxidação e os que sofrem redução na reação $2\,H_2(g) + O_2(g) \rightarrow 2\,H_2O(l)$.

Resposta: o H é oxidado, e o O é reduzido

Qualquer reação redox pode ser expressa como a diferença entre duas **meias reações** de redução. Dois exemplos são

Redução do Cu^{2+}: $Cu^{2+}(aq) + 2\,e^- \rightarrow Cu(s)$

Redução do Zn^{2+}: $Zn^{2+}(aq) + 2\,e^- \rightarrow Zn(s)$

Diferença: $Cu^{2+}(aq) + Zn(s) \rightarrow Cu(s) + Zn^{2+}(aq)$ (A)

Uma meia reação em que a transferência de átomos acompanha a transferência de elétrons é

Redução do MnO_4^-: $MnO_4^-(aq) + 8\,H^+(aq) + 5\,e^- \rightarrow Mn^{2+}(aq) + 4\,H_2O(l)$ (B)

Meias reações são *conceituais*. As reações redox normalmente ocorrem em um mecanismo muito mais complexo, no qual o elétron nunca está livre. Os elétrons, nessas reações conceituais, são considerados 'em trânsito', sem um estado designando um estado. As espécies oxidadas e reduzidas em uma meia reação formam um **par redox**, representado por Ox/Red. Assim, os pares redox mencionados até agora são Cu^{2+}/Cu, Zn^{2+}/Zn e $MnO_4^-, H^+/Mn^{2+}, H_2O$. Em geral, adotamos a notação

Par: Ox/Red Meia reação: $Ox + \nu\,e^- \rightarrow Red$

com ν sendo o número de elétrons transferidos.

Exemplo 9.2

Representação de uma reação em termos de meias reações

Expresse a oxidação do NADH (nicotinamida adenina dinucleotídeo, **1**), que participa da cadeia de oxidações que constituem a respiração, a NAD^+ (**2**) pelo oxigênio, quando este último é reduzido a H_2O_2 em solução aquosa, como a diferença entre duas meias reações de redução. A reação global é $NADH(aq) + O_2(g) + H^+(aq) \rightarrow NAD^+(aq) + H_2O_2(aq)$.

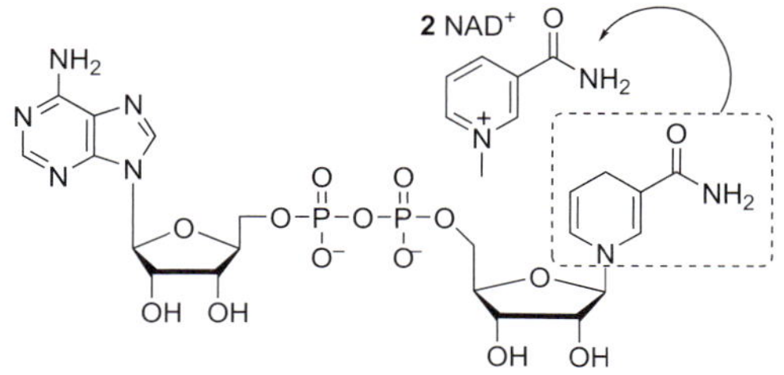

1 Nicotinamida adenina dinucleotídeo, forma reduzida (NADH)

2 Nicotinamida adenina dinucleotídeo (NAD^+)

Estratégia Para exprimir uma reação como uma diferença entre duas meias reações de redução, identificamos uma espécie reagente que sofre redução, seu correspondente produto de redução e escrevemos a meia reação para esse processo. Para obter a segunda meia reação, subtraímos a reação global dessa meia reação e rearrumamos as espécies de forma que todos os coeficientes estequiométricos fiquem positivos, com a equação resultante escrita como uma redução.

Solução O oxigênio sofre redução a H_2O_2, logo uma das meias reações é

$$O_2(g) + 2\ H^+(aq) + 2\ e^- \rightarrow H_2O_2(aq)$$

A subtração desta meia reação da reação global dá

$$NADH(aq) - H^+(aq) - 2\ e^- \rightarrow NAD^+(aq)$$

A adição de $H^+(aq) + 2\ e^-$ a ambos os lados da equação resulta em

$$NADH(aq) \rightarrow NAD^+(aq) + H^+(aq) + 2\ e^-$$

Essa é uma meia reação de oxidação. Invertendo essa equação, obtemos a correspondente meia reação de redução:

$$NAD^+(aq) + H^+(aq) + 2\ e^- \rightarrow NADH(aq)$$

Exercício proposto 9.5

Expresse a formação de H_2O a partir de H_2 e de O_2 em solução ácida como a diferença entre duas meias reações de redução.

Resposta: $4\ H^+(aq) + 4\ e^- \rightarrow 2\ H_2(g)$, $O_2(g) + 4\ H^+(aq) + 4\ e^- \rightarrow 2\ H_2O(l)$

Uma reação química não precisa ser necessariamente uma reação redox para ser expressa em termos de meias reações de redução. Por exemplo, a expansão de um gás

$$H_2(g, p_i) \rightarrow H_2(g, p_f)$$

pode ser expressa como a diferença entre duas reduções:

$$2\ H^+(aq) + 2\ e^- \rightarrow H_2(g, p_f)$$
$$2\ H^+(aq) + 2\ e^- \rightarrow H_2(g, p_i)$$

Ambos os pares são H^+/H_2 com o gás a uma pressão diferente em cada caso. Da mesma forma, a dissolução do cloreto de prata com sal muito pouco solúvel

$$AgCl(s) \rightarrow Ag^+(aq) + Cl^-(aq)$$

pode ser expressa como a diferença entre as duas meias reações de redução seguintes:

$$AgCl(s) + e^- \rightarrow Ag(s) + Cl^-(aq)$$
$$Ag^+(aq) + e^- \rightarrow Ag(s)$$

Já vimos no Capítulo 7 que uma forma natural de expressar a composição de um sistema é em termos do quociente de reação Q. O quociente para uma meia reação é definido como o quociente para a reação global, porém ignorando os elétrons. Desse modo, para a meia reação do par $NAD^+/NADH$, do Exemplo 9.2, escrevemos

$$NAD^+(aq) + H^+(aq) + 2\ e^- \rightarrow NADH(aq)$$

$$Q = \frac{a_{NADH}}{a_{NAD^+}a_{H^+}} \approx \frac{[NADH]}{[NAD^+][H^+]}$$

Em primeira aproximação, contanto que a solução seja muito diluída, as atividades são interpretadas como os valores numéricos das concentrações molares (veja a Tabela 6.2). A substituição de atividades por concentrações molares é muito arriscada para soluções iônicas, como temos visto, então, sempre que possível iremos evitar tomar esse passo final.

9.4 Reações nos eletrodos

Em uma célula eletroquímica, o **anodo** é onde ocorre a oxidação e o **catodo** é onde tem lugar a redução. À medida que a reação ocorre em uma célula galvânica, os elétrons liberados no anodo passam pelo circuito externo (Fig. 9.8), reentrando na célula no catodo e causando redução. Como os elétrons negativamente carregados tendem a se deslocar para regiões de potencial mais alto (mais positivo), esse fluxo de corrente no circuito externo, do anodo até o catodo, é devido ao catodo ter um potencial maior do que o anodo. Em uma célula eletrolítica, o anodo também é o local de oxidação (por definição). No entanto, agora, os elétrons devem ser removidos da espécie, dentro do compartimento do anodo, de modo que o anodo tem que ser conectado ao terminal positivo de uma fonte externa. De forma semelhante, os elétrons têm que passar do catodo para a espécie que sofre redução; então, o catodo tem que ser conectado ao terminal negativo de uma fonte (Fig. 9.9).

Em um **eletrodo de gás** (Fig. 9.10), um gás está em equilíbrio com uma solução de seus íons, na presença de um metal inerte. O metal inerte, que frequentemente é a platina, atua como uma fonte ou sumidouro de elétrons, mas não tem qualquer outro papel na reação, exceto, talvez, agindo como catalisador. Um exemplo importante é o *eletrodo de hidrogênio*, em que o hidrogênio é borbulhado por meio de uma solução aquosa de íons hidrogênio e o par redox é H^+/H_2. Esse eletrodo é representado por $Pt(s)|H_2(g)|H^+(aq)$. As linhas verticais representam as junções entre as fases. Nesse eletrodo, as junções são entre a platina e o gás e entre o gás e o líquido que contém seus íons.

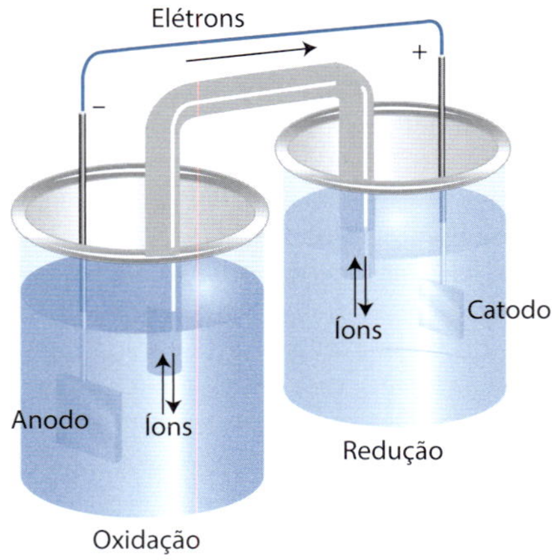

Figura 9.8 O fluxo de elétrons no circuito externo de uma célula galvânica é do anodo, sendo liberados na reação de oxidação para o catodo e usados na reação de redução. A eletroneutralidade é preservada na solução eletrolítica pelo fluxo de cátions e ânions, em direções opostas, por meio da ponte salina.

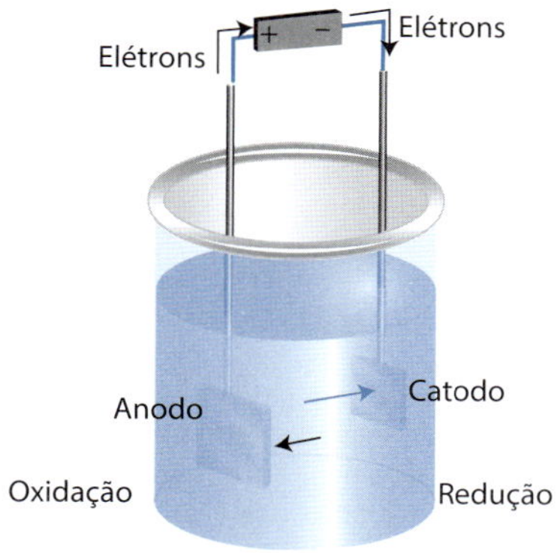

Figura 9.9 O fluxo de elétrons e de íons em uma célula eletrolítica. Uma fonte externa força os elétrons para o catodo, em que são usados para conduzir a redução, e os retira do anodo, levando a uma reação de oxidação nesse eletrodo. Os cátions migram em direção ao catodo, carregado negativamente, e os ânions migram em direção ao anodo, carregado positivamente. Uma célula eletrolítica consiste, em geral, em um único compartimento, embora algumas versões industriais possuam dois compartimentos.

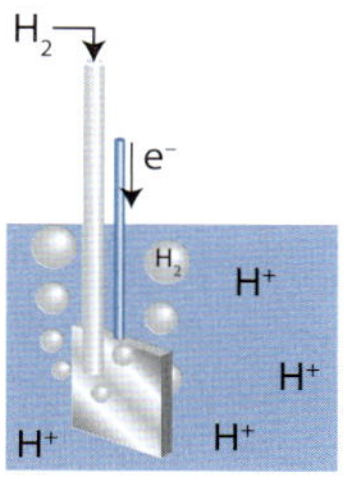

Figura 9.10 Esquema de um eletrodo de hidrogênio, que é semelhante ao de outros eletrodos de gás. O hidrogênio é borbulhado sobre uma superfície de negro de platina (que é uma superfície de platina finamente dividida), que está em contato com uma solução que contém íons hidrogênio. A platina, além de funcionar como uma fonte ou sumidouro de elétrons, acelera a reação no eletrodo, pois o hidrogênio se liga à sua superfície (se adsorve).

Exemplo 9.3

Escrevendo a meia reação para um eletrodo de gás

Escreva a meia reação e o quociente de reação para a redução do oxigênio formando água em solução ácida.

Estratégia Escrevemos a equação química para a meia reação. Expressamos, então, o quociente de reação em termos das atividades e dos correspondentes coeficientes estequiométricos, com produtos no numerador e reagentes no denominador. Sólidos e líquidos puros (ou quase puros), e também o elétron, não aparecem na expressão de Q. A atividade de um gás é tomada como o valor numérico de sua pressão parcial em bar (mais formalmente: $a_J = p_J/p^{\ominus}$).

Solução A equação para a redução do O_2 em solução ácida é

$$O_2(g) + 4\,H^+(aq) + 4\,e^- \rightarrow 2\,H_2O(l)$$

O quociente de reação para a meia reação é, portanto,

$$Q = \frac{\overbrace{a^2_{H_2O}}^{1}}{\underbrace{a_{O_2}}_{p(O_2)}\,a^4_{H^+}} = \frac{1}{p(O_2)a^4_{H^+}}$$

Observe a dependência acentuada de Q em relação à atividade do íon hidrogênio.

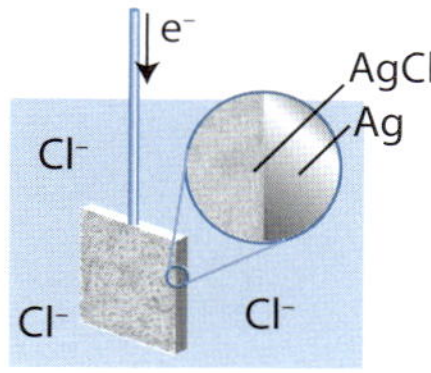

Figura 9.11 Esquema de um eletrodo de prata-cloreto de prata (um exemplo de eletrodo constituído por um sal insolúvel). O eletrodo é formado por prata metálica revestida com uma camada de cloreto de prata em contato com uma solução que contém íons Cl^-.

Exercício proposto 9.6

Escreva a meia reação e o quociente de reação para um eletrodo de gás cloro.

Resposta: $Cl_2(g) + 2\,e^- \rightarrow 2\,Cl^-(aq)$, $Q = a^2_{Cl^-}/p(Cl_2)$

Um **eletrodo metal-sal insolúvel** consiste em um metal M revestido de uma camada porosa de sal insolúvel MX, ficando todo imerso em uma solução que contém íons X^- (Fig. 9.11). O eletrodo é representado por M|MX|X^-, em que a barra vertical representa uma fronteira na qual ocorre a transferência de elétrons. Um exemplo é o eletrodo de prata-cloreto de prata, Ag(s)|AgCl(s)|Cl^-(aq), para o qual a meia reação de redução é

$$AgCl(s) + e^- \rightarrow Ag(s) + Cl^-(aq)$$

Ambos os sólidos são puros e estão em seus estados-padrão, e, por conseguinte, têm uma atividade igual a 1. Assim,

$$Q = a_{Cl^-} \approx [Cl^-]$$

Observe que o quociente de reação (e, por conseguinte, como iremos ver posteriormente, o potencial do eletrodo) depende da atividade dos íons cloreto na solução eletrolítica.

Exemplo 9.4

Escrevendo a meia reação para um eletrodo metal-sal insolúvel

Escreva a meia reação e o quociente de reação para o eletrodo de chumbo-sulfato de chumbo da bateria de chumbo ácida, em que Pb(II), na forma de sulfato de chumbo(II), é reduzido a chumbo metálico em presença de íons hidrogenossulfato (bissulfato) existentes no eletrólito.

Estratégia Começamos identificando a espécie que é reduzida, escrevendo sua meia reação. Fazemos o balanceamento da meia reação usando moléculas de H_2O se houver necessidade de átomos de O, íons H^+ (pois a solução é ácida), caso sejam necessários átomos de H e elétrons para equilibrar a carga. Escrevemos, então, o quociente de reação em termos dos coeficientes estequiométricos e das atividades das espécies presentes, com os produtos no numerador e os reagentes no denominador.

Solução O eletrodo é

$$Pb(s)|PbSO_4(s)|HSO_4^-(aq)$$

em que o Pb(II) é reduzido a chumbo metálico. A equação para a reação de meia redução é, portanto,

$$PbSO_4(s) + H^+(aq) + 2\,e^- \rightarrow Pb(s) + HSO_4^-(aq)$$

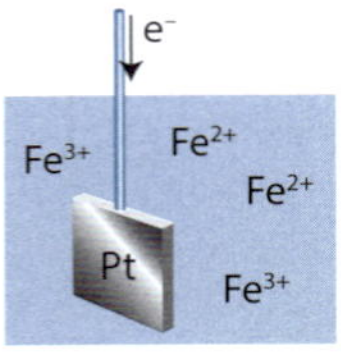

Figura 9.12 Esquema de um eletrodo redox. A platina metálica atua como fonte ou sumidouro de elétrons, sendo necessária para a interconversão (nesse caso) dos íons Fe^{2+} e Fe^{3+} em solução.

e o quociente de reação é

$$Q = \frac{\overbrace{a_{Pb}}^{1} a_{HSO_4^-}}{\underbrace{a_{PbSO_4}}_{1} a_{H^+}} = \frac{a_{HSO_4^-}}{a_{H^+}} \approx \frac{[HSO_4^-]}{[H^+]}$$

Exercício proposto 9.7

Escreva a meia reação e o quociente de reação para o *eletrodo de calomelano*, $Hg(l)|Hg_2Cl_2(s)|Cl^-(aq)$, no qual o cloreto de mercúrio(I) (calomelano) é reduzido a mercúrio metálico na presença de íons cloreto. Esse eletrodo é um dos componentes de instrumentos usados para a medida do pH, como será explicado mais adiante.

Resposta: $Hg_2Cl_2(s) + 2\,e^- \rightarrow 2\,Hg(l) + 2\,Cl^-(aq)$, $Q = a^2_{Cl^-}$

O termo **eletrodo redox** normalmente é reservado para um eletrodo em que o par consiste no mesmo elemento em dois estados de oxidação não nulos (Fig. 9.12). Um exemplo é um eletrodo no qual o par é Fe^{3+}/Fe^{2+}. De modo geral, o equilíbrio é

$$Ox + \nu\,e^- \rightarrow Red \qquad Q = \frac{a_{Red}}{a_{Ox}}$$

Um eletrodo redox é representado por M|Red,Ox, em que M é um metal inerte (normalmente, platina) que faz contato elétrico com a solução. O eletrodo correspondente ao par Fe^{3+}/Fe^{2+} é, portanto, representado por $Pt(s)|Fe^{2+}(aq),Fe^{3+}(aq)$, com a meia reação de redução e o quociente de reação dados por

$$Fe^{3+}(aq) + e^- \rightarrow Fe^{2+}(aq) \qquad Q = \frac{a_{Fe^{2+}}}{a_{Fe^{3+}}}$$

Outro exemplo do mesmo tipo é o eletrodo $Pt(s)|NADH(aq), NAD^+(aq),H^+(aq)$ utilizado no estudo do par $NAD^+/NADH$.

9.5 Tipos de células

O tipo mais simples de célula galvânica possui um único eletrólito comum a ambos os eletrodos (como na Figura 9.6). Em alguns casos, é necessário imergir os eletrodos em diferentes eletrólitos, como na *célula de Daniell* (Fig. 9.13), na qual o par redox em um eletrodo é Cu^{2+}/Cu e no outro é Zn^{2+}/Zn. Em uma **célula de concentração de eletrólitos**, que tem uma construção semelhante à da célula da Figura 9.7, os compartimentos dos eletrodos são de composição idêntica, exceto pelas concentrações dos eletrólitos. Em uma **célula de concentração de eletrodos**, os próprios eletrodos possuem concentrações diferentes, ou porque são eletrodos de gás que operam a diferentes pressões ou porque são amálgamas (soluções em mercúrio) com diferentes concentrações.

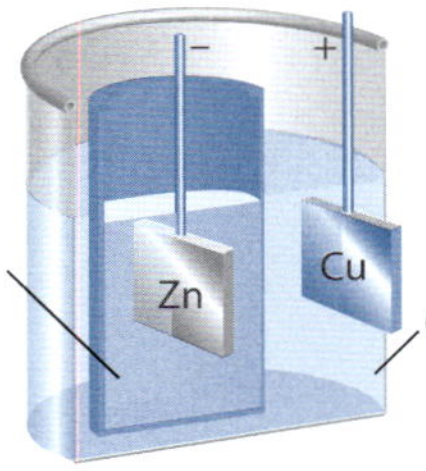

Figura 9.13 Uma célula de Daniell consiste em cobre em contato com uma solução de sulfato de cobre(II) e de zinco em contato com uma solução de sulfato de zinco; os dois compartimentos ficam em contato por meio da parede porosa que contém a solução de sulfato de zinco. O eletrodo de cobre é o catodo e o eletrodo de zinco é o anodo.

Em uma célula com duas soluções de eletrólitos diferentes em contato, como na célula de Daniell ou em uma célula de concentração de eletrólitos, o **potencial de junção líquida**, E_j, a diferença de potencial na interface dos dois eletrólitos, contribui para a diferença de potencial global gerada pela célula. A contribuição da junção líquida para o potencial pode ser diminuída (até cerca de 1 a 2 mV) pela junção dos compartimentos dos eletrólitos por meio de uma ponte salina, que consiste em uma solução eletrolítica saturada (geralmente de KCl) em gelatina de ágar (como na Figura 9.7). A razão do sucesso da ponte salina é que as mobilidades dos íons K^+ e Cl^- são muito parecidas e as junções líquidas em cada uma das extremidades da ponte são minimizadas.

Na notação para células eletroquímicas, uma interface entre fases é representada por uma barra vertical, |. Por exemplo, uma célula em que o eletrodo do lado esquerdo é um eletrodo de hidrogênio e o eletrodo do lado direito é um eletrodo de prata-cloreto de prata, é representada por

$$Pt(s)|H_2(g)|HCl(aq)|AgCl(s)|Ag(s)$$

Uma linha vertical dupla ‖ representa uma interface, para a qual se supõe que o potencial de junção tenha sido eliminado. Assim sendo, a célula em que o eletrodo da esquerda, em um conjunto como o da Figura 9.13, é zinco em contato com sulfato de zinco aquoso e o eletrodo da direita é cobre em contato com sulfato de cobre(II) aquoso, é representada por

$$Zn(s)|ZnSO_4(aq)\|CuSO_4(aq)|Cu(s)$$

9.6 A reação da célula

A corrente produzida por uma célula galvânica surge da reação espontânea que ocorre em seu interior. A **reação da célula** é a reação dentro da célula escrita segundo a suposição de que o eletrodo da direita é o catodo, e, daí, que a redução está ocorrendo no compartimento da direita. Posteriormente, veremos como prever se o eletrodo da direita é de fato o catodo; se for, então, a reação da célula é espontânea conforme escrita. Se o eletrodo da esquerda passa a ser o catodo, então o inverso da reação da célula é espontânea.

Para escrever a reação da célula correspondente ao diagrama da célula, primeiramente escrevemos as meias reações em ambos os eletrodos como reduções, e, então, subtraímos da equação para o eletrodo da direita a equação para o eletrodo da esquerda. Desse modo, vimos no Exemplo 9.2 que, para a célula utilizada no estudo da reação entre o NADH e o O_2,

$$\text{Pt(s)}|\text{NADH(aq)},\text{NAD}^+\text{(aq)},\text{H}^+\text{(aq)}||\text{H}_2\text{O}_2\text{(aq)},\text{H}^+\text{(aq)}|\text{O}_2\text{(g)}|\text{Pt(s)}$$

as duas meias reações de redução são

$$\text{Direita (R): O}_2\text{(g)} + 2\ \text{H}^+\text{(aq,R)} + 2\ \text{e}^- \rightarrow \text{H}_2\text{O}_2\text{(aq)}$$
$$\text{Esquerda(L): NAD}^+\text{(aq)} + \text{H}^+\text{(aq,L)} + 2\ \text{e}^- \rightarrow \text{NADH(aq)}$$

Observe que permitimos que as molalidades do H^+ fossem diferentes em cada compartimento. A equação para a reação da célula é a diferença:

$$\text{Global (R} - \text{L): NADH(aq)} + \text{O}_2\text{(g)} + 2\ \text{H}^+\text{(aq,R)} \rightarrow \text{NAD}^+\text{(aq)} + \text{H}_2\text{O}_2\text{(aq)} + \text{H}^+\text{(aq,L)}$$

Em outros casos, pode ser necessário combinar os números de elétrons das duas meias reações, multiplicando uma das equações por um fator numérico: nenhum elétron deverá aparecer na equação global.

Exercício proposto 9.8

Escreva a equação química para a reação na célula Ag(s)|AgBr(s)|NaBr(aq)||NaCl(aq)|Cl_2(g)|Pt(s)

Resposta: $2\ \text{Ag(s)} + 2\ \text{Br}^-\text{(aq)} + \text{Cl}_2\text{(g)} \rightarrow 2\ \text{AgBr(s)} + 2\ \text{Cl}^-\text{(aq)}$

9.7 O potencial da célula

Uma célula galvânica faz trabalho elétrico, pois a reação impulsiona elétrons por meio de um circuito elétrico. O trabalho realizado por dada transferência de elétrons depende da diferença de potencial entre os dois eletrodos. Essa diferença de potencial é medida em volts (V, em que 1 V = 1 J C^{-1}). Quando a diferença de potencial é grande (por exemplo, 2 V), dado número de elétrons que circulam entre os eletrodos pode realizar uma grande quantidade de trabalho elétrico. Quando a diferença de potencial é pequena (por exemplo, 2 mV), o mesmo número de elétrons só consegue realizar uma pequena quantidade de trabalho. Uma célula em que a reação está em equilíbrio não consegue realizar qualquer trabalho e a diferença de potencial entre seus eletrodos é zero.

De acordo com a discussão na Seção 4.13, sabemos que o trabalho máximo de não expansão, $w'_{\text{máx}}$, que um sistema (nesse contexto, a célula) consegue realizar é dado pelo valor de ΔG, e, em particular, que

$$w'_{\max} = \Delta G \qquad \text{Temperatura e pressão constante} \qquad \text{Trabalho de não expansão} \qquad (9.13)$$

Portanto, medindo-se a diferença de potencial e convertendo esse potencial no trabalho elétrico feito pela reação, temos um meio para determinar uma grandeza termodinâmica, a energia de Gibbs de reação. Por sua vez, se conhecemos ΔG de uma reação, então temos um caminho para prever a diferença de potencial entre os eletrodos de uma célula. No entanto, para usar a Eq. 9.13 precisamos recordar que trabalho máximo só é alcançado quando um processo ocorre de maneira reversível. Vimos na Seção 2.4 que o critério da reversibilidade termodinâmica é a inversão de um processo por

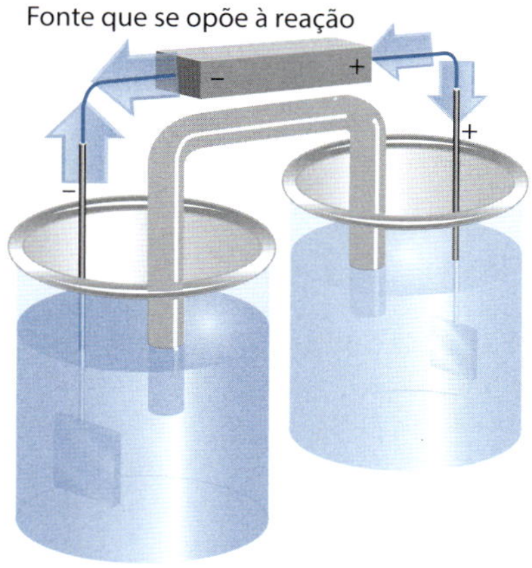

Figura 9.14 O potencial de uma célula é medido balanceando a célula contra um potencial externo que se opõe à reação na célula. Quando nenhuma corrente circula, a diferença de potencial externa é igual ao potencial da célula.

uma mudança infinitesimal nas condições externas. No presente contexto, reversibilidade quer dizer que a célula deve ser conectada a uma fonte externa de diferença de potencial que se opõe e que coincide exatamente com a diferença de potencial gerada pela célula. Então, uma mudança infinitesimal da diferença de potencial externo permitirá que a reação prossiga em sua direção espontânea e uma mudança infinitesimal oposta acionará a reação em sua direção inversa. A diferença de potencial medida quando uma célula é balanceada contra uma fonte externa de potencial é denominada **potencial da célula** e representada por $E_{\text{célula}}$ (Fig. 9.14). Um nome alternativo para essa grandeza, que anteriormente foi denominada *força eletromotriz* (fem) da célula, é *potencial da célula em corrente zero*. Na prática tudo que precisamos é medir a diferença de potencial com um voltímetro que deixe circular uma corrente desprezível.

Como mostramos na Dedução vista a seguir, a relação entre o potencial da célula e a energia de Gibbs da reação da célula é

$$-\nu F E_{\text{célula}} = \Delta_r G \qquad \text{Temperatura e pressão constantes} \qquad \text{Potencial da célula} \qquad (9.14)$$

em que F é a **constante de Faraday**.

Dedução 9.3

O potencial da célula

Suponha que a reação da célula possa ser desmembrada em meias reações da forma $A + \nu e^- \rightarrow B$. O trabalho elétrico feito quando uma carga Q se move por uma diferença de potencial $\Delta\phi$ é $Q\Delta\phi$. Dessa forma, quando a reação ocorre, νN_A elétrons são transferidos do agente redutor para o agente oxidante por mol de reação, de modo que a carga transferida entre os eletrodos é $\nu N_A \times (-e)$, ou $-\nu F$. Assim, o trabalho elétrico w' realizado quando essa carga circula do ânodo para o catodo é igual ao produto da carga e a diferença de potencial $E_{\text{célula}}$:

$$w' = -\nu F \times E_{\text{célula}}$$

Se o trabalho é realizado reversivelmente, sob temperatura e pressão constantes, podemos igualar este trabalho elétrico com a energia de Gibbs de reação e obter a Eq. 9.14.

A Eq. 9.14 mostra que o sinal do potencial da célula é oposto ao da energia de Gibbs de reação, que, como devemos lembrar, é o coeficiente angular de um gráfico de G traçado em função da composição da mistura de reação (Seção 7.1). Quando a reação é espontânea no sentido direto, $\Delta_r G < 0$ e $E_{\text{célula}} > 0$. Quando $\Delta_r G > 0$, a reação inversa é espontânea e $E_{\text{célula}} < 0$. No equilíbrio, $\Delta_r G = 0$ e, portanto, $E_{\text{célula}} = 0$ também.

A Eq. 9.14 oferece um método elétrico para medição da energia de Gibbs da reação em qualquer composição da mistura de reação: simplesmente medimos o potencial da célula e convertemos o potencial em $\Delta_r G$. Inversamente, se sabemos o valor de $\Delta_r G$ em uma composição particular, podemos prever o potencial da célula.

■ Breve ilustração 9.4 Cálculo de um potencial da célula

Suponha que $\Delta_r G \approx -1 \times 10^2$ kJ mol^{-1} e $v = 1$, então

$$E_{\text{célula}} = -\frac{\Delta_r G}{vF} = -\frac{(-1\times 10^5 \text{ J mol}^{-1})}{1\times(9{,}6485\times 10^4 \text{ C mol}^{-1})} = 1 \text{ V}$$

A maioria das pilhas (células) vendidas comercialmente tem o valor de E entre 1 e 2 V.

Exercício proposto 9.9

O potencial da pilha constituída de uma célula de níquel-cádmio é 1,2 V. Calcule a energia de Gibbs de reação para esse processo de dois elétrons.

Resposta: $-2{,}3 \times 10^2$ kJ mol^{-1}

Nossa etapa seguinte é ver como $E_{\text{célula}}$ varia com a composição, combinando a Eq. 9.14 com a Eq. 7.6 ($\Delta_r G = \Delta_r G^{\ominus} + RT \ln Q$), que mostra como a energia de Gibbs da reação varia com a composição. Nessa expressão, $\Delta_r G^{\ominus}$ é a energia de Gibbs padrão da reação e Q é o quociente de reação para a reação da célula. Quando substituímos essa relação na Eq. 9.14, escrita na forma de $E_{\text{célula}} = -\Delta_r G/vF$, obtemos a equação de Nernst:

$$E_{\text{célula}} = E^{\ominus}_{\text{célula}} - \frac{RT}{vF}\ln Q \qquad \text{Equação de Nernst} \qquad (9.15)$$

em que, $E^{\ominus}_{\text{célula}}$ é o **potencial-padrão da célula**:

$$E^{\ominus}_{\text{célula}} = -\frac{\Delta_r G^{\ominus}}{vF} \qquad \text{Definição} \quad \text{Potencial-padrão da célula} \qquad (9.16)$$

O potencial-padrão da célula frequentemente é interpretado como o potencial da célula quando todos os reagentes e produtos estão em seus estados-padrão (atividade unitária para todos os solutos, gases puros e sólidos, pressão de 1 bar). Todavia, como essa célula não é geralmente acessível, é melhor considerar $E^{\ominus}_{\text{célula}}$ simplesmente como a energia de Gibbs padrão da reação expressa como um potencial.

Se todos os coeficientes estequiométricos na equação para uma reação de célula são multiplicados por um fator, então, $\Delta_r G^{\ominus}$ aumenta deste mesmo fator; mas também v, de modo que o potencial-padrão da célula fica inalterado. Igualmente, Q é elevado a uma potência igual ao fator (assim, se o fator é 2, Q é substituído por Q^2) e como $\ln Q^2 = 2 \ln Q$, e igualmente para outros fatores, o segundo termo do lado direito da equação de Nernst também fica inalterado. Isto é, $E_{\text{célula}}$ *é independente de como nós escrevemos a equação balanceada para a reação da célula.*

■ Breve ilustração 9.5 A equação de Nernst

A 25,00 °C,

$$\frac{RT}{F} = \frac{(8{,}314\,47 \text{ J K}^{-1}\text{ mol}^{-1})\times(298{,}15 \text{ K})}{9{,}6485\times 10^4 \text{ C mol}^{-1}}$$

$$= 2{,}5693\times 10^{-2} \text{ J C}^{-1}$$

Sendo 1 J = 1 V C, 1 J C^{-1} = 1 V e 10^{-3} V = 1 mV, podemos escrever esse resultado como

$$\frac{RT}{F} = 25{,}693 \text{ mV}$$

ou aproximadamente 25,7 mV. Segue da equação de Nernst que, para uma reação na qual $v = 1$, se Q é reduzido por um fator de 10, então o potencial da célula fica mais positivo em (25,7 mV) × ln 10 = 59,2 mV. A reação tem uma maior tendência a formar produtos. Se Q é aumentado por um fator de 10, então o potencial da célula cai em 59,2 mV e a reação tem uma tendência menor a formar produtos.

9.8 Células em equilíbrio

Um caso especial da equação de Nernst tem grande importância na química. Suponhamos que a reação atingiu o equilíbrio; então, $Q = K$, em que K é a constante de equilíbrio da reação da célula. Contudo, como uma reação química em equilíbrio não consegue realizar trabalho, gera diferença de potencial zero entre os eletrodos. Fazendo $Q = K$ e $E_{\text{célula}} = 0$ na equação de Nernst, tem-se

$$0 = E^{\ominus}_{\text{célula}} - \frac{RT}{vF}\ln K$$

e, portanto,

$$\ln K = \frac{vFE^{\ominus}_{\text{célula}}}{RT} \qquad \text{Constante de equilíbrio} \qquad (9.17)$$

Essa importantíssima equação permite-nos prever as constantes de equilíbrio a partir de potenciais-padrão de célula. É claro que a Eq. 9.17 é simplesmente a Eq. 7.8 ($\ln K = -\Delta_r G^{\ominus}/RT$) expressa eletroquimicamente. Observe que

- Se $E^{\ominus}_{\text{célula}} > 0$, então $K > 1$ e, no equilíbrio, a reação da célula é favorável aos produtos.
- Se $E^{\ominus}_{\text{célula}} < 0$, então $K < 1$ e, no equilíbrio, a reação da célula é favorável aos reagentes.

■ Breve ilustração 9.6 A constante de equilíbrio a partir do potencial-padrão da célula

Sendo o potencial-padrão da célula de Daniell igual a +1,10 V, a constante de equilíbrio para a reação da célula (reação A) é

$$\ln K = \frac{\overbrace{2}^{v}\times\overbrace{(9{,}6485\times 10^4 \text{ C mol}^{-1})}^{F}\times\overbrace{(1{,}10 \text{ V})}^{E^{\ominus}_{\text{célula}}}}{\underbrace{(8{,}3145 \text{J K}^{-1}\text{ mol}^{-1})}_{R}\times\underbrace{(298{,}15 \text{ K})}_{T}}$$

$$= \frac{2\times 9{,}6485\times 10^4\times 1{,}10}{8{,}3145\times 298{,}15} = 85{,}72\ \ldots$$

(usamos 1 C V = 1 J para cancelar as unidades) e, portanto, $K = 1{,}5 \times 10^{37}$. Logo, o deslocamento do cobre pelo zinco é virtualmente completo no sentido de que a razão entre as concentrações de íons Zn^{2+} e Cu^{2+} no equilíbrio é cerca de 10^{37}. Este valor é muito grande para ser medido por meio de técnicas analíticas clássicas, mas sua medida eletroquímica é direta. Observe que um potencial-padrão de célula de +1 V corresponde a uma constante de equilíbrio muito grande, e −1 V corresponderia a um valor muito pequeno.

9.9 Potenciais-padrão

Cada eletrodo dentro de uma célula galvânica faz uma contribuição característica para o potencial global da célula. Embora não seja possível medir a contribuição de um único eletrodo, pode-se designar a um dos eletrodos um valor zero e aos outros, valores relativos com base nisso. O eletrodo especialmente selecionado é o **eletrodo-padrão de hidrogênio** (EPH):

$$\mathrm{Pt(s)|H_2(g)|H^+(aq)} \qquad E^{\ominus} = 0 \text{ em todas as temperaturas}$$

O **potencial-padrão,** $E^{\ominus}(\mathrm{Ox/Red})$, de um par Ox/Red é, então, medido construindo-se uma célula em que o par de interesse forma o eletrodo da direita e o eletrodo-padrão de hidrogênio fica à esquerda.[4] Por exemplo, o potencial-padrão do par Ag^+/Ag é o potencial-padrão da célula

$$\mathrm{Pt(s)|H_2(g)|H^+(aq)||Ag^+(aq)|Ag(s)}$$

e é +0,80 V. A Tabela 9.3 mostra uma seleção de potenciais-padrão; uma lista maior será encontrada na *Seção de dados*.

Para calcular o potencial-padrão de uma célula formada a partir de qualquer par de eletrodos, tomamos a diferença de seus potenciais-padrão:

$$E^{\ominus}_{\text{célula}} = E^{\ominus}_{\mathrm{R}} - E^{\ominus}_{\mathrm{L}} \qquad \text{Potencial-padrão a partir de potenciais de eletrodo} \qquad (9.18)$$

Aqui, $E^{\ominus}_{\mathrm{R}}$ é o potencial-padrão do eletrodo da direita e $E^{\ominus}_{\mathrm{L}}$ é o da esquerda. Uma vez que temos o valor numérico de $E^{\ominus}_{\text{célula}}$, podemos utilizá-lo na Eq. 9.17 para calcular a constante de equilíbrio da reação da célula.

Exemplo 9.5
Cálculo de uma constante de equilíbrio

Calcule a constante de equilíbrio para a reação de desproporcionamento $2\,\mathrm{Cu^+(aq)} \rightleftharpoons \mathrm{Cu(s)} + \mathrm{Cu^{2+}(aq)}$ a 298 K.

Estratégia O objetivo é encontrar os valores de $E^{\ominus}_{\text{célula}}$ e v correspondentes à reação, para que possamos usar a Eq. 9.17. Para tanto, exprimimos a reação como a diferença de duas meias reações de redução. O número estequiométrico do elétron nessas reações ajustadas é o valor de v desejado. Procuramos, então, o valor dos potenciais-padrão para os pares correspondentes às meias reações e calculamos a sua diferença para encontrar o valor de $E^{\ominus}_{\text{célula}}$. Usamos RT/F = 25,69 mV (escrito como $2{,}569 \times 10^{-2}$ V).

Solução As duas meias reações são

Direita: $\mathrm{Cu^+(aq) + e^- \rightarrow Cu(aq)}$ $\quad E^{\ominus}(\mathrm{Cu^+,Cu}) = +0{,}52$ V

Esquerda: $\mathrm{Cu^{2+}(aq) + e^- \rightarrow Cu^+(aq)}$ $\quad E^{\ominus}(\mathrm{Cu^{2+},Cu^+}) = +0{,}15$ V

A diferença é

$$E^{\ominus}_{\text{célula}} = E^{\ominus}_{\mathrm{R}} - E^{\ominus}_{\mathrm{L}} = 0{,}52\text{ V} - 0{,}15\text{ V} = +0{,}37\text{ V}$$

Segue-se então da Eq. 9.17, com $v = 1$, que

$$\ln K = \frac{0{,}37\text{ V}}{\underbrace{2{,}569 \times 10^{-2}\text{ V}}_{RT/F}} = \frac{37}{2{,}569}$$

Portanto, como $K = e^{\ln K}$,

$$K = e^{37/2{,}569} = 1{,}8 \times 10^6$$

Como o valor de K é muito grande, o equilíbrio encontra-se fortemente deslocado em favor dos produtos, e o Cu^+ sofre desproporcionamento quase total em solução aquosa.

Uma nota sobre a boa prática Calcule os antilogaritmos corretos no final do cálculo, pois e^x é muito sensível ao valor de x e arredondar mais cedo o resultado numérico pode ter um efeito significativo na resposta final.

Exercício proposto 9.10

Calcule a constante de equilíbrio para a reação $\mathrm{Sn^{2+}(aq) + Pb(s) \rightleftharpoons Sn(s) + Pb^{2+}(aq)}$ a 298 K.

Resposta: 0,46

9.10 A variação do potencial com o pH

As meias reações de muitos pares redox envolvem íons hidrogênio. Por exemplo, o par ácido fumárico/ácido succínico ($\mathrm{HOOCCH{=}CHCOOH/HOOCCH_2CH_2COOH}$), que desempenha um papel na quebra aeróbica da glicose nas células biológicas, é

$$\mathrm{HOOCCH{=}CHCOOH(aq) + 2\,H^+(aq) + 2\,e^- \rightarrow HOOCCH_2CH_2COOH(aq)}$$

Meias reações desse tipo têm potenciais que dependem do pH do meio. Nesse exemplo, em que os íons hidrogênio ocorrem como reagentes, um aumento do pH correspondente a um decréscimo da atividade dos íons hidrogênio favorece a formação de reagentes; assim, o ácido fumárico tem uma tendência termodinâmica menor de ser reduzido. Portanto, esperamos que o potencial do par ácido fumárico/ácido succínico deva diminuir à medida que o pH é aumentado.

Podemos estabelecer a variação quantitativa do potencial de redução com o pH para uma reação, utilizando a equação de Nernst para a meia reação e observando que (veja Ferramentas do químico 2.2)

$$\ln a_{\mathrm{H^+}} = \ln 10 \times \log a_{\mathrm{H^+}} = -\ln 10 \times \mathrm{pH}$$

com ln 10 = 2,303... Se supusermos que o ácido fumárico e o ácido succínico têm concentrações fixas, o potencial do par redox fumárico/succínico é

[4] Potenciais-padrão também são chamados de *potenciais-padrão de eletrodo* e *potenciais-padrão de redução.* Se em uma fonte mais antiga de dados você se deparar com um 'potencial-padrão de oxidação', inverta o seu sinal e use-o como um potencial-padrão de redução

Tabela 9.3

Potenciais-padrão a 25 °C

Meia reação de redução				$E^{\ominus}/V$
Agente oxidante			Agente redutor	
Muito oxidantes				
F_2	$+ 2\,e^-$	→	$2\,F^-$	+2,87
$S_2O_8^{2-}$	$+ 2\,e^-$	→	$2\,SO_4^{2-}$	+2,05
Au^+	$+ e^-$	→	Au	+1,69
Pb^{4+}	$+ 2\,e^-$	→	Pb^{2+}	+1,67
Ce^{4+}	$+ e^-$	→	Ce^{3+}	+1,61
$MnO_4^- + 8\,H^+$	$+ 5\,e^-$	→	$Mn^{2+} + 4\,H_2O$	+1,51
Cl_2	$+ 2\,e^-$	→	$2\,Cl^-$	+1,36
$Cr_2O_7^{2-} + 14\,H^+$	$+ 6\,e^-$	→	$2\,Cr^{3+} + 7\,H_2O$	+1,33
$O_2 + 4\,H^+$	$+ 4\,e^-$	→	$2\,H_2O$	+1,23, +0,81 em pH = 7
Br_2	$+ 2\,e^-$	→	$2\,Br^-$	+1,09
Ag^+	$+ e^-$	→	Ag	+0,80
Hg_2^{2+}	$+ 2\,e^-$	→	$2\,Hg$	+0,79
Fe^{3+}	$+ e^-$	→	Fe^{2+}	+0,77
I_2	$+ e^-$	→	$2\,I^-$	+0,54
$O_2 + 2\,H_2O$	$+ 4\,e^-$	→	$4\,OH^-$	+0,40, +0,81 em pH = 7
Cu^{2+}	$+ 2e^-$	→	Cu	+0,34
$AgCl$	$+ e^-$	→	$Ag + Cl^-$	+0,22
$2\,H^+$	$+ 2\,e^-$	→	H_2	0, por definição
Fe^{3+}	$+ 3\,e^-$	→	Fe	–0,04
$O_2 + H_2O$	$+ 2\,e^-$	→	$HO_2^- + OH^-$	–0,08
Pb^{2+}	$+ 2\,e^-$	→	Pb	–0,13
Sn^{2+}	$+ 2\,e^-$	→	Sn	–0,14
Fe^{2+}	$+ 2\,e^-$	→	Fe	–0,44
Zn^{2+}	$+ 2\,e^-$	→	Zn	–0,76
$2\,H_2O$	$+ 2\,e^-$	→	$H_2 + 2\,OH^-$	–0,83, –0,42 em pH = 7
Al^{3+}	$+ 3\,e^-$	→	Al	–1,66
Mg^{2+}	$+ 2\,e^-$	→	Mg	–2,36
Na^+	$+ e^-$	→	Na	–2,71
Ca^{2+}	$+ 2\,e^-$	→	Ca	–2,87
K^+	$+ e^-$	→	K	–2,93
Li^+	$+ e^-$	→	Li	–3,05
			Muito redutores	

Para consultar uma tabela mais completa, veja a *Seção de dados*.

$$E = E^{\ominus} - \frac{RT}{2F}\overbrace{\ln\frac{a_{suc}}{a_{fum}a_{H^+}^2}}^{\ln(x/y^2)}$$

$$\overbrace{=}^{\ln(x/y^2)=\ln x+\ln(1/y^2)} E^{\ominus} - \frac{RT}{2F}\ln\frac{a_{suc}}{a_{fum}} - \frac{RT}{2F}\ln\frac{1}{a_{H^+}^2}$$

$$\overbrace{=}^{\ln(1/y^2)=-2\ln y} \overbrace{E^{\ominus} - \frac{RT}{2F}\ln\frac{a_{suc}}{a_{fum}}}^{E'} + \frac{RT}{F}\overbrace{\ln a_{H^+}}^{\ln 10\times\log a_{H^+}}$$

que, reconhecendo que $\log a_{H^+} = -pH$, se torna

$$E = E' - \frac{RT\ln 10}{F}\times pH$$

A 25 °C,

$$E = E' - (59{,}2\ mV) \times pH$$

Vemos que cada aumento de 1 unidade do pH diminui o potencial em 59,2 mV, o que está de acordo com a observação acima, de que a redução do ácido fumárico é desestimulada por um aumento do pH.

Utilizamos a mesma abordagem para converter potenciais-padrão em **potenciais biológicos padrão**, $E^{\oplus}$, que correspondem à solução neutra (pH = 7); veja o Impacto 7.1 relativo a uma discussão dos estados-padrão biológico. Se os íons hidrogênio aparecem como reagentes na meia reação de redução, então o potencial é diminuído abaixo de seu valor-padrão (para o par fumárico/succínico, em 7 × 59,2 mV = 414 mV, ou cerca de 0,4 V). Se os íons hidrogênio aparecem como produtos, então o potencial-padrão biológico é superior ao potencial-padrão termodinâmico. A mudança exata depende do número de elétrons e prótons que participam da meia reação.

Exemplo 9.6

Conversão de um potencial-padrão termodinâmico a um valor-padrão biológico

Estimar o potencial-padrão biológico do par NAD^+/NADH a 25 °C (Exemplo 9.2). A meia reação de redução é

$$NAD^+(aq) + H^+(aq) + 2\,e^- \rightarrow NADH(aq) \qquad E^{\ominus}_{célula} = -0{,}11\ V$$

Estratégia A equação de Nernst aplica-se não somente a uma célula completa, mas também a um eletrodo individual. Portanto, escrevemos a equação de Nernst para o potencial e expressamos o quociente de reação em termos das atividades das espécies. Todas as espécies, exceto o H^+, estão nos seus estados-padrão, logo, a atividade é 1 para essas espécies. Resta apenas expressar a atividade do íon hidrogênio em termos do pH, exatamente como foi feito no texto, e fazer pH = 7.

Solução A equação de Nernst para a meia reação, com $\nu = 2$, é

$$E = E^{\ominus} - \underbrace{\frac{RT}{2F}}_{\nu} \ln \frac{\overbrace{a_{NADH}}^{1}}{a_{H^+}\underbrace{a_{NAD^+}}_{1}} = E^{\ominus} - \frac{RT}{2F}\ln\frac{1}{a_{H^+}} \overset{\ln(1/x)=-\ln x}{=} E^{\ominus} + \frac{RT}{2F}\ln a_{H^+}$$

Reescrevemos esta expressão usando $\ln x = \ln 10 \times \log x$ e $\log a_{H^+} = -pH$ na forma

$$E = E^{\ominus} + \frac{RT}{2F}\ln a_{H^+} = E^{\ominus} - \frac{RT\ln 10}{2F} \times pH$$
$$= E^{\ominus} - (29{,}58\ mV) \times pH$$

O potencial-padrão biológico (em pH = 7) é, portanto,

$$E^{\oplus} = (-0{,}11\ V) - (29{,}58 \times 10^{-3}\ V) \times 7 = -0{,}32\ V$$

Exercício proposto 9.11

Calcule o potencial-padrão biológico da meia reação $O_2(g) + 4\,H^+(aq) + 4\,e^- \rightarrow 2\,H_2O(l)$ a 25 °C sabendo que o seu valor sob condições termodinâmicas padrão é +1,23 V.

Resposta: +0,82V

9.11 A determinação do pH

O potencial de um eletrodo de hidrogênio é diretamente proporcional ao pH da solução. Contudo, na prática, os métodos indiretos são muito mais convenientes de serem usados do que os métodos baseados no eletrodo-padrão de hidrogênio, e este eletrodo é substituído por um *eletrodo de vidro* (Fig. 9.15). Este eletrodo é sensível à atividade do íon hidrogênio e tem um potencial que varia linearmente com o pH. O eletrodo é cheio com uma solução tampão de fosfato que contém íons Cl^- e, convenientemente, tem $E \approx 0$ quando o meio externo está em pH = 7. O eletrodo de vidro é muito mais conveniente

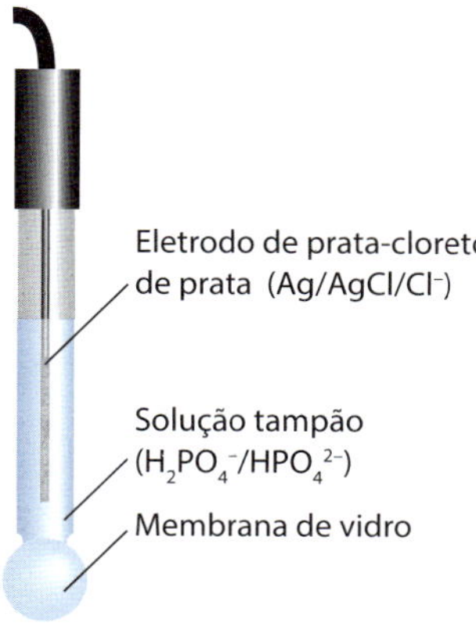

Figura 9.15 Um eletrodo de vidro tem um potencial que varia com a concentração de íons hidrogênio no meio em que está imerso. É formado por uma fina membrana de vidro que contém um eletrólito e um eletrodo de cloreto de prata. O eletrodo de vidro é usado juntamente com um eletrodo de calomelano (Hg_2Cl_2), que faz contato com a solução-teste por uma ponte salina; os eletrodos são combinados normalmente em uma única unidade.

de ser manuseado do que o próprio eletrodo de gás, e pode ser calibrado usando-se soluções de pH conhecido (por exemplo, uma das soluções-tampão descritas na Seção 8.6).

Por fim, devemos observar que temos agora um método elétrico para medir o pK_a de um ácido. Como vimos na Seção 8.5, o pH de uma solução equimolar de ácido e de sua base conjugada é pH = pK_a. Sabemos agora como determinar o pH, logo, podemos determinar o pK_a da mesma forma.

Aplicações dos potenciais-padrão

A medida do potencial da célula é uma fonte conveniente de dados sobre as energias de Gibbs, as entalpias e as entropias de reações. Na prática, determina-se geralmente os valores-padrão (e os valores biológicos padrão) dessas grandezas.

9.12 A série eletroquímica

Vimos que uma reação da célula tem $K > 1$ se $E^{\ominus}_{célula} > 0$, e que $E_{célula} > 0$ corresponde à redução no eletrodo do lado direito (usando as convenções explicadas anteriormente). Também vimos que $E^{\ominus}_{célula}$ pode ser escrito como a diferença entre os potenciais-padrão dos pares redox dos eletrodos à direita e à esquerda (Eq. 9.18, $E^{\ominus}_{célula} = E^{\ominus}_R - E^{\ominus}_L$). Portanto, uma reação correspondendo à redução no eletrodo do lado direito tem $K > 1$ se $E^{\ominus}_L < E^{\ominus}_R$, e podemos concluir que

> Um par com um potencial-padrão mais baixo tem uma tendência termodinâmica a reduzir um par com um potencial-padrão mais alto.

Resumidamente: *o mais baixo reduz o mais alto* e, equivalentemente, *o mais alto oxida o mais baixo*.

■ **Breve exemplo 9.7** A tendência à redução

Como

$$E^{\ominus}(Zn^{2+},Zn) = -0{,}76\ V < E^{\ominus}(Cu^{2+},Cu) = +0{,}34\ V$$

Podemos inferir que o Zn(s) tem uma tendência termodinâmica a reduzir o Cu^{2+}(aq) em condições-padrão. Assim, espera-se que a reação

$$Zn(s) + CuSO_4(aq) \rightleftharpoons ZnSO_4(aq) + Cu(s)$$

tenha $K > 1$ (na verdade, como já vimos, $K = 1{,}5 \times 10^{37}$ a 298 K).

Exercício proposto 9.12

O dicromato acidificado ($Cr_2O_7^{2-}$) tem uma tendência termodinâmica a oxidar mercúrio metálico a mercúrio(I)?

Resposta: sim

9.13 A determinação de funções termodinâmicas

Vimos que o potencial-padrão de uma célula está relacionado com a energia de Gibbs padrão da reação da célula pela Eq. 9.16 ($\Delta_r G^\ominus = -\nu F E^\ominus_{\text{célula}}$). Portanto, pela medida do potencial-padrão de uma célula cuja reação é a de interesse, podemos obter a energia de Gibbs padrão da reação. Se o foco de interesse é no estado-padrão biológico, usamos a mesma expressão, porém com o potencial-padrão da célula em pH = 7 ($\Delta_r G^\oplus = -\nu F E^\oplus_{\text{célula}}$).

A relação entre o potencial-padrão da célula e a energia de Gibbs padrão fornece um procedimento conveniente para o cálculo do potencial-padrão de um par redox a partir de dois outros pares. Usamos o fato de G ser uma função de estado e de que a energia de Gibbs da reação global é a soma das energias de Gibbs das reações em que pode ser dividida. Em geral, não podemos combinar diretamente os valores de $E^\ominus$, pois os valores dependem do valor de ν, que pode ser diferente para cada par.

Exemplo 9.7

Cálculo do potencial-padrão a partir de dois outros potenciais-padrão

Dados os potenciais-padrão $E^\ominus(Cu^{2+},Cu) = +0{,}340$ V e $E^\ominus(Cu^+,Cu) = +0{,}522$ V, calcular $E^\ominus(Cu^{2+},Cu^+)$.

Estratégia Precisamos converter os dois valores de $E^\ominus$ em valores de $\Delta_r G^\ominus$ usando a Eq. 9.16, adicionando-os apropriadamente e convertendo o $\Delta_r G^\ominus$ global assim obtido ao valor de $E^\ominus$ desejado usando novamente a Eq. 9.16. Como a constante F é cancelada no final do cálculo, podemos mantê-la durante os cálculos.

Solução As reações dos eletrodos são as seguintes:

(a) $Cu^{2+}(aq) + 2\,e^- \rightarrow Cu(s) \quad E^\ominus = +0{,}340$ V

$$\Delta_r G^\ominus(a) = -2F \times (0{,}340\ \text{V}) = (-0{,}680\ \text{V}) \times F$$

(b) $Cu^+(aq) + e^- \rightarrow Cu(s) \quad E^\ominus = +0{,}522$ V

$$\Delta_r G^\ominus(b) = -F \times (0{,}522\ \text{V}) = (-0{,}522\ \text{V}) \times F$$

A reação desejada é

(c) $Cu^{2+}(aq) + e^- \rightarrow Cu^+(aq) \quad \Delta_r G^\ominus(c) = -FE^\ominus$

Sendo (c) = (a) − (b), segue-se que

$$\Delta_r G^\ominus(c) = \Delta_r G^\ominus(a) - \Delta_r G^\ominus(b)$$

Portanto, da Eq. 9.16,

$$FE^\ominus(c) = -\{(-0{,}680\ \text{V})F - (-0{,}522\ \text{V})F\} = (+0{,}158\ \text{V})F$$

A constante F se cancela, e obtemos $E^\ominus(c) = +0{,}158$ V

Uma nota sobre a boa prática Sempre que combinar potenciais-padrão para obter o potencial-padrão de um terceiro par, trabalhe com as energias de Gibbs porque são aditivas, enquanto, em geral, potenciais-padrão não o são.

Exercício proposto 9.13

Dados os potenciais-padrões $E^\ominus(Fe^{3+},Fe) = -0{,}04$ V e $E^\ominus(Fe^{3+},Fe) = -0{,}04$ V, calcular $E^\ominus(Fe^{3+},Fe^{2+})$

Resposta: +0,76 V

Uma vez obtido o valor de $\Delta_r G^\ominus$, podemos usar relações termodinâmicas para determinar outras propriedades. Por exemplo, como apresentamos na Dedução vista a seguir, a entropia da reação da célula pode ser obtida da variação do potencial da célula com a temperatura:

$$\Delta_r S^\ominus = \frac{\nu F\{E^\ominus_{\text{célula}} - E^{\ominus\prime}_{\text{célula}}\}}{T - T'} \qquad \text{Entropia-padrão da reação} \qquad (9.19)$$

Dedução 9.4

A entropia da reação a partir do potencial da célula

A definição da energia de Gibbs é $G = H - TS$. Esta fórmula se aplica a todas as substâncias envolvidas em uma reação, de modo que em determinada temperatura $\Delta_r G^\ominus(T) = \Delta_r H^\ominus - T\Delta_r S^\ominus$. Se ignorarmos a fraca dependência da temperatura de $\Delta_r H^\ominus$ e $\Delta_r S^\ominus$ em uma temperatura T', podemos escrever $\Delta_r G^\ominus(T') = \Delta_r H^\ominus - T'\Delta_r S^\ominus$. Portanto,

$$\Delta_r G^\ominus(T') - \Delta_r G^\ominus(T) = -(T' - T)\Delta_r S^\ominus$$

A substituição de $\Delta_r G^\ominus = -\nu F E^\ominus_{\text{célula}}$ leva então a

$$-\nu F E^{\ominus\prime}_{\text{célula}} + \nu F E^\ominus_{\text{célula}} = -(T' - T)\Delta_r S^\ominus$$

que é facilmente rearrumada na Eq. 9.19.

Vemos da Eq. 9.19 que o potencial-padrão de uma célula aumenta com a temperatura se a entropia-padrão da reação é positiva e que o coeficiente angular do gráfico do potencial contra a temperatura é proporcional à entropia da reação (Fig. 9.16). Uma consequência desse fato é que, se a reação da célula produz muito gás, então o potencial aumenta com a temperatura. O oposto é verdadeiro para uma reação que consome gás.

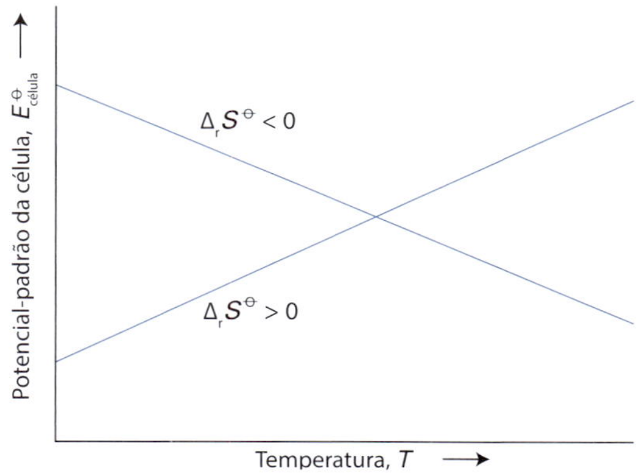

Figura 9.16 A variação do potencial-padrão de uma célula com a temperatura depende da entropia-padrão da reação da célula.

Finalmente, podemos combinar os resultados até então obtidos usando-se $G = H - TS$ na forma $H = G + TS$ para obter a entalpia-padrão da reação:

$$\Delta_r H^{\ominus} = \Delta_r G^{\ominus} + T\Delta_r S^{\ominus} \quad (9.20)$$

em que $\Delta_r G^{\ominus}$ é determinado do potencial da célula e $\Delta_r S^{\ominus}$ da variação do potencial da célula com a temperatura. Assim, dispomos agora de um método não calorimétrico de medir a entalpia de uma reação.

Exemplo 9.8

Usando a dependência do potencial da célula com a temperatura

Observou-se que o potencial-padrão da célula

$$Pt(s)|H_2(g)|HCl(aq)|Hg_2Cl_2(s)|Hg(l)$$

é +0,2699 V a 293 K e +0,2669 V a 303 K. Calcule a energia de Gibbs padrão, a entalpia-padrão e a entropia-padrão, a 298 K, da reação

$$Hg_2Cl_2(s) + H_2(g) \rightarrow 2\,Hg(l) + 2\,HCl(aq)$$

Estratégia Obtemos a energia de Gibbs padrão da reação a partir do potencial-padrão da célula usando a Eq. 9.16 e fazendo uma interpolação linear entre as duas temperaturas (neste caso, tomamos o valor médio de $E^{\ominus}_{\text{célula}}$, pois 298 K é a média entre 293 K e 303 K). A entropia-padrão da reação é obtida substituindo-se os dados na Eq. 9.19. A entalpia-padrão da reação é calculada combinando-se os dois valores então obtidos, pela Eq. 9.20. Usamos 1 C V = 1 J.

Solução Sendo o potencial-padrão médio da célula +0,2684 V, e $\nu = 2$ para a reação, temos que

$$\Delta_r G^{\ominus} = -\nu F E^{\ominus}_{\text{célula}} = -2 \times (9{,}6485 \times 10^4\ \text{C mol}^{-1}) \times (0{,}2684\ \text{V})$$
$$= -51{,}79\ \text{kJ mol}^{-1}$$

Então da Eq. 9.19, a entropia-padrão da reação é

$$\Delta_r S^{\ominus} = \frac{\overbrace{2}^{\nu} \times \overbrace{(9{,}6485 \times 10^4\ \text{Cmol}^{-1})}^{F} \times \left(\overbrace{0{,}2699\ \text{V}}^{E^{\ominus}_{\text{célula}}} - \overbrace{0{,}2669\ \text{V}}^{E^{\ominus\prime}_{\text{célula}}}\right)}{\underbrace{293\ \text{K}}_{T} - \underbrace{303\ \text{K}}_{T'}}$$
$$= -57{,}9\ \text{J K}^{-1}\ \text{mol}^{-1}$$

Para a próxima etapa do cálculo, é conveniente escrever o resultado anterior como $-0{,}0579$ kJ K^{-1} mol^{-1}. Desse modo, da Eq. 9.20, obtemos

$$\Delta_r H^{\ominus} = (-51{,}79\ \text{kJ mol}^{-1}) + (298\ \text{K}) \times (-0{,}0579\ \text{kJ K}^{-1}\ \text{mol}^{-1})$$
$$= -69\ \text{kJ mol}^{-1}$$

Uma dificuldade com este procedimento está na medição acurada de pequenas variações do potencial da célula com a temperatura. Ainda assim, esse é mais um exemplo das possibilidades da termodinâmica em relacionar grandezas aparentemente sem relação; nesse caso, a de relacionar medidas elétricas com propriedades térmicas.

Exercício proposto 9.14

Dê o valor do potencial-padrão da *célula de Harned*

$$Pt(s)|H_2(g)|HCl(aq)|AgCl(s)|Ag(s)$$

a 303 K a partir de dados termodinâmicos a 298 K.

Resposta: +0,2168 V

Impacto na tecnologia 9.2

Células de combustível

Uma célula de combustível opera como uma célula galvânica convencional, com exceção de que os reagentes são injetados à medida que é necessário e não fazem parte integrante da sua montagem. Um exemplo importante e fundamental de uma célula de combustível é a *célula de hidrogênio/oxigênio* utilizada nas missões espaciais Apollo. Um dos eletrólitos usados é o hidróxido de potássio concentrado em solução aquosa, a 200 °C e sob pressão de 20-40 atm; os eletrodos podem ser de níquel poroso na forma de folhas de material pulverizado e comprimido. A reação do catodo é a redução

$$O_2(g) + 2\,H_2O(l) + 4e^- \rightarrow 4\,OH^-(aq) \qquad E^{\ominus} = +0{,}40\ \text{V}$$

e a reação do anodo é a oxidação

$$H_2(g) + 2\,OH^-(aq) \rightarrow 2\,H_2O(l) + 2\,e^-$$

Para a redução correspondente, $E^{\ominus} = -0{,}83$ V. Como a reação global

$$2\,H_2(g) + O_2(g) \rightarrow 2\,H_2O(l) \qquad E^{\ominus}_{\text{célula}} = +1{,}23\ \text{V}$$

é exotérmica e espontânea, é menos favorável termodinamicamente a 200 °C do que a 25 °C. Por isso, o potencial da célula é mais baixo na temperatura mais alta. A pressão elevada, porém, compensa o efeito do aumento da temperatura, e a 200 °C e 40 atm, temos $E_{\text{célula}} \approx +1{,}2$ V.

Uma propriedade que determina a eficiência de um eletrodo é a **densidade de corrente**, a corrente elétrica circulando por uma região do eletrodo dividida pela área da região. Uma vantagem do sistema hidrogênio/oxigênio é a grande **densidade de corrente de troca**, a magnitude das densidades de correntes iguais e opostas quando o eletrodo está em equilíbrio. Infelizmente, a reação com o oxigênio tem uma densidade de corrente de troca de apenas 0,1 nA cm^{-2}, o que limita a corrente disponível a partir da célula. Uma maneira de contornar esta dificuldade é usar uma superfície catalítica com grande área superficial. Um tipo bem desenvolvido de célula de combustível tem o ácido fosfórico como eletrólito e opera com hidrogênio e ar a 200 °C; o hidrogênio é obtido da reação de reforma do gás natural

Anodo: $2\,H_2(g) \rightarrow 4\,H^+(aq) + 4\,e^-$

Catodo: $O_2(g) + 4\,H^+(aq) + 4\,e^- \rightarrow 2\,H_2O(l)$

Essa célula de combustível mostrou-se promissora em sistemas de geração combinada de calor e eletricidade (sistemas CHP). Nesses sistemas, o calor liberado é usado para aquecer edifícios ou realizar trabalho. A eficiência desses dispositivos pode chegar a 80 %. A potência de saída de baterias dessas células já chegou à ordem de 10 MW. Embora o hidrogênio gasoso seja um combustível atraente, apresenta desvantagens em aplicações móveis: é difícil de armazenar e perigoso de manusear. Uma possibilidade para células de combustível portáteis é armazenar o hidrogênio em nanotubos de carbono. Foi mostrado que nanofibras de carbono com um padrão em espinha de peixe podem armazenar grandes quantidades de hidrogênio, gerando uma densidade de energia duas vezes maior que a da gasolina.

As células com eletrólito de carbonato fundido a cerca de 600 °C podem operar diretamente com o gás natural. Até que estes materiais tenham sido desenvolvidos, um combustível atraente é o metanol, que é fácil de manusear e é rico em átomos de hidrogênio:

Anodo: $CH_3OH(l) + 6\ OH^-(aq) \rightarrow 5\ H_2O(l) + CO_2(g) + 6\ e^-$

Catodo: $O_2(g) + 4\ e^- + 2\ H_2O(l) \rightarrow 4\ OH^-(aq)$

Uma desvantagem do metanol é o fenômeno do **arraste eletro-osmótico** (*electro-osmotic drag*). Nesse fenômeno, os prótons que se movem através da membrana de eletrólito polimérico que separa o anodo do catodo transportam água e metanol em conjunto para o compartimento catódico; neste último compartimento, o potencial é suficiente para oxidar o CH_3OH a CO_2, diminuindo assim a eficiência da célula. As células de combustível de óxido sólido com condução iônica operam a cerca de 1000 °C, e podem trabalhar diretamente com hidrocarbonetos como combustíveis.

Uma célula de biocombustível é semelhante a uma célula de combustível convencional, mas no lugar de um catalisador de platina usa enzimas ou mesmo organismos inteiros. A eletricidade é extraída por meio das moléculas orgânicas que podem promover a transferência de elétrons. Uma aplicação será como fonte de eletricidade para implantes médicos, como marca-passos, usando, talvez, a glicose presente na corrente sanguínea como combustível.

Verificação de conceitos importantes

☐ 1 Desvios do comportamento ideal de soluções iônicas são atribuídos às interações de um íon com a sua atmosfera iônica.

☐ 2 A lei limite de Debye-Hückel relaciona a atividade média dos íons em uma solução com a força iônica.

☐ 3 A condutividade molar de um eletrólito forte segue a lei de Kohlrausch.

☐ 4 A velocidade com que um íon migra por uma solução é determinada por sua mobilidade, que é em função da sua carga, do seu raio hidrodinâmico e da viscosidade da solução.

☐ 5 Prótons migram de acordo com o mecanismo de Grotthus, Figura 9.4.

☐ 6 Uma célula galvânica é uma célula eletroquímica em que uma reação química espontânea produz uma diferença de potencial.

☐ 7 Uma célula eletrolítica é uma célula eletroquímica em que uma fonte externa de corrente é usada para fazer com que ocorra uma reação química não espontânea.

☐ 8 Uma reação redox é expressa como a diferença entre duas meias reações de redução.

☐ 9 Um catodo é o lugar em que ocorre a redução; um ânodo é o lugar em que ocorre a oxidação.

☐ 10 O potencial da célula é a diferença de potencial que a célula produz quando opera reversivelmente.

☐ 11 A equação de Nernst relaciona o potencial da célula com a composição da mistura de reação.

☐ 12 O potencial-padrão de um par é o potencial-padrão da célula em que o par é o eletrodo do lado direito da célula e o eletrodo de hidrogênio é o eletrodo do lado esquerdo.

☐ 13 O pH de uma solução é determinado medindo-se o potencial de um eletrodo de vidro.

☐ 14 Um par com um potencial-padrão baixo tem uma tendência termodinâmica (no sentido de que $K > 1$) a reduzir um par com um potencial-padrão alto.

☐ 15 A entropia e a entalpia da reação de uma célula são medidas em função da variação do potencial da célula com a temperatura.

Mapa conceitual das equações importantes

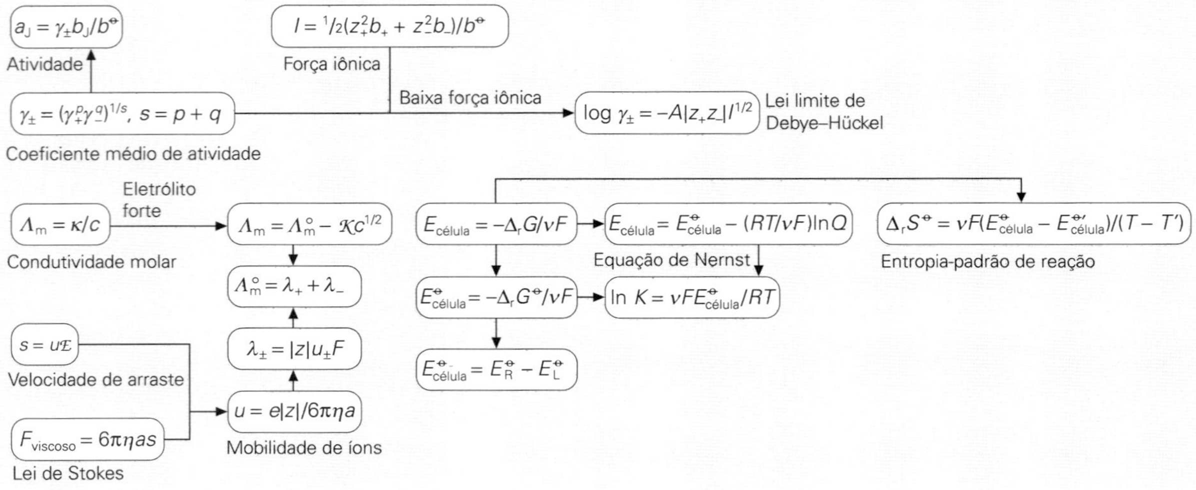

Questões e exercícios

Questões teóricas

9.1 Descreva as características gerais da teoria de Debye-Hückel das soluções eletrolíticas. Que aproximações limitam a sua validade para concentrações muito baixas?

9.2 Descreva o mecanismo de condução de prótons na água. Pode um mecanismo semelhante ser aplicado à condução de prótons em amônia líquida?

9.3 Faça distinção entre célula galvânica, célula eletrolítica e célula de combustível. Explique por que pontes salinas são usadas rotineiramente em medidas de células eletroquímicas.

9.4 Discuta como as séries eletroquímicas podem ser usadas para determinar se uma reação redox é espontânea.

9.5 Descreva um método eletroquímico para a determinação das propriedades termodinâmicas de uma reação química.

Exercícios

9.1 Calcule a força iônica de uma solução que é 0,15 mol kg^{-1} em KCl(aq) e 0,30 mol kg^{-1} em $CuSO_4$(aq).

9.2 Calcule as massas de (a) $Ca(NO_3)_2$ e, separadamente, de (b) NaCl, quando o sal é adicionado a uma solução de KNO_3(aq) 0,150 mol kg^{-1}, contendo 500 g do solvente, para elevar a força iônica a 0,250.

9.3 Expresse o coeficiente médio de atividade dos íons em uma solução de MgF_2 em termos dos coeficientes de atividade dos respectivos íons.

9.4 Estime o coeficiente médio de atividade iônica e a atividade de uma solução que é 0,015 mol kg^{-1} em MgF_2(aq) e 0,025 mol kg^{-1} em NaCl(aq).

9.5 Os coeficientes médios de atividade do HBr em três soluções aquosas diluídas, a 25 °C, são 0,930 (a 5,0 mmol kg^{-1}), 0,907 (a 10,0 mmol kg^{-1}) e 0,879 (a 20,0 mmol kg^{-1}). Estime o valor de B na lei de Debye-Hückel estendida.

9.6 As condutividades molares limites do KCl, KNO_3 e $AgNO_3$ são, respectivamente, em mS m^2 mol^{-1}, iguais a 14,99, 14,50 e 13,34, todas a 25 °C. Qual a condutividade molar limite do AgCl nesta temperatura?

9.7 A mobilidade do íon cloreto, em solução aquosa a 25 °C, é $7{,}91 \times 10^{-8}$ m^2 s^{-1} V^{-1}. Calcule a condutividade molar desse íon.

9.8 A mobilidade do íon Rb^+ em solução aquosa, a 25 °C, é de $7{,}92 \times 10^{-8}$ m^2 s^{-1} V^{-1}. A diferença de potencial entre dois eletrodos imersos na solução é de 35,0 V. Se a separação entre os eletrodos for de 8,00 mm, qual a velocidade de migração dos íons Rb^+?

9.9 As resistências de diversas soluções de NaCl, preparadas por sucessivas diluições de uma amostra inicial, foram medidas em uma célula cuja constante (a constante C na relação $\kappa = C/R$) é de 0,2063 cm^{-1}. Encontraram-se os seguintes valores:

c/(mol dm^{-3})	0,00050	0,0010	0,0050	0,010	0,020	0,050
R/Ω	3314	1669	342,1	174,1	89,08	37,14

(a) Verifique se a condutividade molar segue a lei de Kohlrausch e determine a condutividade molar limite. (b) Determine o coeficiente $\mathcal{K}$ da expressão da lei. (c) Com o valor de $\mathcal{K}$ (que depende somente da natureza dos íons, mas não da identidade dos íons) e sabendo que $\lambda(Na^+)$ = 5,01 mS m^2 mol^{-1} e $\lambda(I^-)$ = 7,68 mS m^2 mol^{-1}, estime (i) a condutividade molar, (ii) a condutividade e (iii) a resistência da célula, quando a amostra for de NaI(aq) 0,010 mol dm^{-3}, a 25 °C.

9.10 Depois da correção apropriada para se levar em conta a condutividade da água, a condutividade de uma solução aquosa saturada de AgCl, a 25 °C, é de 0,1887 mS m^{-1}. Qual a solubilidade do cloreto de prata nessa temperatura?

9.11 A condutividade molar do HCOOH(aq) 0,020 M é 3,83 mS m^2 mol^{-1}. Qual é o valor do pK_a do ácido fórmico?

9.12 A mobilidade de um íon depende da sua carga, e se em uma molécula grande, como uma proteína, for possível fazer com que tenha uma carga líquida zero, então não responderá a um campo elétrico. Esse 'ponto isoelétrico' pode ser alcançado variando-se o pH do meio. A velocidade com que a soroalbumina bovina (BSA) se move pela água sob a influência de um campo elétrico foi medida em vários valores de pH e os dados são vistos na tabela a seguir. Qual é o ponto isoelétrico da proteína?

pH	4,20	4,56	5,20	5,65	6,30	7,00
Velocidade/(μm s^{-1})	0,50	0,18	−0,25	−0,65	−0,90	−1,25

Sugestão: Trace um gráfico da velocidade contra o pH para obter o pH em que a velocidade é zero; este é o pH no qual a molécula tem carga líquida zero.

9.13 Expresse a oxidação da cisteína ($HSCH_2CH(NH_2)COOH$) a cistina ($HOOCCH(NH_2)CH_2SSCH_2CH(NH_2)COOH$) como a diferença entre duas meias reações, uma das quais é $O_2(g) + 4\,H^+(aq) + 4\,e^- \rightarrow 2\,H_2O(l)$.

9.14 Utilizando os potenciais de meia célula padrão biológico $E^{\oplus}(O_2,H^+,H_2O)$ = +0,82 V e $E^{\oplus}(NADH^+,H^+,NADH)$ = −0,32 V, calcule o potencial-padrão da reação em que o NADH é oxidado a NAD^+, e a correspondente energia de Gibbs padrão biológico dessa reação.

9.15 Considere um eletrodo de hidrogênio em HBr(aq) a 25 °C e operando a 1,45 bar. Calcule a variação no potencial do eletrodo quando a concentração da solução varia de 5,0 mmol dm^{-3} para 15,0 mmol dm^{-3}.

9.16 Construa uma célula cuja reação global é $Mn(s) + Cl_2(g) \rightarrow MnCl_2(aq)$. Escreva as meias reações para os eletrodos. Deduza o potencial-padrão do par Mn^{2+}/Mn a partir do potencial-padrão da célula, que vale +2,54 V.

9.17 Escreva as reações da célula, meias reações do eletrodo e equações de Nernst para as células a seguir:

(a) $Ag(s)|AgNO_3(aq,m_L)||AgNO_3(aq,m_R)|Ag(s)$

(b) $Pt(s)|H_2(g,p_L)|HCl(aq)|H_2(g,p_L)|Pt(s)$

(c) $Pt(s)|K_3[Fe(CN)_6)](aq),K_4[Fe(CN)_6](aq)||Mn^{2+}(aq),H^+(aq)||MnO_2(s)|Pt(s)$

(d) $Pt(s)|Cl_2(g)|HCl(aq)||HBr(aq)|Br_2(l)|Pt(s)$

(e) $Pt(s)|Fe^{3+}(aq),Fe^{2+}(aq)||Sn^{4+}(aq),Sn^{2+}(aq)|Pt(s)$

(f) $Fe(s)|Fe^{2+}(aq)||Mn^{2+}(aq),H^+(aq)|MnO_2(s)|Pt(s)$

9.18 Use os potenciais-padrão de eletrodo para calcular os potenciais-padrão das células do Exercício 9.19.

9.19 Proponha células eletroquímicas para as quais as reações vistas a seguir sejam as reações da célula. Em cada uma estabeleça o valor de ν que será usado na equação de Nernst.

(a) $Fe(s) + PbSO_4(aq) \rightarrow FeSO_4(aq) + Pb(s)$

(b) $Hg_2Cl_2(s) + H_2(g) \rightarrow 2\ HCl(aq) + 2\ Hg(l)$

(c) $2\ H_2(g) + O_2(g) \rightarrow 2\ H_2O(l)$

(d) $H_2(g) + O_2(g) \rightarrow H_2O_2(aq)$

(e) $H_2(g) + I_2(g) \rightarrow 2\ HI(aq)$

(f) $2\ CuCl(aq) \rightarrow Cu(s) + CuCl_2(aq)$

9.20 Use os potenciais-padrão dos eletrodos para calcular os potenciais-padrão das células obtidas no Exercício 9.19.

9.21 Uma célula de combustível gera um potencial elétrico à custa de uma reação química entre reagentes oriundos de uma fonte externa. Qual é o potencial de uma célula de combustível alimentada (a) por hidrogênio e oxigênio, (b) pela oxidação completa do benzeno a 1,0 bar e 298 K?

9.22 Uma célula de combustível é construída de tal forma que ambos os eletrodos utilizem a oxidação do metano. O eletrodo da esquerda utiliza a oxidação completa do metano a dióxido de carbono e água; o da direita, a oxidação parcial do metano a monóxido de carbono e água. (a) Qual dos eletrodos é o catodo? (b) Qual é o potencial da célula a 25 °C quando todos os gases estão a 1 bar?

9.23 Diga o que você espera que aconteça com o potencial da célula quando as seguintes modificações são feitas nas células correspondentes que estão no Exercício 9.18. Confirme as suas predições usando a equação de Nernst em cada caso.

(a) A concentração molar de nitrato de prata no compartimento à esquerda aumenta.

(b) A pressão do hidrogênio no compartimento à esquerda aumenta.

(c) O pH do compartimento à direita diminui.

(d) A concentração de HCl aumenta.

(e) Adiciona-se cloreto de ferro(III) a ambos os compartimentos.

(f) Adiciona-se ácido a ambos os compartimentos.

9.24 Diga o que você espera que aconteça com o potencial da célula quando as seguintes modificações são feitas nas células correspondentes que foram construídas no Exercício 9.29. Confirme as suas predições usando a equação de Nernst em cada caso.

(a) A concentração molar de $FeSO_4$ aumenta.

(b) Adiciona-se ácido nítrico a ambos os compartimentos da célula.

(c) A pressão do oxigênio aumenta.

(d) A pressão do hidrogênio aumenta.

(e) Adiciona-se (i) ácido clorídrico, (ii) ácido iodídrico, a ambos os compartimentos.

(f) Adiciona-se ácido clorídrico a ambos os compartimentos.

9.25 (a) Calcule o potencial-padrão da célula $Hg(l)|HgCl_2(aq)||TlNO_3(aq)|Tl(s)$ a 25 °C. (b) Calcule o potencial da célula quando a concentração molar de íons Hg^{2+} é 0,230 mol dm^{-3} e a de íons Tl^+ é 0,720 mol dm^{-3}.

9.26 Calcule as energias de Gibbs padrão, a 25 °C, das seguintes reações, usando os potenciais-padrão dados na *Seção de Dados*.

(a) $Ca(s) + 2\ H_2O(l) \rightarrow Ca(OH)_2(aq) + H_2(g)$

(b) $2\ Ca(s) + 4\ H_2O(l) \rightarrow 2\ Ca(OH)_2(aq) + 2\ H_2(g)$

(c) $Fe(s) + 2\ H_2O(l) \rightarrow Fe(OH)_2(aq) + H_2(g)$

(d) $Na_2S_2O_8(aq) + 2\ NaI(aq) \rightarrow I_2(s) + 2\ Na_2SO_4(aq)$

(e) $Na_2S_2O_8(aq) + 2\ KI(aq) \rightarrow I_2(s) + Na_2SO_4(aq) + K_2SO_4(aq)$

(f) $Pb(s) + Na_2CO_3(aq) \rightarrow PbCO_3(aq) + 2\ Na(s)$

9.27 Calcule as energias de Gibbs padrão biológico das seguintes reações e meias reações:

(a) $2\ NADH(aq) + O_2(g) + 2\ H^+(aq) \rightarrow 2\ NAD^+(aq) + 2\ H_2O(l)$ $E^{\oplus} = +1{,}14$ V

(b) $Malato(aq) + NAD^+(aq) \rightarrow oxaloacetato(aq) + NADH(aq) + H^+(aq)$ $E^{\oplus} = -0{,}154$ V

(c) $O_2(g) + 4H^+(aq) + 4\ e^- \rightarrow 2\ H_2O(l)$ $E^{\oplus} = +0{,}81$ V

9.28 Dados termodinâmicos tabelados podem ser usados para predizer o potencial-padrão de uma célula, mesmo que esse não possa ser medido diretamente. A energia de Gibbs padrão da reação $K_2CrO_4(aq) + 2\ Ag(s) + 2\ FeCl_3(aq) \rightarrow Ag_2CrO_4(s) + 2\ FeCl_2(aq) + 2\ KCl(aq)$ é −62,5 kJ mol^{-1} a 298 K. (a) Calcule o potencial-padrão da célula galvânica correspondente e (b) o potencial-padrão do par $Ag_2CrO_4/Ag,CrO_4^{2-}$.

9.29 Calcule o potencial da célula a 25 °C.

$$Ag(s)|AgCl(s)|KCl(aq,\ 0{,}025\ mol\ kg^{-1})||AgNO_3(aq,\ 0{,}010\ mol\ kg^{-1})|Ag(s)$$

9.30 (a) Use as informações contidas na *Seção de Dados* para calcular o potencial padrão da célula $Ag(s)|AgNO_3(aq)||Cu(NO_3)_2(aq)|Cu(s)$, a energia de Gibbs padrão e a entalpia da reação da célula a 25 °C. (b) Estime o valor de $\Delta_r G^{\ominus}$ a 35 °C.

9.31 Calcule o potencial-padrão da célula Pt(s)||cistina(aq), cisteína(aq)||$H^+(aq)|O_2(g)|Pt(s)$, a energia de Gibbs padrão e a entalpia da reação da célula a 25 °C. Estime o valor de $\Delta_r G^{\ominus}$ a 35 °C. Use $E^{\ominus} = -0{,}34$ V para o par cisteína/cistina.

9.32 Calcule as constantes de equilíbrio das seguintes reações a 25 °C a partir dos dados de potenciais-padrão:

(a) $Sn(s) + Sn^{4+}(aq) \rightleftharpoons 2\ Sn^{2+}(aq)$

(b) $Sn(s) + 2\ AgBr(s) \rightleftharpoons SnBr_2(aq) + 2\ Ag(s)$

(c) $Fe(s) + Hg(NO_3)_2(aq) \rightleftharpoons Hg(l) + Fe(NO_3)_2(aq)$

(d) $Cd(s) + CuSO_4(aq) \rightleftharpoons Cu(s) + CdSO_4(aq)$

(e) $Cu^{2+}(aq) + Cu(s) \rightleftharpoons 2\ Cu^+(aq)$

(f) $3\ Au^{2+}(aq) \rightleftharpoons Au(s) + 2\ Au^{3+}(aq)$

9.33 O íon dicromato em solução ácida é um agente oxidante comum de compostos orgânicos. Obtenha uma expressão para o potencial de um eletrodo cuja meia reação é a redução dos íons $Cr_2O_7^{2-}$ a íons Cr^{3+} em solução ácida.

9.34 O íon permanganato é um agente oxidante comum. Qual é o potencial-padrão do par $MnO_4^-,H^+/Mn^{2+}$ (a) em pH = 6,00, (b) em um pH qualquer?

9.35 O potencial-padrão biológico do par ácido pirúvico/ácido lático é −0,19 V a 25 °C. Qual é o potencial termodinâmico padrão do par? O ácido pirúvico é $CH_3COCOOH$ e o ácido lático é $CH_3CH(OH)COOH$.

9.36 Um equilíbrio ecologicamente importante é o que existe entre os íons carbonato e hidrogenocarbonato (bicarbonato) na água natural. (a) As energias de Gibbs padrão de formação do CO_3^{2-}(aq) e do HCO_3^- (aq) são –527,81 kJ mol^{-1} e –586,77 kJ mol^{-1}, respectivamente. (a) Qual é o potencial-padrão do par $HCO_3^-/CO_3^{2-},H_2$? (b) Calcule o potencial-padrão de uma célula cuja reação da célula é Na_2CO_3(aq) + H_2O(l) → $NaHCO_3$(aq) + NaOH(aq). (c) Escreva a equação de Nernst para a célula. (d) Preveja e calcule a variação no potencial quando o pH muda para 7,0. (e) Calcule o valor do pK_a do HCO_3^-(aq).

9.37 (a) O mercúrio pode produzir zinco metálico a partir do sulfato de zinco aquoso sob condições-padrão? (b) O gás cloro pode oxidar a água a oxigênio gasoso sob condições-padrão em solução básica?

9.38 Para uma célula de combustível de hidrogênio/oxigênio, com uma reação de célula global de quatro elétrons 2 H_2(g) + O_2(g) → 2 H_2O(l), o potencial-padrão da célula é + 1,2335 V, a 293 K, e + 1,2251 V, a 303 K. Calcule a entalpia e a entropia-padrão de reação nessa faixa de temperatura.

Projetos

9.39 Considere a célula de Harned Pt(s)|H_2(g, 1 bar)|HCl(aq, *b*)|AgCl(s)|Ag(s). Mostre que o potencial-padrão do eletrodo prata-cloreto de prata pode ser determinado traçando-se o gráfico de $E - (RT/F)\ln b$ contra $b^{1/2}$. *Sugestão*: Expresse o potencial da célula em termos das atividades e use a lei de Debye-Hückel para calcular o coeficiente médio de atividade. (b) Use o procedimento que você desenvolveu na parte (a) e os dados vistos a seguir, a 25 °C, para determinar o potencial-padrão do eletrodo de prata-cloreto de prata

$b/(10^{-3}\ b^{\ominus})$	3,215	5,619	9,138	25,63
E/V	0,52053	0,49257	0,46860	0,41824

9.40 Os potenciais-padrão de proteínas não são normalmente medidos pelos métodos descritos neste capítulo, pois as proteínas frequentemente perdem a sua estrutura nativa e a sua função, quando reagem na superfície dos eletrodos. Num método alternativo, a proteína oxidada reage com um doador de elétrons apropriado, em solução. O potencial-padrão da proteína é, então, determinado por meio da equação de Nernst, das concentrações de equilíbrio de todas as espécies em solução e do potencial-padrão do doador de elétrons, que é conhecido. Vamos ilustrar esse método com a proteína citrocromo *c*. (a) A reação entre o citocromo *c*, cyt, e o 2,6-dicloroindofenol, D, pode ser escrita como

$$\text{cyt}_{ox} + \text{D}_{red} \rightleftharpoons \text{cyt}_{red} + \text{D}_{ox}$$

Considere que $E_{cyt}^{\ominus}$ e $E_D^{\ominus}$ são os potenciais-padrão do citocromo *c* e de *D*, respectivamente. Mostre que, no equilíbrio (eq), o gráfico de $\ln([D_{ox}]_{eq}/[D_{red}]_{eq})$ contra $\ln([cyt_{ox}]_{eq}/[cyt_{red}]_{eq})$ é uma reta com coeficiente angular igual a 1, e que intercepta o eixo *y* em $F(E_{cyt}^{\ominus} - E_D^{\ominus})/RT$, em que as atividades de equilíbrio foram substituídas pelos valores numéricos das concentrações molares de equilíbrio. (b) Os dados seguintes foram obtidos para a reação entre o citocromo *c* oxidado e D reduzido, em uma solução tampão de pH igual a 6,5, a 298 K. As razões $[D_{ox}]_{eq}/[D_{red}]_{eq}$ e $[cyt_{ox}]_{eq}/[cyt_{red}]_{eq}$ foram ajustadas pela adição de volumes conhecidos de uma solução de ascorbato de sódio, um agente redutor, a uma solução contendo citocromo *c* oxidado e D reduzido. A partir dos dados e do potencial-padrão de D, que é igual a 0,237 V, determine o potencial-padrão do citocromo *c* em pH = 6,5 e a 298 K.

$[D_{ox}]_{eq}/[D_{red}]_{eq}$	0,00279	0,00843	0,0257	0,0497	0,0748	0,238	0,534
$[cyt_{ox}]_{eq}/[cyt_{red}]_{eq}$	0,0106	0,00230	0,0894	0,197	0,335	0,809	1,39

10

Cinética química: as velocidades das reações

O ramo da físico-química denominado **cinética química** é dedicado às velocidades das reações químicas. A cinética química aborda a rapidez com que os reagentes são consumidos e os produtos são formados, como as velocidades de reação respondem a mudanças das condições ou à presença de um catalisador, e a identificação das etapas pelas quais uma reação ocorre.

Uma razão para estudar as velocidades de reações é a importância prática de poder predizer a rapidez com que uma mistura reacional se aproxima do equilíbrio. A velocidade pode depender de variáveis sob nosso controle, como pressão, temperatura e presença de um catalisador, e podemos otimizá-la pela escolha apropriada das condições. Outra razão é que o estudo das velocidades de reações leva a uma compreensão do **mecanismo** de uma reação, sua análise em uma sequência de etapas elementares. Poderíamos, por exemplo, descobrir que a reação do hidrogênio e do bromo para formar brometo de hidrogênio passa pela dissociação de uma molécula de Br_2, o ataque de um átomo de Br sobre uma molécula de H_2, e diversas etapas subsequentes. Por meio da análise da velocidade de uma reação bioquímica, podemos descobrir como uma enzima, um catalisador biológico, age. A **cinética enzimática**, o estudo do efeito das enzimas nas velocidades de reações, também dá informações importantes sobre como essas macromoléculas funcionam.

Precisamos lidar com uma ampla gama de diferentes velocidades e um processo que parece ser lento pode ser o resultado de muitas etapas mais velozes. Isto é particularmente verdadeiro nas reações químicas responsáveis pela vida. Processos fotobiológicos, como os responsáveis pela fotossíntese e o lento desenvolvimento de uma planta, podem ocorrer em cerca de 1 ps. A ligação de um neurotransmissor consegue ter um efeito depois de aproximadamente 1 μs. Uma vez que um gene tenha sido ativado, uma proteína pode surgir em mais ou menos 100 s; mas, mesmo esta escala de tempo incorpora muitas outras, inclusive o movimento de enovelamento de uma cadeia de polipeptídeo recém-formado para sua conformação de trabalho, sendo que cada etapa dessas pode levar cerca de 1 ps. Numa visão mais abrangente, algumas das equações da cinética química são aplicáveis ao comportamento de populações inteiras de organismos; tais sociedades mudam em escalas de tempo de 10^7–10^9 s.

Cinética química empírica

A primeira etapa na investigação da velocidade e do mecanismo de uma reação é a determinação da estequiometria global da reação e a identificação de quaisquer reações secundárias. A etapa seguinte é determinar como as concentrações dos reagentes e produtos variam com o tempo depois da reação ter sido iniciada. Como as velocidades das reações químicas são sensíveis à temperatura, a temperatura da mistura de reação tem que ser mantida constante durante todo o transcurso da reação, pois, caso contrário, a velocidade observada seria uma inexpressiva média das velocidades para diferentes temperaturas.

O método utilizado para monitorar as concentrações dos reagentes e produtos e suas variações com o tempo depende da substância envolvida e da rapidez com que as suas concentrações se alteram (Tabela 10.1). Iremos ver que a **espectrofotometria,** a medida da absorção da luz por um material, é amplamente usada no monitoramento da concentração. Se uma reação muda o número ou o tipo de íons presentes em uma solução, então, as concentrações podem ser acompanhadas pelo monitoramento da condutividade da solução. Reações que modificam a concentração de íons hidrogênio podem ser estudadas monitorando-se o pH da solução com um eletrodo de vidro. Outros métodos de monitoramento da composição incluem a detecção da emissão de luz, a titulação, a espectrometria de massa, a cromatografia de gás e a ressonância magnética (tanto EPR quanto RMN, Capítulo 21). A polarimetria, a observação da atividade óptica de uma mistura de reação, é aplicada ocasionalmente.

Tabela 10.1

Técnicas utilizadas no estudo da cinética de reações rápidas

Técnica	Faixa da escala de tempo/s
Fotólise de *flash*	$>10^{-15}$
Decaimento da fluorescência[a]	10^{-10}–10^{-6}
Absorção ultrassônica	10^{-10}–10^{-4}
EPR[b]	10^{-9}–10^{-4}
Salto de campo elétrico[c]	10^{-7}–1
Salto de temperatura[c]	10^{-6}–1
Decaimento da fosforescência[a]	10^{-6}–10
RMN[b]	10^{-5}–1
Salto de pressão[c]	$>10^{-5}$
Fluxo interrompido	$>10^{-3}$

[a] Fluorescência ou fosforescência são modos de emissão de radiação a partir de um material; veja o Capítulo 20.

[b] EPR é a ressonância paramagnética do elétron (ou ressonância do spin do elétron, ESR); RMN é a ressonância magnética nuclear; veja o Capítulo 21..

[c] Estas técnicas são discutidas no Capítulo 11.

10.1 Espectrofotometria

O principal resultado do uso da intensidade de absorção de radiação, a determinado comprimento de onda, na determinação da concentração [J] da espécie absorvedora é a lei empírica denominada **lei de Beer-Lambert** (Fig. 10.1):

$$A = \log \frac{I_0}{I} = \varepsilon[\mathrm{J}]L \qquad \text{Lei de Beer-Lambert} \qquad (10.1)$$

(Observação: logaritmos comuns são logaritmos na base 10.) Essa expressão é discutida com detalhes no Capítulo 20. Por ora, precisamos saber apenas como utilizá-la na interpretação de resultados experimentais. A expressão adimensional na Eq. 10.1 é denominada de **absorbância,** A. I_0 e I são as intensidades incidente e transmitida, respectivamente, e L é o comprimento da amostra. O parâmetro ε (épsilon) é chamado de **coeficiente de absorção molar** (ainda muito conhecido pelo antigo nome, 'coeficiente de extinção', suas dimensões são as de (concentração)$^{-1}$ (comprimento)$^{-1}$ e normalmente é expresso em $\mathrm{dm^3\,mol^{-1}\,cm^{-1}}$), dependendo do comprimento de onda da radiação incidente, sendo maior nos locais em que a absorção é mais intensa. Em um espectrofotômetro típico, a absorbância é representada graficamente em função do comprimento de onda; assim, A pode ser determinada diretamente a partir dos dados sob determinado comprimento de onda.

■ Breve ilustração 10.1 A lei de Beer-Lambert

O coeficiente de absorção molar do benzeno em certo solvente, em um comprimento de onda de 256 nm, é $1{,}6 \times 10^2\ \mathrm{dm^3\,mol^{-1}\,cm^{-1}}$. Em um experimento para a observação da velocidade com a qual o benzeno reage em um solvente não absorvente, a absorbância foi medida como $A = 0{,}80$ em uma célula de comprimento $L = 1{,}0$ mm $= 0{,}10$ cm. A concentração do benzeno é calculada da Eq. 10.1 reescrita como $[\mathrm{J}] = A/\varepsilon L$:

$$[\mathrm{J}] = \frac{\overbrace{0{,}80}^{A}}{\underbrace{(1{,}6\times10^2\ \mathrm{dm^3\,mol^{-1}\,cm^{-1}})}_{\varepsilon}\times\underbrace{(0{,}10\ \mathrm{cm})}_{L}}$$

$$= \frac{0{,}80}{(1{,}6\times10^2)\times0{,}10}\ \mathrm{mol\,dm^{-3}}$$

$$= 5{,}0\times10^{-2}\ \mathrm{mol\,dm^{-3}}$$

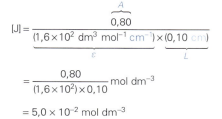

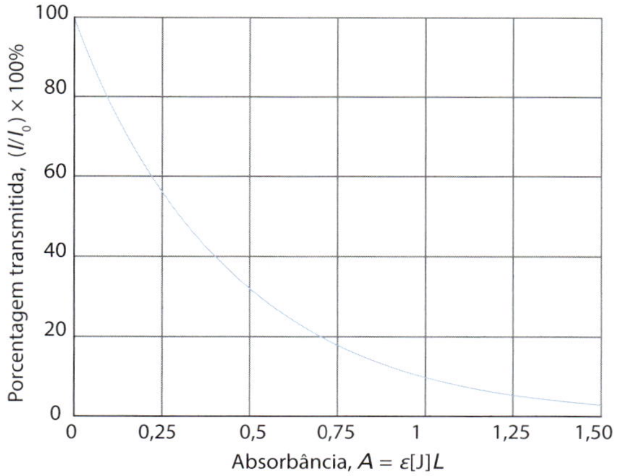

Figura 10.1 A intensidade da luz transmitida por uma amostra absorvedora diminui exponencialmente com o comprimento do percurso por meio da amostra. (A absorbância é proporcional ao comprimento do percurso, quando a concentração é uniforme.)

10.2 Técnicas experimentais

Em uma **análise em tempo real**, a composição de um sistema é analisada, enquanto a reação se encontra em andamento, pela observação espectroscópica direta da mistura de reação. No **método de fluxo**, os reagentes são misturados enquanto fluem juntos em uma câmara (Fig. 10.2). A reação continua à medida que as soluções intimamente misturadas fluem através de um tubo capilar de saída cerca de 10 m s^{-1}, e diferentes pontos ao longo do tubo correspondem a diferentes tempos após o início da reação. A determinação espectrofotométrica da composição em diferentes posições ao longo do tubo é equivalente à determinação da composição da mistura de reação em diferentes tempos após a mistura. Essa técnica foi originalmente desenvolvida com relação ao estudo da velocidade com que o oxigênio se combina com a hemoglobina. Sua desvantagem é que há necessidade de um grande volume de solução de reagente, pois a mistura deve fluir continuamente pela aparelhagem. Essa desvantagem é particularmente notável para reações que ocorrem com muita rapidez, porque o fluxo tem de ser rápido, se tiver de espalhar a reação em uma apreciável extensão de tubo.

A **técnica de fluxo interrompido** evita essa desvantagem (Fig. 10.3). As duas soluções são misturadas muito rapidamente (em menos de 1 ms), injetando-as em uma câmara misturadora projetada para garantir que o fluxo seja turbulento e que a mistura completa ocorra de forma muito rápida. Por trás da câmara de reação existe uma célula de observação fixada a um êmbolo que se move para trás assim que os líquidos fluem para dentro, mas que sobe contra um batente,

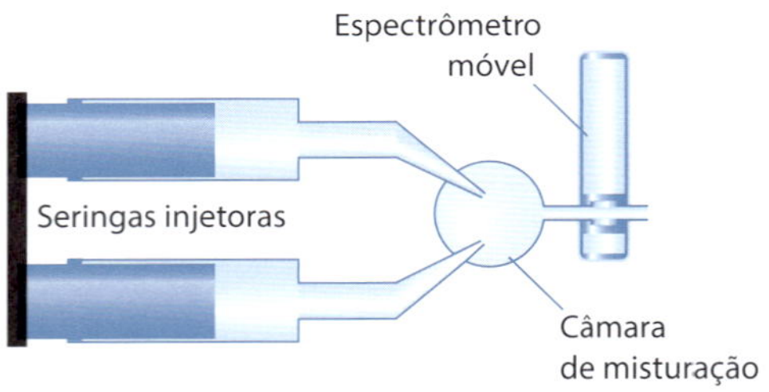

Figura 10.2 Montagem do aparelho usado na técnica de fluxo para a investigação da cinética de reações. Os reagentes são injetados a velocidade constante, na câmara de misturação, por meio de seringas ou pelo uso de bombas peristálticas (bombas que empurram o fluido através de tubos flexíveis, como nos nossos intestinos). A localização do espectrômetro corresponde a instantes diferentes da reação após seu início.

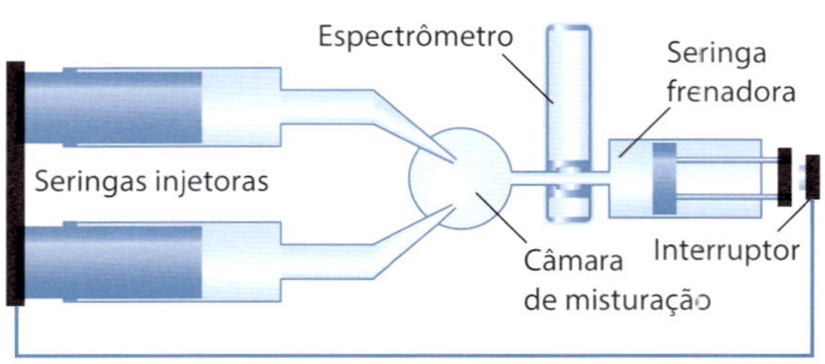

Figura 10.3 Na técnica de fluxo interrompido, os reagentes entram rapidamente na câmara de misturação e se mede a variação das concentrações com o tempo. O interruptor garante que o fluxo seja interrompido após ter sido injetado certo volume de reagentes.

depois que certo volume tenha sido admitido. O enchimento dessa câmara corresponde à criação repentina de uma amostra inicial da mistura de reação. A reação, então, prossegue dentro da solução completamente misturada, sendo monitorada espectrofotometricamente. Já que é preparada apenas uma carga pequena e única da câmara de reação, a técnica é muito mais econômica do que o método de fluxo. A adequação da técnica de fluxo interrompido ao estudo de amostras pequenas indica que é apropriada para reações bioquímicas, e tem tido ampla utilização para estudar a cinética da ação enzimática. Modernas técnicas de monitoramento espectrofotométrico da composição podem varrer repetitivamente uma faixa de comprimento de onda de cerca de 300 nm a intervalos de 1 ms.

Reações muito rápidas podem ser estudadas por **fotólise de *flash***, em que a amostra é exposta a um breve *flash* de luz que inicia a reação e, então, o conteúdo da câmara de reação é monitorado espectrofotometricamente. Podem-se utilizar *lasers* para gerar *flashes* de nanossegundos rotineiramente, *flashes* de picossegundos com facilidade e *flashes* tão rápidos quanto alguns femtossegundos (1 fs = 10^{-15} s) e até mesmo atossegundos (1 as = 10^{-18} s) em montagens especiais. Reações rápidas também são estudadas por **radiólise de pulso** em que o *flash* de radiação eletromagnética é substituído por um pulso de elétrons de alta velocidade.

Ao contrário da análise em tempo real, **métodos de extinção** são baseados na parada, ou extinção, da reação depois de se permitir que tenha avançado por certo tempo, sendo então a composição analisada com tranquilidade. A parada da reação (da mistura toda ou de uma amostra retirada da mesma) pode ser realizada por meio de um resfriamento súbito, da adição da mistura a um grande volume de solvente ou pela neutralização rápida de um reagente ácido. Esse método é adequado somente para reações que são suficientemente lentas para que ocorra pouca reação durante o tempo que leva para parar a reação.

Velocidades de reação

Os dados experimentais obtidos das experiências para a medição das velocidades de reação são grandezas (como a absorbância de uma amostra) que são proporcionais às concentrações ou às pressões parciais dos reagentes e produtos em uma série de tempos após a reação ser iniciada. Idealmente, também deveriam ser obtidas informações sobre quaisquer intermediários, mas muitas vezes esses intermediários não podem ser estudados, uma vez que sua existência é muito efêmera ou sua concentração muito baixa. Mais informações acerca da reação podem ser extraídas se são obtidos dados em uma série de diferentes temperaturas. Nas seções seguintes vamos analisar mais detalhadamente essas observações.

10.3 A definição de velocidade

A velocidade de uma reação que ocorre em um recipiente de volume constante é definida em termos da velocidade de mudança da concentração de dada espécie:

Variação da [J]
|...| significa: ignore qualquer sinal negativo

$$\text{Velocidade} = \frac{|\Delta[\text{J}]|}{\Delta t}$$

Intervalo de tempo de interesse

Definição Velocidade média (10.2)

em que $\Delta[\text{J}]$ é a variação da concentração molar da espécie J que ocorre durante o intervalo de tempo Δt. Colocamos a variação da concentração entre o sinal de módulo (|...|) para assegurar que todas as velocidades são positivas: se J é um reagente, sua concentração diminuirá e $\Delta[\text{J}]$ será negativo, mas $|\Delta[\text{J}]|$ é positivo.

Como as velocidades com que os reagentes são consumidos e os produtos são formados mudam no transcurso de uma reação, é necessário considerar a **velocidade instantânea** da reação, sua velocidade em um instante específico. A velocidade instantânea de consumo de um reagente é o coeficiente angular de um gráfico de sua concentração molar traçado em função do tempo, com o coeficiente angular avaliado como a tangente do gráfico no instante de interesse (Fig. 10.4); a velocidade é dada como um valor positivo. A velocidade instantânea de formação de um produto também é o coeficiente angular da tangente do gráfico de sua concentração molar em função do tempo, e também é obtida como sendo um valor positivo. Quanto maior o coeficiente angular em ambos os casos, maior a velocidade de reação. Com a concentração medida em mols por decímetro cúbico e o tempo em segundos, a velocidade de reação é dada em mols por decímetro cúbico por segundo (mol $\text{dm}^{-3}\ \text{s}^{-1}$). A partir de agora vamos representar a velocidade instantânea por v (de 'velocidade').

Uma nota sobre a boa prática A velocidade de uma reação é mais bem expressa com o uso do cálculo. Nessa linguagem, o coeficiente angular da tangente de uma curva em um gráfico de [J] contra o tempo em um instante qualquer é expresso como o módulo da derivada, $|\text{d[J]}/\text{d}t|$, no qual o intervalo Δt na Eq. 10.2 torna-se infinitesimal. Portanto, a definição precisa da velocidade de reação é $v = |\text{d[J]}/\text{d}t|$.

Em geral, os vários reagentes de determinada reação são consumidos em diferentes velocidades e os vários produtos

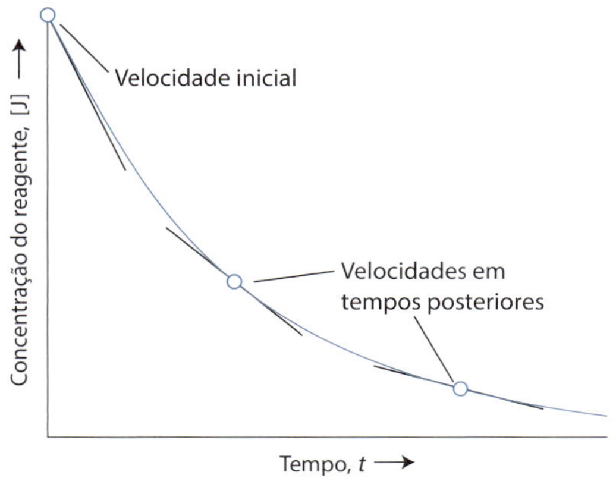

Figura 10.4 A velocidade de uma reação química é o coeficiente angular da tangente à curva que mostra a variação da concentração de uma espécie com o tempo. O gráfico apresentado na figura mostra a concentração de um reagente, que é consumido à medida que a reação avança. A velocidade de consumo diminui no decorrer da reação, com a diminuição da concentração do reagente.

também são formados em diferentes velocidades. Entretanto, essas velocidades estão relacionadas pela estequiometria da reação.

■ Breve ilustração 10.2 Velocidade de reação e estequiometria de reação

Na decomposição da ureia, $(\text{NH}_2)_2\text{CO}$, em solução ácida,

$$(\text{NH}_2)_2\text{CO(aq)} + 2\ \text{H}_2\text{O(l)} \rightarrow 2\ \text{NH}_4^+\text{(aq)} + \text{CO}_3^{2-}\text{(aq)}$$

a velocidade de formação do NH_4^+ é duas vezes a velocidade de desaparecimento do $(\text{NH}_2)_2\text{CO}$ porque, para 1 mol de $(\text{NH}_2)_2\text{CO}$ consumido, 2 mols de NH_4^+ são formados. Uma vez conhecida a velocidade de formação ou consumo de uma substância, podemos utilizar a estequiometria da reação para deduzir as velocidades de formação ou de consumo dos outros participantes da reação. Neste exemplo,

$$\text{Velocidade de formação de NH}_4^+ = 2 \times \text{velocidade de consumo de (NH}_2)_2\text{CO}$$

Uma consequência de utilizar uma relação como a Eq. 10.2 é que temos que ser cuidadosos ao especificar exatamente a que espécie nós estamos nos referindo quando escrevemos a velocidade de reação. Por essa razão, a definição mais rigorosa da **velocidade** de uma reação é em termos dos números estequiométricos, v_J, que aparecem na equação química; os **números estequiométricos** são os coeficientes estequiométricos, porém escritos com sinal positivo para produtos e negativo para reagentes. Então

$$v = \frac{1}{v_\text{J}} \frac{\Delta[\text{J}]}{\Delta t} \qquad \text{Definição} \quad \text{Velocidade} \quad (10.3)$$

Observe que removemos o sinal do módulo de $\Delta[\text{J}]$. A velocidade é sempre positiva, pois, sempre que $\Delta[\text{J}]/\Delta t$ é negativo (sinalizando consumo de um reagente), também o número estequiométrico é negativo (é negativo para um reagente).

■ Breve ilustração 10.3 A velocidade única da reação

Sob certas condições, a velocidade de formação do NH_3 na reação $\text{N}_2\text{(g)} + 3\ \text{H}_2\text{(g)} \rightarrow 2\ \text{NH}_3\text{(g)}$ é de 1,2 mmol $\text{dm}^{-3}\ \text{s}^{-1}$. Para essa reação, $v_{\text{NH}_3} = +2$, $v_{\text{N}_3} = -1$, e $v_{\text{H}_3} = -3$. Assim, a velocidade de reação, escrita em termos da variação da concentração da amônia, é

$$v = \frac{1}{v_{\text{NH}_3}} \frac{\Delta[\text{NH}_3]}{\Delta t} = \tfrac{1}{2} \times (1{,}2\ \text{mmol dm}^{-3}\ \text{s}^{-1})$$

$$= 0{,}6\ \text{mmol dm}^{-3}\ \text{s}^{-1}$$

Poderíamos também escrever a velocidade na forma de

$$v = -\frac{\Delta[\text{N}_2]}{\Delta t} = -\frac{1}{3}\frac{\Delta[\text{H}_2]}{\Delta t}$$

e prever, por exemplo, que a velocidade de variação da $[\text{H}_2]$ é

$$\frac{\Delta[\text{H}_2]}{\Delta t} = -3v = -1{,}8\ \text{mmol dm}^{-3}\ \text{s}^{-1}$$

Neste caso, poderíamos também expressar a velocidade de consumo (número positivo) do H_2 como 1,8 mmol $\text{dm}^{-3}\ \text{s}^{-1}$.

Há uma complicação: se os reagentes formam um intermediário que desaparece lentamente (iremos ver exemplos mais tarde), então, os produtos não se formam na mesma velocidade em que os reagentes se transformam em intermediário. Nesses casos, temos que ser muito cuidadosos a respeito da interpretação da velocidade de reação que é medida. Essa complicação pode ser transformada em uma vantagem: a observação de que as velocidades de consumo e formação não estão relacionadas pela estequiometria da reação é um bom sinal de que um intermediário de vida longa está envolvido na reação.

10.4 Leis de velocidade e constantes de velocidade

Uma observação empírica da maior importância é que *a velocidade de reação é, muitas vezes, proporcional às concentrações molares dos reagentes elevadas a uma potência simples*. Por exemplo, pode-se observar que a velocidade é diretamente proporcional às concentrações dos reagentes A e B; desse modo,

$$v = k_r[\mathrm{A}][\mathrm{B}] \tag{10.4}$$

O coeficiente k_r, que é característico da reação em estudo, é chamado de **constante da velocidade** (ou 'coeficiente de velocidade'). A constante da velocidade é independente das concentrações das espécies que tomam parte na reação, mas depende da temperatura. Uma equação *experimentalmente determinada* desse tipo é chamada de 'lei de velocidade' da reação. De maneira mais formal, uma **lei de velocidade** é uma equação que expressa a velocidade de reação em termos das concentrações molares (ou pressões parciais) das espécies presentes na reação global (inclusive, possivelmente, os produtos e os catalisadores que possam estar presentes).

As unidades de k_r são sempre tais que podem converter o produto das concentrações em uma velocidade expressa como uma variação da concentração dividida pelo tempo. Por exemplo, se a lei de velocidade é aquela mostrada na Eq. 10.4, com as concentrações expressas em mol dm^{-3}, então, as unidades de k_r serão dm^3 mol^{-1} s^{-1}, porque

$$\overbrace{\mathrm{dm^3\ mol^{-1}\ s^{-1}}}^{\text{unidades de } k_r} \times \overbrace{\mathrm{mol\ dm^{-3}}}^{\text{unidades de [A]}} \times \overbrace{\mathrm{mol\ dm^{-3}}}^{\text{unidades de [B]}} = \overbrace{\mathrm{mol\ dm^{-3}\ s^{-1}}}^{\text{unidades de } v}$$

Nos estudos em fase gasosa, incluindo estudos dos processos que ocorrem na atmosfera, concentrações são normalmente expressas em moléculas cm^{-3}, de modo que a constante de velocidade para a reação anterior seria expressa em cm^3 molécula^{-1} s^{-1}. Podemos usar a abordagem que foi desenvolvida para determinar as unidades da constante de velocidade para leis de velocidade de qualquer forma. Por exemplo, a constante de velocidade para uma reação com lei de velocidade da forma k_r[A] é normalmente expressa em s^{-1}.

Exemplo 10.1

Expressão da constante de velocidade em diferentes unidades

A constante de velocidade para a reação $O(g) + O_3(g) \rightarrow 2\,O_2(g)$ é $8{,}0 \times 10^{-15}$ cm^3 molécula^{-1} s^{-1}, a 298 K. Expresse esta constante de velocidade em dm^3 mol^{-1} s^{-1}.

Estratégia Utilize as relações vistas a seguir:

$$1\ \mathrm{cm} = 10^{-2}\ \mathrm{m} = 10^{-2} \times 10\ \mathrm{dm} = 10^{-1}\ \mathrm{dm} = \frac{1\ \mathrm{dm}}{10}$$

$$1\ \mathrm{mol} = 6{,}022 \times 10^{23}\ \text{moléculas},$$

$$\text{assim, } 1\ \text{molécula} = \frac{1\ \mathrm{mol}}{6{,}022 \times 10^{23}}$$

Solução Segue das relações dadas anteriormente que

$$k_r = 8{,}0 \times 10^{-15}\ \mathrm{cm^3}\ \text{molécula}^{-1}\ \mathrm{s^{-1}}$$

$$= 8{,}0 \times 10^{-15} \overbrace{\left(\frac{1\ \mathrm{dm}}{10}\right)^3}^{\mathrm{cm^3}} \overbrace{\left(\frac{1\ \mathrm{mol}}{6{,}022 \times 10^{23}}\right)^{-1}}^{\text{molécula}^{-1}} \mathrm{s^{-1}}$$

$$= \frac{8{,}0 \times 10^{-15} \times 6{,}022 \times 10^{23}}{10^3}\ \mathrm{dm^3\ mol^{-1}\ s^{-1}}$$

$$= 4{,}8 \times 10^{6}\ \mathrm{dm^3\ mol^{-1}\ s^{-1}}$$

Observe que, como deve ser esperado (mas é um bom ponto a ser verificado), a velocidade por mol de moléculas é numericamente muito maior (por um fator de $6{,}022 \times 10^{23}$) do que a velocidade por molécula.

Exercício proposto 10.1

Uma reação tem uma lei de velocidade da forma $k_r[\mathrm{A}]^2[\mathrm{B}]$. Quais são as unidades da constante de velocidade k_r se a velocidade de reação foi medida em mol dm^{-3} s^{-1}?

Resposta: dm^6 mol^{-2} s^{-1}

Uma vez conhecidas a lei de velocidade e a constante de velocidade de reação, podemos prever a velocidade da reação para qualquer composição dada da mistura reacional. Também veremos que podemos empregar a lei de velocidade para predizer as concentrações dos reagentes e produtos em qualquer momento após o início da reação. Além disso, uma lei de velocidade é também um importante guia do mecanismo da reação, pois qualquer mecanismo proposto tem que ser consistente com a lei de velocidade observada.

10.5 Ordem de reação

Uma lei de velocidade oferece uma base para a classificação de reações de acordo com a sua cinética. A vantagem de se ter tal classificação é que as reações que pertencem à mesma classe têm comportamento cinético semelhante – suas velocidades e as concentrações dos reagentes e produtos variam com a composição de maneira semelhante. A classificação das reações baseia-se em sua **ordem**, a potência à qual é elevada a concentração de uma espécie na lei de velocidade. Por exemplo:

Primeira ordem em A: $v = k_r[A]$ (10.5a)

Primeira ordem em A e primeira ordem em B: $v = k_r[A][B]$ (10.5b)

Segunda ordem em A: $v = k_r[A]^2$ (10.5c)

A **ordem global** de uma reação com a lei de velocidade da forma $v = k_r[A]^a[B]^b[C]^c\ldots$ é a soma, $a + b + c + \ldots$, das ordens de todos os componentes. As leis da velocidade nas Eqs. 10.5b e 10.5c correspondem ambas às reações que são de *segunda ordem* no global.

■ Breve ilustração 10.4 Ordens de reação

Um exemplo do tipo de reação representado pela Eq. 10.5b é a reformação de uma dupla hélice de DNA após a dupla hélice ter sido separada em duas fitas, elevando-se a temperatura ou o pH:

Fita + fita complementar → hélice dupla

$v = k_r$ [fita][fita complementar]

Essa reação é de primeira ordem em cada fita e de segunda ordem no global. Um exemplo do segundo tipo é a redução do dióxido de nitrogênio pelo monóxido de carbono,

$$NO_2(g) + CO(g) \rightarrow NO(g) + CO_2(g) \qquad v = k_r[NO_2]^2$$

que é de segunda ordem em NO_2 e, como não ocorre outra espécie na lei de velocidade, de segunda ordem no global. A velocidade desta última reação é independente da concentração de CO, contanto que haja presença de algum CO. Essa independência de concentração é expressa, dizendo-se que a reação é de *ordem zero* em CO, porque uma concentração elevada à potência zero é 1 ($[CO]^0 = 1$, exatamente como $x^0 = 1$ na álgebra).

Uma reação não necessita ter uma ordem inteira, e muitas reações de fase gasosa não têm. Por exemplo, se observamos que uma reação tem a lei de velocidade

$$v = k_r[A]^{1/2}[B] \qquad (10.6)$$

então, a mesma é de *ordem um meio* em A, primeira ordem em B e de ordem três meios no global.

Se uma lei de velocidade não é da forma $v = k_r[A]^a[B]^b[C]^c\ldots$, então, a reação não tem uma ordem global. Desse modo, a lei de velocidade experimentalmente determinada para a reação em fase gasosa $H_2(g) + Br_2(g) \rightarrow 2\,HBr(g)$ é

$$v = \frac{k_a[H_2][Br_2]^{3/2}}{[Br_2] + k_b[HBr]} \qquad (10.7)$$

Embora a reação seja de primeira ordem em H_2, tem uma ordem indefinida em relação a Br_2 e ao HBr e uma ordem indefinida no global. De maneira semelhante, uma típica lei de velocidade para a ação de uma enzima E em um substrato S é (veja o Capítulo 11)

$$v = \frac{k_r[E][S]}{[S] + K_M} \qquad (10.8)$$

em que K_M é uma constante. Essa lei de velocidade é de primeira ordem na enzima, mas não tem uma ordem específica quanto ao substrato.

Em certas circunstâncias, uma lei de velocidade complicada, sem uma ordem global, pode ser simplificada em uma lei com uma ordem definida. Por exemplo, se a concentração de substrato na reação catalisada por enzima é tão baixa que $[S] \ll K_M$, então podemos desprezar [S] no denominador da Eq. 10.8, que se simplifica em

$$v = \frac{k_r}{K_M}[E][S] \qquad (10.9)$$

que é de primeira ordem em S, primeira ordem em E, e de segunda ordem no global.

É muito importante observar que *uma lei de velocidade é estabelecida experimentalmente, e não pode no geral ser inferida a partir da equação química para a reação*. A reação entre o hidrogênio e o bromo, por exemplo, tem uma estequiometria muito simples,

$$H_2(g) + Br_2(g) \rightarrow 2\,HBr(g)$$

mas sua lei de velocidade (Eq. 10.7) é muito complicada. Todavia, em certos casos, acontece da lei de velocidade refletir a estequiometria da reação. É esse o caso da reação entre o hidrogênio e o iodo, que tem a mesma estequiometria que a reação entre o hidrogênio e o bromo, mas uma lei de velocidade muito mais simples:

$$H_2(g) + I_2(g) \rightarrow 2\,HI(g) \qquad v = k_r[H_2][I_2]$$

10.6 A determinação da lei de velocidade

São muitas as maneiras de investigar reações químicas e extrair informações a respeito das suas leis de velocidade. Aqui vamos destacar duas estratégias úteis e comuns.

(a) Método do isolamento

A determinação de uma lei de velocidade é simplificada pelo **método do isolamento**, em que todos os reagentes, à exceção de um, estão presentes em grande excesso. Podemos encontrar a dependência que a velocidade tem de cada um dos reagentes, isolando cada um por vez – tendo-se todas as outras substâncias presentes em grande excesso – e montando um quadro da lei de velocidade global. Por exemplo, podemos usar CH_3I em solução a uma concentração de 0,2 mol dm^{-3} e uma substância para ataque nucleofílico a somente 0,01 mol dm^{-3}.

Se um reagente B está em grande excesso, é uma boa aproximação tomar sua concentração como constante durante toda a reação. Desse modo, embora a verdadeira lei de velocidade possa ser $v = k_r\,[A][B]^2$, podemos aproximar [B] por seu valor inicial $[B]_0$ (que praticamente não varia no transcurso da reação) e escrever

$$v = k_{r,ef}[A], \text{ com } k_{r,ef} = k_r[B]_0^2$$

Uma reação de pseudoprimeira ordem, com B em excesso (10.10a)

Como a verdadeira lei de velocidade foi levada à forma de lei de primeira ordem ao admitir-se uma concentração B constante, a lei de velocidade efetiva é classificada como de **pseudoprimeira ordem** e $k_{r,ef}$ é denominada **constante de velocidade efetiva** para dada concentração fixa de B. Se, em vez disso, a concentração de A estivesse em grande excesso, e, portanto, efetivamente constante, a lei de velocidade simplificaria em

$$v = k_{r,ef}[B]^2, \text{agora com } k_{r,ef} = k_r[A]_0$$

Uma reação de pseudoprimeira ordem, com A em excesso (10.10b)

Essa **lei de velocidade de pseudoprimeira ordem** é também muito mais fácil de analisar e identificar do que a lei completa. Observe que a ordem da reação e a forma da constante de velocidade efetiva mudam conforme A ou B esteja em excesso. De modo similar, uma reação pode até parecer ser de ordem zero.

■ Breve ilustração 10.5 Pseudo-ordens

A oxidação do etanol em acetaldeído por NAD^+ no fígado, na presença da enzima desidrogenase do álcool do fígado

$$CH_3CH_2OH(aq) + NAD^+(aq) + H_2O(l) \rightarrow CH_3CHO(aq) + NADH(aq) + H_3O^+(aq)$$

é de ordem zero no global, pois o etanol está em excesso e a concentração do NAD^+ é mantida a um nível constante por processos metabólicos normais. Muitas reações em solução aquosa, que são descritas como sendo de primeira ou segunda ordem, são na realidade, de pseudoprimeira ou pseudossegunda ordem: a água do solvente participa da reação, mas está em tão grande excesso que sua concentração permanece constante.

(b) O método das velocidades iniciais

No método das **velocidades iniciais**, que muitas vezes é empregado em conjunto com o método do isolamento, a velocidade instantânea é medida no início da reação para diversas concentrações iniciais diferentes de reagentes. Como exemplo, suponha que a lei de velocidade de uma reação com A isolado é

$$v = k_{r,ef}[A]^a$$

Então, a velocidade inicial da reação, v_0, é dada pela concentração inicial de A:

$$v_0 = k_{r,ef}[A]_0^a \qquad \text{Velocidade inicial de uma reação de ordem } a \qquad (10.11)$$

Tomando-se os logaritmos (comuns), obtemos

$$\log v_0 = \log(k_{r,ef}[A]_0^a) \overset{\log xy = \log x + \log y}{=} \log k_{r,ef} + \log[A]_0^a \overset{\log x^a = a\log x}{=} \log k_{r,ef} + a\log[A]_0 \qquad (10.12)$$

Essa equação tem a forma da equação de uma reta:

$$\underbrace{\log v_0}_{y} = \underbrace{\log k_{r,ef}}_{\text{coeficiente linear}} + \underbrace{a}_{\text{coeficiente angular}}\log[A]_0$$

Segue que, para uma série de concentrações iniciais, um gráfico dos logaritmos das velocidades iniciais contra os logaritmos das concentrações iniciais de A deve ser uma reta, e que o coeficiente angular do gráfico será a, a ordem da reação relativa à espécie A (Fig. 10.5).

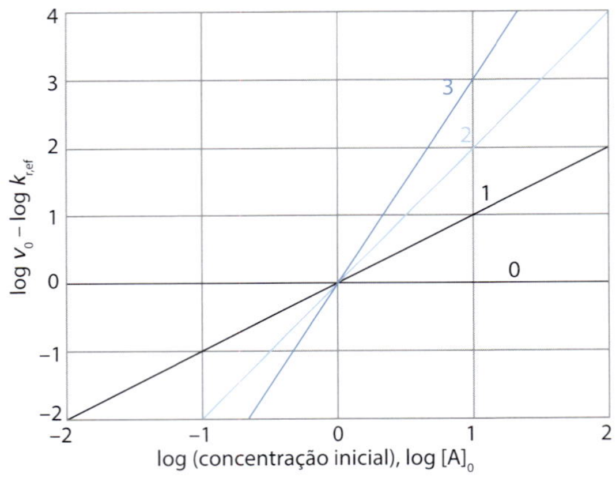

Figura 10.5 O gráfico de log v_0 (e, como mostrado aqui, de log v_0 − log $k_{r,ef}$) contra log$[A]_0$ produz retas com coeficientes angulares iguais à ordem da reação.

Exemplo 10.2

O método das velocidades iniciais

A recombinação dos átomos de iodo em fase gasosa na presença de argônio (que remove a energia liberada na formação de uma ligação I—I, evitando a dissociação imediata de uma molécula de I_2 recém-formada) foi investigada e a ordem da reação determinada pelo método das velocidades iniciais. As velocidades iniciais da reação $2\,I(g) + Ar(g) \rightarrow I_2(g) + Ar(g)$ são dadas a seguir:

$[I]_0/(10^{-5}$ mol dm$^{-3})$	1,0	2,0	4,0	6,0
$v_0/($mol dm^{-3} s$^{-1})$				
(a)	$8{,}70 \times 10^{-4}$	$3{,}48 \times 10^{-3}$	$1{,}39 \times 10^{-2}$	$3{,}13 \times 10^{-2}$
(b)	$4{,}35 \times 10^{-3}$	$1{,}74 \times 10^{-2}$	$6{,}96 \times 10^{-2}$	$1{,}57 \times 10^{-1}$
(c)	$8{,}69 \times 10^{-3}$	$3{,}47 \times 10^{-2}$	$1{,}38 \times 10^{-1}$	$3{,}13 \times 10^{-1}$

As concentrações de Ar são (a) $1{,}0 \times 10^{-3}$ mol dm^{-3}, (b) $5{,}0 \times 10^{-3}$ mol dm^{-3} e (c) $1{,}0 \times 10^{-2}$ mol dm^{-3}. Determine as ordens da reação em relação ao I e ao Ar e a constante de velocidade.

Estratégia Para uma concentração constante $[Ar]_0$, a lei de velocidade inicial tem a forma $v_0 = k_{r,ef}[I]_0^a$, com $k_{r,ef} = k_r[Ar]_0^b$, logo

$$\log v_0 = \log k_{r,ef} + a \log[I]_0$$

Precisamos fazer um gráfico de log v_0 contra log $[I]_0$ para dada $[Ar]_0$ e obter a ordem a partir do coeficiente angular e o valor de $k_{r,ef}$ a partir da interseção em log $[I]_0 = 0$. Então, como

$$\log k_{r,ef} = \log k_r + b \log[Ar]_0$$

fazemos o gráfico de log $k_{r,ef}$ contra log $[Ar]_0$ e obtemos log k_r a partir da interseção e b, do coeficiente angular.

Solução Os dados nos fornecem os seguintes pontos para o gráfico:

log($[I]_0$/mol dm^{-3})		−5,00	−4,70	−4,40	−4,22
log(v_0/mol dm^{-3} s^{-1})	(a)	−2,971	−2,458	−1,857	−1,504
	(b)	−2,362	−1,760	−1,157	−0,804
	(c)	−1,971	−1,460	−0,860	−0,504

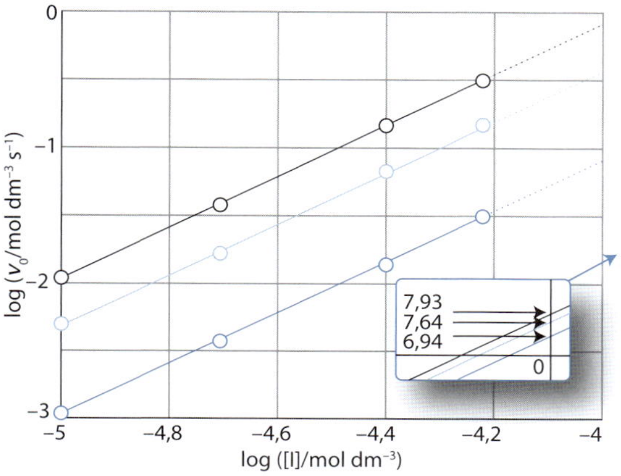

Figura 10.6 Gráficos dos dados do Exemplo 10.2 para se obter a ordem da reação em relação ao I.

O gráfico dos dados é mostrado na Figura 10.6. Os coeficientes angulares das retas valem 2 e as constantes de velocidade efetivas $k_{r,ef}$ são as que se seguem:

$[Ar]_0$/(mol dm^{-3})	$1{,}0 \times 10^{-3}$	$5{,}0 \times 10^{-3}$	$1{,}0 \times 10^{-2}$
log($[Ar]_0$/mol dm^{-3})	−3,00	−2,30	−2,00
log($k_{r,ef}$ /mol^{-1} dm^3 s^{-1})	6,94	7,64	7,93

A Figura 10.7 mostra o gráfico de log $k_{r,ef}$ contra log $[Ar]_0$. O coeficiente angular é 1, de modo que $b = 1$ e a reação é de primeira ordem em relação ao Ar. A interseção em log $[Ar]_0 = 0$ é log $k_{r,ef} = 9{,}94$, o que leva a $k_r = 8{,}7 \times 10^9$ mol^{-2} dm^6 s^{-1}. A lei de velocidade (inicial) global é, portanto,

$$v = k_r[I]_0^2[Ar]_0$$

Uma nota sobre a boa prática Quando tomamos o logaritmo de um número na forma *x,xx* × 10^n, existem *quatro* algarismos significativos na resposta: o número antes do ponto decimal é simplesmente uma potência de 10. Por outro lado, quando tomamos o antilogaritmo comum de *y,yyy*, existem *três* algarismos significativos na resposta. A rigor, os logaritmos são de certa grandeza dividida por suas unidades.

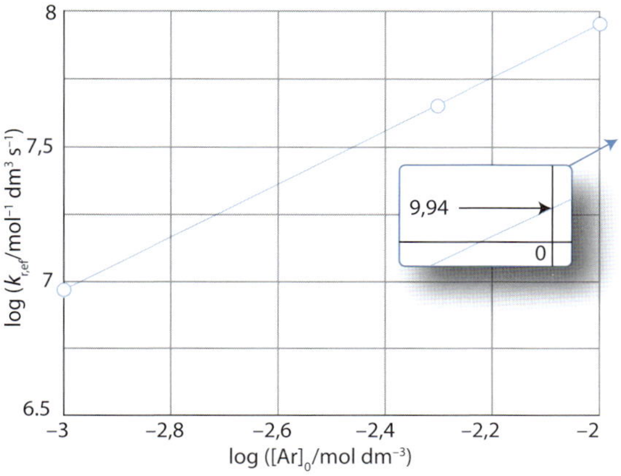

Figura 10.7 Gráficos dos dados do Exemplo 10.2 para se obter a ordem da reação em relação ao Ar.

Exercício proposto 10.2

A velocidade inicial de certa reação depende da concentração de uma substância J da seguinte forma:

$[J]_0$/(10^{-3} mol dm^{-3})	5,0	10,2	17	30
v_0/(10^{-7} mol dm^{-3} s^{-1})	3,6	9,6	4	130

Obtenha a ordem da reação em relação a J e a constante de velocidade.

Resposta: 2, $1{,}6 \times 10^{-2}$ mol^{-1} dm^3 s^{-1}

O método das velocidades iniciais pode não revelar toda a lei de velocidade, pois, em uma reação complexa, os próprios produtos podem afetar a velocidade. É o caso da síntese de HBr, já que a Eq. 10.7 mostra que a lei de velocidade depende da concentração de HBr, que não está presente inicialmente.

10.7 Leis de velocidade integradas

Uma lei de velocidade nos diz a velocidade da reação em dado instante (quando a mistura reacional possui uma composição particular). Isso é equivalente a dar a velocidade de um carro em dado ponto de sua viagem. Para uma viagem de carro, podemos querer saber a distância que um carro percorreu em certo tempo dada sua velocidade, que é variável ao longo da jornada. De forma semelhante, para uma reação química, podemos querer saber a composição da mistura de reação em dado tempo, em função da velocidade da reação, que também varia no decorrer da reação. Uma **lei de velocidade integrada** é uma expressão que fornece a concentração de uma espécie como função do tempo.

Leis de velocidade integradas têm dois empregos principais. Um deles é prever a concentração de uma espécie em qualquer momento após o início da reação. O outro é ajudar a encontrar a constante de velocidade e a ordem da reação. Na verdade, embora tenhamos apresentado leis de velocidade por meio de uma discussão da determinação das velocidades de reação, essas velocidades raramente são medidas diretamente, pois os coeficientes angulares são muito difíceis de determinar de forma exata. Quase todo trabalho experimental em cinética química lida com leis da velocidade integradas, sendo que sua maior vantagem é que são expressas em termos de concentração e tempo, que são as grandezas observadas experimentalmente. Computadores podem ser utilizados para encontrar numericamente a forma integrada até das mais complexas leis de velocidade e em alguns casos podem ser usados para obter expressões algébricas para essas leis. No entanto, em uma série de casos simples, soluções analíticas são de fácil obtenção, e são de muita utilidade.

Para uma reação química e lei de velocidade de primeira ordem da forma

A → produtos,

$$\text{Velocidade de consumo de A} = k_r[A] \qquad (10.13)$$

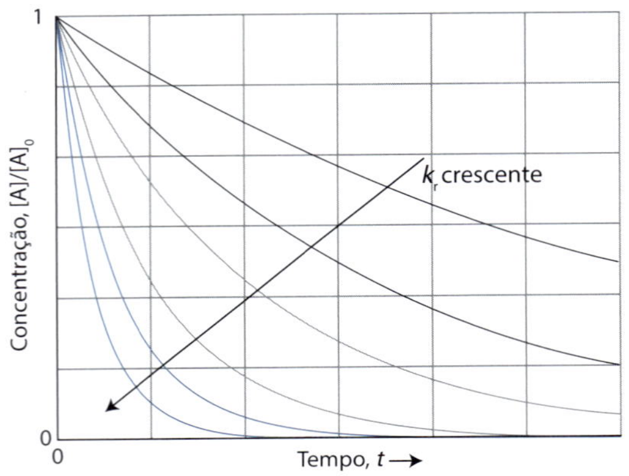

Figura 10.8 Decaimento exponencial do reagente numa reação de primeira ordem. Quanto maior a constante de velocidade, mais rápido é o decaimento.

mostramos na Dedução a seguir que a lei de velocidade integrada é

$$\ln \frac{[A]}{[A]_0} = -k_r t \quad \text{Lei de velocidade integrada de primeira ordem} \quad (10.14a)$$

em que $[A]_0$ é a concentração inicial de A. Outra forma dessa expressão é

$$[A] = [A]_0 e^{-k_r t} \quad \text{Decaimento exponencial} \quad (10.14b)$$

A Eq. 10.14b tem a forma de um **decaimento exponencial** (Fig. 10.8). Uma característica comum de todas as reações de primeira ordem, portanto, é que *a concentração do reagente decai exponencialmente com o tempo*.

Dedução 10.1

Leis de velocidade integradas de primeira ordem

Nosso primeiro passo é expressar o consumo de um reagente A matematicamente. Como destacado na Seção 10.3, a velocidade de uma reação é $d[A]/dt$. Como A é um reagente, a variação $d[A]$ é negativa (a concentração de A diminui com o tempo); portanto, $-d[A]$ é positiva. Podemos, portanto, interpretar a velocidade como $-d[A]/dt$. Segue-se que uma equação de velocidade de primeira ordem tem a forma

$$-\frac{d[A]}{dt} = k_r[A]$$

Esta expressão é um exemplo de uma 'equação diferencial' (veja Ferramentas do químico 10.1). Como os termos $d[A]$ e dt podem ser manipulados do mesmo modo que grandezas algébricas, rearranjamos a equação diferencial na forma

$$\frac{d[A]}{[A]} = -k_r dt$$

e então integramos ambos os lados. A integração de $t = 0$, quando a concentração de A é $[A]_0$, até o tempo de interesse, t, quando a concentração molar de A é [A], é escrita como

$$\int_{[A]_0}^{[A]} \frac{d[A]}{[A]} = -k_r \overbrace{\int_0^t dt}^{t}$$

Para desenvolver o termo à esquerda, utilizamos agora as integrais-padrão (Ferramentas do químico 2.1)

$$\int \frac{dx}{x} = \ln x + \text{constante}$$

e a relação $\ln(x/y) = \ln x - \ln y$ (Ferramentas do químico 2.2) para obter

$$\int_{[A]_0}^{[A]} \frac{d[A]}{[A]} = \ln \frac{[A]}{[A]_0}$$

Segue a Eq. 10.14a após a combinação dos resultados dos termos à esquerda e à direita.

Ferramentas do químico 10.1 Equações diferenciais ordinárias

Uma *equação diferencial ordinária* é uma relação entre derivadas de uma função de uma variável e a própria função, como em

$$\text{(A)}\ a\frac{dy}{dx} + bx + c = 0 \qquad \text{(B)}\ a\frac{d^2y}{dx^2} + b\frac{dy}{dx} + cx + d = 0$$

Os coeficientes a, b etc. podem ser constantes ou funções de x. A *ordem* da equação é a ordem da derivada mais alta que ocorre na mesma; desse modo, (A) é uma equação de primeira ordem e (B) é uma equação de segunda ordem. 'Resolver' uma equação diferencial é o processo de determinar a função; neste caso, a função $y(x)$ que a atende.

Em muitos casos, observa-se que várias constantes aparecem na solução, como $y(x)$ + constante. Essas constantes são determinadas pela imposição de várias *condições de contorno* às soluções, valores que a solução deve ter em pontos específicos. Uma equação diferencial de segunda ordem requer duas condições de contorno; uma equação de primeira ordem requer uma. Para soluções dependentes do tempo, a 'condição de contorno' tem o nome de *condição inicial* e, normalmente, é o valor que a solução deve ter em $t = 0$.

A Eq. 10.14b nos possibilita prever a concentração de A em qualquer instante depois da reação ter-se iniciado. A Eq. 10.14a mostra que, se fizermos um gráfico do $\ln([A]/[A]_0)$ contra t, o resultado obtido será uma linha reta desde que a reação seja de primeira ordem. Se os dados experimentais não possibilitarem a obtenção de uma reta, quando traçamos o gráfico dessa maneira, então a reação não é de primeira ordem. Se a reta for obtida, segue-se da Eq. 10.14a que seu coeficiente angular é $-k_r$, de modo que podemos também determinar a constante de velocidade a partir do gráfico. Algumas constantes de velocidade determinadas desse modo são dadas na Tabela 10.2.

Tabela 10.2
Dados cinéticos para reações de primeira ordem

Reação	Fase	θ/°C	k_r/s^{-1}*	$t_{1/2}$
$2\ N_2O_5 \rightarrow 4\ NO_2 + O_2$	g	25	$3,38 \times 10^{-5}$	2,85 h
$2\ N_2O_5 \rightarrow 4\ NO_2 + O_2$	Br_2(l)	25	$4,27 \times 10^{-5}$	2,25 h
$C_2H_6 \rightarrow 2\ CH_3$	g	700	$5,46 \times 10^{-4}$	21,2 min
Ciclopropano → propeno	g	500	$6,17 \times 10^{-4}$	17,2 min

*A constante de velocidade é relativa à velocidade de formação ou ao consumo da espécie assinalada em negrito. As leis de velocidade para outras espécies podem ser obtidas da estequiometria da reação.

Exemplo 10.3

Análise de uma reação de primeira ordem

A variação da pressão parcial do azometano com o tempo foi acompanhada a 600 K, com os resultados dados a seguir. Confirme que a decomposição

$CH_3N_2CH_3(g) \rightarrow CH_3CH_3(g) + N_2(g)$

é de primeira ordem no azometano, e obtenha a constante de velocidade a 600 K.

t/s	0	1000	2000	3000	4000
p/Pa	10,9	7,63	5,32	3,71	2,59

Estratégia Para confirmar se uma reação é de primeira ordem, faz-se o gráfico de $\ln([A]/[A]_0)$ em função do tempo, esperando que se obtenha uma reta. Como a pressão parcial de um gás é proporcional à sua concentração, um procedimento equivalente é fazer o gráfico de $\ln(p/p_0)$ em função de t. Se o gráfico for linear, o coeficiente angular pode ser identificado com $-k_r$. Siga as instruções para representar os gráficos mostrados em Ferramentas do químico 1.1.

Solução Montamos a seguinte tabela:

t/s	0	1000	2000	3000	4000
$\ln(p/p_0)$	0	−0,357	−0,717	−1,078	−1,437

O gráfico de $\ln(p/p_0)$ em função de t é mostrado na Figura 10.9. O gráfico é linear, confirmando que a reação é de primeira ordem. O coeficiente angular obtido pelo método dos mínimos quadrados é $-3,6 \times 10^{-4}$; logo, $k_r = 3,6 \times 10^{-4}\ s^{-1}$.

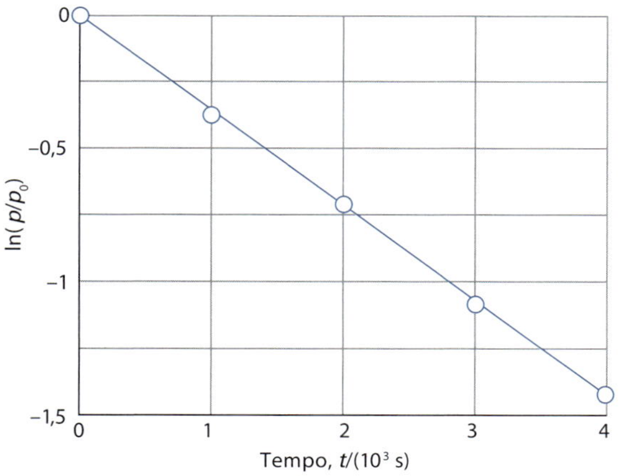

Figura 10.9 Determinação da constante de velocidade de uma reação de primeira ordem. Uma reta é obtida quando ln [A] (ou ln p, em que p é a pressão parcial da espécie de interesse) é traçado contra t. O coeficiente angular é $-k_r$. Os dados são os do Exemplo 10.3.

Exercício proposto 10.3

A concentração de N_2O_5 em bromo líquido varia com o tempo como é visto a seguir:

t/s	0	200	400	600	1000
$[N_2O_5]/(mol\ dm^{-3})$	0,110	0,073	0,048	0,032	0,014

Confirme que a reação é de primeira ordem no N_2O_5 e determine a constante de velocidade.

Resposta: $2,1 \times 10^{-3}\ s^{-1}$

Agora precisamos ver como a concentração varia com o tempo para uma reação e lei de velocidade de segunda ordem com a forma

A → produtos,

$$\text{Velocidade de consumo de A} = k_r[A]^2 \qquad (10.1)$$

Conforme visto anteriormente, supomos que a concentração de A, em $t = 0$, é $[A]_0$ e, como mostrado na Dedução a seguir, encontramos que

$$\frac{1}{[A]_0} - \frac{1}{[A]} = -k_r t \qquad \text{Lei de velocidade integrada de segunda ordem} \qquad (10.16a)$$

que também pode ser escrita como

$$[A] = \frac{[A]_0}{1 + k_r t[A]_0} \qquad (10.16b)$$

Dedução 10.2

Integração da lei de velocidade de segunda ordem

Como já descrito, a velocidade de consumo do reagente A é $-d[A]/dt$, e a equação diferencial para a lei de velocidade é

$$-\frac{d[A]}{dt} = k_r[A]^2$$

Para resolver esta equação, vamos reescrevê-la na forma

$$\frac{d[A]}{[A]^2} = -k_r dt$$

e integrá-la entre $t = 0$, quando a concentração de A é $[A]_0$, até o tempo de interesse, t, quando a concentração de A é [A]:

$$\int_{[A]_0}^{[A]} \frac{d[A]}{[A]^2} = -k_r \int_0^t dt$$

O termo à direita é $-k_r t$. A integral à esquerda é calculada usando-se a fórmula-padrão

$$\int \frac{dx}{x^2} = -\frac{1}{x} + \text{constante}$$

que implica que

$$\int_a^b \frac{dx}{x^2} = \left\{-\frac{1}{x} + \text{constante}\right\}\Big|_b - \left\{-\frac{1}{x} + \text{constante}\right\}\Big|_a = -\frac{1}{b} + \frac{1}{a}$$

e assim obtém-se a Eq. 10.16a.

A Eq. 10.16a mostra que para testar uma reação de segunda ordem devemos traçar 1/[A] contra t e esperar obter uma reta. Se a linha é reta, então a reação é de segunda ordem em A e o coeficiente angular da reta é igual à constante de velocidade (Fig. 10.10). Algumas constantes de velocidade determinadas dessa maneira são dadas na Tabela 10.3. A Eq. 10.16b possibilita-nos predizer a concentração de A em qualquer tempo após o início da reação (Fig. 10.11).

A partir dos gráficos de [A] contra t, vemos que a concentração de A se aproxima de zero mais lentamente em uma reação de segunda ordem do que em uma reação de primeira ordem com a mesma velocidade inicial (Fig. 10.12). Ou seja, o decaimento da concentração dos reagentes em uma reação de segunda ordem é mais lento em baixas concentrações do que seria esperado se o decaimento fosse de primeira ordem. É interessante assinalar em relação a essa observação que poluentes geralmente decaem por processos de segunda ordem; esse é o motivo por que é necessário um longo tempo para que suas concentrações caiam a valores aceitáveis.

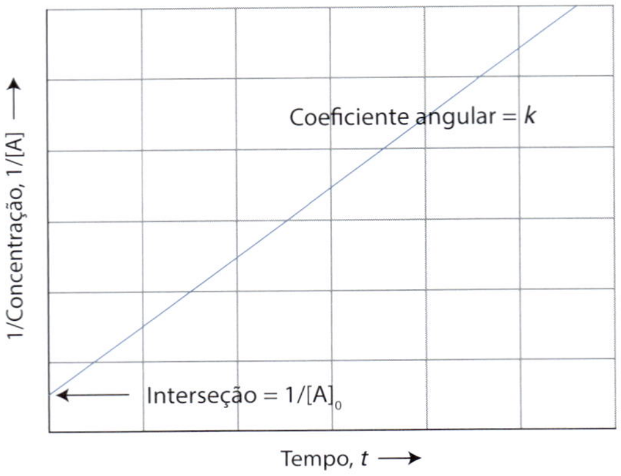

Figura 10.10 Determinação da constante de velocidade de uma reação de segunda ordem. É obtida uma linha reta quando 1/[A] (ou 1/p, em que p é a pressão parcial da espécie de interesse) é traçada contra t; o coeficiente angular é k_r.

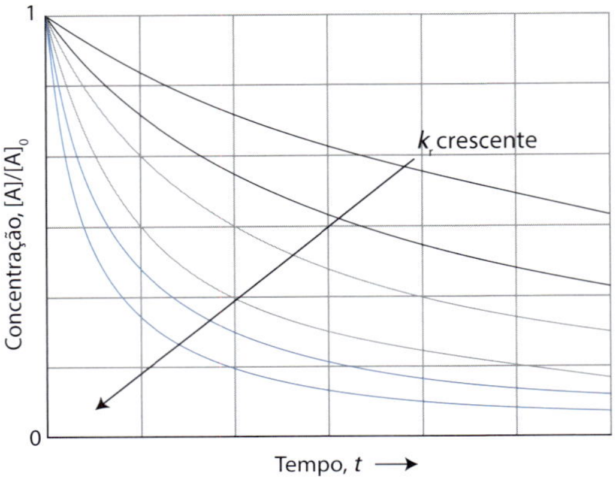

Figura 10.11 Variação da concentração de um reagente com o tempo em uma reação de segunda ordem.

Tabela 10.3
Dados cinéticos para reações de segunda ordem

Reação	Fase	θ/°C	k_r/($dm^3\ mol^{-1}\ s^{-1}$)*
2 NOBr → 2 NO + **Br_2**	g	10	0,80
2 NO_2 → 2 NO + **O_2**	g	300	0,54
H_2 + I_2 → 2 HI	g	400	$2,42 \times 10^{-2}$
D_2 + HCl → DH + DCl	g	600	0,141
2 I → **I_2**	g	23	7×10^9
	hexano	50	$1,8 \times 10^{10}$
CH_3Cl + CH_3O^-	CH_3OH(l)	20	$2,29 \times 10^{-6}$
CH_3Br + CH_3O^-	CH_3OH(l)	20	$9,23 \times 10^{-6}$
H^+ + OH^- → H_2O	água	25	$1,5 \times 10^{11}$

*A constante de velocidade é relativa à formação ou ao consumo da espécie assinalada em negrito. As leis de velocidade para outras espécies podem ser obtidas da estequiometria da reação.

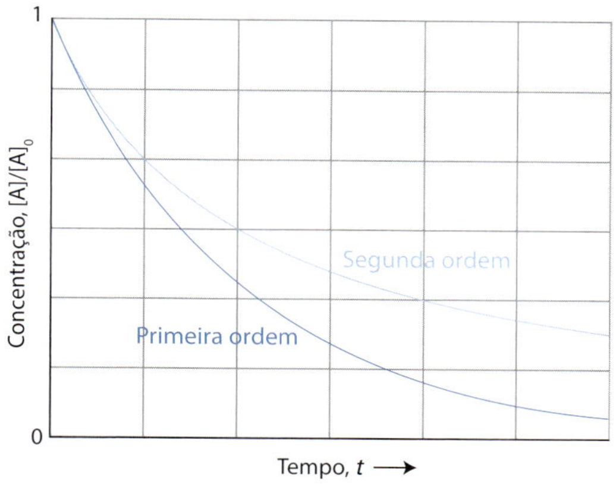

Figura 10.12 Embora o decaimento inicial de uma reação de segunda ordem possa ser rápido, a concentração se aproxima de zero, num tempo posterior, mais lentamente do que em uma reação de primeira ordem com a mesma velocidade inicial.

A Tabela 10.4 resume as leis de velocidade integradas para vários tipos de reações simples.

10.8 Meias-vidas e constantes de tempo

Uma indicação útil da velocidade de uma reação de primeira ordem é a **meia-vida**, $t_{1/2}$, de um reagente, definida como o tempo necessário para que a concentração de uma espécie caia à metade de seu valor inicial. Podemos obter a meia-vida de uma espécie A que decai em uma reação de primeira ordem (Eq. 10.13) substituindo $[A] = {}^1/_2\,[A]_0$ e $t = t_{1/2}$ na Eq. 10.14a:

$$k_r t_{1/2} = -\ln\frac{\frac{1}{2}[A]_0}{[A]_0} \overbrace{=}^{\text{cancelando termos}} -\ln\frac{1}{2} \overbrace{=}^{\ln(1/x)=-\ln x} \ln 2$$

Segue-se que

$$t_{1/2} = \frac{\ln 2}{k_r} \qquad \text{Meia-vida de uma reação de primeira ordem} \qquad (10.17)$$

■ Breve ilustração 10.6 A meia-vida de uma reação de primeira ordem

Como a constante de velocidade para a reação de primeira ordem

$$N_2O_5(g) \rightarrow 2\,NO_2(g) + {}^1/_2\,O_2(g)$$

$$\text{Velocidade de consumo de } N_2O_5 = k_r[N_2O_5]$$

é igual a $6{,}76 \times 10^{-5}\ s^{-1}$, a 25 °C, a meia-vida do N_2O_5 é

$$t_{1/2} = \frac{\ln 2}{\underbrace{6{,}76\times10^{-5}\ s^{-1}}_{k_r}} = 1{,}03\times10^{4}\ s$$

ou 2,85 h. Logo, a concentração de N_2O_5 cai à metade de seu valor inicial em 2,85 h, e novamente à metade desse valor em mais 2,85 h e assim por diante (Fig. 10.13). Esse procedimento é normalmente usado ao inverso: a meia-vida é medida e então a Eq. 10.17 é usada para determinar k_r a partir de $k_r = (\ln 2)/t_{1/2}$.

Exercício proposto 10.4

A constante de velocidade para a isomerização de primeira ordem do ciclopropano a propeno é $6{,}17 \times 10^{4}\ s^{-1}$, a 25 °C. Qual é a meia-vida do ciclopropano?

Resposta: 1490 s

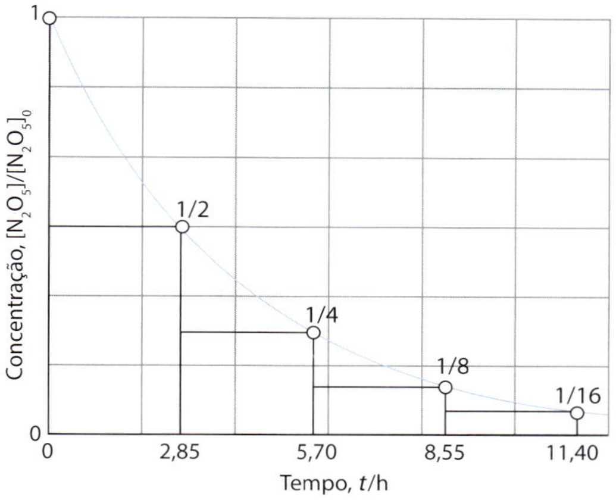

Figura 10.13 Concentração molar de N_2O_5 após uma sucessão de meias-vidas.

Tabela 10.4
Leis de velocidade integradas

Ordem	Tipo de reação	Lei de velocidade	Lei de velocidade integrada
0	$A \rightarrow P$	$v = k_r$	$[P] = k_r t$ para $k_r t \leq [A]_0$
1	$A \rightarrow P$	$v = k_r[A]$	$[P] = [A]_0(1 - e^{-k_r t})$
2	$A \rightarrow P$	$v = k_r[A]^2$	$[P] = \dfrac{k_r t[A]_0^2}{1 + k_r t[A]_0}$
	$A + B \rightarrow P$	$v = k_r[A][B]$	$[P] = \dfrac{[A]_0[B]_0(1-e^{([B]_0-[A]_0)k_r t})}{[A]_0-[B]_0 e^{([B]_0-[A]_0)k_r t}}$

Exemplo 10.4

Determinação dos parâmetros de Arrhenius

A velocidade da decomposição em segunda ordem do acetaldeído (etanal, CH_3CHO) foi medida numa faixa de temperatura de 700 – 1000 K. As constantes de velocidade encontradas estão listadas a seguir. Determine E_a e A.

T/K	700	730	760	790
k_r/(dm^3 mol^{-1} s^{-1})	0,011	0,035	0,105	0,343
T/K	810	840	910	1000
k_r/(dm^3 mol^{-1} s^{-1})	0,789	2,17	20,0	145

Estratégia De acordo com a Eq. 10.20b, os dados podem ser analisados pelo gráfico de $\ln(k_r/\text{dm}^3\ \text{mol}^{-1}\ \text{s}^{-1})$ em função de $1/(T/\text{K})$, ou mais convenientemente $(10^3\ \text{K})/T$, obtendo uma reta. Determine a energia de ativação a partir do coeficiente angular, adimensional, escrevendo $-E_a/R$ = coeficiente angular/unidades, em que, neste caso, 'unidades' = $1/(10^3\ \text{K})$; logo, E_a = –coeficiente angular × R × 10^3 K. A interseção em $1/T = 0$ é $\ln(A/\text{dm}^3\ \text{mol}^{-1}\ \text{s}^{-1})$. Faça um ajuste pelo método dos mínimos quadrados para determinar os parâmetros do gráfico.

Solução Construímos a tabela a seguir:

$(10^3\ \text{K})/T$	1,43	1,37	1,32	1,27
$\ln(k_r/\text{dm}^3\ \text{mol}^{-1}\ \text{s}^{-1})$	–4,51	–3,35	–2,25	–1,07
$(10^3\ \text{K})/T$	1,23	1,19	1,10	1,00
$\ln(k_r/\text{dm}^3\ \text{mol}^{-1}\ \text{s}^{-1})$	–0,24	0,77	3,00	4,98

Traçamos agora o gráfico de $\ln k_r$ em função de $1/T$ (Fig. 10.17). O método dos mínimos quadrados ajusta os resultados em uma reta com coeficiente angular $E_a/R = -22{,}7$ e interseção $\ln(A/\text{dm}^3\ \text{mol}^{-1}\ \text{s}^{-1}) = 27{,}7$. Portanto,

$$E_a = \text{coeficiente angular} \times R = 22{,}7 \times (8{,}3145\ \text{J K}^{-1}\ \text{mol}^{-1}) \times 10^3\ \text{K} = 189\ \text{kJ mol}^{-1}$$

$$A = e^{\text{interseção}} \times \text{dm}^3\ \text{mol}^{-1}\ \text{s}^{-1} = e^{27{,}7} \times \text{dm}^3\ \text{mol}^{-1}\ \text{s}^{-1} = 1{,}1 \times 10^{12}\ \text{dm}^3\ \text{mol}^{-1}\ \text{s}^{-1}$$

Observe que A tem as mesmas unidades que k_r.

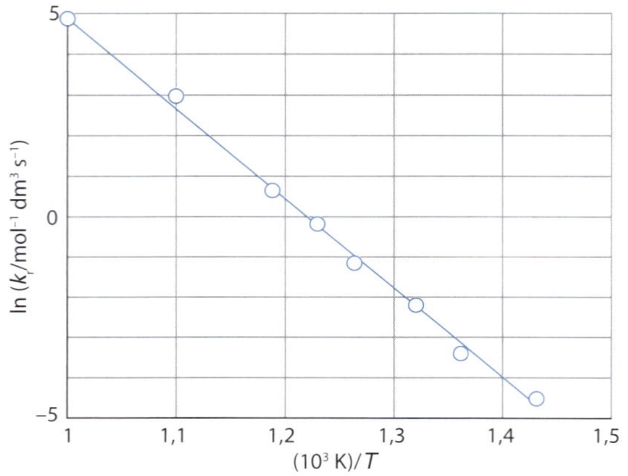

Figura 10.17 Gráfico de Arrhenius para a decomposição do CH_3CHO, mostrando a melhor reta, ajustada aos dados experimentais pelo método dos mínimos quadrados. Os dados são os do Exemplo 10.4.

Exercício proposto 10.6

Determine A e E_a a partir dos seguintes dados:

T/K	300	350	400
k_r/(mol^{-1} dm^3 s^{-1})	$7{,}9 \times 10^6$	$3{,}0 \times 10^7$	$7{,}9 \times 10^7$
T/K	450	500	
k_r/(mol^{-1} dm^3 s^{-1})	$1{,}7 \times 10^8$	$3{,}2 \times 10^8$	

Resposta: 8×10^{10} mol^{-1} dm^3 s^{-1}, 23 kJ mol^{-1}

Uma vez conhecida a energia de ativação de uma reação, é simples a questão de predizer o valor de uma constante de velocidade $k_r(T')$, em uma temperatura T', a partir de seu valor $k_r(T)$, em outra temperatura T. Para tanto, escrevemos

$$\ln k_{r,2} = \ln A - \frac{E_a}{RT_2}$$

e, então, subtraímos a Eq. 10.20b (com T identificada como T_1 e k_r, como $k_{r,1}$) para obter

$$\ln k_{r,2} - \ln k_{r,1} = -\frac{E_a}{RT_2} + \frac{E_a}{RT_1}$$

Podemos rearranjar essa expressão em

$$\ln \frac{k_{r,2}}{k_{r,1}} = \frac{E_a}{R}\left(\frac{1}{T_1} - \frac{1}{T_2}\right) \qquad (10.21)$$

Dependência da constante de velocidade em relação à temperatura

Breve ilustração 10.9 A equação de Arrhenius

Para uma reação com uma energia de ativação de 50 kJ mol^{-1}, um aumento na temperatura de 25 °C para 37 °C (a temperatura do corpo) corresponde a

$$\ln \frac{k_{r,2}}{k_{r,1}} = \frac{\overbrace{50 \times 10^3\ \text{J mol}^{-1}}^{E_a}}{\underbrace{8{,}3145\ \text{J K}^{-1}\ \text{mol}^{-1}}_{R}}\left(\overbrace{\frac{1}{298\ \text{K}}}^{1/T_1} - \overbrace{\frac{1}{310\ \text{K}}}^{1/T_2}\right)$$

$$\overset{\text{cancelando termos}}{=} \frac{50 \times 10^3}{8{,}3145}\left(\frac{1}{298} - \frac{1}{310}\right)$$

(O valor da expressão à direita é 0,781..., mas passamos à próxima etapa antes de obter a resposta). Tomando os antilogaritmos naturais (ou seja, calculando e^x), obtemos $k_{r,2} = 2{,}18k_{r,1}$. Esse resultado corresponde a um pouco mais que dobrar a constante de velocidade.

Exercício proposto 10.7

A energia de ativação de uma das reações em um processo bioquímico é 87 kJ mol^{-1}. De quanto varia a constante de velocidade quando a temperatura cai de 37 °C para 15 °C?

Resposta: $k_r(15\ °\text{C}) = 0{,}076k_r(37\ °\text{C})$

10.10 Teoria de colisões

Podemos entender de forma mais simples a origem dos parâmetros de Arrhenius considerando uma classe de reações em

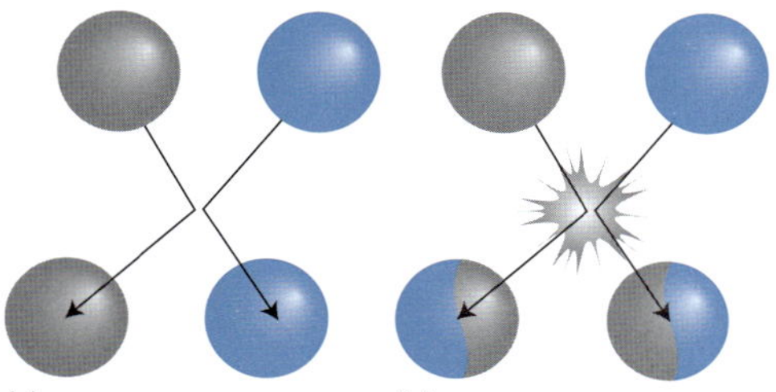

Figura 10.18 Na teoria de colisões para as reações químicas em fase gasosa, a reação ocorre quando duas moléculas colidem, mas apenas quando a colisão é suficientemente vigorosa. (a) Uma colisão sem energia suficiente: as moléculas colidem e se afastam inalteradas. (b) Uma colisão suficientemente energética leva à reação.

fase gasosa, na qual a reação ocorre quando duas moléculas se encontram. Ou seja, na terminologia a ser introduzida na Seção 11.4, estamos considerando reações em fase gasosa bimoleculares. Na **teoria de colisões** de velocidades de reação, supõe-se que a reação ocorre somente se duas moléculas colidem com certa energia cinética mínima ao longo de sua linha de aproximação (Fig. 10.18). Na teoria de colisões, uma reação assemelha-se à colisão de duas bolas de bilhar defeituosas: as bolas rebatem para o lado, colidem-se com somente uma pequena energia, mas podem esmigalhar-se uma contra a outra tornando-se fragmentos (produtos) se vierem a colidir com mais que certa energia cinética mínima. Esse modelo de uma reação é uma primeira abordagem razoável dos tipos de processo que ocorrem em atmosferas planetárias e governam suas composições e perfis de temperatura.

Um **perfil de reação**, na teoria de colisões, é um gráfico que mostra a variação da energia potencial à medida que uma molécula de reagente se aproxima de outra e os produtos então se separam (Fig. 10.19). À esquerda, a linha horizontal representa a energia potencial das duas moléculas reagentes que se encontram muito distantes uma da outra. A energia potencial aumenta a partir desse valor apenas quando a separação das moléculas é tão pequena que as mesmas se mantêm em contato. Nesse ponto, o potencial de energia aumenta à medida que as ligações se distorcem e começam a quebrar. A energia potencial atinge um pico quando as duas moléculas

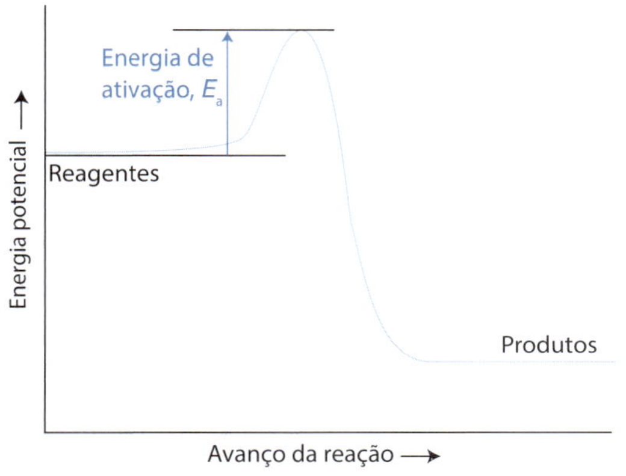

Figura 10.19 Um perfil de reação. O gráfico ilustra esquematicamente a variação da energia potencial de duas espécies que se aproximam, colidem e formam produtos. A energia de ativação é a altura da barreira acima da energia potencial dos reagentes.

estão altamente deformadas e começa a diminuir quando novas ligações são formadas. Em separações, à direita do máximo, a energia potencial rapidamente cai até um valor baixo quando as moléculas do produto se separam. Para a reação ser bem-sucedida, as moléculas do reagente devem se aproximar com energia cinética suficiente ao longo de sua linha de aproximação, de modo a poderem transpor a **barreira de ativação**, o pico no perfil de reação. Como veremos, podemos identificar a altura da barreira de ativação com a energia de ativação da reação.

Com o perfil de reação em mente, é bem fácil estabelecer que a teoria de colisões é responsável pelo comportamento de Arrhenius. Desse modo, a **frequência de colisões**, a velocidade de colisões entre as espécies A e B, é proporcional às suas duas concentrações: se dobramos a concentração de B, então, a velocidade com que as moléculas de A colidem com as moléculas de B é duplicada, e, se dobramos a concentração de A, então, a velocidade com que as moléculas de B colidem com as moléculas de A também é duplicada. Segue que a frequência de colisões entre as moléculas de A e de B é diretamente proporcional às concentrações de A e B, e podemos escrever

$$\text{Frequência de colisões} \propto [\text{A}][\text{B}]$$

A seguir, precisamos multiplicar a velocidade de colisão por um fator f, que representa a fração das colisões que têm energia cinética de pelo menos E_a ao longo da linha de aproximação (Fig. 10.20), pois apenas essas colisões levarão à formação de produtos. Moléculas que se aproximam com uma energia cinética menor que E_a comportar-se-ão como uma esfera que rola na direção da barreira de ativação, não consegue superá-la e rola de volta. Vimos na Seção 1.6 que somente uma pequena fração de moléculas em fase gasosa tem velocidades muito elevadas e que a fração de moléculas com velocidades muito altas cresce acentuadamente quando a temperatura aumenta. Como a energia

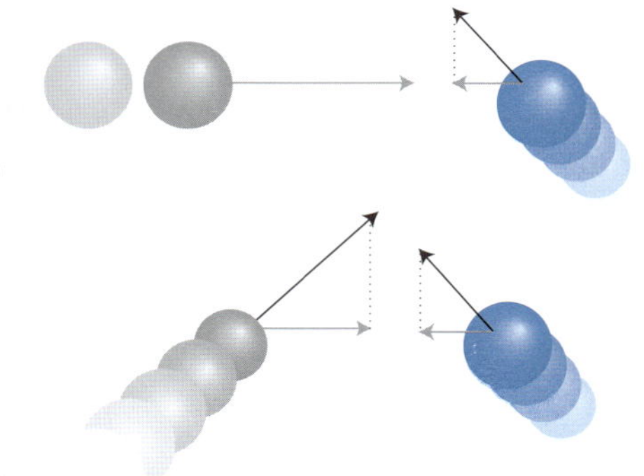

Figura 10.20 (a) O critério para que uma colisão seja bem-sucedida é de as duas espécies colidirem com uma energia cinética, ao longo da linha de aproximação, que ultrapasse um valor mínimo E_a característico da reação. (b) As duas moléculas podem ter também componentes da velocidade (e uma energia cinética associada) em outras direções (por exemplo, as duas moléculas representadas aqui podem estar se movendo com componentes da velocidade que apontam para fora do plano da página, além de se moverem uma em direção à outra); contudo, apenas a energia associada à aproximação mútua das moléculas pode ser usada para ultrapassar a energia de ativação.

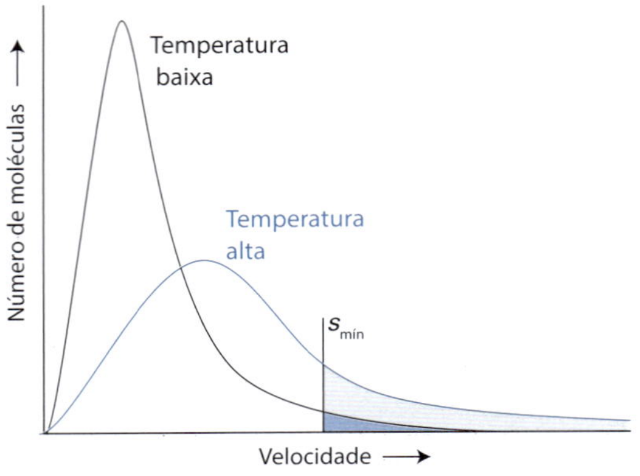

Figura 10.21 Segundo a distribuição de Maxwell das velocidades (Seção 1.6), à medida que a temperatura aumenta, também aumenta a fração de moléculas em fase gasosa com velocidade que ultrapassa um valor mínimo $s_{\text{mín}}$. Como a energia cinética é proporcional ao quadrado da velocidade, mais moléculas poderão colidir com uma energia cinética mínima, E_a (energia de ativação) em temperaturas mais elevadas.

cinética aumenta com o quadrado da velocidade (para um corpo de massa m movendo-se com uma velocidade v, a energia cinética é $E_k = \frac{1}{2}mv^2$), esperamos que, em temperaturas maiores, maior será a fração de moléculas que tem uma velocidade e uma energia cinética que excede os valores mínimos requeridos para que as colisões ocorram com a formação de produtos (Fig. 10. 21). A fração de colisões que ocorre com pelo menos uma energia cinética E_a pode ser calculada a partir de argumentos gerais desenvolvidos no Capítulo 22, que dizem respeito à probabilidade de que uma molécula tenha uma energia específica. O resultado é

$$f = e^{-E_a/RT} \qquad (10.22)$$

Essa fração aumenta de 0, quando $T = 0$, até 1, quando T é infinita.

■ Breve ilustração 10.10 A fração de colisões energéticas

Se a energia de ativação é 50 kJ mol⁻¹, a fração de colisões com energia suficiente para reação, a 25 °C, é

$$f = e^{-\overbrace{(5{,}0\times10^4\ \text{J mol}^{-1})}^{E_a}/\overbrace{(8{,}3145\ \text{J K}^{-1}\ \text{mol}^{-1})}^{R}\times\overbrace{(298\ \text{K})}^{T}} = 1{,}7\times10^{-9}$$

Exercício proposto 10.8

Qual é a fração de colisões que têm energia suficiente para a mesma reação a 500 °C?

Resposta: $4{,}2\times10^{-4}$

Neste estágio, podemos concluir que a velocidade de reação, que é proporcional à frequência de colisões multiplicada pela fração de colisões bem-sucedidas, é

$$v \propto [\text{A}][\text{B}]e^{-E_a/RT}$$

Se compararmos essa expressão com a lei de velocidade de segunda ordem,

$$v = k_r[\text{A}][\text{B}]$$

Segue-se que

$$k_r \propto e^{-E_a/RT}$$

Essa expressão tem exatamente a forma de Arrhenius (Eq. 10.20) se identificamos a constante de proporcionalidade com A. A teoria de colisões, portanto, sugere as seguintes interpretações:

- O *fator pré-exponencial*, A, é a constante de proporcionalidade entre as concentrações dos reagentes e a velocidade com que as moléculas reagentes colidem.
- A *energia de ativação*, E_a, é a energia cinética mínima exigida para uma colisão resultar em reação.

O valor de A pode ser calculado a partir da teoria cinética dos gases (Capítulo 1):

$$A = \sigma\left(\frac{8kT}{\pi\mu}\right)^{1/2} N_A \qquad \mu = \frac{m_A m_B}{m_A + m_B}$$

O fator pré-exponencial da teoria cinética dos gases (10.23)

em que m_A e m_B são as massas das moléculas A e B e σ é a seção eficaz de colisão (Seção 1.8). No entanto, muitas vezes se observa que o valor experimental de A é menor que o calculado a partir da teoria cinética. Uma possível explicação é que não apenas as moléculas têm que colidir com energia cinética suficiente, mas têm também de se aproximar com uma orientação relativa específica (Fig. 10.22). Segue-se que a velocidade de reação é proporcional à probabilidade que o encontro ocorra na orientação relativa correta. O fator pré-exponencial A deve, portanto, incluir um **fator estérico**, P, que normalmente se localiza entre 0 (sem orientações relativas que conduzem a uma reação) e 1 (todas as orientações relativas levam a uma reação).

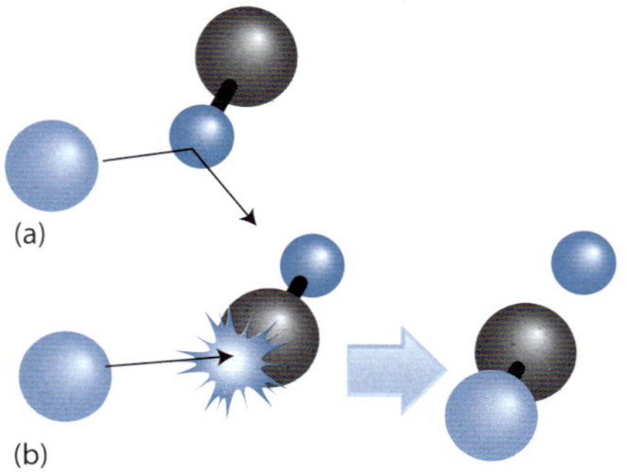

Figura 10.22 A energia não é o único critério para uma colisão reacional bem-sucedida, pois a orientação relativa também pode exercer um papel. (a) Nessa colisão, os reagentes se aproximam com uma orientação relativa inadequada e a reação não ocorre, embora haja energia suficiente para tal. (b) Nessa colisão, ambos, a energia e a orientação, são adequadas para que a reação ocorra.

Breve ilustração 10.11 O fator estérico

Para a colisão reativa,

$$NOCl + NOCl \rightarrow NO + NO + Cl_2$$

em que duas moléculas de NOCl colidem e se quebram em duas moléculas de NO e uma molécula de Cl_2, $P \approx 0,16$. Para a reação de adição de hidrogênio

$$H_2 + H_2C{=}CH_2 \rightarrow H_3C{-}CH_3$$

em que uma molécula de hidrogênio se fixa diretamente a uma molécula de eteno para formar uma molécula de etano, P é apenas $1,7 \times 10^{-6}$, sugerindo que a reação tem exigências de orientação muito rigorosas.

Certas reações têm $P > 1$. Isso pode parecer absurdo, pois sugere que a reação ocorre com maior frequência do que o encontro entre as moléculas! Um exemplo de reação desse tipo é

$$K + Br_2 \rightarrow KBr + Br$$

em que um átomo de K arranca um átomo de Br de uma molécula de Br_2; para esta reação, o valor experimental de P é 4,10. Nessa reação, a distância de aproximação na qual a reação pode ocorrer parece ser consideravelmente maior do que a distância necessária para a deflexão do caminho das moléculas que se aproximam em uma colisão não reativa! Para explicar essa conclusão surpreendente, foi proposto que a reação se passa por um 'mecanismo de arpão'. Esse nome está baseado em um modelo de reação no qual o átomo de K se aproxima das moléculas de Br_2 e, quando as duas espécies estão próximas o suficiente, um elétron (o arpão) passa para a molécula de Br_2. Em vez de duas espécies neutras, existem agora dois íons, havendo, portanto, uma atração coulombiana entre os mesmos: essa atração é a linha do arpão. Sob essa influência, os íons se movem juntos (a linha se enrola), a reação ocorre e surgem as espécies KBr e Br. O arpão aumenta a seção eficaz para o encontro reativo e estaríamos subestimando muito a velocidade da reação se usássemos para a seção eficaz de colisão o valor dado pelo simples contato mecânico entre o K e o Br_2.

10.11 Teoria do estado de transição

Existe uma teoria mais sofisticada das velocidades de reação, que pode ser aplicada a reações em solução ou em fase gasosa. Na **teoria do estado de transição** (também chamada de 'teoria do complexo ativado') de reações, supõe-se que, quando dois reagentes se aproximam, sua energia potencial aumenta e alcança um máximo, como ilustrado pelo perfil de reação na Figura 10.23. Este máximo corresponde à formação de um **complexo ativado**, um aglomerado de átomos que pode tanto passar para o lado dos produtos como retornar aos reagentes a partir dos quais foi formado (Fig. 10.24). Um complexo ativado não é um intermediário da reação, que pode ser isolado e estudado como uma molécula comum. O conceito de complexo ativado pode ser aplicado tanto a reações em solução quanto a reações em fase gasosa, pois podemos pensar no complexo ativado como contendo quaisquer moléculas do solvente que possam estar presentes.

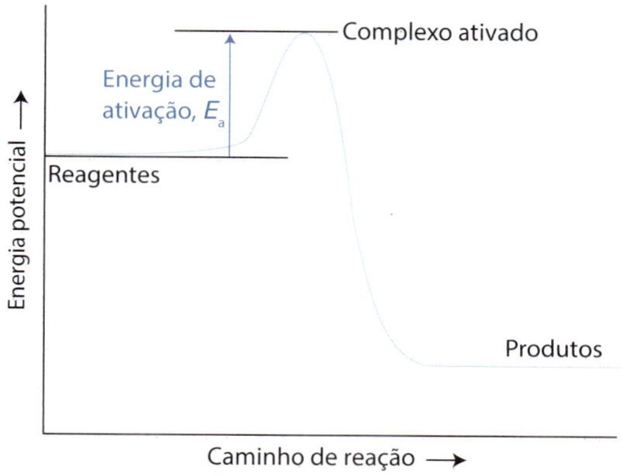

Figura 10.23 O mesmo tipo de gráfico que o apresentado na Figura 10.19 representa o perfil de reação considerado na teoria do complexo ativado. A energia de ativação é a energia potencial do complexo ativado relativa à dos reagentes.

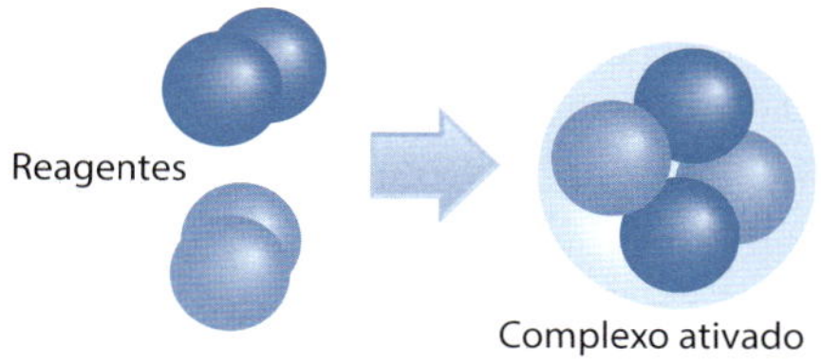

Figura 10.24 O complexo ativado é representado na figura como um aglomerado solto de átomos que pode sofrer um rearranjo e formar os produtos. Em uma reação real, apenas uns poucos átomos – aqueles presentes no sítio ativo da reação – estão suficientemente soltos no complexo ativado; as ligações entre os átomos restantes se mantêm praticamente inalteradas.

Inicialmente, apenas os reagentes A e B estão presentes. À medida que a reação avança, A e B entram em contato, se distorcem e trocam ou eliminam átomos. A energia potencial aumenta até um máximo e o aglomerado de átomos que corresponde à região próxima do máximo é o complexo ativado. A energia potencial diminui pelo rearranjo dos átomos no aglomerado, alcançando um valor característico dos produtos. O clímax da reação está no ponto mais alto da energia potencial. Ali, as moléculas dos reagentes chegam a um grau de proximidade e distorção tais que qualquer distorção adicional as leva em direção aos produtos. Essa configuração crucial é denominada de **estado de transição** da reação. Embora algumas moléculas que passam pelo estado de transição possam ser revertidas aos reagentes, se passarem por essa configuração é provável que os produtos sejam formados.

A **coordenada de reação** é uma indicação do estágio alcançado nesse processo. À esquerda, temos os reagentes separados e não distorcidos. À direita estão os produtos. Em algum lugar entre esses extremos encontra-se o estágio da reação que corresponde à formação do complexo ativado. O principal objetivo da teoria do estado de transição é escrever uma expressão para a constante de velocidade acompanhando a história do complexo ativado desde sua formação por intermédio da colisão entre os reagentes até seu decaimento formando os produtos.

(a) Descrição geral da teoria

Aqui, nós esboçamos as etapas envolvidas no cálculo da constante de velocidade que aumentam a percepção dos eventos moleculares que otimizam a constante de velocidade.

O complexo ativado $C^{\ddagger}$ é formado a partir dos reagentes A e B e supõe-se – sem muita justificativa – que existe um equilíbrio, com a constante de equilíbrio $K^{\ddagger}$ entre as concentrações de A, B e $C^{\ddagger}$:

$$A + B \rightleftharpoons C^{\ddagger} \qquad K^{\ddagger} = \frac{[C^{\ddagger}]c^{\ominus}}{[A][B]}$$

em que $c^{\ominus} = 1 \text{ mol dm}^{-3}$ (Seção 6.1). No estado de transição, o movimento ao longo da coordenada de reação é um complicado movimento vibratório de todos os átomos do complexo (inclusive o movimento das moléculas do solvente, se também estiverem envolvidas). Porém, é possível que nem todo movimento ao longo da coordenada de reação leve o complexo pelo estado de transição e para o produto P. Levando em conta o equilíbrio entre A, B e $C^{\ddagger}$ e a velocidade da passagem bem-sucedida de $C^{\ddagger}$ pelo estado de transição, é possível obter a **equação de Eyring** para a constante de velocidade:

$$k_r = \kappa \times \frac{kT}{h} \times \frac{K^{\ddagger}}{c^{\ominus}} \qquad \text{Equação de Eyring} \qquad (10.24)$$

em que $k = 1{,}381 \times 10^{-23}\ \text{J K}^{-1}$ é a constante de Boltzmann e $h = 6{,}626 \times 10^{-34}\ \text{J s}$ é a constante de Planck (que encontraremos em Fundamentos). O fator κ (capa) é o **coeficiente de transmissão** que leva em conta o fato de que o complexo ativado nem sempre passa pelo estado de transição. Na ausência de informação ao contrário, admite-se que κ é aproximadamente 1.

Uma nota sobre a boa prática Seja muito cuidadoso ao distinguir a constante de Boltzmann k do símbolo para a constante de velocidade, k_r. Em algumas exposições, você verá a constante de Boltzmann representada como k_B para enfatizar seu significado (e algumas vezes, confusamente, verá a constante de velocidade representada por k).

O termo kT/h na Eq. 10.24 (que tem as dimensões de uma frequência, pois kT é uma energia e a divisão pela constante de Planck transforma uma energia em uma frequência; com kT em joules, kT/h tem as unidades s^{-1}) surge da consideração dos movimentos dos átomos que conduzem ao decaimento de $C^{\ddagger}$ em produtos, quando ligações específicas são quebradas e formadas. Segue-se que um modo pelo qual uma elevação na temperatura faz aumentar a velocidade é provocando um movimento mais intenso no complexo ativado, facilitando o rearranjo dos átomos e a formação de novas ligações.

O cálculo da constante de equilíbrio $K^{\ddagger}$ é muito difícil, exceto em certos casos muito simples. Por exemplo, se nós admitimos que os reagentes são dois átomos e que o complexo ativado é uma molécula diatômica de comprimento de ligação $R_{\text{ligação}}$, então k_r volta a ser o mesmo que o obtido pela teoria de colisões, desde que interpretemos a seção eficaz de colisão na Eq. 10.23 como $\pi R_{\text{ligação}}^2$. É mais útil expressar a equação de Eyring em termos de parâmetros termodinâmicos e discutir as reações em termos de seus valores empíricos. Assim, vimos na Seção 7.3 que uma constante de equilíbrio pode ser expressa em termos da energia de Gibbs padrão de reação ($-RT \ln K = \Delta_r G^{\ominus}$). Nesse caso, a energia de Gibbs é chamada de **energia de Gibbs de ativação**, sendo representada por $\Delta^{\ddagger}G$. Segue-se então que

$$\Delta^{\ddagger}G = -RT \ln K^{\ddagger} \qquad \text{e} \qquad K^{\ddagger} = e^{-\Delta^{\ddagger}G/RT}$$

Portanto, escrevendo

$$\Delta^{\ddagger}G = \Delta^{\ddagger}H - T\Delta^{\ddagger}S \qquad (10.25)$$

concluímos que (com $\kappa = 1$)

$$k_r = \frac{kT}{h} e^{-\overbrace{(\Delta^{\ddagger}H - T\Delta^{\ddagger}S)}^{\Delta^{\ddagger}G}/RT} \overset{e^{x+y}=e^x e^y}{=} \left(\frac{kT}{h} e^{\Delta^{\ddagger}S/R}\right) e^{-\Delta^{\ddagger}H/RT}$$

Equação de Eyring em termos de parâmetros termodinâmicos (10.26)

Essa expressão tem a forma da expressão de Arrhenius, Eq. 10.20, se identificarmos a **entalpia de ativação,** $\Delta^{\ddagger}H$, com a energia de ativação e o termo entre parênteses, que depende da **entropia de ativação,** $\Delta^{\ddagger}S$, com o fator pré-exponencial.

A vantagem da teoria do estado de transição sobre a teoria das colisões é que essa é aplicável tanto a reações em solução quanto em fase gasosa. Oferece igualmente alguma pista para o cálculo do fator estérico P, pois a questão da orientação espacial está incluída na entropia de ativação. Desse modo, se o problema requer uma orientação espacial precisa (como, por exemplo, na aproximação de um substrato a uma enzima), a entropia de ativação é fortemente negativa (indicando uma diminuição na desordem devido à formação do complexo ativado), e o fator pré-exponencial é pequeno. Na prática, é possível estimar o sinal e o valor da entropia de ativação, e, portanto, estimar a constante de velocidade. Em termos gerais, a importância da teoria do estado de transição é a de mostrar que mesmo uma série complexa de eventos – não apenas uma colisão em fase gasosa – apresenta um comportamento do tipo Arrhenius, e que o conceito de energia de ativação é aplicável.

Breve ilustração 10.12 A entropia de ativação

Considere dada reação em água, para a qual se propôs que dois íons de carga oposta se aproximam para formar um complexo ativado eletricamente neutro. A contribuição do solvente para a entropia de ativação deve ser positiva porque a H_2O é menos organizada em torno da espécie neutra do que em torno dos reagentes iniciais carregados.

(b) Observação do complexo ativado

Até recentemente, não foram observados complexos ativados diretamente, por terem uma existência muito rápida e, com frequência, por só sobreviverem por alguns picossegundos. Entretanto, o desenvolvimento de *lasers* pulsados de femtossegundos (1 fs = 10^{-15} s), e sua aplicação à química na forma da **femtoquímica** tornou possível fazer observações sobre espécies que têm tempos de vida tão curtos que em muitos aspectos parecem complexos ativados. Desenvolvimentos posteriores têm possibilitado que as investigações estejam alcançando attossegundos (1 as = 10^{-18} s).

Em um experimento típico, a energia de um pulso de femtossegundos é utilizada para dissociar uma molécula e, então, um segundo pulso de femtossegundos é disparado em um intervalo depois do pulso de dissociação. A frequência do segundo pulso é ajustada em uma absorção de um dos produtos de fragmentação livre, de modo que sua absorção é uma medida da abundância do produto de dissociação. Por exemplo, quando ICN é dissociado pelo primeiro pulso, o surgimento de CN pode ser monitorado observando-se o crescimento da absorção de CN livre. Dessa maneira, observou-se que o sinal de CN permanece em zero, até que os fragmentos tenham sido separados por cerca de 600 pm, o que leva mais ou menos 205 fs.

Um sentimento do progresso que vem sendo feito no estudo do mecanismo profundo de reações químicas pode ser alcançado considerando-se a degradação do par de íons Na^+I^-. A absorção de energia a partir do *laser* de femtossegundo pelas espécies iônicas conduz a uma redistribuição dos elétrons e forma um estado que corresponde a uma molécula de NaI covalentemente ligada. O pulso da sonda examina o sistema em uma frequência de absorção do átomo de Na livre ou em uma frequência na qual o átomo absorve quando é parte do complexo. Esta última frequência depende da distância Na–I, de modo que se obtém uma absorção toda vez que a vibração do complexo retorna àquela separação.

Um conjunto típico de resultados para o NaI é apresentado na Figura 10.25. A intensidade de absorção do Na ligado surge como uma série de pulsos que ocorre em cerca de 1 ps, mostrando que o complexo vibra quase com aquele período. A queda da intensidade mostra a velocidade com que o complexo pode se dissociar à medida que os dois átomos se movem para se separar um do outro. A absorção do Na livre também cresce de maneira oscilante, mostrando a periodicidade da vibração do complexo, sendo que cada oscilação sua dá ao mesmo a possibilidade de se dissociar. O período preciso da oscilação no NaI é de 1,25 ps, e o complexo sobrevive cerca de dez oscilações. Em contrapartida, embora a frequência de oscilação de NaBr seja semelhante, o complexo mal sobrevive a uma oscilação.

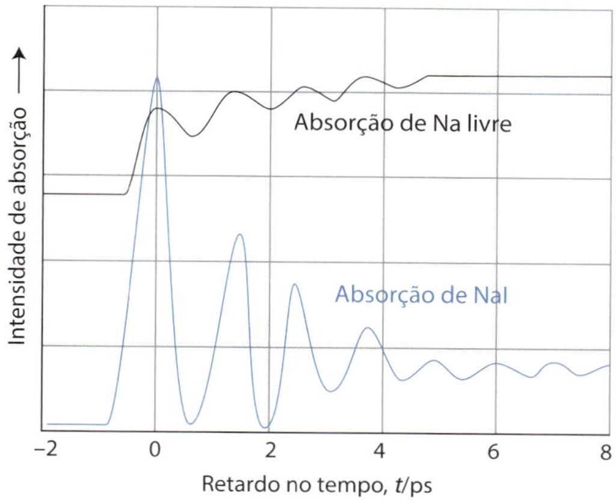

Figura 10.25 Espectros de absorção das espécies NaI e Na imediatamente após um *flash* de femtossegundos. As oscilações mostram como as espécies incipientemente formam e então reformam seus precursores, antes de finalmente formarem produtos. (Adaptado de A.H. Zewail, *Science* **242**, 1645 (1988).)

Técnicas de femtoquímica também foram usadas para examinar análogos dos complexos ativados envolvidos em reações bimoleculares. Como exemplo, considere o complexo fracamente ligado (também chamado de 'molécula de van der Waals'), IH...OCO. A ligação HI pode ser dissociada por um pulso de femtossegundo e o átomo de H é ejetado na direção do átomo de O da molécula de CO_2 vizinha para formar HOCO. Logo, o complexo é uma fonte de uma espécie que se assemelha ao complexo ativado da reação

$$H + CO_2 \rightarrow [HOCO]^\ddagger \rightarrow HO + CO$$

O pulso da sonda é sintonizado ao radical OH, o que possibilita que a evolução do $[HOCO]^\ddagger$ seja estudada em tempo real. Também foram usadas técnicas de femtossegundo para estudar reações mais complexas, tais como a reação de Diels–Alder, reações de substituição nucleofílica e reações de adição pericíclicas e de clivagem.

Verificação de conceitos importantes

- ☐ 1 As velocidades das reações químicas são medidas por meio de técnicas que monitoram as concentrações das espécies presentes na mistura de reação (Tabela 10.1).
- ☐ 2 Espectrofotometria é a medida da absorção da luz por um material.
- ☐ 3 A lei de Beer-Lambert relaciona a absorbância de uma amostra com a concentração de uma espécie absorvedora.
- ☐ 4 Técnicas incluem procedimentos em tempo real e de extinção, técnicas de fluxo e de fluxo interrompido, e fotólise de *flash*.
- ☐ 5 A velocidade instantânea de uma reação é o coeficiente angular da tangente no gráfico da concentração contra o tempo (expressa como valor positivo).
- ☐ 6 Uma lei de velocidade é uma expressão para a velocidade de reação em termos das concentrações das espécies que ocorrem na reação química global.
- ☐ 7 Para uma lei de velocidade da forma $v = k_r[A]^a[B]^b...$, a ordem em relação a A é a e a ordem total é $a + b + \cdots$.
- ☐ 8 Uma lei de velocidade integrada é uma expressão para a variação da concentração de um reagente ou produto como uma função do tempo.
- ☐ 9 A meia-vida de uma reação de primeira ordem é o tempo decorrido até que a concentração de uma espécie se reduza à metade de seu valor inicial.
- ☐ 10 A dependência da constante de velocidade em relação à temperatura no caso de uma reação típica segue a lei de Arrhenius.

☐ **11** Quanto maior a energia de ativação, mais sensível é a constante de velocidade em relação à temperatura.

☐ **12** Na teoria de colisões, admite-se que a velocidade é proporcional à frequência de colisões, a um fator estérico e à fração de colisões que ocorrem com no mínimo a energia cinética E_a ao longo das linhas que passam pelos seus centros.

☐ **13** Na teoria do estado de transição, admite-se que um complexo ativado está em equilíbrio com os reagentes e que a velocidade com que o complexo forma os produtos depende da velocidade com que o mesmo passa pelo estado de transição. O resultado é a equação de Eyring.

Mapa conceitual das equações importantes

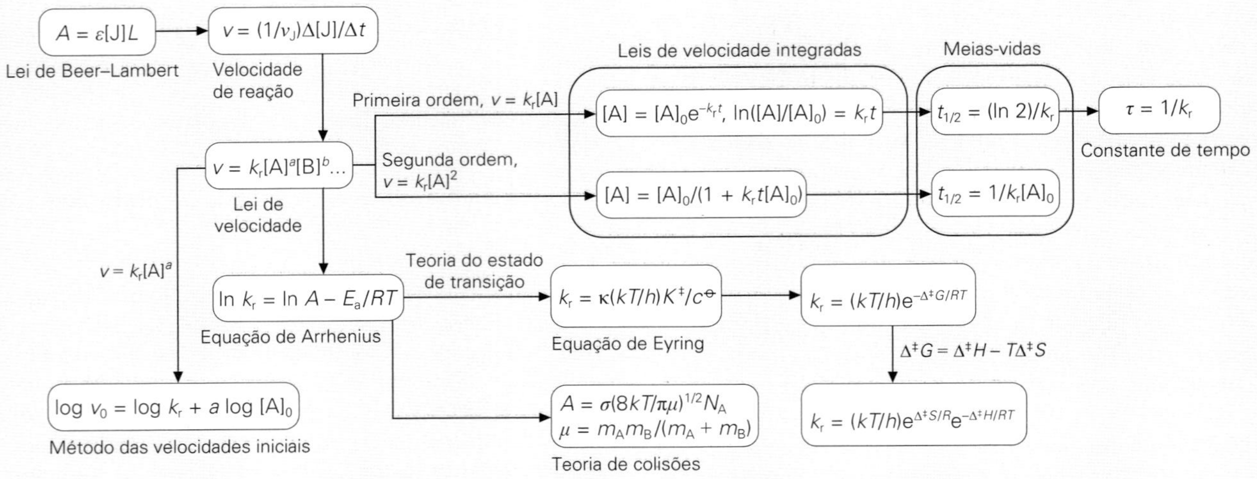

Questões e exercícios

Questões teóricas

10.1 Consulte fontes da literatura e liste as faixas observadas de escalas de tempo durante as quais os seguintes processos ocorrem: reações de transferência de prótons, eventos de transferência de elétrons entre íons em solução, reações conforme o mecanismo de arpão e colisões em líquidos.

10.2 Que informação pode ser extraída da determinação da velocidade de uma reação química sob diferentes condições?

10.3 Descreva as principais características, incluindo vantagens e desvantagens, dos seguintes métodos experimentais para determinação da lei de velocidade de uma reação: o método do isolamento, o método das velocidades iniciais e o ajuste dos dados às expressões da lei da velocidade integrada.

10.4 Faça a distinção entre reações de ordem zero, primeira ordem, segunda ordem e pseudoprimeira ordem; sob que condições pode a ordem aparente de uma reação mudar?

10.5 Defina os termos e o limite da generalidade da expressão $\ln k_r = \ln A - E_a/RT$. Por que podem existir desvios da expressão de Arrhenius?

10.6 Enuncie, explique e justifique a aproximação de estado quase estacionário.

10.7 Descreva a formulação da equação de Eyring; em que sentido a mesma é superior à teoria de colisões das velocidades de reação?

Exercícios

10.1 O coeficiente de absorção molar do citocromo P450, uma enzima envolvida na quebra de substâncias prejudiciais ao fígado e ao intestino delgado, a 522 nm, é 291 $dm^3\ mol^{-1}\ cm^{-1}$. Quando luz com esse comprimento de onda atravessa uma célula de comprimento de 6,5 mm contendo uma solução do soluto, 39,8 % da luz são absorvidos. Qual é a concentração molar do soluto?

10.2 A velocidade de formação de C na reação $2\,A + B \rightarrow 4\,C + 3\,D$ é 3,2 mols $dm^{-3}\ s^{-1}$. Escreva as velocidades de formação e de consumo de A, B e D.

10.3 A Eq. 10.3 define a velocidade de uma reação. Escreva expressões de v para cada uma das espécies presentes na reação $2\,A + B \rightarrow 4\,C + 3\,D$. Qual é o valor de v, dadas as informações do exercício anterior?

10.4 A lei de velocidade para a reação do Exercício 10.2 é dada por $v = k_r[A][B][C]$, com as concentrações molares em mols por decímetro cúbico e o tempo em segundos. Quais são as unidades de k_r?

10.5 Quais são as unidades das constantes de velocidade na lei de velocidade $v = k_r[A][B]/(1 + k_{r2}[B])$ quando as concentrações estão em mols por decímetro cúbico?

10.6 Quais são as unidades das constantes de velocidade na lei de velocidade $v = k_{r1}p_B p_A^{3/2}/(p_A + k_{r2}p_B)$ quando as pressões parciais estão em quilopascais e a velocidade é expressa em quilopascais por segundo?

10.7 A constante de velocidade para uma reação em fase gasosa foi obtida como sendo $6{,}2 \times 10^{-14}$ cm^3 molécula^{-1} s^{-1} a 298 K. Qual seria seu valor em decímetro cúbico por mol por segundo?

10.8 A lei de velocidade vista a seguir foi obtida em uma série de experimentos:

$$v = \frac{k_{r1}[A][B]}{k_{r2} + k_{r3}[B]^{1/2}}$$

Identifique as condições sob as quais a reação pode ser classificada pela sua ordem.

10.9 Os seguintes dados de velocidade inicial foram obtidos para a velocidade de ligação da glicose à proteína hexoquinase (obtida da levedura) presente na concentração de 1,34 mmol dm^{-3}. Qual é (a) a ordem da reação em relação à glicose, (b) a constante de velocidade?

$[C_6H_{12}O_6]$/(mmol dm^{-3})	1,00	1,54	3,12	4,02
v_0/(mol dm^{-3} s^{-1})	5,0	7,6	15,5	20,0

10.10 Os seguintes dados foram obtidos para a velocidade inicial de uma reação de um complexo de um metal-d em solução aquosa. Qual é (a) a ordem da reação em relação ao complexo e ao reagente Y, (b) a constante de velocidade? Para o experimento (a), [Y] = 2,7 mmol dm^{-3} e para o experimento (b), [Y] = 6,1 mmol dm^{-3}.

[complexo]/(mmol dm^{-3})		8,01	9,22	12,11
v/(mol dm^{-3} s^{-1})	(a)	125	144	190
	(b)	640	730	960

10.11 Em um estudo da oxidação do etanol catalisada pela álcool desidrogenase, a concentração molar do etanol diminuiu, por uma cinética de primeira ordem, de 220 mmol dm^{-3} para 56,0 mmol dm^{-3} em $1{,}22 \times 10^4$ s. Qual é a constante de velocidade da reação?

10.12 A eliminação de dióxido de carbono dos íons piruvato por uma enzima descarboxilase foi acompanhada medindo-se a pressão parcial do gás que era formado. Em um experimento, a pressão parcial do gás aumentou de zero para 100 Pa em 422 s por meio de uma cinética de primeira ordem. Qual é a constante de velocidade da reação?

10.13 Em um estudo de uma reação de segunda ordem em fase gasosa, a concentração molar de um reagente diminuiu de 220 mmol dm^{-3} para 56,0 mmol dm^{-3} em $1{,}22 \times 10^4$ s. Qual é a constante de velocidade da reação?

10.14 A anidrase carbônica é uma enzima que contém zinco e que catalisa a conversão do dióxido de carbono em ácido carbônico. Em um experimento realizado para estudar o seu efeito, verificou-se que a concentração molar do dióxido de carbono em solução diminuiu de 220 mmol dm^{-3} para 56,0 mmol dm^{-3} em $1{,}22 \times 10^4$ s. Qual é a constante de velocidade da reação?

10.15 A formação do NOCl a partir do NO na presença de um grande excesso de cloro é de pseudossegunda ordem em NO. Em um experimento para estudar a reação, a pressão parcial do NOCl aumentou de zero para 100 Pa em 522 s. Qual é a constante de velocidade da reação?

10.16 Algumas reações que ocorrem na superfície de um catalisador são de ordem zero no reagente. Um exemplo é a decomposição da amônia em tungstênio aquecido. Em um experimento, a pressão parcial da amônia diminuiu de 21 kPa para 10 kPa em 770 s. (a) Qual é a constante de velocidade para a reação, admitindo-a de ordem zero? (b) Quanto tempo levará para que a amônia se decomponha completamente?

10.17 Os dados cinéticos vistos a seguir (v_0 é a velocidade inicial) foram obtidos para a reação $2\,ICl(g) + H_2(g) \rightarrow I_2(g) + 2\,HCl(g)$:

Experimento	$[ICl]_0$/ (mmol dm^{-3})	$[H_2]_0$/ (mmol dm^{-3})	v_0/ (mol dm^{-3} s^{-1})
1	1,5	1,5	$3{,}7 \times 10^{-7}$
2	3,0	1,5	$7{,}4 \times 10^{-7}$
3	3,0	4,5	22×10^{-7}
4	4,7	2,7	?

(a) Escreva a lei de velocidade para a reação. (b) A partir dos dados, determine o valor da constante de velocidade. (c) Use os dados para predizer a velocidade de reação para o Experimento 4.

10.18 A variação da pressão parcial p do dimetil mercúrio com o tempo foi observada a 800 K, e os resultados são vistos a seguir. Confirme que a decomposição $Hg(CH_3)_2(g) \rightarrow Hg(g) + 2\,CH_3(g)$ é de primeira ordem no $Hg(CH_3)_2$ e encontre a constante de velocidade nessa temperatura.

t/s	0	1,0	2,0	3,0	4,0
p/kPa	15,1	11,8	9,21	7,2	5,6

10.19 Os dados a seguir foram obtidos para a reação $2\,HI(g) \rightarrow H_2(g) + I_2(g)$ a 580 K:

t/s	0	1000	2000	3000	4000
[HI]/(mol dm^{-3})	1,00	0,112	0,061	0,041	0,031

(a) Faça o gráfico dos dados da forma apropriada de modo a determinar a ordem de reação. (b) A partir do gráfico, determine a constante de velocidade.

10.20 Os dados a seguir foram obtidos para a reação $H_2(g) + I_2(g) \rightarrow 2\,HI(g)$ a 780 K:

t/s	0	1	2	3	4
[HI]/(mol dm^{-3})	1	0,43	0,27	0,2	0,16

(a) Faça o gráfico dos dados da forma apropriada de modo a determinar a ordem de reação. (b) A partir do gráfico, determine a constante de velocidade.

10.21 A fotólise de *flash* com *laser* é frequentemente usada para medir a velocidade de ligação do CO às hemoproteínas, tais como a mioglobina (Mb), porque o CO se fotodissocia do estado ligado de maneira relativamente fácil ao absorver energia de um intenso e estreito pulso de luz. A reação normalmente se passa em condições de pseudoprimeira ordem. Para uma reação na qual $[Mb]_0$ = 10 mmol dm^{-3}, [CO] = 400 mmol dm^{-3} e a constante de velocidade é $5{,}8 \times 10^5$ dm^3 mol^{-1} s^{-1}, trace a curva de [Mb] em função do tempo. A reação observada é Mb + CO → MbCO.

10.22 A lei de velocidade integrada de uma reação de segunda ordem da forma $3\ A \rightarrow B$ é $[A] = [A]_0/(1 + k_r t[A]_0)$. Como a concentração de B varia com o tempo?

10.23 A composição de uma reação em fase líquida $2\ A \rightarrow B$ foi acompanhada espectrofotometricamente, com os seguintes resultados:

t/min	0	10	20	30	40	∞
$[B]/(\text{mol dm}^{-3})$	0	0,372	0,426	0,448	0,460	0,500

Determine a ordem da reação e sua constante de velocidade (escrita na forma da Eq. 10.5c).

10.24 O Exemplo 10.3 fornece dados sobre uma reação em fase gasosa de primeira ordem. Como a pressão total da amostra varia com o tempo?

10.25 A meia-vida do ácido pirúvico na presença de uma enzima aminotransferase (que converte o ácido em alanina) é de 221 s. Quanto tempo leva para que a concentração de ácido pirúvico caia a $^1/_{64}$ do seu valor inicial nessa reação de primeira ordem?

10.26 A meia-vida para o decaimento radioativo (em primeira ordem) do ^{14}C é 5730 a (1 a é a unidade do SI para 1 ano; o nuclídeo emite partículas β, elétrons de alta energia, com uma energia de 0,16 MeV). Uma amostra arqueológica contém madeira que só possui 69 % do ^{14}C encontrado nas árvores vivas. Qual é a idade da amostra?

10.27 Um dos danos de uma explosão nuclear é a produção de ^{90}Sr e a sua subsequente incorporação nos ossos, no lugar do cálcio. Esse nuclídeo emite partículas β com energia de 0,55 MeV, e tem meia-vida de 28,1 a (1 a é a unidade do SI para 1 ano). Suponha que 1,00 μg foi absorvido por um bebê recém-nascido. Quanto do nuclídeo restará após (a) 19 a, (b) 75 a, se nada for metabolizado?

10.28 A constante de velocidade de segunda ordem para a reação $CH_3COOC_2H_5(aq) + OH^-(aq) \rightarrow CH_3CO_2^-(aq) + CH_3CH_2OH(aq)$ é 0,11 $dm^3\ mol^{-1}\ s^{-1}$. Qual é a concentração do éster após (a) 15 s, (b) 15 min, quando se adiciona acetato de etila ao hidróxido de sódio de forma que as concentrações iniciais são $[NaOH] = 0{,}055\ mol\ dm^{-3}$ e $[CH_3COOC_2H_5] = 0{,}150\ mol\ dm^{-3}$?

10.29 Uma reação $2\ A \rightarrow P$ tem lei de velocidade de segunda ordem, com $k_r = 1{,}44\ dm^3\ mol^{-1}\ s^{-1}$. Calcule o tempo necessário para que a concentração de A varie de 0,460 mol dm^{-3} para 0,046 mol dm^{-3}.

10.30 A constante de velocidade para a decomposição do N_2O_5 na reação $2\ N_2O_5(g) \rightarrow 4\ NO_2(g) + O_2(g)$, com $r = k_r[N_2O_5]$, é $k = 3{,}38 \times 10^{-5}\ s^{-1}$ a 25 °C. Qual é a meia-vida do N_2O_5? Qual será a pressão total, inicialmente valendo 78,4 kPa para o vapor de N_2O_5 puro, (a) 5 s, (b) 5,0 min após o início da reação?

10.31 Observou-se que a meia-vida de uma reação de primeira ordem é de 439 s. Qual a constante de tempo para essa reação?

10.32 Os parâmetros de Arrhenius para a reação $C_4H_8(g) \rightarrow 2\ C_2H_4(g)$, em que C_4H_8 é o ciclobutano, são $\log(A/s^{-1}) = 15{,}6$ e $E_a = 261\ kJ\ mol^{-1}$. Qual é a meia-vida do ciclobutano a (a) 20 °C, (b) 500 °C?

10.33 A constante de velocidade de uma reação é $2{,}78 \times 10^{-4}\ dm^3\ mol^{-1}\ s^{-1}$ a 19 °C e $3{,}38 \times 10^{-3}\ dm^3\ mol^{-1}\ s^{-1}$ a 37 °C. Determine os parâmetros de Arrhenius da reação.

10.34 A energia de ativação para a decomposição do cloreto de benzenodiazônio é 99,1 kJ mol^{-1}. Em que temperatura a velocidade de decomposição será 10 % maior do que sua velocidade a 25 °C?

10.35 Qual reação responde mais acentuadamente a variações de temperatura, uma que tem energia de ativação de 52 kJ mol^{-1}, ou outra cuja energia de ativação é de 25 kJ mol^{-1}?

10.36 A constante de velocidade de uma reação aumenta por um fator de 1,41 quando a temperatura aumenta de 20 °C para 27 °C. Qual é a energia de ativação da reação?

10.37 Faça o gráfico de Arrhenius apropriado dos seguintes dados para a conversão do ciclopropano a propeno e calcule a energia de ativação para a reação:

T/K	750	800	850	900
k_r/s^{-1}	$1{,}8 \times 10^{-4}$	$2{,}7 \times 10^{-3}$	$3{,}0 \times 10^{-2}$	0,26

10.38 Os alimentos apodrecem cerca de 40 vezes mais rápido a 25 °C do que quando estocados a 4 °C. Calcule a energia de ativação global para os processos responsáveis por sua decomposição.

10.39 Suponha que a constante de velocidade de uma reação *diminua* por um fator de 1,23 quando a temperatura aumenta de 20 °C para 27 °C. Qual deve ser a energia de ativação da reação?

10.40 A enzima urease catalisa a reação na qual a ureia é hidrolisada a amônia e dióxido de carbono. Para certa quantidade de urease, a meia-vida da ureia na reação de pseudoprimeira ordem dobra quando a temperatura diminui de 20 °C para 10 °C e a constante de Michaelis não é praticamente afetada. Qual é a energia de ativação da reação?

10.41 Que fração das colisões entre as moléculas de NO_2 tem energia suficiente para resultar em reação quando a temperatura é (a) 20 °C, (b) 200 °C, dado que a energia de ativação para a reação $2\ NO_2(g) \rightarrow 2\ NO(g) + O_2(g)$ é 111 kJ mol^{-1}? Utilize a teoria de colisões para calcular o fator pré-exponencial para a reação. O valor experimental é $2 \times 10^9\ dm^3\ mol^{-1}\ s^{-1}$. Sugira uma razão para quaisquer diferenças.

10.42 A seção eficaz de colisão para os radicais metila é 2,62 nm^2. Use a teoria de colisões para determinar o fator pré-exponencial de Arrhenius para a reação $CH_3(g) + CH_3(g) \rightarrow C_2H_6(g)$, a 298 K. Por que o valor medido deve ser bem menor que o calculado?

10.43 Suponha que um reagente eletronegativo precisa se posicionar a aproximadamente 500 pm de um reagente com baixa energia de ionização antes que um elétron possa passar de uma espécie para a outra (como no mecanismo de arpão). Calcule a seção eficaz da reação.

10.44 Calcule a energia de Gibbs de ativação para a decomposição da ureia na reação $CONH_2(aq) + 2\ H_2O \rightarrow 2\ NH_4^+ + CO_3^{2-}$. Para esta reação, a constante de velocidade de pseudoprimeira ordem é $1{,}2 \times 10^{-7}\ s^{-1}$ a 60 °C e $4{,}6 \times 10^{-7}\ s^{-1}$ a 70 °C.

10.45 Calcule a entropia de ativação da reação no Exercício 10.44 nas duas temperaturas.

Projetos

O símbolo ‡ indica que o cálculo é necessário.

10.46‡ Vamos explorar aqui as leis de velocidade integradas em mais detalhes. (a) Estabeleça a forma integrada de uma lei de velocidade de terceira ordem da forma $v = k_r[A]^3$. Qual seria o gráfico apropriado para confirmar que uma reação é de terceira ordem? (b) Estabeleça a forma integrada de uma lei de velocidade de segunda ordem da forma $v = k_r[A][B]$ para uma reação A + B → produtos (i) com concentrações iniciais diferentes de A e B, (ii) com as mesmas concentrações dos dois reagentes. Observe que, quando a concentração de A cai a $[A]_0 - x$, a concentração de B cai a $[B]_0 - x$. Use estas relações para mostrar que a lei de velocidade pode ser escrita como

$$\frac{dx}{dt} = k_r([A]_0 - x)([B]_0 - x)$$

Sugestão: Para avançar na integração da lei de velocidade, use a fórmula:

$$\int \frac{dx}{(a-x)(b-x)} = \frac{1}{b-a}\left(\ln\frac{1}{a-x} - \ln\frac{1}{b-x}\right) + \text{constante}$$

10.47 Reações pré-bióticas são reações que podem ter ocorrido sob as condições predominantes na Terra antes que as primeiras criaturas vivas surgissem e que podem dar origem a moléculas análogas àquelas necessárias à vida como nós a conhecemos. Para que uma reação tenha capacidade de formar produtos, tem de avançar com uma velocidade favorável e tem de ter um valor razoável para a constante de equilíbrio. Um exemplo de uma reação pré-biótica é a formação da 5-(hidroximetil)uracila (5-HMUra) a partir da uracila e do formaldeído (HCHO). Análogos de aminoácidos podem ser formados da 5-HMUra sob condições pré-bióticas pela reação com vários nucleófilos, tais como H_2S, HCN, indol, imidazol etc. Para a síntese da 5-HMUra em pH = 7, a dependência da constante de velocidade em relação à temperatura é dada por

$$\log k_r/(\text{dm}^3\,\text{mol}^{-1}\,\text{s}^{-1}) = 11{,}75 - 5488/(T/\text{K})$$

e a dependência da constante de equilíbrio em relação à temperatura é dada por

$$\log K = -1{,}36 + 1794/(T/\text{K})$$

(a) Calcule as constantes de velocidade e as constantes de equilíbrio em uma faixa de temperaturas correspondentes às possíveis condições pré-bióticas, tais como 0–50 °C, e faça o gráfico dessas constantes contra a temperatura. (b) Calcule a energia de ativação e a energia de Gibbs e a entalpia-padrão de reação a 25 °C. (c) Não é provável que condições pré-bióticas sejam condições-padrão. Especule a respeito de como os valores reais da energia de Gibbs e da entalpia de reação poderiam ser diferentes dos valores-padrão. Você espera que a reação ainda seja favorável?

11

Cinética química: explicação das leis de velocidade

Até mesmo as mais simples leis de velocidade podem dar origem a comportamentos muito complexos. Um exemplo dessa complexidade seria o coração, que apesar de manter uma pulsação regular durante toda a vida, pode fibrilar em um ataque cardíaco. Outros exemplos, menos diretamente relacionados com nós, seriam que os compostos intermediários de dada reação são produzidos e consumidos intermitentemente, e de que todas as reações químicas tendem ao equilíbrio. Porém, a complexidade do comportamento das velocidades das reações indica que o estudo das velocidades das reações pode nos fornecer uma interpretação detalhada de como as reações ocorrem na realidade. Como já mencionado no Capítulo 10, as leis de velocidade são uma janela para o mecanismo, a sequência de eventos moleculares elementares que levam os reagentes aos produtos, das reações que representam.

Esquemas gerais de reações

Até o momento consideramos apenas leis de velocidade muito simples, nas quais os reagentes são consumidos e os produtos formados. Contudo, na realidade, todas as reações avançam em direção a um estado de equilíbrio à medida que a reação inversa se torna crescentemente importante. Além disso, muitas reações avançam na direção dos produtos produzindo uma série de compostos intermediários. Na indústria, muitas vezes, um desses compostos intermediários tem importância crucial, e os produtos finais podem ser descartados.

Ao longo deste capítulo, escreveremos k_r para a constante de velocidade da reação direta e k_r' para a constante de velocidade da reação inversa correspondente. Quando há várias etapas *a*, *b*, ... em um mecanismo, escrevemos as constantes de velocidade direta e inversa como k_a, k_b, ... e k_a', k_b', ..., respectivamente.

11.1 Reações que avançam para o equilíbrio

Toda reação direta é acompanhada pela sua reação inversa. No início de uma reação, quando uma pequena ou até mesmo nenhuma quantidade de produtos está presente, a velocidade da reação inversa é desprezível. No entanto, quando a concentração dos produtos aumenta, a velocidade na qual se decompõem em reagentes também aumenta. No equilíbrio, a velocidade da reação inversa equilibra a velocidade da reação direta, e os reagentes e produtos estão presentes em quantidades dadas pela constante de equilíbrio da reação.

Podemos analisar esse comportamento utilizando uma reação muito simples, da forma

Direta: $A \rightarrow B$ Velocidade de formação de $B = k_r[A]$

Inversa: $B \rightarrow A$ Velocidade de decomposição de $B = k_r'[B]$

Por exemplo, pode-se imaginar o esquema anterior como sendo representativo da interconversão de uma molécula de DNA entre a forma helicoidal (A), e não helicoidal (B). A velocidade *líquida* de formação de B, a diferença entre a sua velocidade de formação e a sua velocidade de decomposição, é

$$\text{Velocidade líquida de formação de } B = k_r[A] - k_r'[B]$$

Quando a reação atinge o equilíbrio, as concentrações de A e de B são $[A]_{eq}$ e $[B]_{eq}$, e não há formação líquida de nenhuma substância. Segue então que

$$k_r[A]_{eq} = k_r'[B]_{eq}$$

e, portanto, que a constante de equilíbrio da reação está relacionada com as constantes de velocidade por

$$K = \frac{[B]_{eq}}{[A]_{eq}} = \frac{k_r}{k_r'} \qquad A \rightleftharpoons B \qquad \text{Relação entre a constante de equilíbrio e as constantes de velocidade} \qquad (11.1a)$$

Se a constante de velocidade da reação direta é muito maior que a constante de velocidade da reação inversa, $K \gg 1$. Se o caso oposto for verdade, então $K \ll 1$. Este resultado estabelece a ligação fundamental entre a cinética e as propriedades de equilíbrio de uma reação química. Na prática, essa equação é muito útil, pois podemos, uma vez determinada experimentalmente a constante de equilíbrio e uma das constantes de velocidade, calcular a constante de velocidade desconhecida a partir da Eq. 11.1. Ou ainda, podemos utilizar essa relação para a obtenção da constante de equilíbrio a partir de dados cinéticos. Essa relação é válida mesmo que as reações direta e inversa tenham ordens diferentes. Nesse caso, precisamos considerar as unidades com cuidado. Por exemplo, se a reação $A + B \rightarrow C$ é de segunda ordem no sentido direto e de primeira ordem no sentido inverso, a condição de equilíbrio é $k_r[A]_{eq}[B]_{eq} = k_r'[C]_{eq}$, e a constante de equilíbrio adimensional em sua forma rigorosa é

$$K = \frac{[C]_{eq}/c^{\ominus}}{([A]_{eq}/c^{\ominus})([B]_{eq}/c^{\ominus})} = \frac{[C]_{eq}c^{\ominus}}{[A]_{eq}[B]_{eq}} = \frac{k_r}{k_r'} \times c^{\ominus} \qquad A + B \rightleftharpoons C \qquad (11.1b)$$

A presença de $c^{\ominus} = 1 \text{ mol dm}^{-3}$ no último termo garante que a razão entre as constantes de velocidade de segunda e de primeira ordem, com suas diferentes unidades, seja transformada em uma grandeza adimensional.

■ **Breve ilustração 11.1** Relação entre as constantes de velocidade e de equilíbrio

As constantes de velocidade das reações direta e inversa de dimerização de um agente antibacteriano são, respectivamente, $8{,}1 \times 10^8 \text{ dm}^3 \text{ mol}^{-1} \text{ s}^{-1}$ (segunda ordem) e $2{,}0 \times 10^6 \text{ s}^{-1}$ (primeira ordem). Assim sendo, a constante de equilíbrio dessa reação de dimerização é dada por

$$K = \frac{\overbrace{8{,}1\times 10^8 \text{ dm}^3 \text{ mol}^{-1} \text{ s}^{-1}}^{k_r}}{\underbrace{2{,}0\times 10^6 \text{ s}^{-1}}_{k_r'}} \times \overbrace{1 \text{ mol dm}^{-3}}^{c^{\ominus}} = 4{,}0\times 10^2$$

Exercício proposto 11.1

A constante de equilíbrio da reação de isomerização $CH_3CN \rightarrow CH_3NC$ é $3{,}6 \times 10^{-11}$, a 500 K. A constante de velocidade da reação direta é $7{,}68 \times 10^{-4} \text{ s}^{-1}$ nesta temperatura. Calcule o valor da constante de velocidade da reação inversa.

Resposta: $2{,}1 \times 10^6 \text{ s}^{-1}$

A Eq. 11.1 também nos permite interpretar a dependência da constante de equilíbrio com a temperatura. Primeiramente, vamos supor que as reações direta e inversa apresentem comportamento de Arrhenius (Seção 10.9). Como pode ser visto na Figura 11.1, a energia de ativação da reação direta é menor que a energia de ativação da reação inversa, para uma reação exotérmica. Desse modo, a constante de velocidade da reação direta aumenta menos bruscamente com a temperatura que a constante de velocidade da reação inversa. Por conseguinte, quando aumentamos a temperatura do sistema reacional em equilíbrio, k_r' cresce mais acentuadamente que k_r, e assim a razão k_r/k_r' e, portanto, K, diminui. Essa é exatamente a mesma conclusão obtida por meio de argumentação termodinâmica, quando obtivemos a equação de van't Hoff (Eq. 7.15).

A Eq. 11.1 fornece a razão entre as concentrações após um longo tempo ter passado e a reação ter alcançado o equilíbrio. Para obter as concentrações em um estágio intermediário,

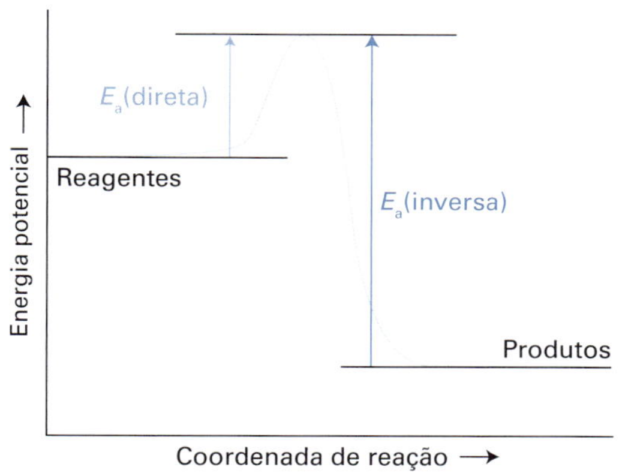

Figura 11.1 Perfil de reação de uma reação exotérmica. A energia de ativação da reação inversa é maior do que a energia de ativação da reação direta, de modo que a velocidade da reação direta cresce menos acentuadamente com a temperatura. Como resultado, a constante de equilíbrio se altera a favor dos reagentes quando a temperatura aumenta.

precisamos da equação da velocidade integrada. Se B não está presente no instante inicial, mostramos na Dedução a seguir que

$$[\mathrm{A}] = \frac{(k_r' + k_r \mathrm{e}^{-(k_r+k_r')t})[\mathrm{A}]_0}{k_r + k_r'} \qquad \text{Avanço para o equilíbrio} \qquad (11.2\text{a})$$

$$[\mathrm{B}] = \frac{k_r(1 - \mathrm{e}^{-(k_r+k_r')t})[\mathrm{A}]_0}{k_r + k_r'} \qquad (11.2\text{b})$$

em que $[\mathrm{A}]_0$ é a concentração inicial de A.

Dedução 11.1

O avanço para o equilíbrio

A concentração de A é reduzida pela reação direta (com uma velocidade $k_r[\mathrm{A}]$), mas aumenta pela reação inversa (com uma velocidade $k_r'[\mathrm{B}]$). Como resultado, a velocidade líquida de variação é

$$\frac{\mathrm{d}[\mathrm{A}]}{\mathrm{d}t} = -k_r[\mathrm{A}] + k_r'[\mathrm{B}]$$

Se a concentração inicial de A é $[\mathrm{A}]_0$ e não há B no instante inicial, então em qualquer instante, $[\mathrm{A}] + [\mathrm{B}] = [\mathrm{A}]_0$. Desse modo, substituindo $[\mathrm{B}]$ por $[\mathrm{A}]_0 - [\mathrm{A}]$, obtemos

$$\frac{\mathrm{d}[\mathrm{A}]}{\mathrm{d}t} = -k_r[\mathrm{A}] + k_r'([\mathrm{A}]_0 - [\mathrm{A}]) = -(k_r + k_r')[\mathrm{A}] + k_r'[\mathrm{A}]_0$$

A solução dessa equação diferencial é a Eq. 11.2a, o que pode ser verificado derivando-se aquela expressão:

$$\frac{\mathrm{d}[\mathrm{A}]}{\mathrm{d}t} = \frac{\mathrm{d}}{\mathrm{d}t}\frac{(k_r' + k_r \mathrm{e}^{-(k_r+k_r')t})[\mathrm{A}]_0}{k_r + k_r'}$$

$$\overset{\text{Rearranjando}}{=} \overbrace{-(k_r' + k_r \mathrm{e}^{-(k_r+k_r')t})[\mathrm{A}]_0}^{-(k_r+k_r')[\mathrm{A}]} + k_r'[\mathrm{A}]_0$$

Para obter a Eq. 11.2b, usamos a Eq. 11.2a e $[\mathrm{B}] = [\mathrm{A}]_0 - [\mathrm{A}]$ novamente.

Como observamos na Figura 11.2, as concentrações modificam-se gradualmente dos seus valores iniciais, até atingir os seus valores finais de equilíbrio, quando t se aproxima do infinito. Os valores das concentrações no equilíbrio podem ser determinados fazendo-se t igual ao infinito na Eq. 11.2 e usando $\mathrm{e}^{-x} = 0$ quando $x = \infty$:

$$[\mathrm{A}]_{\mathrm{eq}} = \frac{k_r'[\mathrm{A}]_0}{k_r + k_r'} \qquad [\mathrm{B}]_{\mathrm{eq}} = \frac{k_r[\mathrm{A}]_0}{k_r + k_r'} \qquad (11.3)$$

Como pode ser verificado, a razão entre essas duas expressões é a constante de equilíbrio na Eq. 11.1 (ou seja, $[\mathrm{B}]_{\mathrm{eq}}/[\mathrm{A}]_{\mathrm{eq}} = k_r/k_r'$).

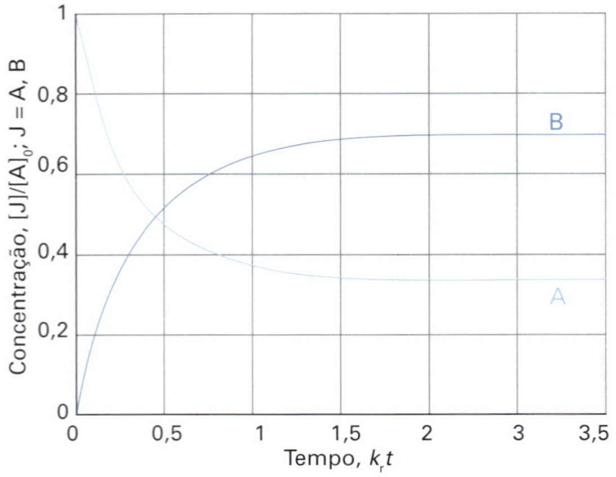

Figura 11.2 O avanço para o equilíbrio de uma reação de primeira ordem em ambas as direções. Nesse caso temos $k_r = 2k_r'$. Observe que no equilíbrio a razão entre as concentrações é 2:1, correspondendo a $K = 2$.

11.2 Métodos de relaxação

O termo **relaxação** representa o retorno de um sistema ao equilíbrio. Na cinética química, indica que uma influência externa aplicada ao sistema reacional deslocou, em geral bruscamente, a posição de equilíbrio de uma reação e que a reação está se ajustando à composição de equilíbrio compatível com as novas condições (Fig. 11.3). Veremos a resposta das velocidades de reação a um **salto de temperatura**, uma súbita mudança de temperatura. Sabemos da Seção 7.8 que a composição de equilíbrio do sistema reacional depende da temperatura (desde que $\Delta_r H^{\ominus}$ não seja nula). Portanto, a alteração na temperatura atua como uma perturbação no sistema. Uma maneira de provocar o salto de temperatura é descarregar um capacitor por meio de uma amostra, que se torna condutora pela adição de íons. Mas descargas de *lasers* e de micro-ondas também podem ser usadas. Saltos de temperatura entre 5 e 10 K podem ser alcançados em aproximadamente 1 μs com descargas elétricas. A energia alta de saída de *lasers* pulsados é suficiente para gerar saltos de temperatura entre 10 e 30 K em nanossegundos em sistemas aquosos, fazendo com que a técnica seja adequada para o estudo dos eventos que ocorrem no desdobramento de proteínas. Alguns equilíbrios nos quais há uma variação de volume entre os reagentes e produtos também são sensíveis à pressão, e **técnicas de saltos de pressão** também podem ser usadas.

Mostramos na Dedução a seguir que, quando uma súbita elevação de temperatura é aplicada a um equilíbrio simples do tipo $\mathrm{A} \rightleftharpoons \mathrm{B}$, que é de primeira ordem nos dois sentidos, a composição relaxa exponencialmente para a nova composição de equilíbrio:

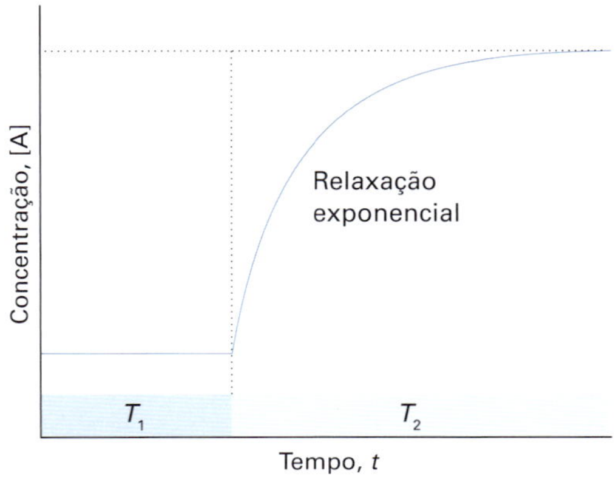

Figura 11.3 Relaxação para a nova composição de equilíbrio quando uma reação, inicialmente em equilíbrio à temperatura T_1, é submetida a uma súbita mudança de temperatura, que faz com que a temperatura mude para T_2.

$$x = x_0 e^{-t/\tau} \quad \tau = \frac{1}{k_r + k_r'} \qquad A \rightleftharpoons B \qquad \text{Relaxação} \qquad (11.4)$$

em que x é o afastamento em relação ao equilíbrio, na nova temperatura, x_0 é o afastamento imediatamente depois do salto de temperatura, e τ é o **tempo de relaxação.**

Dedução 11.2

Relaxação para o equilíbrio

Na análise seguinte, não podemos esquecer que as constantes de velocidade dependem da temperatura. Na temperatura inicial, as constantes de velocidade são $k_{r,\text{inicial}}$ e $k'_{r,\text{inicial}}$, e a velocidade líquida da variação de [A] é

$$\frac{d[A]}{dt} = \overbrace{-k_{r,\text{inicial}}[A]}^{\text{Perda de A}} + \overbrace{k'_{r,\text{inicial}}[B]}^{\text{Formação de A a partir de B}}$$

No equilíbrio, nestas condições, escrevemos as concentrações como $[A]_{eq,\text{inicial}}$ e $[B]_{eq,\text{inicial}}$. Como d[A]/dt é zero,

$$k_{r,\text{inicial}}[A]_{eq,\text{inicial}} = k'_{r,\text{inicial}}[B]_{eq,\text{inicial}}$$

Quando a temperatura sobe bruscamente, as constantes de velocidade passam para k_r e k'_r, mas as concentrações de A e de B permanecem, durante certo intervalo de tempo, com os valores pertinentes ao antigo equilíbrio. Como o sistema não está mais em equilíbrio, reajusta-se às novas concentrações de equilíbrio, que agora são dadas por

$$k_r[A]_{eq,\text{final}} = k'_r[B]_{eq,\text{final}}$$

e a velocidade deste ajuste depende das novas constantes de velocidade.

Representamos por x o afastamento da concentração [A] em relação ao valor no novo equilíbrio, de modo que $[A] = x + [A]_{eq,\text{final}}$ e também $[B] = [B]_{eq,\text{final}} - x$. A variação da concentração de A é dada, então, por

$$\begin{aligned}\frac{d[A]}{dt} &= -k_r[A] + k'_r[B] \\ &= -k_r(x + [A]_{eq,\text{final}}) + k'_r(-x + [B]_{eq,\text{final}}) \\ &= -k_r x - k'_r x - \overbrace{k_r[A]_{eq,\text{final}} + k'_r[B]_{eq,\text{final}}}^{0} \\ &= -(k_r + k'_r)x\end{aligned}$$

De $[A] = x + [A]_{eq,\text{final}}$ segue que d[A]/dt = dx/dt, pois $[A]_{eq,\text{final}}$ é constante e, portanto, que

$$\frac{dx}{dt} = -(k_r + k'_r)x$$

Para resolver essa equação, dividimos ambos os lados por x e multiplicamos por dt:

$$\frac{dx}{x} = -(k_r + k'_r)dt$$

Integramos agora ambos os lados. Quando $t = 0$, $x = x_0$, o seu valor inicial. Dessa maneira, a equação integrada tem a forma dada em Ferramentas do químico 2.1:

$$\overbrace{\int_{x_0}^{x} \frac{dx}{x}}^{\ln(x/x_0)} = -(k_r + k'_r)\overbrace{\int_0^t dt}^{t}$$

Por isso, a equação integrada é

$$\ln \frac{x}{x_0} = -(k_r + k'_r)t$$

Quando se tomam os antilogaritmos em ambos os lados, o resultado é a Eq. 11.4.

A Eq. 11.4 mostra que as concentrações de A e B relaxam para o novo equilíbrio em uma velocidade determinada pela *soma* das duas novas constantes de velocidade. Uma vez que a constante de equilíbrio nestas novas condições é $K \approx k_r/k'_r$, o seu valor pode ser combinado com a medida do tempo de relaxação para se determinarem os valores individuais de k_r e de k'_r.

Breve ilustração 11.2 Relaxação

Verificou-se que as constantes de velocidade direta e inversa para uma reação de primeira ordem (em ambos os sentidos) eram $5{,}0 \times 10^4\ s^{-1}$ e $2{,}0 \times 10^3\ s^{-1}$, respectivamente. Desse modo, o tempo de relaxação para o retorno ao equilíbrio após um pulso térmico é

$$\begin{aligned}\tau &= \frac{1}{(5{,}0\times10^4 + 2{,}0\times10^3)\ s^{-1}} = \frac{1}{5{,}2\times10^4\ s^{-1}} \\ &= \frac{1}{5{,}2\times10^4\ s^{-1}} \\ &= 1{,}9\times10^{-5}\ s\end{aligned}$$

Portanto, o tempo de relaxação é de 19 μs.

Exercício proposto 11.2

O tempo de relaxação medido para outra reação de primeira ordem foi de 1,3 ms. Determine a constante de velocidade da reação inversa sabendo que a constante de velocidade da reação direta é $320\ s^{-1}$.

Resposta: $450\ s^{-1}$

11.3 Reações consecutivas

É muito comum que os reagentes produzam um intermediário, que por sua vez se decompõe em produtos. O decaimento radioativo é, com frequência, desse tipo, com um nuclídeo decaindo em outro, e então este último decaindo em um terceiro:

$$^{239}U \xrightarrow{2{,}35\ \text{min}} {}^{239}Np \xrightarrow{2{,}35\ \text{d}} {}^{239}Pu$$

Os tempos são as meias-vidas. Processos bioquímicos são, em geral, versões complexas desse modelo simples. Por exemplo, a enzima de restrição EcoRI catalisa a clivagem do DNA e causa a sequência de reações

DNA superelicoidal ⟶ DNA circular aberto ⟶ DNA linear

Para ilustrar essas observações, vamos supor que a reação ocorra em duas etapas. Inicialmente, o intermediário I (o DNA circular aberto, por exemplo) é formado a partir do reagente A (o DNA superelicoidal), em uma reação de primeira ordem. Então I decai, por meio de uma reação de primeira ordem, para formar o produto P (o DNA linear):

$A \rightarrow I$ Velocidade de formação de I = $k_a[A]$
$I \rightarrow P$ Velocidade de formação de P = $k_b[I]$

Para simplificar, estamos ignorando as reações inversas, o que é válido se as reações inversas forem lentas. A primeira destas leis de velocidade indica que

$$[A] = [A]_0 e^{-k_a t} \qquad (11.5a)$$

A velocidade líquida de formação de I é dada pela diferença entre a sua velocidade de formação e a sua velocidade de decomposição; logo, pode-se escrever

Velocidade líquida de formação de I = $k_a[A] - k_b[I]$

em que [A] é dada pela Eq. 11.5a. Essa equação, que em forma matemática é $d[I]/dt = -k_b[I]$, é uma forma padrão dada em Ferramentas do químico 11.1, com a seguinte solução:

$$[I] = \frac{k_a}{k_b - k_a}(e^{-k_a t} - e^{-k_b t})[A]_0 \qquad (11.5b)$$

Finalmente, como $[A] + [I] + [P] = [A]_0$ em todas as etapas da reação, a concentração de P é $[P] = [A]_0 - [A] - [I]$. Logo, após a substituição das expressões de [A] e [P],

$$[P] = \left\{1 + \frac{k_a e^{-k_b t} - k_b e^{-k_a t}}{k_b - k_a}\right\}[A]_0 \qquad (11.5c)$$

Essas soluções estão representadas na Figura 11.4. Podemos observar que a concentração do intermediário inicialmente aumenta, e então decai à medida que A é consumido. Ao mesmo tempo, a concentração de P aumenta suavemente até atingir o seu valor final. Como mostrado na Dedução a seguir, o intermediário atinge sua concentração máxima em

$$t = \frac{1}{k_a - k_b}\ln\frac{k_a}{k_b} \qquad \text{Tempo para que [I] seja máxima} \qquad (11.6)$$

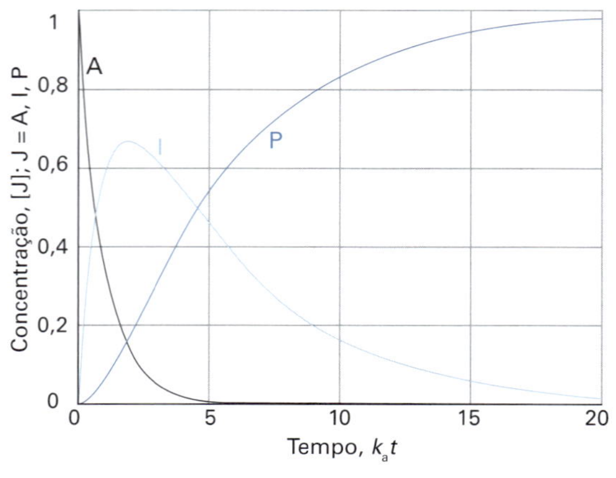

Figura 11.4 Concentrações das substâncias envolvidas em uma reação consecutiva do tipo $A \rightarrow I \rightarrow P$, em que I é um intermediário e P é um produto. Utilizou-se $k_a = 5\,k_b$. Observe que em cada instante a soma das três concentrações é uma constante.

Este seria o tempo de reação ótimo para que uma indústria produzisse o intermediário em um processo em batelada para extraí-lo.

Ferramentas do químico 11.1 Equações diferenciais na cinética química

As equações diferenciais ordinárias são descritas em Ferramentas do químico 10.1. Neste capítulo, precisamos de dois tipos de equações diferenciais. Uma tem a forma

$$\frac{dy}{dx} + ay = b$$

em que *a* e *b* são constantes. Encontramos uma equação desta forma na Dedução 11.1. A solução é

$$y(x) = ce^{-ax} + b/a$$

em que *c* é uma constante. Para verificar esta solução, você deve usar a relação

$$\frac{d}{dx}e^{\pm ax} = \pm ae^{-ax}$$

O segundo tipo tem a forma mais complicada

$$\frac{dy}{dx} + a(x)y = f(x)$$

Esta equação tem a solução

$$y(x) = e^{-F(x)}\int e^{F(x)}f(x)dx + ce^{-F(x)}$$

em que *c* é uma constante e

$$F(x) = \int a(x)dx$$

Encontramos uma equação deste tipo na Seção 11.3, em que *a* é uma constante (logo, $F(x) = ax$) e $f(x) = be^{-b'x}$, com *b* e *b'* constantes. Naquele caso especial, a solução é

$$y = \frac{be^{-b'x}}{a - b'} + ce^{-ax}$$

■ **Breve ilustração 11.3** O tempo para que a concentração do intermediário seja máxima

Suponha que, em certo processo em batelada, $k_a = 0{,}120\ h^{-1}$ e $k_b = 0{,}012\ h^{-1}$. Então, a concentração do intermediário é máxima em

$$t = \frac{1}{(0{,}120 - 0{,}012)\ h^{-1}}\ln\frac{0{,}120}{0{,}012} = \frac{h}{0{,}108}\ln\frac{0{,}120}{0{,}012} = 21\ h$$
$$= 21\ h$$

Dedução 11.3

O tempo para a concentração máxima

Para obter o tempo correspondente à concentração máxima do intermediário, derivamos a Eq. 11.5b e verificamos qual é o tempo para o qual $d[I]/dt = 0$. Inicialmente, como $de^{at}/dt = ae^{at}$, obtemos

$$\frac{d[I]}{dt} = \frac{d}{dt}\frac{k_a}{k_b - k_a}(e^{-k_a t} - e^{-k_b t})[A]_0 = \frac{k_a[A]_0}{k_b - k_a}\frac{d}{dt}(e^{-k_a t} - e^{-k_b t})$$
$$= \frac{k_a[A]_0}{k_b - k_a}(-k_a e^{-k_a t} + k_b e^{-k_b t}) = 0$$

Esta equação é satisfeita se

$$k_a e^{-k_a t} = k_b e^{-k_b t}$$

Sendo $e^x e^y = e^{x+y}$, esta relação se torna

$$\frac{k_a}{k_b} = e^{k_a t - k_b t}$$

Tomando o logaritmo de ambos os lados, chegamos à Eq. 11.6.

Mecanismos de reações

Vimos como dois tipos simples de reações – reações que avançam para o equilíbrio e reações consecutivas – resultaram em dependências características da concentração com o tempo. Podemos supor que outros tipos de variação com o tempo serão característicos de outros mecanismos de reação.

11.4 Reações elementares

Muitas reações ocorrem em uma sequência de etapas chamadas de **reações elementares**, cada uma envolvendo apenas uma ou duas moléculas. Vamos representar uma reação elementar escrevendo a sua equação química sem a identificação do estado físico das substâncias, como por exemplo

$$H + Br_2 \rightarrow HBr + Br$$

Esta convenção já foi adotada sem comentários em algumas das reações discutidas no Capítulo 10. Esta equação significa que um átomo específico de H ataca uma molécula específica de Br_2 produzindo uma molécula de HBr e um átomo de Br. As equações químicas comuns representam a estequiometria global da reação e não representam nenhum mecanismo específico.

A **molecularidade** de uma reação elementar é o número de moléculas que tendem a se aproximar para, então, reagirem. Em uma **reação unimolecular,** uma única molécula se desintegra, ou se modifica em um novo arranjo atômico (Fig. 11.5). Um exemplo é a isomerização do ciclopropano em propeno. O decaimento radioativo de um núcleo (por exemplo, a emissão de partículas β por um núcleo de um átomo de trítio, utilizado em estudos de mecanismos para acompanhar certo grupo de átomos) é uma reação 'unimolecular' uma vez que um único núcleo se decompõe. Em uma **reação bimolecular,** duas moléculas colidem trocando energia, átomos, grupos de átomos, ou sofrem outro tipo de transformação, como, por exemplo, na reação entre H e F_2, ou H e Br_2 (Fig. 11.6).

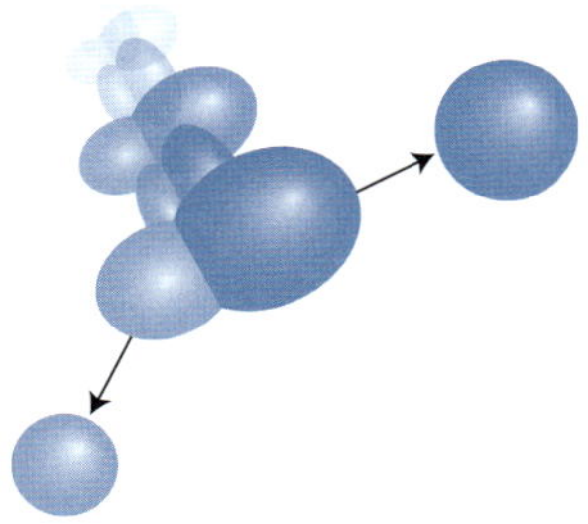

Figura 11.5 Em uma reação elementar unimolecular, uma espécie energeticamente excitada se decompõe em produtos: a molécula simplesmente se desintegra.

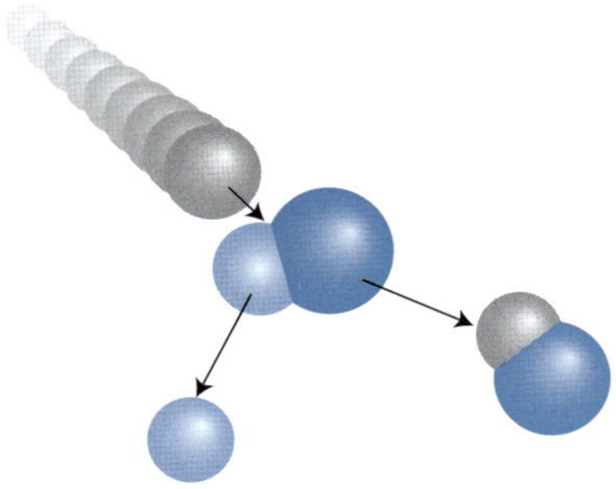

Figura 11.6 Em uma reação elementar bimolecular, duas espécies estão envolvidas no processo.

É importante distinguir molecularidade e ordem: a *ordem* de uma reação é uma grandeza empírica obtida a partir de uma lei de velocidade determinada experimentalmente; a *molecularidade* refere-se a uma reação elementar individual, postulada como sendo uma etapa de um mecanismo proposto. Muitas reações de substituição da química orgânica (por exemplo, a substituição nucleofílica S_N2) são reações bimoleculares que envolvem um complexo ativado formado a partir de duas espécies reagentes. As reações catalisadas enzimaticamente (Seção 11.13) podem ser consideradas, em boa aproximação, bimoleculares, uma vez que essas reações dependem do encontro de uma molécula de substrato com uma molécula de enzima.

Podemos escrever a lei de velocidade de uma reação elementar a partir de sua equação química. Primeiramente, vamos considerar uma reação unimoleclular. Em um dado intervalo de tempo, dez vezes mais moléculas de A decaem quando temos 1000 moléculas de A inicialmente, do que quando temos apenas 100 moléculas de A presentes. Assim sendo, a velocidade de decomposição de A é proporcional à sua concentração, e podemos então concluir que *uma reação unimolecular é uma reação de primeira ordem*:

$$A \rightarrow \text{produtos} \qquad v = k_r[A] \qquad \text{Reação unimolecular} \qquad (11.7)$$

A velocidade de uma reação bimolecular é proporcional à velocidade com que os reagentes se encontram, a qual, por sua vez, é proporcional a ambas as concentrações. Por conseguinte, a velocidade da reação é proporcional ao produto das duas concentrações, então *uma reação elementar bimolecular é de segunda ordem global*

$$A + B \rightarrow \text{produtos} \qquad v = k_r[A]\,[B] \qquad \text{Reação bimolecular} \qquad (11.8)$$

Precisamos explorar agora como encadear as etapas simples (elementares) para formar o mecanismo de uma reação, e como chegar à lei de velocidade global correspondente. No momento, devemos enfatizar que se uma reação é um processo elementar bimolecular, então apresenta uma cinética de segunda ordem. Contudo, se uma reação segue uma cinética de segunda ordem, pode ser uma reação elementar ou seguir um processo complexo.

11.5 A formulação das leis de velocidade

Vamos supor que dada reação seja o resultado de uma série de etapas elementares. Como podemos obter a lei de velocidade correspondente ao mecanismo? Vamos estudar esse problema considerando a oxidação em fase gasosa do óxido nítrico (monóxido de nitrogênio, NO):

$$2\ NO(g) + O_2(g) \rightarrow 2\ NO_2(g)$$

O óxido nítrico é um componente muito importante presente em atmosferas poluídas. É formado na saída de gases quentes da descarga de automóveis e turbinas de aviões a jato. A sua oxidação é uma das etapas na formação de chuvas ácidas. Essa substância também é um neurotransmissor associado às transformações fisiológicas que ocorrem durante a excitação sexual. Experimentalmente, determina-se que a reação é de terceira ordem global:

$$v = k_r[NO]^2[O_2]$$

Uma possível explicação da ordem da lei de velocidade observada seria admitir que essa reação ocorre em uma única etapa elementar trimolecular, envolvendo uma colisão simultânea de duas moléculas de NO e uma molécula de O_2. No entanto, colisões trimoleculares são muito pouco frequentes. Embora colisões trimoleculares possam ocorrer, a velocidade da reação por este mecanismo é tão lenta que outro mecanismo geralmente domina.

O seguinte mecanismo foi proposto:

Etapa 1. Duas moléculas de NO combinam-se para formar um dímero:

$$NO + NO \rightarrow N_2O_2$$

$$\text{Velocidade de formação do } N_2O_2 = k_a[NO]^2$$

Essa é uma etapa plausível, pois o NO é uma espécie com um número ímpar de elétrons, um radical, e dois radicais tendem a formar uma ligação covalente quando se encontram. O dímero N_2O_2 pode existir em fase sólida, tornando assim a hipótese para a primeira etapa do mecanismo muito razoável. Em geral, é boa estratégia decidir se um composto intermediário proposto é ou não semelhante ao composto conhecido.

Etapa 2. O dímero N_2O_2 se decompõe em moléculas de NO:

$$N_2O_2 \rightarrow NO + NO$$

$$\text{Velocidade de decomposição do } N_2O_2 = k'_a[N_2O_2]$$

Esta etapa, o inverso da etapa 1, é um decaimento unimolecular: o dímero se desintegra. Adotamos aqui a convenção de que a constante de velocidade de uma reação inversa é representada por uma linha como índice superior (por exemplo, k_a para a reação direta e k'_a para a sua reação inversa).

Etapa 3. Por outro lado, uma molécula de O_2 colide com o dímero resultando na formação do NO_2:

$$N_2O_2 + O_2 \rightarrow NO_2 + NO_2$$

$$\text{Velocidade de consumo do } N_2O_2 = k_b[N_2O_2][O_2]$$

Vamos agora obter a lei de velocidade com base no mecanismo proposto. A velocidade de formação do produto vem diretamente da Etapa 3:

$$\text{Velocidade de formação do } NO_2 = 2k_b[N_2O_2][O_2]$$

O fator 2 aparece na lei de velocidade porque duas moléculas de NO_2 são formadas em cada ocorrência dessa reação; dessa forma, a concentração do NO_2 aumenta do dobro da velocidade de decaimento da concentração de N_2O_2. No entanto, essa expressão não pode ser considerada uma lei de velocidade global aceitável, pois está expressa em termos da concentração de um composto intermediário N_2O_2. Uma lei de velocidade aceitável para uma reação global deve incluir apenas substâncias que apareçam na reação global. Por conseguinte, é necessário determinar uma expressão para a concentração de N_2O_2. Para isso, vamos considerar a velocidade líquida de formação do intermediário, ou seja, a diferença entre a sua velocidade de formação e a sua velocidade de decaimento. Uma vez que o N_2O_2 é formado na Etapa 1 e consumido nas Etapas 2 e 3, a sua velocidade líquida de formação é dada por

$$\text{Velocidade líquida de formação do } N_2O_2 = k_a[NO]^2 - k'_a[N_2O_2] - k_b[N_2O_2][O_2]$$

Observe que o termo correspondente à formação apresenta sinal positivo, enquanto os termos correspondentes ao decaimento aparecem com sinal negativo, uma vez que reduzem a velocidade líquida de formação.

Se pudéssemos resolver essa equação para a concentração de N_2O_2 em termos das concentrações de NO e de O_2, poderíamos substituir o resultado na expressão anterior e obter a lei de velocidade global. Contudo, isso envolve a resolução de uma equação diferencial muito difícil, levando a uma expressão imensamente complexa. De fato, mesmo nesse caso relativamente simples, só podemos obter uma solução numérica usando um computador. A fim de obter uma fórmula mais simples, temos que fazer uma aproximação.

11.6 A aproximação do estado estacionário

É comum neste estágio da formulação da lei de velocidade introduzir a **aproximação do estado estacionário** na qual admitimos que *as concentrações de todos os intermediários permanecem constantes e pequenas durante toda e reação* (exceto nos instantes inicial e final da reação, quando não há nenhum intermediário presente). Um **intermediário** é qualquer substância que não aparece na reação global, mas que é utilizado na proposição do mecanismo da reação. Para o mecanismo em estudo, o intermediário é o N_2O_2; portanto, podemos escrever

$$\text{Velocidade líquida de formação do } N_2O_2 = 0$$

que implica

$$k_a[NO]^2 - k'_a[N_2O_2] - k_b[N_2O_2][O_2] = 0$$

Podemos reescrever, primeiro, essa equação na seguinte forma

$$k_a[NO]^2 - (k_a + k_b[O_2])[N_2O_2] = 0$$

e então explicitando a concentração de N_2O_2:

$$[N_2O_2] = \frac{k_a[NO]^2}{k'_a + k_b[O_2]}$$

Segue que a velocidade de formação do NO_2 é dada por

$$\text{Velocidade de formação do } NO_2 = 2k_b[N_2O_2][O_2] = \frac{2k_ak_b[NO]^2[O_2]}{k'_a + k_b[O_2]} \quad (11.9)$$

Neste estágio, a lei de velocidade é mais complexa do que a lei observada experimentalmente, mas o seu numerador guarda certa semelhança com a mesma. As duas expressões tornam-se idênticas se fizermos a suposição de que a velocidade de decomposição do dímero é muito maior que a velocidade de reação com o oxigênio, pois assim $k'_a\,[N_2O_2] \gg k_b[N_2O_2][O_2]$, ou ainda, após a simplificação de $[N_2O_2]$, $k'_a \gg k_b[O_2]$. Quando essa condição é satisfeita, podemos aproximar o denominador da lei de velocidade global por k'_a somente e concluir que

$$\text{Velocidade de formação do } NO_2 = \frac{2k_ak_b[NO]^2[O_2]}{\underbrace{k'_a + k_b[O_2]}_{\approx k'_a \text{ if } k'_a \gg k_b[O_2]}} = \frac{2k_ak_b}{k'_a}[NO]^2[O_2] \quad (11.10)$$

Essa expressão tem a forma observada experimentalmente de terceira ordem global. Além disso, podemos identificar a constante de velocidade observada como uma combinação das constantes de velocidade das reações elementares:

$$k_r = \frac{2k_ak_b}{k'_a} \quad (11.11)$$

Exemplo 11.1

Usando a aproximação do estado estacionário

Um mecanismo alternativo que pode ser proposto quando a concentração de O_2 é alta e a concentração de NO é baixa é aquele em que a primeira etapa seria $NO + O_2 \rightarrow NO\cdots O_2$, na qual a linha pontilhada indica um aglomerado fracamente ligado, e a sua reação inversa, seguida pela reação $NO\cdots O_2 + NO \rightarrow NO_2 + NO_2$. Comprove que esse mecanismo também leva à lei de velocidade observada quando a concentração do NO for baixa.

Estratégia Escreva as leis de velocidade das reações elementares individuais, identificando o intermediário da reação; faça com que sua velocidade líquida de formação seja nula. Resolva, então, as equações para a velocidade de formação do produto. Finalmente, imponha as condições e simplifique a lei de velocidade resultante.

Resposta As reações elementares e suas leis de velocidade são

(a) $NO + O_2 \rightarrow NO\cdots O_2$
Velocidade de formação de $NO\cdots O_2 = k_a[NO][O_2]$

(a') $NO + O_2 \rightarrow NO\cdots O_2$
Velocidade de decomposição de $NO\cdots O_2 = k'_a[NO\cdots O_2]$

(b) $NO\cdots O_2 + NO \rightarrow NO_2 + NO_2$
Velocidade de perda de $NO\cdots O_2 = k_b[NO\cdots O_2][NO]$
Velocidade de formação de $NO_2 = 2k_b[NO\cdots O_2][NO]$

O intermediário é $NO\cdots O_2$; sua velocidade líquida de formação (sua velocidade de formação menos a soma das velocidades nas quais está perdido, esquematicamente a – a' – b) é

Velocidade líquida de formação de $NO\cdots O_2$

$$= k_a[NO][O_2] - k'_a[NO\cdots O_2] - k_b[NO\cdots O_2][NO] = 0$$

ou

$$k_a[NO][O_2] - (k'_a + k_b[NO])[NO\cdots O_2] = 0$$

Desse modo, a concentração no estado estacionário do intermediário é

$$[NO\cdots O_2] = \frac{k_a[NO][O_2]}{k'_a + k_b[NO]}$$

A lei de velocidade para a formação do produto, a partir de (b), é, portanto,

$$\text{Velocidade de formação de } NO_2 = 2k_b \times \frac{k_a[NO][O_2]}{k'_a + k_b[NO]} \times [NO] = \frac{2k_ak_b[NO]^2[O_2]}{k'_a + k_b[NO]}$$

Quando a concentração de NO é baixa no sentido de que $k_b[NO] \ll k'_a$, o segundo termo do denominador pode ser ignorado, e obtemos

$$\text{Velocidade de formação de } NO_2 = \overbrace{\frac{2k_ak_b}{k'_a}}^{k_r}[NO]^2[O_2] = k_r[NO]^2[O_2]$$

Esta lei de velocidade também está de acordo com a que foi observada.

Exercício proposto 11.3

O mecanismo de reação proposto para renaturação de uma hélice dupla a partir das suas fitas A e B é A + B ⇄ hélice instável (rápida, k_a, k'_a) seguida pela hélice instável → hélice dupla instável (lenta, k_b). Deduza a lei de velocidade para a formação da hélice dupla fazendo a aproximação de estado estacionário.

Resposta: $v = k_ak_b[A][B]/(k'_a + k_b)$

Um aspecto a ser observado é que, embora cada uma das constantes na Eq. 11.11 aumente com a temperatura, isso pode não ser verdadeiro para o próprio k_r. Desse modo, se a constante de velocidade k'_a aumentar mais rapidamente que o produto k_ak_b, então k_r diminuirá com o aumento da temperatura, e a reação será mais lenta à medida que a temperatura aumentar. A razão física é que o dímero N_2O_2 se fragmenta tão rapidamente em temperaturas mais elevadas que a sua reação com o O_2 é menos provável de ocorrer, e os produtos se formam mais lentamente. Matematicamente, podemos dizer que a reação tem uma 'energia de ativação negativa'. Por exemplo, suponha que cada constante de velocidade na Eq. 11.1 apresente uma dependência do tipo Arrhenius com a temperatura. A constante de velocidade global seria

$$k_r = \frac{2\overbrace{(A_a e^{-E_{a,a}/RT})}^{k_a}\overbrace{(A_b e^{-E_{a,b}/RT})}^{k_b}}{\underbrace{A'_a e^{-E_{a,a'}/RT}}_{k'_a}}$$

$$= \frac{2A_aA_b}{A'_a} e^{-(E_{a,a}+E_{a,b}-E_{a,a'})/RT} = Ae^{-E_a/RT}$$

$$\text{com } A = \frac{2A_aA_b}{A'_a} \text{ e } E_a = E_{a,a} + E_{a,b} - E_{a,a'}$$

Neste caso vemos que $E_a < 0$ se $E_{a,a'} > E_{a,a} + E_{a,b}$. Temos que ser muito cautelosos ao fazer previsões sobre o efeito da temperatura em reações que são o resultado de várias etapas.

11.7 A etapa determinante da velocidade

A oxidação do monóxido de nitrogênio introduz outro conceito importante. Vamos supor que a Etapa 3 é muito rápida, de modo que k'_a pode ser desprezado quando comparado com $k_b[O_2]$, na Eq. 11.9. Uma forma de se estabelecer essa condição é pelo aumento da concentração de O_2 na mistura reacional. Então, a lei de velocidade se simplifica para

$$\text{Velocidade de formação de } NO_2 = \frac{2k_a k_b[NO]^2[O_2]}{\underbrace{k'_a + k_b[O_2]}_{\approx k_b[O_2] \text{ se } k_b[O_2] \gg k'_a}} = \frac{2k_a k_b[NO]^2[O_2]}{k_b[O_2]}$$

$$\overset{\text{Cancelando } k_b \text{ e } [O_2]}{=} 2k_a[NO]^2 \qquad (11.12)$$

Agora a reação é de segunda ordem em NO, e a concentração de O_2 não aparece na expressão da lei de velocidade. A explicação física é que a velocidade da reação do N_2O_2 é tão grande, devido à elevada concentração de O_2 no sistema, que o N_2O_2 reage imediatamente, tão logo é formado. Portanto, nessas condições, a velocidade de formação do NO_2 é determinada pela velocidade na qual o N_2O_2 é formado. Essa etapa é um exemplo de uma **etapa determinante da velocidade**, a etapa mais lenta de um mecanismo de reação e que controla a velocidade da reação global.

A etapa determinante da velocidade não é simplesmente a etapa mais lenta: tem de ser lenta *e* ser decisiva para a formação dos produtos. Se uma reação mais rápida também leva aos produtos, então, a etapa lenta torna-se irrelevante, pois pode ser evitada (Fig. 11.7). A etapa determinante da velocidade pode ser comparada a um cruzamento entre duas autoestradas. A velocidade global do tráfego de veículos na autoestrada é determinada pela velocidade com que os veículos passam pelo cruzamento. Se uma ponte for construída para evitar o cruzamento, esse cruzamento continua sendo a etapa mais lenta, mas não mais a determinante.

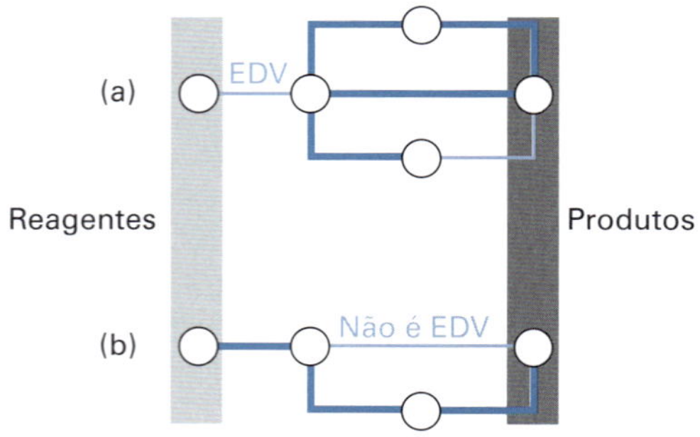

Figura 11.7 A etapa determinante da velocidade (EDV) é a etapa mais lenta de uma reação *e* constitui uma obstrução. Neste diagrama esquemático, uma reação rápida é representada por uma linha grossa (autoestrada), e uma reação lenta por uma linha fina (estrada vicinal). Um círculo representa uma substância. (a) A primeira etapa é uma etapa determinante da velocidade. (b) Embora a segunda etapa seja a mais lenta, não se trata de uma etapa determinante da velocidade, pois não constitui uma obstrução (existe um caminho mais rápido que serve como desvio).

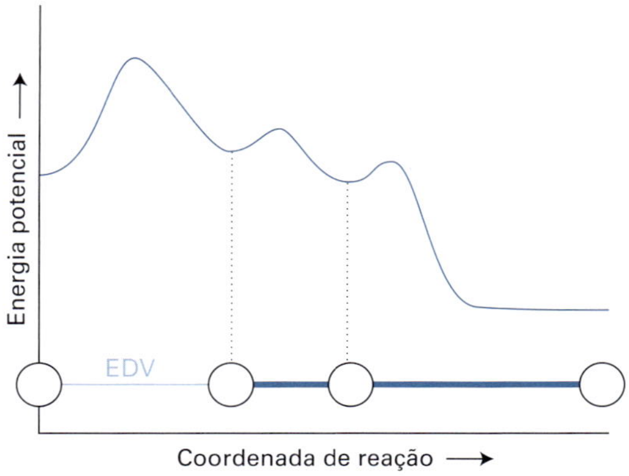

Figura 11.8 Perfil de reação para um mecanismo no qual a primeira etapa é a etapa determinante da velocidade.

A lei de velocidade de uma reação que apresenta uma etapa determinante da velocidade pode ser, em geral, escrita por inspeção. Se a primeira etapa do mecanismo for a etapa determinante da velocidade, então a velocidade da reação global será igual à da primeira etapa; todas as etapas subsequentes são tão rápidas que, tão logo o primeiro intermediário é formado, o produto é formado imediatamente após. A Figura 11.8 apresenta o perfil de reação para um mecanismo desse tipo, no qual a etapa mais lenta tem a maior energia de ativação. Após vencer a barreira inicial, os intermediários caem nos produtos.

11.8 Controle cinético

Em alguns casos os reagentes podem formar vários produtos, como na nitração do benzeno monossubstituído; nesse caso, várias proporções de produtos orto-, meta- e parassubstituídos são obtidas, dependendo do poder de orientação do substituinte original. Suponha que dois produtos, P_1 e P_2, sejam produzidos pelas seguintes reações competitivas:

$$A + B \rightarrow P_1 \quad \text{Velocidade de formação de } P_1 = k_{r,1}[A][B]$$
$$A + B \rightarrow P_2 \quad \text{Velocidade de formação de } P_2 = k_{r,2}[A][B]$$

A proporção relativa na qual os dois produtos são formados em certo estágio da reação (antes do equilíbrio ser atingido) é dada pela razão entre as duas velocidades, e, portanto, pela razão entre as duas constantes de velocidade:

$$\frac{[P_2]}{[P_1]} = \frac{k_{r,2}}{k_{r,1}} \qquad \text{Controle cinético} \qquad (11.13)$$

Esta razão representa o **controle cinético** sobre as proporções de produtos, e é uma característica comum das reações encontradas em química orgânica, em que os reagentes são escolhidos para facilitar caminhos que favoreçam a formação de um produto desejado. Se uma reação pode atingir o equilíbrio, a proporção de produtos é determinada pela termodinâmica em vez de por considerações cinéticas, e a razão entre as concentrações é controlada considerando-se as energias de Gibbs padrão de todos os reagentes e produtos.

11.9 Reações unimoleculares

Muitas reações em fase gasosa seguem uma cinética de primeira ordem, como na isomerização do ciclopropano, mencionada anteriormente. Nesse processo, uma molécula triangular retesada abre-se em um alqueno alifático:

$$\textit{ciclo}\text{-}C_3H_6 \rightarrow CH_3CH{=}CH_2 \quad v = k_r[\textit{ciclo}\text{-}C_3H_6]$$

O problema com esse tipo de reação é que a molécula do reagente adquire, a princípio, energia suficiente para reagir devido às colisões com outras moléculas. No entanto, colisões são simples eventos *bimoleculares*; logo, como podem resultar em uma lei de velocidade de primeira ordem? As reações de primeira ordem em fase gasosa são comumente denominadas 'reações unimoleculares', pois (como iremos ver a seguir) a etapa determinante da velocidade é uma reação elementar unimolecular, na qual a molécula do reagente se transforma no produto. Esse termo tem que ser usado com cuidado, no entanto, pois o mecanismo composto contém etapas bimoleculares e unimoleculares.

A primeira explicação bem-sucedida das reações unimoleculares foi proposta por Frederick Lindemann em 1921. O **mecanismo de Lindemann** (ou *mecanismo de Lindemann-Hinshelwood*) é o seguinte:

Etapa 1. Uma molécula de reagente A torna-se energeticamente excitada (representada por A*) pela colisão com outra molécula de A:

$$A + A \rightarrow A^* + A \quad \text{Velocidade de formação de } A^* = k_a[A]^2$$

Etapa 2. A molécula excitada pode perder o excesso de energia pela colisão com outra molécula de A:

$$A^* + A \rightarrow A + A \quad \text{Velocidade de desativação de } A^* = k_a'[A^*][A]$$

Etapa 3. Alternativamente, a molécula excitada pode fragmentar-se e formar o produto P. Ou seja, pode sofrer um decaimento unimolecular

$$A^* \rightarrow P \quad \text{Velocidade de formação de } P = k_b[A^*]$$
$$\text{Velocidade de consumo de } A^* = k_b[A^*]$$

Se a etapa unimolecular, Etapa 3, for suficientemente lenta para ser a etapa determinante da velocidade, a reação global apresenta uma cinética de primeira ordem, como realmente observada. É possível demonstrar analiticamente essa conclusão utilizando-se a aproximação do estado estacionário para a velocidade líquida de formação do intermediário A* e, conforme mostra a Dedução a seguir, obter

$$\text{Velocidade de formação de } P = k_r[A], \text{ com } k_r = \frac{k_a k_b}{k_a'}$$

A lei de velocidade é de primeira ordem, como pretendíamos demonstrar.

Dedução 11.4

O mecanismo de Lindemann

Inicialmente, escrevemos a expressão para a velocidade líquida de formação de A*, e tornamos essa velocidade igual a zero:

$$\text{Velocidade líquida de formação de } A^* = \underbrace{k_a[A]^2}_{\text{Formação na Etapa 1}} - \underbrace{k_a'[A^*][A]}_{\text{Perda na etapa 2}} - \underbrace{k_b[A^*]}_{\text{Perda na etapa 3}} = 0$$

e, portanto,

$$k_a[A]^2 - (k_a'[A] + k_b)[A^*] = 0$$

A solução desta equação é

$$[A^*] = \frac{k_a[A]^2}{k_b + k_a'[A]}$$

Segue que a lei de velocidade para a formação do produto é

$$\text{Velocidade de formação de } P = k_b[A^*] = \frac{k_a k_b[A]^2}{k_b + k_a'[A]}$$

Até o momento, a lei de velocidade não é de primeira ordem em A. Contudo, pode-se considerar que a velocidade de desativação de A* por colisões (A*,A) seja muito maior que a velocidade do decaimento unimolecular de A* em produto. Ou seja, supomos que o decaimento unimolecular de A* é a etapa determinante da velocidade. Por conseguinte, $k_a'[A^*][A] \gg k_b[A^*]$, ou seja, $k_a'[A] \gg k_b$. Nesse caso, podemos desprezar k_b no denominador da lei de velocidade e obter a Eq. 11.14.

Exemplo 11.2

Formulação de uma lei de velocidade

Suponha que um gás inerte M esteja presente e que domine a excitação de A, e a desativação (extinção) de A*. Proponha a lei de velocidade para a formação de produtos.

Estratégia Escreva as reações elementares que provavelmente vão ocorrer e as leis de velocidade correspondentes para os processos unimoleculares e bimoleculares. Identifique o intermediário da reação e faça com que sua velocidade líquida de formação seja igual a zero. Resolva as equações resultantes para a concentração do intermediário. Substitua essa expressão na lei de velocidade para a formação do produto. Nesse estágio, suponha que os processos que envolvem M dominem sobre todos os outros processos competitivos e, então, simplifique a lei de velocidade.

Resposta As reações elementares e suas leis de velocidade são

(a)	$A + A \rightarrow A^* + A$	Velocidade de formação de $A^* = k_a[A]^2$
(a')	$A^* + A \rightarrow A + A$	Velocidade de remoção de $A^* = k_a'[A][A^*]$
(b)	$A + M \rightarrow A^* + M$	Velocidade de formação de $A^* = k_b[A][M]$
(b')	$A^* + M \rightarrow A + M$	Velocidade de remoção de $A^* = k_b'[M][A^*]$
(c)	$A^* \rightarrow P$	Velocidade de remoção de $A^* = k_c[A^*]$
		Velocidade de formação de $P = k_c[A^*]$

O intermediário é A*, e sua velocidade líquida de formação (a soma das velocidades de formação menos a soma das velocidades de remoção; ou a + b − a' − b' − c em termos dos símbolos dados às reações elementares) é

$$k_a[A]^2 + k_b[A][M] - k_a'[A][A^*] - k_b'[M][A^*] - k_c[A^*] = 0$$

que é reescrita como

$$k_a[A]^2 + k_b[A][M] - (k_a'[A] + k_b'[M] + k_c)[A^*] = 0$$

A concentração do estado estacionário de A*, portanto, é

$$[A^*] = \frac{k_a[A]^2 + k_b[A][M]}{k_a' + k_b'[M] + k_c}$$

Sendo assim, a velocidade de formação do produto (c) é

$$\text{Velocidade de formação de P} = k_c[A^*] = k_c \times \frac{k_a[A]^2 + k_b[A][M]}{k_a' + k_b'[M] + k_c}$$

Neste ponto supomos que $k_b[A][M] >> k_a[A]^2$, e que $k_b'[M] \gg k_a' + k_c$, após o que

$$\text{Velocidade de formação de P} \approx k_c \times \frac{k_b[A][M]}{k_b'[M]} = \frac{k_b k_c}{k_b'}[A]$$

e a reação é efetivamente de primeira ordem em A.

Exercício proposto 11.4

Suponha agora que o próprio P é o mais efetivo responsável pela extinção de A* (sem M presente). Proponha a lei de velocidade.

Resposta: Velocidade de formação de P $\approx (k_a k_c/k_b)[A]^2/[P]$

Reações em solução

Vamos agora considerar especificamente as reações em solução, nas quais as moléculas dos reagentes não se movem livremente em um meio gasoso e colidem umas com as outras, mas que se contorcem ao passar por seus vizinhos, muito próximos, à medida que lacunas se abrem na estrutura.

11.10 Controle por ativação e controle por difusão

O conceito de etapa determinante da velocidade tem um papel importante nas reações em solução, levando à distinção entre 'controle por difusão' e 'controle por ativação'. Para esclarecer esse ponto, vamos supor que ocorra uma reação entre dois solutos A e B por meio do mecanismo descrito a seguir. Inicialmente, vamos admitir que A e B se desloquem para as vizinhanças uma da outra por um processo de **difusão**, ou migração pelo sistema, em uma série de pequenas etapas em direções aleatórias, e formem um **par**, AB, com uma velocidade proporcional à concentração de cada espécie:

$$A + B \rightarrow AB \quad \text{Velocidade de formação de AB} = k_{r,d}[A][B]$$

O subscrito 'd' indica que este processo é difusional. O par pode perdurar por algum tempo como resultado do **efeito gaiola**, o aprisionamento de A e B nas proximidades um do outro pela incapacidade de escaparem rapidamente através das moléculas circundantes do solvente. Contudo, o par pode se romper quando A e B tiverem a oportunidade de se difundir; por isso, devemos considerar o seguinte processo:

$$AB \rightarrow A + B \quad \text{Velocidade de desaparecimento de AB} = k_{r,d}'[AB]$$

Vamos admitir que esse processo seja de primeira ordem em AB. Competindo com o processo está a reação entre A e B enquanto existem como um par. Esse processo depende de sua capacidade de adquirir energia suficiente para reagir, energia essa que pode advir do movimento térmico das moléculas do solvente. Vamos supor que essa etapa seja de primeira ordem em AB. Se as moléculas do solvente estão envolvidas no processo, é mais acurado considerá-la como de pseudoprimeira ordem, com as moléculas do solvente em grande e constante excesso. De qualquer forma, podemos supor que a reação é

$$AB \rightarrow \text{produtos} \quad \text{Velocidade de perda reativa de AB} = k_{r,a}[AB]$$

O subscrito 'a' indica que este processo é ativado no sentido de que depende da aquisição de pelo menos um mínimo de energia por AB.

Usamos agora a aproximação do estado estacionário para estabelecer a lei de velocidade para a formação dos produtos. Como mostrado na Dedução a seguir, obtemos

$$\text{Velocidade de formação dos produtos} = k_r[A][B]$$

$$k_r = \frac{k_{r,a}k_{r,d}}{k_{r,a} + k_{r,d}'} \qquad (11.15)$$

Dedução 11.5

Controle por difusão

A velocidade líquida de formação de AB é

$$\text{Velocidade líquida de formação de AB} = k_{r,d}[A][B] - k_{r,d}'[AB] - k_{r,a}[AB]$$

No estado estacionário, esta velocidade é zero e podemos escrever

$$k_{r,d}[A][B] - k_{r,d}'[AB] - k_{r,a}[AB] = 0$$

que podemos manipular para obter [AB]:

$$[AB] = \frac{k_{r,d}[A][B]}{k_{r,a} + k_{r,d}'}$$

A velocidade de formação dos produtos (que é igual à velocidade da perda reativa de AB) é, portanto,

$$\text{Velocidade de formação dos produtos} = k_{r,a}[AB] = \frac{k_{r,a}k_{r,d}[A][B]}{k_{r,a} + k_{r,d}'}$$

que é a Eq. 11.15.

Distinguimos agora dois limites. Suponha que a velocidade de reação seja muito maior que a de separação do par. Nesse caso, $k_{r,a} \gg k_{r,d}'$, e podemos desprezar $k_{r,d}'$ no denominador da expressão para k_r na Eq. 11.15:

$$\text{Velocidade de formação dos produtos} = \frac{k_{r,a}k_{r,d}[A][B]}{k_{r,a}}$$

Dessa maneira, o $k_{r,a}$ no numerador se cancela com o do denominador restando, então,

$$\text{Velocidade de formação dos produtos} = k_{r,d}[A][B]$$

Limite controlado por difusão (11.16)

Neste **limite controlado por difusão**, a velocidade da reação é controlada pela velocidade pela qual os reagentes se difundem conjuntamente (expressa por $k_{r,d}$), pois, uma vez que tenham se encontrado, a reação é tão rápida que os reagentes certamente formarão produtos em vez de se separarem por difusão antes de reagir. Por outro lado, podemos supor que a velocidade com que o par acumula energia para reagir é tão lenta que o rompimento do par é muito mais provável. Nesse caso, podemos fazer $k_{r,a} \ll k_{r,d}'$ na expressão para k_r, e obter

$$\text{Velocidade de formação dos produtos} = \frac{k_{r,a}k_{r,d}}{k_{r,d}'}[A][B]$$

Limite controlado por ativação (11.17)

Neste **limite controlado por ativação**, a velocidade da reação depende da velocidade com a qual a energia é acumulada no par (expressa por $k_{r,a}$).

Uma lição que devemos aprender desta análise é que o conceito de etapa determinante da velocidade é muito sutil. Consequentemente, no limite controlado por difusão, a condição para que a velocidade de encontro seja a determinante da velocidade da reação não é que seja a mais lenta, mas que a velocidade de reação do par seja muito maior do que a velocidade do seu rompimento. No limite controlado por ativação, a condição para que a velocidade de acúmulo de energia seja a determinante da velocidade da reação é, semelhantemente, uma competição entre a velocidade de reação do par e a de seu rompimento; todas as três constantes controlam a velocidade global. A melhor maneira de analisar velocidades competitivas é fazer como foi feito aqui: estabelecer a lei geral de velocidade e depois verificar sua simplificação quando permitimos que determinados processos elementares dominem outros.

11.11 Difusão

A difusão desempenha um papel tão importante nos processos envolvidos nas reações em solução que precisamos examiná-la com mais detalhes. A imagem que se deve ter em mente é a de que uma molécula em um líquido fica cercada por outras moléculas, podendo se mover apenas uma fração de um diâmetro; isso talvez porque seus vizinhos se movimentem momentaneamente para os lados, antes de colidirem. O movimento molecular nos líquidos, a difusão de um reagente, por exemplo, é uma série de deslocamentos curtos, com direções incessantemente mutáveis, como pessoas em uma multidão sem direção, andando em círculos. Podemos imaginar o movimento da molécula como uma série de saltos curtos em direções aleatórias, por isso denominado um **deslocamento ao acaso**.

Se houver um gradiente de concentração inicial no líquido (por exemplo, uma solução pode ter uma alta concentração de um soluto em uma região, como quando um reagente é introduzido em uma região), então a velocidade com que as moléculas se difundem é proporcional ao gradiente de concentração, e escrevemos

Velocidade de difusão $\propto$ gradiente de concentração

Para expressar esta relação matematicamente, introduzimos o **fluxo**, J, que é o número de partículas que passam por uma seção transversal da reta imaginária num dado intervalo de tempo, dividido pela área da seção reta e pela duração do intervalo:

$$J = \frac{\text{número de partículas que passam pela seção}}{\text{área da seção} \times \text{intervalo de tempo}}$$

Definição Fluxo (11.18a)

A afirmação de que a velocidade é proporcional ao gradiente é, então, escrita como

$$J = -D \times \text{gradiente de concentração}$$

Primeira lei de Fick (11.18b)

Tabela 11.1

Coeficientes de difusão a 25 °C, $D/(10^{-9}\ m^2\ s^{-1})$

Ar em tetraclorometano	3,63
$C_{12}H_{22}O_{11}$ (sacarose) em água	0,522
CH_3OH em água	1,58
H_2O em água	2,26
NH_2CH_2COOH em água	0,0673
O_2 em tetraclorometano	3,82

em que D é uma constante de proporcionalidade. A Eq. 11.8b é a interpretação verbal da equação

$$J = -D\frac{d\mathcal{N}}{dx}$$

Primeira lei de Fick (11.18c)

em que $\mathcal{N}$ é a densidade numérica (o número de moléculas de soluto em dado volume dividido pelo volume) e $d\mathcal{N}/dx$ é o gradiente dessa densidade. A densidade numérica é proporcional à concentração molar, pois, $\mathcal{N} = N/V = nN_A/V = cN_A$, em que N_A é a constante de Avogadro. A Eq. 11.18b é chamada **primeira lei de Fick** da difusão (veja a Informação adicional 11.1 para uma dedução). O coeficiente D, que tem as dimensões de área dividida por tempo (com unidades $m^2\ s^{-1}$) é denominado **coeficiente de difusão**: se D é grande, as moléculas se difundem rapidamente. Alguns valores são dados na Tabela 11.1. O sinal negativo na Eq. 11.18b simplesmente significa que, se o gradiente de concentração é negativo (de cima para baixo e da esquerda para a direita, Figura 11.9), então o fluxo é positivo (da esquerda para a direita). Para chegar ao número de moléculas que passam por uma seção reta em dado tempo, multiplicamos o fluxo pela área da seção e pelo intervalo de tempo. Se a concentração na Eq. 11.18b é uma concentração molar, o fluxo é expresso em mols em vez de número de moléculas e $\mathcal{N}$ é substituído por c.

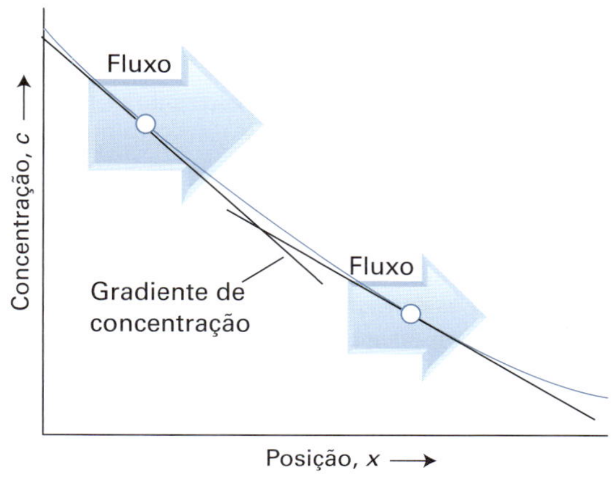

Figura 11.9 O fluxo das partículas do soluto é proporcional ao gradiente de concentração. Aqui vemos uma solução em que a concentração cai da esquerda para a direita (conforme ilustrado pela faixa sombreada e pela curva). O gradiente é negativo (descendente da esquerda para a direita) e o fluxo é positivo (para a direita). O fluxo máximo é encontrado onde o gradiente for o mais inclinado (à esquerda).

■ **Breve ilustração 11.4** Fluxo

Suponha que em uma região de uma solução aquosa de sacarose em repouso o gradiente de concentração molar de sacarose é –0,10 mol dm^{-3} cm^{-1}. Então, utilizando o valor do coeficiente de difusão da Tabela 11.1, o fluxo que surge devido a esse gradiente é

$$J = -\overbrace{(0{,}522\times10^{-9}\,\text{m}^2\,\text{s}^{-1})}^{D}\times\overbrace{(-0{,}010\text{ mol dm}^{-3}\text{ cm}^{-1})}^{dc/dx}$$

$$= 5{,}22\times1{,}0\times10^{-11}\frac{\text{m}^2\,\text{s}^{-1}\,\text{mol}}{\text{dm}^3\,\text{cm}}$$

$$= 5{,}22\times1{,}0\times10^{-11}\frac{\text{m}^2\,\text{s}^{-1}\,\text{mol}}{(10^3\,\text{m}^3)\times(10^{-2}\,\text{m})}$$

$$= 5{,}2\times10^{-6}\text{ mol m}^{-2}\,\text{s}^{-1}$$

O número de moléculas de sacarose que passam por uma seção reta de 10 cm^2 de área em 10 minutos é, portanto,

$$n = JA\Delta t = (5{,}2\times10^{-6}\text{ mol m}^{-2}\,\text{s}^{-1})\times(1{,}0\times10^{-2}\text{ m})^2 \times(10\times60\text{ s})$$
$$= 3{,}1\times10^{-7}\text{ mol}$$

A difusão de moléculas pode ser auxiliada – e geralmente muito dominada – pelo movimento do fluido como um todo (como quando um vento sopra na atmosfera e correntes fluem nos lagos). Esse movimento é chamado de **convecção**. Como a difusão é frequentemente um processo lento, aceleramos a velocidade de difusão das moléculas do soluto induzindo a convecção por meio da agitação do fluido, ligando um ventilador de extração ou confiando nos fenômenos naturais, como ventos e tempestades.

Uma das mais importantes equações da físico-química dos fluidos é a **equação da difusão**, que nos possibilita predizer a velocidade à qual a concentração de um soluto se altera numa solução não uniforme. Em essência, a equação da difusão expressa o fato de que irregularidades da concentração tendem a se dispersar. O enunciado formal (mas ainda verbal) da equação da difusão, conhecida como **segunda lei de Fick** da difusão, é

Velocidade de variação da concentração em uma região = D × (curvatura da concentração na região)

Segunda lei de Fick (11.19a)

A 'curvatura' é uma medida da irregularidade da concentração (veja a seguir). A dedução desta expressão é dada na Informação adicional 11.1, que mostra como obter esta lei a partir da primeira lei de Fick. As concentrações à esquerda e à direita desta equação podem ser numéricas ($\mathcal{N}$, moléculas m^{-3}, por exemplo) ou molares (c). A forma matemática da equação da difusão é

$$\frac{d\mathcal{N}}{dt} = D\frac{d^2\mathcal{N}}{dx^2} \qquad (11.19a)$$

Estamos interpretando a segunda derivada, $d^2\mathcal{N}/dx^2$, como uma medida da curvatura da curva de concentração c.[1]

A equação da difusão nos mostra que:

- Se a concentração for uniforme ou se o perfil de concentração tem um coeficiente angular constante não há nenhuma mudança líquida da concentração na região.

Nesse caso, a velocidade de entrada do fluxo por uma das fronteiras da região é igual à velocidade de saída pela fronteira oposta. Somente se o coeficiente angular varia em toda a região – apenas se a concentração for irregular – haverá uma variação de concentração. Então:

- Onde a curvatura é positiva (um poço, Figura 11.10), a variação da concentração é positiva: o poço tende a encher.
- Onde a curvatura é negativa (uma elevação), a variação da concentração é negativa: a elevação tende a desaparecer.

O coeficiente de difusão aumenta com a temperatura (a molécula torna-se mais móvel), pois um aumento da temperatura possibilita a uma molécula escapar mais facilmente das forças atrativas exercidas por suas vizinhas. Se admitirmos que a velocidade ($1/\tau$) do deslocamento ao acaso segue uma dependência da temperatura do tipo da equação de Arrhenius, com uma energia de ativação E_a, então o coeficiente de difusão seguirá a relação

$$D(T) = D_0 e^{-E_a/RT} \qquad (11.20)$$

A velocidade de difusão das partículas em um líquido está relacionada com a viscosidade, e devemos esperar encontrar um alto coeficiente de difusão para fluidos que têm baixa viscosidade. Isto é, podemos suspeitar que $\mathcal{N} \propto 1/D$, em que $\mathcal{N}$ é o coeficiente de viscosidade. De fato, a **relação de Einstein** mostra que

$$D = \frac{kT}{6\pi\eta a} \qquad \text{Relação de Einstein} \quad (11.21)$$

em que a é o raio da molécula. Segue que

$$\eta(T) = \eta_0 e^{E_a/RT} \qquad (11.22)$$

Observemos a mudança de sinal do expoente: a viscosidade *diminui* à medida que a temperatura aumenta. Estamos supondo que a forte dependência da temperatura do termo

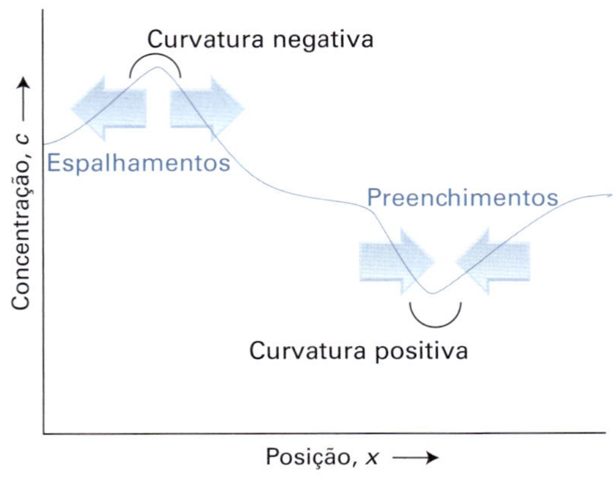

Figura 11.10 A natureza é avessa às irregularidades. A equação de difusão nos diz que os picos numa distribuição (regiões de curvatura negativa) se espalham e as depressões (regiões de curvatura positiva) são preenchidas.

[1] Como a concentração é uma função do tempo e da posição, as derivadas são, na realidade, derivadas parciais, e você geralmente a encontrará na forma $\partial\mathcal{N}/\partial t = D\partial^2\mathcal{N}/\partial x^2$ e de forma mais completa como $(\partial\mathcal{N}/\partial t)_x = D(\partial^2\mathcal{N}/\partial x^2)_t$.

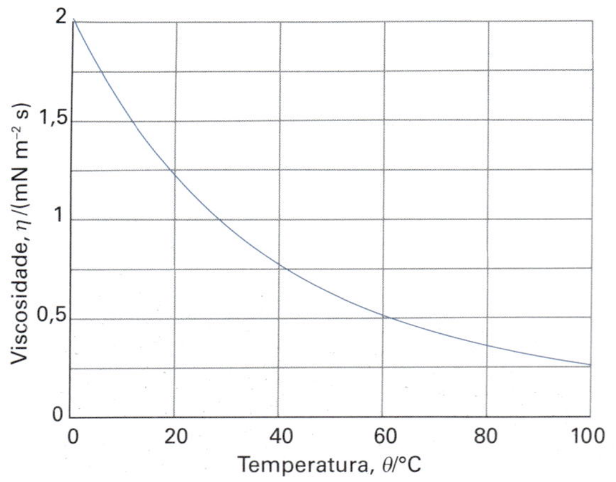

Figura 11.11 Dependência experimental da viscosidade da água em relação à temperatura. À medida que a temperatura aumenta, mais moléculas conseguem escapar dos poços de potencial fornecidos por seus vizinhos, de modo que o líquido se torna mais fluido.

exponencial domina a fraca dependência linear de T no numerador da Eq. 11.21. A dependência da temperatura descrita pela Eq. 11.22 é observada, pelo menos em faixas de temperatura razoavelmente pequenas (Fig. 11.11). As forças intermoleculares regem a magnitude da E_a, mas o problema de calculá-la é imensamente difícil e ainda não está completamente resolvido.

Exemplo 11.3

Cálculo da energia de ativação para a viscosidade

Calcule a energia de ativação para a viscosidade da água, a partir do gráfico da Figura 11.11, utilizando as viscosidades a 40 °C (para maior precisão, as tabelas dão este valor como 0,785 mN m^{-2} s) e 80 °C (0,416 mN m^{-2} s).

Estratégia Use uma equação como a Eq. 11.22 para formular uma expressão para o logaritmo da razão entre as duas viscosidades, … depois, solucione com relação à energia de ativação E_a.

…sposta Ao tomarmos o logaritmo de ambos os lados da Eq. …22 e utilizarmos as regras das Ferramentas do químico 2.2, …emos

$$\ldots\eta(T) \overset{\ln xy=\ln x+\ln y}{=} \ln\eta_0 + \ln(e^{E_a/RT}) \overset{\ln e^x = x}{=} \ln\eta_0 + \frac{E_a}{RT}$$

…o, a diferença entre duas expressões dessas, às tempera… … e T_2, é

$$\ldots \ln\eta(T_1) = \left(\ln\eta_0 + \frac{E_a}{RT_2}\right) - \left(\ln\eta_0 + \frac{E_a}{RT_1}\right)$$

$$= \frac{E_a}{RT_2} - \frac{E_a}{RT_1} = \frac{E_a}{R}\left(\frac{1}{T_2} - \frac{1}{T_1}\right)$$

$$\ldots \overset{\ln x - \ln y = \ln(x/y)}{=} \frac{R}{1/T_2 - 1/T_1}\ln\frac{\eta(T_2)}{\eta(T_1)}$$

Neste ponto inserimos os d… gráfico, observando que 40 °C correspondem a 313 K e 80 … ndem a 353 K. Com η(313 K) = 0,785 nM m^{-2} s e η(353 K… m^{-2} s, vemos que

$$E_a = \frac{8{,}3145\ \text{J K}^{-1}\ \text{mol}^{-1}}{(1/353\ \text{K}) - (1/313\ \text{K})}\ln\frac{0{,}\ldots}{0{,}7\ldots}$$

$$= \frac{8{,}3145\ \text{J mol}^{-1}}{(1/353) - (1/313)}\ln\frac{0{,}416}{0{,}785}$$

$$= 1{,}46 \times 10^4\ \text{J mol}^{-1}$$

ou 14,6 kJ mol^{-1}.

Exercício proposto 11.5

A energia de ativação depende da temperatura? Ca… as viscosidades a 80 °C e 100 °C (0,416 nM m^{-2} e 0,…

Resposta: 12,…

Podemos agora voltar ao contexto da cinética de reação. Uma análise detalhada das velocidades de difusão de moléculas em líquidos mostra que a constante de velocidade $k_{r,d}$ está relacionada com o **coeficiente de viscosidade,** η (eta), do meio por

$$k_{r,d} = \frac{8RT}{3\eta} \qquad (11.23)$$

Vemos que quanto maior for a viscosidade, menor é a constante de velocidade de difusão e, portanto, menor a velocidade de uma reação controlada por difusão.

■ **Breve ilustração 11.5** A constante de velocidade controlada por difusão

Com relação à reação controlada por difusão em água, para a qual $\eta = 8{,}9 \times 10^{-4}$ kg m^{-1} s^{-1} a 25 °C, obtemos

$$k_{r,d} = \frac{8 \times (8{,}3145\ \text{J K}^{-1}\ \text{mol}^{-1}) \times (298\ \text{K})}{3 \times (8{,}9 \times 10^{-4}\ \text{kg m}^{-1}\ \text{s}^{-1})}$$

$$= \frac{8 \times 8{,}3145 \times 298}{3 \times 8{,}9 \times 10^{-4}} \frac{\overbrace{\text{J}}^{\text{kg m}^2\ \text{s}^{-2}}\ \text{mol}^{-1}}{\text{kg m}^{-1}\ \text{s}^{-1}}$$

$$= 7{,}4 \times 10^6 \frac{\text{kg m}^2\ \text{s}^{-2}\ \text{mol}^{-1}}{\text{kg m}^{-1}\ \text{s}^{-1}}$$

$$= 7{,}4 \times 10^6\ \text{m}^3\ \text{s}^{-1}\ \text{mol}^{-1}$$

Sendo 1 m^3 = 10^3 dm^3, esse resultado pode ser escrito como $k_{r,d} = 7{,}4 \times 10^9$ dm^3 mol^{-1} s^{-1}. Essa é uma estimativa útil de se lembrar para reações deste tipo.

Catálise homogênea

Um **catalisador** é uma substância que aumenta a velocidade da reação, mas que não sofre nenhuma mudança química. O catalisador diminui a energia de ativação da reação fornecendo um caminho alternativo que evita a etapa lenta, que é determinante da velocidade da reação não catalisada (Fig. 11.12). Os catalisadores podem ser muito eficientes. Por exemplo, a energia de ativação da decomposição do peróxido

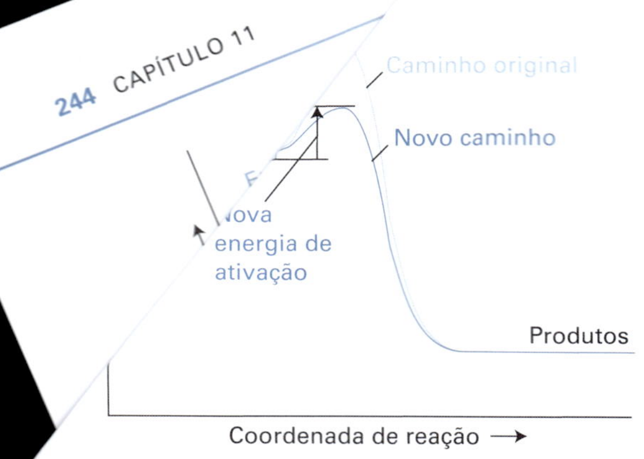

Figura 11.12 Um catalisador fornece um novo caminho de reação entre os reagentes e produtos, com uma energia de ativação mais baixa que a do caminho original.

de hidrogênio em solução é 76 kJ mol^{-1}, e a reação é lenta à temperatura ambiente. Com a adição de um pouco de íon iodeto ao sistema, a energia de ativação cai para 57 kJ mol^{-1} e a constante de velocidade aumenta por um fator de 2000. As **enzimas**, catalisadores biológicos, são muito específicas e proporcionam efeitos notáveis nas reações que controlam. Por exemplo, a enzima catalase reduz a energia de ativação para a decomposição do peróxido de hidrogênio a 8 kJ mol^{-1}, acelerando a reação por um fator de 10^{15} a 298 K.

Um **catalisador homogêneo** é aquele que está na mesma fase da mistura reacional. Por exemplo, a decomposição do peróxido de hidrogênio em solução aquosa é catalisada por íons brometo ou pela catalase. Um **catalisador heterogêneo** está numa fase diferente daquela da mistura reacional. A hidrogenação do eteno a etano, por exemplo, é uma reação em fase gasosa acelerada pela presença de um catalisador sólido, como paládio, platina ou níquel. O metal fornece uma superfície sobre a qual os reagentes se ligam; essas ligações facilitam os encontros entre os reagentes e aumentam a velocidade da reação. Iremos ver a catálise heterogênea no Capítulo 18, e neste capítulo estudaremos somente a catálise homogênea.

11.12 Catálise ácida e básica

Na **catálise ácida**, a etapa central é a da transferência de um próton para o substrato:

$$X + HA \rightarrow HX^+ + A^- \qquad HX^+ \rightarrow \text{produtos}$$

A catálise ácida é o processo primário no tautomerismo cetoenólico:

$$CH_3COCH_2CH_3 \xrightarrow{H^+} CH_3C(OH){=}CHCH_3$$

Na **catálise básica**, um próton é transferido do substrato para uma base:

$$HX + B \rightarrow X^- + HB^+$$

Um exemplo é a hidrogenação dos ésteres:

$$CH_3COOCH_2CH_3 + H_2O \xrightarrow{OH^-} CH_3COOH\ (\text{como } CH_3CO_2^-) + CH_3CH_2OH$$

11.13 Enzimas

Uma das primeiras descrições da ação das enzimas é o **mecanismo de Michaelis-Menten.** O mecanismo proposto, que considera todas as espécies em um meio aquoso, é descrito a seguir.

Etapa 1 Formação bimolecular de uma combinação, ES, da enzima E com o substrato S:

$$E + S \rightarrow ES \quad \text{Velocidade de formação de ES} = k_a[E][S]$$

Etapa 2 Decomposição unimolecular do complexo:

$$E + S \rightarrow S \quad \text{Velocidade de decomposição de ES} = k_a'[E][S]$$

Etapa 3 Formação unimolecular do produto P, com a liberação da enzima de sua combinação com o substrato:

$$ES + P \rightarrow E \quad \text{Velocidade de formação de P} = k_b[ES]$$
$$\text{Velocidade de consumo de ES} = k_b[ES]$$

Como mostrado na Dedução a seguir, a lei de velocidade para a velocidade de formação do produto em termos da concentração da enzima e do substrato é dada por

$$\text{Velocidade de formação de P} = k_r[E]_0,$$

$$\text{com } k_r = \frac{k_b[S]}{[S]+K_M} \qquad \text{Lei da velocidade de Michaelis-Menten} \qquad (11.24)$$

em que a **constante de Michaelis**, K_M (que tem as dimensões de uma concentração), é dada por

$$K_M = \frac{k_a' + k_b}{k_a} \qquad \text{Constante de Michaelis} \qquad (11.2$$

e $[E]_0$ é a concentração total da enzima (ligada e não lig

Dedução 11.6

A lei de velocidade de Michaelis-Menten

O produto é formado (irreversivelmente) na Etapa podemos então escrever

$$\text{Velocidade de formação de P} = k_b[ES]$$

Para calcularmos a concentração [ES] es para a velocidade líquida de formação d que é formado na Etapa 1 e consumid igualamos a velocidade líquida a zero

Velocidade líquida de formação de ES

e, portanto,

$$k_a[E][S] - (k_a' + k_b)[ES] = 0$$

Segue que

$$[ES] = \frac{k_a[E][S]}{k_a' + k_b}$$

No entanto, [E] e [S substrato *livre*, resp

da enzima, então $[E] + [ES] = [E]_0$ e podemos substituir [E] nesta expressão por $[E]_0 - [ES]$. Portanto,

$$[ES] = \frac{k_a([E]_0 - [ES])[S]}{k'_a + k_b}$$

A multiplicação por $k'_a + k_b$ dá inicialmente

$$k'_a[ES] + k_b[ES] = k_a[E]_0[S] - k_a[ES][S]$$

e então

$$(k'_a + k_b + k_a[S])[ES] = k_a[E]_0[S]$$

A divisão por k_a leva essa expressão a

$$\left(\overbrace{\frac{k'_a + k_b}{k_a}}^{K_M} + [S]\right)[ES] = [E]_0[S]$$

Reconhecemos que o primeiro termo entre parênteses é K_M. Dessa maneira, a expressão pode ser reescrita primeiro como

$$(K_M + [S])[ES] = [E]_0[S]$$

e, então, como

$$[ES] = \frac{k_a[E]_0[S]}{[S] + K_M}$$

Segue da primeira equação dessa dedução que a velocidade de formação do produto é dada pela Eq. 11.24.

De acordo com a Eq. 11.24, a velocidade da enzimólise é de primeira ordem na concentração da enzima, porém, a constante de velocidade efetiva k_r depende da concentração do substrato. Podemos inferir da Eq. 11.24 que:

- Quando $[S] \ll K_M$, a constante de velocidade efetiva fica igual a $k_b[S]/K_M$. Assim, a velocidade aumenta linearmente com [S] em baixas concentrações.
- Quando $[S] \gg K_M$, a constante de velocidade específica torna-se igual a k_b, e a lei de velocidade dada pela Eq. 11.24 reduz-se a

$$\text{Velocidade de formação de P} = k_b[E]_0 \qquad (11.26)$$

Quando $[S] \gg K_M$ a velocidade é independente da concentração de S, pois a quantidade do substrato é tão grande que sua concentração permanece praticamente constante, embora o produto esteja sendo formado. Nessas condições, a velocidade de formação de produto é máxima, e $k_b[E]_0$ é chamada de **velocidade máxima**, $v_{máx}$, da enzimólise:

$$v_{máx} = k_b[E]_0 \qquad \text{Definição} \quad \text{Velocidade máxima} \qquad (11.27)$$

A etapa determinante da velocidade é a Etapa 3, pois existe uma grande quantidade de ES presente (já que S está presente em grande abundância). A velocidade fica determinada pela velocidade com que ES reage formando o produto.

Segue das Eqs. 11.24 e 11.27 que a velocidade da reação v, em uma composição qualquer de substrato, está relacionada com a velocidade máxima pela expressão

$$v = k_b\frac{[S][E]_0}{[S] + K_M} = \frac{[S]}{[S] + K_M}v_{máx} \qquad (11.28)$$

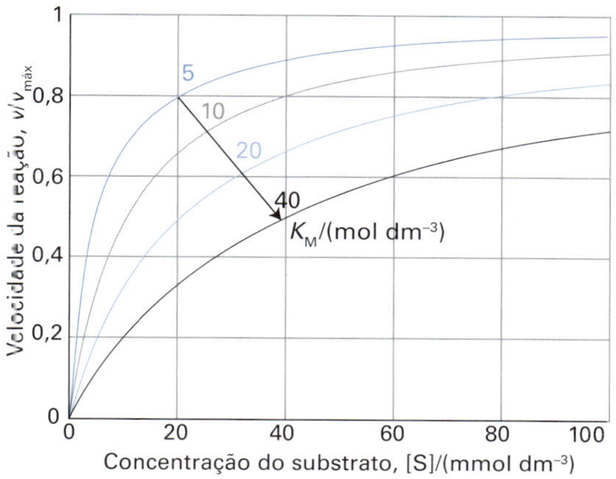

Figura 11.13 Variação da velocidade de uma reação catalisada por enzima em função da concentração do substrato, de acordo com o modelo de Michaelis-Menten. Quando $[S] \ll K_M$, a velocidade é proporcional a [S]; quando $[S] \gg K_M$, a velocidade é independente de [S].

Essa expressão está representada na Figura 11.13. A curva fornece uma indicação do significado de K_M, pois vemos que (e como a Eq. 11.28 mostra) a velocidade de enzimólise chega a $\frac{1}{2}v_{máx}$, quando $[S] = K_M$; portanto, de forma geral, K_M é uma medida da concentração do substrato na qual e acima da qual a enzima é efetiva.

A Eq. 11.28 é a base da análise de dados de cinética enzimática pela utilização do **gráfico de Lineweaver-Burk.** Nesse gráfico, é representado $1/v$ (o inverso da velocidade da reação) contra $1/[S]$ (o inverso da concentração do substrato). Invertendo-se ambos os lados da Eq. 11.28, obtém-se

$$\frac{1}{v} = \left(\frac{[S] + K_M}{[S]}\right)\frac{1}{v_{máx}} = \left(1 + \frac{K_M}{[S]}\right)\frac{1}{v_{máx}}$$

$$= \frac{1}{v_{máx}} + \left(\frac{K_M}{v_{máx}}\right)\frac{1}{[S]} \qquad (11.29a)$$

Como essa expressão tem a forma $y = b + mx$,

$$\overbrace{\frac{1}{v}}^{y} = \overbrace{\frac{1}{v_{máx}}}^{b} + \overbrace{\left(\frac{K_M}{v_{máx}}\right)}^{m}\overbrace{\frac{1}{[S]}}^{x} \qquad \text{Gráfico de Lineweaver-Burk} \qquad (11.29b)$$

com $y = 1/v$ e $x = 1/[S]$, quando representamos graficamente $1/v$ *versus* $1/[S]$ devemos obter uma reta. O coeficiente angular dessa reta é $K_M/v_{máx}$ e o coeficiente linear, obtido pela extrapolação da reta para $1/[S] = 0$, é igual a $1/v_{máx}$ (Fig. 11.14) Portanto, o coeficiente linear pode ser usado para determinar-se $v_{máx}$. Por conseguinte, esse valor combinado com o coeficiente angular pode ser utilizado para a determinação de K_M. Por outro lado, pode-se observar que a interseção da reta extrapolada com o eixo das abscissas ($1/v = 0$) ocorre em $1/[S] = -1/K_M$.

Podemos calcular parâmetros adicionais a partir daqueles obtidos de um gráfico de Lineweaver-Burk que nos permitem comparar as propriedades catalíticas de diferentes enzimas. A **velocidade específica máxima** ou **constante catalítica** de uma enzima, k_{cat}, é o número de ciclos catalíticos (número de *tur-*

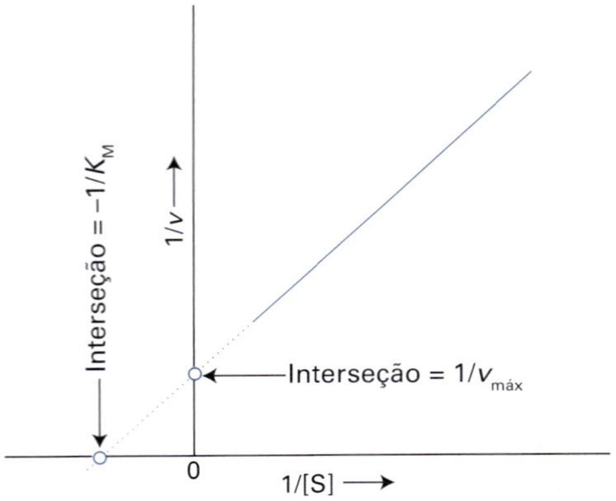

Figura 11.14 O gráfico de Lineweaver-Burk é utilizado para a análise de dados de cinética enzimática, de reações catalisadas por enzimas. O inverso da velocidade de formação de produtos ($1/v$) é representado contra o inverso da concentração de substrato ($1/[S]$). Todos os pontos experimentais (que, em geral, se localizam na região escura da reta) correspondem a uma mesma concentração total de enzima, $[E]_0$. A interseção da reta extrapolada (pontilhada) com o eixo horizontal é utilizada para a determinação da constante de Michaelis, K_M. A interseção com o eixo vertical é usada para a determinação de $v_{máx} = k_b[E]_0$ e, portanto, k_b. O coeficiente angular também pode ser utilizado, pois é igual a $K_M/v_{máx}$.

novers) realizados pelo sítio ativo em um dado tempo dividido por esse intervalo de tempo:

$$k_{cat} = \frac{\text{número de ciclos catalíticos}}{\text{intervalo de tempo}}$$

Definição Velocidade específica máxima (11.30)

A constante de tempo para a decomposição de primeira ordem de ES é $1/k_b$. Sendo assim, o número de eventos catalíticos em um intervalo Δt é $\Delta t/(1/k_b) = k_b\Delta t$. A frequência desses eventos é, portanto, esse número dividido pelo intervalo Δt, que é o próprio k_b. Isto é, $k_{cat} = k_b$ (tendo uma forma mais complicada para esquemas de reação mais complexos). Da identificação de k_{cat} com k_b e da Eq. 11.27, temos que:

$$k_{cat} = k_b = \frac{v_{máx}}{[E]_0} \quad (11.31)$$

Portanto, uma interpretação alternativa de k_{cat} é a de uma medida da efetividade de um sítio ativo, já que é a velocidade máxima de enzimólise que pode ser obtida pela divisão da concentração de sítios ativos.

A **eficiência catalítica**, η (eta), de uma enzima é a razão

$$\eta = \frac{k_{cat}}{K_M}$$

Definição Eficiência catalítica (11.32)

Essa relação provém do fato de que k_{cat} é uma medida da efetividade de uma enzima e de que K_M é uma medida da concentração na qual a enzima se torna efetiva. Quanto maior o valor de η, mais eficiente é a enzima. Podemos imaginar a eficiência catalítica como sendo a constante de velocidade efetiva da reação enzimática. De $K_M = (k'_a + k_b)/k_a$ e da Eq. 11.32, temos que:

$$\eta = \frac{\overbrace{k_b}^{k_{cat}}}{\underbrace{(k'_a + k_b)/K_a}_{K_M}} = \frac{k_a k_b}{k'_a + k_b} \quad (11.33)$$

A eficiência atinge o valor máximo de k_a, quando $k_b \gg k'_a$. Como k_a é a constante de velocidade de formação de um complexo a partir de duas espécies que se difundem livremente em solução, a eficiência máxima está relacionada com a velocidade máxima de difusão de E e S em solução, como foi visto na Seção 11.11. Nesse limite, as constantes de velocidade são da ordem de 10^8–10^9 dm³ mol⁻¹ s⁻¹ para moléculas tão grandes quanto enzimas à temperatura ambiente. A enzima catalase tem $\eta = 4{,}0 \times 10^8$ dm^3 mol^{-1} s^{-1} e diz-se que atingiu a 'perfeição catalítica', no sentido de que a velocidade da reação que catalisa é controlada somente por difusão: essa enzima atua tão logo o substrato faz contato.

Exemplo 11.4

Determinação da eficiência catalítica de uma enzima

A enzima anidrase carbônica catalisa a hidratação do CO_2 nas células vermelhas do sangue para produzir íon bicarbonato (hidrogenocarbonato):

$$CO_2(g) + H_2O(l) \rightarrow HCO_3^-(aq) + H^+(aq)$$

Os seguintes dados foram obtidos para a reação em pH = 7,1, a 273,5 K e com uma concentração da enzima de 2,3 nmol dm^{-3}:

$[CO_2]$/(mmol dm^{-3})	1,25	2,5
v/(mmol dm^{-3} s^{-1})	$2{,}78 \times 10^{-2}$	$5{,}00 \times 10^{-2}$
$[CO_2]$/(mmol dm^{-3})	5	20
v/(mmol dm^{-3} s^{-1})	$8{,}33 \times 10^{-2}$	1.67×10^{-1}

Determine a eficiência catalítica da anidrase carbônica a 273,5 K.

Estratégia Prepara-se um gráfico de Lineweaver-Burk montando uma tabela de $1/[S]$ e $1/v$. A interseção em $1/[S] = 0$ é $v_{máx}$ e o coeficiente angular da reta que passa pelos pontos é $K_M/v_{máx}$. Por isso, K_M é obtido dividindo-se o coeficiente angular pela interseção. Sabendo-se a concentração da enzima, calcula-se k_{cat} pela Eq. 11.31 e a eficiência catalítica pela Eq. 11.32.

Solução Construímos a seguinte tabela:

$1/([CO_2]$/(mmol dm^{-3})	0,8	0,4	0,2	0,05
$1/(v$/(mmol dm^{-3} s^{-1})	36	20	12	5,99

Os dados estão representados na Figura 11.15. Um ajuste pelos mínimos quadrados dá uma interseção com o eixo y de 4,00 e coeficiente angular de 40,0. Logo,

$$v_{máx}/(\text{mmol dm}^{-3}\ \text{s}^{-1}) = \frac{1}{\text{interseção}} = \frac{1}{4{,}00} = 0{,}250$$

e

$$K_M/(\text{mmol dm}^{-3}) = \frac{\text{coeficiente angular}}{\text{interseção}} = \frac{40{,}0}{4{,}00} = 10{,}0$$

Segue que

$$k_{cat} = \frac{v_{máx}}{[E]_0} = \frac{2{,}5 \times 10^{-4}\ \text{mol dm}^{-3}\ \text{s}^{-1}}{2{,}3 \times 10^{-9}\ \text{mol dm}^{-3}} = 1{,}1 \times 10^5\ \text{s}^{-1}$$

e

$$\eta = \frac{k_{cat}}{K_M} = \frac{1{,}1 \times 10^5\ \text{s}^{-1}}{1{,}0 \times 10^{-2}\ \text{mol dm}^{-3}} = 1{,}1 \times 10^7\ \text{dm}^3\ \text{mol}^{-1}\ \text{s}^{-1}$$

Uma nota sobre a boa prática O coeficiente angular e a interseção estão sem unidades: Veja Ferramentas do químico 1.1.

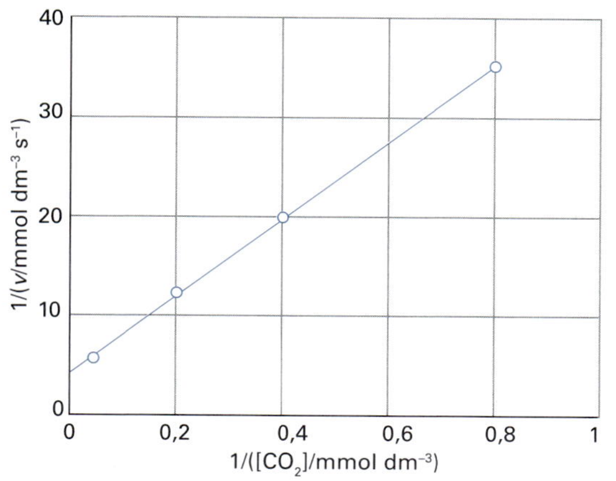

Figura 11.15 Gráfico de Linewaver-Burk para os dados do Exemplo 11.4.

Exercício proposto 11.6

A enzima α-quimotripsina é produzida pelo pâncreas de mamíferos e quebra ligações peptídicas feitas entre certos aminoácidos. Várias soluções contendo o peptídeo *N*-glutaril-L-fenilalanina-*p*-nitroanilida em diversas concentrações foram preparadas e a mesma quantidade de α-quimotripsina foi adicionada a cada uma das concentrações. Os dados a seguir foram obtidos nas velocidades iniciais de formação do produto:

[S]/(mmol dm^{-3})	0,334	0,450	0,667	1,00	1,33	1,67
v/(mmol dm^{-3} s^{-1})	0,152	0,201	0,269	0,417	0,505	0,667

Determine a velocidade máxima e a constante de Michaelis para a reação.

Resposta: $v_{máx}$ = 2,80 mmol dm^{-3} s^{-1}, K_M = 5,89 mmol dm^{-3}

A ação de uma enzima pode ser parcialmente suprimida devido à presença de uma substância estranha, chamada de **inibidor.** Um inibidor pode ser um veneno ingerido pelo organismo, ou uma substância que esteja presente naturalmente na célula e que faça parte de um mecanismo regulador. Na **inibição competitiva,** o inibidor compete pelo sítio ativo, reduzindo, desse modo, a capacidade da enzima de se ligar ao substrato (Fig. 11.16). Na **inibição não competitiva,** o inibidor se liga a outra parte da molécula da enzima, distorcendo-a e diminuindo a sua capacidade de se ligar ao substrato (Fig. 11.17).

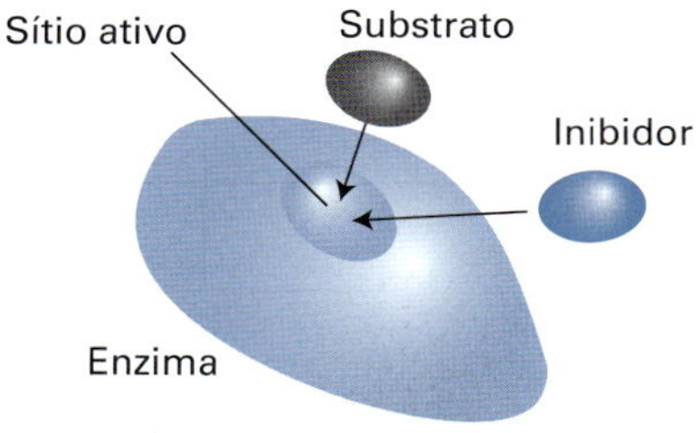

Figura 11.16 Na inibição competitiva, tanto o substrato quanto o inibidor competem pelo sítio ativo. A reação ocorre somente quando o substrato consegue ligar-se ao sítio ativo.

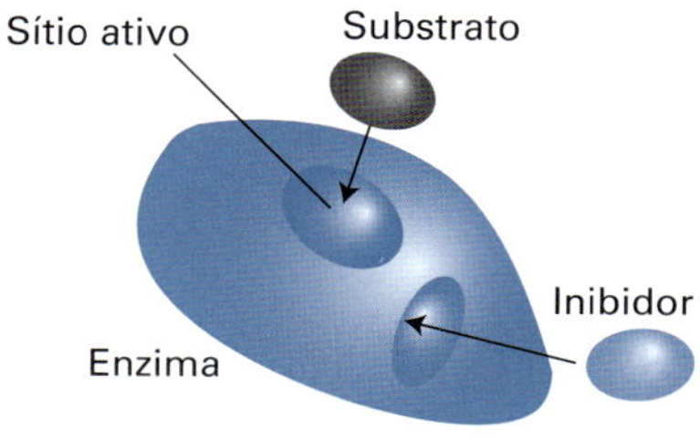

Figura 11.17 Um tipo de inibição não competitiva é aquela em que o substrato e o inibidor ligam-se, em sítios distantes, à molécula da enzima e o complexo no qual ambos estão ligados (IES) não leva à formação do produto.

Reações em cadeia

Muitas reações em fase gasosa e reações de polimerização em fase líquida são **reações em cadeia.** Nessas reações, um intermediário produzido em dada etapa produz, por sua vez, um intermediário na etapa subsequente, e esse, por sua vez, gera outro intermediário, e assim sucessivamente.

11.14 A estrutura das reações em cadeia

Os intermediários responsáveis pela propagação de uma cadeia são os **propagadores da cadeia.** Em uma **reação em cadeia com radicais,** os propagadores da cadeia são radicais. Íons também podem propagar cadeias e na fissão nuclear os propagadores da cadeia são os nêutrons. Vamos nos concentrar nos radicais como propagadores da cadeia e, quando julgarmos ser útil, vamos marcá-los com um ponto (como em $\cdot CH_3$) para simbolizar o elétron desemparelhado.

Uma reação em cadeia com radicais geralmente envolve algumas das etapas vistas a seguir, mas não necessariamente todas elas:

- **Iniciação,** em que os radicais são formados a partir de moléculas não radicais.
- **Propagação,** em que um radical ataca uma molécula, formando um novo radical.
- **Ramificação,** em que o ataque por um radical produz dois radicais.
- **Retardação,** em que uma molécula produto é destruída por um radical.
- **Inibição,** em que os radicais são removidos de forma diferente de terminação, talvez pela reação com as paredes do vaso de reação ou um agente adicionado.
- **Terminação,** em que dois radicais se combinam formando uma molécula e, dessa maneira, terminam a cadeia.

■ **Breve ilustração 11.6** Reações em cadeia

Em uma etapa de iniciação, radicais CH_3 são formados pela dissociação de moléculas de CH_3CH_3, ou como resultado de fortes colisões intermoleculares em uma reação de termólise ou como resultado da absorção de um fóton em uma reação de fotólise. Os radicais atacam outras moléculas reagentes nas etapas de propagação, como em $\cdot CH_3 + CH_3CH_3 \rightarrow CH_4 + \cdot CH_2CH_3$. Uma etapa de terminação poderia ser a combinação de dois radicais, como em $CH_3CH_2\cdot + \cdot CH_2CH_3 \rightarrow CH_3CH_2CH_2CH_3$. Ocorreria a inibição se um radical $\cdot CH_2CH_3$ tivesse de reagir com a parede do vaso de reação e ser removido da fase gasosa. Se o produto fosse o $CH_3CH_2CH_2CH_3$, então uma etapa de retardação poderia ser o evento de extração de átomos $CH_3CH_2CH_2CH_3 + \cdot CH_2CH_3 \rightarrow \cdot CH_2CH_2CH_2CH_3 + CH_3CH_3$.

Exercício proposto 11.7

Identifique o tipo de etapa no processo $\cdot O\cdot + H_2O \rightarrow HO\cdot + HO\cdot$.

Resposta: Ramificação

A molécula de NO tem um elétron desemparelhado, e é um inibidor muito eficiente de reações em cadeia. Quando se observa a extinção de uma reação em fase gasosa pela introdução do NO, tem-se boa indicação de a reação avançar por um mecanismo de cadeia de radicais.

11.15 As leis de velocidade das reações em cadeia

Uma reação em cadeia leva frequentemente (mas nem sempre) a uma lei de velocidade complicada. Como primeiro exemplo, considere a reação térmica entre o H_2 e o Br_2. A reação global e a lei de velocidade empírica são

$$H_2(g) + Br_2(g) \rightarrow 2\,HBr(g)$$

$$\text{Velocidade de formação do HBr} = \frac{k_{r1}[H_2][Br_2]^{3/2}}{[Br_2] + k_{r2}[HBr]} \quad (11.34)$$

A complexidade da lei de velocidade sugere que o mecanismo da reação é complicado. O seguinte mecanismo em cadeia envolvendo radicais foi proposto:

Etapa 1 Iniciação: $Br_2 \rightarrow Br\cdot + Br\cdot$

Velocidade de consumo do $Br_2 = k_a[Br_2]$

Etapa 2 Propagação:

$Br\cdot + H_2 \rightarrow HBr + H\cdot \quad v = k_b[Br][H_2]$

$H\cdot + Br_2 \rightarrow HBr + Br\cdot \quad v = k_c[H][Br_2]$

Nessa e nas etapas seguintes, a 'velocidade' v indica a velocidade de formação de um dos produtos ou a velocidade de consumo de um dos reagentes.

Etapa 3 Retardação:

$H\cdot + HBr \rightarrow H_2 + Br\cdot \quad v = k_d[H][HBr]$

Etapa 4 Terminação

$Br\cdot + \cdot Br + M \rightarrow Br_2 + M \quad v = k_e[Br]^2$

O 'terceiro corpo', M, uma molécula de um gás inerte, remove a energia de recombinação; a concentração constante de M foi absorvida na constante de velocidade k_d. Outras etapas de terminação possíveis incluem a recombinação de átomos de H para formar H_2 e a combinação de átomos de H e de Br; contudo, apenas a recombinação dos átomos de Br é importante.

Conforme mostramos na Dedução a seguir, esse mecanismo resulta na lei de velocidade da forma observada com a constante de velocidade empírica relacionada com as constantes de velocidade individuais como segue:

$$k_{r1} = 2k_b\left(\frac{k_a}{k_c}\right)^{1/2} \qquad k_{r2} = \frac{k_d}{k_c} \quad (11.35)$$

Concluímos então que o mecanismo proposto é, pelo menos, consistente com a lei de velocidade observada. Comprovação adicional desse mecanismo viria da detecção dos intermediários propostos (pela espectroscopia) e da medição das constantes de velocidade individuais das etapas elementares, confirmando que reproduzem corretamente as constantes de velocidade compostas observadas.

Dedução 11.7

A lei de velocidade de uma reação em cadeia

A lei de velocidade experimental é expressa em termos da velocidade de formação do produto, HBr; logo, começamos escrevendo uma expressão para a sua velocidade líquida de formação. Como o HBr é formado na Etapa 2 (em ambas as reações) e consumido na Etapa 3,

Velocidade líquida de formação do HBr

$$= k_b[Br][H_2] + k_c[H][Br_2] - k_d[H][HBr]$$

Para prosseguir, precisamos agora de expressões para as concentrações dos intermediários Br e H. Por conseguinte, estabelecemos as expressões para as suas velocidades líquidas de formação e aplicamos a aproximação do estado permanente a ambos os intermediários:

Velocidade líquida de formação do H

$$= k_b[Br][H_2] - k_c[H][Br_2] - k_d[H][HBr] = 0$$

Velocidade líquida de formação do Br

$$= 2k_a[Br_2] - k_b[Br][H_2] + k_c[H][Br_2] + k_d[H][HBr] - 2k_e[Br]^2 = 0$$

As concentrações dos dois intermediários no estado estacionário são obtidas resolvendo-se estas duas equações, e são

$$[Br] = \left(\frac{k_a[Br_2]}{k_e}\right)^{1/2} \qquad [H] = \frac{k_b(k_a/k_c)^{1/2}[H_2][Br_2]^{3/2}}{k_c[Br_2] + k_d[HBr]}$$

Quando substituímos essas concentrações na equação da velocidade de formação do HBr, obtemos

$$\text{Velocidade de formação do HBr} = \frac{\overbrace{2k_b(k_a/k_c)^{1/2}}^{k_{r1}}[H_2][Br_2]^{3/2}}{[Br_2] + \underbrace{(k_d/k_c)}_{k_{r2}}[HBr]}$$

Essa equação tem a mesma forma da lei empírica de velocidade, e podemos identificar as duas constantes de velocidade empíricas como mostrado na Eq. 11.35.

Informação adicional 11.1

Leis de Fick da difusão

1. Primeira lei de Fick da difusão

Consideremos arranjo da Figura 11.18. Vamos supor que em um intervalo de tempo Δt o número de moléculas que passam pela seção de área A vindas da esquerda é proporcional ao número de moléculas contidas em uma camada de espessura l e área A e, portanto, de volume lA, imediatamente à esquerda da seção considerada, cuja concentração (numérica) média é $\mathcal{N}(x - {}^1\!/\!_2 l)$, e ao tamanho do intervalo Δt:

$$\text{Número de partículas que vêm da esquerda} \propto \mathcal{N}(x - {}^1\!/\!_2 l)lA\Delta t$$

Da mesma forma, o número de moléculas que vêm da direita no mesmo intervalo é

$$\text{Número de partículas que vêm da direita} \propto \mathcal{N}(x + {}^1\!/\!_2 l)lA\Delta t$$

O fluxo líquido é, portanto, a diferença entre esses dois números dividida pela área e pelo intervalo de tempo:

$$J \propto \frac{\mathcal{N}(x - \frac{1}{2}l)lA\Delta t - \mathcal{N}(x + \frac{1}{2}l)lA}{A\Delta t}$$

$$\overset{\text{Cancelando } A\Delta t}{\propto} \{\mathcal{N}(x - \tfrac{1}{2}l) - \mathcal{N}(x + \tfrac{1}{2}l)\}l$$

Podemos agora expressar as duas concentrações em termos da concentração da própria seção, $\mathcal{N}(x)$ e do gradiente de concentração, $\Delta\mathcal{N}/\Delta x$, como se segue:

$$\mathcal{N}(x + \tfrac{1}{2}l) = \mathcal{N}(x) + \tfrac{1}{2}l\frac{\Delta\mathcal{N}}{\Delta x} \qquad \mathcal{N}(x - \tfrac{1}{2}l) = \mathcal{N}(x) - \tfrac{1}{2}l\frac{\Delta\mathcal{N}}{\Delta x}$$

Do resultado anterior, segue-se que

$$J \propto \left\{\left(\mathcal{N}(x) - \tfrac{1}{2}l\frac{\Delta\mathcal{N}}{\Delta x}\right) - \left(\mathcal{N}(x) + \tfrac{1}{2}l\frac{\Delta\mathcal{N}}{\Delta x}\right)\right\}l \propto -l^2\frac{\Delta\mathcal{N}}{\Delta x}$$

Escrevendo-se a constante de proporcionalidade como D (e absorvendo nessa constante o termo l^2), obtém-se a Eq. 11.18.

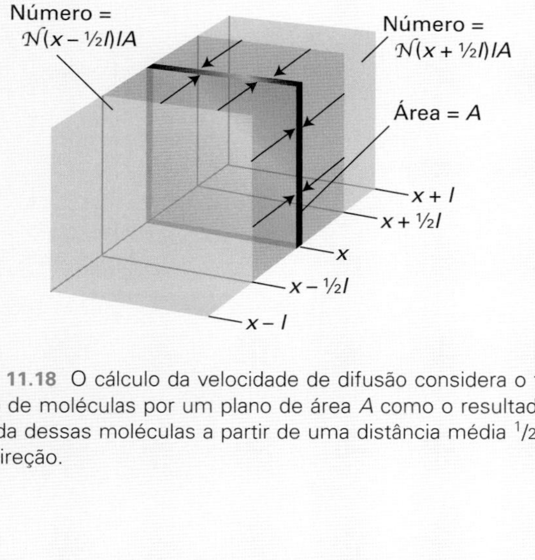

Figura 11.18 O cálculo da velocidade de difusão considera o fluxo líquido de moléculas por um plano de área A como o resultado da chegada dessas moléculas a partir de uma distância média ${}^1\!/\!_2 l$ em cada direção.

2. Segunda lei de Fick

Consideremos o arranjo da Figura 11.19. O número de partículas de soluto que passam pela seção de área A localizada em x num intervalo Δt é $J(x)A\Delta t$, em que $J(x)$ é o fluxo na posição x. O número de partículas que saem da região por intermédio de uma seção de área A uma pequena distância, em $x + \Delta x$, é $J(x + \Delta x)A\Delta t$, em que $J(x + \Delta x)$ é o fluxo na posição dessa seção. O fluxo de entrada e o de saída serão diferentes se os gradientes de concentração forem diferentes nas duas seções. A variação líquida do número de partículas de soluto na região entre as duas seções é

$$\begin{aligned}\text{Variação líquida do número de partículas} &= J(x)A\Delta t - J(x + \Delta x)A\Delta t \\ &= \{J(x) - J(x + \Delta x)\}A\Delta t\end{aligned}$$

Agora expressamos os dois fluxos em $x + \Delta x$ em termos do gradiente do fluxo em x e o gradiente do fluxo, $\Delta J/\Delta x$:

$$J(x + \Delta x) = J(x) + \frac{\Delta J}{\Delta x} \times \Delta x$$

Segue que

$$\begin{aligned}\text{Variação líquida do número de partículas} &= \left\{J(x) - \left(J(x) + \frac{\Delta J}{\Delta x} \times \Delta x\right)\right\} \times A\Delta t \\ &= \frac{\Delta J}{\Delta x} \times \Delta x \times A\Delta t\end{aligned}$$

A variação de concentração na região entre as duas seções é a variação líquida do número de partículas dividida pelo volume da região (igual a $A\Delta x$). A velocidade líquida de variação é obtida dividindo-se essa variação da concentração pelo intervalo de tempo Δt. Portanto, dividindo ambos por $A\Delta x$ e Δt, obtemos

$$\text{Velocidade de variação da concentração} = -\frac{\Delta J}{\Delta x}$$

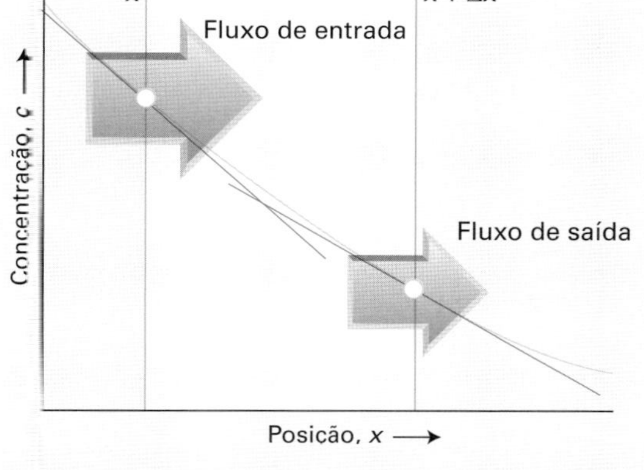

Figura 11.19 Para calcular a variação de concentração na região entre as duas fronteiras, precisamos considerar o efeito resultante da entrada das partículas na esquerda e a saída na direita. Somente se os coeficientes angulares das concentrações nas duas fronteiras forem diferentes é que haverá uma variação líquida de concentração.

Finalmente, escrevemos a expressão do fluxo usando a primeira lei de Fick:

$$\text{Velocidade de variação da concentração} = -\frac{\Delta(-D \times \Delta\mathcal{N}/\Delta x)}{\Delta x} = D\frac{\Delta^2\mathcal{N}}{\Delta x^2}$$

O 'gradiente do gradiente' da concentração é o que chamamos de 'curvatura' da concentração, e dessa forma obtemos a Eq. 11.19, em que os Δ foram interpretados, mais formalmente, como a variação infinitesimal d.

Verificação de conceitos importantes

- ☐ 1 Nos métodos de relaxação de análise cinética, a posição de equilíbrio de uma reação é, de início, deslocada subitamente, permitindo-se, então, que o sistema se reajuste à composição de equilíbrio característica da nova condição.
- ☐ 2 A molecularidade de uma reação elementar é o número de moléculas que se aproximam para reagir.
- ☐ 3 Uma reação elementar unimolecular tem cinética de primeira ordem; e uma reação elementar bimolecular tem cinética de segunda ordem.
- ☐ 4 Na aproximação do estado estacionário, admite-se que as concentrações de todos os intermediários de reação permanecem constantes e pequenas durante a reação.
- ☐ 5 A etapa determinante da velocidade é a etapa mais lenta, em um mecanismo de reação, que controla a velocidade da reação global.
- ☐ 6 Uma vez que uma reação não tenha atingido o equilíbrio, os produtos de reações competitivas são controlados pela cinética.
- ☐ 7 O mecanismo de Lindemann de reações 'unimoleculares' é uma teoria que explica a cinética de primeira ordem de reações em fase gasosa.
- ☐ 8 Uma reação em solução pode ser controlada por difusão ou por ativação.
- ☐ 9 Catalisadores são substâncias que aceleram as reações, mas que não sofrem nenhuma transformação química líquida.
- ☐ 10 Um catalisador homogêneo é um catalisador que se encontra na mesma fase da mistura de reação.
- ☐ 11 Enzimas são catalisadores biológicos homogêneos.
- ☐ 12 O mecanismo de Michaelis-Menten da cinética enzimática explica a dependência da velocidade com a concentração do substrato.
- ☐ 13 Em uma reação em cadeia, um intermediário (o propagador da cadeia) produzido em uma etapa gera um intermediário reativo em uma etapa subsequente.
- ☐ 14 As etapas de uma reação em cadeia podem incluir iniciação, propagação, inibição, retardação, ramificação e terminação.

Mapa conceitual das equações importantes

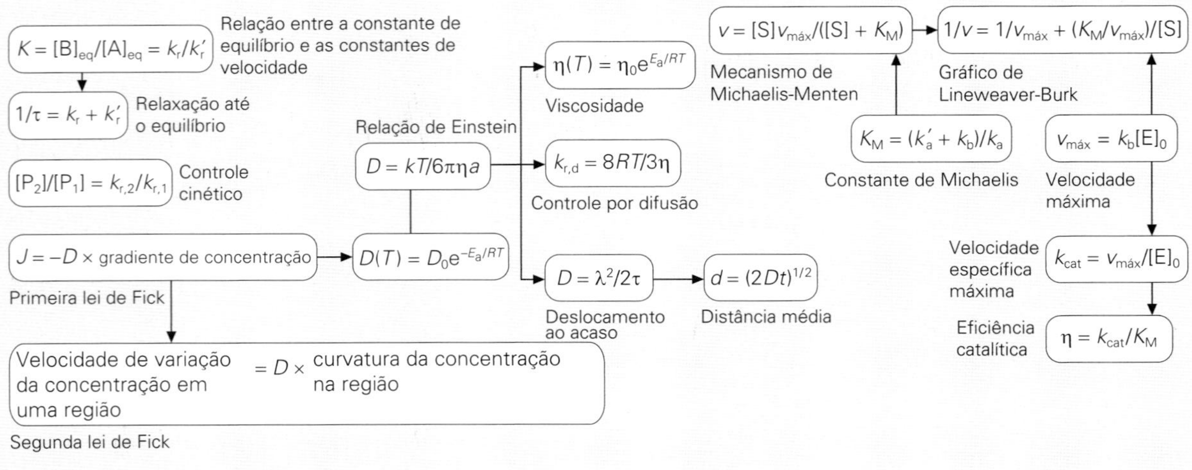

Questões e exercícios

Questões teóricas

11.1 Esquematize, sem realizar os cálculos, a variação da concentração com o tempo nas vizinhanças do equilíbrio quando as reações direta e inversa são de segunda ordem. Como o seu gráfico difere do apresentado na Figura 11.2?

11.2 Verifique a validade da seguinte afirmativa: a etapa determinante da velocidade é a mais lenta em um mecanismo de reação.

11.3 Caracterize o pré-equilíbrio e a aproximação do estado permanente. Explique por que os dois podem levar a diferentes conclusões.

11.4 Faça a distinção entre controle termodinâmico e cinético de uma reação. Sugira critérios em que se espera um em vez do outro.

11.5 Por que algumas reações em fase gasosa têm cinética de primeira ordem?

11.6 Discuta as características, aplicações e limitações do mecanismo de Michaelis-Menten da ação enzimática.

Exercícios

11.1 A constante de equilíbrio para a ligação de um substrato a um sítio ativo de uma enzima é 200. Num experimento separado, mediu-se a constante de velocidade de segunda ordem para a ligação, encontrando-se $1{,}5 \times 10^8$ dm^3 mol^{-1} s^{-1}. Qual é a constante de velocidade para a perda do substrato, que não reagiu, a partir do sítio ativo?

11.2 O equilíbrio $NH_3(aq) + H_2O(l) \rightleftharpoons NH_4^+(aq) + OH^-(aq)$ a 25 °C é submetido a um salto de temperatura que aumenta levemente a concentração de $NH_4^+(aq)$ e $OH^-(aq)$. O tempo de relaxação medido é 7,61 ns. A constante de equilíbrio do sistema é $1{,}78 \times 10^{-5}$ a 25 °C, e a concentração de $NH_3(aq)$ é 0,15 mol dm^{-3}. Calcule a constante de velocidade da reação direta e da inversa.

11.3 Dois nuclídeos radioativos decaem por sucessivos processos de primeira ordem:

$$X \xrightarrow{22{,}5\ d} Y \xrightarrow{33{,}0\ d} Z$$

Os tempos são os de meia-vida, em dias. Suponha que Y é um isótopo usado em aplicações médicas. Em que momento após X ser inicialmente formado será Y a espécie mais abundante?

11.4 O mecanismo de reação

$A_2 \rightleftharpoons A + A$ (rápida)

$A + B \rightleftharpoons P$ (lenta)

envolve um intermediário A. Deduza a lei de velocidade para a formação de P.

11.5 Deduza a lei de velocidade para uma reação com o seguinte mecanismo, em que M é uma espécie inerte. Identifique quaisquer aproximações que forem efetuadas. Sugira um procedimento experimental que possa confirmar ou refutar o mecanismo.

$A + M \rightarrow A^* + M$	velocidade de formação de $A^* = k_a[A][M]$
$A^* + M \rightarrow A + M$	velocidade de desativação de $A^* = k_a'[A^*][M]$
$A^* \rightarrow P$	velocidade de formação de $P = k_b[A^*]$

11.6 Deduza a lei de velocidade para uma reação com o mecanismo especificado no exercício anterior, mas na qual A pode também participar da ativação de A e da desativação de A*. Sugira um procedimento experimental que possa confirmar ou refutar o mecanismo.

11.7 A conversão de íons hipoclorito, ClO^-, a íons clorato, ClO_3^-, em solução aquosa passa por um mecanismo de duas etapas:

(1) $ClO^- + ClO^- \rightarrow ClO_2^- + Cl^-$

(2) $ClO_2^- + ClO^- \rightarrow ClO_3^- + Cl^-$

Observa-se que a velocidade de formação dos íons clorato depende do quadrado da concentração de íons hipoclorito. (a) Escreva uma equação para a reação global. (b) Identifique a etapa determinante da velocidade do mecanismo.

11.8 Acredita-se que o mecanismo para a reação entre o 2-cloroetanol, CH_2ClCH_2OH, e íons hidróxido, em solução aquosa, para formar óxido de etileno, $(CH_2CH_2)O$, consiste em duas etapas:

(1) $CH_2ClCH_2OH + OH^- \rightleftharpoons CH_2ClCH_2O^- + H_2O$ (rápida)

(2) $CH_2ClCH_2O^- \rightarrow (CH_2CH_2)O + Cl^-$ (lenta)

Mostre que, para esse mecanismo, a velocidade de formação do óxido de etileno é

$$\text{Velocidade} = k_2K[CH_2ClCH_2OH][OH^-]$$

em que K é a constante de equilíbrio para a primeira etapa e k_2 é a constante de velocidade para a segunda etapa.

11.9 O seguinte mecanismo foi proposto para a decomposição do ozônio na atmosfera:

(1) $O_3 \rightarrow O_2 + O$ e sua inversa (k_1, k_1')

(2) $O + O_3 \rightarrow O_2 + O_2$ (k_2; a reação inversa é desprezivelmente lenta

Use a aproximação do estado permanente, com o átomo de O tratado como intermediário, para obter uma expressão para a velocidade de decomposição do O_3. Mostre que, se a etapa 2 é lenta, a velocidade passa a ser de segunda ordem em O_3 e de ordem –1 em O_2.

11.10 Considere o seguinte mecanismo de formação de uma hélice dupla a partir de suas fitas A e B

$A + B \rightleftharpoons$ hélice instável (rápida)

hélice instável $\rightarrow$ dupla hélice estável (lenta)

Derive a equação da cinética de formação da dupla hélice e dê a constante de velocidade da reação em termos das constantes de velocidade das etapas isoladas. Qual seria sua conclusão se a hipótese do pré-equilíbrio fosse substituída pela aproximação do estado permanente?

11.11 Dois produtos são formados em reações nas quais há controle cinético sobre a razão entre os produtos. A energia de ativação da reação que leva ao Produto 1 é maior que a da que leva ao Produto 2. A razão entre as concentrações dos produtos, $[P_1]/[P_2]$, aumenta ou diminui se a temperatura aumentar?

11.12 A constante de velocidade efetiva para uma reação em fase gasosa que segue o mecanismo de Lindemann é $2{,}50 \times 10^{-4}\ s^{-1}$ a 1,30 kPa e $2{,}10 \times 10^{-4}\ s^{-1}$ a 12 Pa. Calcule a constante de velocidade para a etapa de ativação do mecanismo.

11.13 Calcule a magnitude da constante de velocidade controlada por difusão a 298 K para uma espécie em (a) água, (b) pentano. As viscosidades são $1{,}00 \times 10^{-3}\ kg\ m^{-1}\ s^{-1}$ e $2{,}2 \times 10^{-4}\ kg\ m^{-1}\ s^{-1}$, respectivamente.

11.14 Qual é (a) o fluxo das moléculas de nutrientes sob um gradiente de concentração de $0{,}10\ mol\ dm^{-3}\ m^{-1}$, (b) a quantidade de moléculas (em mols) que atravessam uma área de $5{,}0\ mm^2$ em 1,0 min? Para o coeficiente de difusão, considere o valor da sacarose em água ($5{,}22 \times 10^{-10}\ m^2\ s^{-1}$).

11.15 Quanto tempo uma molécula de sacarose em água a 25 °C leva para difundir (a) 10 mm, (b) 10 cm, (c) 10 m desde o seu ponto de partida?

11.16 A mobilidade das espécies pelos fluidos é da maior importância para os processos nutricionais. (a) Calcule o coeficiente de difusão para uma molécula que se desloca 150 pm a cada 1,8 ps. (b) Qual seria o coeficiente de difusão se a molécula se deslocasse a metade dessa distância no mesmo intervalo de tempo?

11.17 A difusão é importante nos lagos? Quanto tempo levaria para uma pequena molécula poluente do mesmo tamanho da H_2O se difundir em um lago de 100 m de largura?

11.18 Os poluentes espalham-se no meio ambiente por convecção (ventos e correntes) e por difusão. Quantos passos uma molécula tem de dar para ficar a uma distância de 1000 passos de sua origem quando realiza um deslocamento ao acaso unidimensional?

11.19 A viscosidade da água a 20 °C é $1{,}0019\ mN\ s\ m^{-2}$ e a 30 °C é $0{,}7982\ mN\ s\ m^{-2}$. Qual é a energia de ativação para o movimento das moléculas de água?

11.20 Calcule a razão entre as velocidades das reações catalisada e não catalisada a 37 °C, sabendo que a energia de Gibbs de ativação relativa à reação se reduz de $150\ kJ\ mol^{-1}$ para $15\ kJ\ mol^{-1}$.

11.21 A reação $2\ H_2O_2(aq) \rightarrow 2\ H_2O(l) + O2(g)$ é catalisada pelos íons Br^-. Se o mecanismo for

$H_2O_2 + Br^- \rightarrow H_2O + BrO^-$ (lenta)

$BrO^- + H_2O_2 \rightarrow H_2O + O_2 + Br^-$ (rápida)

dê a ordem predita para a reação em relação aos vários participantes.

11.22 Considere a reação catalisada por ácidos

$HA + H^+ \rightleftharpoons HAH^+$ (lenta)

$HAH^+ + B \rightarrow BH^+ + AH$ (rápida)

Deduza a lei de velocidade e mostre que essa lei pode ser independente do termo específico $[H^+]$.

11.23 A reação de condensação da acetona, $(CH_3)_2CO$ (propanona), em solução aquosa é catalisada por bases, B, que reagem reversivelmente com a acetona para formar o carbânion $C_3H_5O^-$. O carbânion, então, reage com uma molécula de acetona para dar o produto. Uma versão simplificada do mecanismo é

(1) $AH + B \rightarrow BH^+ + A^-$

(2) $A^- + BH^+ \rightarrow AH + B$

(3) $A^- + HA \rightarrow$ produto

em que AH representa a acetona e A^- o seu carbânion. Use a aproximação do estado estacionário para obter a concentração do carbânion e deduza a equação de velocidade para a formação do produto.

11.24 Como foi comentado na Dedução 11.6, Michaelis e Menten obtiveram sua lei de velocidade admitindo um pré-equilíbrio rápido entre E, S e ES. Obtenha a lei de velocidade dessa forma e identifique as condições nas quais essa lei se torna a mesma que a baseada na aproximação do estado estacionário (Eq. 11.24).

11.25 A conversão de um substrato, catalisada por uma enzima, a 25 °C, tem uma constante de Michaelis de $0{,}045\ mol\ dm^{-3}$. A velocidade da reação é $1{,}15\ mmol\ dm^{-3}\ s^{-1}$ quando a concentração do substrato é $0{,}110\ mol\ dm^{-3}$. Qual é a velocidade máxima dessa reação?

11.26 A conversão catalisada por enzima de um substrato a 25 °C tem uma constante de Michaelis de $0{,}015\ mol\ dm^{-3}$ e uma velocidade máxima de $4{,}25 \times 10^{-4}\ mol\ dm^{-3}\ s^{-1}$ quando a concentração da enzima é $3{,}60 \times 10^{-9}\ mol\ dm^{-3}$. Calcule k_{cat} e a eficiência catalítica η. A enzima é 'cataliticamente perfeita'?

11.27 Os seguintes resultados foram obtidos para a ação de uma ATPase sobre o ATP a 20 °C, quando a concentração da ATPase era de $20\ nmol\ dm^{-3}$:

$[ATP]/(\mu mol\ dm^{-3})$	0,60	0,80	1,4	2,0	3,0
$v/(\mu mol\ dm^{-3}\ s^{-1})$	0,81	0,97	1,30	1,47	1,69

Determine a constante de Michaelis-Menten, a velocidade máxima da reação e a velocidade específica máxima da enzima.

11.28 Há diversas maneiras de representar e analisar dados de reações catalisadas por enzimas. Por exemplo, em um *gráfico de Eadie-Hofstee*, $v/[S]_0$ é plotado contra v. Alternativamente, em um *gráfico de Hanes*, $v/[S]_0$ é plotado contra $[S]_0$. (a) Use o mecanismo de Michaelis-Menten para obter as relações entre $v/[S]_0$ e v e $v/[S]_0$ e $[S]_0$. (b) Discuta como os valores de K_M e $v_{máx}$ são obtidos pela análise dos gráficos de Eadie-Hofstee e Hanes. (c) Determine a constante de Michaelis e a velocidade máxima da reação do Exercício 11.27 usando os gráficos de Eadie-Hofstee e Hanes para analisar os dados.

11.29 Considere o seguinte mecanismo em cadeia:

(1) $AH \rightarrow A\cdot + H\cdot$

(2) $A\cdot \rightarrow B\cdot + C$

(3) $AH + B\cdot \rightarrow A\cdot + D$

(4) $A\cdot + B\cdot \rightarrow P$

Identifique as etapas de iniciação, propagação e terminação e use a aproximação do estado estacionário para deduzir que a decomposição do AH é de primeira ordem no AH.

11.30 Considere o seguinte mecanismo para a decomposição térmica de R_2:

(1) $R_2 \rightarrow R + R$

(2) $R + R_2 \rightarrow P_B + R'$

(3) $R' \rightarrow P_A + R$

(4) $R + R \rightarrow P_A + P_B$

em que R_2, P_A e P_B são hidrocarbonetos estáveis e R e R′ são radicais. Encontre a dependência da velocidade de decomposição de R_2 com a concentração de R_2.

11.31 (a) Consulte a Dedução 11.7 e obtenha as expressões para as concentrações [Br] e [H] no estado estacionário a partir das expressões para as velocidades líquidas de formação do H e do Br. (b) Quais são as ordens da reação (em relação a cada espécie), quando a concentração de HBr é (i) muito baixa, (ii) muito alta; Sugira uma interpretação em cada caso.

Projetos

O símbolo ‡ indica que o cálculo é necessário.

11.32 Prepare um relatório sobre as aplicações das técnicas experimentais descritas no Capítulo 10 ao estudo de reações catalisadas por enzimas. Destaque os seguintes tópicos: (a) determinação das velocidades de reação em uma escala grande de tempo, (b) determinação das constantes de velocidade e de equilíbrio para a ligação de um substrato a uma enzima e (c) caracterização de intermediários em um ciclo catalítico. Seu relatório deve ter extensão e conteúdo equivalentes aos Impactos encontrados ao longo deste livro.

11.33‡ Vamos explorar mais quantitativamente a análise cinética de reações que avançam para o equilíbrio. (a) Confirme (por derivação) que as expressões na Eq. 11.2 são as soluções corretas para as leis de velocidade que avançam para o equilíbrio. (b) Obtenha as soluções das mesmas leis de velocidade que levam à Eq. 11.2, porém com algum B presente inicialmente. Confirme que as soluções encontradas se reduzem às contidas na Eq. 11.2 quando $[B]_0 = 0$.

11.34‡ Complete a análise cinética de reações consecutivas confirmando que as três expressões da Eq. 11.5 são as soluções corretas das leis de velocidade para reações consecutivas de primeira ordem.

11.35 Proteínas são polímeros com estruturas tridimensionais bem definidas em solução e em células biológicas. Trata-se de polipeptídeos formados por diferentes aminoácidos unidos pela ligação peptídica –CONH–. As ligações hidrogênio entre os aminoácidos de um polipeptídio dão origem a estruturas estáveis, helicoidais ou em folha, que podem se transformar em uma cadeia randômica quando certas condições são alteradas. Considere um mecanismo para a transição hélice-cadeia randômica de uma cadeia polipeptídica na qual a iniciação ocorre no meio da cadeia:

$$hhhh \ldots \rightleftarrows hchh \ldots$$

$$hchh \ldots \rightleftarrows cccc \ldots$$

em que h e c representam resíduos de aminoácidos que pertencem a uma região helicoidal e de cadeia randômica, respectivamente. Ambas as etapas podem ser relativamente lentas; de modo que nenhuma etapa pode ser a etapa determinante. (a) Escreva as equações de velocidade para esse mecanismo alternativo. (b) Use a aproximação do estado estacionário e mostre que, em virtude dessas circunstâncias, o mecanismo é equivalente a $hhhh \ldots \rightleftarrows cccc \ldots$. (c) Use seu conhecimento de técnicas experimentais e seus resultados do exercício anterior para validar ou refutar a seguinte afirmação: é muito difícil obter evidência experimental de intermediários no desdobramento de proteínas executando simples medições de velocidade, e devemos recorrer a técnicas especiais resolvidas no tempo ou de isolamento para detectar diretamente os intermediários.

12

Teoria quântica

Os fenômenos químicos não podem ser compreendidos claramente sem um conhecimento aprofundado dos conceitos principais da mecânica quântica, a descrição mais fundamental da matéria que temos atualmente. O mesmo se pode dizer sobre o entendimento das técnicas espectroscópicas, que são agora tão importantes na investigação da composição e da estrutura dos sistemas. As técnicas atuais de estudo das reações químicas progrediram a tal ponto que a mecânica quântica precisa ser usada para interpretar os detalhes das informações obtidas. E, por fim, o foco principal da química – a estrutura eletrônica de átomos e moléculas – não pode ser compreendida sem os conceitos da mecânica quântica.

A função e existência da mecânica quântica, de fato, só foram valorizadas durante o século XX. Até então, pensava-se que o movimento dos átomos e das partículas subatômicas podia ser descrito pelas leis da mecânica clássica, introduzidas no século XVII por Isaac Newton (veja Fundamentos). Essas leis conseguiram explicar o movimento dos planetas e dos corpos comuns, como os pêndulos e os projéteis. Entretanto, ao final do século XIX, a evidência experimental acumulada indicava que a mecânica clássica não era apropriada para descrever partículas muito pequenas, como átomos individuais, núcleos e elétrons, como também quando ocorria uma transferência de energia muito pequena. Os conceitos e equações adequados para a descrição desses resultados só foram identificados a partir de 1926.

O surgimento da teoria quântica

A teoria quântica surgiu a partir de uma série de observações experimentais realizadas ao final do século XIX. No que nos diz respeito, há três experimentos especialmente importantes. O primeiro mostra, ao contrário do que se imaginou, por dois séculos, que a energia só pode ser transferida entre sistemas em quantidades discretas. O segundo mostra que a radiação (luz), que foi considerada por muito tempo como uma onda, se comporta, na realidade, como um feixe de partículas. O terceiro mostra que os elétrons, que se suponha serem partículas desde a sua descoberta em 1897, na realidade se comportam como ondas. Nesta seção, vamos rever esses três experimentos e estabelecer as propriedades que um sistema válido na mecânica deve contemplar.

12.1 Espectros atômicos e moleculares: energias discretas

Um **espectro** é um registro das frequências ou comprimentos de onda (que estão relacionados por $\lambda = c/\nu$) da radiação eletromagnética que são absorvidas ou emitidas por um átomo ou molécula. A Figura 12.1 mostra um espectro atômico de emissão típico, e a Figura 12.2 mostra um espectro molecular de absorção típico. A característica evidente em ambos os espectros é que *a radiação é emitida ou absorvida em um conjunto discreto de frequências*. A emissão de luz pode ser compreendida se admitirmos que

- A energia dos átomos ou das moléculas é restrita a certos valores discretos, pois assim a energia só pode ser recebida ou emitida em pacotes quando a átomo ou molécula salta entre seus estados permitidos (Fig. 12.3).
- A frequência da radiação está relacionada com a diferença de energia entre os estados inicial e final.

A hipótese mais simples á a **relação de frequência de Bohr**, que a frequência ν (ni) é diretamente proporcional à diferença de energia ΔE, e que podemos escrever

$$\Delta E = h\nu \qquad \text{Condição de frequência de Bohr} \qquad (12.1)$$

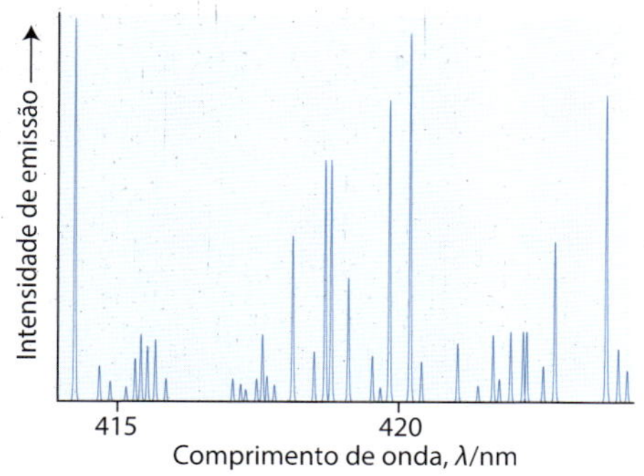

Figura 12.1 Uma região do espectro de radiação emitida por átomos de ferro excitados consiste em radiação em uma série de comprimentos de onda (ou frequências) discretos.

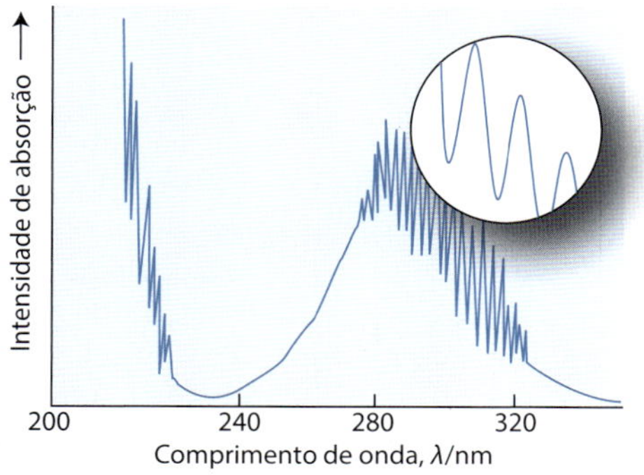

Figura 12.2 A mudança de estado de uma molécula ocorre pela absorção de radiação de frequência definida. Essa figura mostra uma parte do espectro de moléculas de dióxido de enxofre (SO_2). Essa observação sugere que as moléculas podem ter somente energias discretas, e não valores contínuos de energia.

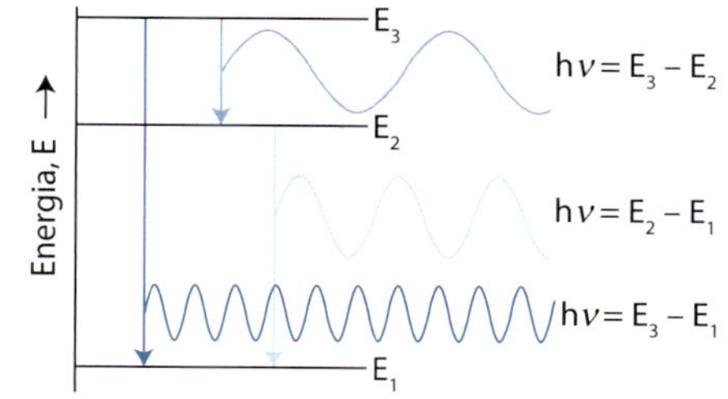

Figura 12.3 As linhas espectrais podem ser explicadas admitindo que a molécula emite um fóton quando varia entre níveis de energia discretos. Radiação de alta frequência é emitida quando os dois estados envolvidos em uma transição estão muito separados em energia; radiação de baixa frequência é emitida quando os dois estados são próximos em energia.

em que h é uma constante de proporcionalidade. Uma evidência adicional que iremos descrever a seguir confirma essa relação simples, e dá o valor de $h = 6{,}626 \times 10^{-34}$ J s. Esta constante é hoje conhecida como **constante de Planck**, por ter surgido em um contexto anteriormente sugerido pelo físico alemão Max Planck (veja a Seção 12.2).

■ Breve ilustração 12.1 A condição de frequência de Bohr

A luz amarela brilhante emitida pelos átomos de sódio em algumas lâmpadas de iluminação pública tem um comprimento de onda de 590 nm. O comprimento de onda e a frequência estão relacionados por $\nu = c/\lambda$; assim, luz é emitida quando um átomo de sódio perde uma energia $\Delta E = hc/\lambda$. Nesse caso,

$$\Delta E = \frac{\overbrace{(6{,}626\times10^{-34}\ \text{J s})}^{h}\times\overbrace{(2{,}998\times10^{8}\ \text{m s}^{-1})}^{c}}{\underbrace{5{,}9\times10^{-7}\ \text{m}}_{\lambda}}$$

$$= 3{,}4 \times 10^{-19}\ \text{J}$$

ou 0,34 aJ. Esta diferença de energia pode ser expressa de diversas maneiras:

- A multiplicação pela constante de Avogadro resulta em uma separação de energia, por mol de átomos, de 200 kJ mol^{-1}, comparável à energia de uma ligação química fraca.
- Uma unidade convencional muito útil é o elétron-volt (eV), com 1 eV correspondendo à energia cinética adquirida por um elétron quando este elétron é acelerado por uma diferença de potencial de 1 V: 1 eV = $1{,}602 \times 10^{-19}$ J. Portanto, o valor calculado de ΔE corresponde a 2,1 eV. As energias de ionização dos átomos são tipicamente de alguns elétrons-volt.

Exercício proposto 12.1

O neônio emite luz vermelha de comprimento de onda igual a 736 nm. Qual é a separação de energia entre os níveis em joules, quilojoules por mol e elétrons-volt responsável por essa emissão?

Resposta: $2{,}70 \times 10^{-19}$ J, 163 kJ mol^{-1}, 1,69 eV

Neste ponto podemos concluir que uma característica da natureza que qualquer sistema da mecânica deve contemplar é que os modos internos dos átomos e moléculas podem ter apenas certas energias; ou seja, a energia desses modos é **quantizada**.

12.2 O efeito fotoelétrico: luz como partículas

Em meados do século XIX a visão geralmente aceita era de que a radiação eletromagnética era uma onda (veja Fundamentos). Havia um grande número de evidências experimentais que confirmavam essa visão, especialmente a de que a luz sofria **difração**, a interferência entre ondas causadas por um objeto em seu caminho, que resultava em uma série de franjas claras e escuras em que as ondas eram detectadas.

Uma nova visão da radiação eletromagnética começou a surgir em 1900, quando o físico alemão Max Planck descobriu que a energia de um oscilador eletromagnético é limitada a valores discretos e não pode variar arbitrariamente. Essa proposição estava em desacordo com o ponto de vista da física clássica, no qual todos os valores de energia possíveis seriam permitidos. Em particular, Planck observou que poderia explicar a forma da radiação emitida por um corpo aquecido somente se admitisse que as energias permitidas de um oscilador eletromagnético de frequência ν são múltiplos inteiros de $h\nu$:

$$E = nh\nu \quad n = 0, 1, 2, \ldots \qquad \text{Quantização da energia em osciladores eletromagnéticos} \qquad (12.2)$$

em que h é a constante de Planck. Esta conclusão inspirou Albert Einstein a imaginar que a radiação era constituída de um feixe de partículas, com cada partícula tendo uma energia $h\nu$. Quando há somente uma partícula presente, a energia da radiação é $h\nu$; quando há duas partículas daquela frequência, a energia total é $2h\nu$, e assim por diante. Essas partículas de radiação eletromagnética são agora denominadas **fótons**. Segundo a visão da radiação como fótons, um feixe intenso de radiação monocromática (uma única frequência) consiste em um fluxo denso de fótons idênticos; um feixe fraco de radiação da mesma frequência consiste em um número relativamente pequeno de fótons do mesmo tipo.

A evidência que confirma que a radiação pode ser interpretada como um feixe de partículas veio do **efeito fotoelétrico**, a ejeção de elétrons a partir de metais quando são expostos à radiação ultravioleta (Fig. 12.4). As características do efeito fotoelétrico são:

1. Nenhum elétron é ejetado, independente da intensidade da radiação, a menos que a frequência ultrapasse um valor mínimo característico do metal.
2. A energia cinética dos elétrons emitidos varia linearmente com a frequência da radiação incidente, mas é independente da sua intensidade.
3. Mesmo com fontes de luz de baixa intensidade, os elétrons são ejetados imediatamente, se a frequência for superior ao valor limite.

Uma nota sobre a boa prática Dizemos que y *varia linearmente* com x se a relação entre os mesmos é $y = b + mx$; dizemos que y é *proporcional* a x se a relação é $y = mx$.

Estas observações sugerem que o efeito fotoelétrico seja interpretado como uma colisão do elétron com uma partícula-projétil, desde que esta tenha energia suficiente para arrancar o elétron do metal. Se admitirmos que o projétil é um fóton com energia $h\nu$, em que ν é a frequência da radiação, então a conservação da energia exige que a energia cinética, E_k, do elétron (que é igual a $\frac{1}{2}m_e v^2$, em que v é a velocidade do elétron) seja igual à diferença entre a energia fornecida pelo fóton e a energia Φ (fi maiúsculo) necessária para remover o elétron do metal (Fig. 12.5):

$$E_k = h\nu - \Phi \qquad \text{O efeito fotoelétrico} \qquad (12.3)$$

A grandeza Φ é a chamada **função trabalho** do metal, o análogo da energia de ionização de um átomo.

Quando $h\nu < \Phi$, a fotoejeção (emissão de elétrons pela luz) não pode ocorrer, pois o fóton não fornece energia suficiente para arrancar o elétron: esta conclusão é consistente com a observação 1. A Eq. 12.3 prevê que a energia cinética de um elétron ejetado deve crescer linearmente com a frequência, em acordo com a observação 2. Quando um fóton colide com um elétron, transfere toda a sua energia. Desse modo devemos esperar que os elétrons apareçam tão logo as colisões comecem, desde que os fótons tenham energia suficiente. Essa conclusão está em acordo com a observação 3.

Assim, o efeito fotoelétrico é uma forte evidência para a natureza corpuscular da luz e a existência de fótons. Além disso, fornece uma rota para a determinação de h, pois um gráfico de E_k contra ν é uma linha reta com coeficiente angular h.

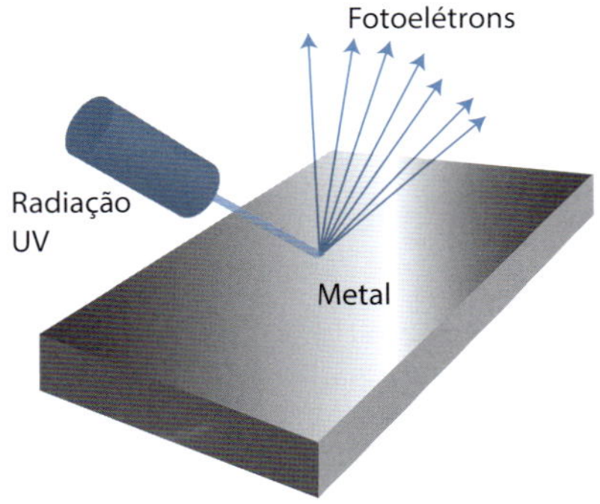

Figura 12.4 Dispositivo experimental para demonstrar o efeito fotoelétrico. Um feixe de radiação ultravioleta é utilizado para irradiar um ponto da superfície do metal, e elétrons são ejetados da superfície se a frequência da radiação é superior a um valor limite que depende da natureza do metal.

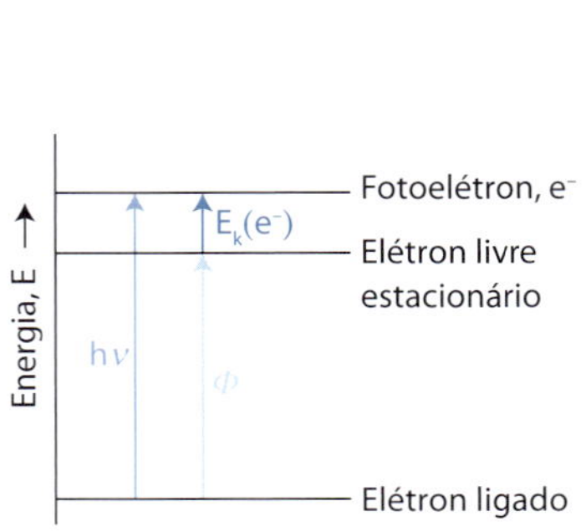

Figura 12.5 No efeito fotoelétrico, um fóton incidente carrega uma quantidade definida de energia, $h\nu$. O fóton colide com um elétron perto da superfície do alvo metálico, e transfere sua energia para o elétron. A diferença entre a função trabalho, Φ, e a energia $h\nu$ aparece como a energia cinética do elétron emitido.

Exemplo 12.1

Cálculo do limiar fotoelétrico

Um fóton de radiação com λ = 305 nm ejeta um elétron de um metal com E_k = 1,77 eV. Calcule o limiar fotoelétrico, a frequência (ou comprimento de onda) da radiação capaz de remover o elétron do metal sem lhe dar nenhuma energia em excesso.

Estratégia Comece calculando a função trabalho do metal usando $\nu = c/\lambda$ e a Eq. 12.3, reescrita como $\Phi = h\nu - E_k$. O limiar fotoelétrico corresponde à radiação de frequência $\nu_{\text{mín}} = \Phi/h$ e comprimento de onda $\lambda_{\text{máx}} = c/\nu_{\text{mín}}$.

Solução Da expressão da função trabalho $\Phi = h\nu - E_k$, vem que a frequência mínima para a fotoejeção é

$$\nu_{\text{mín}} = \frac{\Phi}{h} = \frac{h\nu - E_k}{h} \overset{\nu = c/\lambda}{=} \frac{c}{\lambda} - \frac{E_k}{h}$$

O comprimento de onda do fóton incidente é λ = 305 nm = $3{,}05 \times 10^{-7}$ m e a energia cinética do elétron é

$$E_k = 1{,}77 \text{ eV} \times (1{,}602 \times 10^{-19} \text{ J eV}^{-1}) = 2{,}83 \times 10^{-19} \text{ J}$$

assim segue que

$$\nu_{\text{mín}} = \frac{\overbrace{2{,}998 \times 10^{8} \text{ m s}^{-1}}^{c}}{\underbrace{3{,}05 \times 10^{-7} \text{ m}}_{\lambda}} - \frac{\overbrace{2{,}83 \times 10^{-19} \text{ J}}^{E_k}}{\underbrace{6{,}626 \times 10^{-34} \text{ J s}}_{h}}$$

$$= 5{,}56 \times 10^{14} \text{ s}^{-1}$$

Portanto, o comprimento de onda máximo é

$$\lambda_{\text{máx}} = \frac{\overbrace{2{,}998 \times 10^{8} \text{ m s}^{-1}}^{c}}{\underbrace{5{,}56 \times 10^{14} \text{ s}^{-1}}_{\nu_{\text{mín}}}} = 5{,}40 \times 10^{-7} \text{ m}$$

ou 540 nm.

Exercício proposto 12.2

Quando radiação ultravioleta de comprimento de onda 165 nm atinge a superfície de certo metal, elétrons são ejetados com velocidade de 1,24 Mm s^{-1} (1 Mm = 10^6 m). Calcule a velocidade dos elétrons ejetados por radiação de comprimento de onda 265 nm.

Resposta: 735 km s^{-1}

12.3 Difração de elétrons: elétrons como ondas

O efeito fotoelétrico mostra que a luz tem certas propriedades corpusculares. Apesar de contrária à bem estabelecida teoria ondulatória da luz, uma visão semelhante já tinha sido proposta anteriormente, embora tenha sido abandonada. Entretanto, nenhum cientista conceituado tinha adotado o ponto de vista de a matéria ter comportamento ondulatório. Contudo, os experimentos realizados no início dos anos 1920 fizeram com que até mesmo essa conclusão fosse questionada. O experimento decisivo foi realizado pelos físicos americanos Clinton Davisson e Lester Germer, que observaram a difração de elétrons por um cristal (Fig. 12.6).

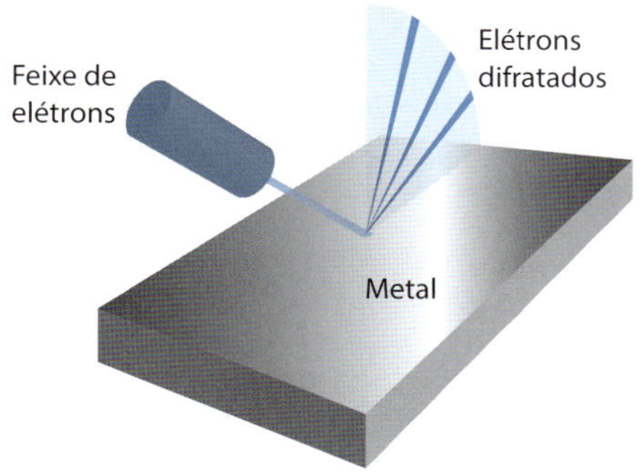

Figura 12.6 No experimento de Davisson-Germer, um feixe de elétrons foi direcionado a um cristal de níquel e os elétrons espalhados mostraram uma variação na intensidade com o ângulo que corresponde ao padrão que se esperaria se os elétrons tivessem um caráter ondulatório e fossem difratados pelas camadas de átomos do sólido.

Havia uma confusão compreensível – que persiste até hoje – sobre como combinar ambos os aspectos da matéria em uma única descrição. Certo avanço foi feito nesse sentido, em 1924, por Louis de Broglie, que sugeriu que qualquer partícula movendo-se com um momento linear, $p = mv$, deveria ter (de certa forma) um comprimento de onda λ dado pelo que agora é denominado **relação de de Broglie:**

$$\lambda = \frac{h}{p} \qquad \text{Relação de de Broglie} \quad (12.4)$$

A onda que corresponde a esse comprimento de onda, que de Broglie denominou uma 'onda de matéria', tem a forma matemática sen $(2\pi x/\lambda)$. A relação de de Broglie indica que o comprimento de uma 'onda de matéria' deve decrescer à medida que ocorre aumento da velocidade da partícula (Fig. 12.7). A Eq. 12.4 foi confirmada pelos experimentos de Davisson-Germer, pois o comprimento de onda previsto pela equação para os elétrons usados nos experimentos está em acordo com o padrão de difração observado por eles.

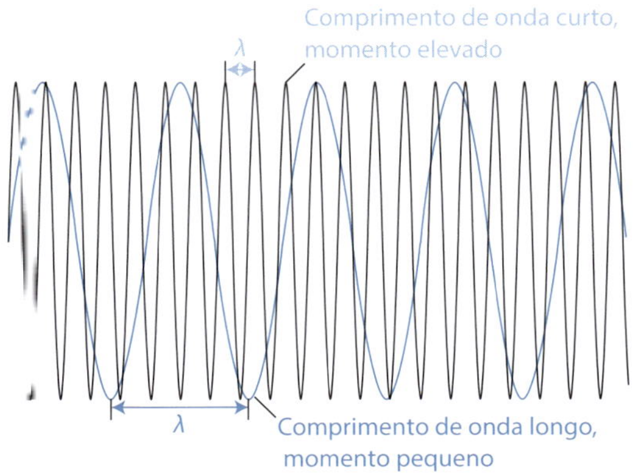

Figura 12.7 Segundo a relação de de Broglie, uma partícula com momento linear pequeno tem um comprimento de onda longo, e uma partícula com momento linear elevado tem comprimento de onda curto. Um valor elevado de momento linear pode advir tanto de um valor elevado de massa quanto de velocidade (pois $p = mv$). Corpos macroscópicos têm massas tão elevadas que, mesmo deslocando-se muito lentamente, têm comprimento de onda imperceptivelmente pequeno.

Exemplo 12.2

Cálculo do comprimento de onda de de Broglie

Calcule o comprimento de onda de elétrons que foram acelerados a partir do repouso por uma diferença de potencial de 1,00 kV.

Estratégia Precisamos estabelecer uma série de relações: Da diferença de potencial, podemos deduzir a energia cinética adquirida pelo elétron acelerado; precisamos então obter o momento linear do elétron a partir de sua energia cinética; finalmente, usamos o momento linear na relação de de Broglie para calcular o comprimento de onda.

Solução A energia cinética adquirida por um elétron de carga $-e$, inicialmente em repouso, acelerado por uma diferença de potencial $\Delta\phi$ é

$$E_k = e\Delta\phi$$

Como $E_k = \frac{1}{2}m_e v^2$ e $p = m_e v$, o momento linear está relacionado com a energia cinética por $p = (2m_e E_k)^{1/2}$. Portanto,

$$p = (2m_e e\Delta\phi)^{1/2}$$

Esta é a expressão que usamos na relação de de Broglie, que se torna

$$\lambda = \frac{h}{(2m_e e\Delta\phi)^{1/2}}$$

Neste ponto, tudo que precisamos fazer é substituir os dados e usar as relações 1 C V = 1 J e 1 J = 1 kg m^2 s^{-2}:

$$\lambda = \frac{\overbrace{6{,}626\times10^{-34}\,\text{J s}}^{h}}{\left\{2\times\underbrace{(9{,}109\times10^{-31}\,\text{kg})}_{m_e}\times\underbrace{(1{,}602\times10^{-19}\,\text{C})}_{e}\times\underbrace{(1{,}00\times10^{3}\,\text{V})}_{\Delta\phi}\right\}^{1/2}}$$

$$= \frac{6{,}626\times10^{-34}}{\{2\times(9{,}109\times10^{-31})\times(1{,}602\times10^{-19})\times(1{,}00\times10^{3})\}^{1/2}}$$

$$\times\frac{\overbrace{\text{J s}}^{\text{kg m}^2\,\text{s}^{-1}}}{\underbrace{(\text{kg C V})^{1/2}}_{\text{kg m s}^{-1}}} = 3{,}88\times10^{-11}\,\text{m}$$

O comprimento de onda de 38,8 pm é da ordem do comprimento típico de uma ligação química nas moléculas (cerca de 100 pm). Os elétrons acelerados dessa forma são usados na técnica da **difração de elétrons**, na qual a figura de interferência gerada, quando um feixe de elétrons passa por uma amostra, é interpretada em termos das localizações dos átomos.

Exercício proposto 12.3

Calcule o comprimento de onda de um elétron num acelerador de partículas de 10 MeV (1 MeV = 10^6 eV).

Resposta: 0,39 pm

O experimento de Davisson-Germer, que tem sido repetido com outras partículas (inclusive hidrogênio molecular e C_{60}), mostra claramente que 'partículas' têm propriedades ondulatórias. Também vimos que 'ondas' têm propriedades corpusculares. Assim, somos levados ao âmago da física moderna. Quando examinados em escala atômica, os conceitos de partícula e onda se fundem, com as partículas tendo características de onda e ondas tendo características de partículas. Esse caráter duplo, de onda e partícula, de matéria e radiação é chamado **dualidade onda-partícula**, e é central na discussão que se segue.

A dinâmica dos sistemas microscópicos

Como podemos conciliar o fato de que átomos e moléculas existem apenas com certas energias discretas, ondas exibem as propriedades de partículas e partículas exibem as propriedades de ondas?

Vamos tomar a relação de de Broglie como nosso ponto de partida e abandonar o conceito clássico de partículas movendo-se ao longo de 'trajetórias', caminhos precisos com velocidades definidas. Desse ponto em diante, vamos adotar a visão da mecânica quântica de que *uma partícula se propaga através do espaço como uma onda*. Para descrever essa distribuição, introduzimos o conceito de **função de onda**, ψ(psi), no lugar da trajetória, e estabelecemos um esquema para calcular e interpretar ψ. 'Função de onda' é o termo moderno para a 'onda de matéria' de de Broglie. Numa primeira aproximação, muito simplificada, podemos visualizar a função de onda como uma versão embaçada de uma trajetória (Fig. 12.8); vamos refinar essa imagem nas próximas seções. A definição formal de função de onda é que se trata de *uma função matemática que contém toda a informação dinâmica sobre o estado de um sistema*.

12.4 A equação de Schrödinger

Em 1926, o físico austríaco Erwin Schrödinger propôs uma equação para obter funções de onda. A **equação de Schrödinger**, mais especificamente, a equação de Schrödinger *independente do tempo*, para uma única partícula, de massa m e movendo-se em uma dimensão com energia E, é

$$-\frac{\hbar^2}{2m}\frac{d^2\psi}{dx^2} + V(x)\psi = E\psi \qquad \text{Equação de Schrödinger} \qquad (12.5a)$$

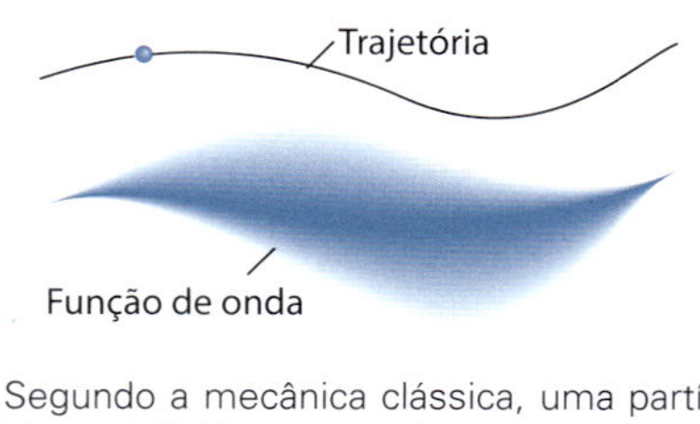

Figura 12.8 Segundo a mecânica clássica, uma partícula pode ter uma trajetória bem definida, com posição e momento linear precisamente definidos a cada instante (representado pelo caminho precisamente definido no diagrama). Segundo a mecânica quântica, uma partícula não pode ter uma trajetória precisa; há apenas uma probabilidade de que possa ser encontrada numa posição específica em dado instante. A função de onda que determina a distribuição de probabilidade da partícula funciona como uma versão embaçada da trajetória. Nesse diagrama, a função de onda é representada pela região sombreada: quanto mais escura é a área, maior a probabilidade de a partícula ser encontrada na região.

A equação de Schrödinger é uma equação diferencial; nesse caso, é uma equação diferencial de segunda ordem (veja Ferramentas do químico 10.1). Na Eq. 12.5a, $V(x)$ é a energia potencial; $\hbar$ (lê-se h cortado ou h barra) é uma modificação conveniente da constante de Planck:

$$\hbar = \frac{h}{2\pi} = 1{,}055 \times 10^{-34}\ \text{J s}$$

O termo proporcional a $d^2\psi/dx^2$ está intimamente ligado à energia cinética (de forma que a sua soma com V é a energia total, E). Matematicamente, pode ser interpretado como uma forma de medir a curvatura da função de onda em cada ponto. Assim, se a função de onda é muito curvada, então $d^2\psi/dx^2$ é grande; se é apenas levemente curvada, $d^2\psi/dx^2$ é pequeno. Vamos desenvolver esta interpretação mais adiante; por ora, guarde-a em sua mente.

Você verá frequentemente a Eq. 12.5 escrita na forma compacta

$$\hat{H}\psi = E\psi \qquad \text{Forma alternativa} \qquad \text{Equação de Schrödinger} \qquad (12.5b)$$

em que '$\hat{H}\psi$' representa tudo que está à esquerda da Eq. 12.5a. A grandeza $\hat{H}$ é chamada o **hamiltoniano** do sistema, em homenagem ao matemático William Hamilton, que formulou uma versão da mecânica clássica que utiliza esse conceito. É escrito com um ^ para indicar que é um 'operador', alguma coisa que atua de forma específica em ψ em vez de somente multiplicá-la (como E multiplica ψ em $E\psi$); veja a Dedução a seguir. Você deve estar ciente de que muito da mecânica quântica é formulado em termos de operadores, mas não os encontraremos novamente neste livro.[1]

Para uma justificativa da forma da equação de Schrödinger, veja a Dedução a seguir. O fato de a equação de Schrödinger ser uma equação diferencial, uma equação em termos das derivadas de uma função, não deve nos preocupar muito, pois iremos simplesmente dar as suas soluções, sem entrar em detalhes de como são obtidas. Os raros casos nos quais precisaremos ver as formas explícitas de suas soluções, essas envolverão funções muito simples.

■ **Breve ilustração 12.2** Funções de onda simples

Estes são três casos simples, mas importantes, sem considerar explicitamente as várias constantes envolvidas a fim de enfatizar a forma das funções e mostrar que são familiares:

- A função de onda para uma partícula livre é sen x, exatamente como as ondas de matéria de de Broglie.
- A função de onda para uma partícula livre para oscilar em torno de um ponto é e^{-x^2}, em que x é o deslocamento em relação ao ponto.
- A função de onda para um elétron no nível mais baixo de energia de um átomo de hidrogênio é e^{-r}, em que r é a distância a partir do núcleo.

[1] Veja, por exemplo, o livro *Físico-Química* – 9ª ed., destes mesmos autores (LTC Editora).

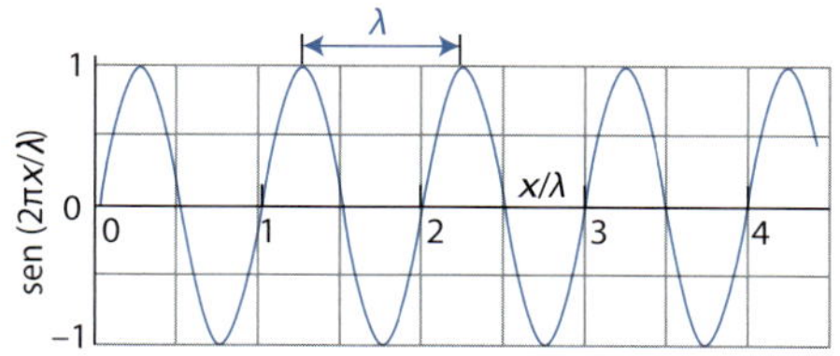

Figura 12.9 Comprimento de onda de uma onda harmônica da forma sen($2\pi x/\lambda$). A amplitude da onda é a altura máxima acima da linha centra

Dedução 12.1

Justificativa da equação de Schrödinger

Podemos justificar, de certa maneira, a forma da equação de Schrödinger mostrando que implica a relação de Louis de Broglie para uma partícula movendo-se livremente. Entende-se por movimento livre aquele que ocorre em uma região na qual a energia potencial é zero ($V = 0$ em toda a região). Então, a Eq. 12.5a simplifica-se para

$$-\frac{\hbar^2}{2m}\frac{d^2\psi}{dx^2} = E\psi \qquad \text{Partícula livre} \qquad \text{Equação de Schrödinger} \qquad (12.6)$$

A solução desta equação é

$$\psi = \text{sen}(kx) \qquad k = \frac{(2mE)^{1/2}}{\hbar}$$

como você deve verificar substituindo a solução em ambos os lados da equação.

A função sen(kx) é uma onda de comprimento de onda $\lambda = 2\pi/k$, como pode ser verificado comparando-se sen(kx) com sen($2\pi x/\lambda$), a forma-padrão de uma onda harmônica de comprimento de onda λ (veja Fig. 12.9). A seguir, notamos que a energia da partícula é puramente cinética (pois $V = 0$ em todos os pontos), sendo a energia total igual à sua energia cinética:

$$E = E_k = \frac{p^2}{2m}$$

Como E está relacionada a k por $E = k^2\hbar^2/2m$, segue da comparação das duas equações que $p = k\hbar$. Portanto, o momento linear está relacionado com o comprimento de onda da função de onda por

$$p = \overbrace{\frac{2\pi}{\lambda}}^{k} \times \overbrace{\frac{h}{2\pi}}^{\hbar} = \frac{h}{\lambda}$$

que é a relação de de Broglie. Vemos então que, para o caso de partículas em movimento livre, a equação de Schrödinger leva a uma expressão verificada experimentalmente.

12.5 A interpretação de Born

Antes de prosseguirmos, é interessante compreender o significado físico da função de onda. A interpretação geralmente adotada baseia-se em uma sugestão proposta pelo físico alemão Max Born, que fez uma analogia com a teoria ondulató-

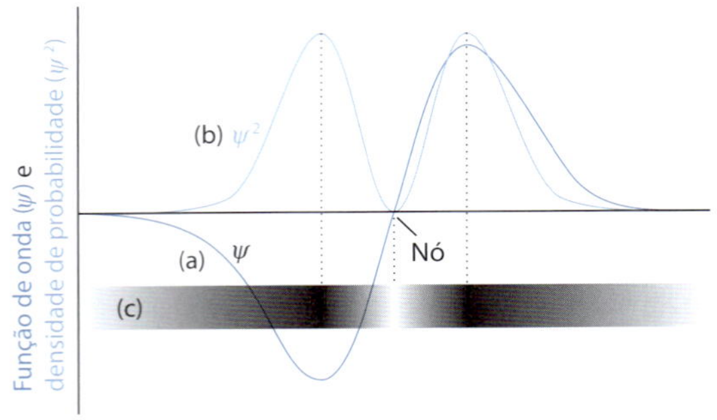

Figura 12.10 (a) Uma função de onda não tem uma interpretação física direta. Entretanto, (b) seu quadrado nos informa a probabilidade de encontrarmos uma partícula em dado ponto. A densidade de probabilidade associada à função de onda ilustrada na figura é representada pela intensidade do sombreado em (c).

ria da luz, na qual o quadrado da amplitude da onda eletromagnética é interpretado como a sua intensidade e, portanto (em termos quânticos), como o número de fótons presentes. Ele argumentou que, por analogia, o quadrado da função de onda dá uma indicação da probabilidade de uma partícula ser encontrada em certa região do espaço. Sendo mais preciso, a **interpretação de Born** afirma que:

> A probabilidade de se encontrar uma partícula em uma pequena região do espaço, de volume δV, é proporcional a $\psi^2\delta V$, em que ψ é o valor da função de onda nessa região.

Em outras palavras, ψ^2 é uma **densidade de probabilidade.** Como para outros tipos de densidade, tais como a massa específica (densidade de massa), obtemos a probabilidade ao multiplicarmos a densidade de probabilidade ψ^2 pelo volume δV da região de interesse.[2]

Uma nota sobre a boa prática O símbolo δ é usado para indicar uma pequena (e, no limite, infinitesimal) variação em um parâmetro, como em x variando para $x + \delta x$. O símbolo Δ é usado para indicar uma diferença finita (mensurável) entre duas grandezas, como em $\Delta X = X_{\text{final}} - X_{\text{inicial}}$.

Para um pequeno 'volume de investigação' δV, de certo tamanho, a interpretação de Born implica haver uma grande probabilidade de encontrarmos uma partícula em que ψ^2 é grande e uma pequena probabilidade de encontrarmos a mesma partícula em que ψ^2 é pequeno. A densidade do sombreado na Figura 12.10 representa esta **interpretação probabilística**, uma interpretação que aceita o fato de podermos fazer predições apenas sobre a probabilidade de encontrarmos uma partícula em alguma região do espaço. Essa interpretação está em oposição com a física clássica, que afirma poder-se determinar exatamente, em dado instante, a posição de uma partícula ao longo do seu caminho.

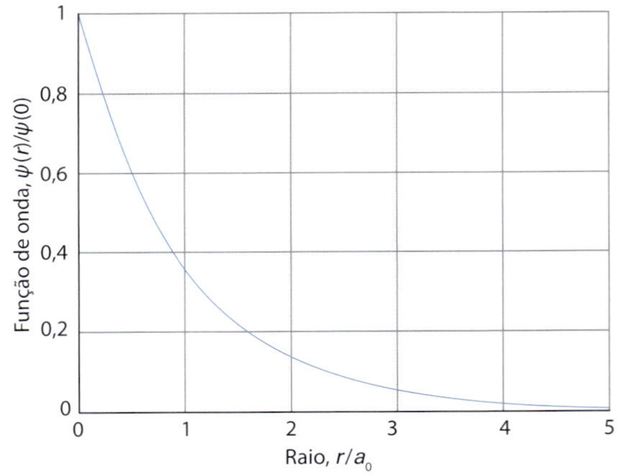

Figura 12.11 A função de onda para um elétron no estado fundamental do átomo de hidrogênio é uma função exponencial decrescente da forma e^{-r/a_0}, em que a_0 é o raio de Bohr.

Exemplo 12.3

Interpretação da função de onda

A função de onda de um elétron no estado de energia mais baixa do átomo de hidrogênio é proporcional a e^{-r/a_0}, com $a_0 = 52{,}9$ pm e r a distância do elétron ao núcleo (Fig. 12.11). Calcule as probabilidades relativas de o elétron ser encontrado dentro de um pequeno volume cúbico localizado (a) no núcleo, (b) a uma distância a_0 do núcleo.

Estratégia A probabilidade é proporcional a $\psi^2\delta V$, calculada em uma posição especificada. O volume de interesse é tão pequeno (mesmo em escala atômica) que podemos ignorar a variação no interior de ψ e escrever

$$\text{Probabilidade} \propto \psi^2\delta V$$

com ψ calculada em cada ponto de interesse.

Solução (a) No núcleo, $r = 0$, logo $\psi^2 \propto 1{,}0$ (porque $e^0 = 1$) e a probabilidade é proporcional a $1{,}0 \times \delta V$. (b) À distância $r = a_0$ em uma direção arbitrária, $\psi^2 \propto e^{-2} \times \delta V = 0{,}14 \times \delta V$. Portanto, a razão entre as probabilidades é $1{,}00/0{,}14 = 7{,}1$. É mais provável (por um fator de 7,1) que o elétron seja encontrado no núcleo que no mesmo elemento de volume a uma distância a_0 do núcleo.

Exercício proposto 12.4

A função de onda para o estado de mais baixa energia do íon He^+ é proporcional a e^{-2r/a_0}. Repita o cálculo para este íon, e faça um comentário pertinente ao resultado obtido.

Resposta: 55; uma função de onda mais compacta devido à carga nuclear mais alta

Há mais informação contida em ψ do que simplesmente a probabilidade de a partícula ser encontrada em certa região. Vimos um exemplo desse fato na discussão da Eq. 12.5, na qual identificamos o primeiro termo como uma indicação da relação entre a energia cinética da partícula e a curvatura da função de onda: se a função de onda é muito curvada, a partícula que descreve tem energia cinética elevada; se a função de onda tem uma pequena curvatura, a partícula tem pouca

[2] Estamos admitindo em toda a discussão que ψ é uma função real (ou seja, que não depende de i, a raiz quadrada de −1). Em geral, ψ é complexa (tem ambos os componentes, real e imaginário); nesses casos, ψ^2 é substituído por $\psi^*\psi$, em que ψ^* é o complexo conjugado de ψ. Não iremos considerar funções complexas neste livro. Para saber sobre a importância, propriedades e interpretação de funções complexas, veja o livro *Físico-Química* – 9ª ed., destes mesmos autores (LTC Editora).

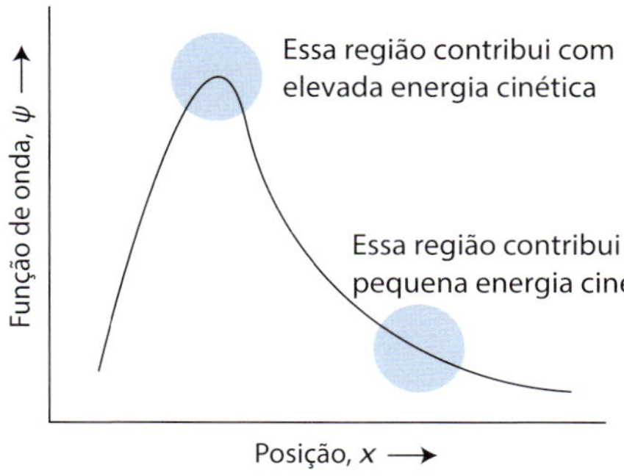

Figura 12.12 A energia cinética observada de uma partícula é a média de contribuições sobre todo o espaço coberto pela função de onda. Regiões muito curvadas contribuem com elevada energia cinética para a média; regiões pouco curvadas contribuem com pequena energia cinética.

energia cinética. Essa interpretação é consistente com a relação de de Broglie, pois um pequeno comprimento de onda corresponde a uma função de onda muito curvada e a um elevado momento linear, portanto, elevada energia cinética (Fig. 12.12). Para funções de onda mais complicadas, a curvatura varia ponto a ponto e a contribuição total para a energia cinética é uma média sobre toda uma região do espaço.

O ponto central a ser lembrado é que *a função de onda contém toda a informação dinâmica sobre a partícula que descreve*. Por 'dinâmica' queremos dizer todos os aspectos do movimento da partícula. Sua amplitude em qualquer ponto nos dá a densidade de probabilidade da partícula no ponto considerado, e outros detalhes de sua forma nos dizem que é possível conhecer outros aspectos do movimento, como o momento e a sua energia cinética.

A interpretação de Born tem outra implicação importante: ajuda-nos a identificar as condições que a função de onda deve satisfazer para que seja aceitável:

- Deve ser unívoca (isto é, ter apenas um único valor em cada ponto): não pode haver mais de uma densidade de probabilidade em um ponto.
- Não pode ser infinita em uma região finita do espaço: a probabilidade total de encontrar a partícula em uma região não pode ser maior que 1.

Essas condições são satisfeitas se a função adquire valores particulares em alguns pontos, como nos núcleos, nas extremidades de uma região ou no infinito. Ou seja, a função de onda deve satisfazer a certas **condições de contorno**, valores que a função de onda deve assumir em certos pontos. Veremos diversos exemplos mais adiante. Duas condições adicionais surgem da própria equação de Schrödinger, que não pode ser escrita a menos que:

- A função de onda seja contínua em toda a região.
- A função tenha uma derivada contínua em toda a região.

Essas duas últimas condições significam que a 'curvatura', o primeiro termo na Eq. 12.5, é bem definida em todos os pontos. As quatro condições estão resumidas na Figura 12.13.

Esses requisitos têm uma implicação profunda. Uma característica da solução da equação de Schrödinger, que é comum a todas as equações diferenciais, é que um número infinito de

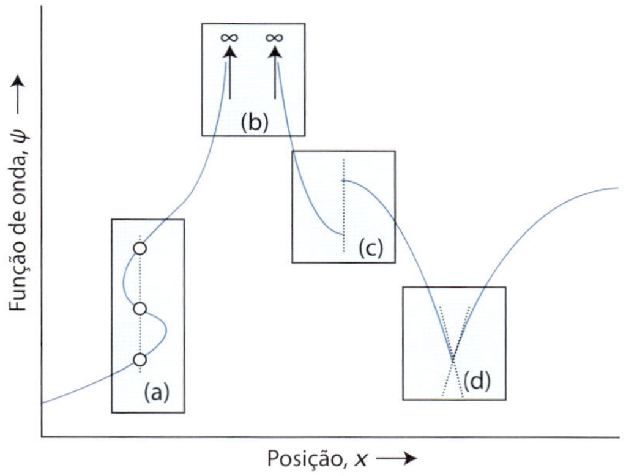

Figura 12.13 Estas funções de onda não são aceitáveis porque (a) não é unívoca, (b) é infinita em um intervalo finito, (c) não é contínua, (d) não tem derivada contínua.

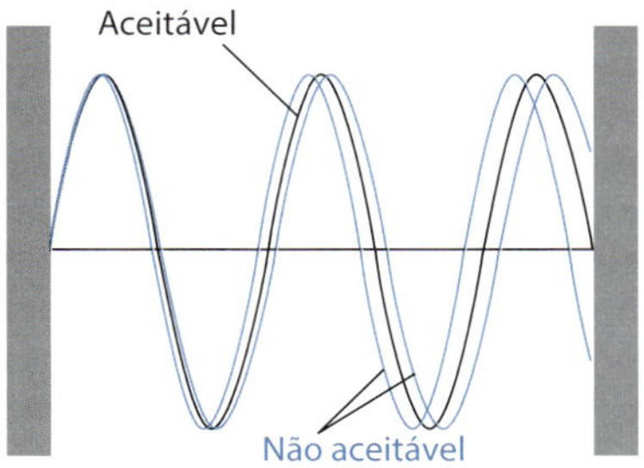

Figura 12.14 Embora existam infinitas soluções da equação de Schrödinger, nem todas são fisicamente aceitáveis. As funções de onda aceitáveis têm que satisfazer a certas condições de contorno, que variam de sistema para sistema. No exemplo mostrado na figura, no qual a partícula está confinada entre duas paredes impenetráveis, as únicas funções de onda aceitáveis são as que se encaixam perfeitamente entre as paredes (como as vibrações de uma corda esticada). Como cada função de onda corresponde a uma energia característica e as condições de contorno excluem muitas das soluções possíveis, apenas certos valores de energia são permitidos.

soluções é matematicamente permitido. Por exemplo, se sen x é uma solução da equação, então a sen bx, em que a e b são constantes arbitrárias, também o é, com cada solução correspondendo a um valor particular de E. Entretanto, somente algumas dessas soluções satisfazem aos requisitos estabelecidos acima. Isso nos leva ao âmago da mecânica quântica: *o fato de que somente algumas soluções são aceitáveis, juntamente com o fato de que cada solução corresponde a um valor característico de E, implica que apenas certos valores de energia sejam aceitáveis*. Ou seja, *quando a equação de Schrödinger é resolvida sujeita às condições de contorno a que as suas soluções devem satisfazer, verificamos que a energia do sistema é quantizada* (Fig. 12.14).

12.6 O princípio da incerteza

Vimos que, de acordo com a relação de de Broglie, uma onda de comprimento de onda constante, a função de onda sen($2\pi x/\lambda$), corresponde a um momento linear definido, $p = h/\lambda$. Entretanto, uma onda não tem uma localização precisa em certo ponto do espaço; portanto, não podemos falar da posição precisa de uma partícula que tenha um momento linear defi-

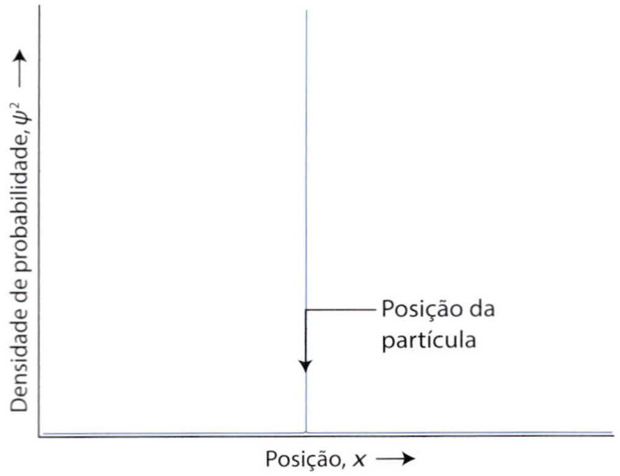

Figura 12.15 A função de onda para uma partícula com uma posição bem definida é uma função com um pico muito acentuado, que tem amplitudes nulas em todos os pontos exceto na posição da partícula.

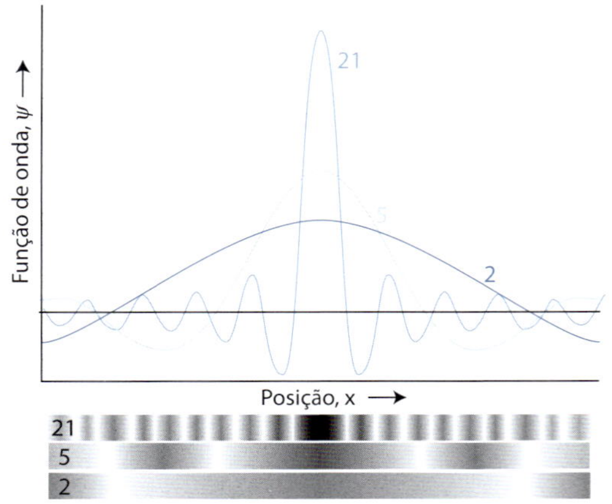

Figura 12.16 A função de onda para uma partícula que não tem uma posição bem definida pode ser vista como uma soma (superposição) de várias funções de onda com comprimentos de onda diferentes que interferem construtivamente numa posição e destrutivamente nas posições restantes. Quanto maior o número de ondas usado na superposição, mais precisa é a localização da partícula, à custa de uma incerteza crescente no seu momento linear. É necessário um número de ondas infinito para construir a função de onda de uma partícula perfeitamente localizada. O número ao lado de cada curva indica o número de ondas senoidais utilizadas na superposição.

nido. De fato, como uma onda senoidal se propaga por todo o espaço, nada podemos dizer sobre a localização da partícula; como a onda se espalha por todos os lugares, a partícula pode estar em qualquer região do espaço. Esta afirmação é parte do **princípio da incerteza**, proposto por Werner Heisenberg em 1927, um dos resultados mais importantes da mecânica quântica:

> É impossível especificar simultaneamente, com precisão arbitrária, o momento e a posição de uma partícula.

Mais precisamente, este é o *princípio da incerteza da posição-momento*.

Antes de discutirmos mais detalhadamente este princípio, precisamos estabelecer a sua outra parte: se conhecermos com exatidão a posição de uma partícula, nada podemos dizer sobre o valor de seu momento. Se a partícula está numa posição definida, então sua função de onda deve ser diferente de zero apenas onde a partícula se encontra, e zero em qualquer outra região (Fig. 12.15). Podemos representar essa função de onda por uma **superposição** de muitas funções de onda, ou seja, pela adição das amplitudes de um grande número de funções senoidais (Fig. 12.16). Esse procedimento funciona, pois as amplitudes das ondas se somam, em dada região, para dar uma amplitude total não nula naquela região, mas se cancelam em todas as outras regiões. Em outras palavras, podemos criar uma função de onda altamente localizada correspondente a vários comprimentos diferentes de onda, e, segundo a relação de de Broglie, a vários momentos lineares diferentes.

A superposição de umas poucas funções senoidais leva a uma função de onda não muito bem localizada. O aumento do número de funções faz com que a função de onda fique mais localizada, devido à maior interferência entre as regiões positivas e negativas das componentes. Quando um número infinito de componentes é usado, a função de onda é um pico afilado e infinitamente estreito, como o da Figura 12.15; este pico corresponde à localização perfeita da partícula. A partícula fica perfeitamente localizada, mas seu momento não pode ser definido.

A relação quantitativa da **relação de incerteza posição-momento** é

$$\Delta p \Delta x \geq \tfrac{1}{2}\hbar \qquad \text{Relação de incerteza posição-momento} \qquad (12.7)$$

A grandeza Δp é a 'incerteza' no momento linear e Δx é a incerteza na posição (que é proporcional à altura do pico na Fig. 12.16). A Eq. 12.7 expressa quantitativamente o fato de que quanto mais precisamente a posição da partícula for especificada (quanto menor o valor de Δx), maior é a incerteza em seu momento linear (maior é o valor de Δp) paralelo ao componente da posição especificada, e vice-versa (Fig. 12.17). Quando $\Delta x = 0$, que é o caso que ocorre quando a posição da partícula é conhecida exatamente, Δp tem que ser infinito, indicando um total desconhecimento sobre o seu momento linear. Da mesma maneira, se $\Delta p = 0$ (certeza sobre o momento linear), $\Delta x = \infty$ (desconhecimento total sobre onde a partícula pode ser encontrada). O princípio da incerteza posição-momento se aplica à posição e momento da partícula *ao longo do mesmo eixo*, sem limitar nossa capacidade de especificar a posição em um eixo e o momento linear ao longo de um eixo perpendicular ao eixo do componente da posição considerada.

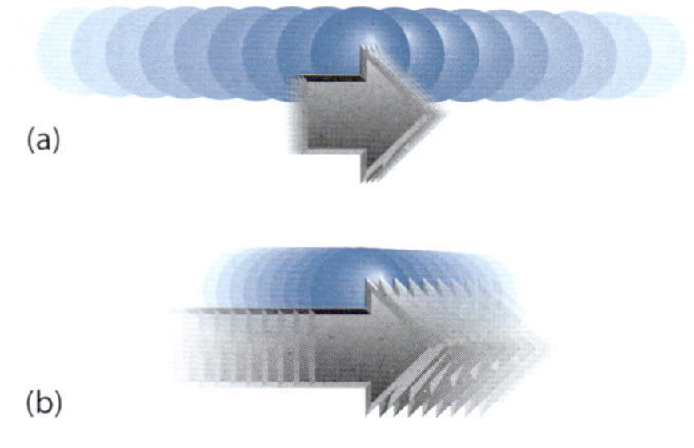

Figura 12.17 Representação esquemática do princípio da incerteza. A faixa de posições da partícula é mostrada pelas esferas e a faixa de momentos lineares pelas setas. Em (a), a posição é muito incerta e a faixa de momentos lineares é pequena. Em (b), a posição está mais bem definida, e agora é o momento linear da partícula que é muito incerto.

■ Breve ilustração 12.3 O princípio da incerteza

Suponha que a velocidade de certo projétil de massa igual a 1,0 g é conhecida com precisão de $\Delta v = 1{,}0\ \mu\text{m s}^{-1}$. A partir de $\Delta p \Delta x \geq \frac{1}{2}\hbar$, a incerteza na posição ao longo de sua linha de voo é

$$\Delta x \geq \frac{\hbar}{2\Delta p} = \frac{\hbar}{2m\Delta v}$$

$$= \frac{\overbrace{1{,}055\times10^{-34}\ \text{J s}}^{h}}{\underbrace{2\times\underbrace{(1{,}0\times10^{-3}\,\text{kg})}_{m}\times\underbrace{(1{,}0\times10^{-6}\,\text{m s}^{-1})}_{\Delta v}}_{\Delta p}}$$

$$\overset{\text{Use J = kg m}^2\text{s}^{-2}}{=} 5{,}3\times10^{-26}\ \text{m}$$

Esse grau de incerteza é completamente desprezível para todos os fins práticos. Esse é o motivo por que a necessidade da mecânica quântica não tinha sido reconhecida até cerca de 200 anos após Newton ter proposto a mecânica, e porque no dia a dia ignoramos completamente as restrições que a mesma implica. Contudo, quando a massa é a do elétron, a mesma incerteza na velocidade implica uma incerteza na posição muito maior do que o diâmetro de um átomo; o conceito de trajetória – a informação simultânea da posição e momento exatos – não pode ser aplicado.

Exercício proposto 12.5

Calcule a incerteza mínima na velocidade de um elétron em um átomo de hidrogênio (tomando seu diâmetro como 100 pm).

Resposta: 580 km s^{-1}

O princípio da incerteza condensa uma das principais diferenças entre a mecânica clássica e a quântica. Na mecânica clássica, supõe-se falsamente, como hoje sabemos, que a posição e o momento de uma partícula podem ser especificados simultaneamente com precisão arbitrária. Entretanto, a mecânica quântica mostra que a posição e o momento são **complementares**, ou seja, não podem ser simultaneamente especificados. A mecânica quântica nos obriga a fazer uma escolha: podemos especificar a posição à custa do momento ou especificar o momento à custa da posição.[3]

O princípio da incerteza tem uma profunda implicação na descrição de elétrons em átomos e moléculas, e, portanto, na química como um todo. Quando o modelo nuclear do átomo foi proposto inicialmente, imaginava-se que o movimento do elétron em torno do núcleo pudesse ser descrito pela mecânica clássica, e que o elétron se moveria em algum tipo de órbita. Porém, para especificar uma órbita, precisamos especificar a posição e o momento do elétron em cada ponto da sua trajetória. A possibilidade de fazer isso é descartada pelo princípio da incerteza. As propriedades dos elétrons nos átomos e, portanto, os fundamentos da química, tiveram que ser reformulados (como veremos) de forma completamente diferente.

[3] Veja *Quanta, Matéria e Transformações* (2009) para mais exemplos de complementariedade.

Aplicações da mecânica quântica

Para aplicar a mecânica quântica à química, precisamos entender três tipos básicos de movimento: translação (movimento através do espaço), rotação e vibração. Para o movimento de translação e o de rotação em um plano, a função de onda pode ser construída diretamente da relação de de Broglie, sem resolver a equação de Schrödinger, e vamos adotar essa metodologia simples. Isso não é possível para a rotação em três dimensões e para o movimento de vibração; para esses movimentos, precisamos usar a equação de Schrödinger para obter as funções de onda.

12.7 Translação

O tipo de movimento mais simples é o de translação em uma dimensão. Já vimos como a mecânica clássica trata o movimento de translação em uma dimensão (Fundamentos 0.4–0.6). A diferença crucial entre aquele tratamento e o da mecânica quântica é que, quando se aplica a teoria ao movimento de uma partícula que está confinada entre duas paredes infinitamente altas, as condições de contorno adequadas implicam que apenas certas funções de onda, e suas energias correspondentes, são aceitáveis. Isto é, a energia de translação é quantizada. Quando a altura das paredes é finita, as soluções da equação de Schrödinger revelam características surpreendentes das partículas, em especial sua capacidade de penetrar e atravessar regiões nas quais a física clássica proíbe que sejam encontradas.

(a) Movimento em uma dimensão

Inicialmente, vamos considerar o movimento de translação de uma 'partícula em uma caixa', uma partícula de massa m que pode viajar em movimento retilíneo unidimensional (ao longo do eixo dos x), mas está confinada entre duas paredes separadas por uma distância L. A energia potencial da partícula é zero dentro da caixa, mas se eleva abruptamente para infinito nas paredes (Fig. 12.18). A partícula poderia ser uma conta livre para se mover entre as extremidades de um fio horizontal. Embora esse problema seja elementar, tem despertado renovado interesse de pesquisa, agora que estruturas em escala nanométrica são usadas para reter elétrons em cavidades que se assemelham a poços quadrados.

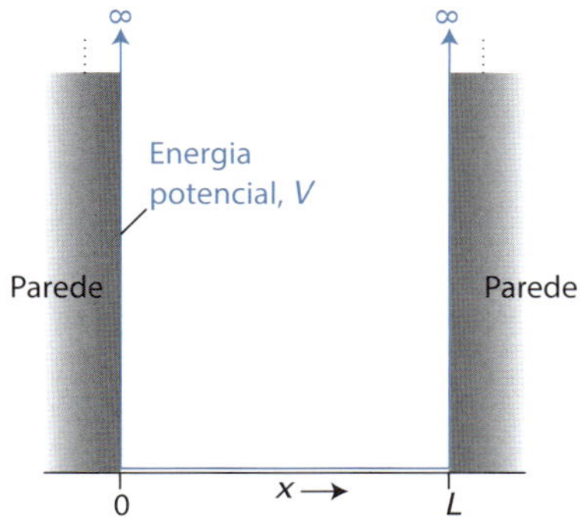

Figura 12.18 Uma partícula em uma região unidimensional com paredes impenetráveis em cada extremidade. A energia potencial da partícula é zero entre $x = 0$ e $x = L$, crescendo abruptamente para infinito quando a partícula atinge cada uma das paredes.

As condições de contorno para esse problema vêm da exigência de que cada função de onda aceitável da partícula deve estar exatamente contida dentro da caixa, tal como as vibrações de uma corda de um violino (como na Fig. 12.14). Mais precisamente, as condições de contorno surgem do fato de que a função de onda deve ser contínua em toda a região em que é definida: como a função se anula fora da caixa, deve ser nula em $x = 0$ e $x = L$.

Assim, o comprimento de onda, λ, das funções de onda permitidas, deve ter um dos seguintes valores:

$$\lambda = 2L, L, \tfrac{2}{3}L, \ldots \quad \text{ou} \quad \lambda = \frac{2L}{n}, \quad \text{com } n = 1, 2, 3, \ldots$$

O valor $n = 0$ é descartado, pois resultaria em uma linha de amplitude constante e igual a zero. Cada função de onda é uma onda senoidal com um desses comprimentos de onda; portanto, como uma onda senoidal de comprimento de onda λ tem a forma $\text{sen}(2\pi x/\lambda)$, as funções de onda permitidas são

$$\psi_n = N\,\text{sen}\frac{n\pi x}{L} \qquad n = 1, 2, \ldots$$

Funções de onda — Partícula em uma caixa unidimensional (12.8)

A constante N é denominada **constante de normalização**. É escolhida de modo a fazer com que a probabilidade total de a partícula ser encontrada na caixa seja igual a 1; como mostramos na Dedução a seguir seu valor é $N = (2/L)^{1/2}$. O número inteiro n é um exemplo de um **número quântico**, um número inteiro (em alguns casos, semi-inteiro) que especifica o estado do sistema.

Dedução 12.2

A constante de normalização

De acordo com a interpretação de Born, a probabilidade de encontrarmos uma partícula em uma região infinitesimal de comprimento dx em torno de um ponto x, para uma função de onda normalizada que vale ψ no ponto considerado, é $\psi^2 dx$. Desse modo, a probabilidade total de encontrarmos a partícula entre $x = 0$ e $x = L$ é a soma (integral) de todas as probabilidades de a partícula ser encontrada em cada região infinitesimal. Essa probabilidade total é 1 (a partícula está certamente em algum lugar no intervalo considerado), logo sabemos que

$$\overbrace{\int_0^L \psi^2\,dx}^{\text{Probabilidade total de encontrar a partícula entre 0 e } L} = 1$$

A substituição da forma da função de onda, $\psi_n = N\text{sen}(n\pi x/L)$, transforma esta expressão em

$$N^2 \int_0^L \left(\text{sen}\frac{n\pi x}{L}\right)^2 dx = 1$$

Nossa tarefa é encontrar o valor de N. Para isso, usamos a integral-padrão

$$\int (\text{sen}\,ax)^2 dx = \tfrac{1}{2}x - \frac{\text{sen}\,2ax}{4a} + \text{constante}$$

e escrevemos, após reconhecer que $a = n\pi/L$,

$$\int_0^L \left(\text{sen}\frac{n\pi x}{L}\right)^2 dx = \left(\tfrac{1}{2}L - \overbrace{\frac{\text{sen}\,2n\pi}{4n\pi/L}}^{0} + \text{constante}\right) - \left(\tfrac{1}{2}\times 0 - \overbrace{\frac{\text{sen}\,0}{4n\pi/L}}^{0} + \text{constante}\right) = \tfrac{1}{2}L$$

Portanto,

$$N^2 \times \tfrac{1}{2}L = 1$$

e assim, $N = (2/L)^{1/2}$. Observe que neste caso, mas não no caso geral, o mesmo fator de normalização se aplica a todas as funções de onda, independente do valor de n.

É agora uma tarefa simples encontrar os níveis de energia permitidos, pois a única contribuição para a energia vem da energia cinética da partícula: a energia potencial é zero para qualquer posição da partícula dentro da caixa, e a partícula nunca está fora da caixa. Primeiramente, observamos que, como consequência da relação de de Broglie, os únicos valores aceitáveis do momento linear da partícula são

$$p = \frac{h}{\lambda} \overset{\lambda=2L/n}{=} \frac{nh}{2L} \qquad n = 1, 2, \ldots$$

Então, como a energia cinética de uma partícula com momento linear p e massa m é $E_k = p^2/2m$ e a energia potencial é nula, segue que os valores permitidos da energia são

$$E_n = \frac{n^2h^2}{8mL^2} \qquad n = 1, 2, \ldots$$

Energias quantizadas — Partícula em uma caixa unidimensional (12.9)

Como podemos ver das Eqs. 12.8 e 12.9, as funções de onda e as energias de uma partícula em uma caixa são caracterizadas pelo número n. Além de atuar como um identificador, um número quântico especifica certas propriedades do sistema: no exemplo em questão, n especifica a energia da partícula segundo a Eq. 12.9.

As energias permitidas da partícula são representadas na Figura 12.19, juntamente com as formas das funções de onda para $n = 1$ até 6. Todas as funções de onda, exceto a de mais baixa energia ($n = 1$) possuem pontos chamados **nós**, nos quais a função passa pelo zero. Passar *pelo* zero é uma parte essencial da definição: simplesmente valer zero não é suficiente. Os pontos na extremidade da caixa, em que $\psi = 0$, não são nós, pois a função de onda não passa pelo zero nesses pontos. O número de nós nas funções de onda mostradas na ilustração aumenta de zero (para $n = 1$) até 5 (para $n = 6$). No geral, há $n - 1$ nós para a partícula em uma caixa. Como uma característica da mecânica quântica, o estado de mais baixa energia é em geral descrito por uma função sem nós, e o número de nós cresce com o aumento da energia.

As soluções da partícula em uma caixa mostram outra característica importante da mecânica quântica. Como o número quântico n não pode ser zero (para este sistema), a

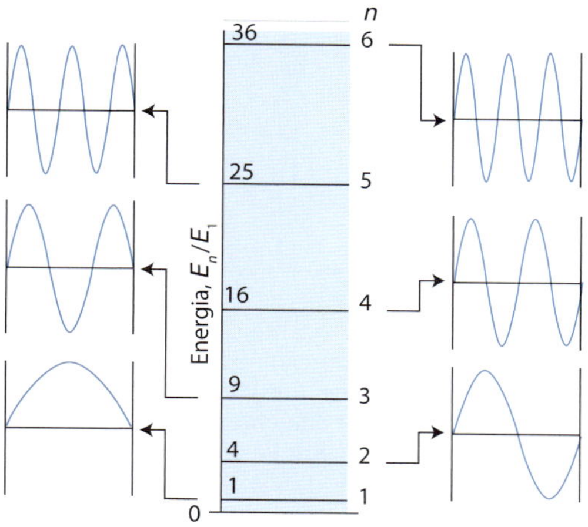

Figura 12.19 Níveis de energia permitidos e correspondentes funções de onda (senoidais) para uma partícula em uma caixa. Observe que os níveis de energia aumentam com n^2, logo o espaçamento entre os mesmos aumenta com n. Cada função de onda é uma onda estacionária e as sucessivas funções possuem uma meia-onda a mais e, portanto, um menor comprimento de onda.

menor energia que a partícula pode possuir não é zero, como seria permitido pela mecânica clássica, mas $h^2/8mL^2$ (o valor da energia para $n = 1$). Este menor valor de energia, irremovível, é a **energia do ponto zero.** A existência de uma energia do ponto zero é consistente com o princípio da incerteza. Se uma partícula está confinada a uma região finita, sua posição não está completamente indefinida. Consequentemente, seu momento não pode ser especificado precisamente como zero e, portanto, sua energia cinética não pode ser, também, precisamente igual a zero. A energia do ponto zero não é uma forma especial e misteriosa de energia. É simplesmente, a energia residual que não pode ser retirada da partícula. No caso da partícula em uma caixa, essa partícula pode ser interpretada como resultante do movimento incessante e flutuante da partícula entre as duas paredes da caixa.

A diferença de energia entre níveis adjacentes é

$$\Delta E = E_{n+1} - E_n = \overbrace{(n+1)^2}^{n^2+2n+1}\frac{h^2}{8mL^2} - n^2\frac{h^2}{8mL^2}$$

$$= (2n+1)\frac{h^2}{8mL^2} \qquad (12.10)$$

Esta expressão mostra que a diferença diminui com o aumento do comprimento L da caixa, tornando-se nula quando as paredes estão infinitamente afastadas (Fig. 12.20). Átomos e moléculas livres para se moverem em recipientes na escala de laboratório podem, portanto, serem tratados como se suas energias translacionais não fossem quantizadas, pois L é muito grande. A expressão também mostra que a separação entre os níveis diminui com o aumento da massa da partícula. Partículas de massa macroscópica (como bolas, planetas ou mesmo grãos de poeira) se comportam como se seu movimento de translação não fosse quantizado. As duas conclusões vistas a seguir são verdadeiras no caso geral:

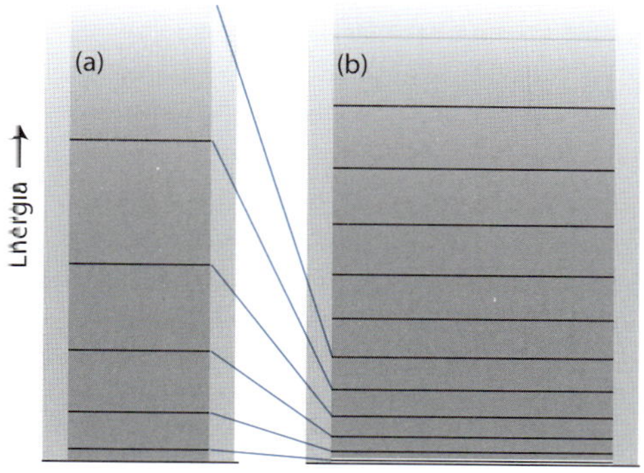

Figura 12.20 (a) Uma caixa estreita tem níveis de energia muito espaçados; (b) uma caixa larga tem níveis de energia muito próximos. (Em ambos os casos, a separação entre os níveis depende também da massa da partícula.)

- Quanto maior o tamanho do sistema, menos importante são os efeitos da quantização. A quantização é muito importante para sistemas confinados em regiões muito pequenas.
- Quanto maior a massa da partícula, menos importante são os efeitos da quantização. A quantização é muito importante para partículas de massa muito pequena.

Este capítulo iniciou-se com o comentário de que a descrição correta da natureza deve explicar a observação de que as transições ocorrem com frequências discretas. Isso é exatamente o que é previsto para um sistema que pode ser modelado como uma partícula em uma caixa. Quando a partícula faz uma transição de um estado com número quântico n_{inicial} para outro com estado quântico n_{final}, a variação de energia é

$$\Delta E = E_{\text{final}} - E_{\text{inicial}} = (n_{\text{final}}^2 - n_{\text{inicial}}^2)\frac{h^2}{8mL^2} \qquad (12.11)$$

Como os dois números quânticos só podem assumir valores inteiros, apenas certas variações de energia são permitidas; assim, sendo $\nu = \Delta E/h$, apenas certas frequências aparecerão no espectro de transições.

Exemplo 12.4

Estimativa do comprimento de onda de uma absorção

O β-caroteno (**1**) é um polieno linear no qual 10 ligações simples e 11 ligações duplas se alternam ao longo de uma cadeia de 22 átomos de carbono. Se considerarmos cada comprimento de ligação C—C com aproximadamente 140 pm, então o comprimento L da caixa molecular no β-caroteno é de L = 2,94 nm. Calcule o comprimento de onda da luz absorvida por essa molécula quando vai do seu estado fundamental para o estado excitado mais próximo.

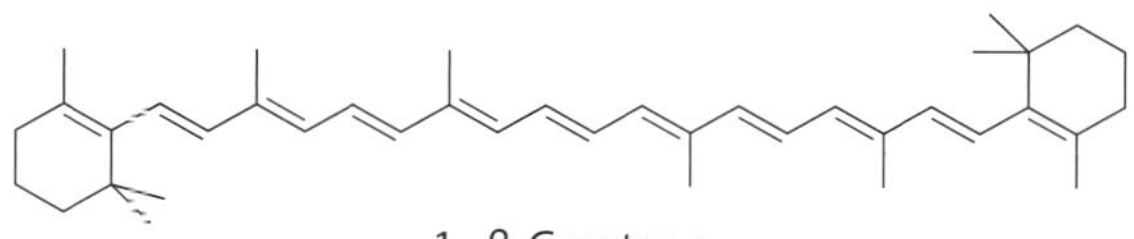

1 β-Caroteno

Estratégia Por motivos que devem ser familiares da química elementar e que serão discutidas com mais detalhes no Capítulo

14), cada átomo de C contribui com um elétron p para os orbitais π. Use a Eq. 12.11 para calcular a separação de energia entre o mais alto nível ocupado e o mais baixo nível desocupado, e converta essa energia em comprimento de onda usando a relação de frequência de Bohr (Eq. 12.1).

Solução Há 22 átomos de C na cadeia conjugada. Cada um contribui com um elétron p para os níveis, portanto, cada nível até n = 11 é ocupado por dois elétrons. A separação de energia entre o estado fundamental e o estado no qual um elétron é promovido de $n_{\text{inicial}} = 11$ para $n_{\text{final}} = 12$, é

$$\Delta E = E_{12} - E_{11}$$
$$= \left(\overbrace{12^2}^{n_{\text{final}}^2} - \overbrace{11^2}^{n_{\text{inicial}}^2}\right) \frac{\overbrace{(6{,}626 \times 10^{-34}\,\text{J s})^2}^{h^2}}{8 \times \underbrace{(9{,}109 \times 10^{-31}\,\text{kg})}_{m_e} \times \underbrace{(2{,}94 \times 10^{-9}\,\text{m})^2}_{L^2}}$$
$$= 1{,}60 \times 10^{-19}\,\text{J}$$

Segue da condição de frequência de Bohr ($\Delta E = h\nu$) que a frequência da radiação necessária para provocar essa transição é

$$\nu = \frac{\Delta E}{h} = \frac{1{,}60 \times 10^{-19}\,\text{J}}{6{,}626 \times 10^{-34}\,\text{J s}} = 2{,}41 \times 10^{14}\,\text{s}^{-1}$$

ou 241 THz (1 THz = 10^{12} Hz), correspondendo a um comprimento de onda de 1240 nm. O valor experimental é 603 THz (λ = 497 nm), que corresponde à radiação na faixa visível do espectro eletromagnético. Considerando a simplicidade do modelo adotado, é encorajador verificar que as frequências calculada e observada diferem por um fator de 2,5.

Uma nota sobre a boa prática A capacidade de fazer tais estimativas grosseiras das ordens de grandeza de propriedades físicas deve ser parte da bagagem de todo cientista.

Exercício proposto 12.6

Estime a energia típica de uma excitação nuclear, em elétrons-volt (1 eV = $1{,}602 \times 10^{-19}$ J; 1 GeV = 10^9 eV) calculando a primeira energia de excitação de um próton confinado em uma caixa unidimensional, com o comprimento igual ao diâmetro do núcleo (aproximadamente 1×10^{-15} m ou 1 fm).

Resposta: 0,6 GeV

(b) Tunelamento

Se a energia potencial da partícula não cresce até o infinito nas paredes da caixa, e se $E < V$ (de modo que a energia total é menor que a energia potencial, e classicamente a partícula não pode escapar da caixa), a função de onda não decresce abruptamente até zero nessas paredes. A função de onda oscila no interior da caixa (Eq. 12.6), decai exponencialmente na região representativa da parede e depois oscila novamente do outro lado da parede, na região fora da caixa (Fig. 12.21). Assim, se as paredes forem delgadas o suficiente e a partícula leve o suficiente para que o decaimento exponencial da função de onda não a anule ao emergir à direita, a partícula pode ser encontrada no exterior da caixa mesmo que, de acordo com a mecânica clássica, não tenha energia suficiente para escapar. Este escape pela penetração em, ou através de uma região classicamente proibida é chamada de **tunelamento**.

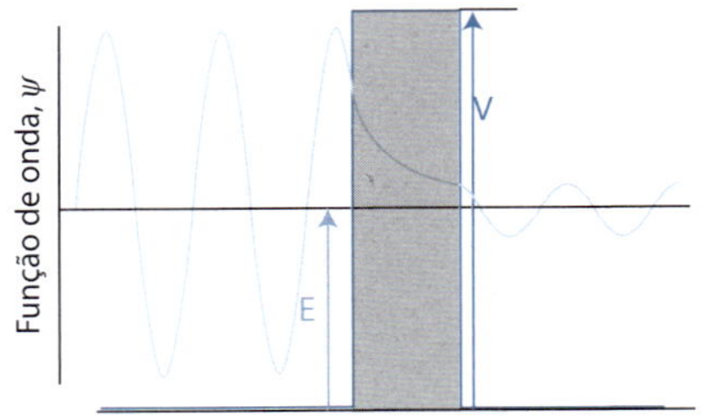

Figura 12.21 Uma partícula incidente sobre uma barreira, vinda da esquerda, tem uma função de onda oscilante, mas no interior da barreira não há oscilações (pois $E < V$). Se a barreira não for muito espessa, a função de onda é diferente de zero na face oposta da barreira e as oscilações recomeçam.

A equação de Schrödinger pode ser usada para calcular a probabilidade de tunelamento, a **probabilidade de transmissão**, T, de uma partícula que incide em uma barreira finita. Quando a barreira é alta (no sentido que $V/E \gg 1$) e larga (no sentido que a função de onda perde muito de sua amplitude no interior da barreira), podemos escrever[4]

$$T \approx 16\varepsilon(1-\varepsilon)e^{-2\kappa L} \qquad \kappa = \frac{\{2m(V-E)\}^{1/2}}{\hbar}$$ Barreira unidimensional alta e larga — Probabilidade de transmissão (12.12)

em que $\varepsilon = E/V$ e L é a espessura da barreira. A probabilidade de transmissão diminui exponencialmente com L e com $m^{1/2}$. Logo, partículas de massa pequena são mais capazes de tunelar através de barreiras do que partículas mais pesadas (Fig. 12.21). Assim, o tunelamento é muito importante para os elétrons, moderadamente importante para os prótons e menos importante para as partículas mais pesadas.

Breve ilustração 12.4 Tunelamento em reações de transferência de próton e de hidrogênio

O equilíbrio muito rápido nas reações de transferência de prótons (Capítulo 8) é também uma manifestação da capacidade de os prótons tunelarem através de barreiras e se transferirem rapidamente de um ácido para uma base. O tunelamento de prótons entre grupos ácidos e básicos também é importante no mecanismo de algumas reações catalisadas por enzimas. O processo pode ser visualizado como um próton passando *através* de uma barreira de ativação, em vez de adquirir energia suficiente para passar sobre a mesma (Fig. 12.22). O tunelamento quântico pode ser o processo dominante em reações que envolvem a transferência de próton ou de átomo de hidrogênio, quando a temperatura é tão baixa que poucas moléculas reagentes podem vencer a barreira de energia de ativação. Uma indicação de que a transferência de prótons está ocorrendo por tunelamento é que um gráfico de Arrhenius (Seção 10.9) se desvia de uma reta a baixas temperaturas e a velocidade é maior do que seria esperada por extrapolação à temperatura ambiente.

[4] Para detalhes do cálculo, veja o livro *Físico-Química* – 9ª ed., destes mesmos autores (LTC Editora).

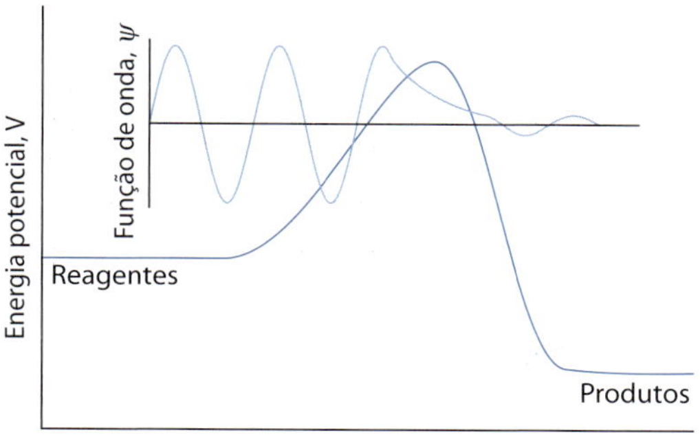

Figura 12.22 Um próton pode tunelar através da barreira de energia de ativação que separa reagentes de produtos; assim, a altura da barreira é reduzida e a velocidade da reação de transferência de prótons aumenta. O efeito é representado desenhando-se a função de onda do próton próximo da barreira. O tunelamento de prótons é importante somente a baixas temperaturas, quando a maioria dos reagentes fica aprisionada à esquerda da barreira.

(c) Movimento em duas dimensões

Uma vez analisada a translação em uma dimensão, é fácil passar para uma dimensão superior. Nessa análise, encontraremos duas características muito importantes da mecânica quântica que vão ocorrer muitas vezes daqui por diante. Uma é a simplificação da equação de Schrödinger pela técnica conhecida como 'separação de variáveis'; a outra é a existência da 'degenerescência'.

O arranjo que consideraremos é semelhante ao de uma partícula confinada no fundo de uma caixa retangular (Fig. 12.23). A caixa tem comprimento L_X na direção x e L_Y na direção y. A função de onda varia ponto a ponto ao longo do fundo da caixa, sendo agora uma função de x e de y: escrevemos essa função como $\psi(x,y)$. Mostramos na Informação adicional 12.1 que, para este problema, segundo o **método da separação de variáveis**, a função de onda pode ser expressa como um produto de funções de onda, uma para cada direção:

$$\psi(x,y) = X(x)Y(y) \qquad (12.13)$$

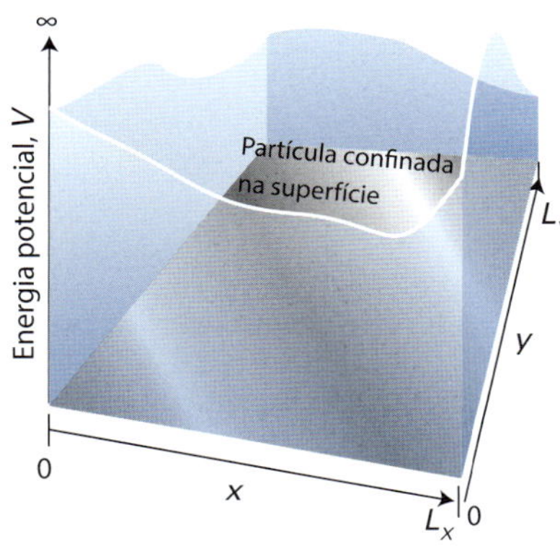

Figura 12.23 Caixa bidimensional quadrada. A partícula está confinada na superfície plana limitada por paredes impenetráveis. Assim que a partícula toca as paredes, a energia potencial cresce abruptamente até o infinito.

com cada função de onda satisfazendo à sua 'própria' equação de Schrödinger semelhante à Eq. 12.5, e que as soluções do problema são

$$\psi_{n_X,n_Y}(x,y) = X_{n_X}(x)Y_{n_Y}(y)$$

$$= \overbrace{\left(\frac{2}{L_X}\right)^{1/2} \text{sen}\left(\frac{n_X \pi x}{L_X}\right)}^{X_{n_X}(x)} \overbrace{\left(\frac{2}{L_Y}\right)^{1/2} \text{sen}\left(\frac{n_Y \pi y}{L_Y}\right)}^{Y_{n_Y}(y)}$$

$$= \left(\frac{4}{L_X L_Y}\right)^{1/2} \text{sen}\left(\frac{n_X \pi x}{L_X}\right) \text{sen}\left(\frac{n_Y \pi y}{L_Y}\right)$$

Funções de onda — Partícula em uma caixa bidimensional (12.14a)

com energias

$$E_{n_X,n_Y} = E_{n_X} + E_{n_Y}$$

$$= \frac{n_X^2 h^2}{8mL_X^2} + \frac{n_Y^2 h^2}{8mL_Y^2}$$

$$= \left(\frac{n_X^2}{L_X^2} + \frac{n_Y^2}{L_Y^2}\right)\frac{h^2}{8m}$$

Energias — Partícula em uma caixa bidimensional (12.14b)

Há dois números quânticos, (n_X e n_Y), cada um tendo, independentemente, os valores permitidos 1, 2, ... O método da separação de variáveis é importante e ocorre (algumas vezes sem ser mencionado de forma explícita) em toda a química, pois fundamenta o fato de que as energias de sistemas independentes são aditivas e que suas funções de onda são produtos de funções de ondas mais simples. Vamos encontrar isso diversas vezes nos capítulos subsequentes.

■ Breve ilustração 12.5 A energia do ponto zero de uma partícula em uma caixa bidimensional

Um elétron confinado no interior de uma cavidade de dimensões $L_X = 1{,}0$ nm e $L_Y = 2{,}0$ nm pode ser descrito pela função de onda de uma partícula em uma caixa. A energia do ponto zero é dada pela Eq. 12.14b com $n_X = 1$ e $n_Y = 1$:

$$E_{1,1} = \left\{ \frac{\overbrace{1^2}^{n_X^2}}{\underbrace{(1{,}0 \times 10^{-9}\,\text{m})^2}_{L_X^2}} + \frac{\overbrace{1^2}^{n_Y^2}}{\underbrace{(2{,}0 \times 10^{-9}\,\text{m})^2}_{L_Y^2}} \right\}$$

$$\frac{\overbrace{(6{,}626 \times 10^{-34}\,\text{J s})^2}^{h^2}}{8 \times \underbrace{(9{,}109 \times 10^{-31}\,\text{kg})}_{m_e}} = 7{,}5 \times 10^{-20}\,\text{J}$$

Essa energia, que pode ser escrita como 75 zJ (1 zJ = 10^{-2} J), corresponde a 0,47 eV.

Exercício proposto 12.7

Calcule a separação de energia entre os níveis $n_X = n_Y = 2$ e $n_X = n_Y = 1$ de um elétron confinado em uma caixa quadrada com lados de comprimento 1,0 nm.

Resposta: 3,6 × 10^{-19} J, 2,2 eV

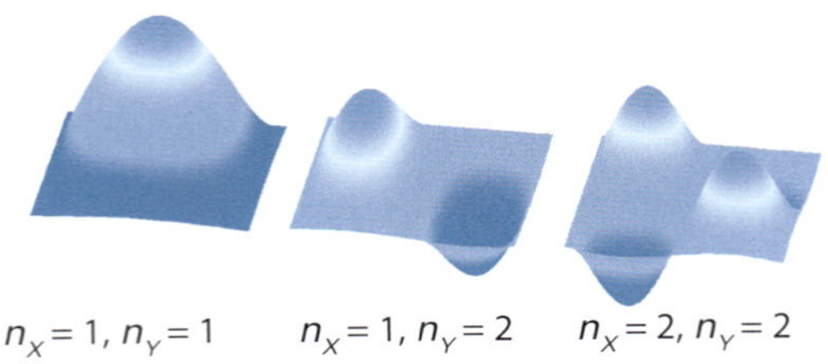

Figura 12.24 Três funções de onda para uma partícula confinada em uma superfície retangular. (Veja o Encarte em Cores.)

A Figura 12.24 mostra algumas funções de onda para o caso bidimensional. Em uma dimensão, as funções de onda são semelhantes às vibrações de uma corda de violino presa nas extremidades. Em duas dimensões, as funções de onda são como as vibrações de uma chapa retangular presa em suas extremidades.

Um caso particularmente interessante aparece quando a região retangular é um quadrado, com $L_X = L_Y = L$. As energias permitidas são então

$$E_{n_X,n_Y} = (n_X^2 + n_Y^2)\frac{h^2}{8mL^2} \qquad (12.15a)$$

Esta expressão é interessante porque mostra que diferentes funções de onda correspondem à mesma energia. Por exemplo, as funções de onda com $n_X = 1, n_Y = 2$ e $n_X = 2, n_Y = 1$ são diferentes:

$$\psi_{1,2}(x,y) = \frac{2}{L}\,\mathrm{sen}\left(\frac{\pi x}{L}\right)\mathrm{sen}\left(\frac{2\pi y}{L}\right)$$
$$\psi_{2,1}(x,y) = \frac{2}{L}\,\mathrm{sen}\left(\frac{2\pi x}{L}\right)\mathrm{sen}\left(\frac{\pi y}{L}\right) \qquad (12.15b)$$

mas ambas têm a mesma energia, $5h^2/8mL^2$. Estados diferentes com a mesma energia são ditos **degenerados**. A degenerescência está sempre relacionada com um aspecto da simetria do sistema. Neste caso, isso é fácil de ser compreendido, pois a caixa é quadrada, e pode ser girada de 90°, o que transforma a função de onda com $n_X = 1, n_Y = 2$ na função de onda com $n_X = 2, n_Y = 1$. Em outros casos, a simetria pode ser mais difícil de ser identificada, mas está sempre presente.

A separação de variáveis aparecerá novamente na discussão do movimento de rotação e da estrutura dos átomos. A degenerescência é importante para os átomos e é uma característica que fundamenta a estrutura da tabela periódica.

12.8 Movimento de rotação

O movimento de rotação é importante em química por uma série de razões. Primeiro, os elétrons circulam ao redor dos núcleos nos átomos, e uma compreensão de seu comportamento em relação à rotação é essencial para entender a estrutura da tabela periódica e das propriedades nela resumidas. Também, as moléculas giram em fase gasosa, e as transições entre os seus estados de rotação permitidos dão origem a vários métodos espectroscópicos para a determinação de suas formas e do comprimento de suas ligações. De fato, o 'momento angular' e o momento associado ao movimento de rotação (veja Fundamentos), estão envolvidos em todos os efeitos direcionais na química e na física, inclusive as formas das distribuições eletrônicas nos átomos e, por conseguinte, as direções ao longo das quais os átomos podem formar ligações químicas.

(a) Rotação em duas dimensões

A discussão do movimento de translação foi centrada no momento linear, p. Quando tratamos do movimento de rotação, temos que nos concentrar no seu análogo, o **momento angular**, $\mathcal{J}$. O momento angular de uma partícula que se desloca num caminho circular de raio r em torno do eixo z e, portanto, confinado ao plano xy é definido por

$$\mathcal{J}_z = pr \qquad (12.16)$$

Magnitude do momento angular de uma partícula movendo-se em um caminho circular

em que p é o seu momento linear ($p = mv$) num instante qualquer. Uma partícula se movendo rapidamente num círculo tem um momento angular maior que uma partícula de mesma massa movendo-se mais lentamente. É preciso uma força intensa (mais precisamente um 'torque' elevado) para frear um objeto com um momento angular alto (como um volante).

Para analisar o movimento de rotação sob o ponto de vista da mecânica quântica, consideramos uma partícula de massa m movendo-se num caminho circular horizontal de raio r. A energia da partícula é puramente cinética, pois a sua energia potencial é constante e pode ser tomada como zero em todos os pontos da trajetória. Podemos, portanto, escrever $E = p^2/2m$. Usando a Eq. 12.16 na forma $p = \mathcal{J}_z/r$, podemos exprimir esta energia em termos do momento angular como

$$E = \frac{p^2}{2m} \overset{p=\mathcal{J}_z/r}{=} \frac{\mathcal{J}_z^2}{2\underbrace{mr^2}_{I}} \qquad (12.17)$$

Energia cinética — Partícula em um anel

Como foi visto em Fundamentos 0.4, a grandeza mr^2 é o **momento de inércia** da partícula sobre o eixo z, representado por I (Fig. 12.25). A energia da partícula é, então

$$E = \frac{\mathcal{J}_z^2}{2I} \qquad (12.18)$$

Energia cinética em termos do momento angular — Partícula em um anel

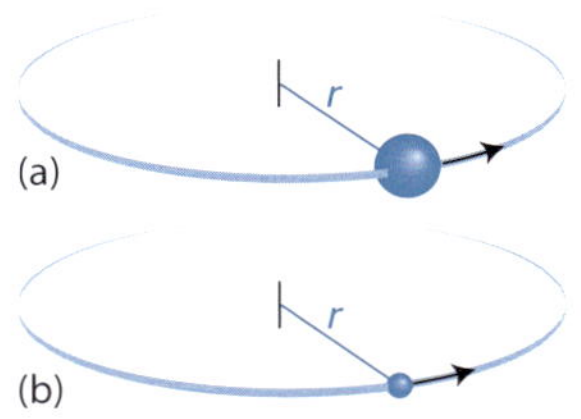

Figura 12.25 Uma partícula se movendo numa trajetória circular tem um momento de inércia I dado por mr^2. (a) Uma partícula pesada tem um momento de inércia elevado em torno do ponto central; (b) uma partícula leve se move numa trajetória com o mesmo raio, mas tem um momento de inércia menor. O momento de inércia desempenha um papel no movimento circular semelhante ao da massa para o movimento linear: é difícil acelerar uma partícula com alto momento de inércia para que atinja em dado estado de rotação; também é necessária uma força intensa para frear sua rotação.

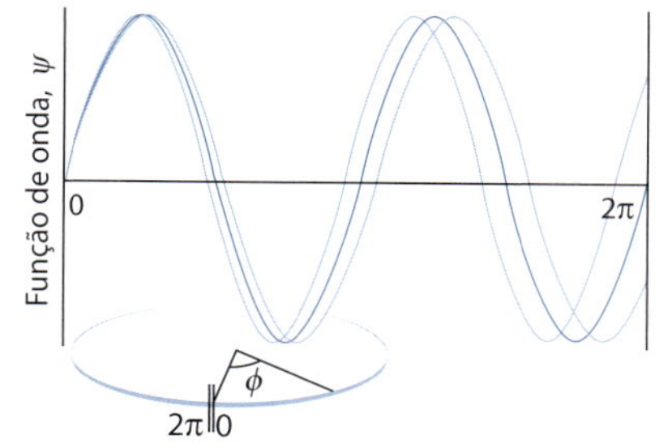

Figura 12.26 Três soluções da equação de Schrödinger para a partícula em um anel. A circunferência foi aberta numa linha reta; os pontos em $\phi = 0$ e 2π são idênticos. As ondas mostradas em negrito não são aceitáveis, pois têm valores diferentes em cada circuito, interferindo destrutivamente entre si. A solução mostrada num tom mais claro é aceitável, pois se repete em circuitos sucessivos.

Vamos usar agora a relação de de Broglie ($\lambda = h/p$) para verificar que a energia de rotação é quantizada. Para isso, exprimimos o momento angular em termos do comprimento de onda da partícula:

$$\mathcal{J}_z = pr \overbrace{=}^{p=h/\lambda} \frac{hr}{\lambda} \qquad \text{Momento angular em termos do momento de inércia} \qquad \text{Partícula em um anel} \qquad (12.19)$$

Imaginemos, por um instante, que λ possa assumir qualquer valor arbitrário. Nesse caso, a amplitude da função de onda depende do ângulo como ilustrado na Figura 12.26. Quando o ângulo aumenta além de 2π (ou seja, além de 360°), a função de onda continua a se alterar. Para um comprimento de onda arbitrário, a função de onda dá origem a uma amplitude diferente a cada ponto, e não é unívoca (um requisito para funções de onda aceitáveis, Seção 12.5). Assim, essa onda particular de comprimento de onda arbitrário não é aceitável. Uma solução aceitável é obtida apenas se a função de onda se reproduz em circuitos sucessivos no sentido de que a função de onda em $\phi = 2\pi$ (após uma revolução completa) deve ser a mesma que a função de onda em $\phi = 0$: dizemos que a função de onda deve satisfazer **condições de contorno cíclicas**. Especificamente, as funções de onda aceitáveis se superpõem a cada volta no circuito; os comprimentos de onda destas funções de onda são dados por

$$\lambda = \frac{\overbrace{2\pi r}^{\text{Circunferência do anel}}}{n} \qquad n = 0, 1, \ldots$$

em que o valor $n = 0$, que dá um comprimento de onda infinito, corresponde a uma amplitude uniforme diferente de zero. Segue que as energias permitidas são

$$E_n \overbrace{=}^{E=\mathcal{J}_z^2/2I \text{ e } \mathcal{J}_z=hr/\lambda} \frac{(hr/\lambda)^2}{2I} \overbrace{=}^{\lambda=2\pi r/n} \frac{(nh/2\pi)^2}{2I} \overbrace{=}^{h/2\pi=\hbar} \frac{n^2\hbar^2}{2I}$$

com $n = 0, \pm1, \pm2, \ldots$

No estudo do movimento de rotação, é convencional – por motivos que ficarão claros mais adiante – representar o número quântico n por m_l. Portanto, a expressão final para os níveis de energia é

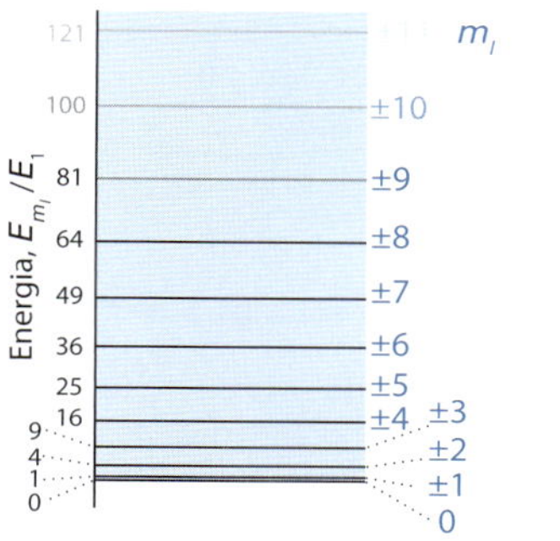

Figura 12.27 Níveis de energia de uma partícula que se move em uma trajetória circular. Pela física clássica, a partícula se desloca com qualquer energia (representada pela faixa contínua); a mecânica quântica permite apenas valores discretos de energia. Cada nível de energia, à exceção daquele com $m_l = 0$, é duplamente degenerado, pois uma partícula pode girar tanto no sentido horário, como no anti-horário, com a mesma energia.

$$E_{m_l} = \frac{m_l^2\hbar^2}{2I} \qquad m_l = 0, \pm1, \ldots \qquad \text{Energias quantizadas} \qquad \text{Partícula em um anel} \qquad (12.20)$$

Esses níveis de energia estão representados na Figura 12.27. A ocorrência de m_l^2 na expressão da energia significa que dois estados de movimento com sinais opostos de m_l, por exemplo, os com $m_l = +1$ e $m_l = -1$, correspondem à mesma energia. Essa degenerescência surge do fato de a energia ser independente do sentido do movimento. O estado com $m_l = 0$ é não degenerado. Outro ponto é que a partícula não tem energia no ponto zero: m_l pode valer 0, e neste caso $E_0 = 0$.

Uma conclusão adicional importante é que *o momento angular de uma partícula é quantizado*. Podemos usar a relação entre o momento angular e o momento linear ($\mathcal{J}_z = pr$) e entre o momento linear e os comprimentos de onda permitidos para a partícula ($\lambda = 2\pi r/m_l$) para concluir que o momento angular de uma partícula em torno do eixo z está limitado aos valores

$$\mathcal{J}_z = pr \overbrace{=}^{p=h/\lambda} \frac{hr}{\lambda} \overbrace{=}^{\lambda=2\pi r/m_l} \frac{hr}{2\pi r/m_l} \overbrace{=}^{\text{após cancelamento de termos e rearranjo}} m_l \times \frac{h}{2\pi}$$

Ou seja, o momento angular da partícula em torno do eixo é restrito aos valores

$$\mathcal{J}_z = m_l\hbar \qquad \text{Componente } z \text{ do momento angular} \qquad \text{Partícula em um anel} \qquad (12.21)$$

com $m_l = 0, \pm1, \pm2, \ldots$ Valores positivos de m_l correspondem à rotação no sentido horário e valores negativos à rotação no sentido anti-horário, quando vistos de baixo para cima (Fig. 12.28). Podemos pensar no movimento quantizado em termos da rotação de uma roda de bicicleta, que pode girar apenas com uma série discreta de valores de momento angular; à medida que a roda é acelerada, o momento angular pula do valor 0 (quando a roda está parada) para $\hbar$, $2\hbar$, ..., não podendo ter nenhum valor intermediário.

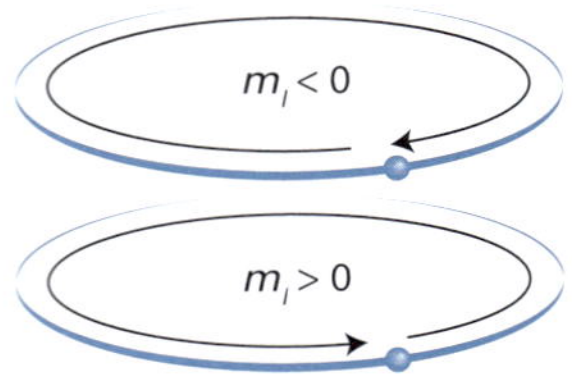

Figura 12.28 O significado do sinal de m_l. Quando $m_l < 0$, a partícula se desloca no sentido anti-horário, quando vista de baixo para cima em relação ao plano do movimento; quando $m_l > 0$, o movimento é no sentido horário.

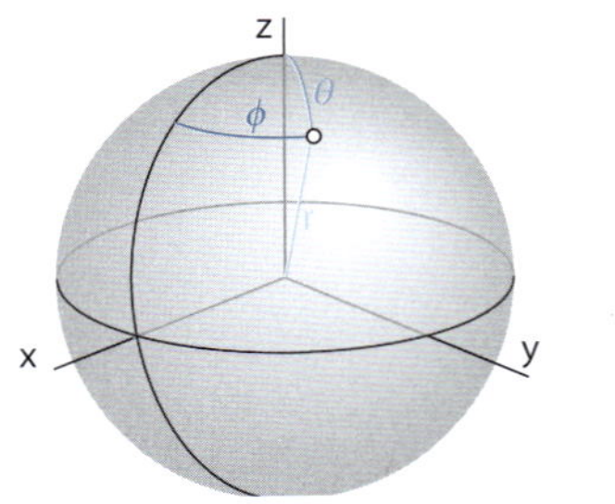

Figura 12.29 As coordenadas polares esféricas r (o raio), θ (a colatitude) e ϕ (o azimute).

Breve ilustração 12.6 A estrutura eletrônica do benzeno

Considere os elétrons π de uma molécula aromática, como o benzeno. Em primeira aproximação, podemos tratar o grupo como um anel circular de raio 140 pm, com os seis elétrons movendo-se ao longo do perímetro do anel. Tal como no Exemplo 12.4, vamos supor que somente um elétron de cada átomo de carbono possa se mover livremente ao redor e que, no estado fundamental, cada nível é ocupado por dois elétrons. Assim, somente os níveis 0, +1 e −1 são ocupados (sendo os dois últimos degenerados). Da Eq. 12.20, a separação de energia entre os níveis ±1 e ±2 é

$$\begin{aligned}\Delta E &= E_{\pm 2} - E_{\pm 1}\\ &= \left(\overbrace{4}^{m_{l,\text{final}}^2} - \overbrace{1}^{m_{l,\text{inicial}}^2}\right)\frac{\overbrace{(1{,}055\times 10^{-34}\ \text{J})^2}^{\hbar^2}}{\underbrace{2\times(9{,}109\times 10^{31}\ \text{kg})\times(1{,}40\times 10^{-10}\ \text{m})^2}_{I=m_e r^2}}\\ &= 9{,}33\times 10^{-19}\ \text{J}\end{aligned}$$

Esta separação de energia, de 5,82 eV, corresponde a uma frequência de absorção de 1,41 PHz (1 PHz = 10^{15} Hz), e a um comprimento de onda de 213 nm, que está em boa concordância com o valor experimental de 260 nm para uma transição desse tipo.

(b) Rotação em três dimensões

O movimento de rotação em três dimensões inclui o movimento dos elétrons ao redor dos núcleos nos átomos. Portanto, a compreensão deste tipo de movimento é fundamental para o entendimento da estrutura eletrônica dos átomos. Moléculas em fase gasosa também giram livremente em três dimensões e sabendo-se as energias permitidas (usando técnicas espectroscópicas descritas no Capítulo 19) podemos inferir comprimentos de ligação, ângulos de ligação e momentos de dipolo.

Assim como a localização de uma cidade sobre a superfície da Terra é especificada pela latitude e longitude, a localização de uma partícula livre para se mover a uma distância constante de um ponto é especificada por dois ângulos, a **colatitude**, θ (teta) e o **azimute**, ϕ (fi) (Fig. 12.29). A função de onda para a partícula é, portanto, uma função de ambos os ângulos, e é escrita como $\psi(\theta,\phi)$. Esta função de onda é fatorada, pelo método da separação de variáveis, em um produto de uma função de θ e uma função de ϕ. Esta última é exatamente a que já obtivemos para uma partícula em um anel. Em outras palavras, o movimento da partícula sobre a superfície de uma

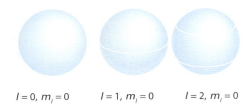

$l = 0,\ m_l = 0$ $\qquad$ $l = 1,\ m_l = 0$ $\qquad$ $l = 2,\ m_l = 0$

Figura 12.30 As funções de onda de uma partícula sobre uma esfera podem ser imaginadas como tendo as formas que uma superfície teria se a esfera fosse distorcida. Três desses 'harmônicos esféricos' são mostrados aqui.

esfera é como o movimento sobre uma pilha de anéis, com a liberdade adicional de se poder migrar entre os mesmos.

Há dois conjuntos de condições cíclicas que limitam a seleção das soluções da equação de Schrödinger. Uma é que a função de onda deve se repetir quando nos movemos em torno da linha do equador (tal como na partícula em um anel); como vimos, esta condição leva ao número quântico m_l. A outra condição é que a função de onda deve se repetir quando nos movemos sobre os polos. Esta restrição nos leva a um segundo número quântico, denominado **número quântico momento angular orbital** e representado por l. Não entraremos em detalhes sobre a solução do problema, e daremos apenas os resultados. São permitidos os seguintes valores para os números quânticos:

$$l = 0, 1, 2, \ldots \qquad m_l = l, l-1, \ldots, -l$$

Observe que há $2l + 1$ valores permitidos de m_l para certo valor de l. A energia da partícula é dada pela expressão

$$E = l(l+1)\frac{\hbar^2}{2I} \qquad l = 0, 1, 2, \ldots \qquad \text{Energias quantizadas} \qquad \text{Partícula sobre uma esfera} \qquad (12.22)$$

em que r é o raio da superfície da esfera na qual a partícula se move. Observe que, por questões que já serão esclarecidas, a energia depende de l e é independente do valor de m_l. As funções de onda aparecem em várias aplicações, e são chamadas de **harmônicos esféricos**. São geralmente representadas por $Y_{l,ml}(\theta,\phi)$ e podem ser imaginadas como distorções ondulatórias de uma casca esférica. (Fig. 12.30).

Uma importante conclusão adicional pode ser obtida comparando-se a expressão da energia dada pela Eq. 12.22 com a expressão clássica da energia:

Clássica	Quanto-mecânica
$E = \dfrac{\mathcal{J}^2}{2mr^2}$	$E_l = \dfrac{l(l+1)\hbar^2}{2mr^2}$

em que $\mathcal{J}$ é o módulo do momento angular da partícula. Podemos concluir que o módulo do momento angular é quantizado e restrito aos valores

$$\mathcal{J} = \{l(l+1)\}^{1/2}\hbar \qquad l = 0, 1, 2, \ldots \qquad \text{Módulo do momento angular} \quad \text{Partícula sobre uma esfera} \qquad (12.23)$$

Assim, os valores permitidos do módulo do momento angular são 0, $2^{1/2}\hbar$, $6^{1/2}\hbar$, ... Como foi mencionado nos Fundamentos, o momento angular é um vetor (Ferramentas do químico 12.1). Para a rotação em três dimensões, o momento angular tem três componentes: $\mathcal{J}_x$, $\mathcal{J}_y$ e $\mathcal{J}_z$. Já sabemos que m_l nos dá o valor, $m_l\hbar$, do momento angular em torno do eixo z (o eixo polar de uma esfera). Resumindo,

- O número quântico de momento angular, l, pode ter os valores inteiros não negativos 0, 1, 2, ..., fornecendo-nos (por meio da Eq. 12.23) o módulo do momento angular orbital da partícula.
- O número quântico magnético m_l é restrito a $2l + 1$ valores, l, $l - 1$, ..., $-l$ e dá, por meio de $m_l\hbar$, o componente z do momento angular orbital.

Vários aspectos podem ser agora considerados. Primeiro, podemos ver porque m_l é restrito a uma *faixa* de valores que dependem de l: o momento angular em torno de um único eixo (expresso por m_l) não pode exceder o módulo do momento angular (expresso por l). Segundo, para dado módulo corresponder a diferentes valores de momento angular em torno do eixo z, o momento angular deverá se localizar em diferentes ângulos (Fig. 12.31). Portanto, o valor de m_l indica o ângulo do movimento da partícula com o eixo z. Se a partícula tem um valor de momento angular diferente de zero, a energia cinética (sua única fonte de energia) é independente da orientação de sua trajetória: logo, a energia é independente de m_l, como foi afirmado anteriormente.

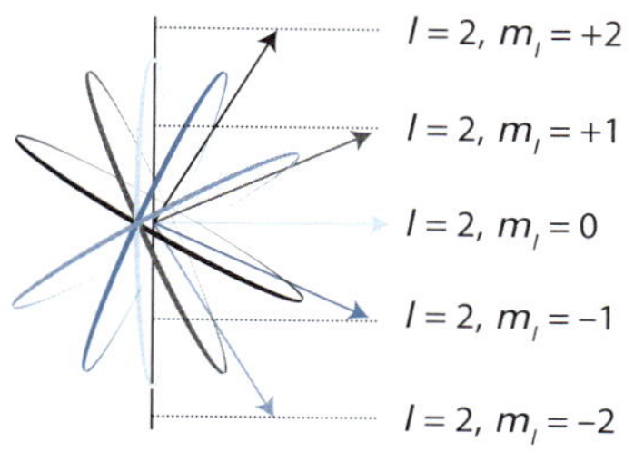

Figura 12.31 O significado dos números quânticos l e m_l mostrado para $l = 2$: l determina o módulo do momento angular (representado pelo comprimento da seta), e m_l o componente do momento angular em torno do eixo z. (Veja o Encarte em Cores.)

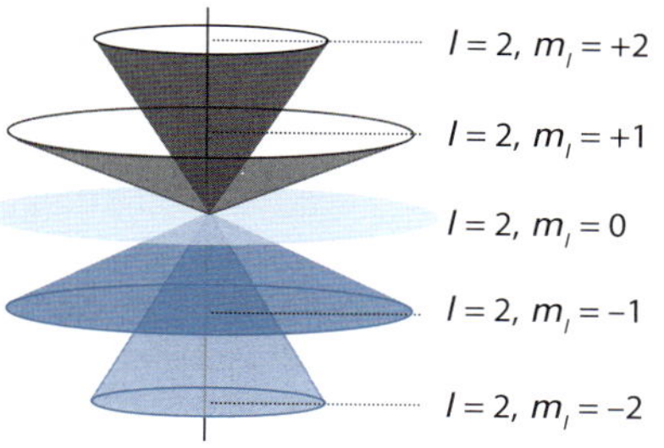

Figura 12.32 O modelo vetorial do momento angular reconhece que nada pode ser dito sobre os componentes x e y do momento angular se o componente z é conhecido, ao representar os estados do momento angular por cones. (Veja o Encarte em Cores.)

O que podemos dizer sobre os componentes do momento angular em torno dos eixos x e y? Quase nada. Sabemos que esses componentes não podem exceder o módulo do momento angular, mas não há números quânticos que caracterizem precisamente seus valores. De fato, $\mathcal{J}_x$, $\mathcal{J}_y$ e $\mathcal{J}_z$, os três componentes do momento angular, são observáveis complementares no sentido descrito na Seção 12.6 em conexão com o princípio da incerteza, e se um é conhecido exatamente (o valor de $\mathcal{J}_z$, por exemplo, dado por $m_l\hbar$), os valores dos outros dois não podem ser especificados. Por essa razão o momento angular é frequentemente representado como estando em qualquer ponto de um cone com dado componente z (indicando o valor de m_l) e lado (indicando o valor de $\{l(l+1)\}^{1/2}$), mas com projeções indefinidas nos eixos x e y (Fig. 12.32). Este **modelo vetorial** do momento angular pretende ser simplesmente uma representação dos aspectos quanto-mecânicos do momento angular, exprimindo o fato de que o módulo, assim como um dos componentes, é bem definido, e dois componentes são indeterminados.

Ferramentas do químico 12.1 Vetores

Uma grandeza vetorial tem módulo, direção e sentido. O vetor $\boldsymbol{v}$ mostrado no Esquema 12.1 tem componentes nos eixos x, y e z com valores v_x, v_y e v_z, respectivamente. A direção de cada componente é indicada com um sinal positivo ou negativo. Por exemplo, se $v_x = -1{,}0$, o componente x do vetor v tem uma magnitude (módulo) igual a 1,0 e aponta na direção $-x$. A magnitude do vetor é representada por v ou $\boldsymbol{v}$ e é dada por

$$v = (v_x^2 + v_y^2 + v_z^2)^{1/2}$$

Assim, um vetor com componentes $v_x = -1{,}0$, $v_y = +\,2{,}5$ e $v_z = +1{,}1$ tem magnitude 2,9 e é representado por uma seta de 2,9 unidades. As operações que envolvem vetores não são tão simples quanto as que envolvem números. Vamos descrever as operações que precisamos neste texto em Ferramentas do químico 13.1.

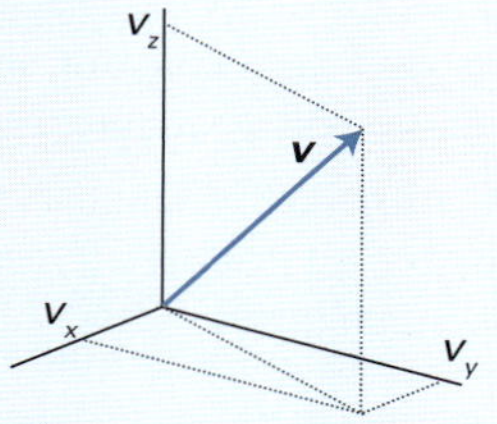

Esquema 12.1 A magnitude de um vetor é a soma de seus componentes.

■ Breve ilustração 12.7 O modelo vetorial do momento angular

Suponha que uma partícula está num estado com $l = 3$. Sabemos então que o módulo de seu momento angular é $12^{1/2}\hbar$. O momento angular é representado por uma seta de

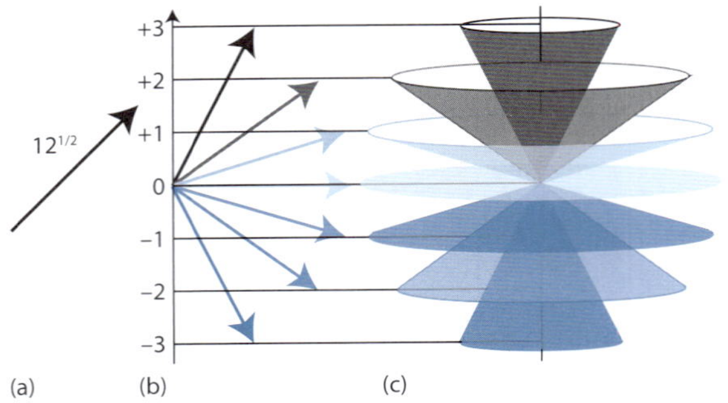

Figura 12.33 (a) O momento angular de uma partícula com $l = 3$. (b) As sete orientações do vetor momento angular. (c) Os cones que representam as orientações possíveis, mas não específicas, sobre o eixo *z*. (Veja o Encarte em Cores.)

comprimento $12^{1/2} = 3{,}46$ ... unidades na Figura 12.33a. O momento angular pode ter qualquer uma de sete orientações com componentes sobre o eixo *z* iguais a $m_l\hbar$, com $m_l = +3$, +2, +1, 0, −1, −2 ou −3. Desse modo, é representado pelas setas que estão nas orientações que dão projeções de m_l unidades no eixo *z* (Fig. 12.33b). Invocamos, então, o princípio da incerteza, que não permite conhecer os componentes *x* e *y*, e substituímos as setas por cones que representam orientações possíveis, mas não específicas, sobre o eixo *z* (Fig. 12.33c).

12.9 Vibração: o oscilador harmônico

Um tipo muito importante de movimento de uma molécula é a vibração de seus átomos – estiramento, compressão e deformação de suas ligações. Uma molécula não é simplesmente uma coleção de átomos estáticos: todos estão em movimento, uns em relações aos outros. Como veremos, a discussão desta seção é a base para a discussão da técnica de espectroscopia vibracional descrita no Capítulo 19; também é usada na discussão de vários aspectos da cinética química.

No tipo de movimento de vibração conhecido como **oscilação harmônica**, a partícula vibra de um lado para outro controlada por uma mola que obedece a **lei de Hooke**. Esta lei estabelece que a força de restauração é proporcional ao deslocamento, *x*, da partícula:

$$\text{Força de restauração} = -k_f x \qquad \text{Lei de Hooke} \qquad (12.24a)$$

A constante de proporcionalidade k_f é a **constante de força**, ou constante da mola: uma mola rígida tem uma constante de força elevada (a força de restauração é forte, mesmo para um pequeno deslocamento), e uma mola flexível tem uma constante de força baixa. As unidades do SI para k_f são newtons por metro ($N\ m^{-1}$). O sinal negativo na Eq. 12.24a foi incluído porque um deslocamento para a direita (*x* positivo) corresponde a uma força dirigida para a esquerda (em direção ao *x* negativo). Como verificamos na Dedução a seguir, a energia potencial de uma partícula sujeita a essa força aumenta quadraticamente com o deslocamento, ou seja,

$$V(x) = \tfrac{1}{2}k_f x^2 \qquad \text{Energia potencial} \quad \text{Oscilador harmônico} \qquad (12.24b)$$

A variação de *V* com *x* é mostrada na Figura 12.34. A curva tem a forma de uma parábola (uma curva da forma $y = ax^2$); dizemos que a partícula em movimento harmônico tem uma 'energia potencial parabólica'.

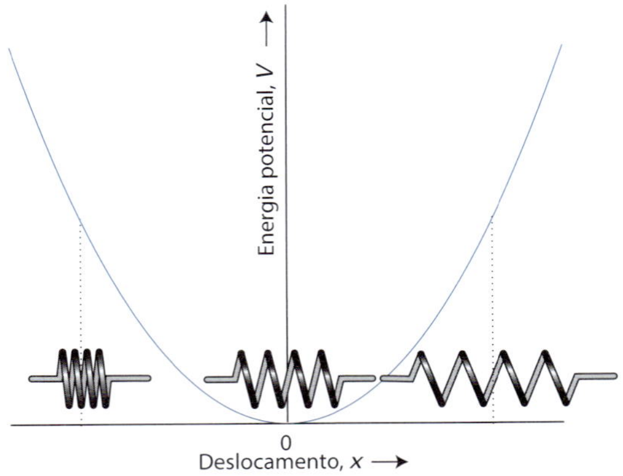

Figura 12.34 A energia potencial parabólica característica do oscilador harmônico. Deslocamentos positivos correspondem ao estiramento da mola; deslocamentos negativos correspondem à compressão da mola.

Dedução 12.3

A energia potencial de um oscilador harmônico

Força é o negativo do coeficiente angular da energia potencial: ($F = -dV/dx$). Como as grandezas infinitesimais podem ser tratadas como qualquer outra grandeza em manipulações algébricas, reescrevemos a expressão como $dV = -F dx$ e, então, integramos ambos os lados de $x = 0$ em que a energia potencial é $V(0)$, até *x*, em que é $V(x)$:

$$V(x) - V(0) = -\int_0^x F(x)dx$$

Substituímos agora $F(x) = -k_f x$:

$$V(x) - V(0) = -\int_0^x \overbrace{(-k_f x)}^{F(x)}dx = k_f\overbrace{\int_0^x x dx}^{\frac{1}{2}x^2} = \tfrac{1}{2}k_f x^2$$

Podemos escolher arbitrariamente $V(0) = 0$, o que dá então a Eq. 12.24b.

Diferentemente dos casos anteriores que nós consideramos, a energia potencial varia com a posição nas regiões em que a partícula pode ser encontrada, de modo que temos que usar $V(x)$ na equação de Schrödinger. Temos então de selecionar as soluções que satisfazem às condições de contorno, que nesse caso significa que têm de se ajustar à parábola que representa a energia potencial. Mais exatamente, todas as funções de onda precisam tender a zero para grandes deslocamentos a partir de $x = 0$: não podem cair abruptamente a zero nas extremidades da parábola.

As soluções da equação são bastante simples. Por exemplo, os níveis de energia das soluções que satisfazem às condições de contorno são

$$E_v = (v + \tfrac{1}{2})h\nu \qquad v = 0, 1, 2, \ldots \qquad \nu = \frac{1}{2\pi}\left(\frac{k_f}{m}\right)^{1/2} \qquad \text{Energias quantizadas} \quad \text{Oscilador harmônico} \qquad (12.25)$$

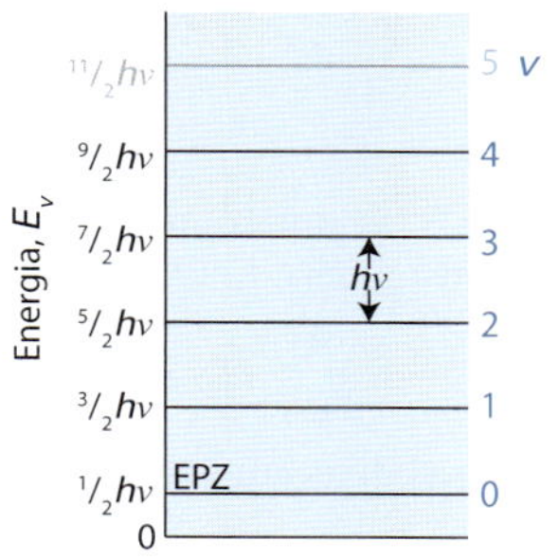

Figura 12.35 O conjunto dos níveis de energia de um oscilador harmônico (que continuam crescendo para o infinito). A separação entre os níveis depende da massa e da constante de força. Observe a energia do ponto zero (EPZ).

em que m é a massa da partícula e v é o **número quântico de vibração.** É preciso cuidado para distinguir entre o número quântico v (v em itálico) da frequência ν (ni grego). Estas energias formam uma progressão uniforme de valores separados por $h\nu$ (Fig. 12.35). A grandeza ν é uma frequência (em ciclos por segundo, ou hertz, Hz); na verdade, é a frequência clássica que seria calculada para um oscilador clássico de massa m e constante de força k_f. Na mecânica quântica, ν nos informa (por meio de $h\nu$), a separação de qualquer par de níveis de energia adjacentes. A separação é grande para molas rígidas e pequenas massas.

■ Breve ilustração 12.8 A frequência de vibração de uma ligação química

A constante de força para a ligação H—Cl é 516 N m^{-1}, em que o newton (N) é a unidade de força no sistema internacional, SI (1 N = 1 kg m s^{-2}). Supondo que apenas o átomo de hidrogênio se move, pois o átomo de cloro é relativamente muito mais pesado, e tomando a massa m como a massa do átomo de H (1,67 × 10^{-27} para o ^{1}H), obtemos

$$\nu = \frac{1}{2\pi}\left(\frac{k_f}{m}\right)^{1/2} = \frac{1}{2\pi}\left(\frac{516 \overbrace{\text{N}}^{\text{kg m s}^{-2}} \text{m}^{-1}}{1{,}67\times10^{-27}\ \text{kg}}\right)^{1/2} \overset{\text{cancelando termos e usando } 1\ \text{s}^{-1}=1\ \text{Hz}}{=} 8{,}85\times10^{13}\ \text{Hz}$$

A separação entre os níveis adjacentes é h vezes esta frequência, ou seja, 5,86 × 10^{-20} J (58,6 zJ).

Exercício proposto 12.8

A frequência de vibração de uma ligação H—I é 6,95 × 10^{13} s^{-1}. Calcule a constante de força da ligação sabendo-se que somente o átomo de H se move.

Resposta: 318 N m^{-1}

A Figura 12.36 mostra as formas das primeiras funções de onda de um oscilador harmônico. A função de onda do estado fundamental (correspondente a $v = 0$ e tendo energia do ponto zero $\frac{1}{2}h\nu$) é uma curva em forma de sino, da forma e^{-x^2} (uma função gaussiana, veja Ferramentas do químico 1.2), sem nós. Esta forma indica que a posição mais provável de a partícula ser encontrada é em $x = 0$, mas que também pode ser encontrada em outras posições, com probabilidade menor. A primeira função de onda excitada tem um nó em $x = 0$, e picos,

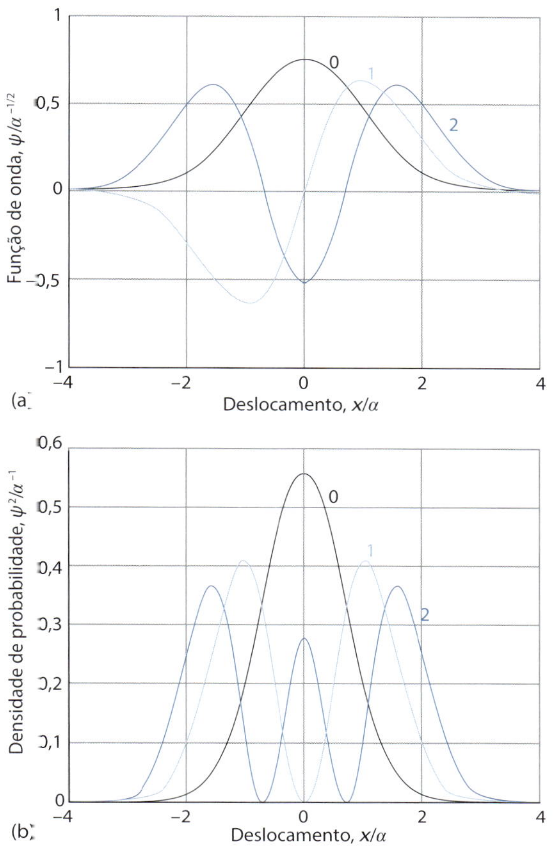

Figura 12.36 (a) Funções de onda e (b) densidades de probabilidade dos primeiros três estados do oscilador harmônico. Observe como a probabilidade de encontrar o oscilador em grandes deslocamentos aumenta com o estado de excitação. As funções de onda e os deslocamentos estão expressos em termos do parâmetro $\alpha = (\hbar^2/mk_f)^{1/4}$.

positivo e negativo, em cada lado. Portanto, neste estado, a partícula é encontrada com maior probabilidade com a 'mola' igualmente estirada ou comprimida. Entretanto, a função de onda se estende além dos limites do movimento de um oscilador clássico (Fig. 12.37), outro exemplo de tunelamento quanto-mecânico. Vamos explorar as consequências dessas características em capítulos subsequentes, especialmente no Capítulo 19.

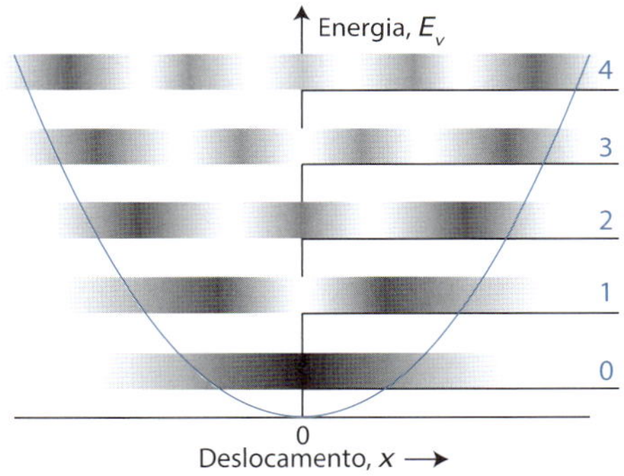

Figura 12.37 Ilustração esquemática da densidade de probabilidade de encontrar o oscilador harmônico em dado deslocamento. Classicamente, o oscilador não pode ser encontrado em uma região em que a sua energia total é menor que a sua energia potencial (pois sua energia cinética não pode ser negativa). Um oscilador quântico, entretanto, pode tunelar para regiões que são classicamente proibidas.

Informação adicional 12.1

O método da separação de variáveis

A função de onda para a partícula em uma caixa bidimensional depende de duas variáveis, x e y. Portanto, como vimos na Seção 2.8, $\psi(x,y)$ tem duas derivadas parciais, $\partial\psi(x,y)/\partial x$ em relação a x (calculada mantendo y constante), e $\partial\psi(x,y)/\partial y$ em relação a y (calculada mantendo x constante). Nestes casos, a equação de Schrödinger é escrita como uma equação diferencial parcial (Ferramentas do químico 12.2):

$$-\frac{\hbar^2}{2m}\frac{\partial^2\psi(x,y)}{\partial x^2}-\frac{\hbar^2}{2m}\frac{\partial^2\psi(x,y)}{\partial y^2}=E\psi(x,y)$$

Por simplicidade, podemos escrever esta expressão como

$$\hat{H}_X\psi(x,y)+\hat{H}_Y\psi(x,y)=E\psi(x,y)$$

em que $\hat{H}_X$ afeta – os matemáticos dizem 'opera sobre' – apenas funções de x e $\hat{H}_Y$ opera apenas sobre funções de y. Generalizando o que foi feito na Dedução 12.1, $\hat{H}_X$ simplesmente significa 'tome a derivada segunda em relação a x', e $\hat{H}_Y$ significa o mesmo para y. Para verificar se $\psi(x,y) = X(x)Y(y)$ é de fato uma solução, substituímos este produto em ambos os lados da última equação,

$$\hat{H}_X X(x)Y(y)+\hat{H}_Y X(x)Y(y)=EX(x)Y(y)$$

e observamos que $\hat{H}_X$ atua somente em $X(x)$, com $Y(y)$ sendo tratado como uma constante, e $\hat{H}_Y$ atua somente em $Y(y)$, com $X(x)$ sendo tratado como uma constante. Portanto, $\hat{H}_X X(x) Y(y) = Y(y)\,\hat{H}_X X(x)$, $\hat{H}_Y X(x)Y(y) = X(x)\,\hat{H}_Y Y(y)$, e a equação precedente se torna

$$Y(y)\hat{H}_X X(x)+X(x)\,\hat{H}_Y Y(y)=EX(x)Y(y)$$

Quando dividimos ambos os lados por $X(x)Y(y)$, obtemos

$$\frac{1}{X(x)}\hat{H}_X X(x)+\frac{1}{Y(y)}\hat{H}_Y Y(y)=E$$

Agora chegamos à parte central da dedução. O primeiro termo à esquerda depende apenas de x, e o segundo, apenas de y. Portanto, se x variar, somente o primeiro termo pode se modificar. Porém, a soma dos dois termos é a constante E. Então, o primeiro termo não pode de fato se alterar mesmo quando x varia. Ou seja, o primeiro termo é igual a uma constante, que escrevemos como E_X. O mesmo raciocínio se aplica ao segundo termo quando y varia, mostrando que o segundo termo também é uma constante, que escrevemos como E_Y. A soma dessas duas constantes é E. Ou seja, mostramos que

$$\frac{1}{X(x)}\hat{H}_X X(x)=E_X \qquad \frac{1}{Y(y)}\hat{H}_Y Y(y)=E_y$$

com $E_X + E_Y = E$. Essas duas equações facilmente se transformam em

$$\hat{H}_X X(x)=E_X X(x) \qquad \hat{H}_Y Y(y)=E_Y Y(y)$$

que podemos identificar como as equações de Schrödinger para o movimento unidimensional, um ao longo do eixo dos x, e o outro ao longo do eixo dos y. Assim, as variáveis foram separadas e como as condições de contorno são essencialmente as mesmas para ambos os eixos (a única diferença sendo os valores reais dos comprimentos L_X e L_Y), as funções de onda individuais são essencialmente as mesmas que as obtidas para o caso unidimensional.

Ferramentas do químico 12.2 Equação diferencial parcial

Encontramos equações diferenciais em Ferramentas do químico 10.1. Se a função desconhecida f depende de mais de uma variável, como em

$$a\left(\frac{\partial^2 f}{\partial x^2}\right)_y+b\left(\frac{\partial^2 f}{\partial y^2}\right)_x=cf$$

a equação é chamada de *equação diferencial parcial*. Aqui, f é uma função de x e y, e podemos escrever explicitamente $f(x,y)$; os fatores a, b e c podem ser constantes ou funções de uma ou das duas variáveis. Observe que a mudança do símbolo de d para ∂ é uma indicação de uma *derivada parcial*, que é obtida derivando-se uma função em relação a uma variável mantendo a outra variável, indicada por um sufixo, constante (Seção 2.8).

As únicas equações diferenciais parciais que precisamos conhecer são aquelas que podem ser separadas em duas ou mais equações diferenciais ordinárias pela técnica conhecida como **separação das variáveis**. Para descobrir se uma equação diferencial com solução $f(x,y)$ pode ser resolvida por este método, supomos que a solução completa pode ser fatorada em funções que dependem somente de x ou de y e escrevemos $f(x,y) = X(x)\,Y(y)$. O método é ilustrado na Informação adicional 12.1.

Verificação de conceitos importantes

- ☐ 1 Os espectros atômicos e moleculares mostram que as energias de átomos e moléculas são quantizadas.
- ☐ 2 O efeito fotoelétrico é a ejeção de elétrons quando radiação de frequência maior que uma frequência limite incide sobre um metal.
- ☐ 3 O caráter ondulatório dos elétrons foi demonstrado pelo experimento de difração de Davisson-Germer.
- ☐ 4 O caráter associado onda-partícula da matéria e da radiação é chamado dualidade onda-partícula.
- ☐ 5 A função de onda, ψ, contém toda a informação dinâmica sobre um sistema e é obtida resolvendo-se a equação de Schrödinger apropriada, sujeita às restrições nas soluções conhecidas como condições de contorno.

□ 6 Segundo a interpretação de Born, a probabilidade de uma partícula ser encontrada em uma pequena região do espaço de volume δV é proporcional a $\psi^2\delta V$, em que ψ é o valor da função de onda na região.

□ 7 Segundo o princípio da incerteza de Heisenberg, é impossível especificar simultaneamente, com precisão arbitrária, o momento e a posição de uma partícula.

□ 8 Os níveis de energia de uma partícula de massa m em uma caixa de comprimento L são quantizados e as funções de onda são funções senoidais (veja o *Mapa conceitual* a seguir).

□ 9 A energia do ponto zero é o mais baixo valor de energia permitido para um sistema.

□ 10 Estados diferentes com a mesma energia são ditos degenerados.

□ 11 Como as funções de onda geralmente não decaem abruptamente a zero, as partículas podem tunelar para regiões classicamente proibidas.

□ 12 O momento angular e a energia cinética de uma partícula livre para se mover em um anel circular são quantizados; o número quântico é representado por m_l.

□ 13 Uma partícula em um anel e sobre uma esfera deve satisfazer a condições de contorno cíclicas (a função de onda deve se repetir em ciclos sucessivos).

□ 14 O momento angular e a energia cinética de uma partícula em uma esfera são quantizados, com valores determinados pelos números quânticos l e m_l (*veja o Mapa conceitual* a seguir); as funções de onda são os harmônicos esféricos.

□ 15 Uma partícula sofre movimento harmônico se está sujeita a uma força de restauração dada pela lei de Hooke (uma força proporcional ao deslocamento).

□ 16 Os níveis de energia de um oscilador harmônico são igualmente espaçados e especificados pelo número quântico $v = 0, 1, 2, \ldots$

Mapa conceitual das equações importantes

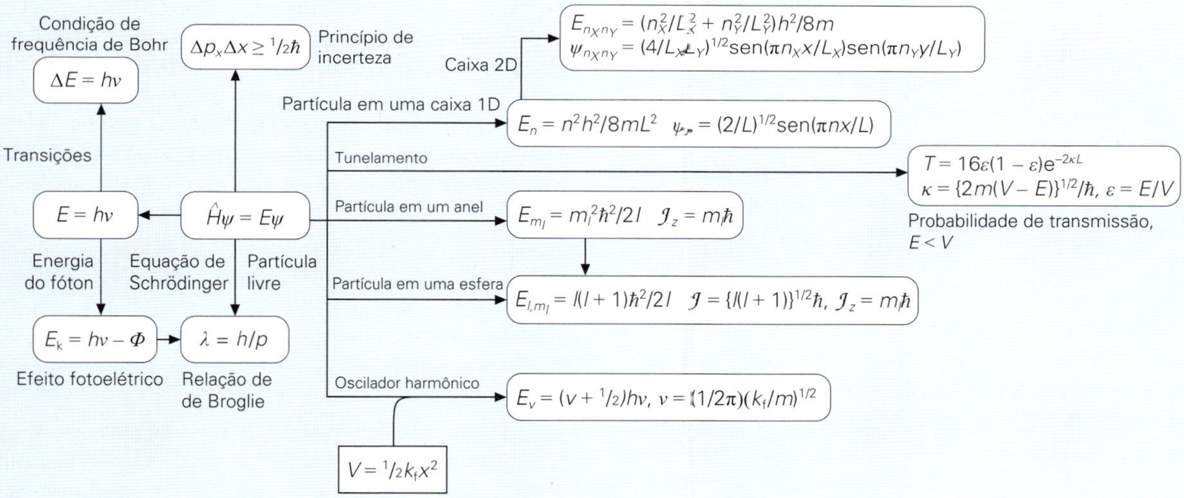

Questões e exercícios

Questões teóricas

12.1 Faça um resumo das evidências que levaram ao aparecimento da teoria quântica.

12.2 Discuta a origem física da quantização da energia para uma partícula confinada a mover-se no interior de uma caixa unidimensional ou em um anel.

12.3 Defina, justifique e dê exemplos da energia do ponto zero.

12.4 Descreva e justifique a interpretação de Born da função de onda.

12.5 Quais são as implicações do princípio da incerteza?

12.6 Discuta as origens físicas do tunelamento quanto-mecânico. Como o tunelamento aparece na química?

Exercícios

12.1 O comprimento de onda da luz vermelha brilhante no espectro do hidrogênio atômico é 652 nm. Qual é a energia do fóton produzido na transição?

12.2 Qual é o número de onda da radiação emitida quando um átomo de hidrogênio faz uma transição que corresponde a uma variação de energia de 10,20 eV?

12.3 Calcule o valor do quantum de energia envolvido na excitação de (a) um movimento eletrônico de frequência $1{,}0 \times 10^{15}$ Hz, (b) uma vibração molecular de período 20 fs, (c) um pêndulo de período 0,50 s. Expresse os resultados em joules e quilojoules por mol.

12.4 A função trabalho do césio metálico é 2,14 eV. Calcule a energia cinética e a velocidade dos elétrons emitidos por luz de comprimento de onda (a) 750 nm, (b) 250 nm.

12.5 Use os seguintes dados sobre a energia cinética de fotoelétrons ejetados de um metal por radiação de diferentes comprimentos de onda para determinar o valor da constante de Planck e da função trabalho do metal.

λ/nm	300	350	400	450
E_k/eV	1,613	1,022	0,579	0,235

12.6 Um experimento de difração requer o uso de elétrons de comprimento de onda igual a 550 pm. Calcule a velocidade dos elétrons.

12.7 Calcule o comprimento de onda de de Broglie de (a) um corpo de massa 1,0 g movendo-se a 1,0 m s^{-1}, (b) o mesmo corpo movendo-se a $1{,}00 \times 10^5$ km s^{-1}, (c) um átomo de He movendo-se a 1000 m s^{-1} (uma velocidade típica a temperatura ambiente).

12.8 Quando um elétron é acelerado por uma diferença de potencial $\Delta\phi$, adquire uma energia cinética $e\Delta\phi$. Calcule o momento linear e, portanto, o comprimento de onda de de Broglie de um elétron acelerado, do repouso, por uma diferença de potencial de (a) 1,00 V, (b) 1,00 kV, (c) 100 kV.

12.9 Calcule o seu comprimento de onda de de Broglie quando você se move a 8 km h^{-1}. Quanto vale o seu comprimento de onda quando você para?

12.10 Calcule o momento linear de fótons de comprimento de onda (a) 600 nm, (b) 70 pm, (c) 200 m.

12.11 Com que velocidade uma partícula de massa 1,0 g tem que se mover para que seu momento linear seja o mesmo que o de um fóton de uma radiação de comprimento de onda de 300 nm?

12.12 Suponha que você tenha projetado uma espaçonave que vá operar por pressão de fótons. A vela seria feita de um tecido completamente absorvente, de área 1,0 km^2. Direciona-se um feixe de 1,0 kW de *laser* vermelho, de comprimento de onda 650 nm sobre a vela, de uma base localizada na Lua. Qual é (a) a força, (b) a pressão exercida pela radiação sobre a vela? (c) Suponha que a massa da espaçonave seja de 1,0 kg. Sabendo-se que, após um período de aceleração a partir do repouso, velocidade = (força/massa) × tempo, quanto tempo é necessário para que a nave seja acelerada até atingir a velocidade de 1,0 m s^{-1}?

12.13 Certa função de onda é nula em todos os lugares exceto entre $x = 0$ e $x = L$, em que tem um valor constante, A. Normalize a função de onda.

12.14 Suponha que uma partícula tenha uma função de onda $\psi(x) = Ne^{-ax^2}$. Esboce a forma desta função de onda. Onde é mais provável de a partícula ser encontrada? Para que valores de x a probabilidade de encontrar a partícula é reduzida a 50 % de seu valor máximo?

12.15 A velocidade de um próton é 350 km s^{-1}. Se a incerteza em seu momento é de 0,0100 %, que incerteza em sua posição é aceitável?

12.16 Calcule a incerteza mínima na velocidade de uma bola de 500 g que está a uma distância de no mínimo 5,0 μm de certo ponto.

12.17 Qual é a incerteza mínima na posição de um projétil de 5,0 g que está com velocidade entre 350,000 001 m s^{-1} e 350,000 000 m s^{-1}?

12.18 Um elétron está confinado a uma região linear de comprimento da mesma ordem do diâmetro de um átomo (cerca de 100 pm). Calcule as incertezas mínimas em sua posição e velocidade.

12.19 Suponha que uma partícula de massa m esteja em uma região onde sua energia potencial varia segundo ax^4, em que a é uma constante. Escreva a equação de Schrödinger correspondente.

12.20 Calcule a probabilidade de um elétron ser encontrado (a) entre $x = 0{,}1$ e 0,2 nm, (b) entre 4,9 e 5,2 nm, numa caixa de comprimento $L = 10$ nm, quando sua função de onda é $\psi = (2/L)^{1/2}\text{sen}(2\pi x/L)$. *Sugestão*: Trate a função de onda como uma constante na pequena região de interesse e interprete δV como δx.

12.21 Um átomo de hidrogênio, tratado como um corpo pontual, está confinado a um poço unidimensional infinito, de largura 1,0 nm. Quanta energia tem de ser liberada para que o átomo de hidrogênio caia do nível com $n = 2$ para o nível de mais baixa energia?

12.22 Considere uma caixa retangular de lados L e $2L$. Há estados degenerados? Em caso positivo, identifique os de mais baixa energia.

12.23 Os poros em uma zeólita são tão pequenos que os efeitos quanto-mecânicos na distribuição dos átomos e moléculas em seu interior podem ser significativos. Calcule a localização numa caixa de comprimento L para a qual a probabilidade de uma partícula ser encontrada é 50 % de sua probabilidade máxima, quando $n = 1$.

12.24 A solução de coloração azul formada quando um metal alcalino se dissolve em amônia líquida consiste em cátions do metal e elétrons aprisionados numa cavidade formada por moléculas de amônia. (a) Calcule o espaçamento entre os níveis com $n = 4$ e $n = 5$ de um elétron numa caixa unidimensional de comprimento 5,0 nm. (b) Qual é o comprimento de onda da radiação emitida quando o elétron faz uma transição entre os dois níveis?

12.25 Como indicado no texto, a partícula em uma caixa é um modelo simples da distribuição e da energia dos elétrons em polienos conjugados, tais como o caroteno e suas moléculas relacionadas. O caroteno é uma molécula com 22 ligações simples e duplas (11 de cada) alternadas ao longo da cadeia de átomos de carbono. Considere o comprimento de cada ligação C—C igual a 140 pm e suponha que a primeira transição possível é a de $n = 11$ para $n = 12$. Calcule o comprimento de onda dessa transição.

12.26 Suponha que uma partícula tenha energia potencial igual a zero para $x < 0$, um valor constante V para $0 \le x \le L$ e novamente zero para $x > L$. Esboce a curva do potencial. Suponha que a função de onda seja senoidal na parte esquerda da barreira, caia exponencialmente dentro da barreira e se torne novamente senoidal à direita, sendo contínua em todas as regiões. Represente a função de onda sobre o seu esboço do potencial.

12.27 Um elétron incide sobre uma barreira de energia potencial de largura L e altura $V = \hbar^2/2m_eL^2$. Calcule a probabilidade de o elétron tunelar através da barreira se esse elétron tiver uma energia de (a) $V/10$ e (b) $V/100$.

12.28 Considere uma molécula de HI em rotação como um átomo de I imóvel em torno do qual circula um átomo de H num plano, a uma distância de 161 pm. Calcule (a) o momento de inércia da molécula, (b) o maior comprimento de onda da radiação que pode levar a molécula à rotação.

12.29 O momento de inércia de uma molécula de H_2O sobre um eixo que é bissetriz do ângulo HOH é $1{,}91 \times 10^{-47}$ kg m^2. O menor momento angular (diferente de zero) sobre esse eixo é $\hbar$. Em termos clássicos, quantas revoluções por segundo os átomos de H realizam em torno do eixo quando naquele estado?

12.30 Qual é a energia mínima necessária para excitar a rotação de uma molécula de H_2O em torno do eixo descrito no exercício anterior?

12.31 O momento de inércia do CH_4 pode ser calculado pela expressão $I = {}^8/_3\, m_H R^2$, em que R é o comprimento da ligação C—H (considere R = 109 pm). Calcule a energia de rotação mínima (diferente de zero) da molécula e a degenerescência dos estados de rotação.

12.32 Uma abelha de massa 1 g pousa na extremidade de um galho horizontal, que começa a oscilar para cima e para baixo com período de 1 s. Considere o galho como uma mola sem massa e calcule sua constante de força.

12.33 Considere uma molécula de HI vibrando como um átomo de I imóvel e um átomo de H que oscila aproximando-se e afastando-se do átomo de I. Sendo a constante de força da ligação HI igual a 314 N m^{-1}, calcule (a) a frequência de vibração da molécula, (b) o comprimento de onda necessário para excitar a molécula à vibração.

12.34 De que fator se altera a frequência de vibração do HI quando o H é substituído pelo deutério?

Projetos

O símbolo ‡ indica que o cálculo é necessário.

12.35‡ Vamos agora usar o cálculo para realizar cálculos mais precisos de probabilidades. Repita o Exercício 12.20, mas considere a variação da função de onda na região de interesse. Quais são os erros percentuais no procedimento usado no Exercício 12.20? Qual é a probabilidade de encontrar uma partícula de massa m (a) no primeiro terço, (b) no terço central, (c) no último terço de uma caixa de comprimento L quando a partícula está no estado com $n = 1$? *Sugestão:* Você precisa integrar $\psi^2 dx$ entre os limites de interesse. A integral indefinida necessária é dada na Dedução 12.2.

12.36‡ Vamos explorar aqui o oscilador quanto-mecânico mais quantitativamente. (a) A função de onda do estado fundamental de um oscilador harmônico é proporcional a $e^{-ax^2/2}$, em que a depende da massa e da constante de força. (i) Normalize essa função de onda. Você precisa da integral $\int_{-\infty}^{\infty} e^{-ax^2}\,dx = (\pi/a)^{1/2}$. (ii) A que distância o oscilador é encontrado com maior probabilidade quando no estado fundamental? Lembre que o máximo (ou mínimo) de uma função $f(x)$ ocorre no valor de x para o qual $df/dx = 0$. (b) Repita a parte (a) para o primeiro estado excitado do oscilador harmônico, para o qual a função de onda é proporcional a $xe^{-ax^2/2}$.

12.37 As soluções da equação de Schrödinger para o oscilador harmônico também se aplicam a moléculas diatômicas. A única complicação é que os átomos unidos pela ligação se movem, e a 'massa' do oscilador tem de ser interpretada cuidadosamente. Cálculos detalhados mostram que, para dois átomos de massa m_A e m_B unidos por uma ligação com constante de força k_f, os níveis de energia são dados pela Eq. 12.25, mas m é substituído pela 'massa efetiva' $\mu = m_A m_B/(m_A + m_B)$. Considere a vibração do monóxido de carbono, um veneno que impede o transporte e armazenamento de O_2. A ligação em uma molécula de $^{12}C^{16}O$ tem uma constante de força de 1860 N m^{-1}. (a) Calcule a frequência de vibração, ν, da molécula. (b) Na espectroscopia no infravermelho, é comum converter a frequência de vibração de uma molécula no seu número de onda vibracional, $\tilde{\nu}$, dado por $\tilde{\nu} = \nu/c$. Qual é o número de onda vibracional de uma molécula de $^{12}C^{16}O$? (c) Supondo que a substituição isotópica não altera a constante de força da ligação C≡O, calcule os números de onda vibracionais das seguintes moléculas: $^{12}C^{16}O$, $^{13}C^{16}O$, $^{12}C^{18}O$, $^{13}C^{18}O$.

13

Química quântica: estrutura atômica

O Capítulo 12 ofereceu suficiente embasamento da mecânica quântica para agora podermos passar à discussão da estrutura atômica. A estrutura atômica – a descrição da disposição dos elétrons nos átomos – é uma parte essencial da química, pois é a base para a compreensão da estrutura molecular e da estrutura dos sólidos e de todas as propriedades físicas e químicas dos elementos e seus compostos.

Um **átomo hidrogenoide** é um átomo ou íon de um elétron, de número atômico geral *Z*. Os átomos hidrogenoides incluem H, He^{+}, Li^{2+}, C^{5+}, e até o U^{91+}. Estes átomos tão altamente ionizados podem ser encontrados nas regiões externas das estrelas. Um **átomo polieletrônico** é um átomo ou íon que tem mais de um elétron. Os átomos polieletrônicos incluem todos os átomos neutros, menos o H. Por exemplo, o hélio, com seus dois elétrons, é, neste sentido, um átomo polieletrônico. Os átomos hidrogenoides, e o H em particular, são importantes, pois a equação de Schrödinger pode ser resolvida para esses tipos de átomos e suas estruturas podem ser discutidas de maneira exata. Oferecem um conjunto de conceitos que são utilizados para descrever as estruturas dos átomos polieletrônicos e (conforme iremos ver no capítulo seguinte) também as estruturas das moléculas.

Átomos hidrogenoides

Átomos energeticamente excitados são produzidos quando uma descarga elétrica passa através de um gás ou vapor ou quando um elemento é exposto a uma chama quente. Esses átomos emitem radiação eletromagnética de frequências discretas, já que liberam energia e voltam ao **estado fundamental**, seu estado de mais baixa energia (Fig. 13.1). O registro de frequências, (ν, normalmente em hertz, Hz), números de onda ($\tilde{\nu} = \nu/c$, normalmente em centímetros recíprocos, cm^{-1}), ou comprimentos de onda ($\lambda = c/\nu$, normalmente em nanômetros, nm), da radiação emitida é chamado de **espectro de emissão** do átomo. Originalmente, a radiação era detectada fotograficamente como uma série de linhas (a imagem enfocada da fenda através da qual a luz passava), e os componentes da radiação presentes em um espectro ainda são frequentemente chamados de 'linhas' espectrais.

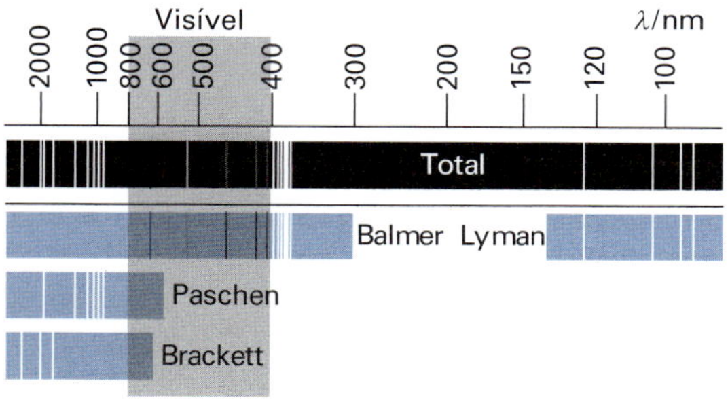

Figura 13.1 Espectro do hidrogênio atômico. O espectro é mostrado na parte superior, e é analisado na parte de baixo por meio das séries que se sobrepõem. A série de Balmer aparece em grande parte na região do visível.

13.1 Os espectros dos átomos hidrogenoides

A primeira contribuição importante para o entendimento do espectro do hidrogênio atômico, que é observado quando uma descarga elétrica passa através do gás hidrogênio, foi feita pelo professor do ensino secundário suíço Johann Balmer. Em 1885, Balmer observou que (em termos modernos) os números de onda da luz, na região visível do espectro eletromagnético, ajustavam-se à expressão

$$\tilde{\nu} \propto \frac{1}{2^2} - \frac{1}{n^2}$$

com n = 3, 4, ... As linhas descritas por esta fórmula são atualmente chamadas de **série de Balmer** do espectro. Posteriormente, foi descoberto outro conjunto de linhas na região ultravioleta do espectro, que é denominada **série de Lyman**. Ainda outro conjunto foi descoberto na região do infravermelho, quando detectores se tornaram disponíveis para aquela região, e que é chamada de **série de Paschen**. Com essas informações adicionais à mão, o espectroscopista sueco Johannes Rydberg observou (em 1890) que todas as linhas são descritas pela expressão

$$\tilde{\nu} = R_H\left(\frac{1}{n_1^2} - \frac{1}{n_2^2}\right) \quad \text{Fórmula de Rydberg} \quad (13.1)$$

com n_1 = 1, 2, ..., $n_2 = n_1 + 1, n_1 + 2$, ..., e R_H = 109 677 cm^{-1}. A constante R_H é agora denominada de **constante de Rydberg** para o hidrogênio. As cinco primeiras séries de linhas então correspondem aos valores de n_1 iguais a 1 (Lyman), 2 (Balmer), 3 (Paschen), 4 (Brackett), e 5 (Pfund).

Como vimos na Seção 12.1, a existência de linhas espectrais discretas sugere fortemente que a energia dos átomos é quantizada e que quando a energia de um átomo varia de ΔE, essa diferença deve ser liberada como um fóton de frequência ν, relacionado com ΔE pela **condição de frequência de Bohr** (Eq. 12.1):

$$\Delta E = h\nu \quad \text{Condição de frequência de Bohr} \quad (13.2)$$

Em termos do número de ondas $\tilde{\nu}$ da radiação, a condição de frequência de Bohr é $\Delta E = hc\tilde{\nu}$. Segue que podemos esperar observar linhas discretas se um elétron de um átomo pode existir apenas em certos estados de energia e se a radiação eletromagnética induzir transições entre os mesmos.

13.2 As energias permitidas dos átomos hidrogenoides

A descrição quanto-mecânica da estrutura de um átomo hidrogenoide baseia-se no **modelo nuclear** de Rutherford, no qual o átomo é retratado como consistindo em um elétron fora de um núcleo central de carga Ze. Para deduzir os detalhes da estrutura desse tipo de átomo, temos de montar e resolver a equação de Schrödinger, na qual a energia potencial, V, é a energia potencial de Coulomb para a interação entre o núcleo de carga $+Ze$ e o elétron de carga $-e$. Vimos em Ferramentas do químico 9.1 que a energia potencial coulombiana de uma carga Q_1 a uma distância r de outra carga Q_2 é:

$$V(r) = \frac{Q_1Q_2}{4\pi\varepsilon_0 r} \quad \text{Energia potencial coulombiana} \quad (13.3a)$$

A constante fundamental $\varepsilon_0 = 8{,}854 \times 10^{-12}$ J^{-1} C^2 m^{-1} é a permissividade do vácuo. Fazendo $Q_1 = +Ze$ e $Q_2 = -e$, esta expressão se torna

$$V(r) = -\frac{Ze^2}{4\pi\varepsilon_0 r} \quad \text{Elétron em um átomo hidrogenoide} \quad \text{Energia potencial coulombiana} \quad (13.3b)$$

O sinal negativo indica que a energia potencial cai (se torna mais negativa) quando a distância entre o elétron e o núcleo diminui.

Precisamos também identificar as condições de contorno apropriadas que a função de onda deve satisfazer para ser aceitável. Para o átomo de hidrogênio, essas condições se apresentam quando a função de onda não deve se tornar infinita em lugar nenhum e tem que se repetir (tal como na partícula sobre uma esfera) à medida que circularmos o núcleo, ou sobre os polos ou em torno do equador. Podemos esperar que, com três condições a serem satisfeitas, surjam três números quânticos.

Com muito trabalho, a equação de Schrödinger com essa energia potencial e essas condições de contorno pode ser solucionada. A necessidade de satisfazer às condições de contorno leva à conclusão de que apenas certas energias podem ocorrer, o que está qualitativamente de acordo com a evidência espectroscópica. O próprio Schrödinger observou que, para um átomo hidrogenoide de número atômico Z com um núcleo de massa m_N, os níveis de energia permitidos são dados pela expressão

$$E_n = -\frac{hcR_NZ^2}{n^2} \quad \text{Átomo hidrogenoide} \quad \text{Níveis de energia} \quad (13.4a)$$

em que

$$R_N = \frac{\mu e^4}{8\varepsilon_0^2 h^3 c} \qquad \mu = \frac{m_e m_N}{m_e + m_N} \quad \text{Constante de Rydberg, massa reduzida} \quad (13.4b)$$

e n = 1, 2, ... A grandeza μ é a **massa reduzida** do átomo, uma espécie de massa efetiva que leva em conta o fato de que, apesar da maior parte do movimento em um átomo ser do elétron, o núcleo maciço não é completamente estacionário. A constante R_N é numericamente idêntica à constante experimental de Rydberg R_H, quando m_N é fixada como igual à massa do próton. Como $m_N >> m_e$, mesmo para o hidrogênio, exceto nas considerações mais precisas, podemos fazer $\mu = m_e$.

Schrödinger deve ter ficado emocionado ao descobrir que, calculando R_H, o valor obtido estava em concordância quase exata com o valor experimental.

Vamos nos concentrar na Eq. 13.4a e desvendar seu significado. Vamos analisar três aspectos: o papel de n, o significado do valor negativo e o aparecimento de Z^2 na equação.

O número quântico n é chamado de **número quântico principal**. Nós o utilizamos para calcular a energia do elétron no átomo substituindo seu valor na Eq. 13.4a. Os níveis de energia resultantes são apresentados na Figura 13.2. Observe como estão muito separados em valores baixos de n, mas, então, convergem à medida que n aumenta. Em valores baixos de n, o elétron fica confinado próximo do núcleo pela atração entre cargas opostas, e os níveis de energia ficam muito espaçados, como aqueles de uma partícula dentro de uma caixa estreita. Em valores altos de n, quando o elétron tem uma energia tão alta que pode se deslocar para grandes distâncias, os níveis de energia ficam próximos, como os de uma partícula em uma caixa grande.

Vejamos agora o sinal na Eq. 13.4a. Todas as energias são negativas, significando que um elétron num átomo possui energia mais baixa do que quando livre. O zero de energia (que ocorre em $n = \infty$) corresponde ao elétron e núcleo infinitamente separados (de modo que a energia potencial de Coulomb é zero) e estacionários (a energia cinética é zero). O estado de mais baixa energia, o estado fundamental do átomo, é aquele com $n = 1$ (o mais baixo valor permitido de n e, portanto, o valor mais negativo da energia). A energia desse estado é $E_1 = -hcR_NZ^2$: o sinal negativo significa que o estado fundamental se encontra hcR_NZ^2 *abaixo* da energia do elétron e do núcleo infinitamente separados. O primeiro estado excitado do átomo, o estado com $n = 2$, se localiza em $E_2 = -\frac{1}{4}hcR_NZ^2$. Esse nível de energia está $\frac{3}{4}hcR_NZ^2$ acima do estado fundamental.

Esses resultados permitem explicar a expressão empírica das linhas espectrais observadas no espectro do hidrogênio atômico (para o qual $R_N = R_H$ e $Z = 1$). Numa transição, um elétron salta de um nível de energia com um número quântico (n_2) para um nível com uma energia mais baixa (com número quântico n_1). Como resultado, a energia liberada é

$$\Delta E = \left(-\frac{hcR_H}{n_2^2}\right) - \left(-\frac{hcR_H}{n_1^2}\right) = hcR_H\left(\frac{1}{n_1^2} - \frac{1}{n_2^2}\right)$$

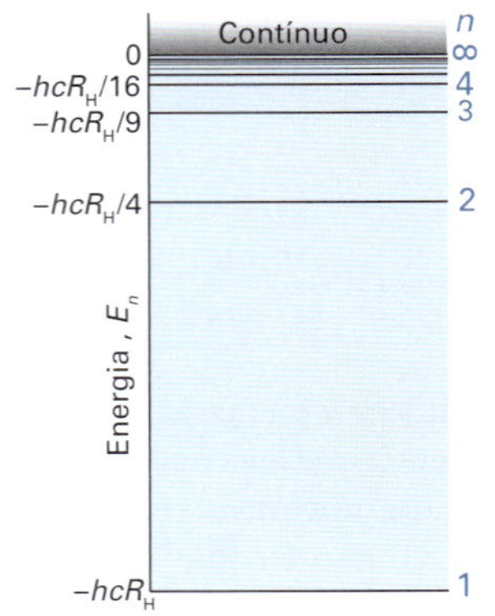

Figura 13.2 Níveis de energia do átomo de hidrogênio. As energias são relativas a um próton e um elétron estacionário infinitamente distante.

Essa energia é transportada por um fóton de energia $hc\tilde{\nu}$. Igualando-se esta expressão a ΔE, obtemos imediatamente a Eq. 13.1.

Consideremos agora a significância de Z^2 na Eq. 13.4a. O fato de os níveis de energia serem proporcionais a Z^2 se deve a dois efeitos. Primeiro, um elétron a certa distância de um núcleo de carga Ze tem uma energia potencial Z vezes mais negativa que um elétron à mesma distância de um próton (para o qual $Z = 1$). Entretanto, o elétron é atraído para as proximidades do núcleo pela carga nuclear maior, sendo mais provável que seja encontrado mais próximo do núcleo de carga Z que do próton. Esse efeito também é proporcional a Z; assim, no global, a energia do elétron é proporcional ao quadrado de Z, com um fator representando a intensidade Z vezes maior do campo do núcleo e um segundo fator representando o fato de que é Z vezes mais provável encontrar o elétron mais próximo ao núcleo.

Breve ilustração 13.1 Transições em outros átomos hidrogenoides

A transição de menor comprimento de onda na série de Paschen no hidrogênio ocorre em 821 nm. De acordo com a Eq. 13.4a, as energias permitidas dos átomos e íons de um elétron são proporcionais a Z^2, logo, podemos esperar que as frequências das transições entre os mesmos dois níveis também sejam proporcionais a Z^2. Como o comprimento de onda é inversamente proporcional à frequência, segue que o número de onda da transição deve ser proporcional a $1/Z^2$. Portanto, espera-se que a mesma transição no Li^{2+} (que tem $Z = 3$) ocorra em $\frac{1}{9} \times 821 = 91{,}2$ nm.

Exercício proposto 13.1

Uma transição na série de Brackett do Li^{2+} é observada em um comprimento de onda de 450 nm. Qual é o número quântico do nível de energia mais alto?

Resposta: 5

A energia mínima necessária para remover um elétron completamente de um átomo é chamada de **energia de ionização**, I. Para um átomo de hidrogênio, a energia de ionização é a energia necessária para elevar o elétron do estado fundamental (com $n = 1$ e energia $E_1 = -hcR_H$) para o estado correspondente à completa remoção do elétron (o estado com $n = \infty$ e energia zero). Assim sendo, a energia que deve ser fornecida é $I = hcR_H = 2{,}180 \times 10^{-18}$ J, que corresponde a 1312 kJ mol^{-1} ou 13,59 eV.

Breve ilustração 13.2 Energias de ionização de outros átomos hidrogenoides

Tal como na Breve ilustração 13.1, observamos da Eq. 13.4a que as energias permitidas são proporcionais a Z^2. Portanto, concluímos que as energias de ionização de espécies monoeletrônicas também devem ser proporcionais a Z^2. Como a energia de ionização do hidrogênio é 13,59 eV, podemos prever que a energia de ionização do He^+ (que tem $Z = 2$) deve ser $I_{He^+} = 4I_H = 54{,}36$ eV. Este é, de fato, o valor observado experimentalmente.

13.3 Números quânticos

A função de onda do elétron de um átomo hidrogenoide é denominada **orbital atômico**. O nome pretende expressar algo menos definido que a 'órbita' da mecânica clássica. Diz-se que um elétron descrito por uma função de onda particular 'ocupa' aquele orbital. Assim, no estado fundamental do átomo, o elétron ocupa o orbital de mais baixa energia (aquele com $n = 1$).

Já comentamos que há três condições matemáticas impostas sobre os orbitais: as funções de onda devem cair a zero quando se estenderem ao infinito, devem se repetir ao circular o equador e devem se repetir ao circular os polos. Cada condição dá origem a um número quântico, logo, cada orbital atômico é especificado por três números quânticos que atuam como uma espécie de 'endereço' do elétron no átomo. Devemos também suspeitar que os números quânticos estão relacionados, pois, como vimos na discussão da partícula na esfera, para obter a forma correta da função em direção aos polos devemos também observar como a função muda de forma ao circular em torno do equador. Observa-se que as relações entre os valores permitidos são muito simples.

Vimos no Capítulo 12 que, em certos casos, uma função de onda pode ser separada em fatores que dependem, cada um deles, de coordenadas diferentes, e que a equação de Schrödinger se separa em equações mais simples, uma para cada variável. Como podemos esperar de um sistema como o átomo de hidrogênio, usando o método da separação de variáveis, a equação de Schrödinger se separa em uma equação para o movimento do elétron em torno do núcleo (o análogo da partícula na esfera, tratado na Seção 12.8) e uma equação para a dependência radial. A função de onda se fatora de forma correspondente, podendo ser escrita na forma

$$\psi_{n,l,m_l}(r,\theta,\phi) = \overbrace{R_{n,l}(r)}^{\text{Função de onda radial}} \times \overbrace{Y_{l,m_l}(\theta,\phi)}^{\text{Função de onda angular}} \quad \text{Orbital hidrogenoide} \qquad (13.5)$$

O fator $R_{n,l}(r)$ é chamado **função de onda radial** e o fator $Y_{l,m_l}(\theta,\phi)$ é chamado **função de onda angular**; este último é exatamente a função de onda que encontramos para a partícula na esfera. Como pode ser visto dessa expressão, a função de onda é especificada por três números quânticos, todos já encontrados em aspectos diferentes (Seção 13.2 e Capítulo 12):

Número quântico	Nome	Valores permitidos	Determina
n	principal	1,2, ... ,	A energia, por $E_n = -hcR_N Z^2/n^2$
l	momento angular orbital	0,1, ... , n − 1	O momento angular orbital, por $\mathcal{J} = \{l(l+1)\}^{1/2}\hbar$
m_l	magnético	$l, l-1, 1-2, ..., -l$	O componente z do momento angular orbital, por $\mathcal{J}_z = m_l\hbar$

Observe que a função radial $R_{n,l}(r)$ depende apenas de n e l; assim, todas as funções com um mesmo n e l têm a mesma forma radial independentemente do valor de m_l. A função de onda angular $Y_{l,m_l}(\theta,\phi)$ depende apenas de l e m_l; desse modo, todas as funções com um mesmo l e m_l têm a mesma forma angular independentemente do valor de n. As expressões explícitas de alguns orbitais são apresentadas na Tabela 13.1; utilizamos a notação que será descrita logo a seguir.

■ **Breve ilustração 13.3** Números quânticos e orbitais

Segue-se, dessas restrições sobre os valores dos números quânticos, que só existe um orbital com $n = 1$, pois, quando $n = 1$, o único valor que l pode ter é 0, o que implica, por sua vez, que m_l pode ter somente o valor 0. Igualmente, há quatro orbitais com $n = 2$, porque l pode tomar os valores 0 e 1, e, no último caso, m_l pode ter os três valores +1, 0 e −1. Em geral, existem n^2 orbitais com um valor dado de n.

Uma nota sobre a boa prática Sempre dê o sinal de m_l, mesmo quando este sinal for positivo. Assim, escreva $m_l = +1$, e não $m_l = 1$.

Embora precisemos de todos os três números quânticos para especificar um dado orbital, a Eq. 13.4 revela que, para átomos hidrogenoides e – conforme iremos ver, *apenas* para átomos hidrogenoides – a energia depende unicamente do número quântico principal, n. Por conseguinte, em átomos hidrogenoides, e somente em átomos hidrogenoides, *todos os orbitais do mesmo valor de n, mas diferentes valores de l e m_l possuem a mesma energia*. Recorde a Seção 12.7 que, quando temos mais de uma função de onda correspondente à mesma energia, dizemos que as funções de onda são 'degeneradas'; assim, podemos dizer agora que nos átomos hidrogenoides todos os orbitais com o mesmo valor de n são degenerados. Essa degenerescência aparece devido à simetria do potencial coulombiano, centrossimétrico. Podemos esperar, e vamos de fato verificar mais adiante neste capítulo, que essa degenerescência é parcialmente removida em átomos com mais de um elétron porque o alto nível de simetria é quebrado.

A degenerescência de todos os orbitais com o mesmo valor de n (lembre-se da Breve ilustração 13.3 que existem n^2 com um valor de n) e, como iremos ver, a semelhança entre seus raios médios, são razões pelas quais se diz que todos os orbitais com o mesmo valor de n pertencem à mesma **camada** do átomo. É comum referir-se a camadas sucessivas usando letras:

n	1	2	3	4 . . .
	K	L	M	N . . .

Dessa forma, todos os quatro orbitais da camada com $n = 2$ formam a camada L do átomo.

Orbitais com o mesmo valor de n, mas diferentes valores de l, pertencem a diferentes **subcamadas** de uma camada dada. Essas subcamadas são representadas pelas letras s, p, ... usando a seguinte correspondência:[1]

[1] As letras têm um significado puramente histórico: representavam originalmente os termos *sharp*, *principal*, *diffuse* e *fundamental*, que se referiam às características de certas linhas espectrais.

Tabela 13.1
*Funções de onda hidrogenoides**

Orbital	Função de onda radial	Função de onda angular
1s	$2\left(\frac{Z}{a_0}\right)^{3/2} e^{-Zr/a_0}$	$\frac{1}{2\pi^{1/2}}$
2s	$\frac{1}{8^{1/2}}\left(\frac{Z}{a_0}\right)^{3/2}\left(2-\frac{Zr}{a_0}\right)e^{-Zr/2a_0}$	$\frac{1}{2\pi^{1/2}}$
$2p_x$	$\frac{1}{24^{1/2}}\left(\frac{Z}{a_0}\right)^{3/2}\left(\frac{Zr}{a_0}\right)e^{-Zr/2a_0}$	$\frac{1}{2}\left(\frac{3}{\pi}\right)^{1/2}$ sen θ cos ϕ
$2p_y$		$\frac{1}{2}\left(\frac{3}{\pi}\right)^{1/2}$ sen θ sen ϕ
$2p_z$		$\frac{1}{2}\left(\frac{3}{\pi}\right)^{1/2}$ cos θ
3s	$\frac{2}{243^{1/2}}\left(\frac{Z}{a_0}\right)^{3/2}\left(3-\frac{2Zr}{a_0}+\frac{2Z^2r^2}{9a_0^2}\right)e^{-Zr/3a_0}$	$\frac{1}{2\pi^{1/2}}$
$3p_x$	$\frac{2}{486^{1/2}}\left(\frac{Z}{a_0}\right)^{3/2}\left(2-\frac{Zr}{3a_0}\right)e^{-Zr/3a_0}$	$\frac{1}{2}\left(\frac{3}{\pi}\right)^{1/2}$ sen θ cos ϕ
$3p_y$		$\frac{1}{2}\left(\frac{3}{\pi}\right)^{1/2}$ sen θ sen ϕ
$3p_z$		$\frac{1}{2}\left(\frac{3}{\pi}\right)^{1/2}$ cos θ
$3d_{xy}$	$\frac{1}{2430^{1/2}}\left(\frac{Z}{a_0}\right)^{3/2}\left(\frac{2Zr}{3a_0}\right)^2 e^{-Zr/3a_0}$	$\frac{1}{4}\left(\frac{15}{\pi}\right)^{1/2}$ sen^2 θ sen 2ϕ
$3d_{yz}$		$\frac{1}{2}\left(\frac{15}{\pi}\right)^{1/2}$ cos θ sen θ sen ϕ
$3d_{zx}$		$\frac{1}{2}\left(\frac{15}{\pi}\right)^{1/2}$ cos θ sen θ cos ϕ
$3d_{x^2-y^2}$		$\frac{1}{4}\left(\frac{15}{\pi}\right)^{1/2}$ sen^2 θ cos 2ϕ
$3d_{z^2}$		$\frac{1}{4}\left(\frac{5}{\pi}\right)^{1/2}$ $(3\cos^2\theta - 1)$

l	0	1	2	3...
	s	p	d	f...

Apenas esses quatro tipos de subcamada são importantes na prática. Para a camada com $n = 1$, só existe uma subcamada, aquela com $l = 0$. Para a camada com $n = 2$ (com $l = 0, 1$), há duas subcamadas, a saber, a subcamada $2s$ (com $l = 0$) e a subcamada $2p$ (com $l = 1$). O padrão geral das três primeiras camadas e suas subcamadas encontra-se listado na Figura 13.3. Em um átomo hidrogenoide, todas as subcamadas de dada camada correspondem à mesma energia (pois, conforme vimos, a energia depende de n e não de l).

Já vimos que se o número quântico do momento angular orbital é l, então m_l podem assumir os $2l + 1$ valores $m_l = 0, \pm1, ..., \pm l$. Portanto, cada subcamada contém $2l + 1$ orbitais individuais (correspondentes aos $2l + 1$ valores de m_l para cada valor de l). Então, em dada subcamada, o número de orbitais é

s	p	d	f
1	3	5	7

Um orbital com $l = 0$ (e necessariamente $m_l = 0$) é chamado de um **orbital s**. Uma subcamada p ($l = 1$) consiste em três **orbitais p** (correspondentes a $m_l = +1, 0, -1$). Um elétron que ocupa um orbital s é chamado de **elétron s**. De modo semelhante, podemos falar de elétrons p, d, ..., segundo os orbitais que ocupam.

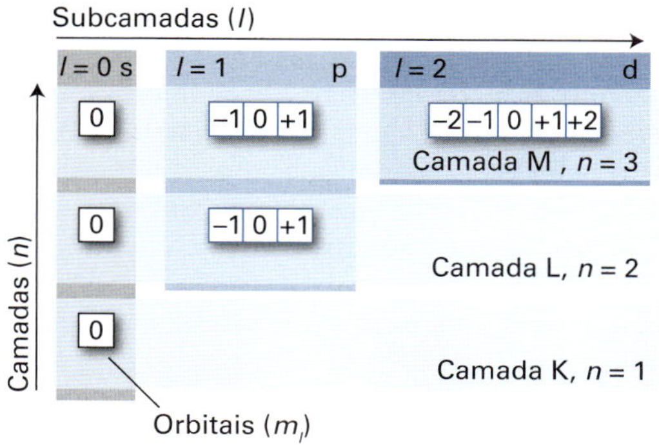

Figura 13.3 As estruturas dos átomos são descritas em termos de camadas de elétrons que são identificadas pelo número quântico principal n, e uma série de n subcamadas dessas camadas, sendo cada subcamada de uma camada identificada pelo número quântico l. Cada subcamada consiste em $2l + 1$ orbitais.

■ Breve ilustração 13.4 A composição de uma camada

Como foi mencionado na Breve ilustração 13.3, há n^2 orbitais em uma camada com número quântico principal n. Logo, há 25 orbitais na camada com $n = 5$. O número quântico de momento angular l pode assumir os valores 0, 1, 2, 3 e 4, com $2l + 1$ orbitais em cada subcamada. Concluímos que a camada consiste em um orbital s, três orbitais p, cinco orbitais d, sete orbitais f e nove orbitais g.

13.4 As funções de onda: orbitais s

A forma matemática de um orbital 1s (a função de onda com $n = 1$, $l = 0$ e $m_l = 0$) para um átomo de hidrogênio é

$$\psi_{1s} = \overbrace{2\left(\frac{1}{a_0^3}\right)^{1/2} e^{-r/a_0}}^{R_{1,0}} \times \overbrace{\frac{1}{2\pi^{1/2}}}^{Y_{0,0}} = \frac{1}{(\pi a_0^3)^{1/2}} e^{-r/a_0} \qquad \text{Orbital 1s do H} \qquad (13.6a)$$

em que

$$a_0 = \frac{4\pi\varepsilon_0\hbar^2}{m_e e^2} \qquad \text{Definição} \quad \text{Raio de Bohr} \qquad (13.6b)$$

Nesse caso, a função de onda angular, $Y_{0,0} = 1/2\pi^{1/2}$, é uma constante independente dos ângulos θ e ϕ. Você deve recordar que, no Exemplo 12.3, previmos que a função de onda para um elétron em um átomo de hidrogênio seria proporcional a e^{-r}: esta é sua forma precisa. A constante a_0 é chamada de **raio de Bohr** (porque apareceu no cálculo das propriedades do átomo de hidrogênio realizado por Bohr) e tem o valor de 52,9177 pm. A função de onda da Eq. 13.6 está normalizada em 1 (Seção 12.7), assim a probabilidade de se encontrar o elétron em um pequeno volume de magnitude δV, em torno de um ponto dado, é *igual* a $\psi^2\delta V$, com ψ avaliado no ponto de interesse. Estamos supondo que o volume δV é tão pequeno que a função de onda não varia em seu interior.

A forma geral da função de onda pode ser compreendida considerando-se a contribuição da energia potencial e da energia cinética para a energia total do átomo. Quanto mais próximo, em média, o elétron estiver do núcleo, menor é a energia potencial média. Essa dependência sugere que o valor mais baixo da energia potencial deva ser obtido com uma função fortemente localizada, com uma grande amplitude sobre o núcleo e zero em todos os outros pontos (Fig. 13.4). Contudo, esta forma implica em uma energia cinética elevada, pois uma função de onda como essa teria uma curvatura média muito pronunciada. O elétron teria uma energia cinética muito baixa se sua função de onda tivesse uma pequena curvatura média. No entanto, tal função de onda se estenderia até uma grande distância do núcleo, e a energia potencial média do elétron seria correspondentemente elevada. A função de onda real é um compromisso entre os dois extremos: a função de onda se estende a partir do núcleo (de forma que a energia potencial não é tão baixa como no primeiro caso, mas também não é tão alta) e tem uma curvatura média razoavelmente pequena (de forma que a energia cinética não é muito baixa, mas não tão alta como no primeiro caso).

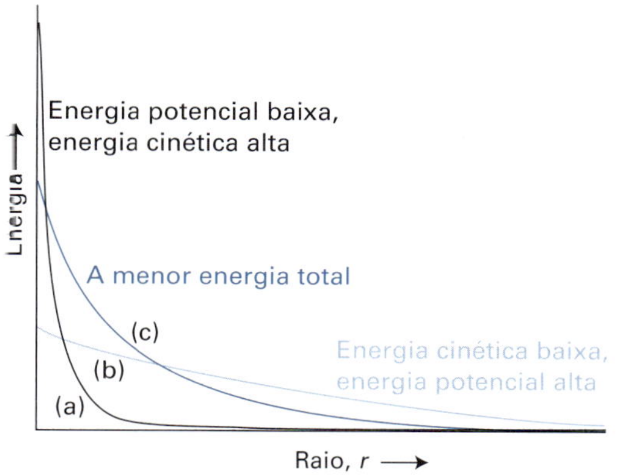

Figura 13.4 Balanço entre as energias cinética e potencial que explica a estrutura do estado fundamental do átomo de hidrogênio (e átomos semelhantes). (a) O orbital muito curvado, porém localizado, tem elevada energia cinética média, mas baixa energia potencial média; (b) a energia cinética média é baixa, mas a energia potencial não é muito favorável; (c) um compromisso entre energia cinética moderada e energia potencial moderadamente favorável.

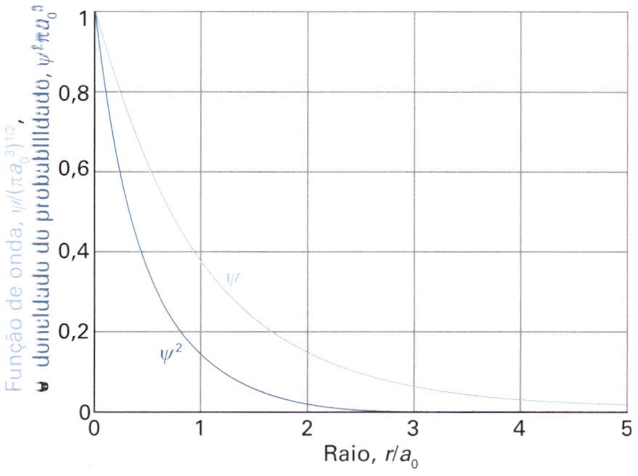

Figura 13.5 Dependência radial da função de onda de um orbital 1s ($n = 1$, $l = 0$) e a correspondente densidade de probabilidade. A grandeza a_0 é o raio de Bohr (52,9 pm).

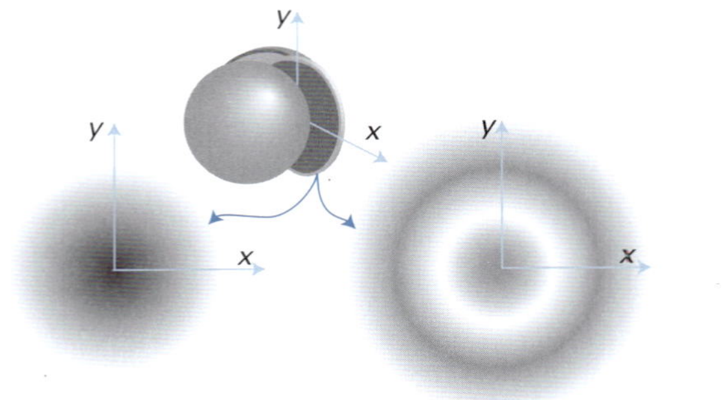

(a) 1s (b) 2s

Figura 13.6 Representações dos dois primeiros orbitais hidrogenoides s, (a) 1s, (b) 2s, em termos das densidades eletrônicas em um corte que cruza o centro do átomo (conforme representadas pela densidade do sombreamento), indicado na origem das duas setas.

Um orbital 1s depende somente do raio, r, do ponto de interesse, sendo independente do ângulo (latitude e longitude do ponto). Portanto, o orbital possui a mesma amplitude em todos os pontos à mesma distância do núcleo, não obstante a direção. Já que a probabilidade de um elétron ser encontrado é proporcional ao quadrado da função de onda, agora sabemos que o elétron será encontrado com a mesma probabilidade em qualquer direção (para dada distância do núcleo). Resumimos esta independência angular dizendo que um orbital 1s é **esfericamente simétrico.** Como o mesmo fator Y ocorre em todos os orbitais com $l = 0$, todos os orbitais s têm a mesma simetria esférica.

A função de onda na Eq. 13.6 decai exponencialmente a zero a partir de um valor máximo no núcleo (Fig. 13.5). Segue-se que *o ponto mais provável no qual o elétron será encontrado é o próprio núcleo*. Um método de ilustrar a probabilidade de encontrar o elétron em cada ponto no espaço é representar ψ^2 pela densidade de sombreamento em um diagrama (Fig. 13.6). Um procedimento mais simples é mostrar apenas a **superfície de contorno,** a forma que captura quase 90 % de probabilidade total do elétron ser encontrado. Para o orbital 1s, a superfície de contorno é uma esfera (Fig. 13.7).

■ Breve ilustração 13.5 Distribuição de probabilidade

Podemos calcular a probabilidade de encontrar o elétron em um volume de 1,0 pm^3 centralizado sobre o núcleo em um átomo de hidrogênio fixando $r = 0$ na expressão para ψ, fazendo $e^0 = 1$ e tomando $\delta V = 1{,}0$ pm^3. O valor de ψ no núcleo é $1/(\pi a_0^3)^{1/2}$. Portanto, $\psi^2 = 1/\pi a_0^3$ no núcleo, e podemos escrever

$$\text{Probabilidade} = \frac{1}{\pi a_0^3} \times \delta V = \frac{1}{\pi \times (52{,}9\ \text{pm})^3} \times (1{,}0\ \text{pm}^3)$$
$$= \frac{1{,}0}{\pi \times 52{,}9^3} = 2{,}2 \times 10^{-5}$$

Este resultado significa que o elétron será encontrado dentro do volume numa observação em 455.000.

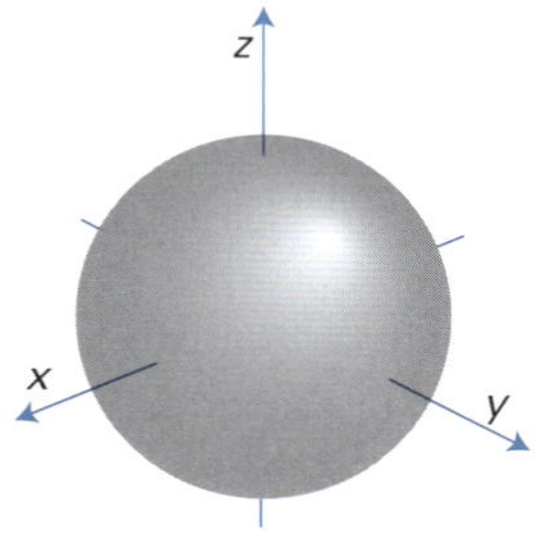

Figura 13.7 A superfície de contorno de um orbital s, dentro da qual existe uma alta probabilidade de se encontrar o elétron.

Exercício proposto 13.2

Repita o cálculo para encontrar o elétron no mesmo volume localizado em torno do raio de Bohr.

Resposta: $3{,}0 \times 10^{-7}$, 1 em 3.300.000 observações

Com frequência precisamos conhecer a probabilidade com que um elétron será encontrado a dada distância de um núcleo, independentemente de sua posição angular (Fig. 13.8). Podemos encontrar essa probabilidade, combinando a função de onda da Eq. 13.5 com a interpretação de Born. Como mostrado na Dedução a seguir, obtemos que, para um orbital s, a resposta é expressa como

$$\text{Probabilidade} = P(r)\delta r$$

com $P(r) = 4\pi r^2 \psi^2$ Orbitais s Função de distribuição radial (13.7a)

A função P é denominada **função de distribuição radial.** A forma mais geral, que também se aplica a orbitais que dependem do ângulo, é

$$P(r) = r^2 R(r)^2$$ Forma geral Função de distribuição radial (13.7b)

em que $R(r)$ é a função de onda radial.

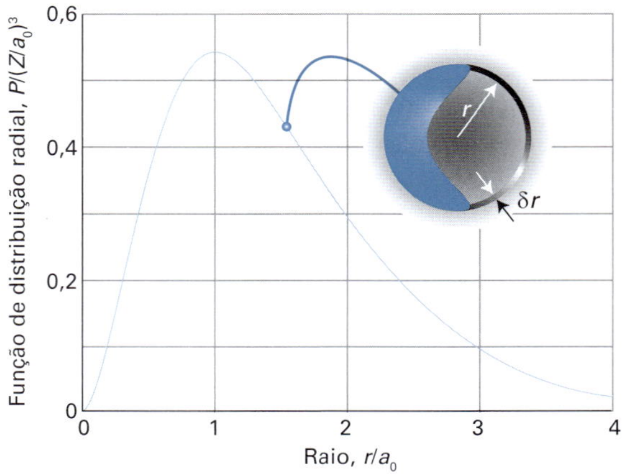

Figura 13.8 A função de distribuição radial dá a probabilidade de encontrar o elétron em algum lugar dentro de uma camada de raio r e espessura δr, independentemente do ângulo. O gráfico mostra o resultado de um detector de camadas imaginário, de raio variável e espessura δr fixa.

Exemplo 13.1

Usando a distribuição radial

Calcule a probabilidade de encontrar o elétron entre uma camada de raio a_0 e uma de raio 1,0 pm maior quando o elétron ocupa um orbital 1s de um átomo hidrogenoide de número atômico Z, e aplique seu resultado para $Z = 1$.

Estratégia Use a forma do orbital (para um Z geral) dada na Tabela 13.1 e substitua essa forma na expressão de P dada pela Eq. 13.7a. Considere a espessura da camada tão pequena que a função de onda seja uniforme dentro dela.

Solução A função de onda 1s de um átomo hidrogenoide é

$$\psi_{1s} = \overbrace{2\left(\frac{Z}{a_0}\right)^{3/2} e^{-Zr/a_0}}^{R_{1,0}} \times \overbrace{\frac{1}{2\pi^{1/2}}}^{Y_{0,0}} = \frac{1}{\pi^{1/2}}\left(\frac{Z}{a_0}\right)^{3/2} e^{-Zr/a_0}$$

Assim, a função de distribuição radial deste orbital é

$$P(r) = 4\pi r^2\left(\frac{1}{\pi^{1/2}}\left(\frac{Z}{a_0}\right)^{3/2} e^{-Zr/a_0}\right)^2 = 4\left(\frac{Z}{a_0}\right)^3 r^2 e^{-2Zr/a_0}$$

Substituímos agora $r = a_0$ para obter a função de distribuição radial àquela distância:

$$P(a_0) = 4\left(\frac{Z}{a_0}\right)^3 a_0^2 e^{-2Za_0/a_0} = \frac{4Z^3}{a_0} e^{-2Z}$$

Para o hidrogênio, com $\delta r = 1{,}0$ pm e $Z = 1$,

$$\text{Probabilidade} = P(a_0)\delta r = \frac{4}{a_0} e^{-2} \times \delta r$$

$$= \underbrace{\frac{4}{52{,}92\ \text{pm}}}_{a_0} \times e^{-2} \times \overbrace{(1{,}0\ \text{pm})}^{\delta r} = 0{,}010$$

ou em torno de 1 observação em 100.

Exercício proposto 13.3

Repita a análise para o orbital 2s.

Resposta: $8{,}7 \times 10^{-4}$, 1 inspeção em 1100

Dedução 13.1

A função de distribuição radial

Considere duas camadas esféricas centralizadas sobre o núcleo, uma de raio r e a outra de raio $r + \delta r$. A probabilidade de se encontrar o elétron em um raio r, independentemente de sua direção, é igual à probabilidade de encontrá-lo entre essas duas superfícies esféricas. O volume da região do espaço entre as superfícies é igual à área da superfície da camada interna, $4\pi r^2$, multiplicada pela espessura, δr, da região e é, portanto, $4\pi r^2\delta r$. De acordo com a interpretação de Born, a probabilidade de se encontrar um elétron dentro de um pequeno volume de magnitude δV é dada, para uma função de onda normalizada e constante na região considerada, pelo valor de $\psi^2\delta V$. Um orbital s tem o mesmo valor, para todos os ângulos, a dada distância do núcleo, sendo constante em toda a camada (desde que δr seja muito pequeno). Por conseguinte, interpretando δV como o volume da camada, obtemos

$$\text{Probabilidade} = \psi^2 \times (4\pi r^2\delta r)$$

como a Eq. 13.7a. O resultado que acabamos de deduzir se aplica apenas para orbitais s.

A função de distribuição radial nos diz a probabilidade de encontrar um elétron a uma distância r do núcleo, independentemente de sua direção. Como r^2 aumenta a partir de 0 à medida que r aumenta, mas ψ^2 decai exponencialmente a 0, P inicia-se em 0, passa por um máximo, e cai para 0 novamente. A localização do máximo marca o *raio* (não o ponto) mais provável no qual o elétron será encontrado. Para um orbital 1s do hidrogênio, o máximo ocorre em a_0, o raio de Bohr. Uma analogia capaz de auxiliar a fixar o significado da função de distribuição radial para um elétron é a distribuição correspondente para a população da Terra vista como uma esfera perfeita. A função de distribuição radial é zero no centro da Terra e para os 6.400 km seguintes (até a superfície do planeta), quando tem um pico marcante e então rapidamente cai novamente para zero. Fica praticamente zero para todos os raios maiores que cerca de 10 km acima da superfície. Quase toda a população será encontrada muito próximo de r = 6.400 km, e não é relevante que as pessoas estejam dispersas não uniformemente por sobre uma faixa muito ampla de latitudes e longitudes. As pequenas probabilidades de encontrar pessoas acima e abaixo de 6.400 km, em qualquer lugar do

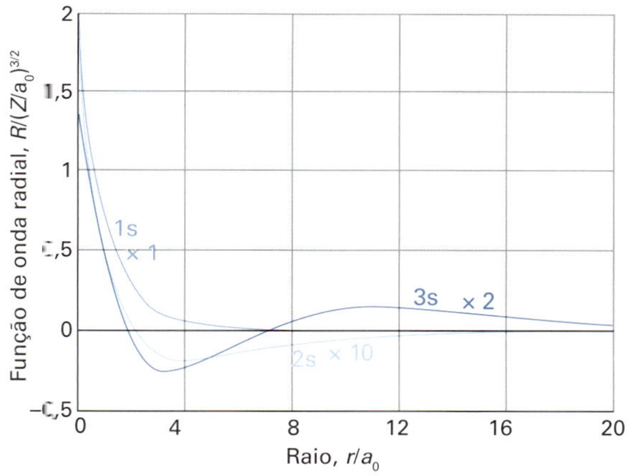

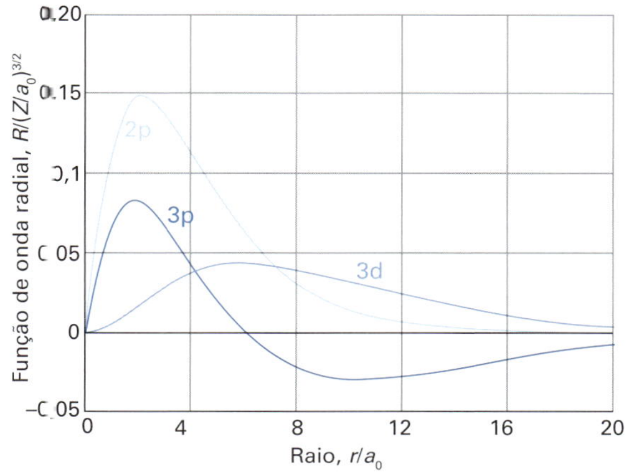

Figura 13.9 Funções de onda radiais de alguns orbitais hidrogenoides s, p e d. Observe que os orbitais s têm valores finitos e diferentes de zero sobre o núcleo. As escalas verticais são diferentes em cada caso.

mundo, correspondem à população que pode estar em minas ou vivendo em locais tão elevados quanto Denver ou no Tibet.

Um orbital 2s (um orbital com $n = 2$, $l = 0$, e $m_l = 0$) também é esférico, assim sua superfície de contorno é uma esfera. Como um orbital 2s se estende mais ainda a partir do núcleo do que um orbital 1s – porque o elétron que descreve tem mais energia para se afastar do núcleo – sua superfície de contorno é uma esfera de raio maior. O orbital também difere de um orbital 1s em sua dependência radial (Fig. 13.9), pois, embora a função de onda tenha um valor diferente de zero no núcleo (como todos os orbitais s), passa pelo zero antes de começar seu declínio exponencial a zero, a grandes distâncias. Resumimos o fato de que a função de onda passa por zero em todos os lugares a certo raio, dizendo que o orbital possui um **nó radial**. Um orbital 3s possui dois nós radiais, um 4s tem três nós radiais. Em geral, um orbital ns tem $n - 1$ nós radiais.

Uma característica geral dos orbitais é que seus raios médios crescem com n, pois mais nós radiais precisam ser inseridos na função de onda, levando-os a se estenderem a raios maiores. Todos os orbitais de mesmo número quântico principal têm raios similares, o que reforça a noção de estrutura em camadas do átomo. Os raios médios diminuem com o aumento de Z, pois a carga nuclear crescente atrai o elétron mais fortemente e o confina em uma região mais próxima do núcleo.

13.5 As funções de onda: orbitais p e d

Todos os orbitais p (orbitais com $l = 1$) possuem uma aparência de lóbulo duplo, como aquela mostrada na Figura 13.10. Os dois lóbulos são separados por um **plano nodal**, que corta o núcleo e que surge devido à função angular $Y_{l,m_l}(\theta,\phi)$. A densidade de probabilidade é zero para um elétron nesse plano. A forma explícita do orbital $2p_z$, por exemplo, é

$$\psi = \overbrace{\tfrac{1}{2}\left(\frac{1}{6a_0^3}\right)^{1/2}\frac{r}{a_0}e^{-r/2a_0}}^{R_{2,1}} \times \overbrace{\left(\frac{3}{4\pi}\right)^{1/2}\cos\theta}^{Y_{1,0}}$$

$$= \left(\frac{1}{32\pi a_0^5}\right)^{1/2} r\cos\theta\, e^{-r/2a_0}$$

Observe que, como ψ é proporcional a r, é zero no núcleo, de forma que a probabilidade de encontrar o elétron no núcleo é zero. Não se trata de um nó radial porque a função de onda não passa *pelo* zero nesse ponto, pois r não se estende a valores negativos. Entretanto, há um plano nodal que passa pelo núcleo: o orbital também é zero em todo o plano em que cos $\theta = 0$, correspondendo a $\theta = 90°$, e a função de onda troca de sinal quando passa por esse plano. Os orbitais p_x e p_y são semelhantes, mas têm planos nodais perpendiculares ao que acabamos de descrever.

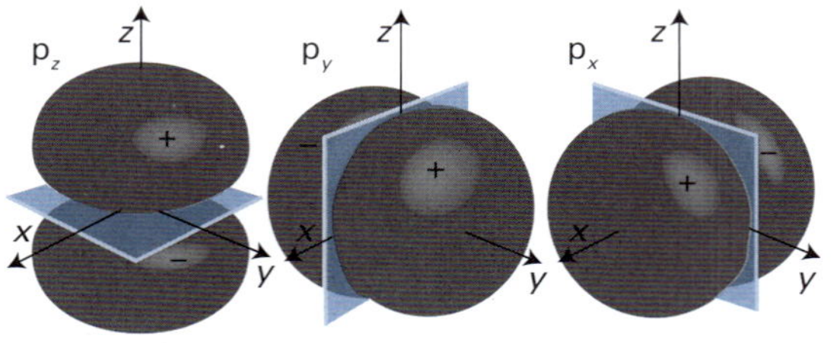

Figura 13.10 Superfícies de contorno dos orbitais p. Um plano nodal passa pelo núcleo, separando os dois lóbulos de cada orbital.

A ausência do elétron no núcleo é uma característica comum de todos os orbitais atômicos, exceto os orbitais s. Para compreender sua origem, temos de saber que o valor do número quântico l nos diz o módulo do momento angular do elétron em torno do núcleo (em termos clássicos, com qual rapidez circula em volta do núcleo). Para um orbital s, o momento angular orbital é zero (pois $l = 0$), e, em termos clássicos, o elétron não circula em volta do núcleo. Como $l = 1$ para um orbital p, o módulo do momento angular de um elétron p é $2^{1/2}\hbar$. Como resultado disso, um elétron p – em termos clássicos – é arremessado para fora do núcleo pela força centrífuga oriunda de seu movimento, o que não ocorre com um elétron s. O mesmo efeito centrífugo aparece em todos os orbitais com momento angular (aqueles para os quais $l > 0$), tais como os orbitais d e os orbitais f, e todos esses orbitais têm planos nodais que cortam o núcleo.

Cada subcamada p consiste em três orbitais individuais ($m_l = +1, 0, -1$). Os três orbitais normalmente são representados por suas superfícies de contorno, conforme ilustra a Figura 13.10. O orbital p_x possui um formato de lóbulo duplo simétrico direcionado ao longo do eixo dos x, e, de maneira semelhante, os orbitais p_y e p_z são direcionadas ao longo dos eixos dos y e z, respectivamente. À medida que n aumenta, os orbitais p ficam maiores (pela mesma razão que os orbitais s), e possuem $n - 2$ nós radiais. No entanto, suas superfícies de contorno retêm o formato de lóbulo duplo mostrado na ilustração.

Cada subcamada d ($l = 2$) consiste em cinco orbitais ($m_l = +2, +1, 0, -1, -2$). Os cinco orbitais são geralmente representados pelas superfícies de contorno mostradas na Figura 13.11 e simbolizados como apresentado na respectiva ilustração.

O número quântico m_l indica, por meio da expressão $m_l\hbar$, a componente do momento angular orbital do elétron em torno de um eixo arbitrário que passa pelo núcleo. Como explicado na Seção 12.8, valores positivos de m_l correspondem ao movi-

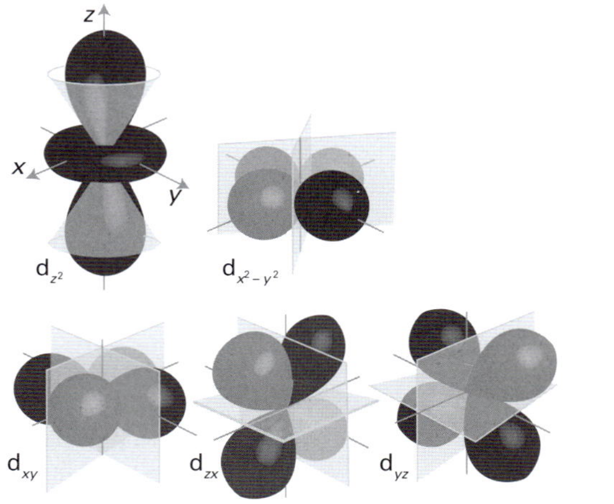

Figura 13.11 Superfícies de contorno dos orbitais d. Dois planos nodais em cada orbital cruzam-se no núcleo, separando os quatro lóbulos de cada orbital. (Para um orbital d_{z^2} os planos são substituídos por superfícies cônicas.) As áreas claras e escuras representam regiões de sinal oposto da função de onda.

mento em sentido horário visto por baixo e valores negativos correspondem ao movimento em sentido anti-horário. Um elétron s possui $m_l = 0$, e não tem qualquer momento angular em torno de qualquer eixo. Um elétron p pode circular em sentido horário em torno de um eixo, conforme visto por baixo ($m_l = +1$). Do total de seu momento angular de $2^{1/2}\hbar$ = 1,414$\hbar$, uma quantidade $\hbar$ é devida ao movimento em torno do eixo selecionado (o restante se deve ao movimento em volta dos dois outros eixos). Um elétron p pode ainda circular em sentido anti-horário, conforme visto por baixo ($m_l = -1$), ou não circular ($m_l = 0$) em torno daquele eixo selecionado. Um elétron da subcamada d pode circular com cinco diferentes quantidades de momento angular em torno de um eixo arbitrário ($+2\hbar$, $+\hbar$, 0, $-\hbar$, $-2\hbar$).

Exceto para os orbitais com $m_l = 0$, não existe correspondência direta entre os valores de m_l e os orbitais mostrados nas ilustrações: não podemos dizer, por exemplo, que um orbital p_x tem $m_l = +1$. Por questões técnicas, os orbitais representados são combinações de orbitais com valores opostos de m_l (p_x, por exemplo, é a soma – uma superposição – de orbitais com $m_l = +1$ e $m_l = -1$).

13.6 Spin do elétron

Para completar a descrição do estado de um átomo hidrogenoide, precisamos apresentar mais um conceito, o do spin do elétron. O **spin** de um elétron é um momento angular *intrínseco* que todo elétron possui e que não pode ser alterado ou eliminado (exatamente como sua massa ou sua carga). O nome 'spin' evoca uma esfera girando sobre seu eixo, e (contanto que seja tratado com cautela) essa interpretação clássica pode ser empregada para ajudar a visualizar o movimento. Porém, de fato, o spin é um fenômeno puramente quantomecânico, não tendo qualquer contrapartida clássica, assim a analogia tem de ser empregada com cuidado.

Faremos uso de duas propriedades do spin do elétron (Fig. 13.12):

1. O spin do elétron é descrito por um **número quântico de spin**, s (o análogo de l para momento angular orbital), com s fixo no valor único (positivo) de $1/2$ para todos os elétrons em todos os instantes.
2. O spin pode ser em sentido horário ou anti-horário; esses dois estados são distinguidos pelo **número quântico magnético do spin**, m_s, que pode tomar os valores de $+1/2$ ou $-1/2$, mas nenhum outro valor.

Um elétron com $m_s = +1/2$ é denominado **elétron α** e é comumente representado por α ou ↑; um elétron com $m_s = -1/2$ é chamado de **elétron β** e é representado por β ou ↓.

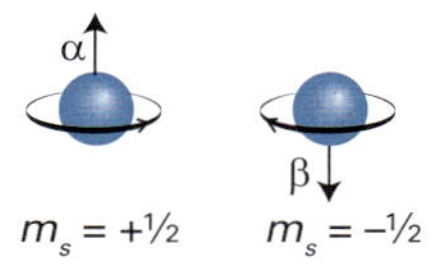

Figura 13.12 Representação clássica dos dois estados de spin permitidos para um elétron. O módulo do momento angular de spin é $(3^{1/2}/2)\hbar$ em cada caso, mas os sentidos dos spins são opostos.

Uma nota sobre a boa prática O número quântico s é igual a $1/2$ para os elétrons. Você poderá encontrar eventualmente o seu valor escrito incorretamente como $s = +1/2$ ou $s = -1/2$. Para as projeções, use m_s.

A existência do spin do elétron foi confirmada por um experimento realizado por Otto Stern e Walther Gerlach em 1921, que dispararam um feixe de átomos de prata em um campo magnético não homogêneo (Fig. 13.13). Um átomo de prata tem 47 elétrons, e (por motivos que mais tarde se tornarão claros) 23 dos spins são ↑ e 23 spins são ↓; o único spin restante pode ser ↑ ou ↓. Como os momentos angulares do spin dos elétrons ↑ e ↓ se cancelam uns aos outros, o átomo se comporta como se tivesse o spin de um único elétron. A ideia por trás do experimento de Stern-Garlach era de que um corpo giratório carregado – neste caso, um elétron – se comporta como um ímã e interage com o campo aplicado. Já que o campo magnético empurra ou puxa o elétron de acordo com a orientação do spin do elétron, o feixe inicial de átomos deveria partir-se em dois feixes, um deles correspondente aos átomos com spin ↑ e o outro aos átomos com spin ↓. Esse resultado foi observado.

Outras partículas fundamentais também têm spins característicos. Por exemplo, prótons e nêutrons são **partículas de spin $1/2$** (isto é, para essas $s = 1/2$), então invariavelmente têm movimento de spin com um único e irremovível momento angular. Como as massas de um próton e de um nêutron são muito maiores do que a massa de um elétron, embora todos tenham o mesmo momento angular de spin, a figura clássica do spin do próton e do nêutron seria a de partículas girando muito mais lentamente do que um elétron. Algumas partículas elementares têm $s = 1$ e, portanto, possuem um momento angular intrínseco maior que o de um elétron. Para nossos objetivos, a mais importante **partícula de spin 1** é o fóton.

Trata-se de um recurso muito profundo da natureza o fato de as partículas fundamentais das quais é feita a matéria terem spin semi-inteiro (como os elétrons e os *quarks*, todos esses com $s = 1/2$) As partículas que transmitem forças entre essas partículas, ligando-as em entidades como núcleos, átomos, e planetas, todas têm spin inteiro (tal como $s = 1$ para o fóton, que transmite a interação eletromagnética entre partículas com carga).

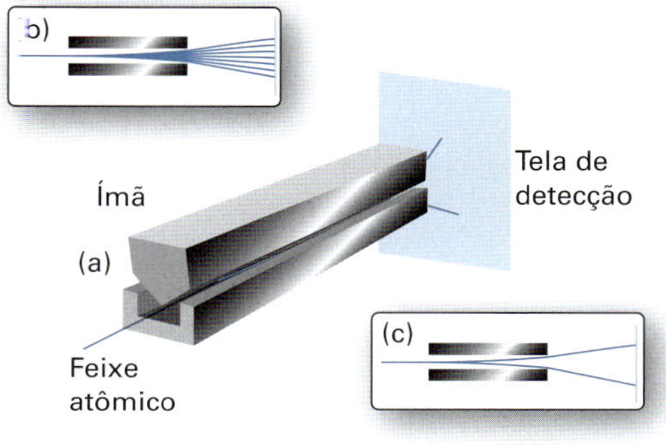

Figura 13.13 (a) Arranjo experimental para a experiência de Stern-Gerlach: o ímã é a fonte de um campo não homogêneo. (b) O resultado classicamente esperado, quando as orientações dos spins dos elétrons podem tomar todos os ângulos. (c) O resultado observado usando átomos de prata, quando os spins dos elétrons podem adotar apenas duas orientações (↑ e ↓).

Partículas fundamentais com spin semi-inteiro são denominadas **férmions**; aquelas com spin inteiro são chamadas **bósons**. A matéria, portanto, consiste em férmions unidos pelos bósons.

13.7 Transições eletrônicas e regras de seleção

Podemos imaginar que a mudança repentina da distribuição do elétron quando esse elétron altera a sua distribuição espacial de um orbital para outro, provoca uma oscilação no campo eletromagnético; esta oscilação corresponde à geração de um fóton de luz. No entanto, nem todas as transições entre todos os orbitais disponíveis são possíveis. Por exemplo, não é possível para um elétron em um orbital 3d fazer uma transição para um orbital 1s. As transições são classificadas como **permitidas**, se podem contribuir para o espectro, ou **proibidas**, se não podem contribuir. O spin do fóton, que mencionamos acima, tem papel fundamental na determinação da natureza de uma transição, definindo se essa natureza é permitida ou proibida. Quando um fóton, com uma unidade de momento angular, é gerado em uma transição, o momento angular do elétron deve alterar em uma unidade para compensar o momento angular levado pelo fóton. Isto quer dizer que o momento angular tem de ser conservado – nem criado nem destruído – assim como o momento linear é conservado nas colisões. Logo, um elétron em um orbital d (com $l = 2$) não pode fazer uma transição para um orbital s (com $l = 0$), porque o fóton não consegue carregar momento angular suficiente. De forma semelhante, um elétron s não pode fazer uma transição para outro orbital s, porque então não existe alteração no momento angular do elétron para suprir o momento angular carregado pelo fóton.

Uma **regra de seleção** é um enunciado acerca de quais transições espectrais são permitidas. São obtidas (para os átomos) pela identificação das transições que conservam momento angular quando um fóton é emitido ou absorvido. As regras de seleção para átomos hidrogenoides são:

$$\Delta l = \pm 1 \qquad \Delta m_l = 0, \pm 1$$

O número quântico principal n pode modificar-se em qualquer quantidade consistente com o Δl para a transição, pois não se relaciona diretamente com o momento angular.

Breve ilustração 13.6 Regras de seleção para átomos hidrogenoides

Para identificar os orbitais para os quais um elétron 4d pode fazer transições espectrais aplicamos as regras de seleção, principalmente a regra relativa a l. Como $l = 2$, o orbital final deve ter $l = 1$ ou 3. Assim sendo, um elétron pode fazer uma transição do orbital 4d até qualquer orbital np (sujeito a $\Delta m_l = 0, \pm 1$) e até qualquer orbital nf (sujeito à mesma regra). Porém, não pode sofrer uma transição para qualquer outro orbital, logo uma transição para qualquer orbital ns ou outro orbital nd é proibida.

Exercício proposto 13.4

Para quais orbitais um elétron 4s pode fazer transições espectrais?

Resposta: apenas para orbitais np

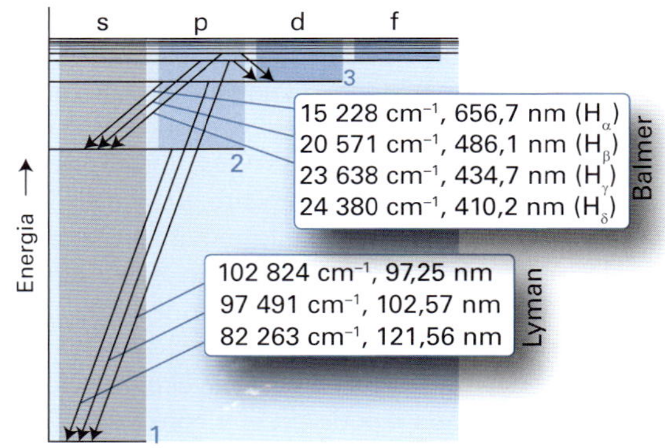

Figura 13.14 Diagrama de Grotrian que resume a aparência e a análise do espectro do hidrogênio atômico.

As regras de seleção permitem que construamos um **diagrama de Grotrian** (Fig. 13.14), um diagrama que resume as energias dos estados e as transições permitidas entre si. A espessura das linhas de transição no diagrama indica, de uma maneira geral, sua intensidade relativa no espectro.

A estrutura dos átomos polieletrônicos

A equação de Schrödinger para um átomo polieletrônico é altamente complicada, pois todos os elétrons interagem uns com os outros. Mesmo para um átomo de He, com seus dois elétrons, não há expressão matemática para os orbitais e energias, e somos forçados a fazer aproximações. No entanto, as modernas técnicas computacionais são capazes de refinar as aproximações que estamos prestes a fazer, permitindo cálculos numéricos de alta precisão das energias e funções de onda.

13.8 A aproximação orbital

Mostramos na Dedução a seguir que é uma regra geral da mecânica quântica que a função de onda de várias partículas que não interagem é o produto das funções de onda para cada partícula. Essa regra justifica a **aproximação orbital**, pela qual supomos que uma primeira aproximação razoável da função de onda exata é obtida deixando-se cada elétron ocupar seu 'próprio' orbital, e escrevemos

$$\psi = \psi(1)\psi(2)\ldots \tag{13.8}$$

em que $\psi(1)$ é a função de onda do elétron 1, $\psi(2)$, a do elétron 2, e assim por diante.

Dedução 13.2

Funções de onda de muitos elétrons

Consideremos um sistema de dois elétrons. Se os elétrons não interagem entre si, o hamiltoniano total que aparece na equação de Schrödinger é a soma das contribuições de cada elétron, e a equação, usando notação como na Eq. 12.5b, é

$$\{\hat{H}(1) + \hat{H}(2)\}\psi(1,2) = E\psi(1,2)$$

Precisamos verificar que $\psi(1,2) = \psi(1)\psi(2)$ é uma solução, em que cada função de onda individual é uma solução de sua 'própria' equação de Schrödinger:

$$\hat{H}(1)\psi(1) = E(1)\psi(1) \qquad \hat{H}(2)\psi(2) = E(2)\psi(2)$$

Para isso, substituímos $\psi(1,2) = \psi(1)\psi(2)$ na equação completa, fazemos com que $\hat{H}(1)$ opere em $\psi(1)$ e que $\hat{H}(2)$ opere em $\psi(2)$:

$$\begin{aligned}\{\hat{H}(1) + \hat{H}(2)\}\psi(1)\psi(2) &= \hat{H}(1)\psi(1)\psi(2) + \psi(1)\hat{H}(2)\psi(2)\\ &= E(1)\psi(1)\psi(2) + \psi(1)E(2)\psi(2)\\ &= \{E(1) + E(2)\}\psi(1)\psi(2)\end{aligned}$$

Esta expressão tem a forma da equação de Schrödinger original, e assim $\psi(1,2) = \psi(1)\psi(2)$ é de fato uma solução; podemos identificar a energia total como $E = E(1) + E(2)$. Observe que o argumento falha se os elétrons interagem entre si, pois então há um termo adicional no hamiltoniano e as variáveis não podem mais ser separadas. Por conseguinte, para elétrons, escrever $\psi(1,2) = \psi(1)\psi(2)$ é uma aproximação.

Podemos pensar nos orbitais individuais como semelhantes aos orbitais hidrogenoides, porém com cargas nucleares que são modificadas pela presença de todos os outros elétrons do átomo. Esta descrição é apenas aproximada, mas é um modelo útil para discutirmos as propriedades dos átomos, e é o ponto de partida para descrições mais sofisticadas da estrutura atômica.

Breve ilustração 13.7 Uma função de onda de dois elétrons

Se ambos os elétrons ocupam o mesmo orbital 1s de um átomo com número atômico Z, a função de onda para cada elétron 1s no hélio ($Z = 2$) é $\psi = (8/\pi a_0^3)^{1/2}e^{-2r/a_0}$. Se o elétron 1 está a uma distância r_1 e o elétron 2 a uma distância r_2 do núcleo (e em qualquer ângulo), a função de onda total para o átomo de dois elétrons é

$$\psi = \psi(1)\psi(2) = \overbrace{\left(\frac{8}{\pi a_0^3}\right)^{1/2} e^{-2r_1/a_0}}^{\psi(1)} \times \overbrace{\left(\frac{8}{\pi a_0^3}\right)^{1/2} e^{-2r_2/a_0}}^{\psi(2)}$$

$$\underbrace{=}_{e^xe^y = e^{x+y}} \frac{8}{\pi a_0^3} e^{-2(r_1+r_2)/a_0}$$

A aproximação orbital permite-nos expressar a estrutura eletrônica de um átomo por meio da descrição de sua **configuração**, a lista de orbitais ocupados (geralmente, porém não necessariamente, em seu estado fundamental). Por exemplo, como o estado fundamental de um átomo de hidrogênio consiste em um único elétron em um orbital 1s, descrevemos sua configuração como $1s^1$ (leia-se 'um-esse-um'). Um átomo de hélio possui dois elétrons. Podemos imaginar que o átomo se forma pela adição dos elétrons em sucessão aos orbitais do núcleo puro (de carga $2e$). O primeiro elétron ocupa um orbital hidrogenoide 1s, mas, como $Z = 2$, o orbital é mais compacto do que no próprio H. O segundo elétron junta-se ao primeiro dentro do mesmo orbital 1s, e, assim, a configuração dos elétrons do estado fundamental do He é $1s^2$ (leia-se 'um-esse-dois').

13.9 O princípio de Pauli

O lítio, com $Z = 3$, possui três elétrons. Dois de seus elétrons ocupam um orbital 1s, mais concentrado em torno do núcleo, mais altamente carregado que no átomo de He. O terceiro elétron, no entanto, não se junta aos dois primeiros no orbital 1s, porque uma configuração $1s^3$ é proibida por um aspecto fundamental da natureza resumido pelo **princípio da exclusão de Pauli:**

> Não mais de dois elétrons podem ocupar qualquer orbital dado, e se dois elétrons ocupam um orbital, então seus spins devem estar emparelhados.

Elétrons com **spins emparelhados**, representados por ↑↓, têm momento angular de spin líquido zero, porque o momento angular do spin de um elétron é cancelado pelo spin do outro. O princípio de exclusão é chave para o entendimento da estrutura de átomos complexos, para a periodicidade química e para a estrutura molecular. Foi proposto pelo austríaco Wolfgang Pauli em 1924, quando este tentava descobrir a ausência de algumas linhas no espectro do hélio. Na Informação adicional 13.1, iremos ver que o princípio da exclusão é uma consequência de um enunciado ainda mais fundamental sobre as funções de onda.

O terceiro elétron do lítio não consegue entrar no orbital 1s, porque esse orbital já está cheio: dizemos que a camada K está **completa** e que os dois elétrons formam uma **camada fechada.** Como uma camada fechada semelhante ocorre no átomo de He, vamos representá-la por [He]. O terceiro elétron é excluído da camada K e tem que ocupar o orbital disponível seguinte, que é um com $n = 2$ e, portanto, pertencente à camada L. Todavia, agora temos de decidir se o orbital disponível seguinte é o orbital 2s ou um orbital 2p, e, desse modo, se a configuração de mais baixa energia do átomo é $[He]2s^1$ ou $[He]2p^1$.

13.10 Penetração e blindagem

Diferente dos átomos hidrogenoides, os orbitais 2s e 2p (e, em geral, todas as subcamadas de dada camada) em átomos polieletrônicos não são degenerados. Por motivos que agora iremos explicar, os elétrons s geralmente têm energia mais baixa que os elétrons p de dada camada, e os elétrons p têm energia mais baixa que os elétrons d.

Um elétron de um átomo polieletrônico experimenta uma repulsão coulombiana de todos os outros elétrons presentes. Quando o elétron está a uma distância r do núcleo, a repulsão que experimenta, vinda dos outros elétrons, pode ser modelada por uma carga negativa pontual localizada sobre o núcleo e de magnitude igual à carga dos elétrons dentro de uma esfera de raio r (Fig. 13.15). O efeito da carga negativa pontual é baixar a carga total do núcleo de Ze para $Z_{ef}e$, a **carga nuclear efetiva.** Para expressar o fato de que um elétron experimenta uma carga nuclear modificada pelos outros elétrons presentes, dizemos que o elétron experimenta uma **carga nuclear blindada.** Os elétrons, na realidade, não 'bloqueiam' toda a atração coulombiana do núcleo: a carga efetiva é simplesmente uma maneira de se expressar o resultado líquido da atração nuclear e das repulsões eletrônicas em termos de uma única carga equivalente, no centro do átomo.

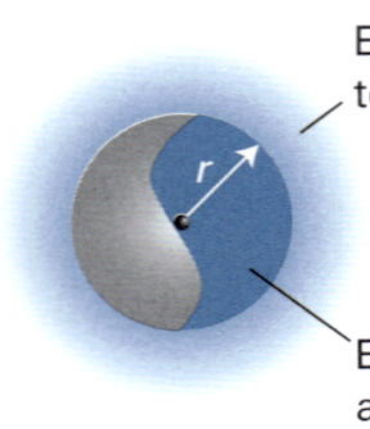

Figura 13.15 Um elétron a uma distância *r* do núcleo experimenta uma repulsão coulombiana de todos os elétrons contidos em uma esfera de raio *r* e que é equivalente a um ponto de carga negativa localizado sobre o núcleo. O efeito da carga pontual é reduzir a carga nuclear aparente do núcleo de Ze para $Z_{ef}e$.

Uma nota sobre a boa prática Normalmente Z_{ef} é, em si, tratado como a 'carga nuclear efetiva', embora estritamente falando, esta grandeza é $Z_{ef}e$.

As cargas nucleares efetivas experimentadas por elétrons s e p são diferentes, porque os elétrons têm funções de onda diferentes e, portanto, distribuições diferentes em torno do núcleo (Fig. 13.16). Um elétron s tem maior **penetração** através das camadas mais internas do que um elétron p da mesma camada, no sentido de que é mais provável que um elétron s seja encontrado próximo do núcleo do que um elétron p da mesma camada (Fig. 13.17). Como resultado dessa maior penetração, um elétron s fica menos blindado do que um elétron p da mesma camada, sentindo, portanto, um $Z_{ef}e$ maior. Consequentemente, pela combinação dos efeitos de penetração e blindagem, um elétron s está mais firmemente ligado do que um elétron p da mesma camada. De maneira semelhante, um elétron d penetra menos que um elétron p da mesma camada, experimentando, dessa forma, maior blindagem e um $Z_{ef}e$ ainda menor.

A consequência da penetração e blindagem é que, de modo geral, as energias de orbitais na mesma camada de um átomo polieletrônico ficam na ordem s < p < d < f. Os orbitais individuais de dada subcamada (tais como os três orbitais p da subcamada p) permanecem degenerados, pois todos têm as mesmas características radiais, experimentando, assim, a mesma carga nuclear efetiva.

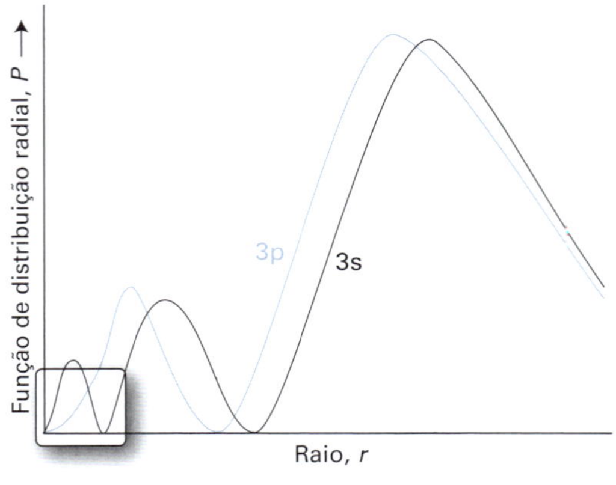

Figura 13.16 Um elétron em um orbital s (aqui um orbital 3s) tem maior probabilidade de ser encontrado próximo do núcleo do que um elétron em um orbital p da mesma camada.

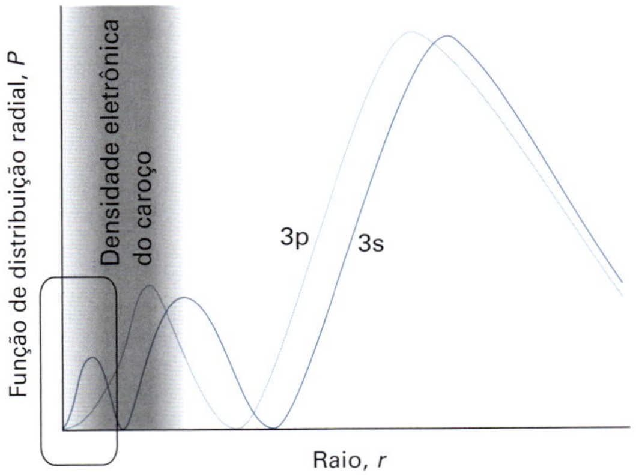

Figura 13.17 A função de distribuição radial de um orbital *n*s (aqui, $n = 3$) mostra que o elétron que o ocupa penetra a densidade eletrônica interna mais do que um elétron em um orbital *n*p (veja a região destacada); assim, esse elétron experimenta uma carga nuclear menos blindada.

Podemos agora terminar a análise da estrutura do Li. Como a camada com $n = 2$ possui duas subcamadas não degeneradas, com o orbital 2s inferior em energia do que os três orbitais 2p, o terceiro elétron ocupa o orbital 2s. Essa disposição resulta na configuração do estado fundamental $1s^2 2s^1$, ou $[He]2s^1$. Segue-se que podemos pensar na estrutura do átomo como consistindo em um núcleo central cercado por uma camada completa tipo hélio de dois elétrons 1s, e em torno da mesma um elétron 2s mais difuso. Os elétrons da camada mais externa de um átomo em seu estado fundamental são denominados **elétrons de valência**, porque são em grande parte responsáveis pelas ligações químicas que o átomo forma (e, conforme iremos ver, a extensão até o ponto em que um átomo pode formar ligações é chamado de sua 'valência'). Desse modo, o elétron de valência no Li é um elétron 2s, e os outros dois elétrons do lítio pertencem ao cerne, ou caroço, do átomo, tendo pequeno papel na formação de ligações.

13.11 O princípio da construção

A extensão do procedimento utilizado para H, He e Li a outros átomos é chamado de princípio da construção, ou princípio da estruturação. O princípio da construção, que também é ainda muito conhecido como o *princípio de Aufbau* (da palavra alemã que significa construção), especifica uma ordem de ocupação de orbitais atômicos que reproduz as configurações do estado fundamental de átomos neutros determinadas experimentalmente.

Imaginamos o núcleo puro de número atômico *Z*, e então preenchemos os orbitais disponíveis com os *Z* elétrons, um após outro. As duas primeiras regras do princípio da construção são:

- A ordem de ocupação dos orbitais é

  1s 2s 2p 3s 3p 4s 3d 4p 5s 4d 5p 6s 5d 4f 6p . . .

- De acordo com o princípio de exclusão de Pauli, cada orbital pode acomodar até dois elétrons.

A ordem de ocupação é aproximadamente a ordem de energias dos orbitais individuais, pois, em geral, quanto menor a energia do orbital, menor a energia total do átomo como um todo, quando aquele orbital está ocupado. Uma subcamada s fica completa tão logo os dois elétrons estejam aí presentes. Cada um dos três orbitais p de uma camada pode acomodar dois elétrons, assim uma subcamada p está completa tão logo seis elétrons se encontrem presentes. Uma subcamada d, que consiste em cinco orbitais, pode acomodar até dez elétrons.

Breve ilustração 13.8 Uma configuração eletrônica

Consideremos um átomo de carbono. Como $Z = 6$ para o carbono, existem seis elétrons para acomodar. Dois entram e preenchem o orbital 1s, dois entram e preenchem o orbital 2s, deixando dois elétrons para ocupar os orbitais da subcamada 2p. Desse modo, sua configuração fundamental é $1s^2 2s^2 2p^2$, ou mais sucintamente $[He]2s^2 2p^2$, sendo [He] o caroço $1s^2$ semelhante ao hélio.

Porém, é possível ser mais específico do que a conclusão da Breve ilustração 13.8 de que a configuração eletrônica no estado fundamental é $[He]2s^2 2p^2$. Considerando os efeitos eletrostáticos, podemos esperar que os dois últimos elétrons ocupem orbitais 2p diferentes, pois esses elétrons ficarão mais distantes em média e vão se repelir um ao outro menos do que se estivessem no mesmo orbital. Assim sendo, pode-se pensar em um elétron ocupando o orbital $2p_x$ e o outro, o orbital $2p_y$, e a configuração de menor energia do átomo é $[He]2s^2 2p_x^1 2p_y^1$. A mesma regra se aplica sempre que orbitais degenerados de uma subcamada estão disponíveis para ocupação. Portanto, outra regra do princípio da construção é:

- Elétrons ocupam diferentes orbitais de dada subcamada antes de ocupar duplamente qualquer um dos orbitais.

Segue que um átomo de nitrogênio ($Z = 7$) tem a configuração $[He]2s^2 2p_x^1 2p_y^1 2p_z^1$. Apenas quando chegamos ao oxigênio ($Z = 8$), um orbital 2p está duplamente ocupado, dando a configuração $[He]2s^2 2p_x^2 2p_y^1 2p_z^1$.

Um ponto adicional surge quando elétrons ocupam orbitais degenerados (tais como os três orbitais 2p) com ocupação única, conforme o fazem no C, N e O, pois então não existe nenhuma exigência de que seus spins sejam emparelhados. Precisamos saber se a mais baixa energia é atingida quando os spins dos elétrons são os mesmos (ambos ↑, por exemplo, simbolizados por ↑↑, se houver dois elétrons em questão, como no C) ou quando estão emparelhados (↑↓). Este problema é resolvido pela **regra de Hund**:

- Em seu estado fundamental, um átomo adota a configuração com o maior número de elétrons desemparelhados.

A explicação da regra de Hund é complicada, mas reflete a propriedade quanto-mecânica da **correlação do spin**, de que os elétrons em diferentes orbitais com spins paralelos possuem uma tendência quanto-mecânica a ficar bem distantes (tendência essa que não tem nada a ver com a carga: mesmo dois 'elétrons sem carga' se comportariam da mesma forma). O fato de se evitarem mutuamente permite ao átomo encolher ligeiramente, melhorando a interação elétron-núcleo quando os spins são paralelos. Agora podemos concluir que, no estado fundamental de um átomo de C, os dois elétrons 2p têm o mesmo spin, que todos os três elétrons 2p em um átomo de N têm o mesmo spin, e que os dois elétrons que ocupam, cada um deles, orbitais 2p diferentes em um átomo de O, têm o mesmo spin (os dois no orbital $2p_x$ são necessariamente emparelhados).

O neônio, com $Z = 10$, possui a configuração $[He]2s^2 2p^6$, que completa a camada L ($n = 2$). Esta configuração de camada fechada é simbolizada por [Ne], e age como um caroço para elementos subsequentes. O elétron seguinte deve entrar no orbital 3s e iniciar uma nova camada, e, assim, um átomo de Na, com $Z = 11$, tem a configuração $[Ne]3s^1$. Como o lítio, com a configuração $[He]2s^1$, o sódio possui um único elétron fora de um caroço completo.

A presente análise levou-nos até a origem da periodicidade química. A camada L é completada por oito elétrons, e assim o elemento com $Z = 3$ (Li) deverá ter propriedades semelhantes ao elemento com $Z = 11$ (Na). Igualmente, Be ($Z = 4$) deverá ser semelhante a Mg ($Z = 12$), e assim por diante até os gases nobres He ($Z = 2$), Ne ($Z = 10$) e Ar ($Z = 18$).

13.12 A ocupação dos orbitais d

O argônio possui as subcamadas 3s e 3p completas e, como os orbitais 3d são de alta energia, o átomo tem efetivamente uma configuração de camada fechada. Na realidade, os orbitais 4s têm energia tão mais baixa, por sua capacidade de penetrar próximo do núcleo, que o elétron seguinte (para o potássio) ocupa um orbital 4s em vez de um orbital 3d, e o átomo de K assemelha-se a um átomo de Na. O mesmo ocorre com um átomo de Ca, que tem a configuração $[Ar]4s^2$, assemelhando-se ao seu congênere no mesmo grupo, Mg, que é $[Ne]3s^2$.

Dez elétrons podem ser acomodados nos cinco orbitais 3d, o que responde pelas configurações eletrônicas do escândio ao zinco. O princípio da construção tem previsões menos claras a respeito da configuração do estado fundamental desses elementos, e uma análise simples não funciona mais. Cálculos mostram que para esses átomos as energias dos orbitais 3d são sempre mais baixas que a do orbital 4s. Entretanto, os resultados espectroscópicos mostram que o Sc tem a configuração $[Ar]3d^1 4s^2$ em vez de $[Ar]3d^3$ ou $[Ar]3d^2 4s^1$. Para entender essa observação, temos de considerar a natureza da repulsão elétron-elétron nos orbitais 3d e 4s. A distância mais provável de um elétron 3d ao núcleo é menor que a de um elétron 4s; assim, dois elétrons 3d se repelem mais fortemente que dois elétrons 4s. Como resultado, o Sc tem a configuração $[Ar]3d^1 4s^2$ em lugar das duas outras alternativas, pois aí as fortes repulsões intereletrônicas nos orbitais 3d são minimizadas. A energia total do átomo é a mais baixa, apesar do custo em permitir que elétrons ocupem o orbital 4s, de mais alta energia (Fig. 13.18). O efeito que acabamos de descrever é geralmente válido do escândio até o zinco, de forma que suas configurações eletrônicas são da forma $[Ar]3d^N 4s^2$, com $N = 1$ para o escândio e $N = 10$ para o zinco.

No gálio, a energia dos orbitais 3d fica tão abaixo da energia dos orbitais 4s e 4p que (os orbitais 3d completamente cheios) podem ser ignorados e o princípio da construção pode ser utilizado da mesma maneira que nos períodos precedentes. Agora, as subcamadas 4s e 4p constituem a camada de valência, e o período termina com o criptônio. Como 18 elétrons já

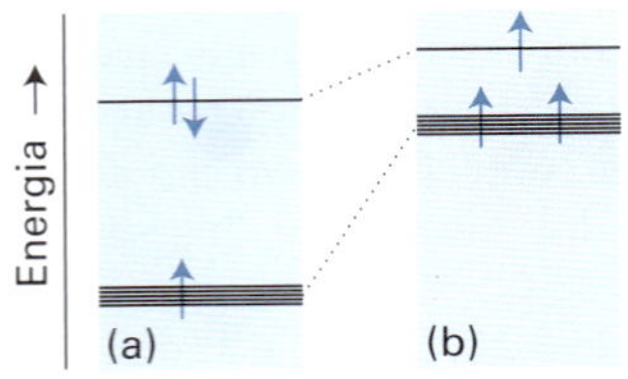

Figura 13.18 As fortes repulsões elétron-elétron nos orbitais 3d são minimizadas no estado fundamental do átomo de escândio se (a) o átomo tem a configuração $[Ar]3d^14s^2$ em vez de (b) $[Ar]3d^24s^1$. A energia total do átomo é mais baixa quando esse átomo tem a configuração $[Ar]3d^14s^2$, apesar do custo em ocupar o orbital 4s, de maior energia.

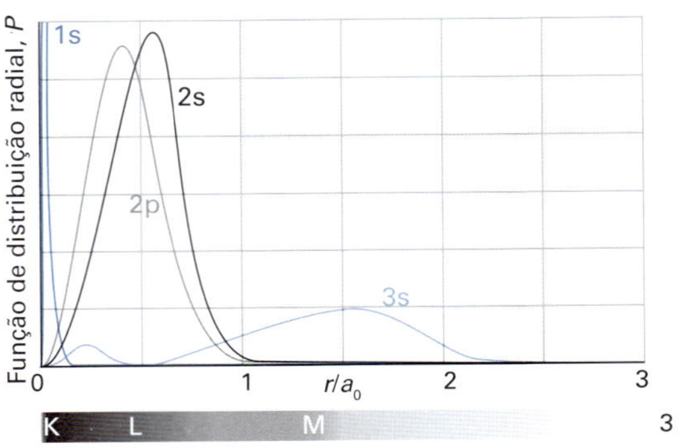

Figura 13.19 Funções de distribuição radial para os orbitais do Na baseadas em cálculos SCF. Observe a estrutura em camadas, com o orbital 3s fora das camadas internas K e L.

intervieram desde o argônio, esse período é o primeiro **período longo** da tabela periódica. A existência do **bloco d** (os 'metais de transição') reflete a ocupação passo a passo dos orbitais 3d, e as sutis matizes de diferenças de energia ao longo da presente série dão origem à rica complexidade da química inorgânica (e bioinorgânica) dos metais d. Uma intrusão semelhante dos orbitais f nos Períodos 6 e 7 é responsável pela existência do **bloco f** da tabela periódica (os lantanoides e actinoides).

13.13 As configurações de cátions e ânions

As configurações dos cátions dos elementos nos blocos s, p e d da tabela periódica são obtidas pela remoção de elétrons da configuração do estado fundamental dos átomos neutros, obedecendo a uma ordem específica. Primeiramente, removemos os elétrons p de valência, depois os elétrons s de valência, e em seguida tantos elétrons d quantos forem necessários para chegar à carga do cátion. As configurações dos ânions são obtidas pela continuação do procedimento envolvido no princípio da construção, adicionando-se elétrons ao átomo neutro até que a configuração do gás nobre seguinte tenha sido atingida.

■ Breve ilustração 13.9 A configuração eletrônica de um íon

Como a configuração do Fe é $[Ar]3d^64s^2$, um cátion Fe^{3+} possui a configuração $[Ar]3d^5$. A configuração de um íon O^{2-} é obtida adicionando-se dois elétrons a $[He]2s^22p^4$ dando $[He]2s^22p^6$, a configuração do Ne.

Exercício proposto 13.5

Faça a previsão das configurações eletrônicas de (a) um íon Cu^{2+} e (b) um íon S^{2-}.

Resposta: (a) $[Ar]3d^9$, (b) $[Ne]3s^23p^6$

13.14 Orbitais do campo autoconsistente

O tratamento que foi dado às configurações eletrônicas de átomos polieletrônicos é apenas aproximado, pois é inútil esperar obter soluções exatas da equação de Schrödinger que levem em consideração as interações entre todos os elétrons, uns com os outros. No entanto, existem técnicas computacionais disponíveis que dão soluções aproximadas detalhadas e confiáveis para as funções de onda e energias. Essas técnicas foram introduzidas inicialmente por D.R. Hartree (antes da existência dos computadores) e modificadas por V. Fock para levar em conta o princípio de Pauli de forma correta. Em linhas gerais, o método do **campo autoconsistente de Hartree-Fock** (sigla em inglês HF-SCF) é como se segue.

Imagine que você tem uma ideia grosseira da estrutura do átomo. No átomo de Ne, por exemplo, a aproximação orbital sugere a configuração $1s^22s^22p^6$, com os orbitais aproximados por orbitais atômicos hidrogenoides. Considere agora um dos elétrons 2p. Pode-se escrever uma equação de Schrödinger atribuindo a esse elétron uma energia potencial devida à atração nuclear e à repulsão dos outros elétrons. Apesar de a equação ser para um elétron 2p, depende da função de onda de todos os demais orbitais ocupados no átomo. Para resolver a equação, damos uma forma aproximada para as funções de onda de todos os orbitais, exceto o 2p, e resolvemos a equação de Schrödinger para o orbital 2p. O procedimento é, então, repetido para os orbitais 1s e 2s. Essa sequência de cálculos dá a forma dos orbitais 2p, 1s e 2s, e geralmente eles serão diferentes do conjunto usado inicialmente para iniciar o cálculo. Esses orbitais melhorados podem ser úteis em um novo ciclo de cálculos, e um segundo conjunto de orbitais melhorados e uma melhor energia são obtidos. O procedimento continua até que os orbitais e as energias obtidas difiram desprezivelmente dos utilizados no início do ciclo atual. As soluções são então autoconsistentes e aceitas como as soluções do problema.

A Figura 13.19 apresenta gráficos de algumas funções de distribuição radial HF-SCF para o sódio. Mostram o agrupamento das densidades eletrônicas em camadas, como previsto pelos primeiros químicos, e as diferenças na penetração discutidas anteriormente. Portanto, esses cálculos SCF confirmam as discussões qualitativas que são usadas para explicar a periodicidade química. Ampliam também consideravelmente aquela discussão ao fornecer funções de onda detalhadas e energias precisas.

Tendências periódicas nas propriedades atômicas

À medida que o número atômico aumenta, a repetição periódica das configurações eletrônicas análogas dos estados fun-

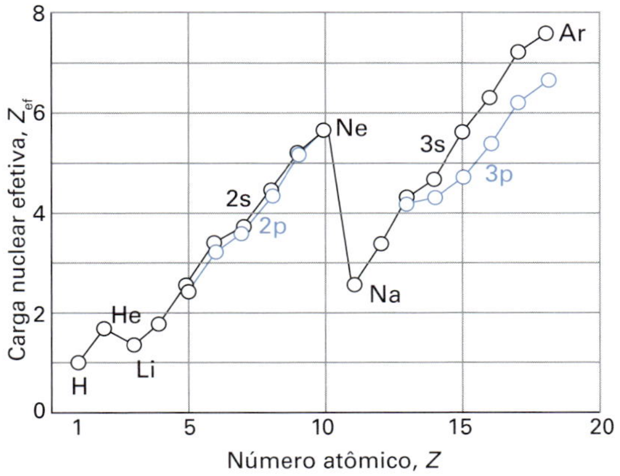

Figura 13.20 Variação do número atômico efetivo (Z_{ef}) com o número atômico real para os elementos dos três primeiros períodos. O valor de Z_{ef} depende da natureza do orbital ocupado pelo elétron: mostramos apenas valores para os elétrons de valência. A carga nuclear efetiva é $Z_{ef}e$.

damentais responde pela variação periódica das propriedades atômicas. Aqui vamos nos concentrar em dois aspectos da periodicidade atômica: raio atômico e energia de ionização. Ambos podem ser correlacionados com a carga nuclear efetiva, e a Figura 13.20 mostra como essa grandeza varia ao longo dos três primeiros períodos.

13.15 Raio atômico

O **raio atômico** de um elemento é a metade da distância entre os centros de átomos vizinhos em um sólido (como o Cu) ou, para não metais, em uma molécula homonuclear (como o H_2 ou S_8). O raio atômico é de grande significação em química, pois o tamanho de um átomo é um dos mais importantes controles do número de ligações químicas que o átomo pode formar. Além disso, o tamanho e a forma de uma molécula dependem das dimensões dos átomos dos quais é composta, e forma e tamanho molecular são aspectos cruciais da função biológica de uma molécula. O raio atômico também tem um aspecto tecnológico importante, dado que a similaridade dos raios atômicos dos elementos do bloco d é a razão principal pela qual podem ser misturados para formar tantas ligas diferentes, particularmente variedades do aço.

Em geral, os raios atômicos diminuem da esquerda para a direita em um período e aumentam de cima para baixo em cada grupo (Tabela 13.2 e Fig. 13.21) da tabela periódica. A diminuição em um período pode ser explicada pelo aumento da carga nuclear, que traz os elétrons para mais perto do núcleo. O aumento da carga nuclear é parcialmente cancelado pelo aumento do número de elétrons, mas, como os elétrons se encontram espalhados em uma região do espaço, um elétron não blinda integralmente uma carga nuclear; desse modo, o aumento da carga nuclear tem o domínio. O aumento do raio atômico grupo abaixo (a despeito do aumento da carga nuclear) é explicado pelo fato de que as camadas de valência de períodos sucessivos correspondem a números quânticos principais maiores. Isto é, períodos sucessivos correspondem ao início e então à conclusão de

Tabela 13.2
Raios atômicos de elementos do grupo principal, r/pm

Li	Be	B	C	N	O	F
157	112	88	77	74	66	64
Na	Mg	Al	Si	P	S	Cl
191	160	143	118	110	104	99
K	Ca	Ga	Ge	As	Se	Br
235	197	153	122	121	117	114
Rb	Sr	In	Sn	Sb	Te	I
250	215	167	158	141	137	133
Cs	Ba	Tl	Pb	Bi	Po	
272	224	171	175	182	167	

camadas sucessivas (e mais distantes) do átomo, que circundam umas as outras, como as sucessivas camadas de uma cebola. A necessidade de ocupar uma camada mais distante leva a um aumento no tamanho do átomo, a despeito do aumento da carga nuclear.

Uma modificação do aumento grupo abaixo é encontrada no Período 6, pois os raios dos últimos átomos no bloco d e nas regiões seguintes do bloco p não são tão grandes quanto se esperaria pela simples extrapolação grupo abaixo. A razão pode ser encontrada no fato de que, no Período 6, os orbitais f estão no processo de ser ocupados. Um elétron f blinda muito ineficientemente a carga nuclear (devido à sua extensão radial) e, à medida que o número atômico cresce do La para o Yb, existe uma considerável contração do raio. No momento em que o bloco d ressurge (no háfnio, Hf), a carga nuclear, fracamente protegida, mas consideravelmente aumentada, arrasta os elétrons vizinhos, e os átomos tornam-se compactos, tão compactos que os metais nessa região da tabela periódica (do irídio ao chumbo) são muito densos. A redução do raio abaixo do esperado pela extrapolação a partir dos períodos precedentes é denominada **contração dos lantanídeos**.

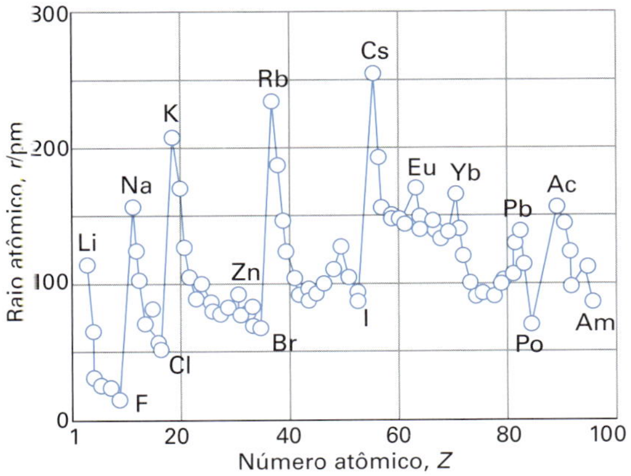

Figura 13.21 Variação do raio atômico ao longo da tabela periódica. Observe a contração do raio que segue os lantanoides no Período 6 (após o Yb, itérbio).

13.16 Energia de ionização e afinidade ao elétron

A energia mínima necessária para remover um elétron de um átomo polieletrônico é sua **primeira energia de ionização,** I_1. A **segunda energia de ionização,** I_2, é a energia mínima necessária para remover um segundo elétron (a partir do cátion de carga unitária).

$$X(g) \rightarrow X^+(g) + e^-(g)$$
$$X^+(g) \rightarrow X^{2+}(g) + e^-(g)$$
$$I_1 = E(X^+) - E(X)$$
$$I_2 = E(X^{2+}) - E(X^+) \qquad \text{Energia de ionização} \qquad (13.9)$$

A variação da primeira energia de ionização na tabela periódica é apresentada na Figura 13.22 e alguns valores numéricos são dados na Tabela 13.3. A energia de ionização de um elemento desempenha um papel central na determinação da capacidade de seus átomos participarem na formação de ligações (pois a formação de ligações, conforme iremos ver no Capítulo 14, é uma consequência da relocalização de elétrons de um átomo para outro). Depois do raio atômico, é a propriedade mais importante para determinar as características químicas de um elemento.

Os seguintes pontos devem ser destacados:

- O lítio possui uma primeira energia de ionização baixa: seu elétron mais externo é bem protegido do núcleo por seu caroço (Z_{ef} = 1,3 comparada com Z = 3) e é facilmente removido.
- O berílio tem uma carga nuclear superior à do lítio, e seu elétron mais externo (um dos dois elétrons 2s) é mais difícil de remover: sua energia de ionização é maior.
- A energia de ionização diminui entre o berílio e o boro, pois neste último o elétron mais externo ocupa um orbital 2p e está menos fortemente ligado do que se fosse um elétron 2s.
- A energia de ionização aumenta entre o boro e o carbono, pois o elétron mais externo deste último também é 2p e a carga nuclear aumentou.
- O nitrogênio tem uma energia de ionização ainda maior, por causa do maior aumento da carga nuclear.

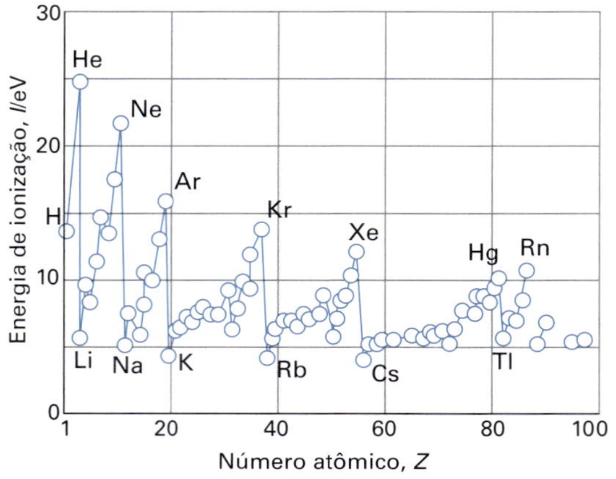

Figura 13.22 Variação periódica das primeiras energias de ionização dos elementos.

Existe agora uma excentricidade na curva, pois a energia de ionização do oxigênio é menor do que seria esperado por simples extrapolação.

- No oxigênio, um orbital 2p deve ficar duplamente ocupado, e as repulsões intereletrônicas são aumentadas acima do que seria esperado por simples extrapolação ao longo do período. (A excentricidade é menos pronunciada no período seguinte, entre o fósforo e o enxofre, pois os seus orbitais são mais difusos.)
- Os valores para oxigênio, flúor e neônio incidem mais ou menos na mesma linha, sendo que o aumento de suas energias de ionização reflete a crescente atração do núcleo pelos elétrons mais externos.
- O elétron mais externo do sódio é 3s. Está afastado do núcleo, e a carga deste está protegida por um caroço compacto e completo semelhante ao neônio. Como resultado, a energia de ionização do sódio é substancialmente menor que a do neônio.
- O ciclo periódico reinicia-se ao longo desse período, e a variação da energia de ionização pode ser explicada por motivos semelhantes.

Tabela 13.3

*Primeiras energias de ionização de elementos do grupo principal, I/eV **

H							He
13,60							24,59
Li	Be	B	C	N	O	F	Ne
5,32	9,32	8,30	11,26	14,53	13,62	17,42	21,56
Na	Mg	Al	Si	P	S	Cl	Ar
5,14	7,65	5,98	8,15	10,49	10,36	12,97	15,76
K	Ca	Ga	Ge	As	Se	Br	Kr
4,34	6,11	6,00	7,90	9,81	9,75	11,81	14,00
Rb	Sr	In	Sn	Sb	Te	I	Xe
4,18	5,70	5,79	7,34	8,64	9,01	10,45	12,13
Cs	Ba	Tl	Pb	Bi	Po	At	Rn
3,89	5,21	6,11	7,42	7,29	8,42	9,64	10,78

*1 eV = 96,485 kJ mol^{-1}. Veja também a Tabela 3.4.

Tabela 13.4

Afinidades ao elétron de elementos do grupo principal, E_{ae}/eV *

H							He
+0,75							<0†
Li	Be	B	C	N	O	F	Ne
+0,62	−0,19	+0,28	+1,26	−0,07	+1,46	+3,40	−0,30†
Na	Mg	Al	Si	P	S	Cl	Ar
+0,55	−0,22	+0,46	+1,38	+0,46	+2,08	+3,62	−0,36†
K	Ca	Ga	Ge	As	Se	Br	Kr
+0,50	−1,99	+0,3	+1,20	+0,81	+2,02	+3,37	−0,40†
Rb	Sr	In	Sn	Sb	Te	I	Xe
+0,49	+1,51	+0,3	+1,20	+1,05	+1,97	+3,06	−0,42†
Cs	Ba	Tl	Pb	Bi	Po	At	Rn
+0,47	−0,48	+0,2	+0,36	+0,95	+1,90	+2,80	−0,42†

* 1 eV = 96,485 kJ mol^{-1}. Veja também a Tabela 3.3.

† Calculadas.

A **afinidade ao elétron** (afinidade eletrônica), E_{ae}, é a diferença de energia entre um átomo neutro e seu ânion. Trata-se da energia *liberada* no processo

$$X(g) + e^-(g) \rightarrow X^-(g)$$
$$E_{ae} = E(X) - E(X^-) \quad \text{Afinidade ao elétron} \quad (13.10a)$$

A afinidade ao elétron é positiva se o ânion possui uma energia inferior à do átomo neutro. Deve-se ter cuidado ao distinguir a afinidade ao elétron da entalpia de ganho de elétrons? (Seção 3.2): ambas possuem valores numéricos muito semelhantes, mas diferem em sinal:

$$X(g) + e^-(g) \rightarrow X^-(g)$$
$$\Delta_{ge}H^{\ominus} = H_m^{\ominus}(X^-) - H_m^{\ominus}(X) \quad \text{Entalpia de ganho de elétron} \quad (13.10b)$$

As afinidades ao elétron (Tabela 13.4) variam muito menos sistematicamente ao longo da tabela periódica do que as energias de ionização. Entretanto, as seguintes observações gerais são importantes:

- De modo geral, as maiores afinidades ao elétron são encontradas próximas ao flúor. Nos halogênios, o elétron que chega entra na camada de valência e sente uma atração forte exercida pelo núcleo.
- As afinidades ao elétron dos gases nobres são negativas – o que vale dizer que o ânion tem uma energia mais alta do que o átomo neutro – porque, o elétron que chega, ocupa um orbital fora da camada de valência, que é fechada. Fica, então, distante do núcleo e é repelido pelos elétrons das camadas fechadas.
- A primeira afinidade ao elétron do oxigênio é positiva pela mesma razão que para os halogênios. No entanto, a segunda afinidade ao elétron (para a formação de O^{2-} a partir de O^-) é fortemente negativa, porque, embora o elétron que chega penetre a camada de valência, experimenta uma forte repulsão vinda da carga negativa líquida do íon O^-.

Os espectros de átomos complexos

Os espectros de átomos polieletrônicos podem ser muito complicados, ainda que essa complexidade contenha um grande número de informações detalhadas acerca das interações entre elétrons. Aqui vamos considerar a notação utilizada para especificar os estados dos átomos. O químico precisa saber como designar os estados dos átomos ao descrever processos fotoquímicos na atmosfera e também a composição química das estrelas (veja Impacto 13.1). Também descreveremos uma interação que tem importantes consequências na espectroscopia e magnetismo molecular.

13.17 Símbolos dos termos

Por questões históricas, o nível de energia de um átomo é chamado **termo** e a notação empregada para especificar o termo é denominada **símbolo do termo**. Um símbolo do termo é algo como $^3D_2$, com cada componente (o 3, o D, e o 2) dizendo-nos alguma coisa a respeito do momento angular dos elétrons no átomo. O esquema que usaremos para chegar aos símbolos dos termos dos átomos é chamado **acoplamento Russell-Saunders**, e baseia-se na noção de que os momentos angulares orbitais de cada elétron se acoplam, bem como os momentos angulares de spin, e então estes resultantes se acoplam para dar um momento angular total. Os cálculos consideram os elétrons de valência, pois os elétrons do caroço não contribuem para o momento angular global de um átomo.

A letra (no exemplo, D) informa o momento angular orbital total dos elétrons no átomo. Para encontrá-lo, trabalhamos com o **número quântico do momento angular orbital total**, L, da maneira descrita a seguir, e então utilizamos a seguinte representação:

L	0	1	2	3 . . .
	S	P	D	F . . .

Observamos que a representação é a mesma que para os orbitais, mas usamos letras romanas maiúsculas. Para encontrar L, identificamos os números quânticos do momento angular orbital (l_1 e l_2, por exemplo) dos elétrons na camada de valência do átomo, e então formamos a seguinte série:

$$L = l_1 + l_2, l_1 + l_2 - 1, \ldots, |l_1 - l_2|$$

Esta e a série análoga a ser apresentada posteriormente são chamadas **séries de Clebsch–Gordan.** Os sinais de módulo (|...|) indicam simplesmente que a série termina em um valor positivo. O mais alto momento angular orbital total ocorre quando os dois elétrons estão orbitando na mesma direção (em termos clássicos, como os planetas ao redor do Sol); o mais baixo ocorre quando estão orbitando em direções opostas.

■ Breve ilustração 13.10 Símbolos de termos atômicos

Suponha que estejamos considerando a configuração do estado excitado do carbono [He]$2s^2 2p^1 3p^1$ em que um elétron 2p tenha sido promovido para um orbital 3p (embora isto não tenha ocorrido devido à radiação eletromagnética; veja a Seção 13.19). Concentramo-nos nos elétrons p, porque os elétrons s não têm qualquer momento angular orbital. Para cada elétron, $l = 1$ (isto é, $l_1 = 1$ e $l_2 = 1$ para os dois elétrons que estamos considerando). Segue-se que

$$L = 1 + 1, 1 + 1 - 1, \ldots |1 - 1| = 2, 1, 0$$

Esse resultado é mostrado simbolicamente na Figura 13.23 e utiliza as regras de adição e subtração de vetores (veja Ferramentas do químico 13.1). Então a configuração dá origem aos termos D, P e S, correspondentes aos três valores permitidos de momento angular orbital total.

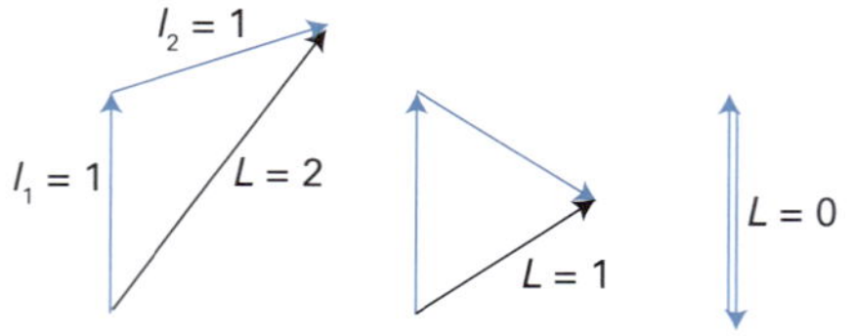

Figura 13.23 Representação das regras para o acoplamento de dois momentos angulares em um resultante. Neste caso, $l_1 = l_2 = 1$ dá resultantes com $L = 2$, 1 e 0. Os módulos dos vetores são proporcionais a $\{l(l + 1)\}^{1/2}$ em cada caso.

Exercício proposto 13.6

Determine os termos possíveis que podem surgir de um átomo de cálcio excitado com uma configuração eletrônica [Ar]$3d^1 4d^1$.

Resposta: G, F, D, P, S

Ferramentas do químico 13.1 Adição e subtração de vetores

Considere dois vetores v_1 e v_2 formando um ângulo θ

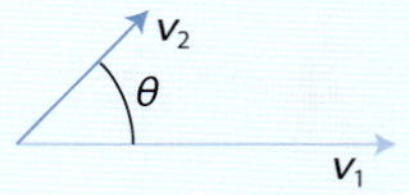

A primeira etapa da adição de v_2 a v_1 consiste na junção da extremidade de v_2 à ponta de v_1:

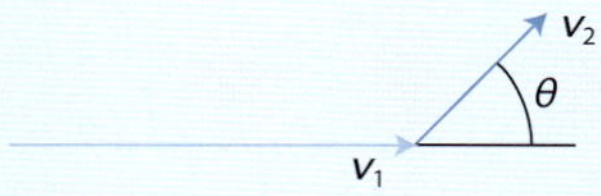

Na segunda etapa, desenhamos o vetor v_{res}, o **vetor resultante**, que se originou da ponta de v_1 para a extremidade de v_2:

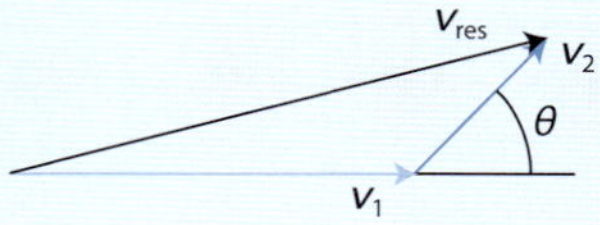

A magnitude v_{res} do vetor resultante é dada por

$$v_{res} = (v_1^2 + v_2^2 + 2v_1v_2 \cos \theta)^{1/2}$$

em que v_1 e v_2 são as magnitudes dos vetores v_1 e v_2, respectivamente.

A subtração de vetores segue os mesmos princípios descritos acima para a adição, observando-se que a subtração de v_2 de v_1 equivale à adição de $-v_2$ a v_1:

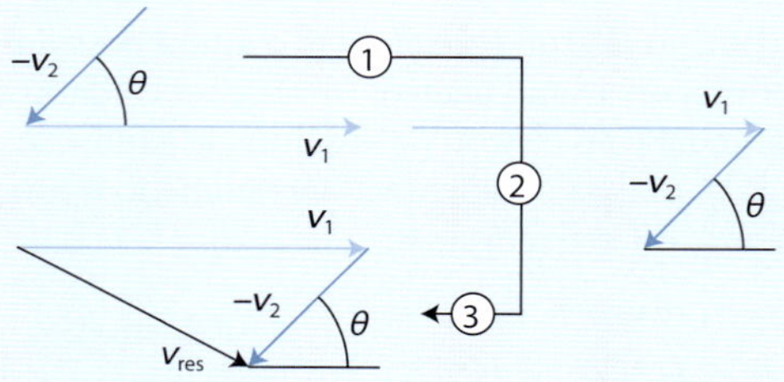

Exemplo 13.2

Identificação dos termos de uma camada com três elétrons

Identifique os termos que se originam da configuração p^3.

Estratégia Quando há mais do que dois elétrons para serem acoplados, usamos duas séries de Clebsch-Gordan sucessivamente: primeiro acoplamos dois elétrons e então acoplamos o terceiro a cada estado combinado, e assim por diante.

Solução O acoplamento de dois elétrons com números quânticos de momento angular orbital $l_1 = l_2 = 1$ dá um valor mínimo de $|1 - 1| = 0$. Portanto, usando L' para representar o momento angular orbital total para esses dois elétrons apenas, obtemos

$$L' = 1 + 1, 1 + 1 - 1, \ldots, 0 = 2, 1, 0$$

Agora vamos calcular os valores de L, o número quântico de momento angular orbital total para o sistema de três elétrons.

Acoplamos l_3 com $L' = 2$ para dar $L = 3, 2, 1$
Acoplamos l_3 com $L' = 1$ para dar $L = 2, 1, 0$
Acoplamos l_3 com $L' = 0$ para dar $L = 1$

O resultado global é

$$L = 3, 2, 2, 1, 1, 1, 0$$

dando um termo F, dois D, três P e um S.

Exercício proposto 13.7

Identifique os termos que podem se originar da configuração d^2p^1.

Resposta: H, 2G, 3F, 3D, 3P, S

Em seguida, consideraremos o **número quântico do momento angular de spin total,** S. Esse número quântico é obtido da mesma maneira que L, somando-se os números quânticos do momento angular de spin individual:

$$S = s_1 + s_2, s_1 + s_2 - 1, \ldots, |s_1 - s_2|$$

Para elétrons, $s = \frac{1}{2}$; assim, para dois elétrons

$$S = \tfrac{1}{2} + \tfrac{1}{2}, \tfrac{1}{2} + \tfrac{1}{2} - 1, \ldots, |\tfrac{1}{2} - \tfrac{1}{2}| = 1, 0$$

Então, o valor de S é representado no símbolo do termo escrevendo-se a **multiplicidade** do termo, o valor de $2S + 1$, como um sobrescrito à esquerda. Quanto maior a multiplicidade de um termo, mais elétrons no átomo estão girando na mesma direção. Em tratamentos mais avançados, certas combinações entre os momentos angulares orbital e do spin são proibidas pelo princípio de Pauli.

Breve ilustração 13.11 As multiplicidades dos termos

Para a configuração excitada do carbono $[He]2s^22p^13p^1$, que estamos considerando, os dois elétrons p têm, cada um, $s = \frac{1}{2}$; então $S = 1, 0$. As multiplicidades correspondentes são $2 \times 1 + 1 = 3$ (um termo 'tripleto') e $2 \times 0 + 1 = 1$ (um termo 'simpleto'). Os símbolos dos termos correspondentes são

Termos do tripleto: ${}^3D$, ${}^3P$, ${}^3S$ Termos do simpleto: ${}^1D$, ${}^1P$, ${}^1S$

Uma nota sobre a boa prática Exceto na conversação usual, o nome 'estado' não deve ser usado no lugar de 'termo'. Como iremos ver, em geral um termo consiste em vários estados diferentes.

Finalmente, chegamos ao subscrito direito. Esse subscrito é o **número quântico do momento angular total,** J, sendo o momento angular total a soma do momento angular orbital e o momento angular de spin. Obtemos o valor de J (um número positivo) formando a série

$$J = L + S, L + S - 1, \ldots, |L - S|$$

Se há muitos elétrons com spins na mesma direção do seu movimento orbital, então J é grande. Se os spins estão alinhados contra o movimento orbital, então J é pequeno. Cada valor de J corresponde a um **nível** particular de um termo.

Breve ilustração 13.12 Os níveis de um termo

Os níveis que ocorrem no termo ${}^3D$ são encontrados fixando-se $L = 2$ e $S = 1$; então

$$J = 2 + 1, 2 + 1 - 1, \ldots, |2 - 1| = 3, 2, 1$$

Isto é, os níveis do termo ${}^3D$ são ${}^3D_3$, ${}^3D_2$, e ${}^3D_1$ (observe que há três níveis para este termo tripleto). No nível ${}^3D_3$, não apenas os dois elétrons p estão orbitando no mesmo sentido: os dois spins estão girando na mesma direção um do outro, e o spin total está na mesma direção do momento angular orbital. No ${}^3D_1$ o spin total está alinhado em oposição ao momento angular orbital total e o momento angular total global é relativamente baixo.

Uma nota sobre a boa prática 'Níveis' ainda não são 'estados'. Cada nível com um número quântico J consiste em $2J + 1$ estados individuais distinguíveis pelo número quântico M_J.

Exercício proposto 13.8

Que termos e níveis podem se originar da configuração $\ldots 4p^13d^1$?

Resposta: ${}^1F_3$, ${}^1D_2$, ${}^1P_1$, ${}^3F_{4,3,2}$, ${}^3D_{3,2,1}$, ${}^3P_{2,1,0}$

Os termos de uma configuração em geral têm diferentes energias, pois correspondem à ocupação de diferentes orbitais e a diferentes números de elétrons com spins paralelos. Tipicamente, a regra de Hund possibilita-nos identificar o termo com o maior número de spins paralelos como tendo a mais baixa energia (Seção 13.11), pois spins paralelos tendem a ficar separados e permitir que o átomo se contraia um pouco. Em outras palavras,

- O termo com a maior multiplicidade é o de mais baixa energia.

Na configuração excitada do carbono descrita na Breve ilustração 13.11, os termos em tripleto ficam abaixo dos termos em singleto; assim, um dos termos ${}^3D$, ${}^3P$, ${}^3S$ é o de mais baixa energia. Encontra-se também comumente que, tendo separado os termos por multiplicidade,

- O termo com o maior momento angular orbital é o de mais baixa energia.

Classicamente, podemos pensar no termo com o maior momento angular orbital como tendo elétrons circulando na mesma direção, como carros em um círculo de tráfego, e, portanto, capazes de ficar bem distantes. Nós, dessa forma, predizemos que o termo ${}^3D$ é o de mais baixa energia dentre todos os termos que surgem da configuração $[He]2s^22p^13p^1$. Para descobrir qual dos três *níveis* desse termo fica mais baixo, precisamos de outro conceito.

13.18 Acoplamento spin–órbita

Um elétron é uma partícula carregada, então seu momento angular orbital dá origem a um campo magnético, exatamente como uma corrente elétrica em um círculo dá origem a um campo magnético em um eletroímã. Isto é, um elétron com um momento angular orbital age como um pequeno ímã. Um elétron também possui um momento angular de spin, e esse 'movimento de rotação' intrínseco significa que o átomo também age como um pequeno ímã. O imã que surge do spin interage com o ímã que surge do movimento orbital, dando origem a uma interação chamada **acoplamento spin-órbita.**

Os dois ímãs têm uma energia maior quando são paralelos do que quando são antiparalelos (Fig. 13.24). Portanto, como a orientação relativa dos ímãs reflete a orientação relativa dos

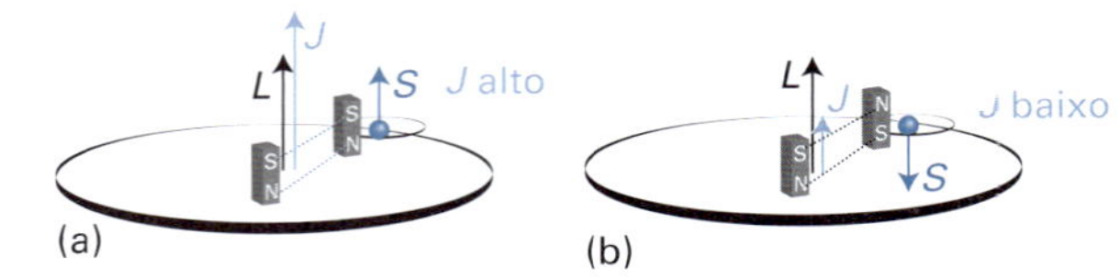

Figura 13.24 Interação magnética responsável pelo acoplamento spin–órbita. (a) Um momento angular total alto corresponde a uma configuração paralela de momentos magnéticos (representado pelos ímãs), e, portanto, uma energia alta. (b) Um momento angular total baixo corresponde a uma configuração antiparalela de momentos magnéticos, e, portanto, uma energia baixa. Observe que a diferença de energia não é devida *diretamente* às diferenças do momento angular total: o total simplesmente nos informa as orientações relativas dos dois momentos magnéticos.

momentos angulares orbital e de spin, a energia do átomo depende do número quântico do momento angular total J (pois seu valor também reflete a orientação relativa dos dois tipos de momento angular). É obtida uma baixa energia quando os momentos angulares, e, portanto, os ímãs, são antiparalelos um ao outro. Essa distribuição de momentos angulares corresponde a um valor pequeno de J. Assim, podemos prever que o nível com o mais baixo valor de J é o mais baixo em energia. Em nosso exemplo atual, predizemos que o mais baixo nível do termo ^{3}D é $^3D_1$. Um enunciado mais geral, que se aplica a sistemas de muitos elétrons é o seguinte:

> Para átomos com camadas menos que a metade cheias, o nível com o menor valor de J é o de menor energia; para átomos com camadas mais da metade cheias, o nível de maior J é o de mais baixa energia.

A intensidade do acoplamento spin-órbita aumenta nitidamente com o número atômico. Em átomos do Período 2 dá origem a divisões entre níveis da ordem de 10^2 cm^{-1}, mas no Período 3 a diferença aproxima-se de 10^3 cm^{-1}. Podemos compreender esse aumento se pensarmos sobre a fonte do campo magnético orbital. Para fazer isso, imaginemos que estamos sobre o elétron quando esse elétron orbita o núcleo. De nosso ponto de vista, o núcleo parece orbitar à nossa volta (como os antecessores de Copérnico pensavam que o Sol girava em torno da Terra). Se o núcleo possui um número atômico alto, terá uma carga alta e nós estaremos no centro de uma forte corrente elétrica, experimentando um forte campo magnético. Se o núcleo tem um número atômico baixo, experimentamos um campo magnético fraco que surge da baixa corrente que nos circunda.

O acoplamento spin–órbita tem importantes consequências na fotoquímica e, em particular, para a existência da propriedade de 'fosforescência', que discutimos no Capítulo 20.

13.19 **Regras de seleção**

Agora que já descrevemos os níveis de energia de átomos complexos, podemos decidir que transições espectroscópicas são permitidas ou proibidas. Já vimos que as regras de seleção espectroscópicas surgem da conservação do momento angular durante uma transição e do fato de que um fóton tem spin 1. Podem, portanto, ser expressas em termos dos símbolos dos termos, pois estes últimos carregam informação sobre o momento angular. Uma análise detalhada leva às seguintes regras:

$$\Delta S = 0 \qquad \Delta L = 0, \pm 1 \qquad \Delta l = \pm 1$$

$$\Delta J = 0, \pm 1, \text{ mas } J = 0 \leftrightarrow J = 0 \text{ é proibido}$$

A regra sobre ΔS (nenhuma variação do spin total) provém do fato de que a luz não afeta o spin diretamente. As regras sobre ΔL e Δl expressam o fato de que o momento angular orbital de um elétron individual deve variar (logo, $\Delta l = \pm 1$), mas se isto leva ou não a uma variação do momento angular total vai depender do acoplamento entre os momentos angulares. Essas regras de seleção se aplicam estritamente a átomos relativamente leves, aqueles próximos ao topo da tabela periódica. À medida que o número atômico cresce, as regras falham progressivamente devido ao significante acoplamento spin-órbita. Assim, por exemplo, transições entre estados singleto e tripleto são permitidas em átomos pesados.

Impacto na astronomia 13.1

Espectroscopia das estrelas

A maior parte do material estelar consiste em átomos de hidrogênio e de hélio, neutros e ionizados, sendo o hélio o produto da 'queima do hidrogênio' pela fusão nuclear. Entretanto, a fusão nuclear também gera elementos mais pesados. É consenso geral que as camadas externas das estrelas são formadas de elementos mais leves, tais como H, He, C, N, O e Ne, tanto na forma neutra como ionizados. Elementos mais pesados, incluindo-se as formas neutra e ionizada do Si, Mg, Ca, S e Ar, são encontrados mais próximos ao cerne da estrela. No cerne estão os elementos mais pesados, sendo o ^{56}Fe particularmente abundante, pois é muito estável. Todos esses elementos estão em fase gasosa, devido às altas temperaturas no interior das estrelas. Por exemplo, a temperatura estimada do Sol à meia-distância do seu centro é de 3,6 MK (1 MK = 10^6 K).

Os astrônomos usam técnicas espectroscópicas para determinar a composição das estrelas porque cada elemento, ou melhor, cada isótopo de um elemento, tem um espectro característico que é transmitido através do espaço pela luz das estrelas. Para compreendermos o espectro das estrelas, precisamos saber inicialmente por que motivo brilham. As reações nucleares no denso interior das estrelas geram radiação que se propaga para as camadas externas, menos densas. A absorção e reemissão de fótons pelos átomos e íons no interior originam um quase contínuo de energia radiante, emitida no espaço por uma fina camada de gás denominada *fotosfera*. A distribuição da energia emitida da fotosfera de uma estrela se assemelha, com boa aproximação, à de um objeto muito quente. Por exemplo, a distribuição de energia da fotosfera do Sol se assemelha à de um objeto aquecido à temperatura de 5800 K. Superpostas ao contínuo de radiação estão as bem definidas linhas de absorção e emissão dos átomos neutros e íons presentes na fotosfera. A análise da radiação estelar com um espectrômetro montado em um telescópio, tal como o Telescópio Espacial Hubble, fornece a composição química da fotosfera estelar por comparação com os espectros conhecidos dos elementos. Os dados também revelam a presença de pequenas moléculas, como CN, C_2, TiO e ZrO, que ocorrem em certas estrelas 'frias', assim chamadas por terem temperaturas efetivas relativamente baixas.

As duas camadas mais externas de uma estrela são a *cromosfera*, uma região imediatamente acima da fotosfera, e a *corona*, uma região acima da cromosfera e que pode ser vista (com certos cuidados) durante os eclipses. A fotosfera, a cromosfera e a corona formam a 'atmosfera' de uma estrela. A cromosfera do nosso Sol é muito menos densa que sua fotosfera e sua temperatura é muito mais alta, subindo para cerca de 10 kK (1 kK = 10^3 K). As razões para este aumento de temperatura ainda não são totalmente compreendidas. A temperatura da corona do Sol é muito alta, chegando a 1,5 MK, o que provoca uma emissão intensa desde a região dos raios X até a de radiofrequência. O espectro da corona do Sol é dominado pelas linhas de emissão oriundas de espécies eletronicamente excitadas, tais como átomos neutros e certas espécies altamente ionizadas. As linhas mais intensas na região do visível provêm do íon Fe^{13+}, em 530,3 nm, do íon Fe^{9+}, em 637,4 nm e do íon Ca^{4+}, em 569,4 nm.

Como nossos telescópios detectam somente a luz proveniente das camadas mais externas das estrelas, a composição química global de uma estrela deve ser inferida por trabalhos teóricos ou pela análise espectral de sua atmosfera. Dados indicam que o Sol tem 92 % de hidrogênio e 7,8 % de He. Os 0,2 % remanescentes são devidos a elementos mais pesados, entre os quais o C, N, O, Ne e Fe são os mais abundantes. Análises mais sofisticadas dos espectros permitem a determinação de outras propriedades das estrelas, tal como as suas velocidades relativas e suas temperaturas efetivas.

Informação adicional 13.1

O princípio de Pauli

O princípio da exclusão de Pauli é um caso especial de um enunciado geral chamado de *princípio de Pauli*:

> Quando os índices de quaisquer dois férmions idênticos são trocados, a função de onda total troca de sinal. Quando os índices de dois bósons idênticos são trocados, a função de onda total mantém o mesmo sinal.

Como destacado no texto, um *férmion* é uma partícula com spin semi-inteiro (como os elétrons, prótons e nêutrons); um *bóson* é uma partícula com spin inteiro (como os fótons, que têm spin 1). O princípio *da exclusão* de Pauli se aplica apenas a férmions. Por 'função de onda total' queremos dizer a função de onda completa, incluindo o spin das partículas.

Considere a função de onda para dois elétrons $\Psi(1,2)$. O princípio de Pauli implica que é um fato da natureza que a função de onda deva trocar de sinal se trocarmos os índices 1 e 2 sempre que esses apareçam na função: $\Psi(2,1) = -\Psi(1,2)$. Suponha que dois elétrons em um átomo ocupem um orbital ψ. Então, na aproximação orbital, a função de onda total é $\psi(1)\psi(2)$. Para aplicar o princípio de Pauli, precisamos tratar a função de onda total, incluindo o spin. Há quatro possibilidades para dois spins:

$$\alpha(1)\alpha(2) \quad \alpha(1)\beta(2) \quad \beta(1)\alpha(2) \quad \beta(1)\beta(2)$$

Vamos considerar duas dessas possibilidades: o estado $\alpha(1)\alpha(2)$ corresponde a spins paralelos, enquanto (por questões técnicas ligadas ao cancelamento mútuo dos momentos angulares) a combinação $\alpha(1)\beta(2) - \beta(1)\alpha(2)$ corresponde a spins emparelhados. A função de onda total do sistema é uma das seguintes:

Spins paralelos: $\psi(1)\psi(2)\alpha(1)\alpha(2)$
Spins emparelhados: $\psi(1)\psi(2)\{\alpha(1)\beta(2) - \beta(1)\alpha(2)$

No entanto, o princípio de Pauli afirma que, para que uma função de onda seja aceitável (para elétrons), deve trocar de sinal quando os elétrons são trocados. Em cada caso, a troca dos índices 1 e 2 converte o fator $\psi(1)\psi(2)$ em $\psi(2)\psi(1)$, que é o mesmo, pois a ordem em que a função é multiplicada não altera o valor do produto. O mesmo vale para $\alpha(1)\alpha(2)$. Portanto, a primeira combinação não é permitida, pois não há troca de sinal. Entretanto, a segunda combinação muda para

$$\begin{aligned}&\psi(2)\psi(1)\{\alpha(1)\beta(2) - \beta(1)\alpha(2)\\ &\quad = -\psi(1)\psi(2)\{\alpha(1)\beta(2) - \beta(1)\alpha(2)\}\end{aligned}$$

Esta combinação troca de sinal (é 'antissimétrica'), sendo, portanto, aceitável.

Vemos agora que o único estado com dois elétrons no mesmo orbital permitido pelo princípio de Pauli é o que tem os spins emparelhados. Este é o teor do princípio da exclusão de Pauli. O princípio da exclusão é irrelevante quando os orbitais ocupados pelos elétrons são diferentes, e ambos os elétrons podem (mas não precisam) ter o mesmo estado de spin. Desse modo, a função de onda completa precisa ser antissimétrica como um todo, e deve satisfazer ao próprio princípio de Pauli.

Verificação de conceitos importantes

- ☐ 1 Átomos hidrogenoides são átomos com um único elétron.
- ☐ 2 As funções de onda dos átomos hidrogenoides são identificadas por meio de três números quânticos: o número quântico principal $n = 1, 2, ...$, o número quântico de momento angular $l = 0, 1, ..., n - 1$, e o número quântico magnético $m_l = l, l - 1, ..., -l$.
- ☐ 3 Orbitais s são esfericamente simétricos e têm amplitude não nula no núcleo.
- ☐ 4 Uma função de distribuição radial, $P(r)$, é a densidade de probabilidade de encontrar um elétron a um raio r; a probabilidade de encontrar o elétron entre r e $r + \delta r$ é $P(r)\delta r$.

□ 5 O módulo do momento angular orbital de um elétron é $\{l(l+1)\}^{1/2}\hbar$ e o componente do momento angular em torno de um eixo é $m_l\hbar$.

□ 6 Um elétron possui um momento angular intrínseco, o seu spin, que é descrito pelos números quânticos $s = 1/2$ e $m_s = \pm 1/2$.

□ 7 Uma regra de seleção é um enunciado sobre que transições espectroscópicas são permitidas.

□ 8 Na aproximação orbital, supõe-se que cada elétron em um átomo polieletrônico ocupa o seu próprio orbital.

□ 9 O princípio da exclusão de Pauli estabelece que não mais do que dois elétrons podem ocupar um orbital e, se dois elétrons ocupam um orbital, seus spins devem estar emparelhados.

□ 10 Em um átomo polieletrônico, os orbitais em uma camada ficam na ordem s < p < d < f devido aos efeitos de penetração e blindagem.

□ 11 Os raios atômicos diminuem da esquerda para a direita ao longo de um período e aumentam de cima para baixo em um grupo.

□ 12 As energias de ionização aumentam da esquerda para a direita ao longo de um período e diminuem de cima para baixo em um grupo.

□ 13 As afinidades ao elétron são mais elevadas na extremidade superior direita da tabela periódica (próximo do flúor).

□ 14 Um símbolo do termo tem a forma $^{2S+1}\{L\}_J$, em que $2S+1$ é a multiplicidade e $\{L\}$ é uma letra que representa o número quântico de momento angular orbital total.

□ 15 Para dada configuração (e, com mais confiabilidade, para a configuração do estado fundamental) o termo com a maior multiplicidade tem a menor energia, aquele com o maior valor de L tem a menor energia e, para átomos com camadas menos da metade cheias, o nível de menor J é o de menor energia.

□ 16 Níveis diferentes de um termo têm energias diferentes devido ao acoplamento spin-órbita, e a intensidade deste acoplamento aumenta acentuadamente com o aumento do número atômico.

Mapa conceitual das equações importantes

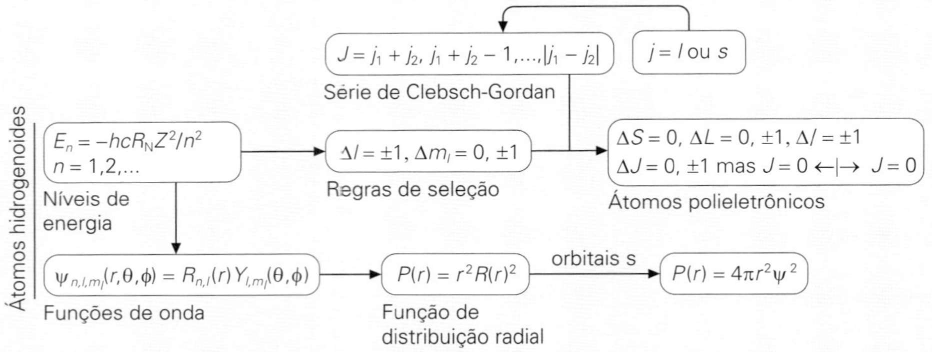

Questões e exercícios

Questões teóricas

13.1 Liste e dê o significado dos números quânticos necessários para especificar o estado interno de um átomo hidrogenoide.

13.2 Explique o significado de (a) uma superfície de contorno e (b) a função de distribuição radial para orbitais hidrogenoides.

13.3 Descreva a aproximação orbital para a função de onda de um átomo polieletrônico. Quais são as limitações da aproximação?

13.4 Discuta a relação entre a localização de um átomo polieletrônico na tabela periódica e sua configuração eletrônica.

13.5 Descreva o procedimento do campo autoconsistente para calcular a forma dos orbitais e as energias de átomos polieletrônicos.

13.6 Descreva e explique a variação da primeira energia de ionização ao longo do Período 2 da tabela periódica. Você espera a mesma variação para o Período 3?

13.7 Explique a origem do acoplamento spin–órbita e como esse acoplamento afeta a aparência do espectro.

13.8 Especifique e explique as regras de seleção para transições espectroscópicas em (a) átomos hidrogenoides e (b) átomos polieletrônicos.

Exercícios

13.1 Calcule o comprimento de onda da linha com $n = 6$ na série de Balmer do espectro do hidrogênio atômico.

13.2 A frequência de uma das linhas da série de Paschen do espectro do hidrogênio atômico é $2{,}7415 \times 10^{15}$ Hz. Identifique o número quântico principal do estado superior na transição.

13.3 Um dos termos do átomo de H está em 27 414 cm^{-1}. Qual é (a) o número de onda, (b) a energia do termo, com o qual se combina para produzir luz de comprimento de onda de 486,1 nm?

13.4 A constante de Rydberg, Eq. 13.4b, depende da massa do núcleo. Qual é a diferença em números de onda da transição 3p → 1s no hidrogênio e no deutério?

13.5 Que transição no He^+ tem a mesma frequência (desprezando-se as diferenças de massa) que a transição 2p → 1s no H?

13.6 O hidrogênio é o elemento mais abundante em todas as estrelas. Entretanto, nenhuma linha de absorção ou de emissão devida ao hidrogênio neutro é observada nos espectros de estrelas com temperaturas efetivas superiores a 25.000 K. Explique essa observação.

13.7 A distribuição isotópica de um elemento pode dar informações sobre as reações nucleares que ocorrem no interior de uma estrela. Mostre que é possível usar a espectroscopia para confirmar a presença de $^4He^+$ e $^3He^+$ em uma estrela calculando-se os números de onda das transições $n = 3 \rightarrow n = 2$ e $n = 2 \rightarrow n = 1$ para cada isótopo.

13.8 Estime a energia de ionização de Li^{2+} sabendo-se que a energia de ionização do He^+ é 54,36 eV.

13.9 A série de Humphreys é outro grupo de linhas no espectro do hidrogênio atômico. Inicia-se em 12.368 nm e aparece até 3281,4 nm. (a) Quais as transições envolvidas? (b) Quais os comprimentos de onda das transições intermediárias?

13.10 Em que comprimento de onda você esperaria que a transição de maior comprimento de onda da série de Humphreys ocorresse no He^+? Os níveis de energia dos átomos e íons hidrogenoides são proporcionais a Z^2.

13.11 Uma série de linhas no espectro do hidrogênio atômico encontra-se em 656,46, 486,27, 434,17, e 410,29 nm. (a) Qual é o comprimento de onda da linha seguinte na série? (b) Qual é a energia de ionização do átomo quando esse se encontra no estado de menor energia dessas transições?

13.12 O íon Li^{2+} é hidrogenoide e tem uma série de Lyman em 740.747 cm^{-1}, 877.924 cm^{-1}, 925.933 cm^{-1}, e além. (a) Mostre que os níveis de energia são da forma $-hcR_{Li}/n^2$ e encontre o valor de R_{Li} para esse íon. (b) Prediga os números de onda das duas transições de maior comprimento de onda da série de Balmer do íon e (c) encontre a energia de ionização do íon.

13.13 Como a energia de ionização de um ânion está relacionada com a afinidade ao elétron do átomo de origem?

13.14 Quando radiação ultravioleta de comprimento de onda de 58,4 nm, oriunda de uma lâmpada de hélio, é direcionada sobre uma amostra de criptônio, elétrons são ejetados com uma velocidade de $1{,}59 \times 10^6$ m s^{-1}. Calcule a energia de ionização do criptônio.

13.15 Quantos orbitais estão presentes na camada N de um átomo?

13.16 Qual o momento angular orbital (na forma de múltiplos de $\hbar$) de um elétron nos orbitais (a) 1s, (b) 3s, (c) 3d, (d) 2p, (e) 3p? Dê os números de nós angulares e radiais em cada caso.

13.17 Dê a degenerescência orbital dos níveis no átomo de hidrogênio que têm energia (a) $-hcR_H$, (b) $-\frac{1}{9}hcR_H$ e (c) $-\frac{1}{49}hcR_H$.

13.18 Quantos elétrons podem ocupar subcamadas com os seguintes valores de l: (a) 0, (b) 3, (c) 5?

13.19 A que raio a probabilidade de encontrar um elétron em um pequeno volume localizado em um ponto no átomo de H em seu estado fundamental cai para 30 % de seu valor máximo?

13.20 A que raio, no átomo de H, a função de distribuição radial do estado fundamental tem (a) 30 %, (b) 5 % de seu valor máximo?

13.21 Qual a probabilidade de se encontrar o elétron em um volume de 6,5 pm^3 centralizado sobre o núcleo em (a) um átomo de hidrogênio, (b) um íons He^+?

13.22 Localize os nós radiais (a) no orbital 3s, (b) no orbital 4s de um átomo de H.

13.23 Qual a probabilidade de se encontrar um elétron em algum lugar num lóbulo de um orbital p quando o elétron ocupa o orbital?

13.24 A função de onda de um dos orbitais d é proporcional a sen θ cos θ. Em que ângulos a função de onda tem planos nodais?

13.25 Para um orbital atômico com números quânticos n e l, qual é o número de nós (a) radiais, (b) angulares e (c) totais?

13.26 Classifique as seguintes espécies como um férmion ou um bóson: (a) um elétron, (b) um próton, (c) um nêutron e (d) um fóton.

13.27 Quais das transições seguintes são permitidas no espectro de emissão eletrônica normal de um átomo hidrogenoide: (a) 2s → 1s, (b) 2p → 1s, (c) 3d → 2p, (d) 5d → 2s, (e) 5p → 3s, (f) 6f → 4p?

13.28 Para que orbitais um elétron 5f pode fazer transições espectroscópicas?

13.29 Por que a configuração eletrônica do átomo de ítrio é $[Kr]4d^15s^2$ e a do átomo de prata é $[Kr]4d^{10}5s^1$?

13.30 Quais termos (expressos como S, D etc.) podem se originar da configuração excitada $[He]2s^22p^13d^1$ do carbono?

13.31 A série de Clebsch–Gordan pode ser empregada sucessivamente para determinar os valores possíveis para o momento angular total de diversos elétrons. Quais são os momentos angulares totais de spin que podem surgir de quatro elétrons?

13.32 Que níveis os seguintes termos podem possuir? (a) ^1S, (b) ^3F, (c) ^5S, (d) ^5P?

13.33 A configuração fundamental de um íon Ti^{2+} é $[Ar]3d^2$. (a) Qual é o termo de mais baixa energia e qual nível desse termo é o de mais baixa energia? (b) Quantos estados pertencem a esse nível mais baixo?

13.34 Qual é a configuração do estado fundamental de um íon Sc^{2+}? Que níveis surgem dessa configuração? Qual desses níveis é o de mais baixa energia?

13.35 O termo de mais baixa energia dos átomos de Al e de Cl é, em ambos os casos, ^2P, que dá origem aos níveis $^2P_{1/2}$ e $^2P_{3/2}$. Preveja, para cada átomo, qual desses níveis tem a menor energia.

13.36 Uma importante função do raio atômico e do raio iônico é regular a absorção de oxigênio pela hemoglobina, pois a variação do raio iônico que acompanha a conversão de Fe(II) a Fe(III) quando o O_2 se liga provoca uma mudança conformacional na proteína. Quem você espera que seja maior: Fe^{2+} ou Fe^{3+}? Por quê?

13.37 A energia de ionização do potássio é 4,34 eV e a afinidade ao elétron é 3,36 eV. Qual é a variação de energia para a reação $K(g) + Br(g) \rightarrow K^+(g) + Br^-(g)$? Expresse sua resposta em elétrons-volt e quilojoules por mol.

13.38 Quais das seguintes transições entre os termos são permitidas no espectro eletrônico de emissão normal de um átomo: (a) ${}^3D_2 \rightarrow {}^3P_1$, (b) ${}^3P_2 \rightarrow {}^1S_0$, (c) ${}^3F_4 \rightarrow {}^3D_3$.

13.39 Duas transições no espectro de emissão de $[Ne]3p^1 \rightarrow [Ne]3s^1$ do sódio atômico são observadas em 589,0 nm e 589,6 nm. Qual é a diferença de energia, expressa em elétrons-volt, entre os níveis ${}^2P_{3/2}$ e ${}^2P_{1/2}$ do termo superior?

Projetos

O símbolo ‡ indica que o cálculo é necessário.

13.40‡ Vamos explorar aqui as funções de onda hidrogenoides com mais detalhes quantitativos. (a) Pela identificação do máximo na função de distribuição radial de um elétron 1s hidrogenoide, determine a distância mais provável do elétron ao núcleo em um átomo de hidrogênio no seu estado fundamental. (b) A função de onda (normalizada) para um orbital 2s no hidrogênio é

$$\psi = \left(\frac{1}{32\pi a_0^3}\right)^{1/2}\left(2 - \frac{r}{a_0}\right)e^{-r/2a_0}$$

Calcule a probabilidade de se encontrar um elétron que é descrito por essa função de onda em um volume de 1,0 pm^3 (i) centralizado sobre o núcleo, (ii) ao raio de Bohr, (iii) a duas vezes o raio de Bohr. (c) Construa uma expressão para a função de distribuição radial de um elétron hidrogenoide 2s (veja a parte (b) para a forma do orbital), e trace a curva da função contra r. Qual o raio mais provável no qual será encontrado o elétron? (d) Para uma determinação mais exata do raio mais provável no qual um elétron será encontrado em um orbital H2s, derive a função de distribuição radial para encontrar o ponto em que essa função é um máximo.

13.41 O tálio, uma neurotoxina, é o membro mais pesado do Grupo 13 da tabela periódica e encontra-se mais comumente no estado de oxidação +1. O alumínio, causador de anemia e demência, também é um membro desse grupo, mas suas propriedades químicas são dominadas pelo estado de oxidação +3. Analise essa afirmação fazendo o gráfico das energias de primeira, segunda e terceira ionizações para os elementos do Grupo 13 em função do número atômico. Explique as tendências observadas. Para consultar os dados, veja os endereços dos bancos de dados de propriedades atômicas fornecidos no site da LTC Editora.

13.42 O espectro de uma estrela é usado para medir a sua *velocidade radial* em relação ao Sol, a componente do vetor velocidade da estrela paralela ao vetor que conecta o centro da estrela ao centro do Sol. A medição se baseia no efeito Doppler, no qual há modificação da frequência da radiação quando a fonte se move em direção ao observador ou dele se afasta. Quando uma estrela emitindo radiação eletromagnética de frequência ν se move com velocidade relativa s em relação a um observador, este detecta uma radiação de frequência $\nu_{afastamento} = \nu f$ ou $\nu_{aproximação} = \nu/f$, em que $f = \{(1 - s/c)/(1 + s/c)\}^{1/2}$ e c é a velocidade da luz. (a) Três linhas no espectro do ferro atômico provenientes da estrela HDE 271 182, que pertence à Grande Nuvem de Magalhães, ocorrem em 438,882 nm, 441,000 nm e 442,020 nm. As mesmas linhas ocorrem em 438,392 nm, 440,510 nm e 441,510 nm num espectro de um arco de ferro fixo na Terra. Determine se a HDE 271 182 está se aproximando ou se afastando da Terra e estime a velocidade radial da estrela em relação à Terra. (b) Que informação adicional você necessitaria para calcular a velocidade radial da estrela HDE 271 182 em relação ao Sol?

14

Química quântica: a ligação química

A **ligação química**, uma ligação entre átomos, é central a todos os aspectos da química. As reações ocorrem devido à formação e à ruptura de ligações, e as estruturas dos sólidos e das moléculas individuais dependem das ligações. As propriedades físicas das moléculas individuais e das amostras macroscópicas da matéria também se originam em grande parte dos deslocamentos da densidade eletrônica que ocorrem quando átomos formam ligações entre si. A teoria da origem do número, força e arranjo tridimensional das ligações químicas entre átomos é chamada **teoria da valência.** (O nome vem de uma palavra latina para força.)

A teoria da valência é uma tentativa de explicar as propriedades das moléculas, desde as muito pequenas até as muito grandes. Por exemplo, explica por que o N_2, uma molécula pequena, é tão inerte que atua diluindo o poder oxidante agressivo de uma atmosfera de oxigênio. No outro extremo da escala, a teoria de valência trata das origens estruturais das funções de moléculas de proteínas e da biologia molecular do DNA. A descrição da ligação química desenvolveu-se muito por meio do uso de computadores e, atualmente, é possível calcular detalhes da distribuição eletrônica em moléculas de praticamente qualquer complexidade. Entretanto, podemos avançar muito no entendimento das propriedades da matéria pela compreensão qualitativa simples da formação de ligações e esse é o foco inicial deste capítulo.

Existem dois enfoques principais para o cálculo da estrutura molecular: a **teoria da ligação de valência** (teoria VB) e a **teoria do orbital molecular** (teoria OM). Quase todos os trabalhos computacionais modernos fazem uso da teoria OM, que será o assunto em que vamos nos concentrar neste capítulo. A teoria da ligação de valência, no entanto, deixou sua marca na linguagem da química, e é importante para conhecimento do significado dos termos que os químicos usam no dia a dia. Portanto, a estrutura deste capítulo é a seguinte: primeiro vamos estabelecer alguns conceitos comuns a todos os níveis de descrição; depois, apresentamos os conceitos da teoria VB que continuam a ser usados em química (como hibridização e ressonância); a seguir, apresentamos as ideias básicas da teoria OM, e finalmente veremos como as técnicas computacionais permeiam atualmente toda a discussão sobre estrutura molecular.

Conceitos introdutórios

Certas ideias da teoria de valência já devem ser bem conhecidas a partir dos cursos introdutórios de química. Esta seção tem como objetivo fazer a revisão desses fundamentos.

14.1 Classificação das ligações

Distinguimos dois tipos de ligações:

Uma **ligação iônica** é formada pela transferência de elétrons de um átomo para outro e a atração consequente entre os íons assim formados.

Uma **ligação covalente** é formada quando dois átomos compartilham um par de elétrons.

O caráter de uma ligação covalente, que será o assunto em que vamos nos concentrar neste capítulo, foi identificado por G.N. Lewis em 1916, antes que a mecânica quântica estivesse tão desenvolvida quanto agora. Suponhamos que as ideias de Lewis são familiares. Neste capítulo desenvolvemos a teoria moderna da formação da ligação química em termos das propriedades quanto-mecânicas dos elétrons e do conjunto das ideias de Lewis em um contexto moderno. Veremos que ligações iônicas e covalentes são dois extremos de um tipo comum de ligação. Porém, como há certos aspectos dos sólidos iônicos que necessitam de uma atenção especial, vamos considerá-los separadamente no Capítulo 17.

A teoria original de Lewis era incapaz de explicar as formas adotadas pelas moléculas. A explicação mais elementar, porém, qualitativamente bem-sucedida, das formas adotadas pelas moléculas é o **modelo de repulsão de pares de elétrons na camada de valência** (modelo RPECV, sigla inglesa VSEPR); supõe-se ser a forma de uma molécula determinada pelas repulsões entre pares de elétrons na camada de valência. Esse modelo é exaustivamente discutido nos livros introdutórios de química, mas uma revisão breve do modelo RPECV é feita em Ferramentas do químico 14.1 e 14.2. Uma vez mais, o propósito deste capítulo é estender esses argumentos elementares e indicar algumas das contribuições que a teoria quântica fez para a compreensão do que leva uma molécula a adotar sua forma característica.

14.2 Curvas de energia potencial

Todas as teorias de estrutura molecular adotam a **aproximação de Born-Oppenheimer**. Nesta aproximação, supomos que os núcleos, sendo muito mais pesados que um elétron, se movem lentamente quando comparados ao movimento de um elétron e, portanto, podem ser considerados como parados enquanto os elétrons se deslocam em torno dos mesmos. Podemos pensar então nos núcleos como estando fixos em posições arbitrárias, e então resolvemos a equação de Schrödinger somente para os elétrons. Essa aproximação é muito razoável para moléculas nos seus estados eletrônicos fundamentais, pois cálculos sugerem (em condições clássicas) que os núcleos de H_2 se movem aproximadamente 1 pm, enquanto os elétrons se deslocam de 1000 pm.

Fazendo uso da aproximação de Born–Oppenheimer, podemos selecionar uma separação internuclear em uma

Ferramentas do químico 14.1 A teoria de Lewis da ligação covalente

Nesta formulação original de uma teoria da ligação covalente, já conhecida desde os cursos introdutórios de química, G.N. Lewis, em 1916, propôs que cada ligação consiste em um par de elétrons. Cada átomo de uma molécula compartilha elétrons até conseguir ter a característica do seu octeto do átomo de gás nobre mais próximo na tabela periódica. (O hidrogênio é uma exceção, pois adquire um dupleto de elétrons.) Desse modo, para escrever uma estrutura de Lewis é necessário:

1. Distribuir os átomos conforme são encontrados na molécula.
2. Adicionar um par de elétrons (representado por pontos, :) entre cada par de átomos ligados.
3. Usar os pares de elétrons restantes para completar os octetos de todos os átomos presentes, formando pares isolados ou formando ligações múltiplas.
4. Substituir os pares de elétrons ligantes por linhas (–), representando ligações, mas deixar os pares isolados como pontos (:).

Uma estrutura de Lewis não retrata (exceto em casos muito simples) a estrutura geométrica real da molécula; é um mapa topológico do arranjo de ligações.

Ferramentas do químico 14.2 O modelo RPECV

A suposição básica do modelo de **repulsão de pares de elétrons na camada de valência** (RPECV) é de que *os pares de elétrons na camada de valência do átomo central adotam posições que maximizam suas separações.* Desse modo, se o átomo tem quatro pares de elétrons na sua camada de valência, então os pares adotam um arranjo tetraédrico em torno do átomo; se o átomo tem cinco pares, o arranjo é bipiramidal triangular. Os arranjos adotados pelos pares de elétrons são:

Número de grupos	Arranjo
2	Linear
3	Plano triangular
4	Tetraédrico
5	Bipiramidal triangular
6	Octaédrico
7	Bipiramidal pentagonal

Uma vez identificada a forma básica do arranjo de pares de elétrons, os pares são classificados como ligantes ou não ligantes. Então, a forma da molécula é classificada pela observação do arranjo dos átomos em torno do átomo central.

A próxima etapa na aplicação do modelo RPECV é acomodar o maior efeito de repulsão dos pares isolados comparado com o dos pares ligantes. Ou seja, *os pares ligantes tendem a se afastar dos pares isolados, ainda que isso possa reduzir a sua separação de outros pares ligantes.* Para levar em conta as ligações múltiplas, cada conjunto de dois ou três pares de elétrons é tratado como uma única região de alta densidade eletrônica.

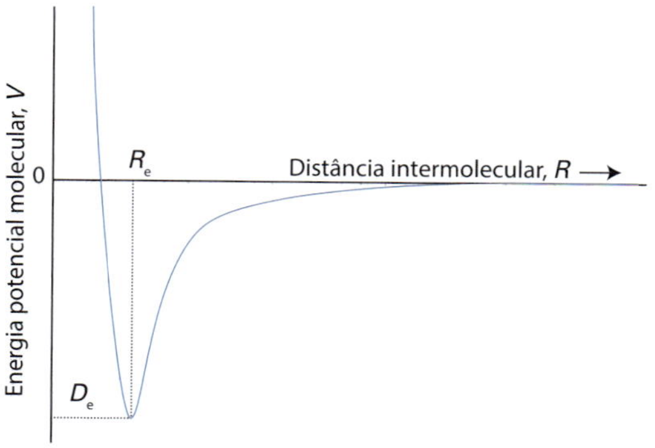

Figura 14.1 Curva de energia potencial molecular. O comprimento de ligação de equilíbrio R_e corresponde ao mínimo de energia D_e.

molécula diatômica e resolver a equação de Schrödinger para os elétrons naquela separação internuclear. Consideramos, então, uma separação internuclear diferente e repetimos o cálculo, e assim sucessivamente. Seguindo esse procedimento, podemos explorar como a energia da molécula varia com o comprimento de ligação, obtendo então uma **curva de energia potencial molecular**, um gráfico que mostra como a energia molecular depende da separação internuclear (Fig. 14.1). A energia molecular é chamada curva de energia *potencial* porque os núcleos são estacionários e não contribuem para energia cinética. Uma vez que a curva tenha sido calculada, podemos identificar o **comprimento de ligação de equilíbrio**, R_e, a separação internuclear que corresponde ao mínimo da curva, e D_e, a profundidade do mínimo de energia em relação à energia dos átomos infinitamente separados. No Capítulo 19 veremos também que a largura do poço de potencial é uma indicação da rigidez da ligação. Considerações semelhantes se aplicam a moléculas poliatômicas, em que não só os comprimentos, mas também os ângulos de ligação podem ser modificados.

Teoria da ligação de valência

Na teoria da ligação de valência, considera-se que uma ligação é formada quando um elétron em um orbital atômico de um átomo emparelha seu spin com o de um elétron existente em um orbital atômico de outro átomo (Fig. 14.2). Para entender por que este emparelhamento leva à ligação, temos que examinar a função de onda para os dois elétrons que formam a ligação.

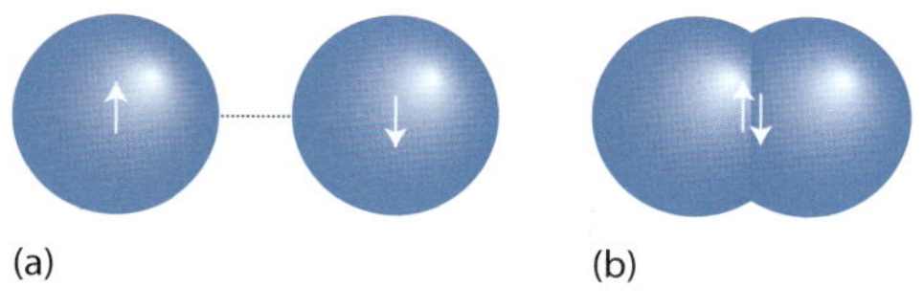

Figura 14.2 Na teoria da ligação de valência, uma ligação σ é formada quando dois elétrons em orbitais de átomos vizinhos, como em (a), se emparelham e os orbitais se superpõem formando uma nuvem de elétrons cilíndrica, como em (b).

14.3 Moléculas diatômicas

Começamos considerando a ligação química mais simples possível, a existente no hidrogênio molecular, H—H. Quando os dois átomos no estado fundamental estão bem afastados, podemos estar confiantes de que o elétron 1 está no orbital 1s do átomo A, que representamos por $\psi_A(1)$, e o elétron 2 está no orbital 1s do átomo B, que representamos por $\psi_B(2)$. Vimos na Seção 12.7 que é uma regra geral na mecânica quântica que a função de onda para partículas que não interagem é igual ao produto das funções de onda de cada partícula (este é o procedimento da separação de variáveis); assim, ignorando as interações entre os elétrons podemos escrever $\psi(1,2) = \psi_A(1)\psi_B(2)$.

Quando a distância entre os dois átomos for a distância de ligação entre os mesmos, ainda pode ser verdade que o elétron 1 esteja em A e o elétron 2 esteja em B. Contudo, um arranjo igualmente provável é aquele em que o elétron 1 escapa de A e é encontrado em B e o elétron 2 está em A. Neste caso, a função de onda é $\psi(1,2) = \psi_A(2)\psi_B(1)$. Sempre que dois resultados são igualmente prováveis, as regras da mecânica quântica nos dizem que devemos somar, ou mais formalmente **superpor**, as duas funções de onda correspondentes. Portanto, a função de onda (não normalizada) para os dois elétrons em uma molécula de hidrogênio é

$$\psi_{H—H}(1,2) = \psi_A(1)\psi_B(2) + \psi_A(2)\psi_B(1) \qquad (14.1)$$

Essa expressão é a função de onda VB para a ligação no hidrogênio molecular. Expressa a ideia de que nós não podemos localizar qualquer um dos elétrons e que as suas distribuições se superpõem. A função de onda obtida é somente uma aproximação, pois quando os dois átomos estão próximos não é verdade que os elétrons não interagem. No entanto, esta função de onda aproximada é um ponto de partida razoável para todas as discussões da teoria VB da ligação química.

Mostramos na Dedução a seguir que, por questões técnicas que se originam do princípio da exclusão de Pauli, a função de onda na Eq. 14.1 pode existir somente se os dois elétrons aí descritos têm spins opostos. Segue-se que a superposição dos orbitais que dá origem a uma ligação é acompanhada pelo emparelhamento dos dois elétrons que contribuem para essa ligação. Ligações não se formam *porque* elétrons tendem a emparelhar: é o emparelhamento dos spins dos elétrons que *permite* a formação das ligações.

Dedução 14.1

O princípio de Pauli e a formação de uma ligação

A função de onda VB na Eq. 14.1 não troca de sinal quando os índices 1 e 2 são trocados. Para construir uma função de onda que obedeça ao princípio de Pauli (Informação adicional 13.1) e que troque de sinal quando os índices 1 e 2 são trocados, devemos combinar a função espacial simétrica $\psi(1)\psi(2)$ com a função de spin antissimétrica $\alpha(1)\beta(2) - \beta(1)\alpha(2)$ e escrever

$$\psi_{A—E}(2,1) = \{\psi_A(1)\psi_B(2) + \psi_A(2)\psi_B(1)\} \times \{\alpha(1)\beta(2) - \beta(1)\alpha(2)\}$$

Esta é a única combinação permitida entre as funções espacial e de spin. Como $\alpha(1)\beta(2) - \beta(1)\alpha(2)$ representa um estado de spins emparelhados dos dois elétrons, vemos que o princípio de Pauli requer que os dois elétrons da ligação estejam emparelhados (↑↓).

Como ψ_{H-H} é construída pela superposição de orbitais H1s, podemos esperar que a distribuição global dos elétrons na molécula seja na forma de uma 'linguiça' (como na Figura 14.2). Uma função de onda VB com simetria cilíndrica ao redor do eixo internuclear é chamada **ligação σ**. Este nome é devido ao fato de que, quando se olha ao longo da ligação, essa função se assemelha a um par de elétrons em um orbital s (e σ, sigma, é o equivalente em grego a s). Todas as funções de onda VB são construídas de modo semelhante, usando os orbitais atômicos disponíveis nos átomos que participam da ligação. Portanto, em geral, a função de onda VB (não normalizada) para uma ligação A—B é

$$\psi_{A-B}(1,2) = \psi_A(1)\psi_B(2) + \psi_A(2)\psi_B(1)$$

Função de onda de ligação de valência (14.2)

Para calcular a energia de uma molécula para uma série de separações internucleares R, substituímos a função de onda VB na equação de Schrödinger e fazemos as manipulações matemáticas necessárias para calcular os valores correspondentes da energia. Quando é traçado o gráfico da energia contra R, obtemos uma curva semelhante à que é mostrada na Figura 14.1. Como R diminui a partir do infinito, a energia cai abaixo da de dois átomos de H separados com cada elétron ficando livre para migrar para o outro átomo. Essa diminuição de energia é o resultado de vários outros efeitos:

- À medida que os dois átomos se aproximam um do outro, há uma acumulação da densidade eletrônica entre os núcleos (Fig. 14.3) Os elétrons atraem os dois núcleos, e a energia potencial diminui.
- Essa acumulação entre os núcleos se dá pela remoção da densidade eletrônica nas proximidades dos núcleos, o que contribui para um aumento na energia potencial.
- A liberdade de os elétrons migrarem entre os átomos é semelhante à transferência de um elétron de uma caixa menor para uma caixa maior, que (como vimos na discussão sobre a partícula em uma caixa) leva a um abaixamento em sua energia cinética.

No H_2, este último efeito é o dominante, mas a importância relativa das variações na energia potencial e na energia cinética ainda não é clara para moléculas mais complexas.

A diminuição global da energia devido à redistribuição dos elétrons é contrabalançada por um aumento de energia devido à repulsão coulombiana entre os dois núcleos positivamente carregados de cargas Z_Ae e Z_Be, que tem a forma

$$V_{\text{nuc-nuc}}(R) = \frac{Z_A Z_B e^2}{4\pi\varepsilon_0 R}$$

Repulsão coulombiana entre dois núcleos (14.3)

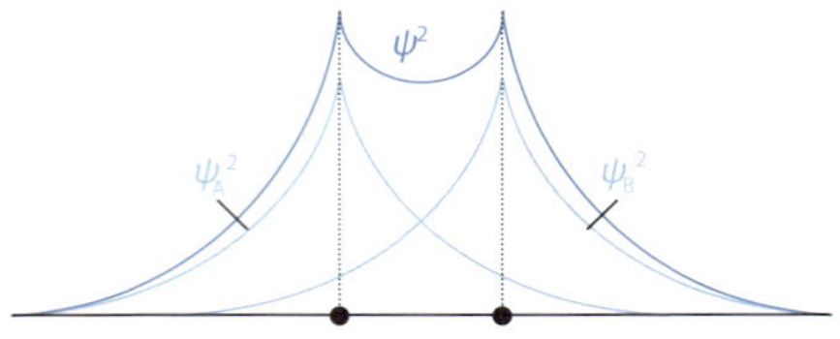

Figura 14.3 A densidade eletrônica do H_2 conforme o modelo da ligação de valência para a ligação química e as densidades eletrônicas correspondentes aos orbitais atômicos contribuintes. Os núcleos são simbolizados por pontos largos na linha horizontal. Observe a acumulação de densidade eletrônica na região internuclear.

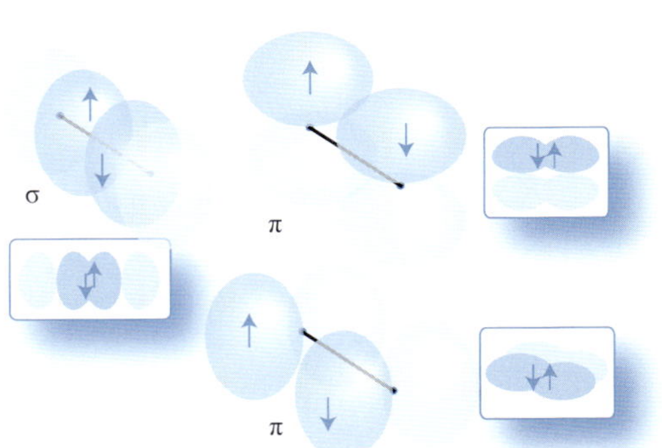

Figura 14.4 As ligações no N_2 são construídas permitindo o emparelhamento dos elétrons nos orbitais N2p. Entretanto, só um orbital em cada átomo pode formar uma ligação σ: os orbitais perpendiculares ao eixo formam ligações π.

(Para o H_2, $Z_A = Z_B = 1$.) Esta contribuição positiva para a energia torna-se grande quando R fica pequeno (e a diminuição da energia cinética eletrônica se torna menos significativa já que a 'caixa grande' já não é muito maior que as duas 'caixas pequenas' iniciais). Como resultado, a curva da energia total passa por um mínimo e então cresce para um valor fortemente positivo quando os dois núcleos se aproximam muito.

Podemos usar uma descrição semelhante para as moléculas construídas a partir de átomos que contribuem com mais de um elétron para a ligação. Por exemplo, para construir a descrição VB do N_2, consideramos a configuração dos elétrons de valência de cada átomo, que é $2s^2 2p_x^{\,1} 2p_y^{\,1} 2p_z^{\,1}$. Por convenção, considera-se o eixo z como o eixo internuclear, assim podemos imaginar cada átomo como tendo um orbital $2p_z$ apontando para um orbital $2p_z$ do outro átomo, e com os orbitais $2p_x$ e $2p_y$ perpendiculares ao eixo (Fig. 14.4). De acordo com o princípio da construção, cada um destes orbitais p está ocupado por um elétron. Assim podemos pensar na molécula como formada pela superposição de orbitais correspondentes em átomos vizinhos e o emparelhamento dos elétrons que os ocupam. Obtemos uma ligação σ, com simetria cilíndrica, a partir da superposição dos dois orbitais $2p_z$ e o emparelhando dos elétrons que contêm. Porém, os orbitais p restantes não podem se superpor para dar ligações σ por não terem simetria cilíndrica ao redor do eixo internuclear. Em vez disso, os orbitais $2p_x$ se superpõem e os dois elétrons emparelham para formar uma **ligação π**. Uma ligação π recebe este nome porque, vista ao longo do eixo internuclear, se assemelha a um par de elétrons em um orbital p (e π é o equivalente em grego a p). Semelhantemente, os orbitais $2p_y$ se superpõem e os seus elétrons emparelham para formar outra ligação π. Em geral, uma ligação π surge da superposição de dois orbitais p que se aproximam lateralmente e do emparelhamento dos elétrons que os mesmos contêm.

■ Breve ilustração 14.1 O padrão de ligação no N_2 e no O_2

Segue-se da discussão anterior que o padrão de ligação global no N_2 é uma ligação σ mais duas ligações π, que é consistente com a estrutura de Lewis :N≡N:, em que os átomos estão unidos por uma ligação tripla. De forma semelhante, prevê-se que o padrão de ligação no O_2 seja uma ligação σ(O2p_z, O2p_z) e uma ligação π(O2p_x, O2p_x). Entretanto, veja a Seção 14.10 para a continuação do estudo sobre o O_2.

14.4 Moléculas poliatômicas

Cada ligação σ em uma molécula poliatômica é formada pela superposição de orbitais com simetria cilíndrica em torno do eixo internuclear e pelo emparelhamento dos spins dos elétrons que contêm. Igualmente, ligações π são formadas pelo emparelhando de elétrons que ocupam orbitais atômicos de simetria apropriada (de modo geral, da forma apropriada).

■ Breve ilustração 14.2 Uma descrição da ligação de valência do H_2O

A configuração eletrônica de valência de um átomo de O é $2s^22p_x^22p_y^12p_z^1$. Os dois elétrons desemparelhados nos orbitais O2p podem se emparelhar com um elétron num orbital H1s, e cada combinação resulta na formação de uma ligação σ (cada ligação tem simetria cilíndrica em torno da respectiva distância internuclear O—H). Como os orbitais $2p_y$ e $2p_z$ ficam em posições com 90° um em relação ao outro, as duas ligações σ que formam ficam com 90° uma em relação à outra (Fig. 14.5). Prevemos, então, que a H_2O deve ser uma molécula angular, o que realmente é. No entanto, o modelo prevê um ângulo de ligação de 90°, enquanto o ângulo de ligação real é de 104°.

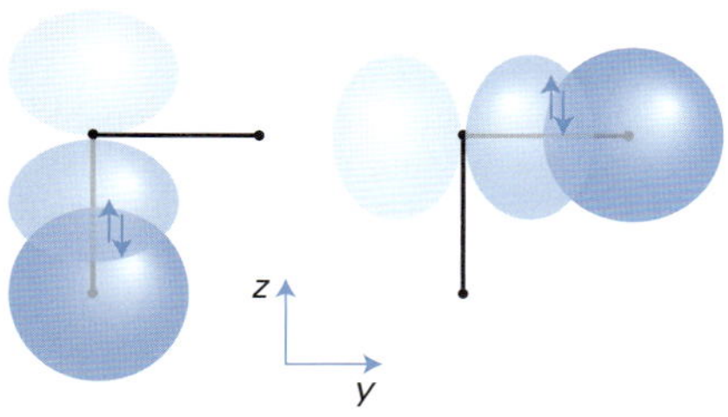

Figura 14.5 As ligações em uma molécula de H_2O podem ser esquematizadas em termos do emparelhamento de um elétron que pertence a um átomo de H com um elétron em um orbital O2p; a outra ligação é formada do mesmo modo, mas usando um orbital O2p perpendicular. O ângulo de ligação previsto é de 90°, o que não coaduna bem com o ângulo de ligação obtido experimentalmente (104°).

Exercício proposto 14.1

Dê uma descrição VB do NH_3 e faça uma previsão do ângulo de ligação da molécula com base nesta descrição.

Resposta: três ligações σ(N2p, H1s); 90°; o valor experimental é 107°.

Embora de forma geral esteja correta, a teoria VB parece ter duas deficiências. Uma é a estimativa pobre que fornece para o ângulo de ligação na H_2O e outras moléculas, como NH_3. Realmente, a teoria parece fazer previsões piores que o modelo qualitativo RPECV, que prevê ângulos de ligação HOH e HNH ligeiramente menores que 109° na H_2O e NH_3, respectivamente. A segunda grande deficiência é a incapacidade aparente da teoria VB em prever o número de ligações que os átomos podem formar e, em particular, a tetravalência do carbono. Para verificarmos este último problema, notamos que a configuração de valência do estado fundamental de um átomo de carbono é $2s^22p_x^12p_y^1$, o que sugere que esse átomo deveria ser capaz de formar somente duas ligações e não quatro.

14.5 Promoção e hibridização

Duas modificações resolvem todos estes problemas. Já admitimos que os átomos estão em suas configurações de menor energia, conforme previsto pelo princípio da construção. Agora, permitimos que um elétron de valência seja **promovido** de um orbital atômico cheio para um orbital atômico vazio quando uma ligação é formada: isso resulta em dois elétrons desemparelhados em vez de dois elétrons emparelhados, e cada elétron desemparelhado pode participar da formação de uma ligação. No carbono, por exemplo, a promoção de um elétron 2s para um orbital 2p leva à configuração $2s^12p_x^12p_y^12p_z^1$, com quatro elétrons desemparelhados em orbitais separados. Estes elétrons podem se emparelhar com quatro elétrons em orbitais existentes em quatro outros átomos (como os quatro orbitais H1s se a molécula é o CH_4), e como resultado o átomo pode formar quatro ligações σ. A promoção vale a pena se a energia de que necessita for menor do que a que é liberada pela maior força ou pelo maior número de ligações que podem ser formadas.

Podemos ver então por que o carbono tetravalente é tão comum. A energia de promoção no carbono é pequena porque o elétron promovido parte de um orbital 2s duplamente ocupado e entra em um orbital 2p desocupado, diminuindo, em consequência e de modo significativo, a repulsão elétron-elétron que existe no orbital duplamente ocupado. Além disso, a energia necessária para a promoção é mais que recuperada pela capacidade que o átomo tem de formar quatro ligações em lugar de duas, quando não há promoção.

A promoção, no entanto, parece envolver a presença de três ligações σ de um tipo (no CH_4, formadas pela fusão dos orbitais H1s e C2p) e uma quarta ligação σ de um tipo bem diferente (formada pela fusão do H1s e C2s). É bem conhecido, no entanto, que todas as quatro ligações no metano são exatamente equivalentes, tanto em termos das suas propriedades químicas como em termos das suas propriedades físicas (comprimento, força e rigidez).

Este problema é superado na teoria VB por outra característica técnica da mecânica quântica que permite descrever de maneiras diferentes a mesma distribuição eletrônica. Nesse caso, podemos descrever a distribuição eletrônica do átomo em que ocorreu a promoção do elétron ou como surgindo de quatro elétrons, um em um orbital s e três em orbitais p, ou como surgindo de quatro elétrons em quatro *misturas* diferentes desses orbitais. Misturas (mais formalmente, combinações lineares) de orbitais atômicos no mesmo átomo são chamadas **orbitais híbridos**. Estas funções de onda têm interferências destrutivas ou construtivas em regiões diferentes e dão origem a quatro formas novas (vimos na Seção 12.2 que a interferência é uma característica das ondas). As combinações lineares específicas que dão origem a quatro orbitais híbridos equivalentes são

$$h_1 = s + p_x + p_y + p_z \qquad h_2 = s - p_x - p_y + p_z$$
$$h_3 = s - p_x + p_y - p_z \qquad h_4 = s + p_x - p_y - p_z$$

orbitais híbridos sp^3 (14.4)

(Em geral, uma 'combinação linear' de duas funções f e g é $c_1f + c_2g$, em que c_1 e c_2 são coeficientes numéricos; assim, uma combinação linear é um termo mais geral que 'soma'. Em uma soma, $c_1 = c_2 = 1$.)

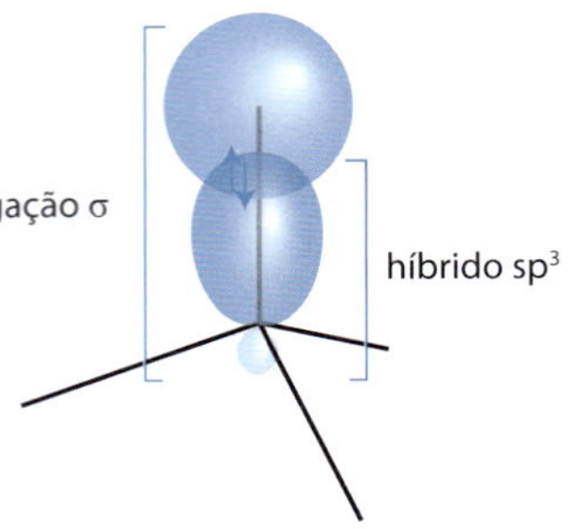

Figura 14.6 O orbital 2s e três orbitais 2p de um átomo de carbono se hibridizam, e os orbitais híbridos resultantes apontam para os vértices de um tetraedro regular. Cada ligação σ é formada pelo emparelhamento de um elétron em um orbital H1s com um elétron em um dos orbitais híbridos. A molécula resultante é um tetraedro regular.

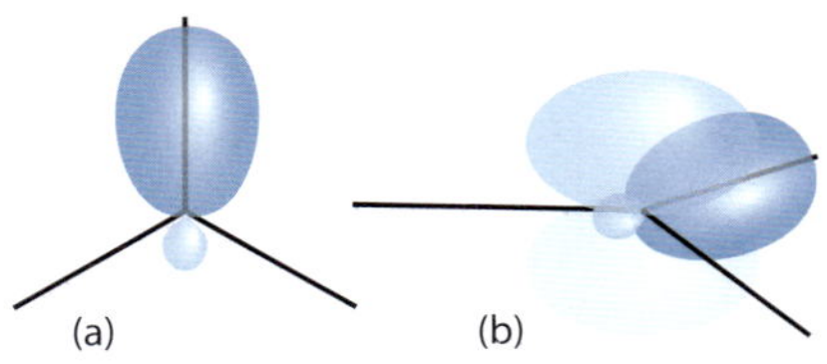

Figura 14.7 (a) A hibridização triangular plana é obtida quando um orbital s e dois orbitais p se hibridizam. Os três lóbulos residem em um plano e fazem um ângulo de 120° entre si. (b) O orbital p restante na camada de valência de um átomo hibridizado sp^2 se localiza perpendicularmente ao plano dos três orbitais híbridos.

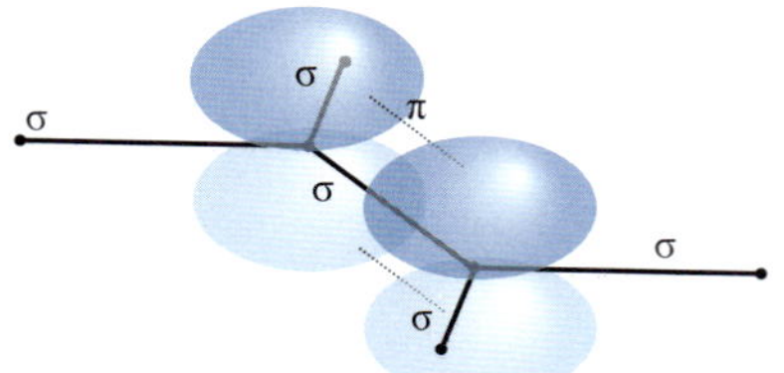

Figura 14.8 Descrição da ligação de valência da estrutura de uma ligação dupla carbono-carbono, como no eteno. Os elétrons nos dois híbridos sp^2, que apontam um para o outro, emparelham e formam uma ligação σ. Os elétrons nos dois orbitais p, que são perpendiculares ao plano dos híbridos, emparelham e formam uma ligação π. Os elétrons nos orbitais híbridos restantes são usados para formar ligações com outros átomos (no eteno, com átomos de H).

Como resultado da interferência construtiva e destrutiva entre as regiões positivas e negativas que compõem os orbitais, cada orbital híbrido tem um lóbulo grande que aponta para um vértice de um tetraedro regular (Fig. 14.6). Como cada híbrido é construído a partir de um orbital s e três orbitais p, é chamado de **orbital híbrido sp^3**.

É agora fácil ver como a descrição da ligação de valência da molécula de metano conduz a uma molécula tetraédrica que contém quatro ligações C—H equivalentes. É energeticamente favorável (no fim, depois das ligações serem levadas em conta) para o átomo de carbono sofrer promoção. A configuração promovida tem uma distribuição eletrônica que é equivalente a cada um dos quatro orbitais híbridos tetraédricos sendo ocupado por um elétron. Cada orbital híbrido do átomo promovido contém um único elétron desemparelhado; um elétron 1s do hidrogênio pode emparelhar com cada um deles dando origem a uma ligação σ que aponta em uma direção do tetraedro. Como cada orbital híbrido sp^3 tem a mesma composição, todas as quatro ligações σ são idênticas, exceto suas orientações no espaço.

A hibridização também é usada na descrição VB de alquenos. Uma molécula de eteno é plana, com ângulos de ligação HCH e HCC próximos de 120°. Para reproduzir esta estrutura de ligações σ, pensamos em cada átomo de C como promovido a uma configuração $2s^1 2p_x{}^1 2p_y{}^1 2p_z{}^1$. Contudo, em vez de usar todos os quatro orbitais para formar híbridos, formamos **orbitais híbridos sp^2** permitindo a participação do orbital s e de dois orbitais p. Como é mostrado na Figura 14.7, os três orbitais híbridos

$$\begin{aligned} h_1 &= s + 2^{1/2}\, p_x \\ h_2 &= s + (3/2)^{1/2} p_x - (1/2)^{1/2} p_y \\ h_3 &= s - (3/2)^{1/2} p_x - (1/2)^{1/2} p_y \end{aligned} \qquad \text{orbitais híbridos } sp^2 \quad (14.5)$$

localizam-se em um plano e apontam para os vértices de um triângulo equilátero. O terceiro orbital 2p ($2p_z$) não está incluído na hibridização e seu eixo é perpendicular ao plano em que os híbridos se localizam. Os coeficientes $2^{1/2}$ etc. nos híbridos foram escolhidos para dar as propriedades direcionais corretas dos híbridos. Os *quadrados* dos coeficientes dão a proporção de cada orbital atômico no híbrido. Todos os três híbridos têm orbitais s e p na razão 1:2, como indicado pela representação sp^2.

Os átomos de C híbridos sp^2 formam, cada um, três ligações σ, uma com o híbrido h_1 de outro átomo de C e as outras duas com os orbitais H1s. A estrutura σ consiste, portanto, em ligações que têm ângulos de 120° entre si. Além disso, contanto que os dois grupos CH_2 fiquem no mesmo plano, os dois elétrons nos orbitais não hibridizados C2p podem se emparelhar e formar uma ligação π (Fig. 14.8). A formação desta ligação π prende a estrutura num arranjo plano, pois qualquer rotação de um grupo CH_2 em relação a outro grupo conduz a um enfraquecimento da ligação π (e, por conseguinte, a um aumento na energia da molécula).

Consideremos agora uma molécula linear de etino (acetileno), H—C≡C—H. Neste caso, os átomos de carbono têm **hibridização sp**, e as ligações σ são construídas a partir de orbitais atômicos híbridos da forma

$$h_1 = s + p_z \qquad h_2 = s - p_z \qquad \text{orbitais híbridos sp} \quad (14.6)$$

Observe que os orbitais s e p contribuem na mesma proporção. Os dois híbridos se localizam ao longo do eixo z. Os elétrons nestes híbridos emparelham com um elétron no correspondente orbital híbrido de outro átomo de C ou com um elétron nos orbitais H1s. Os elétrons nos dois orbitais p restantes, um em cada átomo, que são perpendiculares ao eixo molecular, emparelham para formar duas ligações π perpendiculares (como na Figura 14.9).

Outros esquemas de hibridização, em particular aqueles envolvendo orbitais d, são frequentemente utilizados para explicar outras geometrias moleculares (ou pelo menos para serem consistentes com essas geometrias) (Tabela 14.1).

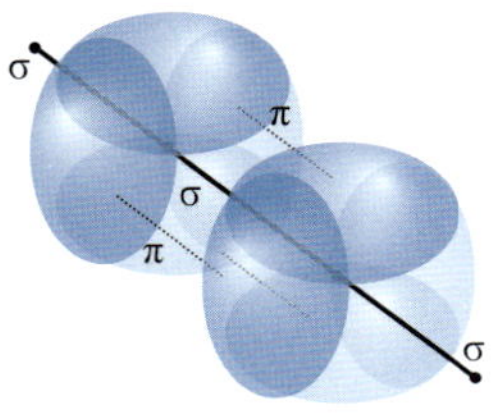

Figura 14.9 A estrutura eletrônica do etino (acetileno). Os elétrons nos dois híbridos sp, um em cada átomo, emparelham para formar ligações σ com o outro átomo de C ou com um átomo de H. Os dois orbitais não hibridizados 2p, um em cada átomo, são perpendiculares ao eixo: os elétrons nos correspondentes orbitais em cada átomo emparelham para formar duas ligações π. A distribuição eletrônica global é cilíndrica.

Tabela 14.1
Orbitais híbridos

Número	Forma	Hibridização*
2	Linear	sp
3	Plana triangular	sp^2
4	Tetraedral	sp^3
5	Bipiramidal triangular	sp^3d
6	Tetraedral	sp^3d^2

*Outras combinações são possíveis.

Um ponto importante para se notar é que

A hibridização de N orbitais atômicos sempre resulta na formação de N orbitais híbridos.

■ Breve ilustração 14.3 Ligação em moléculas poliatômicas

Há cinco ligações P—Cl equivalentes no PCl_5, com o átomo de P no centro da molécula. Todas as ligações são σ e formadas a partir de orbitais híbridos sp^3d no átomo central de P. No SF_6, as seis ligações S—F são ligações σ formadas a partir de orbitais híbridos sp^3d^2 no átomo central de S e apontam para os vértices de um octaedro regular. Esse esquema de hibridização octaédrico às vezes é utilizado para explicar a estrutura de moléculas octaédricas, por exemplo, o SF_6.

Os esquemas 'puros' na Tabela 14.1 não são as únicas possibilidades: é possível formar orbitais híbridos com proporções intermediárias de orbitais atômicos. Por exemplo, quando mais caráter de orbital p é incluído em um esquema de hibridização sp, a hibridização muda na direção sp^2 e o ângulo entre os híbridos muda continuamente de 180°, que corresponde a uma hibridização pura sp, para 120°, que corresponde a uma hibridização pura sp^2. Se a proporção de caráter p continua sendo aumentada (reduzindo a proporção do orbital s), então os híbridos eventualmente se tornam orbitais p puros com um ângulo de 90° entre si (Fig. 14.10). A Figura 14.11 mostra diagramas de contorno de orbitais híbridos quando cresce a razão entre o caráter 2p e o 2s.

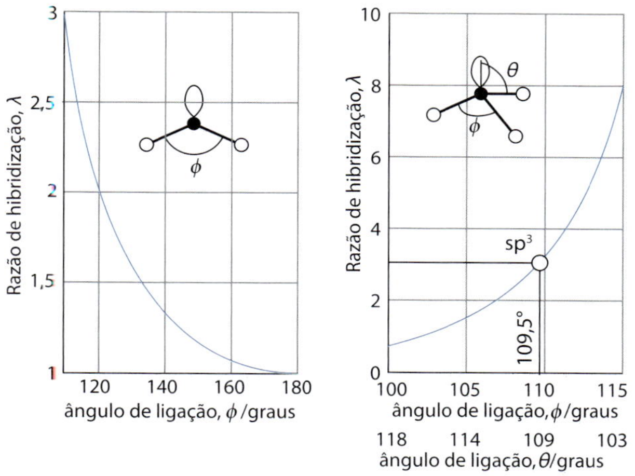

Figura 14.10 Variação da hibridização com o ângulo de ligação em moléculas (a) angulares, (b) piramidais triangulares. O eixo vertical dá a razão entre o caráter p e o s; assim, valores elevados indicam caráter p predominante.

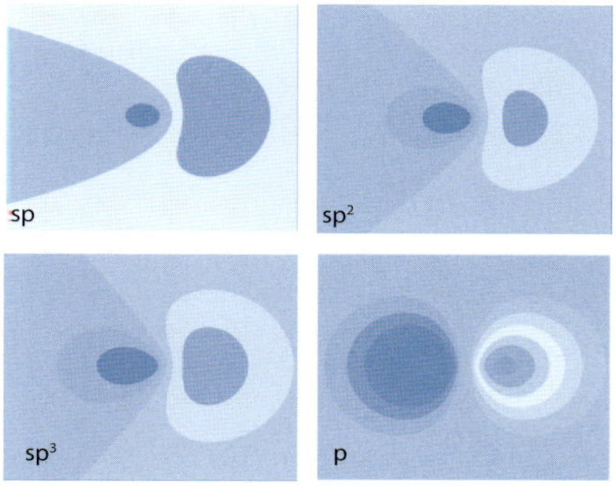

Figura 14.11 Diagramas de contorno mostrando as amplitudes de orbitais híbridos sp^n. Para construir esses gráficos, foram usados orbitais hidrogenoides 2s e 2p.

■ Breve ilustração 14.4 Uma descrição melhor do H_2O pela teoria da ligação de valência

Podemos agora resolver os problemas da Breve ilustração 14.2 e explicar a estrutura da H_2O com seu ângulo de ligação de 104°. Cada ligação σ O—H é formada a partir de um orbital híbrido do átomo de O com uma composição que fica entre p puro (que conduziria a um ângulo de ligação de 90°) e sp^2 puro (que conduziria a um ângulo de ligação de 120°). O ângulo de ligação real e a hibridização adotada são encontrados calculando-se a energia da molécula para vários valores do ângulo de ligação e procurando o ângulo no qual a energia é um mínimo.

Exemplo 14.1

Ligação no grupo amida

Utilize a teoria VB para descrever as ligações CO, CN e NH do grupo amida baseado na estrutura mostrada em (**1**).

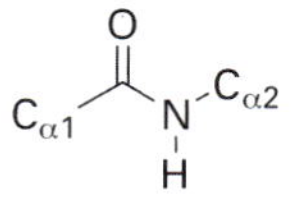

1

Estratégia Para calcular o número de orbitais híbridos, observamos que cada orbital pode conter um ou dois elétrons. Se contém um elétron, o orbital está pronto para formar uma ligação σ com um orbital em outro átomo. Se contém um par de elétrons, então, não participa da ligação, mas age como um par isolado. Segue-se que o número de orbitais híbridos em um átomo é igual à soma do número de ligações σ que o átomo faz, mais o número de pares isolados no átomo. Orbitais p não hibridizados podem participar de ligações π, tal como é descrito na Seção 14.3. Como observado na Seção 14.10, uma ligação dupla consiste em uma ligação σ e uma ligação π.

Solução O átomo de O tem hibridização sp^2 porque tem dois pares isolados e forma uma ligação σ com o átomo de C. O átomo de C tem hibridização sp^2 porque forma três ligações σ: uma com o átomo de O, uma com o átomo de $C_{\alpha 1}$ e uma com o átomo de N. O átomo de N tem hibridização sp^3 porque tem um par isolado e forma três ligações σ: uma com o átomo de H, uma com o átomo de C e uma com o átomo de $C_{\alpha 2}$.

Podemos inferir que o grupo CO tem uma ligação entre os orbitais híbridos Csp^2 e Osp^2 e uma ligação π entre os orbitais não hibridizados $C2p_z$ e $O2p_z$ (em que, uma vez mais, consideramos o eixo *z* como perpendicular ao plano que contém os orbitais híbridos). O grupo CN tem uma ligação σ entre os orbitais híbridos Csp^2 e Nsp^3. Finalmente, o grupo NH tem uma ligação σ entre um orbital híbrido Nsp^3 e um orbital atômico H1s.

Exercício proposto 14.2

Calcule os valores dos ângulos de ligação $C_{\alpha 1}CN$ e $CNC_{\alpha 2}$ para a estrutura mostrada em (**1**).

Resposta: 120°, <109°

14.6 Ressonância

Outro termo introduzido pela teoria VB em química é a **ressonância**, a superposição das funções de onda representando distribuições eletrônicas diferentes no mesmo esqueleto nuclear. Para entender o que isso significa, considere a descrição VB de uma molécula de HCl ligada de forma puramente covalente. Essa condição pode ser escrita como

$$\psi_{H-Cl}(1,2) = \psi_H(1)\psi_{Cl}(2) + \psi_H(2)\psi_{Cl}(1)$$

Admitimos que a ligação é formada pelo emparelhamento do spin dos elétrons no orbital H1s, ψ_H, e no orbital $Cl2p_z$, ψ_{Cl}. Porém, há algo errado com esta descrição, que permite o elétron 1 estar no átomo de H quando o elétron 2 está no átomo de Cl, e vice-versa, mas não permite uma divisão desigual da densidade eletrônica entre os átomos. Em termos físicos, podemos esperar que o caráter puramente covalente do HCl seja uma descrição parcial da molécula: uma vez que o átomo de Cl tem uma energia de ionização e uma afinidade ao elétron maior que a do átomo de H, devemos esperar que a forma iônica H^+Cl^- exerça um papel importante em sua descrição. A função de onda para esta estrutura iônica, na qual ambos os elétrons estão no orbital $Cl2p_z$, é

$$\psi_{H^+Cl^-}(1,2) = \psi_{Cl}(1)\psi_{Cl}(2)$$

Porém, esta função de onda isolada é irreal, pois o HCl não é uma espécie iônica. Uma descrição melhor da função de onda para a molécula é como uma superposição das descrições covalente e iônica, e nós escrevemos (com uma notação levemente simplificada)

$$\psi_{HCl} = \psi_{H-Cl} + \lambda\psi_{H^+Cl^-}$$

em que λ (lambda) é um coeficiente numérico. Em geral escrevemos

$$\psi = \psi_{\text{covalente}} + \lambda\psi_{\text{iônica}} \tag{14.7}$$

em que $\psi_{\text{covalente}}$ é a função de onda para a forma puramente covalente da ligação e $\psi_{\text{iônica}}$ é a função de onda para a forma iônica. Segundo as regras gerais da mecânica quântica, pelas quais a probabilidade está relacionada com o quadrado da função de onda, interpretamos o quadrado de λ como a proporção relativa da contribuição iônica. Se λ^2 for muito pequeno, a descrição covalente é dominante. Se λ^2 for muito grande, a descrição iônica é dominante.

Encontramos o valor numérico de λ usando o **teorema variacional**. Inicialmente, escrevemos uma função de onda plausível, uma **função de onda hipotética**, para a molécula, como a função de onda na Eq. 14.7, em que λ é um parâmetro variável. O teorema variacional então estabelece que:

> A energia de uma função de onda hipotética nunca é menor que a energia verdadeira.

O teorema implica que, se variamos λ até alcançarmos a mais baixa energia, então a função de onda obtida com o valor de λ que leva à mais baixa energia é a melhor possível.

A abordagem resumida pela Eq. 14.7, em que expressamos uma função de onda como a superposição de funções de onda que correspondem a uma variedade de estruturas *com os núcleos nas mesmas posições*, é chamada **ressonância**. Neste caso, em que uma estrutura é covalente pura e a outra, iônica pura, é chamada ressonância **iônica–covalente**. A interpretação da função de onda, que é chamada um **híbrido de ressonância**, é que, se nós pudéssemos olhar a molécula, a probabilidade de essa molécula ser encontrada com uma estrutura iônica seria proporcional a λ^2.

Breve ilustração 14.5 Híbridos de ressonância

Considere uma ligação descrita pela Eq. 14.7. Poderíamos encontrar que a mais baixa energia é alcançada quando λ = 0,1, assim a melhor descrição da ligação na molécula é uma estrutura de ressonância descrita pela função de onda $\psi = \psi_{\text{covalente}} + 0{,}1\psi_{\text{iônica}}$. Esta função de onda implica que as probabilidades de encontrar as moléculas em sua forma covalente e iônica estão na razão de 100:1 (porque $0{,}1^2 = 0{,}01$).

Um dos exemplos mais famosos de ressonância é a descrição VB do benzeno, na qual a função de onda da molécula é escrita como uma superposição das funções de onda das duas estruturas de Kekulé covalentes (**2**) e (**3**):

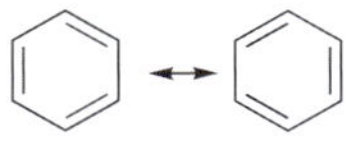

2 **3**

$$\psi = \psi_{\text{Kek}_2} + \psi_{\text{Kek}_3} \tag{14.8}$$

As duas estruturas têm energias idênticas, de modo que contribuem igualmente para a superposição. O efeito da ressonância (representada pela seta de dupla ponta), neste caso, é distribuir o caráter de dupla ligação ao redor do anel e fazer todas as ligações carbono-carbono serem equivalentes. A função de onda melhora admitindo-se a ressonância porque assim permite uma descrição mais acurada da localização dos elétrons; em particular, a distribuição pode se ajustar a um estado de mais baixa energia. Esta diminuição é chamada de **estabilização por ressonância** da molécula e é em grande parte responsável pela estabilidade incomum dos anéis aromáticos. A ressonância sempre diminui a energia, e a diminuição é maior quando as estruturas que contribuem tiverem energias semelhantes. A função de onda do benzeno pode ser ainda mais refinada e a energia calculada da molécula, reduzida ainda mais se permitirmos também a ressonância iônica-covalente, pela admissão de estruturas como as mostradas em (**4**).

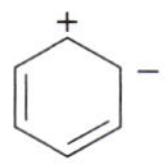

4

Ressonância não é uma flutuação entre os estados contribuintes: é uma mistura das suas características, assim como uma mula é uma mistura de um cavalo e um burro. É apenas um recurso matemático para atingir uma melhor aproximação com a função de onda verdadeira da molécula do que a que é representada apenas por uma única estrutura contribuinte.

14.7 A linguagem da ligação de valência

Neste ponto, é útil fazer um resumo dos conceitos que a teoria VB introduziu na química e que ainda sobrevivem, embora a teoria OM seja o modo computacional dominante:

1. *Os nomes dos tipos de ligação:* as ligações σ e π são formadas pelo emparelhamento de elétrons em átomos adjacentes.
2. *Promoção:* os elétrons de valência podem ser promovidos para orbitais vazios se, no total, isto resultar em uma diminuição da energia.
3. *Hibridização:* os orbitais atômicos podem ser hibridizados para reproduzir a geometria observada de uma molécula.
4. *Ressonância:* a superposição de estruturas individuais. A ressonância distribui o caráter de ligações múltiplas sobre a molécula, diminuindo a energia global.

Orbitais moleculares

Na teoria do orbital molecular, consideram-se os elétrons como se espalhando ao longo de toda molécula: todo elétron contribui para a força de toda ligação. Esta teoria foi desenvolvida de forma mais completa que a teoria da ligação de valência e fornece uma linguagem que é extensamente usada nas discussões modernas sobre as ligações em moléculas inorgânicas pequenas, complexos de metais d e sólidos. Para introduzirmos essa teoria, seguimos a mesma estratégia que no Capítulo 13, em que o átomo de hidrogênio, com um elétron, foi considerado como a espécie fundamental para a discussão da estrutura atômica e, então progrediu-se para uma descrição de átomos polieletrônicos. Nesta seção usamos a molécula mais simples existente, o íon molecular hidrogênio, H_2^+, com um elétron, para introduzir as características essenciais da ligação e, então usamos esta descrição como um guia para as estruturas de sistemas mais complexos.

14.8 Combinações lineares de orbitais atômicos

Um **orbital molecular** é uma função de onda de um elétron que se distribui ao longo da molécula. As formas matemáticas destes orbitais são altamente complicadas, até mesmo para espécies simples, como o H_2^+, e são, em geral, desconhecidas. Todos os trabalhos modernos constroem aproximações do verdadeiro orbital molecular modelando-o por uma combinação linear de orbitais atômicos dos átomos que compõem a molécula.

Inicialmente, recordamos o princípio geral da mecânica quântica – que usamos anteriormente para construir as funções de onda VB – que, se há vários resultados possíveis, então superpomos, somamos, as funções de onda que representam esses resultados. No H_2^+, existem dois resultados possíveis: como um elétron se distribui ao longo da molécula, pode ser encontrado em um orbital atômico centrado em A, ψ_A, ou pode ser encontrado em um orbital centrado em B, ψ_B. Portanto, escrevemos

$$\psi = c_A\psi_A + c_B\psi_B \quad \text{Uma CLOA} \quad (14.9a)$$

em que c_A e c_B são coeficientes numéricos. Uma função de onda construída dessa forma é chamada uma **combinação linear de orbitais atômicos** (CLOA), e o orbital molecular correspondente é chamado um OM-CLOA. Os quadrados dos coeficientes nos informam as proporções relativas dos orbitais atômicos que contribuem para o orbital molecular. Em uma molécula diatômica homonuclear, um elétron pode ser encontrado com a mesma probabilidade no orbital A ou no orbital B, assim os *quadrados* dos coeficientes devem ser iguais, implicando que $c_B = \pm c_A$. Então, as duas possíveis funções de onda (não normalizadas) são

$$\psi = \psi_A \pm \psi_B \quad \text{Uma CLOA de uma molécula diatômica} \quad (14.9b)$$

Vamos considerar primeiro o OM-CLOA com o sinal mais, $\psi = \psi_A + \psi_B$, pois a energia deste orbital molecular é menor que a do outro. A forma deste orbital é mostrada na Figura 14.12. É chamado de **orbital** σ porque se parece com um orbital s quando é visto ao longo do eixo. Mais precisamente, é chamado assim porque um elétron que ocupa um orbital σ tem momento angular orbital igual a zero ao redor do eixo internuclear, da mesma maneira que um elétron s tem momento angular orbital igual a zero ao redor de um eixo passando pelo núcleo. Como é o orbital σ que tem a mais baixa energia, conforme veremos, é representado por 1σ. Um elétron que ocupa um orbital σ é chamado de **elétron** σ. No estado fundamental do íon H_2^+, há um único elétron 1σ, assim a configuração do estado fundamental do H_2^+ é representada por $1\sigma^1$.

Podemos ver, examinando o OM-CLOA, a origem da diminuição da energia que é responsável pela formação da ligação.

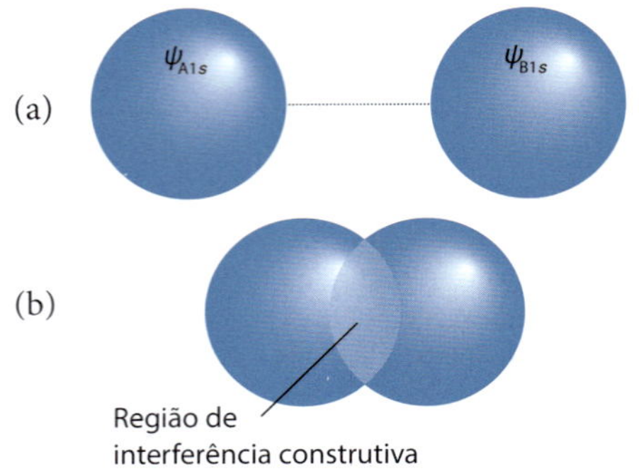

Figura 14.12 Formação de um orbital molecular ligante (um orbital σ). (a) Dois orbitais H1s se aproximam. (b) Os orbitais atômicos se superpõem, interferem construtivamente e dão origem a um aumento de amplitude na região internuclear. O orbital resultante tem simetria cilíndrica sobre o eixo internuclear. Quando está ocupado por dois elétrons emparelhados, dando a configuração σ^2, temos uma ligação σ.

Os dois orbitais atômicos são como ondas centradas em núcleos adjacentes. Na região internuclear, as amplitudes interferem construtivamente e a amplitude da função de onda aumenta nesta região (Fig. 14.13). As três contribuições que listamos para a formação da ligação na teoria VB (Seção 14.3) também se aplicam aqui: há uma acumulação de densidade eletrônica entre os dois núcleos, uma remoção de densidade eletrônica nas proximidades dos núcleos e uma diminuição da energia cinética com resultado da distribuição eletrônica sobre ambos os núcleos.

A acumulação de densidade de probabilidade na região internuclear é medida pela **integral de superposição,** S. Como mostramos na Dedução a seguir, quando $S = 1$ há uma superposição perfeita entre dois orbitais atômicos; quando $S = 0$ não há nenhuma superposição (Fig. 14.14). De forma geral, quanto maior a integral de superposição, mais forte é o efeito de ligação dos elétrons no orbital molecular que formam.

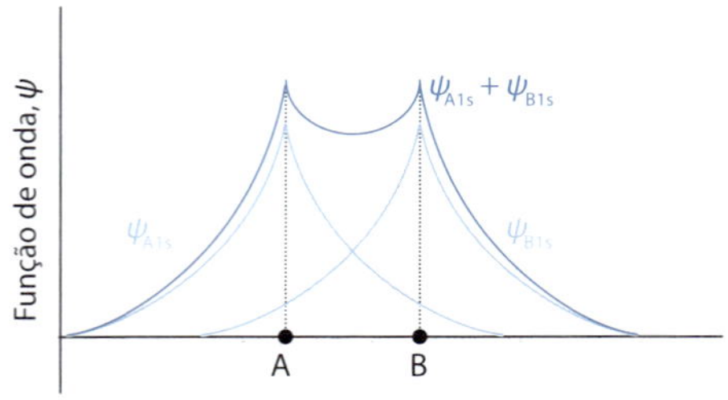

Figura 14.13 A função de onda do orbital molecular ligante ao longo do eixo internuclear. Observe que há um crescimento da amplitude entre os núcleos, assim há um aumento da probabilidade de se encontrarem os elétrons ligantes naquela região.

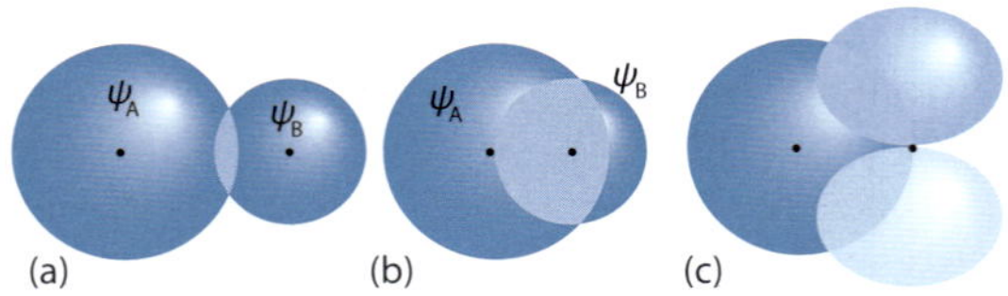

Figura 14.14 Representação esquemática das contribuições para a integral de superposição. (a) $S = 0$ porque os orbitais estão muito afastados e o seu produto é sempre pequeno. (b) S é grande (porém menor que 1) porque o produto $\psi_A\psi_B$ é grande em uma região apreciável. (c) $S = 0$ é pequeno porque a região de superposição positiva é exatamente cancelada pela região negativa.

Dedução 14.2

Integrais de superposição

Uma integral de superposição é calculada dividindo-se o espaço em um grande número de pequenas regiões, multiplicando os valores de ψ_A e de ψ_B em cada região e adicionando (integrando) os produtos resultantes para todas as regiões. Exprimimos formalmente essa regra escrevendo

$$S_{AB} = \int \psi_A \psi_B \, d\tau \qquad \text{Integral de superposição} \qquad (14.10)$$

em que $d\tau$ é o elemento infinitesimal de volume (por exemplo, $d\tau = dxdydz$ em coordenadas cartesianas tridimensionais). Se ψ_B é pequeno em toda a região em que ψ_A é grande e vice-versa (tal como quando dois núcleos de hidrogênio estão muito afastados), os produtos são pequenos e a integral também é pequena: isso corresponde a um pequeno valor de S_{AB}. Nas distâncias típicas de ligações, ψ_A e ψ_B são ambos grandes na região internuclear, seus produtos têm valores grandes nessa região e a integral também é grande: isso corresponde ao valor de S_{AB} próximo de 1 (tipicamente em torno de 0,4). Se os dois núcleos são coincidentes, os dois orbitais atômicos são idênticos em todas as regiões, e a integral de seus produtos dá $S_{AB} = 1$.

É possível, mas não é fácil, calcular a integral de superposição entre orbitais hidrogenoides e, para dois orbitais 1s em núcleos de hidrogênio separados por uma distância R, o resultado é

$$S_{HH} = \left\{1 + \frac{R}{a_0} + \frac{R^2}{3a_0^2}\right\} e^{-R/a_0} \qquad (14.11)$$

Esta função está representada na Figura 14.15. O fator exponencial garante que a integral de superposição tende a zero em grandes separações.

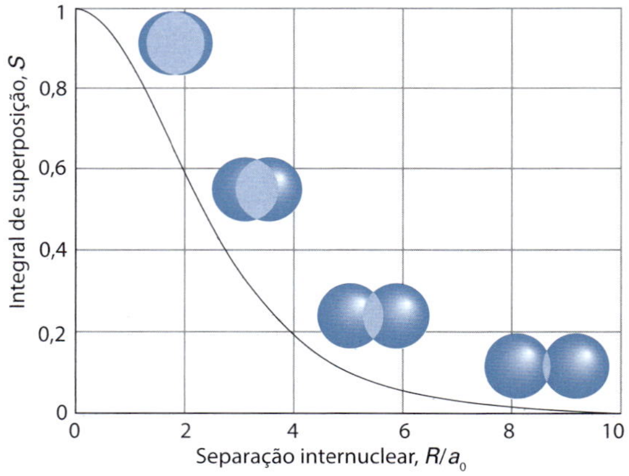

Figura 14.15 Variação da integral de superposição em função da distância para dois orbitais H1s.

14.9 Orbitais ligantes e antiligantes

Um orbital 1σ é um exemplo de um **orbital ligante,** um orbital molecular que, se ocupado, contribui para a força de uma ligação entre dois átomos. Como na teoria VB, podemos substituir a função de onda $\psi = \psi_A + \psi_B$ na equação de Schrödinger para o íon molecular, com os núcleos separados por uma distância constante R, e resolver a equação para a energia. A curva de energia potencial molecular obtida fazendo-se o grá-

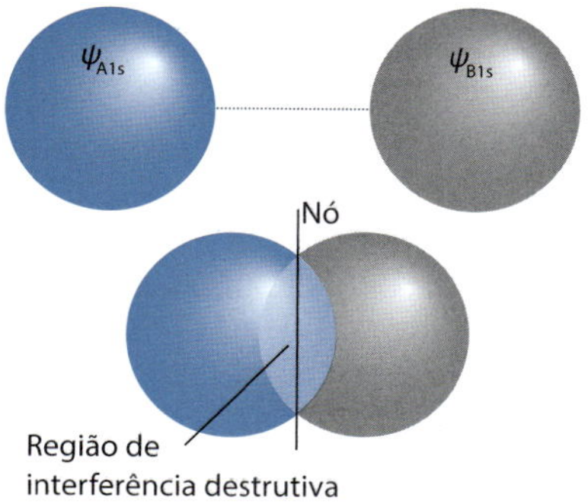

Figura 14.16 Formação de um orbital molecular antiligante (um orbital σ*). (a) Dois orbitais H1s se aproximam. (b) Dois orbitais se superpõem com sinais opostos (como descrito por cores diferentes), interferem destrutivamente e dão origem a uma diminuição de amplitude na região internuclear. Há um plano nodal precisamente a meia distância entre os núcleos. Nesse plano não será encontrado nenhum elétron que ocupe o orbital.

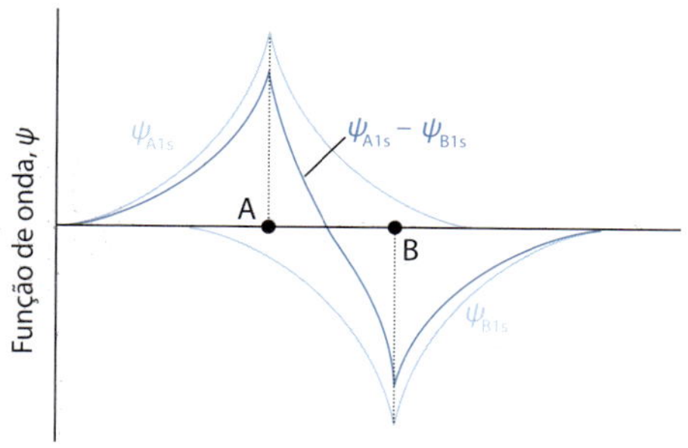

Figura 14.17 Função de onda do orbital molecular antiligante ao longo do eixo internuclear. Observe que há uma diminuição na amplitude entre os núcleos, logo há uma probabilidade reduzida de encontrar os elétrons da ligação naquela região.

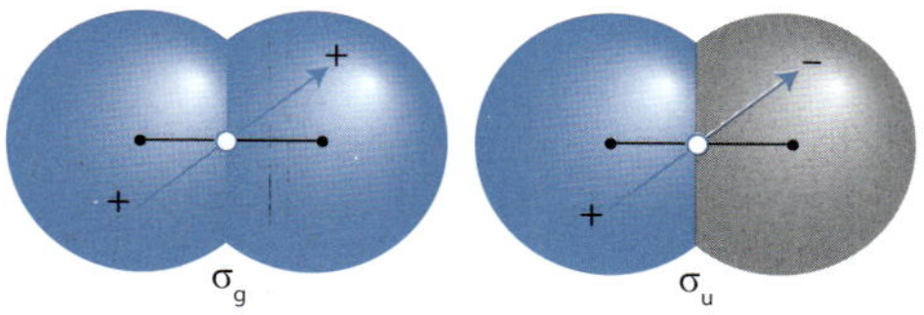

Figura 14.18 Caráter *gerade/ungerade* de orbitais σ ligante e antiligante.

fico da energia contra R é bem parecida com a da Figura 14.1. A energia da molécula diminui quando R diminui, a partir de valores grandes de R, pois torna-se cada vez mais provável que o elétron seja encontrado na região internuclear, quando os dois orbitais atômicos interferem mais efetivamente. Porém, quando a distância de separação entre os núcleos é pequena, há muito pouco espaço entre os núcleos para uma acumulação significativa da densidade eletrônica. Além disso, a repulsão entre os núcleos $V_{\text{núc,núc}}$ (Eq. 14.3) torna-se grande e a energia cinética do elétron não cai demasiadamente. Em virtude disto, em pequenas distâncias de separação internuclear, a curva de energia potencial passa por um mínimo, depois de uma diminuição inicial, e então sobe acentuadamente para valores altos. Cálculos no H_2^+ fornecem um comprimento de equilíbrio da ligação de 130 pm e uma energia de dissociação da ligação de 171 kJ mol^{-1}; os valores experimentais são 106 pm e 250 kJ mol^{-1}, verificando-se, portanto, que esta descrição simples OM-CLOA da molécula, embora inexata, não é absurdamente errada.

Vamos considerar agora a outra CLOA, aquela que tem um sinal menos: $\psi = \psi_A - \psi_B$. Como essa função de onda também tem simetria cilíndrica ao redor do eixo internuclear, é também um orbital σ, representado por 1σ* (Fig. 14.16). Quando é substituída na equação de Schrödinger, passa a ter uma energia maior que o orbital 1σ. Na realidade, a CLOA tem uma energia maior que qualquer um dos dois orbitais atômicos.

Podemos associar a origem da energia alta do orbital 1σ* à existência de um **plano nodal**, um plano em que a função de onda passa pelo zero. Este plano se localiza na metade da distância entre os núcleos e corta o eixo internuclear. Os dois orbitais atômicos se cancelam neste plano como resultado da sua interferência destrutiva, pois têm sinais opostos. Em desenhos semelhantes aos das Figuras 14.12 e 14.16, representamos a superposição de orbitais com o mesmo sinal (como na formação de 1σ) escurecendo com a mesma intensidade; a superposição de orbitais de sinais opostos (como na formação de 1σ*) é representada por um orbital claro e outro orbital escuro.

O orbital 1σ* é um exemplo de um **orbital antiligante**, um orbital que, se ocupado, diminui a força da ligação entre dois átomos. O caráter antiligante do orbital 1σ* é em parte um resultado da exclusão do elétron da região internuclear e sua recolocação fora da região ligante, em que ajuda os núcleos a se afastarem em vez de aproximá-los (Fig. 14.17). Um orbital antiligante é muitas vezes um pouco mais fortemente antiligante do que o orbital ligante correspondente. Isto ocorre em parte porque, embora o efeito de 'cola' de um elétron ligante e o efeito 'anticola' de um elétron antiligante sejam semelhantes, os núcleos se repelem entre si em ambos os casos, e essa repulsão aumenta os níveis de energia de ambos.

É necessário observar alguns pontos que dizem respeito à notação. Para moléculas diatômicas homonucleares, é útil identificar a **simetria de inversão** de um orbital molecular, especialmente na discussão das transições eletrônicas (Capítulo 20). Por 'simetria de inversão' queremos dizer o comportamento de uma função de onda que é invertida no centro (mais formalmente, no centro de inversão) da molécula. Desse modo, se considerarmos um ponto arbitrário do orbital ligante σ e projetarmos esse ponto pelo centro da molécula, levando-o a igual distância no outro lado, obteremos um valor idêntico da função de onda (Fig. 14.18). Essa assim denominada **simetria *gerade*** (da palavra alemã para 'par') é representada pelo subscrito g, como em σ_g. Por outro lado, o mesmo procedimento aplicado ao orbital antiligante σ* leva ao mesmo valor da função de onda, porém com sinal trocado. Esta **simetria *ungerade*** ('simetria ímpar') é representada pelo subscrito u, como em σ_u. A classificação pela simetria de inversão (ou 'paridade') não se aplica a moléculas diatômicas heteronucleares (como o CO), pois não têm centro de inversão.

14.10 As estruturas das moléculas diatômicas homonucleares

No Capítulo 13 usamos orbitais atômicos hidrogenoides e o princípio da construção para deduzir as configurações eletrônicas de átomos polieletrônicos no estado fundamental. Usamos aqui o mesmo procedimento para moléculas diatômicas polieletrônicas (como o H_2 com dois elétrons e o Br_2 com 70), mas usando os orbitais moleculares do H_2^+ como uma base. O procedimento geral é o seguinte:

1. Construímos orbitais moleculares formando combinações lineares de todos os orbitais atômicos de valência adequados fornecidos pelos átomos (o significado de 'adequado' será explicado brevemente); *N* orbitais atômicos resultam em *N* orbitais moleculares.
2. Distribuímos os elétrons de valência, provenientes dos átomos, de modo a alcançar a menor energia global. Os elétrons devem ser distribuídos obedecendo-se ao princípio da exclusão de Pauli. De acordo com este princípio, cada orbital pode ser ocupado no máximo por dois elétrons (e estes dois elétrons devem estar emparelhados).
3. Se mais de um orbital molecular de mesma energia estiver disponível, os elétrons devem ser distribuídos por cada um dos orbitais antes de ocupar duplamente qualquer um dos orbitais (este procedimento minimiza as repulsões elétron-elétron).
4. Observamos a regra de Hund (Seção 13.11), isto é, se os elétrons ocuparem orbitais degenerados diferentes, portanto farão a ocupação com spins paralelos.

As seções seguintes mostram como estas regras são usadas na prática.

(a) Moléculas de hidrogênio e de hélio

A primeira etapa na discussão do H_2, a molécula diatômica mais simples com mais de um elétron, é a construção dos orbitais moleculares. Como cada átomo de H no H_2 contribui com um orbital 1s (como no H_2^+), podemos formar, a partir desses átomos, o orbital ligante 1σ (mais precisamente, $1\sigma_g$) e o antiligante 1σ* (isto é, $1\sigma_u$) como já vimos. Na separação internuclear de equilíbrio, estes orbitais terão as energias representadas pelas linhas horizontais na Figura 14.19.

Existem dois elétrons para serem acomodados (um de cada átomo). Ambos podem entrar no orbital $1\sigma_g$ emparelhando os seus spins (Fig. 14.20). A configuração do estado fundamental é então $1\sigma_g^2$ e os átomos são unidos por uma ligação que consiste em um par de elétrons em um orbital ligante σ. Esses dois elétrons fazem com que a ligação entre os dois núcleos seja mais forte e ocorra numa distância menor do que no caso de um único elétron no H_2^+; o comprimento de ligação é reduzido de 106 pm para 74 pm. Um par de elétrons em um orbital σ é chamado uma **ligação σ**, que é muito parecida com a ligação σ da teoria da ligação de valência. As duas diferem em certos detalhes na distribuição dos elétrons entre os dois átomos unidos pela ligação, mas ambas têm um acúmulo de densidade entre os núcleos.

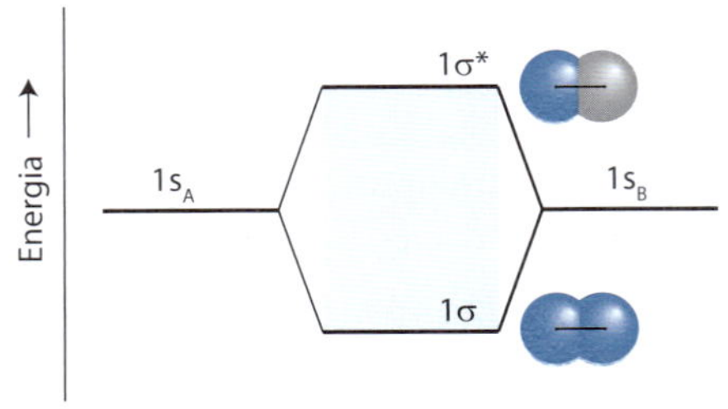

Figura 14.19 Diagrama de níveis de energia dos orbitais moleculares construídos pela superposição (1s,1s); a separação entre os níveis corresponde ao comprimento de equilíbrio da ligação.

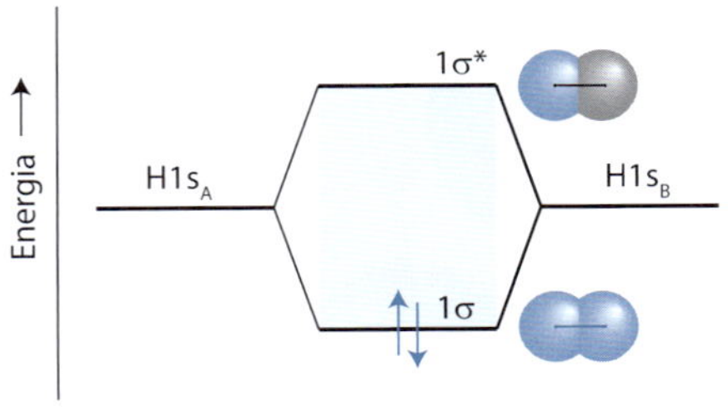

Figura 14.20 A configuração eletrônica fundamental do H_2 é obtida pela acomodação dos dois elétrons no orbital disponível mais baixo (o orbital ligante).

Podemos concluir que a *importância de um par de elétrons na ligação vem do fato de que dois é o número máximo de elétrons que podem entrar em cada orbital molecular ligante*. Os elétrons não 'querem' emparelhar: os elétrons emparelham-se, conforme mostramos na breve Dedução a seguir, porque o princípio da exclusão de Pauli implica que:

- somente se os elétrons emparelharem seus spins é que poderão ocupar, ambos, um orbital ligante
- não mais que dois elétrons podem ocupar qualquer orbital.

Dedução 14.3

Emparelhamento de elétrons na teoria OM

A função de onda espacial para dois elétrons em um orbital molecular ligante ψ, tal como o orbital ligante na Eq. 14.9, é $\psi(1)\psi(2)$. A função de onda de dois elétrons é obviamente simétrica em relação à troca dos índices dos elétrons. Para satisfazer o princípio de Pauli, deve ser multiplicada pelo estado de spin antissimétrico, $\alpha(1)\beta(2) - \beta(1)\alpha(2)$, para dar a combinação antissimétrica global

$$\psi(1,2) = \psi(1)\psi(2) \times \{\alpha(1)\beta(2) - \beta(1)\alpha(2)\}$$

Como $\alpha(1)\beta(2) - \beta(1)\alpha(2)$ corresponde aos spins de elétrons emparelhados (Informação adicional 13.1), vemos que dois elétrons podem ocupar o mesmo orbital molecular (neste caso, o orbital ligante) somente se seus spins estiverem emparelhados.

Um argumento semelhante mostra por que o hélio é um gás monoatômico. Considere uma molécula hipotética He_2. Cada átomo de He contribui com um orbital 1s para a combinação linear usada para formar os orbitais moleculares e, portanto, podemos construir orbitais moleculares $1\sigma_g$ e $1\sigma_u$. Esses orbitais diferem em detalhes daqueles no H_2, porque os orbitais He1s são mais compactos, mas a forma geral é a mesma, e para uma discussão qualitativa podemos usar o mesmo diagrama de níveis de energia de orbitais moleculares que usamos para o H_2. Como cada átomo fornece dois elétrons, há quatro elétrons para serem acomodados. Dois podem entrar no orbital $1\sigma_g$, que então se torna cheio (pelo princípio da exclusão de Pauli). Os outros dois elétrons têm que entrar no orbital antiligante $1\sigma_u$ (Fig. 14.21). A configuração eletrônica fundamental do He_2 é, portanto, $1\sigma_g^2\ \sigma_u^2$. Como um orbital antili-

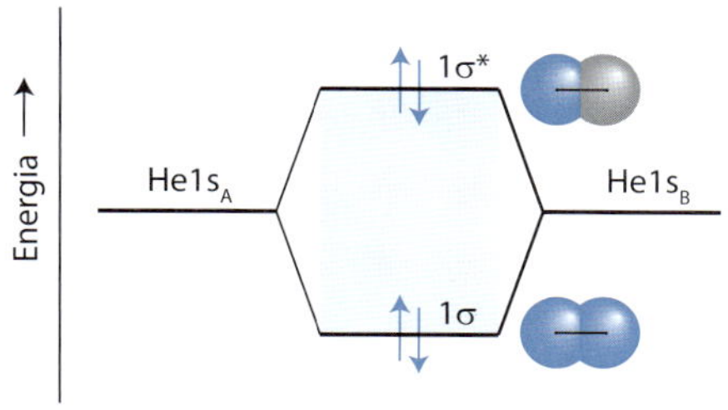

Figura 14.21 A configuração eletrônica fundamental da molécula de He_2, com quatro elétrons, tem dois elétrons ligantes e dois elétrons antiligantes. Possui uma energia maior que os átomos separados e, portanto, o He_2 é instável em relação aos dois átomos de He.

gante é ligeiramente mais antiligante do que um orbital ligante é ligante, a molécula de He_2 tem uma energia maior que os átomos separados e é instável. Consequentemente, não ocorre formação de ligação entre dois átomos de He no estado fundamental e, portanto, o hélio é um gás monoatômico.

Exemplo 14.2

Analisando a estabilidade de moléculas diatômicas

Decida se é provável a existência do Li_2 com base na suposição de que somente os orbitais de valência s contribuem para seus orbitais moleculares.

Estratégia Decidimos quais orbitais moleculares podem ser formados a partir dos orbitais de valência disponíveis, colocamos esses orbitais em ordem de energia e depois os preenchemos com os elétrons fornecidos pelos orbitais de valência dos átomos. Analisamos então se há um efeito resultante ligante ou antiligante entre os átomos.

Solução Cada orbital molecular é construído a partir dos orbitais atômicos 2s, o que dá uma combinação ligante e uma antiligante ($1\sigma_g$ e $1\sigma_u$, respectivamente). Cada átomo de Li fornece um elétron de valência; os dois elétrons ocupam o orbital $1\sigma_g$, dando a configuração $1\sigma_g^2$, que é ligante.

Exercício proposto 14.3

É provável a existência do LiH se o átomo de Li se liga usando somente seu orbital 2s?

Resposta: Sim, $\sigma(\text{Li2s, H1s})^2$

(b) Ligações π

Veremos agora como os conceitos que introduzimos se aplicam a outras moléculas diatômicas homonucleares, como N_2 e Cl_2, e íons diatômicos como O_2^{2-}. Mantendo o mesmo procedimento de construção, consideramos inicialmente os orbitais moleculares que podem ser formados a partir dos orbitais de valência sem nos determos (nesta fase) sobre quantos elétrons estão disponíveis.

No Período 2, os orbitais de valência são 2s e 2p. Admita de início que estes dois tipos de orbitais sejam considerados separadamente. Então os orbitais 2s em cada átomo se superpõem para formar combinações, ligante e antiligante, que iremos representar por $1\sigma_g$ e $1\sigma_u$, respectivamente. Da mesma forma, os dois orbitais $2p_z$ (por convenção, o eixo internuclear é o eixo *z*) têm simetria cilíndrica ao redor do eixo internuclear. Podem, portanto, participar da formação de um orbital σ para dar

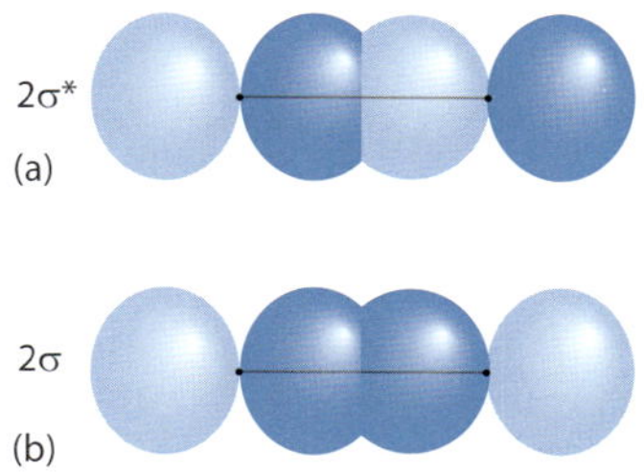

Figura 14.22 (a) A interferência que conduz à formação de orbital ligante σ e (b) o correspondente orbital antiligante quando dois orbitais p se superpõem ao longo de um eixo internuclear.

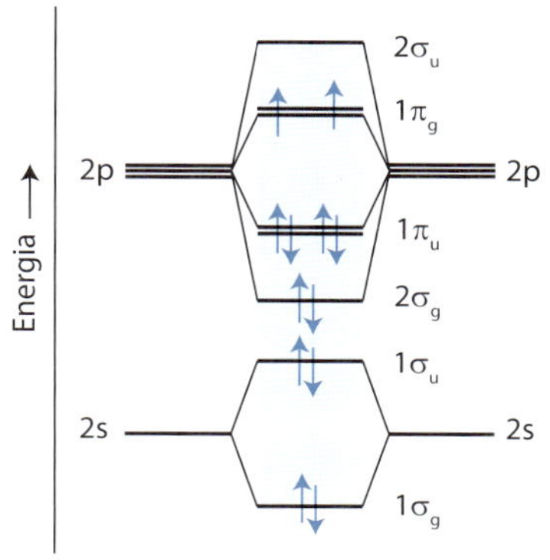

Figura 14.23 Um diagrama típico de níveis de energia de orbital molecular para moléculas diatômicas homonucleares do Período 2. Os orbitais atômicos de valência são desenhados nas colunas da esquerda e da direita; os orbitais moleculares são mostrados no meio. Observe que os orbitais π formam pares duplamente degenerados. As linhas inclinadas ligando os orbitais moleculares com os orbitais atômicos mostram a composição principal dos orbitais moleculares. Esse diagrama é satisfatório para O_2 e F_2; em que é indicada a configuração do O_2.

combinações, ligante e antiligante, $2\sigma_g$ e $2\sigma_u$, respectivamente (Fig. 14.22). Os níveis de energia resultantes dos orbitais σ são mostrados no diagrama de níveis de energia de OM na Figura 14.23. Observe que numeramos os orbitais σ_g em sequência ($1\sigma_g$, $2\sigma_g$, ...), da mesma forma que para os orbitais σ_u.

Rigorosamente, não deveríamos considerar os orbitais 2s de $2p_z$ separadamente, porque ambos podem contribuir para a formação de orbitais σ. Portanto, em um tratamento mais avançado devemos combinar todos os quatro orbitais juntos para formar quatro orbitais moleculares σ, cada um da forma,

$$\psi = c_1\psi_{A2s} + c_2\psi_{B2s} + c_3\psi_{A2p_z} + c_4\psi_{B2p_z}$$

Determinamos os quatro coeficientes, que representam as contribuições diferentes que cada orbital atômico faz para o orbital molecular global, usando o teorema variacional. Porém, na prática, as duas combinações de mais baixa energia deste tipo são bem semelhantes às combinações $1\sigma_g$ e $1\sigma_u$ de orbitais 2s que descrevemos, e as duas combinações de mais alta energia são bem semelhantes às combinações $2\sigma_g$ e $2\sigma_u$ de orbitais $2p_z$. Em cada caso, haverá diferenças pequenas: o orbital $1\sigma_g$, por exemplo, estará contaminado, tendo algum caráter $2p_z$ e o orbital $2\sigma_g$ também estará contaminado, tendo algum caráter 2s, e as suas energias estarão ligeiramente deslocadas do lugar em que estariam se considerássemos somente as combinações 'puras'. Não obstante, as mudanças não são grandes e podemos continuar pensando em $1\sigma_g$ e $1\sigma_u$ como um

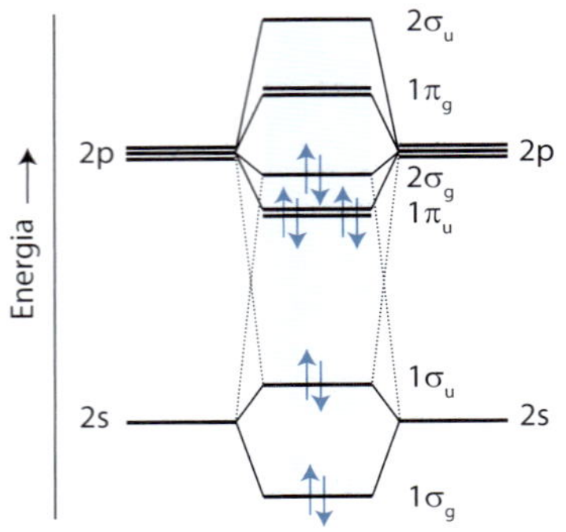

Figura 14.24 Um diagrama típico de níveis de energia de orbital molecular para moléculas diatômicas homonucleares do Período 2 até e inclusive o N_2.

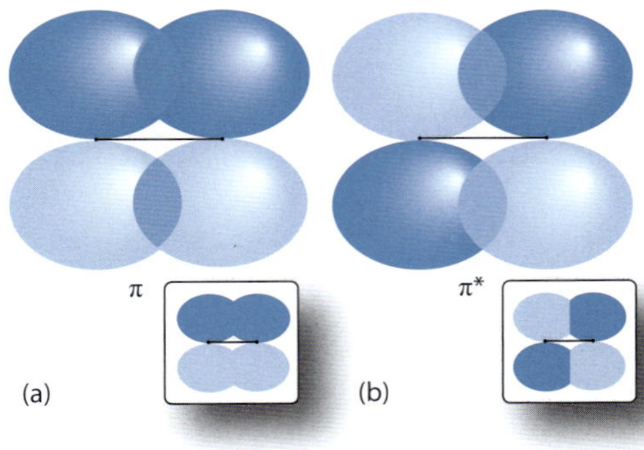

Figura 14.25 (a) A interferência que conduz à formação de um orbital π ligante e (b) o correspondente orbital antiligante.

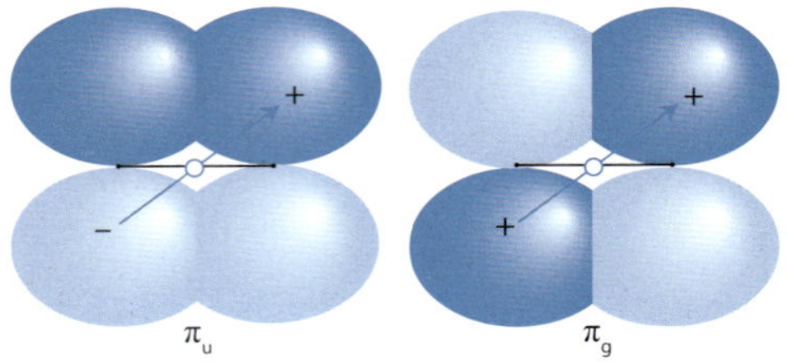

Figura 14.26 O caráter *gerade/ungerade* dos orbitais π ligante e antiligante.

par ligante e antiligante, e em $2\sigma_g$ e $2\sigma_u$ como outro par. Os quatro orbitais são mostrados na coluna do centro da Figura 14.24. Não há nenhuma garantia de que $1\sigma_u$ e $2\sigma_g$ estarão na posição exata mostrada na ilustração e as posições mostradas na Figura 14.23 são encontradas em algumas moléculas (veja a seguir).

Há um ponto adicional nesta análise. Assim que nós permitimos que todos os quatro orbitais atômicos contribuam para uma combinação linear de orbitais atômicos, já não é claro – exceto recorrendo à forma com que cada um dos pares simples, formados por combinações lineares de orbitais atômicos, se assemelha – se uma combinação particular é ligante ou antiligante: tudo que podemos dizer é que as quatro combinações lineares têm energias sucessivamente crescentes. Porém, a classificação de paridade não é afetada, e os orbitais ainda podem ser classificados como g ou u; nas moléculas diatômicas homonucleares, a simetria de inversão é um esquema de classificação mais essencial que ligante e antiligante.

Vamos considerar agora os orbitais $2p_x$ e $2p_y$ de cada átomo, que são perpendiculares ao eixo internuclear e que podem se superpuser lado a lado. Esta superposição pode ser construtiva ou destrutiva e resulta em um **orbital** π ligante e um antiligante, que inicialmente representamos por $1\pi_u$ e $1\pi^*$, respectivamente. A notação π é análoga à de p em átomos, pois, quando visto ao longo do eixo da molécula, um orbital π parece um orbital p (Fig. 14.25). De forma mais precisa, um elétron em um orbital π tem uma unidade de momento angular orbital ao redor do eixo internuclear. Os dois orbitais $2p_x$ se superpõem para dar um orbital π ligante e um antiligante. O mesmo resultado também é obtido para os dois orbitais $2p_y$. As duas combinações ligantes têm a mesma energia; igualmente, as duas combinações antiligantes têm a mesma energia. Consequentemente, cada nível de energia π é duplamente degenerado e consiste em dois orbitais distintos. Tipicamente (mas nem sempre), o efeito ligante dos elétrons em um orbital π é menor que para um orbital σ na mesma molécula, porque a densidade associada eletrônica dos dois não se localiza de forma completa entre os núcleos. Da mesma forma, o efeito antiligante dos elétrons em um orbital π* é tipicamente menor do que quando ocupam um orbital σ* na mesma molécula. Dois elétrons em um orbital π constituem uma **ligação** π: esta ligação se assemelha a uma ligação π da teoria da ligação de valência, mas os detalhes da distribuição eletrônica são ligeiramente diferentes.

A classificação baseada na simetria de inversão também se aplica aos orbitais π. Como podemos ver da Figura 14.26, um orbital π ligante troca de sinal sob inversão, sendo, portanto, classificado como u. Por outro lado, um orbital π^* antiligante não troca de sinal, sendo, dessa forma, um orbital g. A combinação ligante e a antiligante serão representadas daqui por diante como $1\pi_u$ e $1\pi_g$. A ordem relativa dos orbitais σ e π em uma molécula não pode ser prevista sem cálculos detalhados, e varia com a separação de energia entre os orbitais 2s e 2p dos átomos; em algumas moléculas se aplica a ordem mostrada na Figura 14.23, enquanto em outras a ordem é aquela mostrada na Figura 14.24. A mudança de ordem pode ser vista na Figura 14.27, que mostra os níveis de energia calculados para as moléculas diatômicas homonucleares do Período 2. Uma regra útil é que, para moléculas neutras, a ordem mostrada na Figura 14.23 é válida para O_2 e F_2, enquanto a ordem mostrada na Figura 14.24 é válida para os elementos precedentes no período.

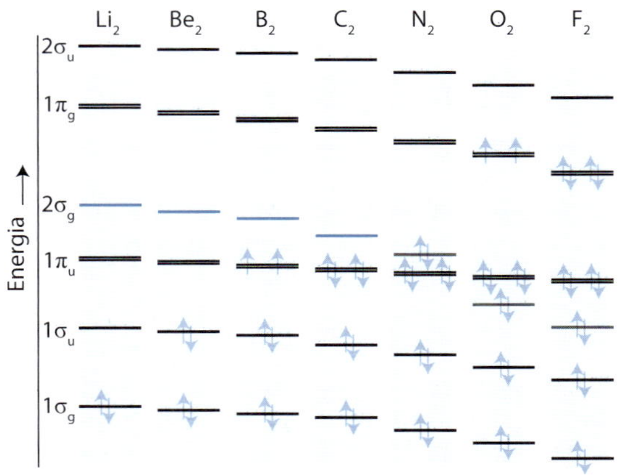

Figura 14.27 Variação das energias dos orbitais das moléculas diatômicas homonucleares do Período 2. São mostrados apenas os orbitais de valência.

(c) Simetria e superposição

Uma característica central da teoria do orbital molecular pode ser vista agora. Vimos que os orbitais s e p_z podem contribuir para a formação de orbitais σ, e que os orbitais p_x e p_y podem contribuir para orbitais π. Porém, nunca temos que considerar os orbitais formados pela superposição de orbitais s e p_x (ou orbitais p_y). Ao construir orbitais moleculares, *só precisamos considerar combinações lineares de orbitais atômicos de mesma simetria em relação ao eixo internuclear*. Como um orbital s tem simetria cilíndrica ao redor do eixo internuclear, mas um orbital p_x não tem, os dois orbitais atômicos não podem contribuir para o mesmo orbital molecular. A razão para essa distinção baseada na simetria pode ser entendida considerando-se a interferência entre um orbital s e um orbital p_x (Fig. 14.28): embora exista interferência construtiva entre os dois orbitais em um lado do eixo, esta é compensada por uma quantidade exatamente igual de interferência destrutiva no outro lado do eixo. Consequentemente, o efeito resultante ligante ou antiligante é zero.

Consistente com essa interpretação, a superposição de um orbital 1s de um átomo com um orbital $2p_x$ de outro átomo (sendo z o eixo internuclear) é zero. Em termos da discussão feita na Dedução 14.2, vemos na Figura 14.28 que em algum ponto o produto $\psi_A\psi_B$ pode ser elevado. Entretanto, há um ponto equivalente na metade inferior da figura, em que $\psi_A\psi_B$ tem exatamente a mesma magnitude, mas sinal oposto. Quando a integral é calculada, essas duas contribuições são adicionadas e se cancelam. Para cada ponto na metade superior do diagrama há um ponto na metade inferior que o cancela, logo $S = 0$. Portanto, por questões de simetria, não há superposição líquida entre orbitais s e p nesta disposição.

(d) Critérios para a formação de orbitais moleculares

Temos agora os critérios para selecionar os orbitais atômicos a partir dos quais os orbitais moleculares serão construídos:

1. Use todos os orbitais de valência disponíveis de ambos os átomos.
2. Classifique os orbitais atômicos como tendo simetria σ e simetria π com respeito ao eixo internuclear e construa os orbitais σ e π a partir de todos os orbitais atômicos de determinada simetria.
3. A partir de N_σ orbitais atômicos de simetria σ, podem ser construídos N_σ orbitais σ com energias progressivamente maiores, desde fortemente ligantes até fortemente antiligantes.

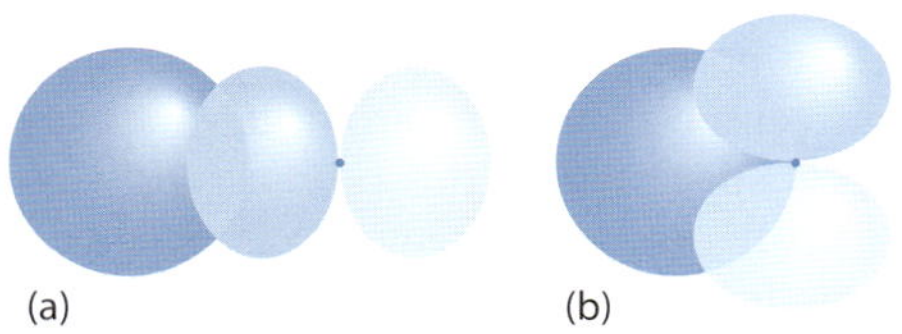

Figura 14.28 Superposição de orbitais s e p. (a) A superposição de um lado conduz a uma superposição diferente de zero e à formação de um orbital σ axialmente simétrico. (b) A superposição de ambos os lados não leva a nenhuma acumulação ou redução líquida de densidade eletrônica e não contribui para a ligação.

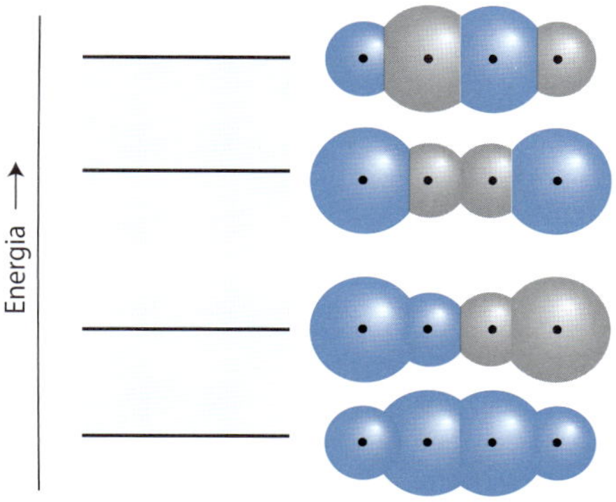

Figura 14.29 Uma representação esquemática dos quatro orbitais moleculares que podem ser formados a partir de quatro orbitais s em uma cadeia de quatro átomos. A combinação de mais baixa energia (o primeiro diagrama de baixo para cima) é formada de orbitais atômicos com o mesmo sinal e não há nenhum nó internuclear. O próximo orbital mais alto tem um nó (no centro da molécula). O orbital seguinte, com energia maior, tem dois nós internucleares. Finalmente, o orbital superior, o orbital de maior energia, tem três nós internucleares, um entre cada par de átomos vizinhos e é completamente antiligante. Os tamanhos das esferas refletem as contribuições de cada átomo para o orbital molecular: os tons claros e escuros representam sinais diferentes.

4. A partir de N_π orbitais atômicos de simetria π, podem ser construídos N_π orbitais π com energias progressivamente maiores, desde fortemente ligantes até fortemente antiligantes. Os orbitais π ocorrem em pares duplamente degenerados.

Como regra geral, a energia de cada tipo de orbital (σ ou π) aumenta com o número de nós internucleares. O orbital de menor energia de determinada espécie não tem nenhum nó internuclear e o orbital de maior energia tem um plano nodal entre cada par de átomos adjacentes (Fig. 14.29).

Exemplo 14.3

Cálculo da contribuição de orbitais d

Para entender o sentido de como orbitais moleculares podem ser construídos a partir de orbitais d, demonstre como podem contribuir para a formação de orbitais σ e π em moléculas diatômicas.

Estratégia Precisamos determinar a simetria dos orbitais d em relação ao eixo internuclear *z*: orbitais de mesma simetria podem contribuir para dar determinado orbital molecular.

Solução Um orbital d_{z^2} tem simetria cilíndrica ao redor de *z* e assim pode contribuir para os orbitais σ. Os orbitais d_{zx} e d_{yz} têm simetria π em relação ao eixo (Fig. 14.30), portanto podem contribuir para os orbitais π.

Exercício proposto 14.4

Esboce os 'orbitais δ' (orbitais que se assemelham a orbitais d de quatro lóbulos quando vistos ao longo do eixo internuclear) que podem ser formados pelos dois orbitais d restantes (e que contribuem para a ligação em alguns compostos formados por aglomerados de metais d). Dê suas classificações por simetria de inversão.

Resposta: Figura 14.30; ligantes são g e antiligantes são u

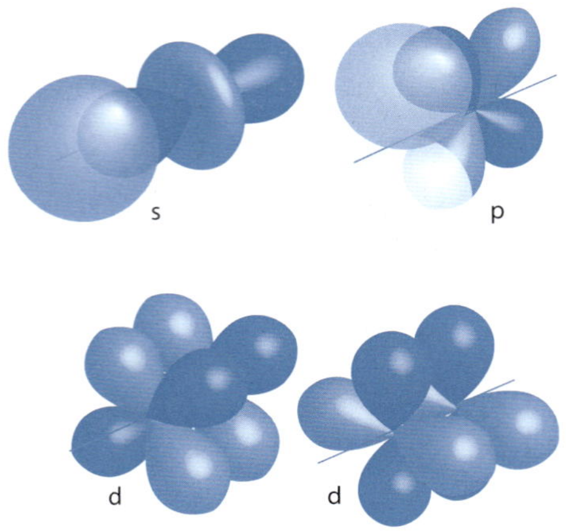

Figura 14.30 Tipos de orbitais moleculares para os quais os orbitais d podem contribuir. As combinações σ e π podem ser formadas com orbitais s, p, e d de simetria apropriada, mas os orbitais δ só podem ser formados pelos orbitais d dos dois átomos.

(e) Moléculas diatômicas homonucleares do Período 2

As Figuras 14.23 e 14.24 mostram a forma geral dos orbitais atômicos da camada de valência dos átomos do Período 2, na esquerda e na direita. As linhas no meio são uma indicação das energias dos orbitais moleculares que podem ser formados pela superposição de orbitais atômicos. Dos oito orbitais da camada de valência (quatro de cada átomo), podemos formar oito orbitais moleculares: quatro são orbitais σ e quatro, em dois pares, são orbitais duplamente degenerados π. Com os orbitais estabelecidos, obtemos as configurações eletrônicas das moléculas, no estado fundamental, adicionando o número apropriado de elétrons aos orbitais e seguindo as regras de construção. Espécies carregadas (como o íon peróxido, O_2^{2-}, e o C_2^+) necessitam de mais ou menos elétrons (para ânions e cátions, respectivamente) que as moléculas neutras.

Ilustraremos o procedimento com o N_2, que tem dez elétrons de valência; para essa molécula usamos a Figura 14.24. Os dois primeiros elétrons emparelham, entram, e preenchem o orbital $1\sigma_g$. Os dois elétrons seguintes entram e preenchem o orbital $1\sigma_u$. Restam seis elétrons. Existem dois orbitais $1\pi_u$, de modo que quatro elétrons podem aí ser acomodados. Os dois elétrons restantes entram no orbital $2\sigma_g$. Logo, a configuração do estado fundamental do N_2 é $1\sigma_g^2 1\sigma_u^2 1\pi_u^4 2\sigma_g^2$. Esta configuração também é descrita na Figura 14.24.

A força de uma ligação em uma molécula é o resultado líquido dos efeitos ligante e antiligante dos elétrons nos orbitais. A **ordem de ligação**, b, em uma molécula diatômica é definida como

$$b = \tfrac{1}{2}(N - N^*) \qquad \text{Ordem de ligação} \qquad (14.12)$$

em que N é o número de elétrons nos orbitais ligantes e N^* é o número de elétrons nos orbitais antiligantes (segundo a semelhança dos pares de CLOAs simples). Cada par de elétrons em um orbital ligante aumenta a ordem de ligação de 1 e cada par em um orbital antiligante diminui de 1.

■ Breve ilustração 14.6 Ordem de ligação

Para o H_2, $b = 1$, correspondendo a uma ligação simples entre os dois átomos: esta ordem de ligação é consistente com a estrutura de Lewis H–H para a molécula. No He_2, que tem números iguais de elétrons ligantes e antiligantes (com $N = 2$ e $N^* = 2$), a ordem de ligação é $b = 0$, e não há nenhuma ligação. No N_2, $1\sigma_g$, $2\sigma_g$ e $1\pi_u$ são orbitais ligantes, e $N = 2 + 2 + 4 = 8$; porém, $1\sigma_u$ (o parceiro antiligante de $1\sigma_g$) é antiligante, assim $N^* = 2$ e a ordem de ligação do N_2 é $b = \tfrac{1}{2}(8 - 2) = 3$. Este valor é consistente com a estrutura de Lewis :N≡N:, na qual existe uma ligação tripla entre os dois átomos.

A ordem de ligação é um parâmetro útil para a discussão das características das ligações, porque existe uma correlação entre a ordem de ligação e o comprimento da ligação; quanto maior a ordem de ligação entre os átomos de determinado par de átomos, menor o comprimento da ligação. Existe também uma correlação entre a ordem de ligação e a força da ligação: quanto maior a ordem de ligação, maior a força. A ordem de ligação alta do N_2 é consistente com a sua energia de dissociação alta (942 kJ mol^{-1}).

Exemplo 14.4

Escrevendo a configuração eletrônica de uma molécula diatômica

Escreva a configuração eletrônica do estado fundamental do O_2 e calcule a ordem da ligação.

Estratégia Decidimos qual o diagrama de níveis de energia de OM que iremos usar (Fig. 14.23 ou Fig. 14.24). Contamos os elétrons de valência e os acomodamos usando o princípio da construção.

Solução A Figura 14.23 é apropriada para o oxigênio. Existem 12 elétrons de valência para serem acomodados. Os 10 primeiros elétrons refazem a configuração do N_2 (com uma reversão da ordem dos orbitais $2\sigma_g$ e $1\pi_u$); os dois elétrons restantes têm que ocupar os orbitais $1\pi_g$. A configuração e a ordem de ligação são então $1\sigma_g^2 1\sigma_u^2 2\sigma_g^2 1\pi_u^4 1\pi_g^2$. Esta configuração também é mostrada na Figura 14.23. Como $1\sigma_g$, $2\sigma_g$ e $1\pi_u$ são ligantes e $1\sigma_u$ e $1\pi_g$ são antiligantes, a ordem de ligação é $b = \tfrac{1}{2}(8 - 4) = 2$. Esta ordem de ligação está de acordo com a visão clássica de que o oxigênio tem uma ligação dupla.

Exercício proposto 14.5

Escreva a configuração eletrônica do F_2 e deduza a sua ordem de ligação.

Resposta: $1\sigma_g^2 1\sigma_u^2 2\sigma_g^2 1\pi_u^4 1\pi_g^4$, $b = 1$

Vemos do Exemplo 14.4 que a configuração eletrônica do O_2 é $1\sigma_g^2 1\sigma_u^2 2\sigma_g^2 1\pi_u^4 1\pi_g^2$. De acordo com o princípio da construção, os dois elétrons $1\pi_g$ no O_2 ocuparão orbitais diferentes. Um entra no orbital $1\pi_g$ formado pela superposição de $2p_x$. O outro entra em seu parceiro degenerado, o orbital $1\pi_g$ formado pela superposição dos orbitais $2p_y$. Como os dois elétrons ocupam orbitais diferentes, pela regra de Hund esses dois elétrons terão spins paralelos (↑↑). Dessa forma, uma molécula de O_2 é às vezes considerada um birradical, uma espécie com dois elétrons desemparelhados. (Um birradical verdadeiro tem os spins dos elétrons com orientação relativa aleatória; no O_2, são paralelos.) Portanto, a teoria do orbital molecular sugere – corretamente – que o O_2 é um componente reativo da atmosfera terrestre; seu papel biológico mais importante é como agente oxidante. Em contraste, o N_2, o componente mais abundante do ar que respiramos, é tão inerte que a fixação do nitrogênio, a redução do N_2 atmosférico a NH_3 por certos microrganismos, está entre os processos biológicos termodinamicamente mais exigentes, no sentido de que requer uma grande quantidade de energia proveniente de processos metabólicos.

A configuração eletrônica do O_2 também sugere que esta espécie será magnética, pois os campos magnéticos gerados pelos dois spins desemparelhados não se cancelam. Especificamente, pode-se prever que o oxigênio seja uma substância **paramagnética**, uma substância que é atraída por um campo magnético. A maioria das substâncias (aquelas com os spins dos elétrons emparelhados) é **diamagnética** e é repelida por um campo magnético. O fato de o O_2 ser, na realidade, um gás paramagnético é uma confirmação notável da superioridade da descrição da molécula em termos de orbitais moleculares em relação às descrições de Lewis e da ligação de valência (que exigem o emparelhamento de todos os elétrons). A propriedade do paramagnetismo é utilizada para monitorar o conteúdo de oxigênio em incubadoras, medindo-se o magnetismo dos gases que as incubadoras contêm.

Uma molécula de F_2 tem dois elétrons a mais que a molécula de O_2, assim sua configuração é $1\sigma_g^2\,1\sigma_u^2\,2\sigma_g^2\,1\pi_u^4\,1\pi_g^4$ e sua ordem de ligação é 1. Concluímos que o F_2 é uma molécula com uma ligação simples, de acordo com sua estrutura de Lewis. A ordem de ligação baixa é consistente com a baixa energia de dissociação do F_2 (154 kJ mol^{-1}). O Ne_2, uma molécula hipotética, teria dois elétrons adicionais: sua configuração seria $1\sigma_g^2\,1\sigma_u^2\,2\sigma_g^2\,1\pi_u^4\,1\pi_g^2\,2\pi_u^2$ e sua ordem de ligação é 0. A ordem de ligação zero – que implica dois átomos de neônio não se ligarem entre si – é consistente com o caráter monoatômico do neônio.

Exemplo 14.5

Avaliação das forças relativas de ligação de moléculas e íons

O íon superóxido, O_2^-, exerce um papel importante nos processos de envelhecimento que ocorrem nos organismos. Avalie se é provável que o O_2^- tenha uma energia de dissociação maior ou menor que o O_2.

Estratégia Como é provável que uma espécie com a ordem de ligação maior tenha uma energia de dissociação maior, devemos comparar as suas configurações eletrônicas e avaliar as suas ordens de ligação.

Solução A partir da Figura 14.23,

O_2 $\quad 1\sigma_g^2 1\sigma_u^2 2\sigma_g^2 1\pi_u^4 1\pi_g^2 \quad b = 2$

O_2^- $\quad 1\sigma_g^2 1\sigma_u^2 2\sigma_g^2 1\pi_u^4 1\pi_g^3 \quad b = 1{,}5$

Como o ânion tem a ordem de ligação menor, esperamos que tenha a energia de dissociação menor.

Exercício proposto 14.6

Qual dos dois tem energia de dissociação mais alta, o F_2 ou o F_2^+?

Resposta: F_2^+

14.11 As estruturas das moléculas diatômicas heteronucleares

Uma **molécula diatômica heteronuclear** é uma molécula diatômica formada de átomos de dois elementos diferentes, como o CO e o HCl. A distribuição eletrônica na ligação covalente entre os átomos não é simétrica entre os átomos porque é energeticamente favorável para um par de elétrons ligantes ser encontrado mais próximo a um átomo em vez do outro. Esse desequilíbrio resulta em uma **ligação polar**, que é uma ligação covalente na qual o par de elétrons é compartilhado desigualmente pelos dois átomos. A **eletronegatividade,** χ (qui), de um elemento é a capacidade de seus átomos de atrair elétrons para si mesmos quando fazem parte de um composto. Assim, podemos esperar que a polaridade de uma ligação dependa das eletronegatividades relativas dos elementos.

Linus Pauling propôs uma escala numérica de eletronegatividade baseada nas energias de dissociação de ligação, E(A—B):

$$|\chi_A - \chi_B| = 0{,}102 \times (\Delta E/\text{kJ mol}^{-1})^{1/2}$$

Escala de eletronegatividade de Pauling (14.13a)

com

$$\Delta E = E(\text{A—B}) - \tfrac{1}{2}\{E(\text{A—A}) + E(\text{B—B})\} \quad (14.13b)$$

A Tabela 14.2 apresenta valores de eletronegatividade para os elementos do grupo principal da tabela periódica. Robert Mulliken propôs uma definição alternativa em termos da energia de ionização, I, e da afinidade ao elétron, E_{ae}, do elemento expressas em elétrons-volt:

$$\chi = \tfrac{1}{2}(I + E_{ea})/\text{eV} \quad (14.14)$$

Escala de eletronegatividade de Mulliken

Esta relação é plausível, porque é provável que um átomo com uma eletronegatividade alta tenha uma energia de ionização alta (de forma que é improvável que esse átomo perca elétrons para outro átomo na molécula). É possível também que esse átomo tenha uma alta afinidade por elétron, de modo que venha a atrair energeticamente um elétron para si. As eletro-

Tabela 14.2

*Eletronegatividades dos elementos do grupo principal**

H						
2,20						
Li	**Be**	**B**	**C**	**N**	**O**	**F**
0,98	1,57	2,04	2,55	3,04	3,44	3,98
Na	**Mg**	**Al**	**Si**	**P**	**S**	**Cl**
0,93	1,31	1,61	1,90	2,19	2,58	3,16
K	**Ca**	**Ga**	**Ge**	**As**	**Se**	**Br**
0,82	1,00	1,81	2,01	2,18	2,55	2,96
Rb	**Sr**	**In**	**Sn**	**Sb**	**Te**	**I**
0,82	0,95	1,78	1,96	2,05	2,1	2,66
Cs	**Ba**	**Tl**	**Pb**	**Bi**	**Po**	
0,79	0,89	1,8	1,8	1,9	2,0	

*Valores de Pauling.

negatividades de Mulliken concordam de forma geral com as eletronegatividades de Pauling. A eletronegatividade mostra uma periodicidade, e os elementos com as eletronegatividades maiores estão perto do flúor na tabela periódica.

A localização do par de elétrons ligante perto de um átomo em uma molécula heteronuclear resulta no átomo que tem uma carga negativa líquida, que é chamada de **carga parcial negativa** e representada por δ–. Compensando a carga parcial negativa, existe uma **carga parcial positiva**, δ+, no outro átomo. Em uma molécula diatômica heteronuclear típica, o elemento mais eletronegativo tem a carga parcial negativa e o elemento mais eletropositivo tem a carga parcial positiva.

A teoria do orbital molecular também descreve as ligações polares. Uma ligação polar consiste em dois elétrons em um orbital da forma

$$\psi = c_A\psi_A + c_B\psi_B \qquad \text{Uma CLOA geral} \qquad (14.15)$$

com c_B^2 diferente de c_A^2. Se $c_B^2 > c_A^2$, os elétrons têm maior probabilidade de serem encontrados em B do que em A, e a molécula é polar no sentido $^{\delta+}A\text{–}B^{\delta-}$. Uma ligação apolar, uma ligação covalente na qual o par de elétrons é compartilhado igualmente entre os dois átomos e há cargas parciais iguais a zero em cada átomo, tem $c_A^2 = c_B^2$. Uma ligação puramente iônica, em que um único átomo tem praticamente a posse exclusiva do par de elétrons (como no Cs^+F^-, numa primeira aproximação), tem um coeficiente igual a zero (de forma que A^+B^- teria $c_A^2 = 0$ e $c_B^2 = 1$).

Uma característica geral dos orbitais moleculares entre átomos diferentes é que o orbital atômico com a menor energia (que pertence ao átomo mais eletronegativo) faz a maior contribuição para o orbital molecular de menor energia. O contrário é verdade para o orbital mais alto (o mais antiligante), para o qual a contribuição principal vem do orbital atômico com energia mais alta (o átomo menos eletronegativo).

Orbitais ligantes: para $\chi_A > \chi_B$, $c_A^2 > c_B^2$

Orbitais antiligantes: para $\chi_A > \chi_B$, $c_A^2 < c_B^2$

A Figura 14.31 mostra uma representação esquemática deste assunto.

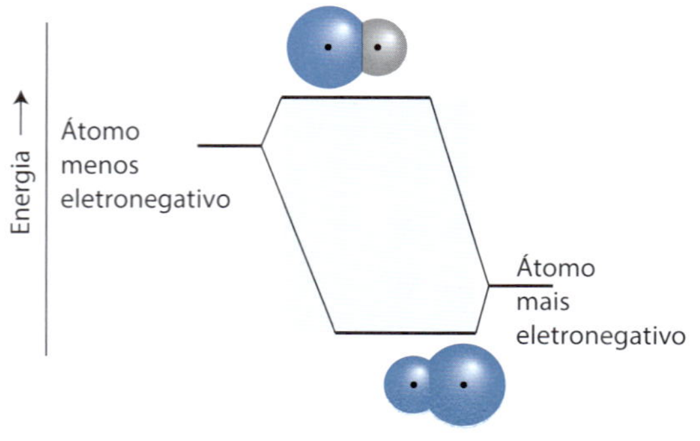

Figura 14.31 Uma representação esquemática das contribuições relativas de átomos de eletronegatividades diferentes para os orbitais moleculares ligante e antiligante. No orbital ligante, o átomo mais eletronegativo faz a maior contribuição (representada pela esfera maior), e os elétrons da ligação são encontrados com maior probabilidade naquele átomo. O oposto é verdade para o orbital antiligante. Parte da razão pela qual um orbital antiligante tem energia alta é que os elétrons que o ocupam provavelmente serão encontrados no átomo mais eletropositivo.

■ Breve ilustração 14.7 Os orbitais moleculares do HF

Estas características das ligações polares podem ser ilustradas considerando-se o HF. A forma geral dos orbitais moleculares do HF é $\psi = c_H\psi_H + c_F\psi_F$, em que ψ_H é um orbital H1s e ψ_F é um orbital F2p$_z$. As energias dos orbitais podem ser calculadas a partir das energias de ionização e da afinidade ao elétron. Desse modo, os casos extremos de um átomo X em uma molécula são X^+, se esse átomo tiver perdido o controle do elétron que forneceu, X, se estiver compartilhando o par de elétrons igualmente com seu congênere ligado, e X^-, caso tenha ganho controle de ambos os elétrons na ligação. Se X^+ é considerado como o zero de energia, então, X está em $-I(X)$ e X^- está em $-\{I(X) + E_{ae}(X)\}$, em que I é a energia de ionização e E_{ae}, a afinidade ao elétron. A energia real do orbital localiza-se em um valor intermediário e, na ausência de mais informações, calculamos que esteja a meio caminho em direção ao mais baixo desses valores, ou seja, $-\tfrac{1}{2}\{I(X) + E_{ae}(X)\}$. Aplicando essa estimativa ao H1s e ao F2p$_z$ obtemos os valores de energia de –7,2 eV e –10,4 eV, respectivamente (Fig. 14.32). Segue que o orbital ligante σ no HF tem característica principalmente do orbital F2p$_z$ e o orbital antiligante σ tem característica principalmente do orbital H1s. Os dois elétrons no orbital ligante serão provavelmente encontrados no orbital F2p$_z$, de modo que existe uma carga parcial negativa no átomo de F e uma carga parcial positiva no átomo de H.

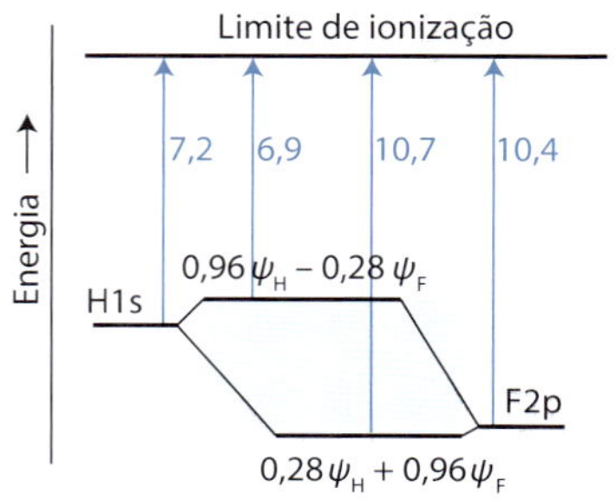

Figura 14.32 Os níveis de energia dos orbitais atômicos dos átomos H e F e dos orbitais moleculares que formam. As energias estão em elétrons-volt.

Um modo sistemático de encontrar os coeficientes c_A e c_B nas combinações lineares é usar o teorema variacional e procurar os valores dos coeficientes que implicam energia menor (Seção 14.6).

■ Breve ilustração 14.8 O teorema variacional

Quando o princípio variacional é aplicado a uma molécula de H_2, a energia calculada é menor quando os dois orbitais H1s contribuem igualmente para um orbital ligante. Porém, quando aplicamos o princípio ao HF, a menor energia é obtida para o orbital $0,28\psi_H + 0,96\psi_F$. Vemos que realmente o orbital F2p$_z$ faz a maior contribuição para o orbital ligante σ. A probabilidade de se encontrar um elétron σ no HF em um orbital F2p$_z$ é

$$c_F^2 \times 100\,\% = (0,96)^2 \times 100\,\% = 92\,\%$$

Uma energia ainda menor é obtida – com muito mais cálculos – se mais orbitais forem incluídos na combinação linear (como os orbitais F2s e F3p$_z$), mas o abaixamento de energia mais significativo é obtido a partir de orbitais atômicos de energias semelhantes.

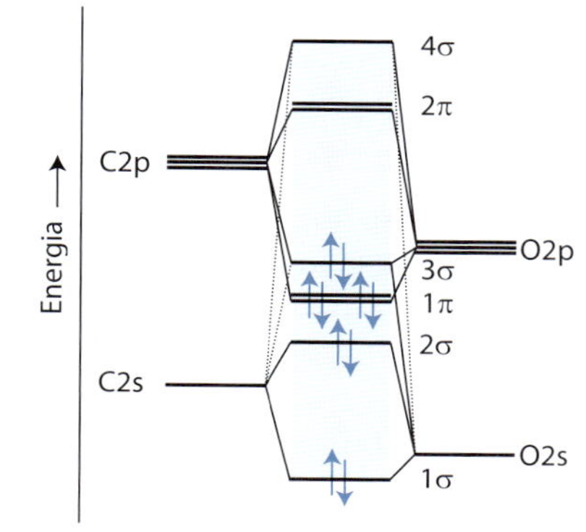

Figura 14.33 Diagrama de níveis de energia dos orbitais moleculares do CO.

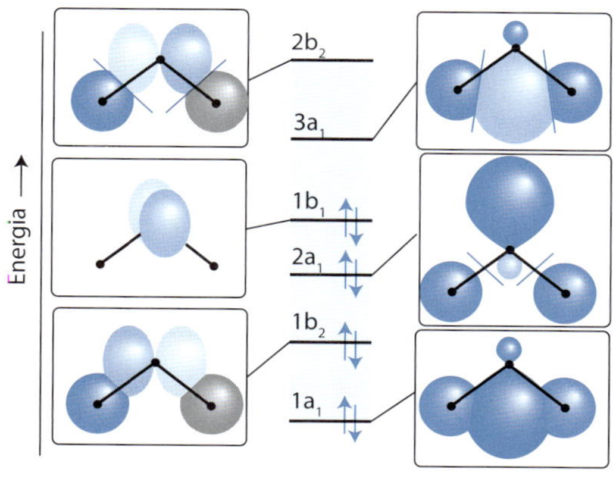

Figura 14.34 Forma esquemática dos orbitais moleculares da H_2O.

A Figura 14.33 mostra o esquema de ligação no CO e ilustra várias observações que fizemos. A configuração do estado fundamental é $1\sigma^2 2\sigma^2 1\pi^4 3\sigma^2$. (Observe que a designação g,u é inaplicável porque a molécula é heteronuclear, e os orbitais σ são simplesmente numerados na sequência 1σ, 2σ, ..., o mesmo valendo para os orbitais π.) Os orbitais de mais baixa energia são predominantemente de caráter O, pois este é o elemento mais eletronegativo. O **orbital molecular mais alto ocupado** (HOMO) é o 3σ, que é em grande parte um orbital não ligante centrado no C; assim os dois elétrons que o ocupam podem ser considerados como um par isolado no átomo de C. O **orbital molecular mais baixo desocupado** (LUMO) é o 2π, que é em grande parte um orbital duplamente degenerado de caráter 2p no carbono.

Esta combinação de um par orbital isolado em C e um par de orbitais π vazios também em grande parte em C é a razão da importância do monóxido de carbono na química do bloco d, pois permite que se forme uma extensa série de complexos de carbonila pela combinação da doação de elétrons do orbital 3σ e a aceitação de elétrons nos orbitais 2π. O HOMO e o LUMO formam conjuntamente os **orbitais de fronteira** da molécula, e são de grande importância para determinar suas reações.

14.12 Estruturas de moléculas poliatômicas

As ligações em moléculas poliatômicas são construídas da mesma maneira que em moléculas diatômicas, a única diferença é que neste caso usamos mais orbitais atômicos para construir os orbitais moleculares, e que estes orbitais moleculares se espalham pela molécula inteira e não somente pelos átomos adjacentes à ligação. Em geral, um orbital molecular é uma combinação linear de todos os orbitais atômicos de todos os átomos na molécula. Na H_2O, por exemplo, os orbitais atômicos são os dois orbitais H1s, o orbital O2s e os três orbitais O2p (se consideramos somente a camada de valência). A partir destes seis orbitais atômicos podemos construir seis orbitais moleculares que se espalham por todos os três átomos. Os orbitais moleculares diferem em energia. O de menor energia, o orbital mais fortemente ligante, tem o menor número de nós entre átomos adjacentes. O de maior energia, o orbital mais fortemente antiligante, tem o maior número de nós entre átomos vizinhos.

De acordo com a teoria OM, a influência ligante de um único par de elétrons está distribuída por todos os átomos, e cada par de elétrons (o número máximo de elétrons que podem ocupar um único orbital molecular qualquer) ajuda a ligar todos os átomos juntos. Na aproximação CLOA, cada orbital molecular é modelado como uma combinação linear de orbitais atômicos, sendo estes orbitais atômicos fornecidos por todos os átomos na molécula. Assim, um típico orbital molecular na H_2O, construído a partir dos orbitais H1s (representados por $\psi_{\text{H1s(A)}}$ e $\psi_{\text{H1s(B)}}$) e orbitais O2s e O2p$_z$ (representados por ψ_{O2s} e ψ_{O2p_z}), terá a composição

$$\psi = c_1\psi_{\text{H1s(A)}} + c_2\psi_{\text{O2s}} + c_3\psi_{\text{O2p}_z} + c_4\psi_{\text{H1s(B)}} \tag{14.16}$$

Como estão sendo usados quatro orbitais atômicos para formar a CLOA, haverá quatro possíveis orbitais moleculares: o orbital de energia mais baixa (o mais ligante) não terá nenhum nó internuclear e o orbital de energia mais alta (o mais antiligante) terá um nó entre cada par de núcleos vizinhos (Fig. 14.34).

Um comentário final é que a classificação σ, π de orbitais moleculares não é rigorosamente aplicável a moléculas poliatômicas não lineares. Em vez disso, é usado um esquema de classificação baseado na simetria real da molécula, e você encontrará símbolos como a_1 e b_1 no lugar de σ e π.[1] Entretanto, a classificação σ, π é relevante *localmente*, no sentido de que podemos falar de uma ligação σ entre O e um átomo de H em uma molécula de H_2O.

14.13 O método de Hückel

Um exemplo importante da aplicação da teoria do orbital molecular é para os orbitais que podem ser formados a partir dos orbitais p perpendiculares ao plano molecular, como o do anel fenila do aminoácido fenilalanina. Um esquema computacional foi proposto por Erich Hückel e oferece uma maneira simples de estabelecer os orbitais moleculares de sistemas de elétrons π, principalmente hidrocarbonetos como o eteno, o benzeno e seus derivados. Um procedimento comum em aplicações elementares é considerar o esqueleto de ligação σ

[1] A classificação de orbitais por simetria em moléculas poliatômicas é descrita no livro *Físico-Química* destes mesmos autores (LTC Editora, 2010).

usando a linguagem da teoria VB e considerar o sistema de elétrons π separadamente pela teoria OM. Utilizamos essa abordagem aqui.

(a) Eteno

Cada átomo de carbono do eteno, $CH_2{=}CH_2$, é considerado como tendo hibridização sp^2 e formando ligações σ C—C e C—H, a 120° uma da outra por emparelhamento de spins e superposição de orbitais (Csp^2,Csp^2) ou (Csp^3,H1s) (observe a linguagem VB). Os orbitais $C2p_z$ não hibridizados perpendiculares ao esqueleto σ (ψ_A e ψ_B), cada qual sendo ocupado por um único elétron, são, então, usados para construir orbitais moleculares (Fig. 14.35):

$$\psi = c_A\psi_A + c_B\psi_B \tag{14.17}$$

Mostraremos na Dedução a seguir que, para encontrar as energias e coeficientes dos dois orbitais moleculares que podem ser formados a partir desses dois orbitais atômicos, precisaremos solucionar as seguintes equações simultâneas:

$$(H_{AA} - ES_{AA})c_A + (H_{AB} - ES_{AB})c_B = 0$$
$$(H_{BA} - ES_{BA})c_A + (H_{BB} - ES_{BB})c_B = 0$$

Equações seculares do eteno (14.18)

No contexto da teoria OM, essas equações simultâneas são chamadas de **equações seculares.** Os H_{JK} são expressões que incluem várias contribuições para a energia, inclusive a repulsão entre elétrons e suas atrações pelo núcleo; os S_{JK} são as integrais de superposição entre orbitais nos átomos J e K.

Dedução 14,4

As equações seculares

Começamos substituindo a Eq. 14.17 na equação de Schrödinger escrita na forma $\hat{H}\psi = E\psi$:

$$\hat{H}(c_A\psi_A + c_B\psi_B) = \hat{H}c_A\psi_A + \hat{H}c_B\psi_B$$

Como os operadores operam somente em ψ, podemos escrever

$$c_A\hat{H}\psi_A + c_B\hat{H}\psi_B = c_AE\psi_A + c_BE\psi_B$$

Então, multiplicamos ambos os lados por ψ_A

$$c_A\psi_A\hat{H}\psi_A + c_B\psi_A\hat{H}\psi_B = c_A\psi_AE\psi_A + c_B\psi_AE\psi_B$$

e integramos sobre todo o espaço (com termo $d\tau$ representando um elemento de volume infinitesimal em três dimensões; em coordenadas cartesianas, $d\tau = dxdydz$):

$$c_A\overbrace{\int\psi_A\hat{H}\psi_A d\tau}^{H_{AA}} + c_B\overbrace{\int\psi_A\hat{H}\psi_B d\tau}^{H_{AB}} = c_AE\overbrace{\int\psi_A\psi_A d\tau}^{1} + c_BE\overbrace{\int\psi_A\psi_B d\tau}^{S_{AB}}$$

em que E é uma constante; assim, podemos levá-la para fora da integral. Segue-se que

$$c_AH_{AA} + c_BH_{AB} = c_AES_{AA} + c_BES_{AB}$$

que é fácil de rearranjar na primeira Eq. 14.18. Se, em vez de multiplicar por ψ_A, multiplicarmos por ψ_B, obteremos a segunda Eq. 14.18.

Para simplificar a solução das equações seculares, Hückel introduziu as aproximações drásticas a seguir:

- Todos os H_{JJ} são iguais a uma grandeza única α chamada de **integral coulombiana.**
- Todos os H_{JK} são iguais a zero, a menos que os átomos J e K sejam adjacentes, quando são iguais a uma grandeza única β (uma grandeza negativa) chamada de **integral de ressonância.**
- Todos os S_{JJ} são iguais a 1 e todos os S_{JK} são iguais a 0, sejam J e K adjacentes ou não.

Com estas 'aproximações de Hückel' as equações seculares ficam assim

$$(\alpha - E)c_A + \beta c_B = 0$$
$$\beta c_A + (\alpha - E)c_B = 0$$

Aproximação de Hückel para o eteno (14.19a)

Como foi exposto em Ferramentas do químico 14.3, essas duas equações simultâneas têm solução somente se o **determinante secular** se anula:

$$\begin{vmatrix} \alpha - E & \beta \\ \beta & \alpha - E \end{vmatrix} = (\alpha - E)^2 - \beta^2 = 0$$

Determinante secular de Hückel para o eteno (14.19b)

Esta condição é satisfeita se

$$E = \alpha \pm \beta$$

Energias de Hückel para o eteno (14.19c)

Quando cada valor é substituído na Eq. 14.19a, encontramos

Para $E = \alpha + \beta$ $\quad c_A = c_B$, logo $\psi = c_A(\psi_A + \psi_B)$

Para $E = \alpha - \beta$ $\quad c_A = -c_B$, logo $\psi = c_A(\psi_A - \psi_B)$

(Lembre-se de que $\beta < 0$, assim, $E = \alpha + \beta$ é o menor dos dois valores de energia). Estas energias e os orbitais estão representados na Figura 14.35 e serão reconhecidos como as combinações ligante e antiligante dos orbitais atômicos $C2p_z$. O valor da incógnita, c_A, é encontrado garantindo-se que cada orbital esteja normalizado, mas não precisamos do seu valor explícito.

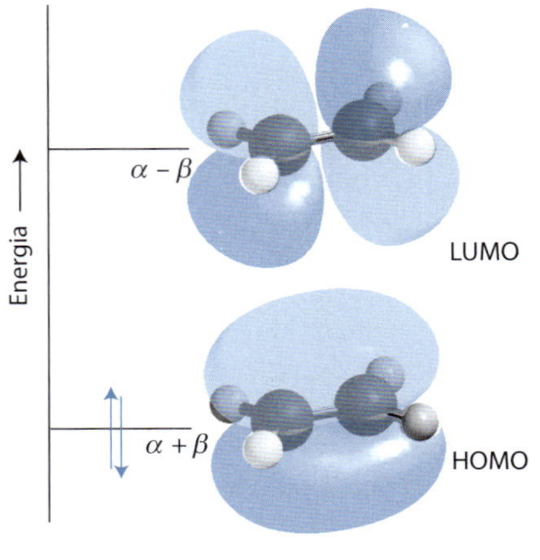

Figura 14.35 Orbitais moleculares ligantes e antiligantes π do eteno e suas energias.

Ferramentas do químico 14.3 Equações simultâneas

Duas equações simultâneas da forma

$$ax + by = 0$$
$$cx + dy = 0$$

têm solução somente se o 'determinante' dos coeficientes é igual a zero. Neste caso escrevemos

$$\begin{vmatrix} a & b \\ c & d \end{vmatrix} = 0$$

em que o termo à esquerda é o determinante e tem o significado visto a seguir:

$$\begin{vmatrix} a & b \\ c & d \end{vmatrix} = ad - bc$$

Três equações simultâneas da forma

$$ax + by + cz = 0$$
$$dx + ey + fz = 0$$
$$gx + hy + iz = 0$$

têm uma solução somente se

$$\begin{vmatrix} a & b & c \\ d & e & f \\ g & h & i \end{vmatrix} = 0$$

Este determinante 3×3 expande-se como se segue:

$$\begin{vmatrix} a & b & c \\ d & e & f \\ g & h & i \end{vmatrix} = a\begin{vmatrix} e & f \\ h & i \end{vmatrix} - b\begin{vmatrix} d & f \\ g & i \end{vmatrix} + c\begin{vmatrix} d & e \\ g & h \end{vmatrix}$$

Observe a alternação de sinais para colunas sucessivas. O determinante 2×2, então, expande-se como o mostrado anteriormente.

Como são dois elétrons a serem acomodados, ambos entram no orbital de energia mais baixa e dão uma contribuição de $2\alpha + 2\beta$ para a energia da molécula. Podemos ainda inferir que a energia necessária para excitar um elétron π para a combinação antiligante é $2|\beta|$. Um valor típico de β é cerca de $-2{,}4$ eV ou -230 kJ mol^{-1}.

Exemplo 14.6

Cálculo das energias de Hückel para o butadieno

As equações de Hückel para o butadieno (**5**) são:

$$(\alpha - E)c_A + \beta c_B = 0$$
$$\beta c_A + (\alpha - E)c_B + \beta c_C = 0$$
$$\beta c_B + (\alpha - E)c_C + \beta c_D = 0$$
$$\beta c_C + (\alpha - E)c_D = 0$$

Escreva e resolva o determinante secular para as energias dos orbitais π.

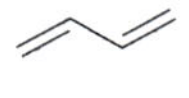

5 Butadieno

Estratégia Como há quatro equações e quatro c_i, o determinante secular neste caso tem quatro linhas e quatro colunas. Da esquerda para a direita, os elementos da primeira linha do determinante são $\alpha - E$, β, 0 e 0; isto é, os termos que multiplicam c_A, c_B, c_C e c_D, respectivamente, na primeira equação. As linhas restantes são construídas de maneira semelhante pela inspeção das equações restantes. É possível resolver esse determinante manualmente por extensão do método descrito em Ferramentas do químico 14.3. No entanto, é muito mais fácil usar um programa matemático.

Solução O determinante é

$$\begin{vmatrix} \alpha - E & \beta & 0 & 0 \\ \beta & \alpha - E & \beta & 0 \\ 0 & \beta & \alpha - E & \beta \\ 0 & 0 & \beta & \alpha - E \end{vmatrix}$$

As rotinas do programa matemático para resolver este determinante primeiramente o igualam a 0. Em seguida, o programa procura pelos quatro valores de E que satisfazem à expressão 'determinante = 0'. Neste caso, o resultado é

$$E = \alpha \pm 1{,}62\beta,\ \alpha \pm 0{,}62\beta$$

Para resolver a equação de forma manual, primeiramente, expandimos o determinante e encontramos

$$(\alpha - E)^4 - 3(\alpha - E)^2\beta^2 + \beta^4 = 0$$

Com $x = (\alpha - E)^2$, esta é uma equação quadrática:

$$x^2 - 3\beta^2 x + \beta^4 = 0$$

com soluções (Ferramentas do químico 7.1) $x = \frac{1}{2}(3 \pm 5^{1/2})\beta^2$, que resulta nos quatro valores de E calculados com o programa matemático. Como α e β são grandezas negativas, a ordem crescente de energia, do mais ligante para o mais antiligante, é $\alpha + 1{,}62\beta$, $\alpha - 0{,}62\beta$, $\alpha - 0{,}62\beta$, $\alpha - 1{,}62\beta$.

Exercício proposto 14.7

A energia de ligação do elétron π, E_π, é a energia total devida à ocupação dos orbitais p pelos elétrons. Quanto vale E_π para o butadieno no seu estado fundamental?

Resposta: $4\alpha + 4{,}48\beta$

(b) Benzeno

O mesmo procedimento pode ser utilizado para o benzeno, C_6H_6. Cada átomo de C é considerado tendo hibridização sp^2 (observe novamente a linguagem VB), formando um esqueleto hexagonal plano de ligações σ (Fig. 14.36). Há um orbital $C2p_z$ não hibridizado em cada átomo perpendicular ao anel a partir do qual formamos orbitais moleculares. A partir desses seis orbitais atômicos construímos seis orbitais moleculares da forma

$$\psi = c_A\psi_A + c_B\psi_B + c_C\psi_C + c_D\psi_D + c_E\psi_E + c_F\psi_F \qquad (14.20)$$

Em seguida, construímos as seis equações simultâneas para os coeficientes e o correspondente determinante secular 6×6, e aplicamos as aproximações de Hückel. A ofensiva frontal sobre esse determinante para indicar os seis valores de E é enfadonha, principalmente por haver procedimentos que utilizam simetria, o que simplifica muito a solução. As energias e os orbitais moleculares (não normalizados) correspondentes obtidos são os que seguem (Fig. 14.37):

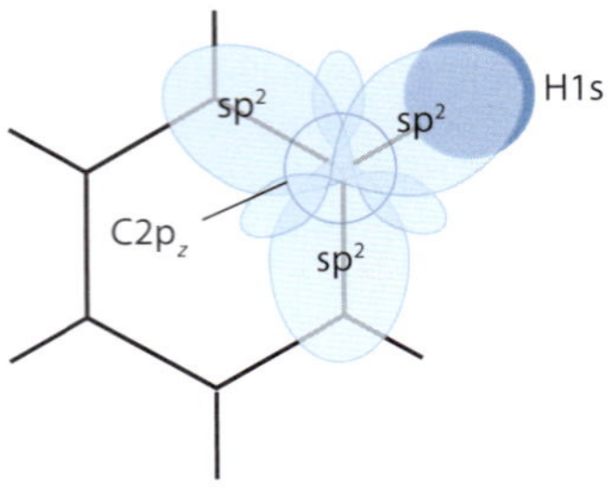

Figura 14.36 Os orbitais utilizados para construir os orbitais moleculares do benzeno.

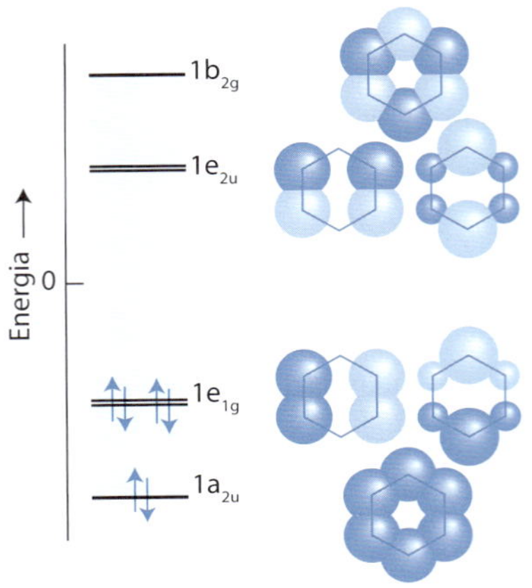

Figura 14.37 Os orbitais π do benzeno e suas energias. O orbital de mais baixa energia é completamente ligante entre os átomos vizinhos, mas o orbital mais alto é completamente antiligante. Os dois pares de orbitais moleculares duplamente degenerados têm um número intermediário de nós internucleares. Como usual, as tonalidades clara e escura representam sinais diferentes da função de onda.

Energia	Orbital
Mais alta (mais antiligante)	
$\alpha - 2\beta$	$\psi = \psi_A - \psi_B + \psi_C - \psi_D + \psi_E - \psi_F$
$\alpha - \beta$	$\psi = 2^{1/2}\psi_A - \psi_B - \psi_C + 2^{1/2}\psi_D - \psi_E - \psi_F$
$\alpha - \beta$	$\psi = \psi_B - \psi_C + \psi_E - \psi_F$
$\alpha + \beta$	$\psi = 2^{1/2}\psi_A + \psi_B + \psi_C - 2^{1/2}\psi_D - \psi_E - \psi_F$
$\alpha + \beta$	$\psi = \psi_B + \psi_C - \psi_E - \psi_F$
$\alpha + 2\beta$	$\psi = \psi_A + \psi_B + \psi_C + \psi_D + \psi_E + \psi_F$
Mais baixa (mais ligante)	

Observe que o orbital de mais baixa energia e mais ligante não tem nenhum nó internuclear. É fortemente ligante porque a interferência construtiva entre orbitais p vizinhos leva a uma boa acumulação de densidade eletrônica entre os núcleos (embora um pouco fora do eixo internuclear, como nas ligações π de moléculas diatômicas). No orbital mais antiligante a alternação de sinais na combinação linear resulta em interferência destrutiva entre vizinhos, e o orbital molecular tem um plano nodal entre cada par de vizinhos, conforme mostra a ilustração. Os quatro orbitais intermediários formam dois pares duplamente degenerados, um ligante no global e o outro antiligante no global.

Existem seis elétrons para serem acomodados (cada um fornecido por cada átomo de C) que ocupam os três orbitais mais baixos mostrados na Figura 14.37. A distribuição eletrônica resultante é como uma rosquinha dupla. É uma característica importante da configuração que somente os orbitais moleculares ocupados tenham um caráter ligante líquido, pois isto é uma contribuição à estabilidade (no sentido de baixa energia) da molécula do benzeno.

Uma característica da descrição dos orbitais moleculares do benzeno é que cada orbital molecular se expande total ou parcialmente em torno do anel C_6. Ou seja, a ligação π é **deslocalizada** e cada par de elétrons ajuda a ligar vários ou todos os átomos de C. A deslocalização da influência ligante é uma característica primordial da teoria do orbital molecular que iremos utilizar repetidamente quando discutirmos sistemas conjugados. A **energia de deslocalização**, E_{desloc}, é o abaixamento adicional de energia da molécula devido à deslocalização dos elétrons p ao longo da molécula, em vez de permanecerem localizados em regiões discretas de ligação.

Breve ilustração 14.9 A energia de deslocalização do benzeno

Se os seis elétrons π do benzeno ocupassem três orbitais localizados do tipo eteno, então, sua energia seria $3 \times (2\alpha + 2\beta) = 6\alpha + 6\beta$. No entanto, sua energia no benzeno é $2(\alpha + 2\beta) + 4(\alpha + \beta) = 6\alpha + 8\beta$. A energia de deslocalização é a diferença entre essas duas energias:

$$E_{desloc} = (6\alpha + 8\beta) - (6\alpha + 6\beta) = 2\beta$$

ou aproximadamente -460 kJ mol^{-1}.

Exercício proposto 14.8

Calcule a energia de deslocalização do butadieno.

Resposta: 0,48β

Química computacional

A química computacional é agora uma parte padrão da pesquisa química. Uma das principais aplicações está na química farmacêutica, em que a probabilidade de atividade farmacológica de uma molécula pode ser avaliada computacionalmente a partir da sua forma e distribuição de densidade eletrônica antes que ensaios *in vivo* caros e de ética controversa sejam feitos. Atualmente existem vários programas comerciais disponíveis que permitem o cálculo de estruturas eletrônicas de moléculas e cujos resultados são apresentados graficamente. Todos esses programas fazem os cálculos dentro da aproximação de Born–Oppenheimer e expressam os orbitais moleculares como combinações lineares de orbitais atômicos.

14.14 Técnicas

Existem dois enfoques principais para a resolução da equação de Schrödinger para moléculas poliatômicas com muitos elétrons. Nos **métodos semiempíricos**, certas expressões que aparecem na equação de Schrödinger são igualadas a parâmetros que foram escolhidos por produzirem o melhor ajuste em relação a determinadas grandezas experimentais, como entalpias de formação. Métodos semiempíricos são aplicáveis a uma gama extensiva de moléculas com um número virtualmente ilimitado de átomos, e são muito populares. Nos **métodos *ab initio***, que são mais fundamentais, faz-se uma tentativa de calcular as estruturas a partir dos princípios básicos, usando somente os números atômicos dos átomos presentes. Esse enfoque é intrinsicamente mais seguro que um procedimento semiempírico, mas é muito mais dispendioso do ponto de vista computacional.

Em ambos os enfoques adota-se normalmente um procedimento de **campo autoconsistente** (SCF), no qual uma suposição inicial sobre a composição das CLOAs é sucessivamente refinada até que a solução permaneça inalterada em um ciclo de cálculo. Inicialmente fornecemos valores preliminares para os coeficientes das CLOAs usadas para construir os orbitais moleculares – e resolvemos a equação de Schrödinger para os coeficientes de uma CLOA com base nos valores fornecidos para os coeficientes de todos os demais orbitais ocupados. Temos agora uma primeira aproximação para os coeficientes da CLOA considerada. Repetimos o procedimento para todos os orbitais moleculares ocupados. Ao final desta etapa, temos um novo conjunto de coeficientes das CLOAs, que diferem do conjunto inicial, e temos também uma estimativa para a energia da molécula. Usamos este conjunto refinado de coeficientes para repetir os cálculos e determinamos um novo conjunto de coeficientes e uma nova energia. Em geral, irão diferir do novo conjunto de partida. Entretanto, atinge-se um ponto em que a repetição dos cálculos mantém os coeficientes e a energia inalterados. Os orbitais agora são ditos 'autoconsistentes', e os aceitamos como uma descrição da molécula.

As severas aproximações do método de Hückel foram removidas ao longo dos anos por meio de aproximações sucessivamente melhores. Cada uma dá origem a um acrônimo, como CNDO (completo abandono da superposição diferencial), INDO (abandono intermediário da superposição diferencial), MINDO (abandono modificado da superposição diferencial) e AM1 (Modelo Austin 1, versão 2 do MINDO). Programas computacionais para esses procedimentos estão facilmente disponíveis nos dias de hoje, e cálculos razoavelmente sofisticados podem ser realizados mesmo em *palmtops*. Uma técnica semiempírica que conquistou considerável lugar de destaque nos últimos anos, tornando-se uma das técnicas mais utilizadas para o cálculo de estrutura molecular é a **teoria do funcional da densidade** (sigla inglesa DFT). Suas vantagens incluem um menor esforço computacional, menor tempo de computação e – em alguns casos, particularmente com os complexos de metais d – melhor acordo com o experimento do que é obtido por outros procedimentos.

Os métodos *ab initio* também simplificam os cálculos, mas fazem isso montando o problema de uma maneira diferente, evitando a necessidade de estimar parâmetros com o uso de dados experimentais. Nesses métodos, técnicas sofisticadas são utilizadas para resolver a equação de Schrödinger numericamente. A dificuldade com este procedimento é o enorme tempo necessário para realizar o cálculo detalhado. Esse tempo pode ser reduzido substituindo-se os orbitais atômicos hidrogenoides usados para formar as CLOAs por **orbitais tipo gaussiana** (GTO), em que a função exponencial e^{-r}, característica do orbital real, é substituída por uma soma de funções gaussianas da forma e^{-r^2}.

14.15 Visualização gráfica

Um dos mais significativos desenvolvimentos da química computacional foi a introdução das representações gráficas dos orbitais moleculares e das densidades eletrônicas. A saída de um cálculo de estrutura molecular é uma lista dos coeficientes dos orbitais atômicos em cada orbital molecular e as energias desses orbitais. A representação gráfica de um orbital molecular usa formas estilizadas para representar a base, escalonando o seu tamanho para indicar o coeficiente na CLOA. Sinais distintos nas funções de onda são representados por cores diferentes (Fig. 14.38).

Uma vez conhecidos os coeficientes, podemos construir uma representação da densidade eletrônica na molécula observando quais são os orbitais ocupados e tomando, então, o quadrado destes orbitais. A densidade eletrônica total em qualquer ponto é a soma dos quadrados das funções de onda calculados naquele ponto. A saída é normalmente representada por uma **superfície de isodensidade**, uma superfície em que a densidade eletrônica total é constante (Fig. 14.39). Há várias maneiras de

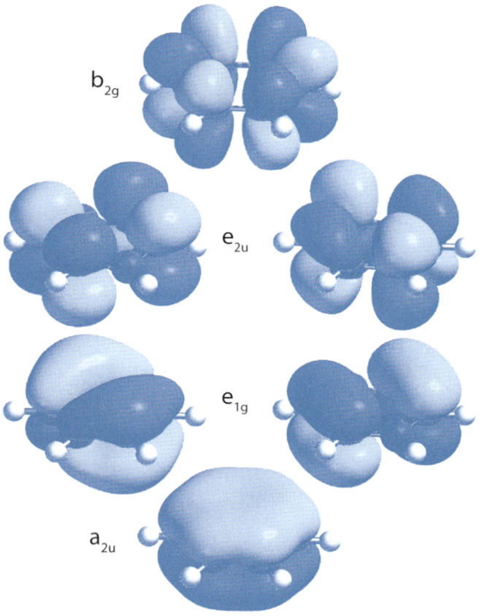

Figura 14.38 Visualização de um cálculo de orbitais π do benzeno: sinais opostos da função de onda são representados por tons diferentes de cinza. Compare esses orbitais moleculares com a representação mais esquemática feita na Figura 14.37. (Veja o Encarte em Cores.)

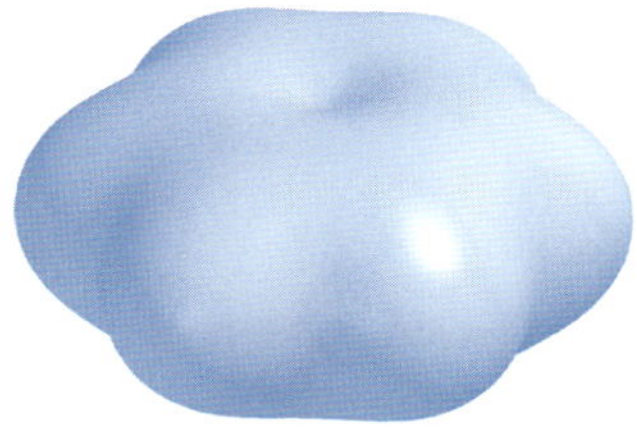

Figura 14.39 Superfície de isodensidade do benzeno obtida usando-se o mesmo programa computacional que o utilizado na Figura 14.38.

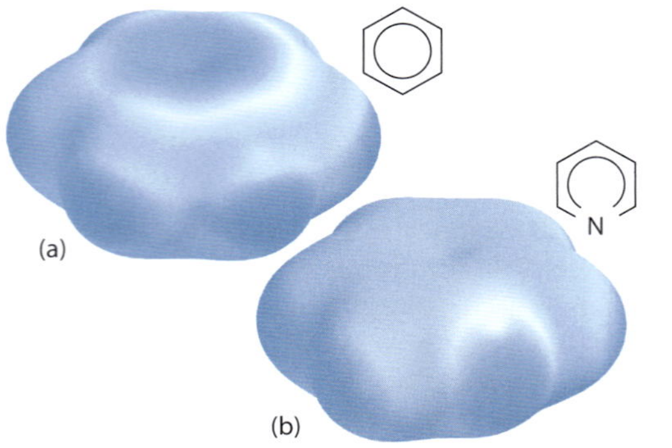

Figura 14.40 Superfícies de potencial eletrostático (a) do benzeno e (b) da piridina. Observe a acumulação de densidade eletrônica no átomo de nitrogênio da piridina à custa de outros átomos. (Veja o Encarte em Cores.)

representar uma superfície de isodensidade: como uma forma sólida, como uma forma transparente que contém, em seu interior, a molécula, representada por esferas e bastões ou, ainda, como uma malha.

Um dos aspectos mais importantes de uma molécula, além de sua forma geométrica, é a distribuição do potencial elétrico sobre a sua superfície. Um procedimento comum começa com o cálculo do potencial líquido em cada ponto da superfície de isodensidade. O resultado é uma **superfície de potencial eletrostático** (uma 'superfície elpot'), em que a carga positiva líquida é mostrada em certa tonalidade e a negativa líquida, em outra, com gradações intermediárias de tonalidade (Fig. 14. 40).

14.16 Aplicações

Um dos objetivos da química computacional – pelo menos quando aplicada a moléculas grandes – é ganhar percepção das tendências nas propriedades moleculares sem necessariamente ter que atingir extrema precisão. Por exemplo, considere a estimativa das entalpias-padrão de formação das conformações equatorial (**6**) e axial (**7**) do metilciclo-hexano. Se fizermos conforme no Exemplo 3.3 (em que são utilizadas energias médias de ligação) obteremos a mesma entalpia de formação para ambos os confôrmeros. No entanto, experimentos têm observado que as moléculas nessas duas conformações têm diferentes entalpias-padrão de formação, devido à maior repulsão estérica, quando o grupo metila se encontra em uma posição axial em relação a quando está em uma posição equatorial.

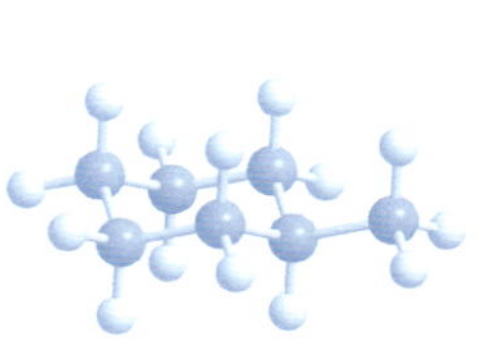
6 Equatorial

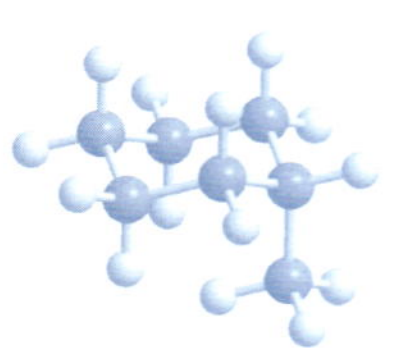
7 Axial

A química computacional atualmente é amplamente utilizada no cálculo de entalpias-padrão de formação de moléculas com estruturas tridimensionais complexas, podendo distinguir entre diferentes conformações da mesma molécula. Entretanto, um bom acordo entre valores calculados e experimentais é relativamente raro. Os métodos computacionais sempre preveem de modo correto qual conformação de uma molécula é a mais estável, mas nem sempre preveem os valores numéricos corretos da diferença entre as entalpias de formação.

Breve ilustração 14.10 Entalpias-padrão de formação a partir de métodos computacionais

Cada pacote de programas tem seus próprios procedimentos; a abordagem geral, porém, é a mesma na maioria dos casos: a estrutura da molécula é especificada e a natureza do cálculo, selecionada. Quando o procedimento é aplicado aos dois isômeros do metilciclo-hexano, o valor típico da entalpia-padrão de formação do isômero equatorial em fase gasosa é -153 kJ mol^{-1}, ao passo que, para o isômero axial, é -139 kJ mol^{-1}, uma diferença de 14 kJ mol^{-1}. A diferença experimental é de 7,5 kJ mol^{-1}.

Um cálculo realizado na ausência de moléculas de solvente estima as propriedades da molécula de interesse em fase gasosa. Há métodos computacionais que modelam o efeito do solvente na entalpia de formação do soluto. Mais uma vez, os resultados numéricos são apenas estimativas e o objetivo primordial do cálculo é prever se as interações com o solvente aumentam ou diminuem a entalpia de formação. Como exemplo, considere o aminoácido glicina, que pode existir em forma neutra ou zwitteriônica, H_2NHCH_2COOH e $^+H_3NCH_2CO_2^-$, respectivamente; na última, o grupo amino é protonado e o grupo carboxila é desprotonado. A modelagem molecular mostra que, em fase gasosa, a forma neutra tem uma entalpia de formação menor do que a forma zwitteriônica. No entanto, o oposto é verdadeiro em água, por conta das fortes interações entre o solvente polar e as cargas no íon zwitter.

Cálculos de orbitais moleculares também podem ser usados para predizer as tendências das propriedades eletroquímicas, por exemplo, os potenciais-padrão (Capítulo 9). Vários estudos experimentais e computacionais de hidrocarbonetos aromáticos indicam que a diminuição da energia do LUMO reforça a capacidade de uma molécula de aceitar a transferência de um elétron para o LUMO, contribuindo para o aumento no valor do potencial-padrão da molécula.

Ressaltamos no Capítulo 12 que uma molécula pode absorver ou emitir um fóton de energia hc/λ, resultando em uma transição entre dois níveis de energia quantizados da molécula. A transição de menor energia (e maior comprimento de onda) ocorre entre o HOMO e o LUMO. Também no Capítulo 12 utilizamos o modelo da partícula em uma caixa para calcular os comprimentos de onda de transição para polienos lineares, lembrando que o modelo era grosseiro e oferecia apenas uma visão qualitativa. Um modelo melhor faz uso da química computacional para correlacionar a lacuna de energia HOMO-LUMO calculada com o comprimento de onda da absorção. Por exemplo, considere os polienos lineares mostrados na Tabela 14.3, todos absorvendo na região ultravioleta do espectro. A tabela também mostra que, como esperado, o comprimento de onda da transição eletrônica de menor energia diminui quando a separação de energia entre o HOMO e o LUMO aumenta. Vemos também que a menor

Tabela 14.3
Resumo dos cálculos ab initio *e de dados espectroscópicos para quatro polienos lineares*

	$\Delta E_{HOMO-LUMO}/eV^*$	$\lambda_{transição}/nm$
	18,1	163
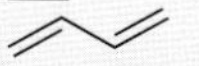	14,5	217
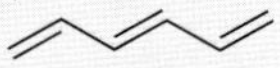	12,7	252
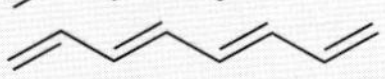	11,6	304

*1 eV = 1,602 × 10^{-19} J

diferença de energia HOMO-LUMO e o maior comprimento de onda de absorção correspondem ao octatetraeno, o maior polieno do grupo. Segue-se que o comprimento de onda da transição aumenta com o aumento do número de duplas ligações conjugadas em polienos lineares. A extrapolação desta tendência sugere que um polieno linear suficientemente grande deveria absorver luz na região do visível do espectro eletromagnético. Esse é de fato o caso do β-caroteno (estrutura **1** na Seção 12.7), que absorve luz com $\lambda \times 450$ nm. A capacidade do β-caroteno em absorver luz visível é parte da estratégia utilizada pelas plantas para absorver energia solar para uso na fotossíntese (veja Impacto 20.2).

Há várias maneiras pelas quais os cálculos com orbitais moleculares dão uma visão mais aprofundada sobre a reatividade. Por exemplo, as superfícies de potencial eletrostático podem ser usadas para identificar uma região pobre de elétrons de uma molécula que é passível de se associar ou atacar quimicamente uma região rica de elétrons de outra molécula. Tais considerações são particularmente importantes para verificar a atividade farmacológica de potenciais medicamentos. A química computacional também pode ser usada para modelar espécies que podem ser demasiado instáveis ou terem um tempo de vida muito curto para serem estudadas experimentalmente. Por essa razão, é frequentemente usada em estudos de estados de transição, com o objetivo de descrever os fatores que aumentam a velocidade de reação.

Verificação de conceitos importantes

- ☐ 1 Uma ligação iônica é formada pela transferência de elétrons de um átomo para outro e pela atração entre os íons.
- ☐ 2 Uma ligação covalente é formada quando dois átomos compartilham um par de elétrons.
- ☐ 3 Na aproximação de Born–Oppenheimer, os núcleos são estacionários, enquanto os elétrons se movem em torno desses núcleos.
- ☐ 4 Na teoria da ligação de valência (teoria VB), considera-se que uma ligação se forma quando um elétron em um orbital atômico de um átomo emparelha seu spin com o de um elétron em um orbital atômico de outro átomo.
- ☐ 5 Uma função de onda de ligação de valência com simetria cilíndrica em torno do eixo nuclear é uma ligação σ.
- ☐ 6 Uma ligação p surge da superposição de dois orbitais p que se aproximam lateralmente e do emparelhamento dos elétrons que os mesmos contêm.
- ☐ 7 Orbitais híbridos são misturas de orbitais atômicos no mesmo átomo. Na teoria VB, a hibridização é considerada de forma a ser consistente com as geometrias moleculares.
- ☐ 8 Ressonância é a superposição das funções de onda que representam diferentes distribuições eletrônicas no mesmo esqueleto nuclear.
- ☐ 9 Na teoria do orbital molecular (teoria OM), os elétrons são considerados como se estivessem dispersos por toda a molécula.
- ☐ 10 Um orbital ligante é um orbital molecular que, quando ocupado, contribui para a força de uma ligação entre dois átomos.
- ☐ 11 Um orbital antiligante é um orbital molecular que, quando ocupado, diminui a força de uma ligação entre dois átomos.
- ☐ 12 O princípio da construção sugere procedimentos para a construção da configuração eletrônica de moléculas com base no seu diagrama de níveis de energia dos orbitais moleculares.
- ☐ 13 Quando construímos orbitais moleculares, precisamos considerar apenas combinações de orbitais atômicos de energias semelhantes da mesma simetria em torno do eixo internuclear.
- ☐ 14 A eletronegatividade de um elemento é o poder que os seus átomos têm de remover elétrons para si mesmo quando é parte de um composto.
- ☐ 15 Em uma ligação entre átomos diferentes, o orbital atômico que pertence ao átomo mais eletronegativo faz a maior contribuição para o orbital molecular com a energia mais baixa. Para o orbital molecular com a mais alta energia, a principal contribuição vem do orbital atômico pertencente ao átomo menos eletronegativo.
- ☐ 16 A teoria de Hückel é um tratamento simples dos orbitais moleculares de sistemas de elétrons p. Nos hidrocarbonetos a técnica consiste em formar combinações lineares de orbitais C2p não hibridizados.
- ☐ 17 No procedimento do campo autoconsistente, uma ideia inicial da composição dos orbitais moleculares é refinada sucessivamente até a solução ficar inalterada em um ciclo de cálculos.
- ☐ 18 Nos métodos semiempíricos para a determinação da estrutura eletrônica, a equação de Schrödinger é escrita em termos de parâmetros escolhidos para um acordo com as grandezas experimentais selecionadas.
- ☐ 19 Nos métodos *ab initio* faz-se uma tentativa de calcular estruturas a partir dos primeiros princípios.

Mapa conceitual das equações importantes

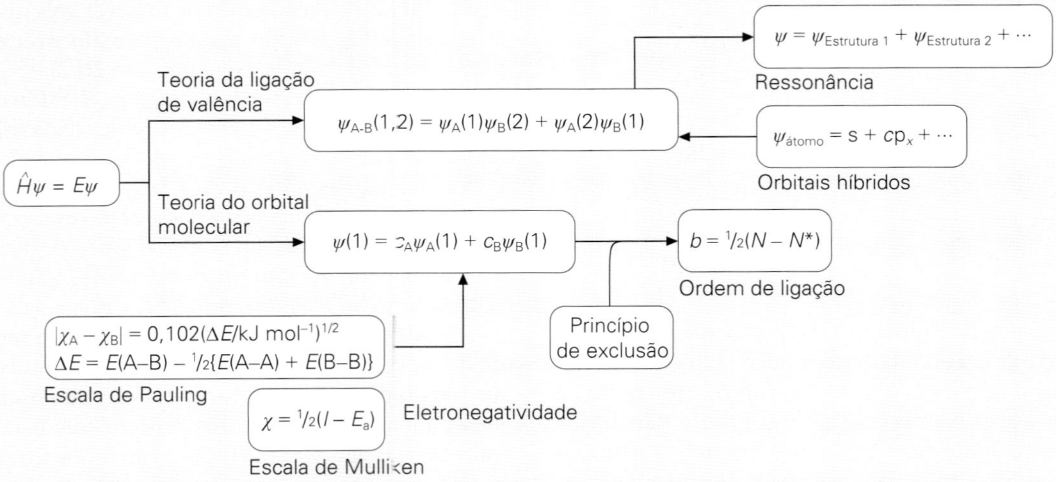

Questões e exercícios

Questões teóricas

14.1 Compare as aproximações contidas na teoria da ligação de valência e na teoria do orbital molecular.

14.2 Discuta as etapas envolvidas na construção dos orbitais híbridos sp^3, sp^2 e sp.

14.3 Descreva como a teoria do orbital molecular contempla todos os tipos convencionais de ligação.

14.4 Por que o par de elétrons é um conceito central nas teorias da ligação química?

14.5 Faça a distinção entre as escalas de eletronegatividade de Mulliken e de Pauling.

14.6 Por que uma superposição entre orbitais nos ajuda a determinar a força das ligações químicas? Por que às vezes isso não ocorre?

14.7 Identifique e justifique as aproximações usadas na teoria de Hückel para hidrocarbonetos.

14.8 Explique as diferenças entre métodos semiempíricos e *ab initio* de determinação da estrutura eletrônica.

Exercícios

14.1 A função energia potencial de Morse

$$V(R) = D_e\{1 - e^{-a(R-R_e)}\}^2$$

pode ser usada para descrever como a energia potencial, V, de uma molécula diatômica varia com a separação internuclear, R. Faça um esboço da função, considerando D_e = 50 kJ mol^{-1}, R_e = 0,30 nm e a = 0,18 nm^{-1} como valores típicos dos parâmetros. Então, explique a significância desses três parâmetros.

14.2 Calcule a energia molar de repulsão coulombiana entre dois núcleos de hidrogênio com separação equivalente ao H_2 (74,1 pm). Expresse sua resposta em quilojoules por mol. Esta é a energia que deve ser superada pela atração entre os elétrons que formam a ligação.

14.3 Escreva a função de onda de ligação de valência da ligação em um grupo C—H de uma molécula.

14.4 Dê a descrição de ligação de valência de uma molécula de P_2. Por que P_4 é uma forma mais estável do fósforo molecular?

14.5 Escreva a função de onda de ligação de valência para uma molécula de nitrogênio.

14.6 Dê a função de onda da ligação de valência do SO_2 em termos dos orbitais no átomo de S que são usados para formar ligações. Com base na teoria da ligação de valência, preveja se você espera que o SO_2 seja linear ou angular.

14.7 Dê a descrição da função de onda de ligação de valência do CH_4 baseada nos orbitais híbridos h do átomo de carbono.

14.8 A estrutura do pigmento visual retinal é mostrada em (**8**). Dê para cada átomo o seu estado de hibridização e especifique a composição de cada um dos diferentes tipos de ligação.

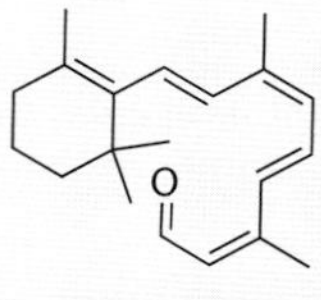

8 Retinal

14.9 Escreva três contribuições não iônicas para a estrutura de ressonância do naftaleno, $C_{10}H_8$.

14.10 Uma função de onda de ligação de valência normalizada tem a forma $\psi = 0{,}889\psi_{cov} + 0{,}458\psi_{ion}$. Qual é a chance de que, em 1000 observações da molécula, sejam encontrados ambos os elétrons de ligação em um átomo?

14.11 O benzeno geralmente é considerado como um híbrido de ressonância das duas estruturas de Kekulé, mas outras possíveis estruturas também podem contribuir. Esquematize três outras estruturas em que há somente ligações covalentes π (permitindo a ligação entre alguns átomos de C não adjacentes) e duas estruturas em que há uma ligação iônica. Por que estas estruturas podem ser ignoradas em descrições simples da molécula?

14.12 Dê as paridades (g,u) dos quatro primeiros níveis da função de onda de uma partícula em uma caixa.

14.13 (a) Dê as paridades das funções de onda para os quatro primeiros níveis de um oscilador harmônico. (b) Como a paridade pode ser expressa em termos do número quântico v?

14.14 Suponha que os orbitais moleculares dos elétrons π do naftaleno possam ser representados pelas funções de onda de uma partícula em uma caixa bidimensional retangular. Quais são as paridades dos orbitais ocupados?

14.15 Faça os diagramas para mostrar as várias orientações em que um orbital p e um orbital d, em átomos adjacentes, podem formar orbitais moleculares ligante e antiligante.

14.16 Tente prever a forma dos 'orbitais ϕ' ligantes e antiligantes que podem ser construídos a partir de dois orbitais f adjacentes. Quais são as suas paridades?

14.17 Coloque as espécies a seguir em ordem crescente de comprimento de onda: F_2^-, F_2 e F_2^+. Identifique a ordem de ligação de cada uma das espécies.

14.18 Disponha as espécies O_2^+, O_2, O_2^- e O_2^{2-} em ordem crescente de comprimento de ligação e identifique a ordem de ligação de cada uma.

14.19 Dê a configuração eletrônica do estado fundamental de (a) H_2^-, (b) Li_2, (c) Be_2, (d) C_2, (e) N_2 e (f) O_2.

14.20 A partir das configurações eletrônicas do estado fundamental do B_2 e do C_2, faça a previsão de qual molécula deve ter a maior energia de dissociação.

14.21 Quantos orbitais moleculares podem ser construídos de uma molécula diatômica na qual os orbitais s, p, d e f são todos importantes para a ligação?

14.22 Quando for apropriado, dê a paridade de (a) $2\pi^*$ no F_2, (b) 2σ no NO, (c) 1δ no Tl_2, (d) $2\delta^*$ no Fe_2.

14.23 Algumas reações químicas se passam pela perda inicial, ou transferência, de um elétron para uma espécie diatômica. Qual das moléculas N_2, NO, O_2, C_2, F_2 e CN você espera que seja estabilizada pela (a) adição de um elétron para formar AB^-, (b) remoção de um elétron para formar AB^+?

14.24 Duas moléculas diatômicas que são importantes para o bem-estar da humanidade são o NO e o N_2: a primeira é um poluente e um neurotransmissor e a última é a fonte do nitrogênio das proteínas e de outras biomoléculas. Use as configurações eletrônicas do NO e do N_2 para prever qual destas duas moléculas é provável que tenha o comprimento de ligação menor.

14.25 Três espécies diatômicas, que são biologicamente importantes porque promovem ou inibem a vida, são (a) o CO, (b) NO e (c) CN^-. A primeira se liga à hemoglobina, a segunda é um neurotransmissor e a terceira interrompe a cadeia de transferência de elétrons. As suas ações bioquímicas são um reflexo das suas estruturas orbitais. Deduza as suas configurações eletrônicas para os seus estados fundamentais. Para moléculas diatômicas heteronucleares, uma primeira aproximação razoável é de que o diagrama de níveis de energia é quase que o mesmo das moléculas diatômicas homonucleares.

14.26 A existência de compostos de gases nobres foi uma grande surpresa e estimulou um grande número de trabalhos teóricos. Esboce o diagrama de níveis de energia dos orbitais moleculares para o XeF e deduza sua configuração eletrônica do estado fundamental. É provável que o XeF tenha um comprimento de ligação menor que o XeF^+?

14.27 Construa o diagrama de níveis de energia de orbitais moleculares para o (a) eteno e (b) etino com base em que as moléculas são formadas a partir da hibridização apropriada de fragmentos CH_2 ou CH.

14.28 Faça a previsão das polaridades das ligações (a) P—H, (b) B—H.

14.29 Estabeleça as paridades dos seis orbitais π do benzeno (veja Fig. 14.37).

14.30 Muitas das cores que se observam na vegetação são devidas a transições eletrônicas em sistemas de elétrons π conjugados. Na *teoria do orbital molecular do elétron livre* (FEMO), os elétrons em uma molécula conjugada são tratados como partículas independentes em uma caixa de comprimento L. (a) Esboce a forma dos dois orbitais ocupados no butadieno previstos por este modelo e faça a previsão da energia de excitação mínima da molécula. (b) O tetraeno, $CH_2{=}CHCH{=}CHCH{=}CHCH{=}CH_2$, pode ser tratado como uma caixa de comprimento $8R$, em que R = 140 pm (pois, neste caso, um comprimento extra de meia ligação é, frequentemente, adicionado a cada uma das terminações da caixa). Calcule a energia de excitação mínima da molécula e esboce o HOMO e o LUMO.

14.31 A teoria FEMO (Exercício 14.30) de moléculas conjugadas é muito aproximada; melhores resultados são obtidos com a teoria simples de Hückel. (a) Para um polieno conjugado linear com cada um dos N átomos de carbono contribuindo com um elétron em um orbital 2p, as energias E_k dos orbitais moleculares π resultantes são dadas por

$$E_k = \alpha + 2\beta\cos\frac{k\pi}{N+1} \qquad k = 1, 2, 3, \ldots, N$$

Use esta expressão para fazer uma estimativa empírica razoável da integral de ressonância β para a série homóloga formada pelo eteno, butadieno, hexatrieno e octatetraeno, sabendo que a absorção no ultravioleta correspondente à transição do HOMO, que é um orbital π ligante, para o LUMO, que é um orbital π^* antiligante, ocorre a 61.500, 46.080, 39.750 e 32.900 cm^{-1}, respectivamente. (b) Calcule a energia de deslocalização do elétron π, $E_{desl} = E_\pi - n(\alpha + \beta)$, do octatetraeno, em que E_π é a energia total da ligação do elétron π e n é o número total de elétrons π.

14.32 Para os polienos conjugados monocíclicos (como o ciclobutadieno e o benzeno), com cada um dos N átomos de carbono contribuindo com um elétron em um orbital 2p, a teoria simples de Hückel fornece a seguinte expressão para as energias E_k dos orbitais moleculares p resultantes:

$$E_k = \alpha + 2\beta\cos\frac{2k\pi}{N} \qquad k = 0, \pm1, \pm2, \pm3, \ldots, \pm N/2 \ (N \text{ par})$$
$$k = 0, \pm1, \pm2, \pm3, \ldots, \pm(N-1)/2 \ (N \text{ ímpar})$$

(a) Calcule as energias dos orbitais moleculares π do benzeno e do ciclooctatetraeno. Comente sobre a presença ou não de níveis de energia degenerados. (b) Calcule e compare as energias de deslocalização do benzeno e do hexatrieno (usando a expressão do Exercício 14.31). O que você conclui dos seus resultados? (c) Calcule e compare as energias de deslocalização do ciclo-octatetraeno e do octatetraeno. As suas conclusões sobre esse par de moléculas são as mesmas que para o par investigado no item (b)?

14.33 Faça a previsão das configurações eletrônicas do (a) ânion do benzeno, (b) cátion do benzeno. Estime a energia de ligação π em cada caso.

Projetos

O símbolo ‡ indica que o cálculo é necessário.

14.34‡ Vamos explorar aqui os orbitais híbridos mais quantitativamente. Funções matemáticas são ortogonais se a integral do seu produto é nula. (a) Mostre que os orbitais $h_1 = s + p_x + p_y + p_z$ e $h_2 = s - p_x - p_y + p_z$ são mutuamente ortogonais. Cada orbital atômico é normalizado individualmente em 1. Observe também que (i) os orbitais s e p são ortogonais e (ii) os orbitais p são perpendiculares entre si e ortogonais. (b) Mostre que o orbital híbrido sp^2 $(s + 2^{1/2}p)/3^{1/2}$ é normalizado em 1 se os orbitais s e p são normalizados em 1. (c) Encontre outro orbital híbrido sp^2 que seja ortogonal ao orbital híbrido do item (b).

14.35‡ Mostre que, se a superposição é ignorada, (a) qualquer orbital molecular, expresso como uma combinação linear de dois orbitais atômicos, pode ser escrito na forma $\psi = \psi_A \cos\theta + \psi_B \operatorname{sen}\theta$, em que θ é um parâmetro que varia entre 0 e $\frac{1}{2}\pi$, e (b) que se ψ_A e ψ_B são ortogonais e normalizados em 1, então ψ também é normalizado em 1. (c) A que valores de θ correspondem os orbitais ligante e antiligante em uma molécula diatômica homonuclear?

14.36‡ Vamos explorar agora a superposição de orbitais e as integrais de superposição com mais detalhes. (a) Sem realizar cálculos, esboce como é possível esperar que a superposição entre um orbital H1s e um orbital 2p venha a depender da separação dos dois orbitais. (b) A integral de superposição entre um orbital H1s e um orbital H2p, com os núcleos separados pela distância R, é $S = (R/a_0)\{1 + (R/a_0) + \frac{1}{3}(R/a_0)^2\}e^{-R/a_0}$. Faça o gráfico desta função e obtenha a separação para a qual a superposição é máxima. (c) Suponha que um orbital molecular tem a forma $N(0{,}245A + 0{,}644B)$. Obtenha uma combinação linear dos orbitais A e B que não se sobreponham com (ou seja, sejam ortogonais a) esta combinação. (d) Normalize a função de onda $\psi = \psi_{cov} + \lambda\psi_{ion}$ em termos do parâmetro λ e da integral de superposição S entre as funções de onda covalente e iônica.

14.37 Use um programa de química computacional para explorar a ligação na piridina, C_6H_5N. (a) Use os vários procedimentos disponíveis no programa da sua escolha ou segundo orientação do seu professor para determinar a forma e a energia do orbital molecular mais alto ocupado e a do mais baixo desocupado. (b) Daí, determine o comprimento de onda da transição LUMO—HOMO. Compare os valores que você obteve pelos vários métodos com o espectro visível observado da piridina, que mostra uma absorção máxima em 352 nm. (c) Calcule a entalpia de formação da piridina em fase gasosa utilizando os diferentes métodos. Os valores calculados são consistentes com o valor experimentalmente determinado de 140,2 kJ mol^{-1}, a 298 K?

15

Interações moleculares

Átomos e moléculas com camadas de valência completa ainda são capazes de interagir uns com os outros, ainda que todas as suas valências estejam satisfeitas. Atraem-se numa faixa de diversos diâmetros atômicos e se repelem quando ficam muito próximos. Essas interações (ou forças) residuais são altamente importantes. São responsáveis, por exemplo, pela condensação de gases em líquidos e pelas estruturas dos sólidos moleculares. Todos os líquidos e sólidos orgânicos, que vão desde pequenas moléculas, como o benzeno, até a celulose, praticamente infinita, e polímeros dos quais são feitos os tecidos, ficam unidos pelas forças (ou interações) de coesão que iremos explorar neste capítulo. Essas interações também são responsáveis pela organização estrutural de macromoléculas biológicas, pois unem as unidades – tais como polipeptídeos, polinucleotídeos e lipídeos – que quando juntas formam as estruturas moleculares no arranjo próprio à sua função fisiológica.

Neste capítulo apresentamos a teoria básica das interações moleculares e então exploramos como essas interações exercem seu papel nas propriedades dos líquidos. No capítulo seguinte estudamos como as mesmas interações contribuem para as propriedades das macromoléculas e dos agregados moleculares. Boa parte deste capítulo está baseada na lei de Coulomb (Ferramentas do químico 9.1).

Interações de van der Waals

As interações entre as moléculas ou dentro das moléculas (por exemplo, dentro das macromoléculas) incluem as interações atrativas e repulsivas envolvendo cargas elétricas parciais e nuvens eletrônicas de moléculas polares e apolares ou de grupos funcionais. Incluem também as interações repulsivas que evitam o completo colapso da matéria para densidades tão altas quanto as que são características dos núcleos atômicos. As interações repulsivas originam-se da exclusão de elétrons das regiões do espaço em que os orbitais de espécies de camadas fechadas se sobrepõem. Essas interações são chamadas de **interações de van der Waals** (ou **forças de van der Waals**); este termo exclui as interações que resultam na formação de ligações covalentes ou iônicas. Veremos que a *energia potencial* que surge de uma interação atrativa de van der Waals normalmente é proporcional ao inverso da sexta potência da separação entre as moléculas ou entre grupos funcionais. A *força* intermolecular é função do inverso de uma potência maior da distância de separação, de modo que uma interação de van der Waals para a qual a energia potencial é proporcional ao inverso da sexta potência da separação corresponde a uma força que é proporcional ao inverso da sétima potência. Para confirmar este fato, usamos a relação, da Dedução 12.3, na qual $F = -\mathrm{d}V/\mathrm{d}r$, em que $V(r)$ é a energia potencial, para escrever

$$\text{Para } V(r) = -\frac{C}{r^6}, \qquad (15.1)$$

$$F(r) = -\frac{\mathrm{d}V(r)}{\mathrm{d}r} = -\frac{\mathrm{d}}{\mathrm{d}r}\left(-\frac{C}{r^6}\right) \overset{\mathrm{d}x^n/\mathrm{d}x = nx^{n-1},\ n=-6}{=} -\frac{6C}{r^7}$$

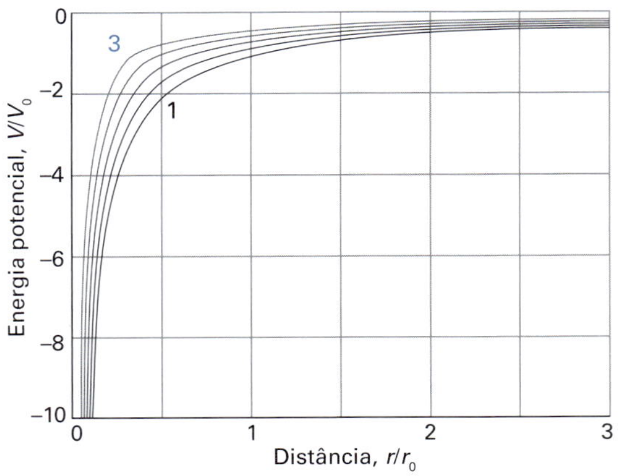

Figura 15.1 Potencial coulombiano para duas cargas em função da separação entre as mesmas. As duas curvas correspondem a diferentes permissividades relativas (1 para o vácuo, 3 para um típico fluido orgânico).

15.1 Interações entre cargas parciais

Em geral, os átomos presentes nas moléculas têm cargas parciais. A Tabela 15.1 mostra as cargas parciais tipicamente encontradas sobre os átomos nos peptídeos. Se essas cargas estivessem separadas pelo vácuo, iriam atrair ou repelir umas às outras de acordo com a lei de Coulomb (com a energia potencial E_p representada por V, como é convencional neste contexto), e escreveríamos

$$V(r) = \frac{Q_1Q_2}{4\pi\varepsilon_0 r} \qquad \text{Interação entre cargas parciais} \qquad (15.2a)$$

em que Q_1 e Q_2 são as cargas parciais e r é sua separação. Entretanto, necessitamos levar em conta a possibilidade de que outras partes da molécula, ou outras moléculas, ficam entre as cargas, diminuindo a força da interação. O procedimento mais simples para levar em conta estes efeitos muito complicados é considerar o meio como uma substância uniforme e escrever

$$V(r) = \frac{Q_1Q_2}{4\pi\varepsilon r} \qquad (15.2b)$$

em que ε é a **permissividade** do meio (veja a Ferramenta do químico 9,1): uma alta permissividade significa que o meio reduz a força da interação entre as duas cargas. Como explicado na Ferramenta, a permissividade normalmente é expressa como um múltiplo da permissividade do vácuo, escrevendo-se $\varepsilon = \varepsilon_r\varepsilon_0$, em que a grandeza adimensional ε_r é a permissividade relativa. O efeito do meio pode ser muito grande: para a água, a 25 °C, $\varepsilon_r = 78$, assim a energia potencial das duas cargas separadas por um volume d'água é reduzida em quase duas ordens de grandeza comparada ao valor que teria se as cargas estivessem separadas por um vácuo (Fig. 15.1). O problema piora nos cálculos dos polipeptídeos e ácidos nucleicos pelo fato de que duas cargas parciais podem ter água e uma cadeia de um biopolímero entre as mesmas. Foram propostos vários modelos para levar em conta esse complicado efeito, sendo o mais simples estabelecer $\varepsilon_r = 3{,}5$ e esperar pelo melhor.

Tabela 15.1
Cargas parciais em polipeptídeos

Átomo	Carga parcial
C(=O)	+0,45
C(—CO)	+0,06
H(—C)	+0,02
H(—N)	+0,18
H(—O)	+0,42
N	−0,36
O	−0,38

15.2 Momentos de dipolo elétrico

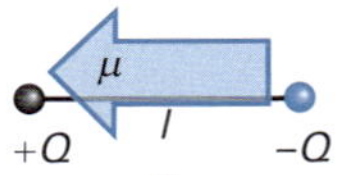

1

Quando as moléculas ou grupos que estamos considerando estão muito separados, fica mais simples expressar os aspectos principais de sua interação em termos dos momentos de dipolo associados às distribuições da carga do que com cada carga parcial. Na forma mais simples, um **dipolo elétrico** consiste em duas cargas Q e $-Q$ separadas por uma distância l. O produto Ql é denominado **momento de dipolo elétrico**, μ. Representamos momentos de dipolo por uma seta de comprimento proporcional a μ e apontando da carga negativa na direção da carga positiva (**1**). (Tome cuidado com essa convenção: por questões históricas a convenção oposta ainda é amplamente adotada.)

Como um momento de dipolo é o produto de uma carga (em coulombs, C) e um comprimento (em metros, m), a unidade SI de momento de dipolo é o coulomb metro (C m). No entanto, muitas vezes é muito mais conveniente exprimir o momento de dipolo em **debye**, D, em que

$$1\ \mathrm{D} = 3{,}335\ 64 \times 10^{-30}\ \mathrm{C\ m} \qquad \text{Definição de debye}$$

pois, então, os valores experimentais para as moléculas estão próximos de 1 D (Tabela 15.2). A unidade tem o nome de Peter Debye, o holandês pioneiro do estudo dos momentos de dipolo das moléculas. O momento de dipolo de cargas e e

Tabela 15.2

Momentos de dipolo, polarizabilidades e polarizabilidades volumares médias

	μ/D	$\alpha/(10^{-40}\ J^{-1}\ C^2\ m^2)$	$\alpha'/(10^{-30}\ m^3)$
Ar	0	1,85	1,66
CCl_4	0	11,7	10,3
C_6H_6	0	11,6	10,4
H_2	0	0,911	0,819
H_2O	1,85	1,65	1,48
NH_3	1,47	2,47	2,22
HCl	1,08	2,93	2,63
HBr	0,80	4,01	3,61
HI	0,42	6,06	5,45

$-e$ separadas por 100 pm é $1{,}6 \times 10^{-29}$ C m, correspondendo a 4,8 D. Os momentos de dipolo de moléculas pequenas são normalmente menores que este valor, ficando em torno de 1 D, confirmando que a separação de carga em moléculas simples é somente parcial.

Uma **molécula polar** é aquela que tem um momento de dipolo elétrico permanente que surge das cargas parciais em seus átomos (Seção 14.11). Uma **molécula apolar** é aquela que não tem momento de dipolo elétrico permanente. Todas as moléculas diatômicas heteronucleares são polares porque a diferença das eletronegatividades de seus dois átomos resulta em cargas parciais diferentes de zero. Momentos de dipolo típicos são 1,08 D para o HCl e 0,42 D para o HI (Tabela 15.2). Uma relação muito aproximada entre o momento de dipolo e a diferença $\Delta\chi$ entre as eletronegatividades de Pauling (Tabela 14.2) χ_A e χ_B de dois átomos A e B, é

$$\mu/\text{D} \approx \chi_A - \chi_B = \Delta\chi \qquad (15.3)$$

Momento de dipolo e diferença de eletronegatividade

■ Breve ilustração 15.1 Momento de dipolo e eletronegatividade

As eletronegatividades do hidrogênio e do bromo são 2,1 e 2,8, respectivamente. A diferença é 0,7, então podemos predizer um momento de dipolo elétrico de cerca de 0,7 D para o HBr. O valor experimental é 0,80 D.

Exercício proposto 15.1

Qual é o momento de dipolo de um fragmento C–H em uma molécula orgânica; qual o átomo que fica na extremidade negativa?

Resposta: μ = 0,4 D; C

A extremidade negativa do dipolo é geralmente o átomo mais eletronegativo, pois atrai os elétrons mais fortemente. Entretanto, há exceções, principalmente quando orbitais antiligantes estão ocupados. Assim, o momento de dipolo do CO é muito pequeno (0,12 D), mas a extremidade negativa do dipolo fica no átomo de C, embora o átomo de O seja mais eletronegativo. Esse aparente paradoxo é resolvido tão logo compreendemos que orbitais antiligantes estão ocupados no CO (veja Fig. 14.33), e, como os elétrons nos orbitais antiligantes tendem a ser encontrados mais próximos do átomo menos eletronegativo, contribuem com uma carga parcial negativa para aquele átomo. Se essa contribuição for maior do que a contribuição oposta a partir dos elétrons nos orbitais ligantes, então o efeito líquido será uma pequena carga parcial negativa no átomo *menos* eletronegativo.

A simetria molecular é da maior importância na decisão se uma molécula poliatômica é polar ou não. Na verdade, a simetria molecular é mais importante do que o fato de os átomos da molécula pertencerem ou não ao mesmo elemento. Moléculas poliatômicas homonucleares podem ser polares, se têm baixa simetria e os átomos estão em posições equivalentes. Por exemplo, a molécula angular ozônio, O_3 (**2**), é homonuclear. Entretanto, é polar, pois o átomo de O central é diferente dos dois externos (está ligado a dois átomos, os quais estão ligados somente a um); além disso, os momentos de dipolo associados com cada ligação fazem ângulo um com o outro e não se anulam. Moléculas poliatômicas heteronucleares podem ser apolares, se têm alta simetria, porque os dipolos de ligação individuais podem então se cancelar. A molécula triatômica linear heteronuclear CO_2, por exemplo, é apolar, porque, embora haja cargas parciais em todos os três átomos, o momento de dipolo associado com a ligação OC aponta na direção oposta ao momento de dipolo associado com a ligação CO, e os dois se cancelam (**3**).

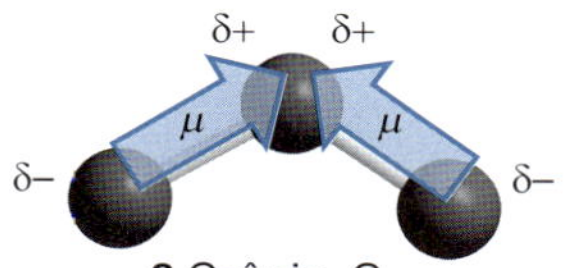

2 Ozônio, O_3

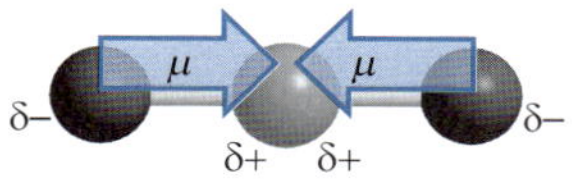

3 Dióxido de carbono, CO_2

Exemplo 15.1

Avaliando a polaridade de uma molécula

A molécula de CF_3 é polar ou apolar?

Estratégia Primeiramente avalie se as ligações são polares; se não são, a molécula é apolar. (Diferenças de eletronegatividade são uma indicação cuidadosa, mas pouco confiável, pois os átomos de um mesmo elemento que ficam em posições equivalentes podem ter cargas parciais diferentes.) Avalie, então, a forma da molécula usando a teoria RPECV (Ferramentas do químico 14.2) e avalie se os dipolos de ligação, caso haja algum, se cancelam. Se assim for (como em uma molécula tetraédrica), a molécula é apolar. Se não se cancelam, a molécula é polar.

Solução As eletronegatividades do Cl e do F são 3,0 e 4,0, respectivamente; assim, cada fragmento Cl—F é polar, com momento de dipolo em torno de 1,0 D. Para aplicar a teoria RPECV, observamos que a estrutura de Lewis é mostrada em (**4**), com cinco regiões de alta densidade eletrônica (três ligações e dois pares isolados). Essas regiões devem, então, ficar dispostas como uma bipirâmide triangular (**5**). A repulsão entre os pares isolados é mínima quando ocupam as posições equatoriais e se afastam levemente um do outro. Os três átomos de F ficam nas posições remanescentes, resultando em uma molécula com a forma de T (**6**). Os três momentos de dipolo das ligações não se cancelam nesta disposição, logo a molécula é polar.

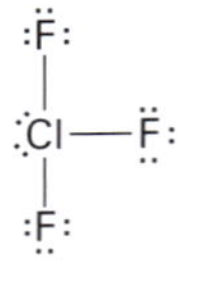

4

5

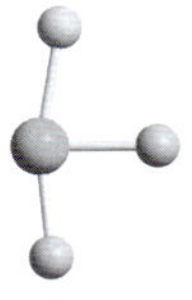

6

Exercício proposto 15.2

A molécula de SF_4 é polar?

Resposta: Sim

Em uma primeira aproximação, é possível decompor o momento de dipolo de uma molécula poliatômica em contribuições de vários grupos de átomos da molécula e nas direções em que ficam essas contribuições individuais (Fig. 15.2). Assim, o 1,4-diclorobenzeno é apolar por simetria, por conta do cancelamento de dois momentos C—Cl iguais, porém opostos (exatamente como no dióxido de carbono). O 1,2-diclorobenzeno, no entanto, tem um momento de dipolo que é aproximadamente a resultante de dois momentos de dipolo do clorobenzeno dispostos a 60° um em relação ao outro. Esta técnica de "adição de vetores" (veja Ferramentas do químico 13.1) pode ser aplicada com muito sucesso a outras séries de moléculas correlatas, e a resultante μ_{res} dos dois momentos de dipolo μ_1 e μ_2 que fazem um ângulo θ um em relação ao outro (7) é aproximadamente (veja Ferramentas do químico 13.1)

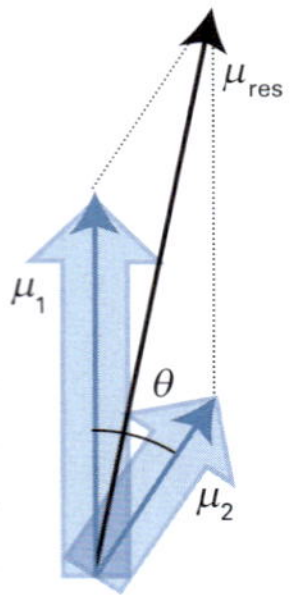

7

$$\mu_{res} \approx (\mu_1^2 + \mu_2^2 + 2\mu_1\mu_2 \cos\theta)^{1/2} \qquad (15.4)$$

Esta relação não é exata porque os momentos de dipolo não são rigorosamente aditivos.

■ Breve ilustração 15.2 Dipolo resultante

Para estimar a razão entre os momentos de dipolo de benzenos semelhantemente dissubstituídos *orto* (1,2-) e *meta* (1,3-), observamos que, para o isômero *orto*, θ = 60°, e para o isômero *meta*, θ = 120°. Os momentos de dipolo do grupo C—R são os mesmos, logo podemos usar a Eq. 15.4 na forma $\mu_{res} = 2^{1/2}\mu(1 + \cos\theta)^{1/2}$ em cada caso. Então, a razão é

$$\frac{\mu(\text{orto})}{\mu(\text{meta})} = \frac{2^{1/2}\mu(1+\cos 60°)^{1/2}}{2^{1/2}\mu(1+\cos 120°)^{1/2}} = 1{,}7$$

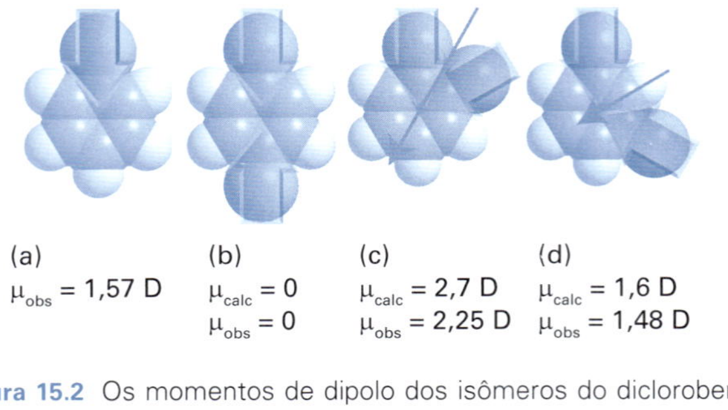

Figura 15.2 Os momentos de dipolo dos isômeros do diclorobenzeno podem ser obtidos aproximadamente pela adição vetorial de dois momentos de dipolo do clorobenzeno (1,57 D).

Exercício proposto 15.3

O momento de dipolo da ligação O—H é aproximadamente 1,4 D. Calcule o momento de dipolo de uma molécula de H_2O_2, na qual as duas ligações O—H estão a 90° entre si e à ligação O—O.

Resposta: 2,0 D

Uma abordagem melhor do cálculo dos momentos de dipolo é levar em consideração as posições e magnitudes das cargas parciais em todos os átomos. Essas cargas parciais estão incluídas na saída de muitos pacotes de *software* de estrutura molecular. Os programas calculam os momentos de dipolo das moléculas levando em conta que um momento de dipolo elétrico é realmente um vetor, $\boldsymbol{\mu}$, com três componentes, μ_x, μ_y e μ_z (8). A direção de $\boldsymbol{\mu}$ mostra a orientação do dipolo na molécula e o comprimento do vetor é a magnitude, μ, do momento de dipolo. Em comum com todos os vetores, a magnitude é relacionada com as três componentes por

$$\mu = (\mu_x^2 + \mu_y^2 + \mu_z^2)^{1/2} \qquad (15.5a)$$

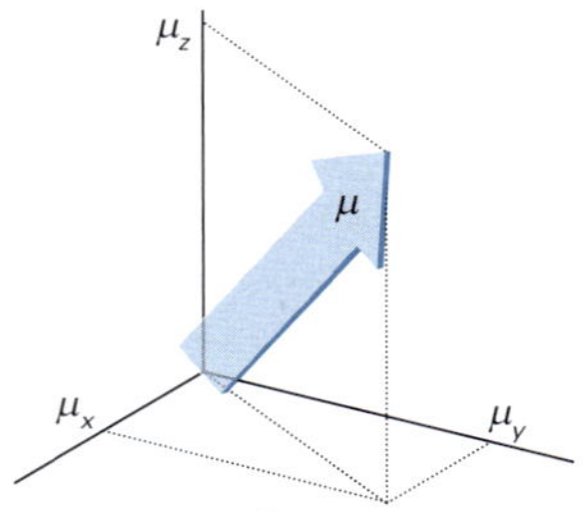

8

Para calcular μ necessitamos calcular as três componentes e então substituí-las nesta expressão. Para calcular a componente x, por exemplo, precisamos conhecer a carga parcial sobre cada átomo e a coordenada x do átomo em relação a determinado ponto na molécula, de modo a obtermos a soma

$$\mu_x = \sum_J Q_J x_J \qquad (15.5b)$$

Nesta expressão, Q_J é a carga parcial do átomo J, x_J é a coordenada x do átomo J e a soma se estende a todos os átomos da molécula. Expressões análogas são usadas para as componentes y e z. Para uma molécula eletricamente neutra, a origem das coordenadas é arbitrária, de modo que a melhor escolha é aquela que simplifica as medidas experimentais.

Exemplo 15.2

Cálculo de um momento de dipolo molecular

Calcule o momento de dipolo elétrico do grupo peptídico utilizando as cargas parciais (como múltiplos de e) da Tabela 15.1 e as posições dos átomos mostrados em (9).

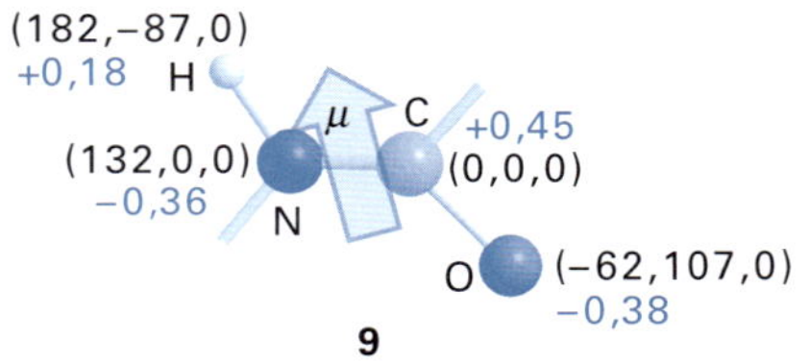

9

Estratégia Utilizamos a Eq. 15.5b para calcular cada um dos componentes do momento de dipolo e então a Eq. 15.5a para combinar as três componentes na magnitude do momento de dipolo. Observe que as cargas parciais são múltiplos da carga fundamental, $e = 1{,}609 \times 10^{-19}$ C (veja a contracapa).

Solução A expressão para μ_x é

$$\begin{aligned}\mu_x &= (-0{,}36e) \times (132\ \text{pm}) + (0{,}45e) \times (0\ \text{pm}) \\ &\quad + (0{,}18e) \times (182\ \text{pm}) + (-0{,}38e) \times (-62\ \text{pm}) \\ &= 8{,}8e\ \text{pm} \\ &= 8{,}8 \times (1{,}609 \times 10^{-19}\ \text{C}) \times (10^{-12}\ \text{m}) = 1{,}4 \times 10^{-30}\ \text{C m}\end{aligned}$$

que corresponde a $\mu_x = 0{,}42$ D. A expressão para μ_y é

$$\begin{aligned}\mu_y &= (-0{,}36e) \times (0\ \text{pm}) + (0{,}45e) \times (0\ \text{pm}) \\ &\quad + (0{,}18e) \times (-87\ \text{pm}) + (-0{,}38e) \times (107\ \text{pm}) \\ &= -56e\ \text{pm} = -9{,}1 \times 10^{-30}\ \text{C m}\end{aligned}$$

Segue-se que $\mu_y = -2{,}7$ D. Portanto, como $\mu_z = 0$,

$$\mu = \{(0{,}42\ \text{D})^2 + (-2{,}7\ \text{D})^2\}^{1/2} = 2{,}7\ \text{D}$$

Podemos encontrar a orientação do momento de dipolo colocando uma seta de comprimento de 2,7 unidades de comprimento para termos componentes *x*, *y* e *z* de 0,42, −2,7 e 0 unidades; a orientação está superposta sobre (**9**).

Exercício proposto 15.4

Calcule o momento de dipolo elétrico do formaldeído, utilizando as informações em (**10**).

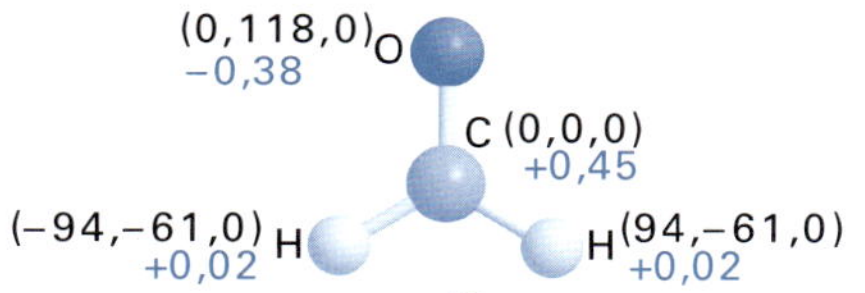

10

Resposta: −2,3 D

15.3 Interações entre dipolos

A energia potencial de um dipolo μ_1 na presença de uma carga Q_2 é calculada levando em conta a interação da carga com as duas cargas parciais do dipolo; uma interação é atrativa e a outra é repulsiva. Como mostrado na Dedução a seguir, o resultado para a distribuição mostrada em (**11**), é

$$V(r) = -\frac{\mu_1 Q_2}{4\pi\varepsilon_0 r^2} \qquad \text{Interação carga-dipolo} \qquad (15.6a)$$

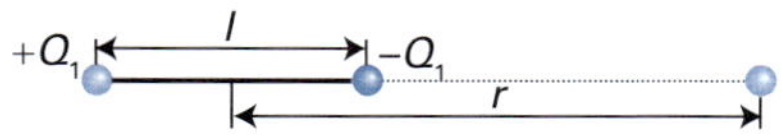

11

Dedução 15.1

A interação de uma carga com um dipolo

Quando a carga e o dipolo são colineares, como em (**11**), a energia potencial é

$$V(r) = \overbrace{\frac{Q_1Q_2}{4\pi\varepsilon_0(r+\frac{1}{2}l)}}^{\text{Repulsão entre } Q_1 \text{ e } +Q_2} \overbrace{-\frac{Q_1Q_2}{4\pi\varepsilon_0(r-\frac{1}{2}l)}}^{\text{Atração entre } Q_1 \text{ e } -Q_2}$$

$$= \frac{Q_1Q_2}{4\pi\varepsilon_0 r(1+\frac{l}{2r})} - \frac{Q_1Q_2}{4\pi\varepsilon_0 r(1-\frac{l}{2r})}$$

Agora, supomos que a separação das cargas no dipolo é muito menor que a distância da carga Q_2, ou seja, que $l/2r << 1$. Então podemos empregar a expressão (veja Ferramentas do químico 6.1)

$$\frac{1}{1+x} \approx 1 - x \qquad \frac{1}{1-x} \approx 1 + x$$

para escrever

$$V(r) \approx \frac{Q_1Q_2}{4\pi\varepsilon_0 r}\left\{\left(1-\frac{l}{2r}\right)-\left(1+\frac{l}{2r}\right)\right\} = -\frac{Q_1Q_2 l}{4\pi\varepsilon_0 r^2}$$

Agora reconhecemos que $Q_2 l = \mu_2$, o momento de dipolo da molécula 1, e obtemos a Eq. 15.6a.

Um cálculo semelhante para a orientação mais geral mostrada em (**12**) dá

$$V(r) = -\frac{\mu_1 Q_2 \cos\theta}{4\pi\varepsilon_0 r^2} \qquad \text{Interação carga-dipolo} \qquad (15.6b)$$

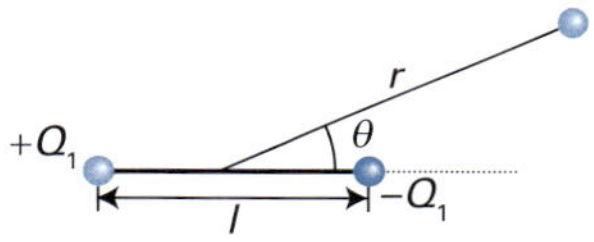

12

Se Q_2 é positiva, a energia é a mais baixa quando $\theta = 0$ (e $\cos\theta = 1$), porque então a carga negativa parcial do dipolo fica mais próxima da carga pontual do que a carga positiva parcial, e a atração vence a repulsão. Esta energia de interação diminui mais rapidamente com a distância do que a energia de interação entre duas cargas pontuais (com $1/r^2$ em vez de $1/r$), pois, tomando como referência a carga pontual, as cargas parciais do dipolo pontual parecem fundir-se e cancelar-se à medida que a distância *r* aumenta.

Podemos calcular a energia de interação entre dois dipolos μ_1 e μ_2 na orientação apresentada em (**13**) de maneira semelhante, levando em conta todas as quatro cargas dos dois dipolos. O resultado é[1]

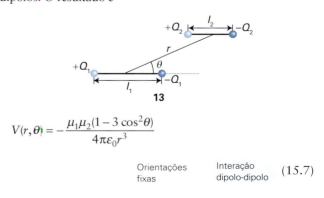

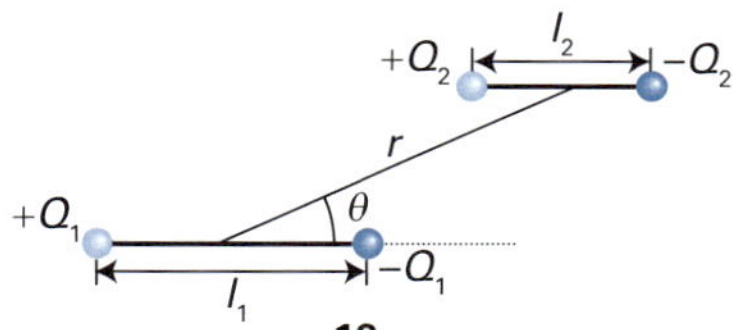

13

$$V(r,\theta) = -\frac{\mu_1\mu_2(1-3\cos^2\theta)}{4\pi\varepsilon_0 r^3} \qquad \text{Orientações fixas} \qquad \text{Interação dipolo-dipolo} \qquad (15.7)$$

[1] Para uma dedução da Eq. 15.7, veja o livro *Físico Química* (2010) destes mesmos autores (LTC Editora).

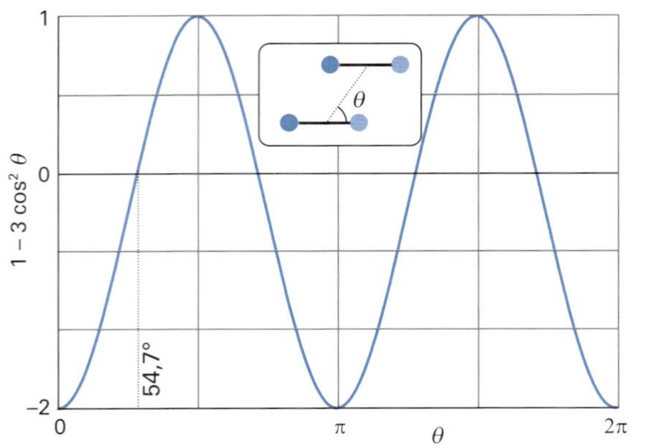

Figura 15.3 A dependência angular da energia potencial de dois dipolos elétricos paralelos.

Vamos interpretar esta expressão, considerando também a Figura 15.3, que mostra a dependência angular da energia potencial:

- A energia potencial diminui ainda mais rapidamente do que na Eq. 15.6 (com $1/r^3$ em vez de $1/r^2$), porque as cargas de *ambos* os dipolos parecem fundir-se à medida que aumenta a separação dos dipolos.
- O fator angular leva em conta o modo como cargas iguais ou opostas se aproximam umas das outras à medida que é alterada a orientação relativa dos dipolos.
- A energia é a mais baixa quando $\theta = 0$ ou 180° (quando $1 - 3\cos^2\theta = -2$), pois cargas parciais opostas então ficam mais próximas do que cargas parciais iguais.
- A energia potencial é negativa (atrativa) em algumas orientações quando $\theta < 54{,}7°$ (o ângulo em que $1 - 3\cos^2\theta = 0$, correspondendo a $\cos\theta = 1/3^{1/2}$) porque cargas opostas ficam mais próximas do que cargas iguais.
- A energia potencial é positiva (repulsiva) quando $\theta > 54{,}7°$, pois então cargas iguais estão mais próximas do que cargas desiguais.
- A energia potencial é zero nas retas a 54,7° e a 180 − 54,7 = 123,3° porque naqueles ângulos as duas atrações e as duas repulsões se anulam (**14**).

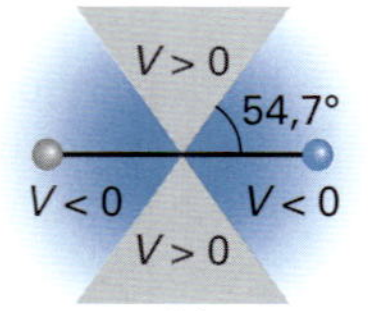

14

Breve ilustração 15.3 A interação dipolo-dipolo

Para calcular a energia potencial molar da interação dipolar entre duas ligações peptídicas separadas por 3,0 nm em diferentes regiões de uma cadeia polipeptídica com $\theta = 180°$, consideramos $\mu_1 = \mu_2 = 2{,}7$ D, correspondendo a $9{,}1 \times 10^{-30}$ C m, e obtemos

V(3,0 nm, 180°)

$$= \frac{\overbrace{(9{,}1\times10^{-30}\ \mathrm{C\ m})^2}^{\mu_1\mu_2=\mu^2} \times \overbrace{(-2)}^{(1-3\cos^2\theta),\ \theta=180°}}{\underbrace{4\pi\times(8{,}854\times10^{-12}\ \mathrm{J^{-1}\ C^2\ m^{-1}})}_{4\pi\varepsilon_0}\times\underbrace{(3{,}0\times10^{-9}\ \mathrm{m})^3}_{r^3}}$$

$$= \frac{(9{,}1\times10^{-30})^2\times(-2)}{4\pi\times(8{,}854\times10^{-12})\times(3{,}0\times10^{-9})^3}\ \frac{\mathrm{C^2\ m^2}}{\mathrm{J^{-1}\ C^2\ m^{-1}\ m^3}}$$

$$= -5{,}5\times10^{-23}\ \mathrm{J}$$

Este valor corresponde (depois da multiplicação pelo número de Avogadro) a −34 J mol^{-1}.

Uma nota sobre a boa prática Reiteramos a importância de incluir as unidades em todas as etapas do cálculo, em parte porque o cancelamento correto nos ajuda a verificar se o cálculo foi montado e realizado corretamente.

A energia potencial média da interação entre moléculas polares que estão em rotação livre em um fluido (um gás ou líquido) é zero, porque as atrações e repulsões se anulam. No entanto, como a energia potencial de um dipolo próximo de outro dipolo depende de suas orientações relativas, as moléculas exercem forças umas sobre as outras e, portanto, de fato, não giram inteiramente livres, mesmo em um gás. Como resultado, as orientações de baixa energia ficam ligeiramente favorecidas, havendo, portanto, uma interação não nula entre moléculas polares que estão girando (Fig. 15.4). O cálculo detalhado da energia de interação média é muito complicado, mas a resposta final é muito simples:

$$V(r) = -\frac{\mu_1^2\mu_2^2}{3(4\pi\varepsilon_0)^2 kTr^6} \qquad \text{Moléculas em rotação} \qquad \text{Interação dipolo-dipolo} \qquad (15.8)$$

em que k é a constante de Boltzmann. Como foi feito anteriormente, vamos 'analisar' esta expressão:

- A interação entre dipolos é um exemplo de uma interação de van der Waals que varia com o inverso da sexta potência da distância.
- A dependência inversa da temperatura ($V \propto 1/T$) reflete a forma como, em temperaturas mais elevadas, o maior movimento térmico vence os efeitos de orientação mútua dos dipolos.

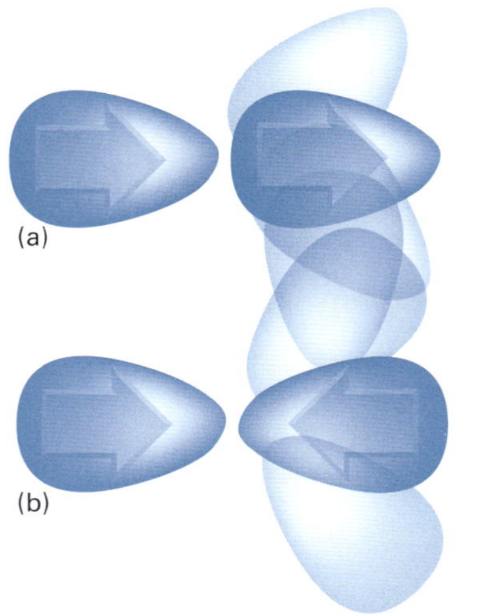

Figura 15.4 Interação dipolo-dipolo. Quando um par de moléculas pode adotar todas as orientações relativas com igual probabilidade, as orientações favoráveis (a) e as desfavoráveis (b) se anulam, e a interação média é zero. Num fluido real, as interações em (a) são ligeiramente predominantes.

■ **Breve ilustração 15.4** A interação dipolar em moléculas em rotação

A 25 °C, a energia de interação média para pares de moléculas com $\mu = 1$ D é de

$$V(0{,}30\text{ nm}) = \frac{\overbrace{(3{,}3\times10^{-30}\text{ C m})^2}^{\mu_1^2}\,\overbrace{(3{,}3\times10^{-30}\text{ C m})^2}^{\mu_2^2}}{3\underbrace{(4\pi\times8{,}85\times10^{-12}\text{ J}^{-1}\text{ C}^2\text{ m}^{-1})^2}_{(4\pi\varepsilon_0)^2}\times\underbrace{(1{,}381\times10^{-23}\text{ J K}^{-1})}_{k}} \times\frac{1}{\underbrace{(298\text{ K})}_{T}\times\underbrace{(3{,}0\times10^{-10}\text{ m})^6}_{r^6}}$$

$$= \frac{3{,}3^4\times10^{-120}}{3(4\pi\times8{,}85)^2\times298\times3{,}0^6\times10^{-107}}\,\frac{\text{C}^4\text{ m}^4}{\text{J}^{-1}\text{ C}^4\text{ m}^4}$$

$$= -1{,}5\times10^{-21}\text{ J}$$

ou cerca de $-0{,}9$ kJ mol^{-1}. Esta energia deve ser comparada com a energia cinética molar média de $^3/_2RT = 3{,}7$ kJ mol^{-1} à mesma temperatura (Fundamentos 0.8): as duas não são muito diferentes, mas são ambas muito menores que as energias envolvidas na formação e quebra de ligações químicas.

15.4 Momentos de dipolo induzidos

Uma molécula apolar pode adquirir um **momento de dipolo induzido** temporário, μ^*, como resultado da influência de um campo elétrico gerado por um íon vizinho ou molécula polar. O campo distorce a distribuição eletrônica da molécula, dando origem a um dipolo elétrico na mesma. A molécula é dita ser *polarizável*. A magnitude do momento de dipolo induzido é proporcional à intensidade do campo elétrico $\mathcal{E}$, e escrevemos

$$\mu^* = \alpha\mathcal{E} \qquad \text{Momento de dipolo induzido} \qquad (15.9)$$

A constante de proporcionalidade α é a **polarizabilidade** da molécula. É importante entender as seguintes características da polarizabilidade:

- Quanto maior a polarizabilidade da molécula, maior a distorção que é causada por dada intensidade de campo elétrico.
- Se a molécula possui poucos elétrons (tal como o N_2), esses elétrons estão firmemente controlados pelas cargas nucleares e a polarizabilidade da molécula é baixa. Se a molécula contém átomos grandes com elétrons a certa distância do núcleo (tal como o I_2), o controle nuclear é menor e a polarizabilidade da molécula, maior.
- A polarizabilidade é baixa quando a energia de ionização é elevada: quanto mais firmemente os elétrons estão ligados, mais difícil é distorcer a distribuição eletrônica em torno do núcleo.
- A polarizabilidade depende da orientação da molécula com relação ao campo, a menos que a molécula seja tetraédrica (como o CCl_4), octaédrica (como o SF_6), ou icosaédrica (como o C_{60}). Átomos, moléculas tetraédricas, octaédricas, e icosaédricas têm polarizabilidades isotrópicas (independentes da orientação); todas as outras moléculas têm polarizabilidades anisotrópicas (dependentes da orientação).

As polarizabilidades apresentadas na Tabela 15.2 são dadas como **polarizabilidade volumar,** α', que são muitas vezes mais fáceis de calcular do que as polarizabilidades em si:

$$\alpha' = \frac{\alpha}{4\pi\varepsilon_0} \qquad \text{Definição} \quad \text{Polarizabilidade volumar} \qquad (15.10)$$

A polarizabilidade volumar tem as dimensões do volume (daí seu nome) e é comparável, em magnitude, ao volume de uma molécula.

■ **Breve ilustração 15.5** O dipolo induzido

Para determinar a intensidade de campo elétrico necessária para induzir um momento de dipolo elétrico de 1,0 μD em uma molécula de polarizabilidade volumar $1{,}0\times10^{-29}$ m^3 (como o CCl_4), escrevemos a Eq. 15.9 como $\mathcal{E} = \mu^*/\alpha$ e substituímos os dados. Precisamos saber que 1 D = $3{,}336\times10^{-30}$ C m e converter a polarizabilidade volumar em polarizabilidade usando a Eq. 15.10 na forma $\alpha = 4\pi\varepsilon_0\alpha'$. Assim,

$$\mathcal{E} = \frac{\mu^*}{\alpha} = \frac{\overbrace{3{,}336\times10^{-30}\times1{,}0\times10^{-6}\text{ C m}}^{1{,}0\ \mu\text{D}}}{4\pi\times\underbrace{(8{,}854\times10^{-12}\text{ J}^{-1}\text{ C}^2\text{ m}^{-1})}_{\varepsilon_0}\times\underbrace{(1{,}0\times10^{-29}\text{ m}^3)}_{\alpha'}}$$

$$= \frac{3{,}3\times10^{-36}}{4\pi\times(8{,}854\times10^{-12})\times(1{,}0\times10^{-29})}\,\frac{\text{C m}}{\text{J}^{-1}\text{ C}^2\text{ m}^2}$$

$$= 9{,}3\times10^3\ \overbrace{\text{J C}^{-1}}^{\text{V}}\text{ m}^{-1} = 9{,}3\text{ kV m}^{-1}$$

Uma molécula polar com momento de dipolo μ_1 pode induzir um momento de dipolo em uma molécula polarizável (que em si mesma pode ser polar ou apolar), porque as cargas parciais da molécula polar dão origem a um campo elétrico que distorce a segunda molécula. Esse dipolo induzido interage com o dipolo permanente da primeira molécula, e as duas se atraem mutuamente (Fig. 15.5). A fórmula para a **energia de interação dipolo-dipolo induzido** é

$$V(r) = -\frac{\mu_1^2\alpha_2'}{4\pi\varepsilon_0 r^6} \qquad \text{Interação dipolo-dipolo induzido} \qquad (15.11)$$

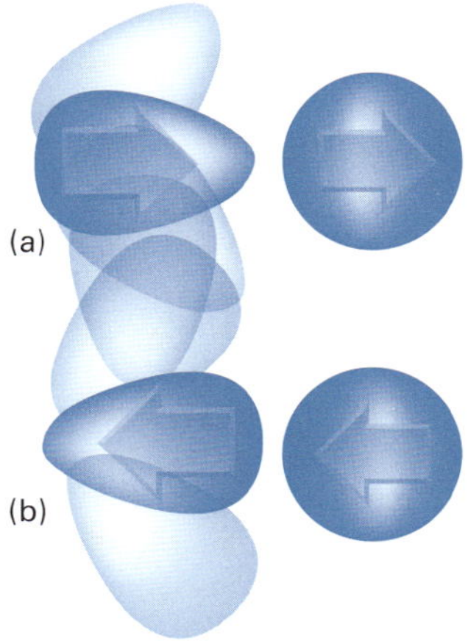

Figura 15.5 Interação dipolo-dipolo induzido. O dipolo induzido (setas da esquerda) segue a orientação variável do dipolo permanente (setas da direita).

em que α_2' é a polarizabilidade volumar da molécula 2. O sinal negativo, que indica um abaixamento de energia a partir do zero à medida que as moléculas se aproximam, mostra que a interação é atrativa. A interação entre um dipolo e um dipolo induzido é outro exemplo de uma interação de van der Waals que varia com o inverso da sexta potência da distância.

■ Breve ilustração 15.6 A energia de interação dipolo-dipolo induzido

Para uma molécula com μ = 1 D (como o HCl) próxima a uma molécula de polarizabilidade volumar $\alpha_2' = 1{,}0 \times 10^{-29}$ m^3 (tal como o benzeno, Tabela 15.2), a energia de interação média quando a separação é de 0,30 nm é

$$V(0{,}30\ \text{nm})$$

$$= -\frac{\overbrace{(3{,}3\times10^{-30}\ \text{C m})^2}^{\mu_1^2}\times\overbrace{(1{,}0\times10^{-29}\ \text{m}^3)}^{\alpha_2'}}{\underbrace{(4\pi\times8{,}85\times10^{-12}\ \text{J}^{-1}\ \text{C}^2\ \text{m}^{-1})}_{4\pi\varepsilon_0}\times\underbrace{(3{,}0\times10^{-10}\ \text{m})^6}_{r^6}}$$

$$= -\frac{3{,}3^2\times1{,}0\times10^{-89}}{4\pi\times8{,}85\times3{,}0^6\times10^{-72}}\frac{\text{C}^2\ \text{m}^5}{\text{J}^{-1}\ \text{C}^2\ \text{m}^5}$$

$$= -1{,}3\times10^{-21}\ \text{J}$$

Após multiplicação pela constante de Avogadro, esta energia corresponde a aproximadamente −0,8 kJ mol^{-1}.

15.5 Interações de dispersão

Finalmente, consideremos as interações entre espécies que não têm uma carga líquida nem um momento de dipolo elétrico permanente (como dois átomos de Xe em um gás ou dois grupos apolares nos resíduos peptídicos de uma proteína). Apesar da ausência de cargas parciais, sabemos que espécies apolares não carregadas podem interagir, pois formam fases condensadas, tal como o benzeno, hidrogênio líquido e xenônio líquido.

A **interação de dispersão**, ou **interação de London**, entre espécies apolares surge dos dipolos transientes que estas espécies possuem devido às flutuações nas distribuições de densidade eletrônica (Fig. 15.6). Suponhamos, por exemplo, que os elétrons de uma molécula se movem rapidamente num arranjo que resulta em cargas parciais positivas e negativas, fazendo com que a molécula tenha um momento de dipolo instantâneo μ_1. Enquanto existe, esse dipolo pode polarizar a outra molécula e induzir aí um momento de dipolo instantâneo μ_2. Os dois dipolos atraem um ao outro e a energia potencial do par é diminuída. Embora a primeira molécula continue a alterar o tamanho e a direção de seu dipolo (talvez durante 10^{-16} s), a segunda a seguirá, isto é, os dois dipolos estão *correlacionados* em direção, tal como duas engrenagens que se encaixam, com uma carga parcial positiva em uma molécula ficando próxima a uma carga parcial negativa na outra molécula e vice-versa. Por causa dessa correlação das posições relativas das cargas parciais, e sua interação atrativa resultante, a atração entre os dois dipolos instantâneos não se anula em média. Em vez disso, dá origem a uma interação atrativa líquida. Moléculas polares interagem por uma interação de dispersão, bem como por interações dipolo-dipolo, com a interação de dispersão frequentemente dominante.

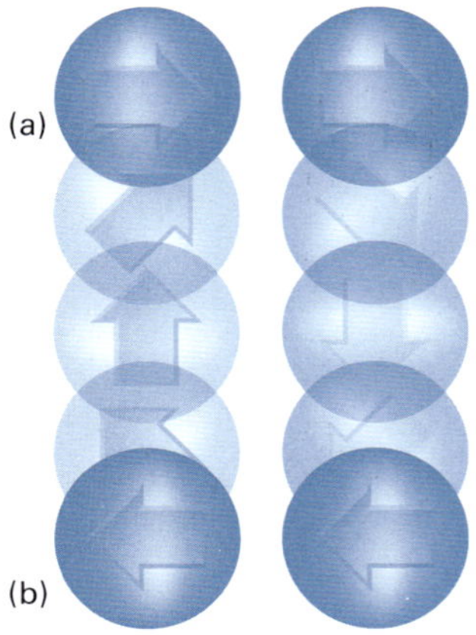

Figura 15.6 Na interação de dispersão, um dipolo instantâneo numa molécula induz um dipolo em outra molécula, e os dois dipolos então interagem diminuindo a energia. As direções dos dois dipolos instantâneos estão correlacionadas, e, embora ocorram em orientações diferentes em instantes diferentes, a interação não se anula, em média.

O cálculo real da interação de dispersão é muito complicado, mas uma aproximação razoável da energia de interação é a **fórmula de London**:

$$V(r) = -\frac{2}{3}\times\frac{\alpha_1'\alpha_2'}{r^6}\times\frac{I_1I_2}{I_1+I_2} \qquad \text{Fórmula de London} \qquad (15.12)$$

em que I_1 e I_2 são as energias de ionização das duas moléculas. A intensidade da interação de dispersão depende da polarizabilidade da primeira molécula porque a magnitude do momento de dipolo instantâneo μ_1 depende do relaxamento do controle que a carga nuclear tem sobre os elétrons externos. Se este controle é relaxado, a distribuição eletrônica pode sofrer flutuações relativamente grandes. Além disso, se o controle é relaxado, então a distribuição eletrônica pode também responder de maneira acentuada a campos elétricos aplicados e, portanto, ter uma alta polarizabilidade. Segue que uma alta polarizabilidade é sinal de grandes flutuações da densidade de carga local. A intensidade também depende da polarizabilidade da segunda molécula, pois esta polarizabilidade determina a rapidez com que um dipolo pode ser induzido na molécula 2 pela molécula 1. Portanto, esperamos que $V \propto \alpha_1\alpha_2$, como na Eq. 15.12.

■ Breve ilustração 15.7 A intensidade da interação de dispersão

Para duas moléculas com polarizabilidade volumar 1,0 × 10^{-29} m^3 (como o benzeno), com I = 9,2 eV (correspondendo a 1,5 × 10^{-18} J) e separadas por 0,30 nm, observando-se que $I_1I_2/(I_1 + I_2) = \frac{1}{2}I$ quando as energias de ionização são as mesmas,

$$V(0{,}30\ \text{nm}) = -\frac{2}{3}\times\frac{\overbrace{(1{,}0\times10^{-29}\ \text{m}^3)^2}^{\alpha_1'\alpha_2'=\alpha^2}}{\underbrace{(3{,}0\times10^{-10}\ \text{m})^6}_{r^6}}\times\frac{1}{2}\overbrace{(1{,}5\times10^{-18}\ \text{J})}^{I}$$

$$= -\frac{1{,}0^2\times1{,}5\times10^{-76}}{3\times3{,}0^6\times10^{-60}}\frac{\text{J m}^6}{\text{m}^6} = -6{,}9\times10^{-20}\ \text{J}$$

ou cerca de −41 kJ mol^{-1}.

Como usual, interpretamos as expressões matemáticas e a partir da Eq. 15.12 vemos que:

- A energia potencial de interação aumenta com a diminuição das energias de ionização.

Esta conclusão pode parecer confusa à primeira vista, pois o produto das energias de ionização aparece no numerador do lado direito da Eq. 15.12. Entretanto, a polarizabilidade é inversamente proporcional à energia de ionização (Seção 15.4), assim, segue que $\alpha_1'\alpha_2' \propto (I_1I_2)^{-1}$ e, para uma separação r constante, $V \propto (I_1 + I_2)^{-1}$: a energia potencial é inversamente proporcional à soma das energias de ionização.

- A energia potencial de interação é proporcional ao inverso da sexta potência da separação.

Vimos esse resultado para as outras interações consideradas ao longo deste capítulo. Esse resultado é consistente com o nosso enunciado anterior de que a energia potencial de uma interação de van der Waals atrativa é normalmente proporcional a r^{-6}.

A interação total

Até agora estudamos interações atrativas que variam com o inverso da sexta potência da separação. Entretanto, existem vários outros tipos de interações, tanto atrativas como repulsivas. Algumas destas interações, quando estão presentes, superam as interações que descrevemos anteriormente.

15.6 Ligação de hidrogênio

A mais forte interação intermolecular surge da formação de uma **ligação de hidrogênio**, em que um átomo de hidrogênio liga dois átomos fortemente eletronegativos, ficando entre os mesmos. A ligação normalmente é representada como X—H···Y, sendo X e Y nitrogênio, oxigênio ou flúor. Diferente das outras interações que consideramos, a ligação de hidrogênio não é universal, mas restrita a moléculas que contêm esses átomos. Uma ligação de hidrogênio comum é formada entre grupos O—H e átomos de O, como na água líquida e no gelo. A dependência da ligação de hidrogênio em relação à distância é completamente diferente das outras interações que vimos até agora, e é melhor que seja considerada como uma interação de "contato" que passa a existir quando o grupo X—H está em contato direto com o átomo Y.

A descrição mais elementar da formação de uma ligação de hidrogênio é que é o resultado de uma interação coulombiana entre a carga positiva parcialmente exposta de um próton ligado a um átomo X que remove elétrons (no fragmento X—H) e a carga negativa de um par isolado no segundo átomo Y, como em $^{\delta-}$X—H$^{\delta+}$···:Y$^{\delta-}$.

■ **Breve ilustração 15.8** A ligação de hidrogênio

No Exercício 15.22, você é convidado a usar o modelo eletrostático para calcular a dependência da energia potencial molar de interação em relação ao ângulo OOH, representado por θ em (**15**), e o gráfico dos resultados é traçado na Figura 15.7. Vemos que, em $\theta = 0$, quando os átomos de OHO se localizam

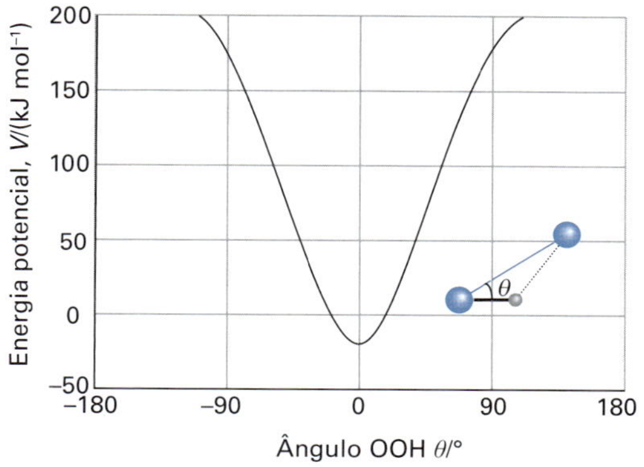

Figura 15.7 Variação da energia de interação (no modelo eletrostático) de uma ligação de hidrogênio à medida que é alterado o ângulo entre os grupos O—H e :O.

em uma linha reta, a energia potencial é −19 kJ mol^{-1}. Observe como a energia varia acentuadamente com o ângulo, sendo negativa apenas no intervalo de ±12°.

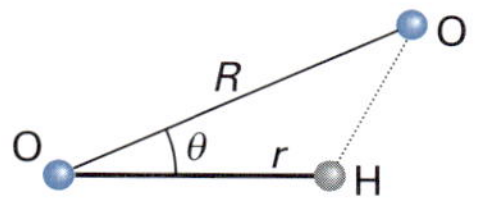

15

A teoria do orbital molecular oferece uma descrição alternativa que está mais em acordo com o conceito de ligação deslocalizada e a capacidade de um par de elétrons ligar mais do que um par de átomos (Seção 14.13). Desse modo, se considerarmos que a ligação X—H é formada a partir da superposição de um orbital em X, ψ_X, e um orbital 1s do hidrogênio, ψ_H, e que o par isolado em Y ocupa um orbital em Y, ψ_Y, então, quando as duas moléculas estão juntas, podemos construir três orbitais moleculares a partir dos três orbitais da base:

$$\psi = c_1\psi_X + c_2\psi_H + c_3\psi_Y$$

Um dos orbitais moleculares é ligante, um quase não ligante, e o terceiro, antiligante (Fig. 15.8). Estes três orbitais precisam acomodar quatro elétrons (dois da ligação X—H original e

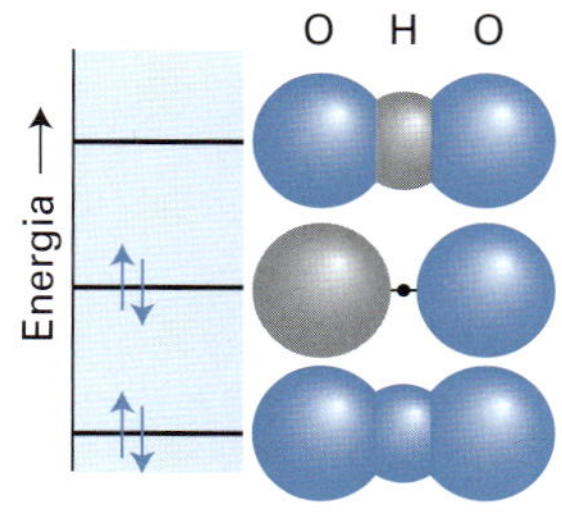

Figura 15.8 Representação esquemática dos orbitais moleculares que podem ser formados a partir de um orbital de X, de H e de Y e que dá origem a uma ligação de hidrogênio X—H···Y. A combinação de mais baixa energia é inteiramente ligante, a seguinte não ligante, e a mais elevada é antiligante. O orbital antiligante não está ocupado pelos elétrons fornecidos pela ligação X—H e pelo par isolado :Y, de forma que a configuração mostrada pode resultar em uma diminuição líquida de energia em certos casos (ou seja, quando os átomos X e Y são N, O ou F).

dois do par isolado de Y), de modo que dois entram no orbital ligante e dois no orbital não ligante. Como o orbital antiligante permanece vazio, o efeito líquido – dependendo da localização do orbital quase não ligante – pode ser uma diminuição da energia.

Evidência experimental e argumentos teóricos foram apresentados em favor tanto do modelo eletrostático como do modelo do orbital molecular. Experimentos recentes sugerem que as ligações de hidrogênio no gelo têm caráter covalente significativo e que são mais bem descritas por um tratamento do orbital molecular. Entretanto, esta interpretação dos resultados experimentais foi contestada por estudos teóricos, que favorecem o modelo eletrostático. O assunto ainda não foi resolvido.

A formação da ligação de hidrogênio, com uma intensidade típica da ordem de 20 kJ mol^{-1}, domina, quando ocorre, as interações de van der Waals, e responde pela rigidez dos sólidos moleculares, tais como sacarose e gelo, a baixa pressão de vapor, alta viscosidade e tensão superficial de líquidos, tais como a água, a estrutura secundária das proteínas (a formação de hélices e folhas de cadeias polipeptídicas), a estrutura do DNA e, consequentemente, a transmissão da informação genética, e a ligação de fármacos a sítios receptores em proteínas. A ligação de hidrogênio também contribui para a solubilidade em água de espécies tais como amônia e compostos que contêm grupos hidroxila, e para a hidratação dos ânions. Neste último caso, mesmo íons, como Cl^- e HS^-, podem participar da formação da ligação de hidrogênio com água, pois sua carga lhes possibilita interagir com os prótons hidroxílicos da H_2O.

A Tabela 15.3 resume as intensidades e dependências em relação à distância das interações atrativas que consideramos até agora.

15.7 O efeito hidrofóbico

Há outro tipo de interação que precisamos considerar: é uma força *aparente* que influencia a forma de uma macromolécula e que é intermediada pelo solvente, a água. Primeiro, precisamos entender por que moléculas de hidrocarboneto não se dissolvem apreciavelmente na água. Os experimentos indicam que a transferência de uma molécula de hidrocarboneto de um solvente apolar para a água é frequentemente exotérmica ($\Delta H < 0$). Portanto, como a dissolução não é espontânea, este resultado indica que a variação de entropia é negativa ($\Delta S < 0$). Substâncias caracterizadas por uma energia de Gibbs positiva de transferência de um solvente apolar para um solvente polar são classificadas como **hidrofóbicas**; se a energia de Gibbs é negativa, a substância é **hidrofílica.** Por exemplo, o processo CH_4(em CCl_4) $\rightarrow$ CH_4(aq) tem $\Delta G = +12$ kJ mol^{-1}, $\Delta H = -10$ kJ mol^{-1} e $\Delta S = -75$ J K^{-1} mol^{-1}, a 298 K. Logo, o CH_4 é caracterizado como hidrofóbico.

Breve ilustração 15.9 Substâncias hidrofóbicas e hidrofílicas

Quando o metilbenzeno (tolueno) é transferido da água para soluções aquosas de cloreto de sódio, a energia de Gibbs de transferência se torna mais positiva, sugerindo que o metilbenzeno é menos solúvel na solução salina porque tem mais dificuldade em romper a solvatação dos íons Na^+ e Cl^-. O efeito oposto é observado quando o tolueno é transferido para soluções aquosas de cloreto de guanidínio, $(NH_2)_2C{=}NH_2^+Cl^-$: a energia de Gibbs de transferência se torna mais negativa à medida que a concentração do sal aumenta, indicando que o metilbenzeno é mais solúvel na presença deste sal, provavelmente devido a interações favoráveis entre as duas espécies.

A origem da diminuição de entropia que impede que hidrocarbonetos se dissolvam em água é a formação de uma gaiola de moléculas do solvente em torno da molécula hidrofóbica (Fig. 15.9). A formação desta gaiola diminui a entropia do sistema porque as moléculas de água têm de adotar uma distribuição menos desordenada do que no seio do líquido. Entretanto, quando muitas moléculas do soluto se agrupam, poucas gaiolas (embora maiores) são necessárias e mais moléculas do solvente estão livres para se movimentarem. O efeito líquido da formação de grandes agrupamentos de moléculas hidrofóbicas é então uma diminuição na organização do solvente e, portanto, um aumento líquido na entropia do sistema. Este aumento de entropia do solvente é suficientemente grande para tornar espontânea a associação de moléculas hidrofóbicas em um solvente polar.

O aumento de entropia decorrente da diminuição das exigências estruturais impostas ao solvente é a origem da **interação hidrofóbica**, que tende a estimular a formação de aglomerações de grupos hidrofóbicos em micelas e biopolímeros. Assim, a presença de grupos hidrofóbicos em polipeptí-

Tabela 15.3
Energia potencial de interações moleculares

Tipo de interação	Dependência da energia potencial em relação a distância	Energia típica/ (kJ mol^{-1})	Comentário
Íon-íon	$1/r$	250	Apenas entre íons
Íon-dipolo	$1/r^2$	15	
Dipolo-dipolo	$1/r^3$	2	Entre moléculas polares estacionárias
	$1/r^6$	0,3	Entre moléculas polares em rotação
London (dispersão)	$1/r^6$	2	Entre todos os tipos de moléculas e íons
Ligação de hidrogênio		20	A interação é para X—H···Y e ocorre para X, Y = N, O ou F

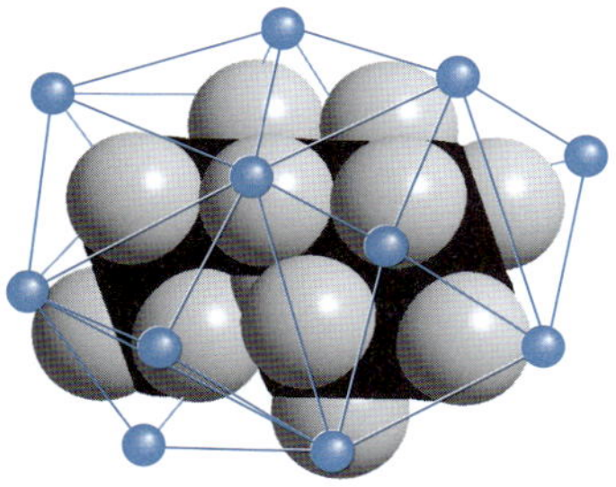

Figura 15.9 Quando uma molécula de hidrocarboneto é envolvida por água, as moléculas de água formam uma gaiola denominada de *clatrato*. Devido à formação dessa estrutura, a entropia da água diminui, de modo que a dispersão do hidrocarboneto na água não é entropicamente favorecida; a coalescência do hidrocarboneto em uma única grande gota, ao contrário, é entropicamente favorecida.

deos resulta em um aumento da estrutura da água vizinha e uma diminuição de entropia. A entropia pode aumentar se os grupos hidrofóbicos são retorcidos para o interior da molécula, pois isto libera moléculas de água e resulta em um aumento na sua desordem. A interação hidrofóbica é um exemplo de um processo de ordenamento, uma espécie de força virtual, que é mediado pela tendência à maior desordem por parte do solvente.

15.8 Modelagem da interação total

A energia de interação atrativa total entre moléculas em rotação que não formam ligações de hidrogênio é a soma das contribuições das interações dipolo-dipolo, dipolo-dipolo induzido e de dispersão. (Em tratamentos mais avançados, podem existir outras contribuições "multipolares".[2]) Somente a interação de dispersão contribui se ambas as moléculas são apolares. Todas as três interações variam com o inverso da sexta potência da separação, de modo que podemos escrever a contribuição atrativa total para a energia de interação de van der Waals como

$$V(r) = -\frac{C}{r^6} \qquad \text{Atração de van der Waals} \qquad (15.13)$$

em que C é um coeficiente que depende da natureza das moléculas e do tipo de interação entre as mesmas.

Termos repulsivos tornam-se importantes e passam a dominar as forças de atração quando as moléculas ficam muito próximas (Fig. 15.10), por exemplo, durante o impacto de uma colisão, sob a força exercida por um peso que pressiona uma substância, ou simplesmente como resultado das forças de atração que unem as moléculas. Estas interações de repulsão surgem em grande parte do princípio da exclusão de Pauli, que proíbe que pares de elétrons fiquem na mesma região do espaço. As repulsões aumentam muitíssimo com a diminuição da separação de uma forma que pode ser deduzida apenas por cálculos de estrutura molecular muito extensos e complicados. Em muitos casos, porém, é possível avançar usando-se uma representação muito simplificada da energia potencial, em

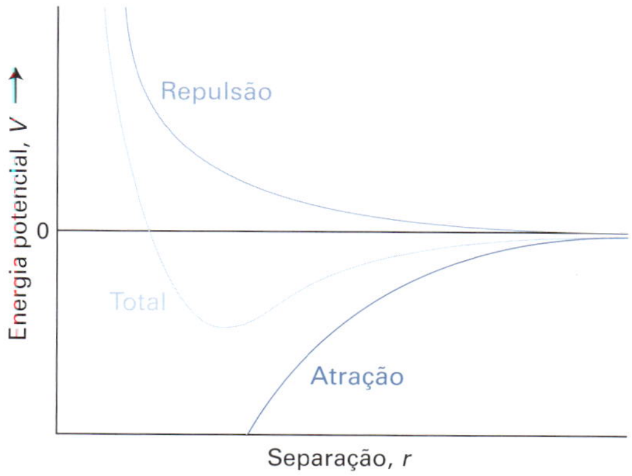

Figura 15.10 Forma geral de uma curva de energia potencial intermolecular (o gráfico da energia potencial de duas espécies de camada fechada em função da distância entre as mesmas). A contribuição atrativa (negativa) tem um longo alcance, mas a interação repulsiva (positiva) aumenta mais acentuadamente uma vez que as moléculas entram em contato. A energia potencial total é mostrada pela linha escura.

que os detalhes são ignorados e os aspectos gerais expressos por alguns parâmetros ajustáveis.

Uma dessas aproximações é o **potencial de esfera rígida**, em que se supõe que a energia potencial se eleva abruptamente ao infinito assim que a separação entre as partículas seja σ (Fig. 15.11):

$$V(r) = \begin{cases} \infty & \text{para } r \le \sigma \\ 0 & \text{para } r > \sigma \end{cases} \qquad \text{Potencial de esfera rígida} \qquad (15.14)$$

Este potencial muito simples é surpreendentemente útil para avaliar uma série de propriedades.

Outra aproximação muito usada é expressar a energia potencial repulsiva de curto alcance como inversamente proporcional a uma alta potência de r:

$$V(r) = +\frac{C^*}{r^n} \qquad \text{Contribuição repulsiva} \qquad (15.15)$$

em que C^* é outra constante (o asterisco significa repulsão). Normalmente, n é fixado igual a 12, em cujo caso a repulsão

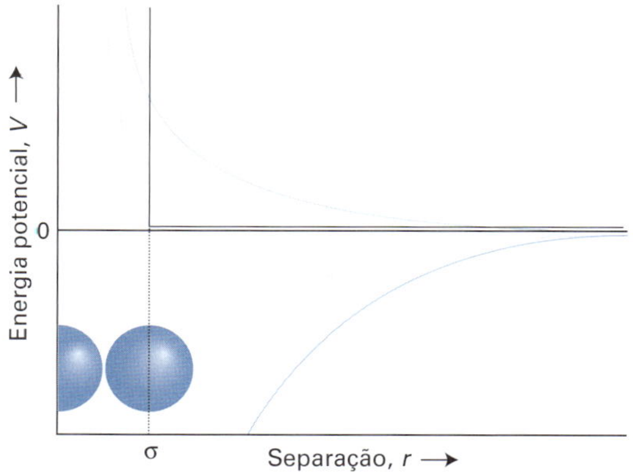

Figura 15.11 O potencial intermolecular verdadeiro pode ser modelado de várias maneiras. Uma das mais simples é este *potencial de esfera rígida*, em que não há energia potencial de interação até que as duas moléculas estejam separadas por uma distância σ, quando então a energia potencial cresce abruptamente ao infinito devido à repulsão entre as esferas rígidas impenetráveis.

[2] Para mais informações, veja o livro *Físico-Química* (2010), destes mesmos autores (LTC Editora).

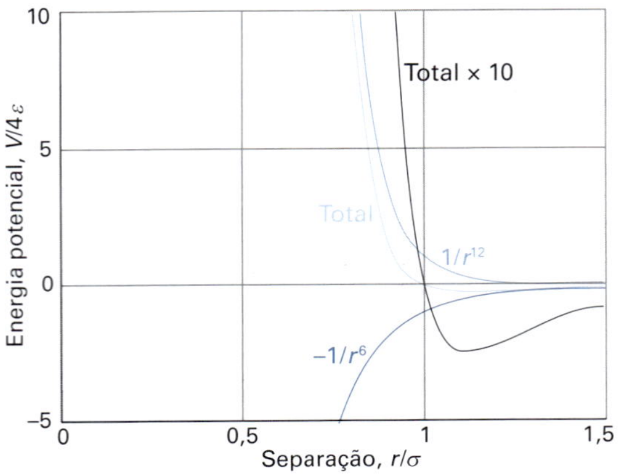

Figura 15.12 O potencial de Lennard-Jones é outra aproximação para as curvas da energia potencial intermolecular verdadeira. Modela o componente atrativo por uma contribuição que é proporcional a $1/r^6$, e o componente repulsivo por uma contribuição que é proporcional a $1/r^{12}$. Especificamente, essas escolhas resultam no potencial (12,6) de Lennard-Jones. Ainda que haja boas razões teóricas para a primeira, há muita evidência para mostrar que $1/r^{12}$ é apenas uma aproximação muito pobre da parte repulsiva da curva.

domina fortemente as atrações $1/r^6$ em separações curtas, porque então $C^*/r^{12} >> C/r^6$. A soma da interação repulsiva com $n = 12$ e a interação atrativa dada pela Eq. 15.13 é denominada **potencial (12,6) de Lennard-Jones**. Normalmente é escrita na forma

$$V(r) = 4\varepsilon\left\{\overbrace{\left(\frac{\sigma}{r}\right)^{12}}^{\text{Repulsão}} - \overbrace{\left(\frac{\sigma}{r}\right)^{6}}^{\text{Atração}}\right\} \qquad \text{Potencial (12.6) de Lennard-Jones} \qquad (15.16)$$

e encontra-se ilustrada na Figura 15.12. Os dois parâmetros agora são ε (épsilon), a profundidade do poço (não a confunda com a permissividade elétrica), e σ, a separação em que $V = 0$. Alguns valores típicos são apresentados na Tabela 15.4. O fundo do poço ocorre em $r = 2^{1/6}\sigma$.

■ **Breve ilustração 15.10** O potencial de Lennard-Jones

O potencial de Lennard-Jones para pares de átomos dos gases nobres argônio e xenônio, em função da separação, é mostrado na Figura 15.13. Observa-se que a posição do mínimo se desloca para maiores separações ao descermos um grupo na tabela periódica, o que seria esperado para estes átomos crescentemente maiores. A profundidade do mínimo também aumenta, pois a polarizabilidade dos átomos cresce com o número de elétrons.

Tabela 15.4

Parâmetros de Lennard-Jones para o potencial (12,6)

	ε/(kJ mol^{-1})	σ/pm
Ar	128	342
Br_2	536	427
C_6H_6	454	527
Cl_2	368	412
H_2	34	297
He	11	258
Xe	236	406

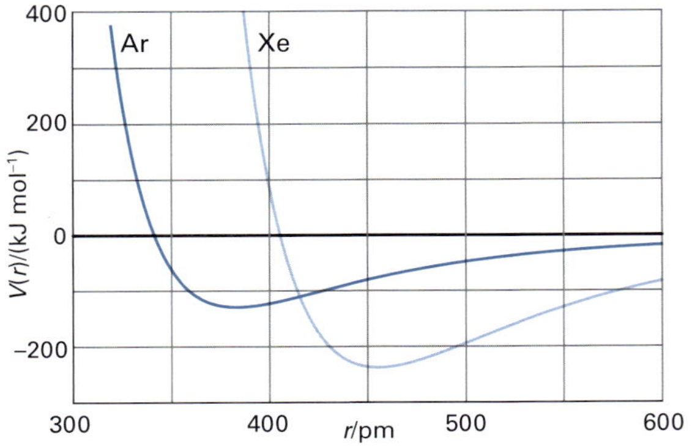

Figura 15.13 Potencial de Lennard-Jones de pares de gases nobres em função das suas separações.

Ainda que o potencial (12,6) tenha sido utilizado em muitos cálculos, há evidência suficiente para mostrar que $1/r^{12}$ é uma representação muito pobre do potencial repulsivo e que a forma exponencial $e^{-r/\sigma}$ é superior. Uma função exponencial é mais fiel à queda exponencial das funções de onda atômicas a grandes distâncias, e consequentemente, à dependência da superposição responsável pela repulsão com a distância. Entretanto, uma desvantagem da forma exponencial é que é mais lenta para calcular, o que é importante quando se considera as interações entre o grande número de átomos dos polipeptídeos e macromoléculas.

Impacto na medicina 15.1

Reconhecimento molecular e desenvolvimento de fármacos

As interações moleculares são responsáveis pela disposição espacial de muitas estruturas biológicas. As ligações de hidrogênio e as interações hidrofóbicas são as principais responsáveis pela estrutura tridimensional de biopolímeros, como as proteínas, ácidos nucleicos e membranas celulares. A ligação de um ligante, ou *hóspede*, a um biopolímero, ou *hospedeiro*, é também governada por interações moleculares. Exemplos de *complexos hóspede-hospedeiro* biológicos incluem os complexos enzima-substrato, complexos antígeno-anticorpo e complexos fármaco-receptor. Em todos estes casos, um sítio no hóspede contém grupos funcionais que podem interagir com grupos funcionais complementares do hospedeiro. Por exemplo, um grupo doador de ligação de hidrogênio do hóspede tem que estar posicionado próximo de um grupo receptor de ligação de hidrogênio no hospedeiro para uma ligação forte ocorrer. Geralmente é verdade que muitos contatos intermoleculares específicos têm que ser feitos em um complexo hóspede-hospedeiro biológico; como resultado, um hóspede se liga apenas a hospedeiros quimicamente semelhantes. As regras estritas que governam o reconhecimento molecular de um hóspede por um hospedeiro controlam todo o processo biológico, do metabolismo à resposta imunológica, e são importantes para o desenvolvimento de fármacos efetivos no tratamento de doenças.

Interações entre grupos apolares podem ser importantes na ligação entre o hóspede e o hospedeiro. Por exemplo, muitos sítios ativos das enzimas têm bolsos hidrofóbicos que ligam gru-

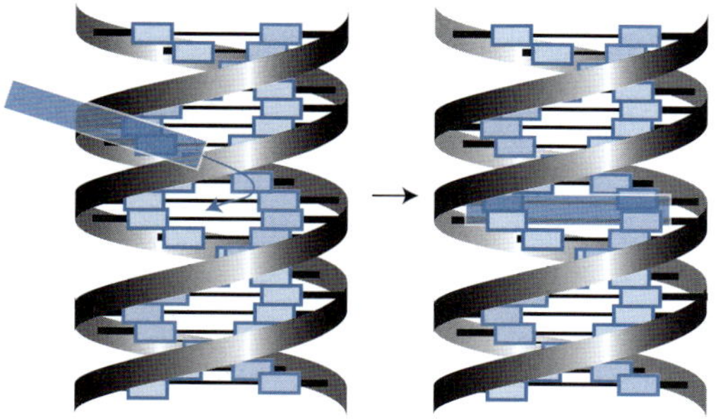

Figura 15.14 Alguns fármacos com sistemas π planos, representados pelos retângulos azuis, se intercalam entre pares de bases no DNA. (Veja o Encarte em Cores.)

pos apolares de um substrato. Além das interações de dispersão, repulsiva e hidrofóbica, *interações de empacotamento* π são também possíveis; nestas, sistemas π planos, de macrociclos aromáticos, agrupam-se uns sobre os outros numa orientação quase paralela. Estas interações são responsáveis pelo empilhamento entre os pares de bases ligadas por ligações de hidrogênio no DNA, como mostrado na Figura 15.14. Alguns fármacos com sistemas π planos, representados na figura pelo retângulo, são eficientes porque se intercalam entre pares de bases por meio de uma interação de empilhamento π, fazendo a hélice abrir um pouco, de forma a alterar a função do DNA.

Interações coulombianas podem ser importantes no interior de um biopolímero hospedeiro, em que a permissividade relativa pode ser muito menor que no meio aquoso externo. Por exemplo, em pH fisiológico, cadeias laterais de aminoácidos contendo grupos ácido carboxílico e amino estão negativa e positivamente carregados, respectivamente, e podem se atrair mutuamente. Interações dipolo-dipolo também são possíveis, pois muitos dos blocos constituintes de biopolímeros são polares, incluindo-se a ligação peptídica –CONH– (Exemplo 15.2). Contudo, as interações de ligação de hidrogênio são, de longe, as interações que prevalecem em complexos hóspede-hospedeiro biológicos. Muitos dos fármacos comerciais efetivos se ligam fortemente e inibem a ação das enzimas que estão associadas à evolução de uma doença. Em muitos casos, um inibidor bem-sucedido é capaz de formar as mesmas ligações de hidrogênio com o sítio de ligação que o substrato da enzima pode formar, exceto que o fármaco é quimicamente inerte em relação à enzima. Esta estratégia foi usada no projeto de fármacos para o tratamento da síndrome da imunodeficiência adquirida (em inglês AIDS) causada pelo vírus da imunodeficiência humana (HIV) (veja o Projeto 15.28).

Moléculas em movimento

As interações intermoleculares que descrevemos regulam diversas propriedades, incluindo as formas que moléculas complicadas adotam e o movimento de moléculas em líquidos. Vamos tratar os aspectos estruturais destas interações no próximo capítulo. Nesta seção, consideramos como as interações devem ser levadas em conta para descrever o movimento molecular.

Em uma simulação de **dinâmica molecular**, a molécula é posta em movimento por meio de seu aquecimento até uma temperatura específica, e as possíveis trajetórias de todos os átomos, sob a influência das forças intermoleculares, são calculadas com as leis do movimento de Newton. As equações de movimento são resolvidas numericamente permitindo-se que as moléculas ajustem as suas posições e velocidades em intervalos de femtossegundos (1 fs = 10^{-15} s). O cálculo é então repetido para dezenas de milhares de intervalos semelhantes.

A mesma técnica pode ser usada para estudar o movimento interno de macromoléculas, como as proteínas que consideramos no Capítulo 16, e existem pacotes de programas disponíveis que calculam as trajetórias de um grande número de átomos em três dimensões. As trajetórias correspondem às conformações que a molécula pode adquirir na temperatura da simulação. Em temperaturas muito baixas, os componentes vizinhos da molécula são aprisionados em poços de potencial semelhantes àqueles na Figura 15.12, o movimento atômico é restringido e somente poucas conformações são possíveis. Em temperaturas elevadas, mais barreiras de energia potencial podem ser vencidas e mais conformações são possíveis.

No **método de Monte Carlo**, os átomos de uma macromolécula ou as moléculas de um líquido são deslocados, ao acaso, por pequenas distâncias e a variação da energia potencial é calculada. Se a energia potencial não é maior que a obtida antes da mudança, então a nova configuração é aceita. Entretanto, se a energia potencial é maior que a obtida antes da mudança, é necessário usar um critério para rejeitá-la ou aceitá-la. Para estabelecer este critério, usamos a distribuição de Boltzmann (Fundamentos 0.11), segundo a qual, no equilíbrio à temperatura T, a razão entre as populações de dois estados que diferem de energia por ΔE é $e^{-\Delta E/kT}$, em que k é a constante de Boltzmann. No método de Monte Carlo, o fator exponencial é calculado para novas configurações atômicas e comparado com um número aleatório entre 0 e 1. Se o fator é maior que o número aleatório, a nova configuração é aceita; se o fator não é maior, então a nova configuração é rejeitada e no seu lugar outra é gerada.

Verificação de conceitos importantes

☐ 1 As interações de van der Waals entre moléculas ou dentro das moléculas incluem as interações não ligantes atrativas e repulsivas.

☐ 2 Uma molécula polar é uma molécula com um momento de dipolo elétrico permanente; a magnitude de um momento de dipolo é o produto entre as cargas parciais e a separação destas.

☐ 3 Momentos de dipolo são aproximadamente aditivos (como os vetores).

☐ 4 A polarizabilidade é uma medida da capacidade de um campo elétrico em induzir um momento de dipolo em uma molécula.

☐ 5 Uma ligação de hidrogênio é uma interação do tipo X–H···Y, em que X e Y são N, O e F.

☐ 6 A interação hidrofóbica é um processo de ordenamento intermediado por uma tendência na direção de uma desordem maior do solvente, que faz com que grupos hidrofóbicos formem aglomerados.

☐ 7 O potencial (6,12) de Lennard-Jones é um modelo da energia potencial intermolecular total.

☐ 8 Um cálculo de dinâmica molecular utiliza as leis de Newton do movimento para calcular o movimento de moléculas em um fluido (e o movimento de átomos em macromoléculas).

☐ 9 Uma simulação de Monte Carlo utiliza um critério de seleção para aceitar ou rejeitar um novo arranjo de átomos ou moléculas.

Mapa conceitual das equações importantes

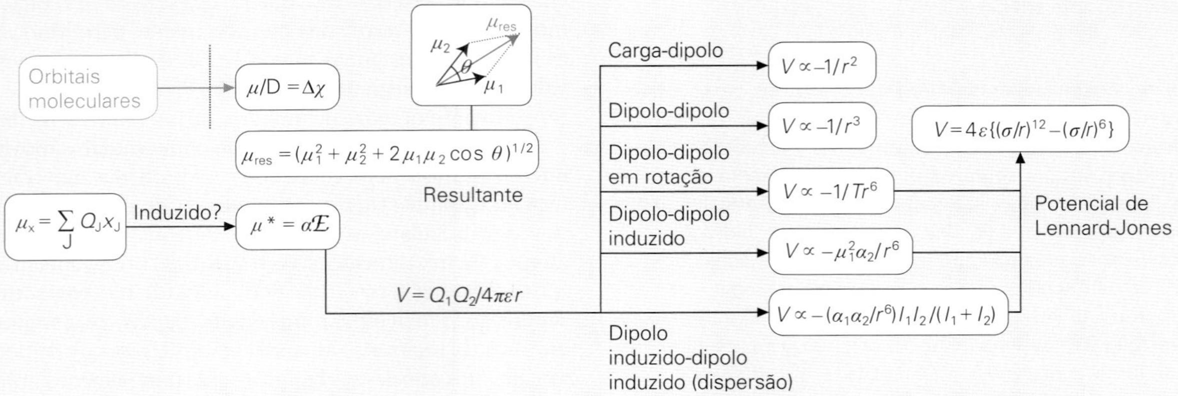

Questões e exercícios

Questões teóricas

15.1 Explique como o momento de dipolo permanente e a polarizabilidade de uma molécula surgem, e explique como ambos dependem da estrutura da molécula.

15.2 Explique a conclusão teórica de que muitas interações atrativas entre moléculas variam com sua separação de acordo com $1/r^6$.

15.3 Descreva como as interações de van der Waals dependem da estrutura das moléculas.

15.4 Explique por que, para os gases nobres, os valores dos parâmetros ε e σ de Lennard-Jones aumentam à medida que se desce no Grupo 18.

15.5 Descreva a formação de uma ligação de hidrogênio em termos de (a) interações eletrostáticas e (b) orbitais moleculares. Como você identificaria o melhor modelo?

15.6 Explique o efeito hidrofóbico e discuta as suas ocorrências.

15.7 Descreva os procedimentos usados para calcular o movimento de moléculas em fluidos e de átomos em moléculas.

Exercícios

15.1 Calcule a energia potencial molar de interação entre íons monocarregados positivos e negativos separados por uma distância de 50 nm em água.

15.2 Estime o momento de dipolo de uma molécula de HF a partir das eletronegatividades dos elementos e expresse a resposta em debye e coulomb-metros.

15.3 Use o modelo VSEPR para avaliar se o PCl_5 é polar ou não.

15.4 O momento de dipolo elétrico do tolueno (metilbenzeno) é 0,40 D. Calcule os momentos de dipolo dos três xilenos (dimetilbenzenos). De qual valor você pode ter certeza?

15.5 Calcule o resultante de dois dipolos de magnitude 1,20 D e 0,60 D que fazem um ângulo de 107° um com o outro.

15.6 A partir das informações do Exercício 15.3, estime os momentos de dipolo do (a) 1,2,3-trimetilbenzeno, (b) 1,2,4-trimetilbenzeno e (c) 1,3,5-trimetilbenzeno. De qual valor você pode ter certeza?

15.7 A baixas temperaturas, uma molécula de 1,2-dicloroetano substituído pode adotar as três conformações (16), (17) e (18) com diferentes probabilidades. Suponha que o momento de dipolo de cada ligação é 1,50 D. Calcule o momento de dipolo médio da molécula quando (a) todas as três conformações são igualmente prováveis, (b) apenas a conformação (17) ocorre, (c) as três conformações ocorrem com probabilidades na proporção 2:1:1 e (d) 1:2:2.

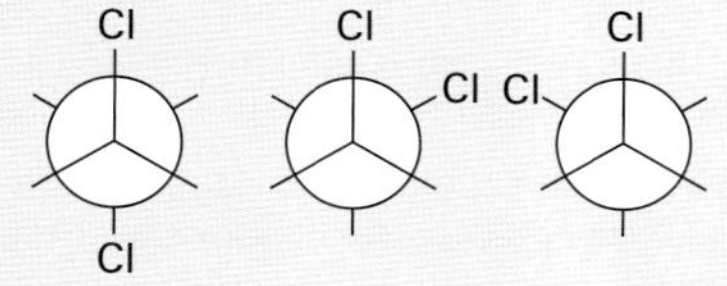

16 **17** **18**

15.8 Calcule a magnitude e a direção do momento de dipolo da seguinte distribuição de cargas no plano *xy*: $3e$ em (0, 0), $-e$ em (0,32 nm, 0), e $-2e$ em um ângulo de 20° com o eixo x e uma distância de 0,23 nm da origem.

15.9 Calcule o momento de dipolo elétrico de uma molécula de glicina utilizando as cargas parciais da Tabela 15.1 e as posições dos átomos mostrados em (**19**).

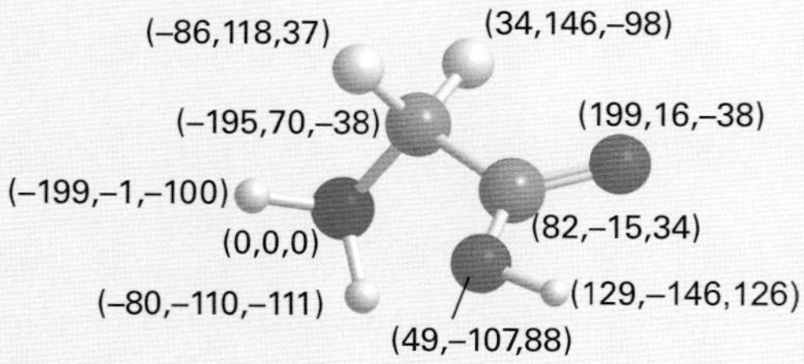

19 Glicina, NH_2CH_2COOH

15.10 (a) Faça o gráfico da magnitude do momento de dipolo elétrico do peróxido de hidrogênio quando o ângulo ϕ H–OO–H (azimutal) se altera. Use as dimensões mostradas em (**20**). (b) Desenvolva uma forma para ilustrar como o ângulo e a magnitude mudam.

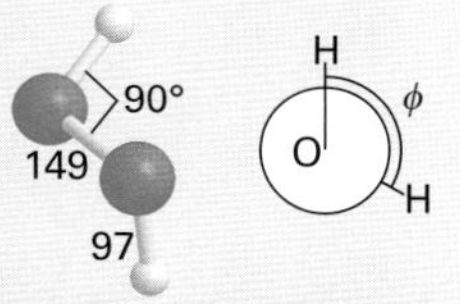

20 Peróxido de hidrogênio, H_2O_2

15.11 Calcule a energia molar necessária para inverter a direção de uma molécula de água localizada (a) a 150 pm, (b) a 350 pm de um íon Li^+. Considere o momento de dipolo da água como 1,85 D.

15.12 Mostre, seguindo o procedimento apresentado na Dedução 15.1, que a Eq. 15.7 descreve a energia potencial de dois momentos de dipolo elétrico na orientação mostrada na estrutura (**13**) do texto.

15.13 Qual é a contribuição (a) da energia cinética, (b) da energia potencial de interação, para a energia molar total de moléculas de cloreto de hidrogênio em um gás a 298 K quando 0,50 mol de moléculas é confinado num recipiente de 1,0 dm^3? A teoria cinética dos gases se justifica neste caso?

15.14 (a) Quais são as unidades da polarizabilidade α? (b) Mostre que a unidade da polarizabilidade volumar é metros cúbicos (m^3).

15.15 A magnitude do campo elétrico a uma distância r de uma carga pontual Q é igual a $Q/4\pi\varepsilon_0 r^2$. Quão próximo de uma molécula de água (de polarizabilidade volumar $1{,}48 \times 10^{-30}$ m^3) um próton tem de se aproximar antes do momento de dipolo que esse mesmo próton induz ser igual ao momento de dipolo permanente da molécula (1,85 D)?

15.16 Calcule a energia da interação de dispersão (use a fórmula de London) para dois átomos de Ar separados por 1,0 nm.

15.17 A fenilalanina (Phe, **21**) é um aminoácido de ocorrência natural com um anel benzênico. Qual é a energia máxima de interação entre o anel benzênico e o momento de dipolo elétrico de um grupo peptídico vizinho? Considere a distância entre os grupos como 4,0 nm e trate o anel benzênico como o próprio benzeno. Admita o momento de dipolo do grupo peptídico como 2,7 D.

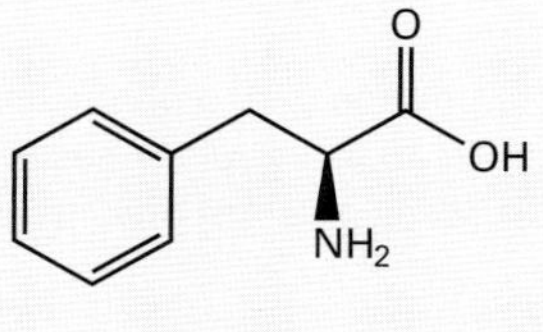

21 Fenilalanina

15.18 Agora considere a interação de London entre os anéis benzênicos de dois resíduos de Phe (veja o Exercício 15.17). Calcule a energia potencial de atração entre dois desses anéis (tratados como moléculas de benzeno) separados por 4,0 nm. Para a energia de ionização, utilize I = 5,0 eV, em que 1 eV = $1{,}602 \times 10^{-19}$ J.

15.19 Em uma região da mioglobina, uma proteína de armazenamento de oxigênio, o grupo OH de um resíduo de tirosina está ligado por uma ligação de hidrogênio ao átomo de N de um resíduo de histidina na geometria apresentada em (**22**). Use as cargas parciais da Tabela 15.1 para estimar a energia potencial desta interação.

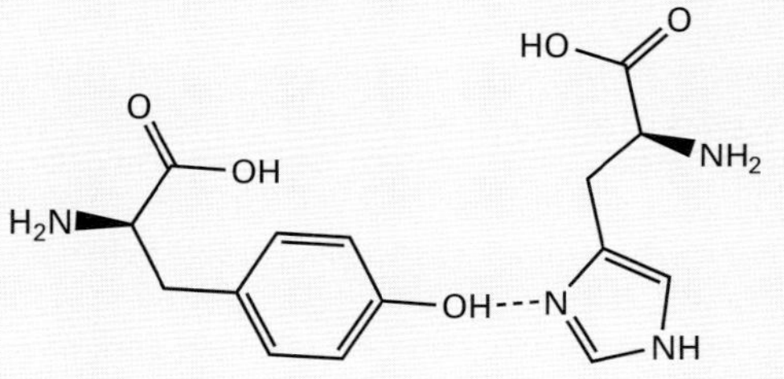

22

15.20 O vapor do ácido acético contém uma proporção de dímeros planos unidos por ligações de hidrogênio (**23**). O momento de dipolo aparente das moléculas em ácido acético gasoso puro aumenta com a elevação da temperatura. Sugira uma interpretação da última observação.

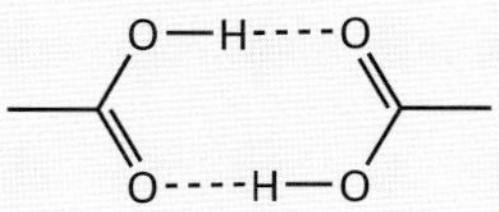

23

15.21 As coordenadas dos átomos de um dímero de ácido acético são vistas com mais detalhes em (**24**). Considere apenas as interações coulombianas indicadas pelas linhas tracejadas e as interações equivalentes por simetria. A que distância R, a interação se torna atrativa?

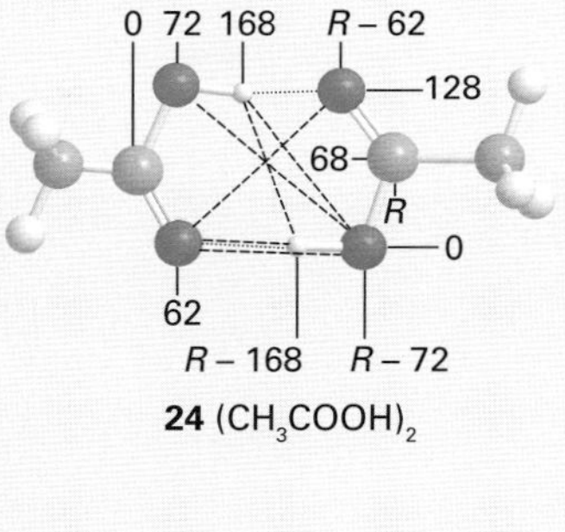

24 $(CH_3COOH)_2$

15.22 Considere o arranjo mostrado em (**15**) para um sistema que consiste em um grupo O–H e um átomo de O, e então use o modelo eletrostático da ligação de hidrogênio para calcular a dependência da energia potencial molar de interação em relação ao ângulo θ. Admita as cargas parciais sobre o H e o O como sendo $0{,}45e$ e $-0{,}83e$, respectivamente, e considere $R = 200$ pm e $r = 95{,}7$ pm.

15.23 Usando os parâmetros para o potencial de Lennard-Jones que constam na Tabela 15.4, calcule a separação para a qual a energia potencial de interação entre duas moléculas de bromo é mínima.

15.24 A função energia potencial de Lennard-Jones é às vezes representada na forma $V(r) = A/r^{12} - B/r^6$. Para o tetraclorometano, CCl_4, $A = 7{,}31 \times 10^{13}$ J pm^{12} e $B = 1{,}24 \times 10^{-3}$ J pm^6. Qual é a profundidade do poço e a separação para a qual a energia potencial é mínima?

15.25 A energia potencial de rotação de um grupo CH_3 no etano em torno da ligação C–C pode ser escrita como $V = {}^1/_2V_0(1 + \cos 3\phi)$, em que ϕ é o ângulo azimutal (**25**) e $V_0 = 11{,}6$ kJ mol^{-1}. (a) Qual é a variação de energia potencial entre a conformação *trans* e a completamente eclipsada? (b) Mostre que, para pequenas variações do ângulo, pode-se esperar que o movimento de torção em torno da ligação C–C seja o de um oscilador harmônico. (c) Estime a frequência de vibração dessa oscilação de torção.

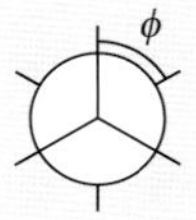

25

Projetos

O símbolo ‡ indica que o cálculo é necessário.

15.26‡ Vamos explorar agora as interações de London em mais detalhes. Dado que a força é o negativo do coeficiente angular do potencial, calcule a dependência da força que atua entre dois grupos de átomos não ligados em uma cadeia polimérica, que têm uma interação de dispersão de London um com o outro, com a distância entre os mesmos. (a) Qual é a separação em que a força é zero? (b) Calcule inicialmente o coeficiente angular considerando a energia potencial em R e $R + \delta R$, com $\delta R << R$, e avaliando $[V(R + \delta R) - V(R)]/\delta R$. Você deverá utilizar as expansões $(1 + x)^{-1} \approx 1 - x + \cdots$, $(1 \pm x + \cdots)^6 = 1 \pm 6x + \cdots$ e $(1 \pm x + \cdots)^{12} = 1 \pm 12x + \cdots$. Ao final do cálculo, deixe δR tornar-se bem pequeno. (c) Repita a parte (b) agora observando que $F(R) = -dV/dR$ e derivando a expressão para V.

15.27‡ Exploramos aqui alternativas ao potencial de Lennard-Jones. (a) Suponha que você suspeitou do potencial (12,6) de Lennard-Jones para avaliar determinada conformação polimérica e substituiu o termo repulsivo por uma função exponencial da forma $e^{-r/\sigma}$. Represente a forma da energia potencial e localize a distância na qual essa forma é um mínimo. (b) Use o cálculo para identificar a distância em que o potencial exponencial (6) descrito na parte (a) é um mínimo.

15.28 Para que uma partícula plenamente desenvolvida de HIV se forme em uma célula do organismo hospedeiro, diversas proteínas grandes, codificadas pelo material genético do vírus, têm de ser clivadas por uma enzima protease. O fármaco Crixivan (**26**) é um inibidor competitivo da HIV protease, apresentando diversas características moleculares que otimizam a sua ligação com o sítio ativo da enzima. Consulte a literatura e prepare um breve ensaio resumindo as interações moleculares entre o Crixivan e a HIV protease que são consideradas responsáveis pela eficiência do fármaco.

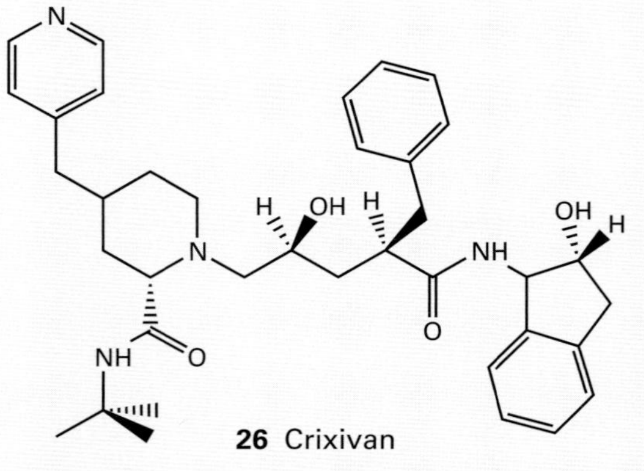

26 Crixivan

16

Macromoléculas e agregados

Macromoléculas são moléculas muito grandes formadas biossinteticamente a partir de moléculas menores nos organismos, pelos químicos em laboratório ou em um reator industrial. As macromoléculas de ocorrência natural incluem os polissacarídeos, como a celulose, os polipeptídeos, tais como as enzimas proteicas, os polinucleotídeos, tais como o ácido desoxirribonucleico (ADN, em inglês DNA). Macromoléculas sintéticas incluem **polímeros**, como o náilon e o poliestireno, que são obtidos pelo agrupamento sequencial e, às vezes, pela reticulação de pequenas unidades conhecidas como **monômeros** (Fig. 16.1).

Macromoléculas naturais são diferentes em certos aspectos das macromoléculas sintéticas, particularmente na sua composição e nas estruturas resultantes, mas as duas compartilham de várias propriedades comuns. Vamos nos concentrar, na primeira parte deste capítulo, nessas propriedades comuns. Na segunda parte vamos explorar o agrupamento de moléculas pequenas em partículas grandes em um processo que é chamado de 'auto-organização' e que dá surgimento aos agregados. Um exemplo é a formação da hemoglobina a partir de quatro polipeptídeos semelhantes à mioglobina. Um tipo semelhante de agregação dá origem a uma variedade de **fases dispersas**, que incluem os coloides. As propriedades dessas fases dispersas parecem, em certa

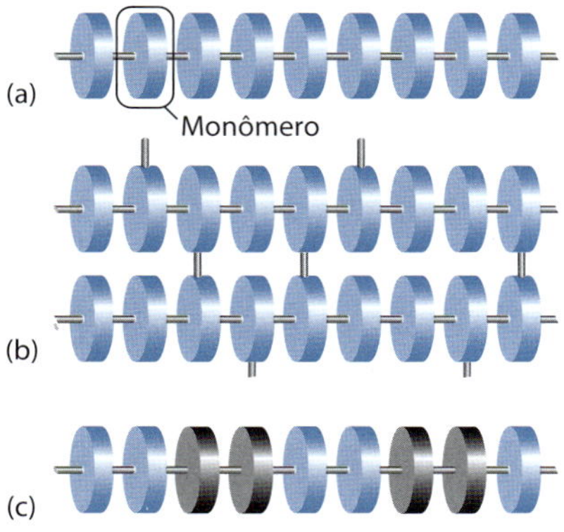

Figura 16.1 Três variedades de polímeros: (a) polímero linear simples, (b) um polímero reticulado e (c) uma variedade de copolímero.

extensão, com as propriedades das soluções de macromoléculas, e vamos descrever estes atributos comuns. A terceira parte do capítulo concentra-se nas técnicas para a determinação do tamanho e da forma das macromoléculas e fases dispersas.

Macromoléculas sintéticas e biológicas

As macromoléculas oferecem uma ilustração interessante e importante de como as interações descritas no Capítulo 15 determinam a forma de uma molécula e suas propriedades. A forma global de um polipeptídeo, por exemplo, é mantida por uma variedade de interações moleculares, incluindo as interações de van der Waals, a ligação de hidrogênio e o efeito hidrofóbico.

16.1 Modelos de estrutura

O conceito da 'estrutura' de uma macromolécula assume diferentes significados nos diferentes níveis nos quais pensamos a respeito da disposição da cadeia ou rede de monômeros. A **estrutura primária** de uma macromolécula é a sequência de pequenos fragmentos moleculares que constituem o polímero. Os fragmentos podem formar ou uma cadeia, como no polietileno, ou uma rede mais complexa em que ligações cruzadas conectam diferentes cadeias, como na poliacrilamina com ligações cruzadas. Em um polímero sintético, praticamente todos os fragmentos são idênticos e é suficiente dar nome ao monômero utilizado na síntese. Assim, a unidade repetidora do polietileno e seus derivados é —$CHXCH_2$—, e a estrutura primária da cadeia é especificada identificando-a como —$(CHXCH_2)_n$—.

O conceito de estrutura primária deixa de ser trivial no caso de copolímeros sintéticos e macromoléculas biológicas, pois, em geral, essas substâncias são cadeias formadas a partir de diferentes moléculas. As proteínas, por exemplo, são **polipeptídeos** formados a partir de diferentes aminoácidos (quase vinte são de ocorrência natural) unidos pela **ligação peptídica**, —CONH—. A determinação da estrutura primária é, então, um problema altamente complexo da análise química denominado **sequenciamento**. A **degradação** de um polímero é o rompimento da sua estrutura primária, quando a cadeia se quebra em componentes menores.

O termo **conformação** refere-se ao arranjo espacial dos diferentes pares de uma cadeia, e uma conformação pode ser alterada para outra pela rotação de uma parte de uma cadeia em torno de uma ligação. A conformação de uma macromolécula se manifesta em três níveis de estrutura. A **estrutura secundária** de uma macromolécula é o arranjo espacial (frequentemente local) de uma cadeia. A estrutura secundária de uma molécula de polietileno em um bom solvente é tipicamente uma cadeia randômica; na ausência de um solvente o polietileno forma cristais que consistem em pilhas de camadas com uma dobra semelhante a um grampo de cabelo a cada 100 unidades monoméricas aproximadamente, provavelmente porque, para esse número de

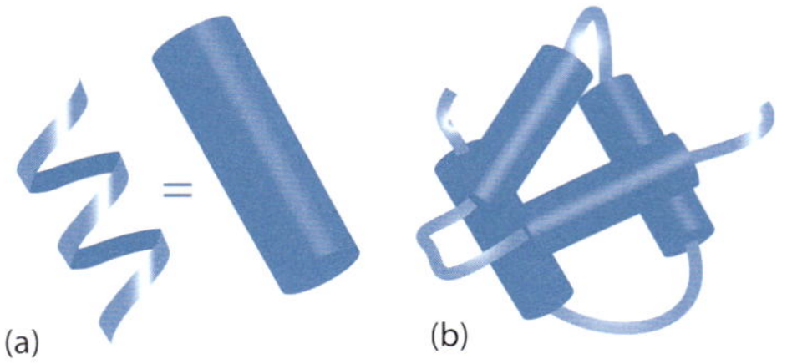

Figura 16.2 (a) Um polímero adota uma conformação helicoidal altamente organizada, um exemplo de uma estrutura secundária. A hélice é representada como um cilindro. (b) Diversos segmentos helicoidais ligados por pequenas cadeias randômicas se unem, oferecendo um exemplo de estrutura terciária.

monômeros, a energia potencial intermolecular (neste caso, *intra*molecular) é suficiente para vencer o desordenamento térmico. A estrutura secundária de uma proteína é um arranjo altamente organizado, em grande parte determinado por ligações de hidrogênio, e que toma a forma de cadeias randômicas, hélices (Fig. 16.2a) ou folhas em vários segmentos da molécula.

A **estrutura terciária** é a estrutura tridimensional global de uma macromolécula, então, dá um nível superior de conformação. Por exemplo, a proteína hipotética mostrada na Figura 16.2b tem regiões helicoidais ligadas por pequenas seções de cadeias randômicas. As hélices interagem formando uma estrutura terciária complexa. A desnaturação também pode ocorrer nesse nível.

A **estrutura quaternária** de uma macromolécula é a maneira pela qual grandes moléculas são formadas pela agregação de outras. A Figura 16.3 mostra como quatro subunidades moleculares, cada qual com uma estrutura terciária específica, se agregam. A estrutura quaternária pode ser muito importante em biologia. Por exemplo, a proteína do transporte de oxigênio, a hemoglobina, consiste em quatro subunidades que trabalham juntas para absorver e liberar O_2.

(a) Cadeias randômicas

A conformação mais provável de uma cadeia de unidades idênticas que não formam ligações de hidrogênio nem outro tipo de ligação específica é uma **cadeia randômica.** O polietileno é um exemplo simples. O modelo da cadeia randômica é um ponto de partida útil para a estimativa das ordens de gran-

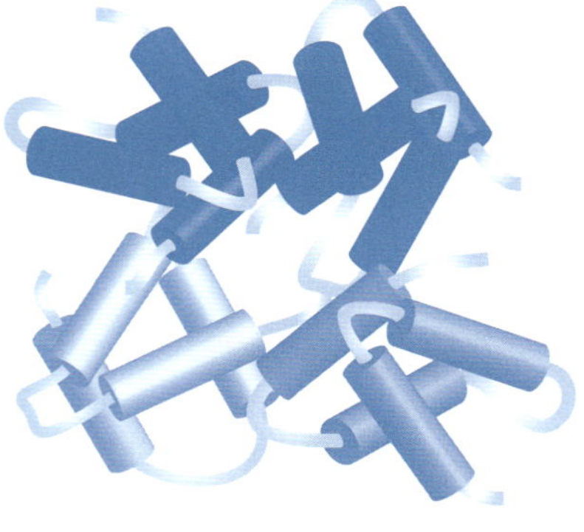

Figura 16.3 Diversas subunidades com estruturas terciárias específicas se unem oferecendo um exemplo de estrutura quaternária. (Veja o Encarte em Cores.)

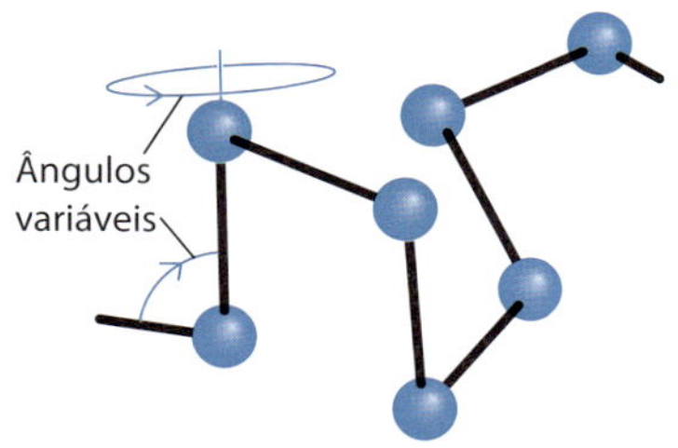

Figura 16.4 Uma cadeia com articulações livres é semelhante a um deslocamento aleatório tridimensional. Cada passo tem direção e sentido aleatórios, mas sempre do mesmo comprimento.

deza das propriedades hidrodinâmicas de polímeros e de proteínas desnaturadas em solução.[1]

O modelo mais simples de uma cadeia randômica é o da **cadeia com articulações livres,** na qual cada ligação pode fazer qualquer ângulo com a ligação anterior (Fig. 16.4). Por hipótese, admite-se que os fragmentos da cadeia tenham volume nulo, de modo que partes diferentes da cadeia podem ocupar a mesma região do espaço. Este modelo é obviamente uma supersimplificação, pois uma ligação, na realidade, tem suas posições limitadas a um cone de direções definidas pelas ligações vizinhas e tem volume. Em uma cadeia com articulações livres unidimensional hipotética, todos os fragmentos se localizam em uma reta, e o ângulo entre os vizinhos é de 0° ou de 180°. Os fragmentos em uma cadeia tridimensional com articulações livres não estão restritos a se localizarem em uma reta ou em um plano.

O **comprimento de contorno,** R_c, de um polímero é o comprimento da molécula medido ao longo do seu esqueleto, de monômero a monômero:

$$R_c = Nl \qquad \text{Cadeia randômica} \qquad \text{Comprimento de contorno} \qquad (16.1a)$$

O comprimento de contorno é proporcional ao número de monômeros, N, no polímero e ao comprimento l ocupado por cada unidade monomérica. Entretanto, o raio da cadeia randômica quando a molécula é formada é proporcional apenas à raiz quadrada de N, pois a cadeia consiste em partes (ligações vizinhas) que podem se dobrar em torno de si próprias à medida que a cadeia cresce. Especificamente, a **raiz da separação quadrática média,** $R_{rsqm} = \langle R^2\rangle^{1/2}$ é uma medida da separação média das duas extremidades de uma cadeia randômica:

$$R_{rsqm} = N^{1/2}l \qquad \text{Cadeia randômica} \qquad \text{Raiz da separação quadrática média} \qquad (16.1b)$$

Consequentemente, o volume da cadeia cresce com $N^{3/2}$. O **raio de giração,** R_g, de uma cadeia randômica é o raio de uma casca fina (pense em uma bola de tênis de mesa) que tem a mesma massa e o mesmo momento de inércia que a molécula. O raio de giração de uma bola de tênis de mesa é o mesmo que o raio verdadeiro da bola; o de uma esfera sólida de raio r é $R_g = (2/5)^{1/2}\,r$. Para uma cadeia randômica unidimensional e tridimensional, respectivamente,

$$R_g = N^{1/2}l \qquad \text{Cadeia randômica unidimensional} \qquad \text{Raio de giração} \qquad (16.1c)$$

$$R_g = \left(\frac{N}{6}\right)^{1/2} l \qquad \text{Cadeia randômica tridimensional} \qquad \text{Raio de giração} \qquad (16.1d)$$

O termo 'cadeia' é usado mesmo no caso unidimensional, quando significa simplesmente uma estrutura linear com as ligações dobradas sobre si mesmas.

■ Breve ilustração 16.1 Medidas do tamanho de uma cadeia randômica

Considere uma cadeia de polietileno com M = 112 kg mol^{-1}, correspondendo a N = 4000. Como l = 154 pm para uma ligação C—C, obtemos (usando 10^3 pm = 1 nm)

Da Eq. 16.1a: $R_C = 4000 \times 154$ pm = 616 nm

Da Eq. 16.1b: $R_{rsqm} = (4000)^{1/2} \times 154$ pm = 9,74 nm

Da Eq. 16.1d: $R_g = \left(\frac{4000}{6}\right)^{1/2} \times 154$ pm = 3,98 nm

Exercício proposto 16.1

O comprimento de contorno de uma amostra diferente de polietileno é 17 μm. Admitindo um modelo de cadeia randômica, calcule a raiz da separação quadrática média e o raio de giração. Qual é a massa molar?

Resposta: 51 nm, 21 nm, 3,1 × 10^3 kg mol^{-1}

O modelo da cadeia randômica ignora o papel do solvente: um mau solvente tende a provocar o enovelamento da cadeia, de modo a ser mínimo o contato entre o solvente e o soluto; um bom solvente atua de maneira contrária. Portanto, cálculos baseados nesse modelo devem ser encarados como um limite inferior das dimensões de um polímero em um bom solvente e como um limite superior para um polímero em um mau solvente. O modelo é mais seguro para um polímero em uma amostra macroscópica sólida, em que a cadeia tem provavelmente a sua dimensão natural.

A cadeia randômica é a conformação menos estruturada de uma cadeia polimérica, no sentido de que pode ser obtida no maior número possível de maneiras (ao contrário, por exemplo, de uma conformação de cadeia linear, que pode ser obtida apenas de uma maneira). Logo, corresponde ao estado de maior entropia. Qualquer perda de enovelamento da cadeia introduz certa ordem e reduz a entropia. Inversamente, a formação de uma cadeia randômica a partir de uma forma mais alongada é um processo espontâneo (na hipótese de não haver interferências entálpicas). A variação da **entropia de conformação,** a entropia que surge a partir da disposição das ligações quando uma cadeia unidimensional contendo N ligações de comprimento l é alongada ou comprimida de nl é

$$\Delta S = -\tfrac{1}{2}kN \ln\{(1+\nu)^{1+\nu}(1-\nu)^{1-\nu}\} \qquad \nu = n/N$$

$$\text{Cadeia randômica} \qquad \text{Entropia de conformação} \qquad (16.2)$$

em que k é a constante de Boltzmann. Esta função é plotada na Figura 16.5 e, como podemos ver, a extensão mínima – completamente enovelada (n = 0) – corresponde à entropia máxima. Essa tendência espontânea a formar um novelo é responsável pela tendência da borracha (ou, pelo menos, por uma borracha ideal, sem interações intermoleculares) em voltar à sua forma após ser distendida.

[1] Para a dedução das expressões desta seção, veja o livro *Físico-Química* (2010), destes mesmos autores (LTC Editora).

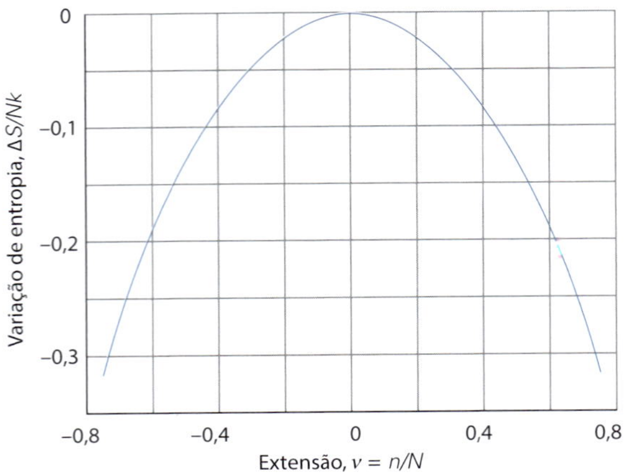

Figura 16.5 A variação da entropia molar de um elastômero perfeito unidimensional quando seu comprimento se altera; $\nu = 1$ corresponde à extensão máxima; $\nu = 0$, a conformação de maior entropia, corresponde à cadeia randômica.

(b) Polipeptídeos e polinucleotídeos

Os polipeptídeos estão quase no lado oposto da escala de estrutura das cadeias randômicas, pois podem estar altamente ordenados. É preciso ser assim, pois, em biologia, estrutura é quase sinônimo de função. Podemos explicar as estruturas secundárias das proteínas em grande parte em termos das ligações de hidrogênio entre os grupos —NH— e —CO— das ligações peptídicas (Fig. 16.6). Essas ligações conduzem a duas estruturas principais. Uma, que é estabilizada pelas ligações de hidrogênio entre peptídeos da mesma cadeia, é a **hélice α**. A outra, que é estabilizada por ligações de hidrogênio entre diferentes cadeias ou entre partes mais distantes da mesma cadeia, é a **folha β** (ou *folha pregueada* **β**).

A hélice **α** encontra-se ilustrada na Figura 16.7. Cada volta da hélice contém 3,6 resíduos de aminoácidos, então há 18 resíduos em 5 voltas da hélice. O passo de uma simples volta (o movimento lateral que corresponde a uma rotação completa) é de 544 pm. As ligações N—H···O ficam paralelas ao eixo e ligam todo quinto grupo (assim o resíduo *i* é ligado aos resíduos $i-4$ e $i+4$). A hélice pode ser dextrogira ou levogira, porém a esmagadora maioria dos polipeptídeos naturais é dextrogira, por causa da preponderância da configuração L dos aminoácidos de ocorrência natural. Ocorre então que

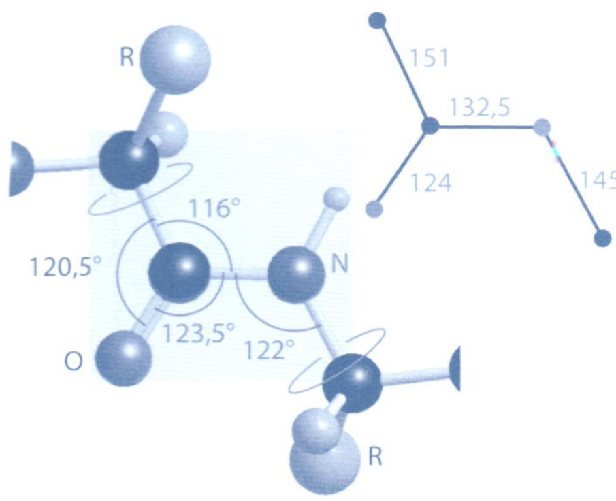

Figura 16.6 Dimensões características da ligação peptídica. Os átomos C—NH—CO—C definem um plano (a ligação C—N tem caráter parcial de dupla ligação), mas há liberdade rotacional em torno das ligações C—CO e N—C. (Veja o Encarte em Cores.)

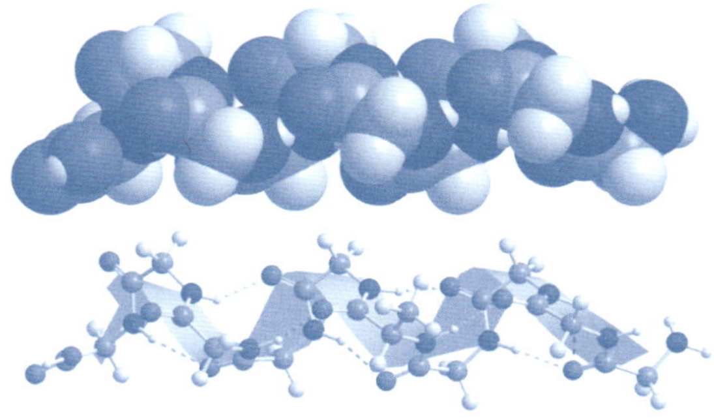

Figura 16.7 A hélice α de um polipeptídeo, com a poli-L-glicina como exemplo. Há 3,6 resíduos por volta, e uma translação ao longo da hélice de 150 pm por resíduo, dando um passo de 540 pm. O diâmetro (ignorando as cadeias laterais) é de cerca de 600 pm. (Veja o Encarte em Cores.)

uma hélice α dextrogira de aminoácidos L tem uma energia levemente mais baixa que uma hélice levogira dos mesmos ácidos, em acordo com os resultados experimentais. Uma folha β se forma por meio de ligações de hidrogênio entre duas cadeias de polipeptídeos estendidas. Algumas cadeias laterais se encontram acima e outras abaixo da folha. Podem-se distinguir dois tipos de estruturas pelo padrão de ligações hidrogênio entre as cadeias constituintes: (a) em uma folha β antiparalela (Fig. 16.8), os átomos N—H···O das ligações de hidrogênio formam uma linha reta; (b) em uma folha β paralela (Fig. 16.9) os átomos N—H···O das ligações de hidrogênio não estão perfeitamente alinhados.

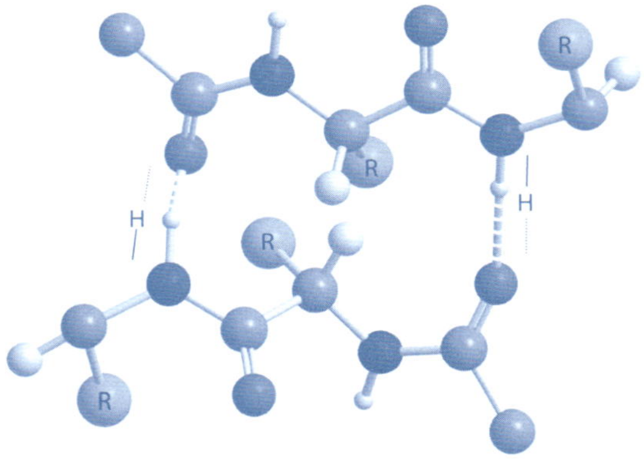

Figura 16.8 Uma folha β antiparalela, na qual os átomos N—H—O das ligações de hidrogênio formam uma linha quase reta.

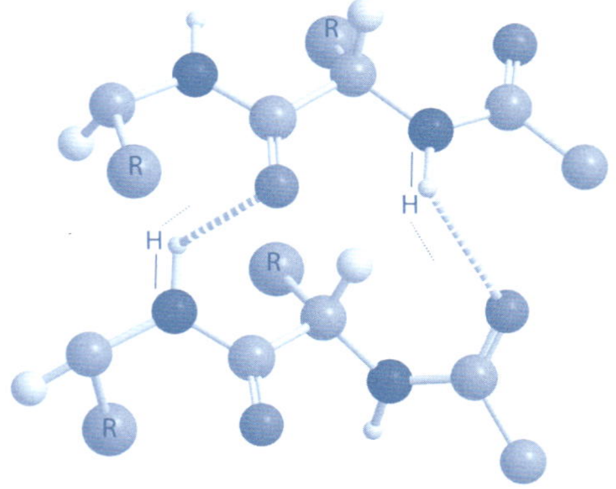

Figura 16.9 Uma folha β paralela na qual os átomos N—H—O das ligações de hidrogênio não estão tão bem alinhados como na folha antiparalela.

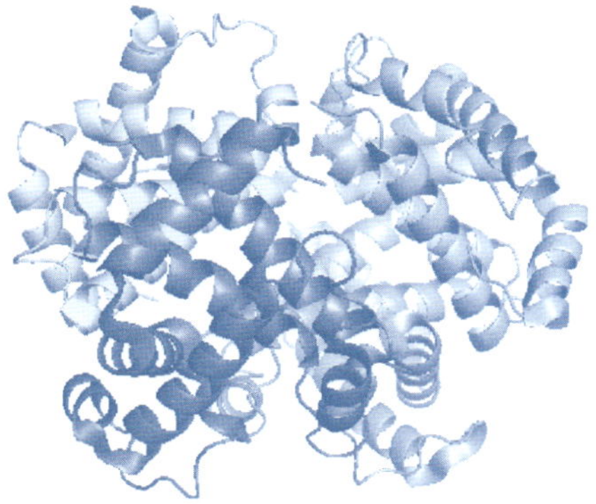

Figura 16.10 Uma molécula de hemoglobina consiste em quatro unidades do tipo mioglobina. Uma molécula de O_2 liga-se ao átomo de ferro no grupo heme. (Veja o Encarte em Cores.)

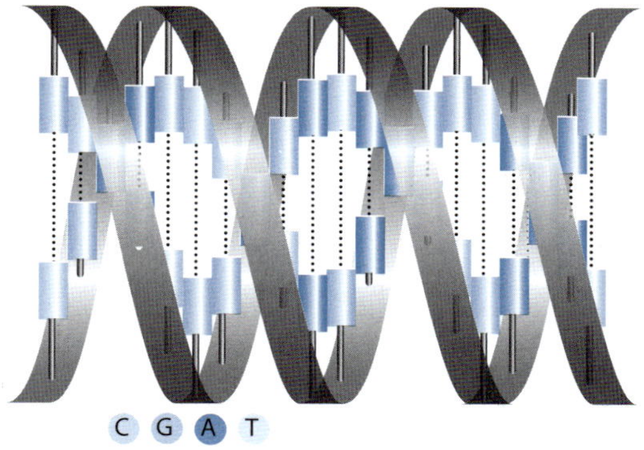

Figura 16.11 A dupla-hélice do DNA, na qual duas cadeias de polinucleotídeos se mantêm unidas por ligações de hidrogênio entre adenina (A) e timina (T) e entre citosina (C) e guanina (G). (Veja o Encarte em Cores.)

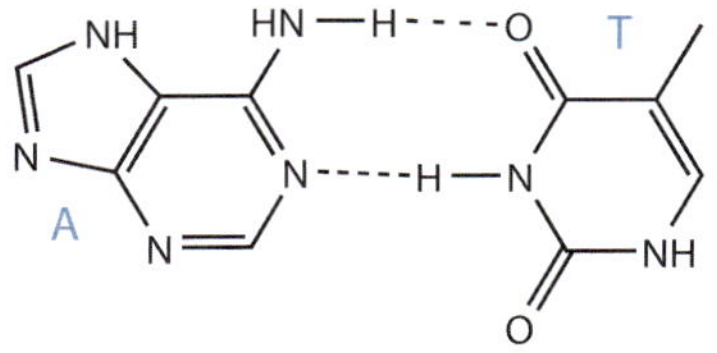

1 Par de bases A–T

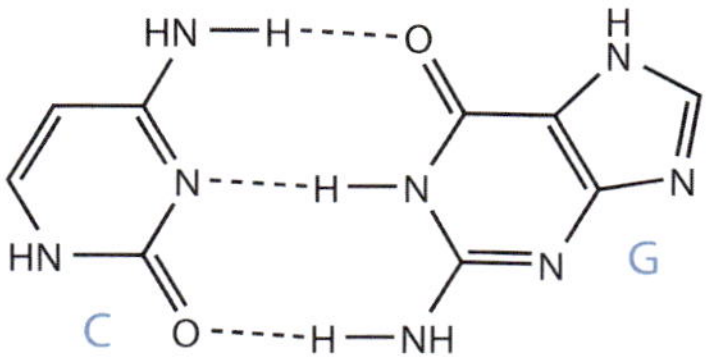

2 Par de bases C–G

As cadeias de polipeptídeos helicoidais e em forma de folha dobram-se em uma estrutura terciária quando há outras influências de ligações entre os resíduos da cadeia que são fortes o suficiente para vencer as interações responsáveis pela estrutura secundária. Entre essas influências estão **ligações de dissulfeto** —S—S—, interações de van der Waals, interações hidrofóbicas, interações iônicas (que dependem do pH), e ligações de hidrogênio fortes (como O—H···O).

Proteínas com $M > 50$ kg mol^{-1} são muitas vezes encontradas como agregados de duas ou mais cadeias polipeptídicas. A possibilidade de tal estrutura quaternária frequentemente confunde a determinação de suas massas molares, pois diferentes técnicas podem dar valores que diferem por fatores de 2 ou mais. A hemoglobina, que consiste em quatro cadeias tipo mioglobina (Fig. 16.10), é um exemplo de uma estrutura quaternária. A mioglobina é uma proteína de armazenamento de oxigênio. As diferenças sutis que surgem quando quatro dessas moléculas coalescem para formar hemoglobina resultam nesta última ser uma proteína de transporte de oxigênio, capaz de carregar O_2 cooperativamente e descarregá-lo também de forma cooperativa (veja Impacto 7.2).

O ácido desoxirribonucleico (DNA) e o ácido ribonucleico (RNA), que são os componentes fundamentais do mecanismo de armazenamento e transferência de informação genética em células biológicas, são **polinucleotídeos**. O esqueleto dessas moléculas consiste, de forma alternada, em grupos fosfato e açúcares; uma das bases adenina (A), citosina (C), guanina (G), timina (T, encontrada apenas no DNA) e uracila (U, encontrada apenas no RNA) está ligada a cada açúcar. No B-DNA, o tipo mais comum de DNA em células biológicas, duas cadeias polinucleotídicas, mantidas unidas pelos pares de bases A—T e C—G (**1** e **2**), se envolvem uma ao redor da outra para formar uma dupla hélice dextrogira (Fig. 16.11). A estrutura é estabilizada posteriormente por meio de interações entre os sistemas π planos mencionados em Impacto 15.1. Por outro lado, o RNA existe principalmente como cadeias únicas que podem se dobrar em estruturas complexas pela formação de pares de bases A—U e G—C.

A **desnaturação** de biopolímeros, ou perda de estrutura, pode ser provocada de diversas formas, podendo diferentes aspectos da estrutura ser afetados. A desnaturação ao nível secundário é produzida por agentes que destroem ligações de hidrogênio. O movimento térmico pode ser suficiente para provocar o rompimento, e neste caso a desnaturação é uma espécie de fusão intramolecular. Quando se cozinham ovos, a albumina é desnaturada irreversivelmente, e a proteína se desagrega em uma estrutura semelhante a uma cadeia randômica. A **transição de hélice para cadeia randômica** em polipeptídeos é nítida, como a fusão comum, pois se trata de um processo cooperativo. Quando uma ligação de hidrogênio é rompida, fica mais fácil romper as ligações vizinhas e, então, ainda mais fácil romper as vizinhas dessas e assim por diante. O rompimento das ligações avança ao longo da hélice, e a transição é bem marcada. A desnaturação também pode ser produzida quimicamente. Por exemplo, um solvente que forma ligações de hidrogênio mais fortes do que aquelas existentes na hélice vai competir com sucesso pelos grupos NH e CO. Ácidos e bases podem causar desnaturação por protonação ou desprotonação de vários grupos.

Muito esforço tem sido feito na físico-química e na biofísica molecular contemporânea para compreender e prever as estruturas de biomoléculas, como os polipeptídeos e os ácidos nucleicos mencionados nesta seção, usando-se as interações descritas no Capítulo 15 (Impacto 16.1).

Impacto na bioquímica 16.1

Predição da estrutura de proteínas

Uma cadeia polipeptídica assume uma conformação que corresponde a um mínimo da energia de Gibbs, que depende da **energia**

de conformação, a energia de interação entre as partes diferentes da cadeia, e da energia de interação entre a cadeia e as moléculas de solvente vizinhas. No meio aquoso das células biológicas, a superfície externa de uma molécula de proteína está recoberta por uma camada móvel de moléculas de água, e seu interior contém bolsas de moléculas de água. Essas moléculas de água desempenham um importante papel na determinação da conformação que a cadeia adota por meio de interações hidrofóbicas e da ligação hidrogênio dos aminoácidos na cadeia.

O cálculo mais simples da energia de conformação de uma cadeia polipeptídica não leva em conta os efeitos da entropia e do solvente, e se concentra na energia potencial total de todas as interações entre átomos não ligados. Por exemplo, como mencionado no texto, esses cálculos preveem que uma hélice α dextrogira dos L-aminoácidos é um pouco mais estável do que a hélice levogira dos mesmos ácidos.

Para calcular a energia de conformação, precisamos fazer uso das interações moleculares descritas no Capítulo 15 e também de algumas interações adicionais:

1. *Estiramento da ligação.* As ligações não são rígidas, podendo ser vantajoso para algumas ligações alongar-se e outras poderem ser comprimidas ligeiramente, quando partes da cadeia exercerem pressão entre si. Se compararmos uma ligação a uma mola, então a energia potencial toma a forma (Seção 12.9):

$$V_{est}(R) = \tfrac{1}{2}k_{f,est}(R - R_e)^2$$

em que R_e é o comprimento de equilíbrio da ligação e $k_{f,est}$ é a constante de força, uma medida da rigidez da ligação em questão.

2. *Deformação angular da ligação.* O ângulo de uma ligação O—C—H (ou outro ângulo) pode se abrir ou se fechar ligeiramente para permitir à molécula, como um todo, ajustar-se melhor. Se o ângulo de equilíbrio da ligação é θ_e, escrevemos

$$V_{def}(\theta) = \tfrac{1}{2}k_{f,def}(\theta - \theta_e)^2$$

em que $k_{f,def}$ é a constante de força, uma medida da dificuldade em mudar o ângulo de ligação.

■ Breve ilustração 16.2 A energia da deformação angular de ligação

Estudos teóricos estimaram que o sistema de anel da isoaloazina da lumiflavina (**3**) possui um mínimo de energia quando o ângulo de flexão é de 15°, mas que apenas $1{,}41 \times 10^{-20}$ J ou 8,50 kJ mol^{-1} são necessários para aumentar o ângulo para 30°. Assim sendo, a constante de força para a deformação angular da lumiflavina é

$$k_{f,def} = \frac{2V_{def}(\theta)}{(\theta - \theta_e)^2} = \frac{2 \times \overbrace{(1{,}41 \times 10^{-20}\ \text{J})}^{V_{def}(30°)}}{(30° - 15°)^2}$$

$$= 1{,}3 \times 10^{-22}\ \text{J grau}^{-2}$$

correspondente a 75 J grau^{-2} mol^{-1}.

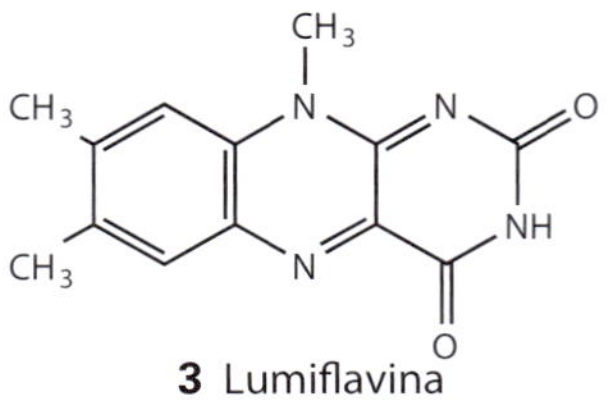

3 Lumiflavina

Exercício proposto 16.2

É necessário 0,90 aJ para deformar uma ligação C—C—C em 2,0° a partir do seu ângulo de ligação de equilíbrio. Qual é a constante de força para esse movimento?

Resposta: $4{,}5 \times 10^{-19}$ J grau^{-2}, 270 kJ grau^{-2} mol^{-1}

3. *Torção da ligação.* Existe uma barreira para a rotação interna de uma ligação em relação à outra ligação (semelhante à barreira de rotação interna no etano). Como a ligação peptídica plana é relativamente rígida, a geometria de uma cadeia polipeptídica pode ser caracterizada pelos dois ângulos que duas ligações peptídicas planas vizinhas fazem entre si. A Figura 16.12 mostra os dois ângulos, ϕ e ψ, que normalmente são usados para caracterizar esta orientação relativa. A convenção de sinais é a de um ângulo ser positivo se o átomo frontal girar no sentido horário para ficar eclipsando o átomo distal. Especificamente:

Hélice α dextrogira, todos os $\phi = -57°$ e todos os $\psi = -47°$

Hélice α levogira, todos os $\phi = 57°$ e todos os $\psi = 47°$

Folha β antiparalela, $\phi = -139°$ e todos os $\psi = 113°$

A contribuição da torção para a energia potencial total é

$$V_{torção}(\phi,\psi) = A(1 + \cos 3\phi) + B(1 + \cos 3\psi)$$

em que A e B são constantes da ordem de 1 kJ mol^{-1}. Como apenas dois ângulos são necessários para identificar a conformação de uma hélice, e como estes ângulos podem variar de −180° a +180°, é possível representar a energia potencial de torção da molécula inteira com o **gráfico de Ramachandran**, um diagrama de contorno em que um eixo se lança ϕ e no outro, ψ (Fig. 16.13).

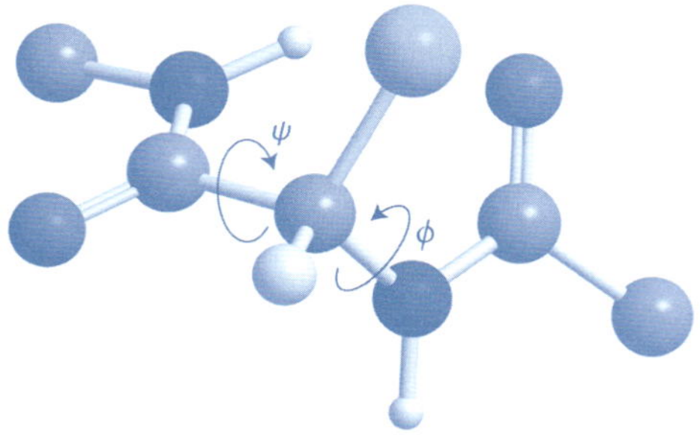

Figura 16.12 Definição dos ângulos de torção ψ e ϕ entre duas unidades peptídicas.

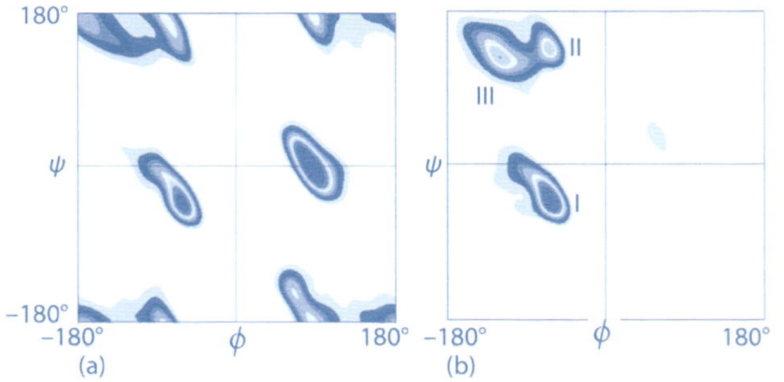

Figura 16.13 Gráficos de contorno de energia potencial em função dos ângulos ψ e ϕ, também conhecidos como diagrama de Ramachandran, para (a) um resíduo de glicila de um polipeptídeo e (b) um resíduo alanil. (Hovmoller *et al.*, *Acta Cryst.* **D58,** 768 (2002).) (Veja o Encarte em Cores.)

4. *Interação entre cargas parciais.* Se as cargas parciais Q_i e Q_j sobre os átomos *i* e *j* são conhecidas, uma contribuição coulombiana da forma 1/*r* pode ser incluída:

$$V_{\text{Coulomb}}(r) = \frac{Q_i Q_j}{4\pi\varepsilon r}$$

em que ε é a permissividade do meio em que as cargas estão imersas. Cargas de –0,28*e* e +0,28*e* podem ser atribuídas ao N e ao H, respectivamente, e –0,39*e* e +0,39*e*, ao O e C, respectivamente. A interação entre cargas parciais elimina a necessidade de levar em conta interações dipolo-dipolo, porque são consideradas quando se tratar cada carga parcial de forma explícita.

5. *Interações dispersivas e repulsivas.* A energia de interação entre dois átomos separados por uma distância *r* (que é conhecida uma vez que ϕ e ψ estejam especificados) pode ser calculada por um potencial (12,6) da forma Lennard-Jones (Seção 15.8):

$$V_{\text{LJ}}(r) = \frac{C^*}{r^{12}} - \frac{C}{r^6}$$

6. *Ligação de hidrogênio.* Em alguns modelos de estrutura, considera-se que a interação entre as cargas parciais leva em conta o efeito da ligação de hidrogênio. Em outros modelos, a ligação de hidrogênio é adicionada como outra interação, da forma

$$V_{\text{ligação de H}}(r) = \frac{D^*}{r^{12}} - \frac{D}{r^{10}}$$

A energia potencial total de dada conformação (ϕ, ψ) pode ser calculada somando-se as contribuições dadas pelas equações acima para todos os ângulos de ligação (incluindo ângulos de torção) e pares de átomos na molécula. Este procedimento é conhecido como simulação pela **mecânica molecular** e está automatizado em softwares de modelagem molecular disponíveis comercialmente. Para moléculas grandes, os gráficos da energia potencial contra o comprimento de ligação ou o ângulo de ligação mostram, frequentemente, vários mínimos locais e um mínimo global (Fig. 16.14). Os pacotes de software incluem esquemas para a modificação sistemática das posições dos átomos e a procura destes mínimos.

A Figura 16.13 mostra contornos de energia potencial para a forma helicoidal das cadeias polipeptídicas formadas a partir do aminoácido glicina (R = H), aquiral, e do aminoácido L-alanina (R = CH_3), quiral. Os contornos foram calculados somando-se as contribuições descritas acima para cada par de ângulos escolhidos, e fazendo-se o gráfico dos contornos de mesmo valor de energia potencial. O gráfico da glicina é simétrico, com mínimos de igual profundidade em ϕ = –80°, ψ = –60° e em ϕ = +80° e ψ = –0°. O gráfico da L-alanina, porém, é assimétrico, e há três conformações diferentes de baixa energia (identificadas por I, II e III). Os mínimos das regiões I e II estão vizinhos dos ângulos típicos das hélices α dextrogiras e levogiras. O primeiro, porém, é mais baixo do que o segundo. Este resultado é consistente com a observação de que polipeptídeos dos L-aminoácidos naturais tendem a formar hélices dextrogiras.

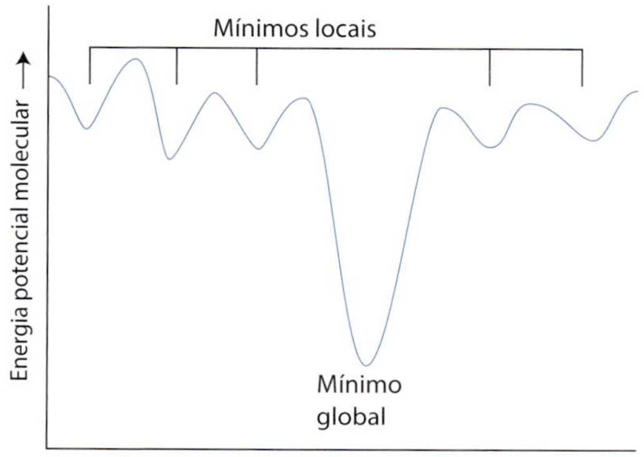

Figura 16.14 Para moléculas grandes, um gráfico da energia potencial em função da geometria molecular mostra frequentemente diversos mínimos locais e um mínimo global.

A estrutura que corresponde ao mínimo global de uma simulação de mecânica molecular é como se fosse uma visão instantânea da molécula em *T* = 0, pois somente a energia potencial é incluída no cálculo; é excluída a contribuição da energia cinética para a energia total. Em uma simulação de **dinâmica molecular**, a molécula é posta em movimento por aquecimento até que atinja determinada temperatura (Capítulo 15). As trajetórias possíveis de todos os átomos sob a influência dos potenciais intermoleculares são então calculadas pela integração da segunda lei de Newton do movimento. Essas trajetórias correspondem às conformações que a molécula pode ter na temperatura da simulação. Portanto, os cálculos de dinâmica molecular são ferramentas úteis para o estudo da flexibilidade dos polímeros.

16.2 Propriedades mecânicas dos polímeros

Polímeros sintéticos são classificados de modo geral como *elastômeros*, *fibras* e *plásticos*, dependendo da sua **cristalinidade**, o grau de ordem tridimensional de longo alcance atingido no estado sólido.

Um **elastômero** é um polímero flexível que pode facilmente se expandir ou se contrair em razão da aplicação de uma força externa. Elastômeros são polímeros com numerosas ligações cruzadas que os fazem retornar à sua forma original quando uma tensão é removida. As fracas restrições direcionais nas ligações entre o silício e o oxigênio são responsáveis pela alta elasticidade dos silicones. Um **elastômero perfeito**, um polímero em que a energia interna é independente da extensão da cadeia randômica, pode ser modelado como uma cadeia livremente articulada.

Vimos na Seção 16.1 que a contração de uma cadeia estendida para uma cadeia randômica é espontânea no sentido de que a mesma corresponde a um aumento de entropia; a variação de entropia das vizinhanças é zero porque nenhuma energia é liberada ou absorvida quando se forma a cadeia randômica. A entropia de conformação pode ser usada para deduzir que a força de restauração, $\mathcal{F}$, de um elastômero perfeito unidimensional à temperatura *T* é[2]

$$\mathcal{F} = \frac{kT}{2l}\ln\left(\frac{1+\nu}{1-\nu}\right) \qquad \nu = n/N \qquad (16.3a)$$

Cadeia randômica unidimensional — Força de restauração

em que *N* é o número total de ligações de comprimento *l* e o polímero é estirado ou comprimido por *nl* (*k* é a constante de Boltzmann). O gráfico desta função é visto na Figura 16.15. Em pequenas extensões, $\nu \ll 1$ e podemos utilizar as técnicas de aproximação que se encontram em Ferramentas do químico 6.1:

[2] Para a dedução desta expressão e de sua forma simplificada, veja o livro *Físico-Química* (2010), destes mesmos autores (LTC Editora)

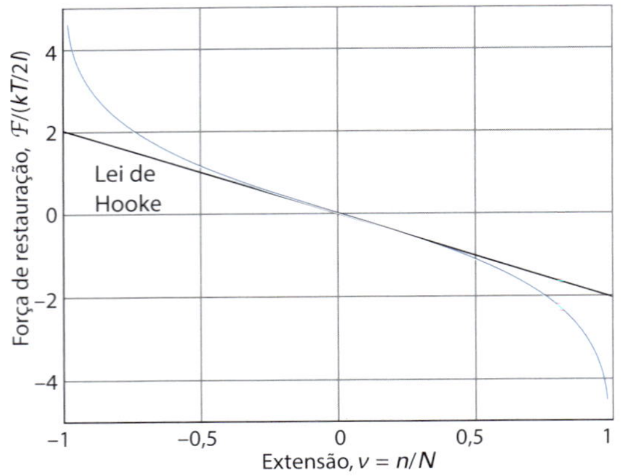

Figura 16.15 Força de restauração, $\mathcal{F}$, de um elastômero perfeito unidimensional. Para pequenas tensões, $\mathcal{F}$ é linearmente proporcional à extensão, correspondendo à lei de Hooke.

$$\mathcal{F} \overbrace{=}^{\ln(x/y)=\ln x - \ln y} \frac{kT}{2l}\{\ln(1+v)-\ln(1-v)\}$$

$$\overbrace{=}^{\ln(1+x)=x-\frac{1}{2}x^2+\cdots \;\; \ln(1-x)=-x-\frac{1}{2}x^2+\cdots} \frac{kT}{2l}\{(v-\tfrac{1}{2}v^2+\cdots)-(-v-\tfrac{1}{2}v^2+\cdots)\}$$

$$\overbrace{=}^{\text{cancelando termos}} \frac{kT}{2l}\{2v+\cdots\} \approx \frac{vkT}{l}$$

Isto é,

$$\mathcal{F} \approx \frac{\overbrace{v}^{n/N} kT}{l} = \frac{nkT}{Nl} \quad \text{Forma aproximada} \quad \text{Força de restauração} \qquad (16.3b)$$

e a força de restauração é proporcional ao deslocamento (que é proporcional a n). Dessa forma, a amostra obedece à lei de Hooke (na notação do Capítulo 12, $\mathcal{F} = -k_f x$; Eq. 12.24a) e para pequenos deslocamentos, a cadeia inteira vibra com um simples movimento harmônico.

Uma **fibra** é um material polimérico com grau de ramificação tão baixo que as moléculas podem se dispor paralelamente umas às outras, adquirindo sua força por intermédio das interações entre si. Um exemplo é o náilon-66 (Fig. 16.16). Diferente dos elastômeros, as fibras precisam ter resistência à tensão, o que exige estarem as cadeias quase que completamente distendidas, para que também possa haver interação forte entre as mesmas. Ligações de hidrogênio entre as cadeias, como no náilon, são uma forma de atingir esta resistência; cadeias laterais não são desejáveis, pois impedem a formação de regiões microcristalinas ordenadas. Sob certas condições, o náilon-66 pode ser preparado em um estado de alta cristalinidade, no qual as ligações de hidrogênio entre as ligações peptídicas de cadeias vizinhas levam a um arranjo ordenado.

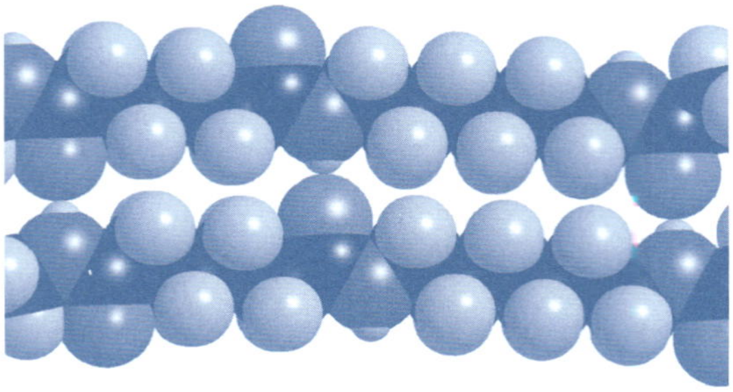

Figura 16.16 Um fragmento de duas cadeias do polímero náilon-66 mostrando o padrão de ligações de hidrogênio que são responsáveis pela coesão entre as cadeias.

Um **plástico** é um polímero que só pode atingir um grau limitado de cristalinidade e consequentemente não é tão forte quanto uma fibra nem tão flexível quanto um elastômero. Certos materiais, como o náilon-66, podem ser preparados como uma fibra ou como um plástico. Uma amostra de náilon-66 plástico pode ser visualizada como consistindo em regiões cristalinas com ligações de hidrogênio de tamanho variável entremeadas por regiões amorfas com cadeias randômicas. Um único tipo de polímero pode exibir mais do que uma característica. Para apresentar caráter de fibra, os polímeros necessitam estar alinhados; se as cadeias não estiverem alinhadas, então a substância pode ser plástica. Este é o caso do náilon, do poli(cloreto de vinila) e dos siloxanos.

A cristalinidade dos polímeros sintéticos pode ser destruída pelo movimento térmico em temperaturas suficientemente elevadas. Esta perda de cristalinidade pode ser vista como uma espécie de fusão intramolecular de um sólido cristalino para uma cadeia randômica mais fluida. A fusão de um polímero também ocorre em uma **temperatura de fusão** específica, T_f, que aumenta com a força e o número das interações intermoleculares no material.

■ Breve ilustração 16.3 Temperaturas de fusão de polímeros sintéticos e biológicos

O polietileno, que tem cadeias que interagem apenas fracamente no sólido, tem T_f = 414 K e as fibras de náilon-66, nas quais existem fortes ligações de hidrogênio entre as cadeias, tem T_f = 530 K. Altas temperaturas de fusão são desejáveis na maioria das aplicações práticas envolvendo fibras e plásticos. A 'fusão' de biopolímeros a partir de uma estrutura ordenada, como uma hélice ou folha, para uma cadeia randômica flexível também ocorre em uma temperatura específica, que aumenta com a intensidade e o número de interações moleculares no material. A temperatura de fusão e, consequentemente, a estabilidade térmica do DNA aumenta com o número de pares de bases G—C presentes na sequência, pois cada par de bases G—C tem três ligações de hidrogênio, ao passo que cada par de bases A—T tem apenas duas. É preciso mais energia para desenrolar uma dupla hélice que tem, em média, mais interações tipo ligação de hidrogênio por par de bases.

Todos os polímeros sintéticos sofrem uma transição de um estado de alta para baixa mobilidade de cadeia na **temperatura de transição vítrea**, T_v. Esta transição é geralmente detectada usando a calorimetria diferencial por varredura (DSC, Impacto 3.1). Para visualizar a transição vítrea, consideramos o que ocorre com um elastômero quando abaixamos sua temperatura. Existe energia suficiente disponível na temperatura ambiente para ocorrer movimento de rotação limitado e a cadeia flexível se retorcer. Em temperaturas menores, a amplitude do movimento de retorcimento diminui até que uma temperatura específica, T_v, é alcançada na qual o movimento

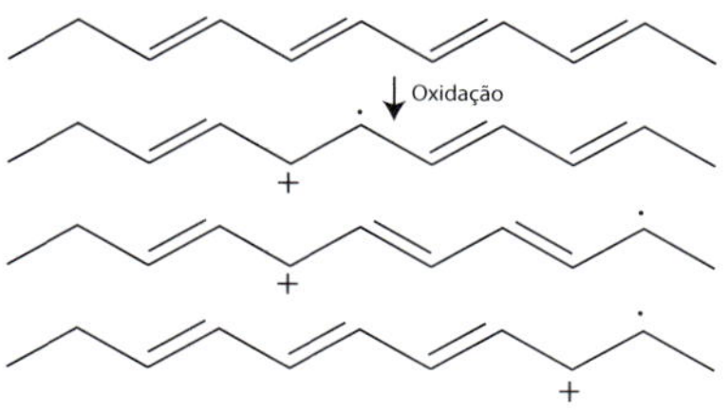

Figura 16.17 O mecanismo de migração de um radical catiônico parcialmente localizado, ou polaron, no poliacetileno.

é completamente congelado e a amostra forma um vidro. Temperaturas de transição vítrea bem abaixo de 300 K são desejáveis em elastômeros que são usados em temperatura ambiente.

16.3 Propriedades elétricas dos polímeros

As macromoléculas e estruturas auto-organizadas deste capítulo são, em sua maioria, isolantes ou condutores elétricos muito fracos. No entanto, uma variedade de materiais macromoleculares recém-desenvolvidos tem condutividades elétricas que se equiparam às dos semicondutores à base de silício e até mesmo condutores metálicos (Capítulo 17).

Nos **polímeros condutores** as ligações duplas extensivamente conjugadas facilitam a condução eletrônica ao longo da cadeia polimérica. Um exemplo de um polímero condutor é o poliacetileno (polietino, Fig. 16.17). Embora as ligações π deslocalizadas realmente sugiram que os elétrons podem mover-se para cima e para baixo na cadeia, a condutividade elétrica do poliacetileno aumenta de modo significativo quando é parcialmente oxidado com o I_2 e outros oxidantes fortes. O produto é um **polaron**, um radical catiônico parcialmente localizado que se desloca pela cadeia, conforme mostra a Figura 16.17. A oxidação do polímero por mais um equivalente ou forma **bipolarons**, di-cátions que se movem como uma unidade pela cadeia, ou forma **sólitons**, dois radicais catiônicos separados que se movem independentemente. Os polarons e os sólitons contribuem para o mecanismo da condução de carga no poliacetileno.

Os polímeros condutores são condutores elétricos ligeiramente melhores do que os semicondutores de silício, mas são muito piores do que os condutores metálicos. Atualmente, são empregados em uma série de dispositivos, como eletrodos de baterias, capacitores eletrolíticos e sensores. Estudos recentes de emissão de fótons pelos polímeros condutores podem levar a novas tecnologias para diodos emissores de luz e telas de painel plano. Os polímeros condutores ainda se mostram promissores como fios moleculares que podem ser introduzidos em dispositivos eletrônicos de dimensão nanométrica.

Mesófases e sistemas dispersos

Uma **mesófase** é uma fase de caráter intermediário entre um sólido e um líquido. O tipo mais importante de mesófase é um **cristal líquido**, que é uma substância que tem ordem de curto alcance imperfeita semelhante a um líquido em algumas direções, mas alguns aspectos da ordem de longo alcance semelhante a um cristal em outras direções. Os cristais líquidos podem ser empregados como modelos de paredes de células biológicas e estudados para se compreender o processo de transporte por meio das membranas celulares. São também de considerável importância tecnológica, sendo usados em mostradores de cristal líquido e em equipamentos eletrônicos. Um **sistema disperso** é uma dispersão de pequenas partículas de um material em outro. As partículas pequenas são comumente chamadas de **coloides**. Neste contexto, 'pequeno' significa algo menor que cerca de 1 μm de diâmetro (em torno de duas vezes o comprimento de onda da luz visível). Em geral, são agregados de numerosos átomos ou moléculas, porém pequenas demais para serem vistas sob um microscópio ótico comum, e que atravessam a maioria dos papéis de filtro, mas podem ser detectadas por espalhamento da luz, sedimentação, e osmose.

16.4 Cristais líquidos

Existem três importantes tipos de cristal líquido que diferem no tipo da ordem de longo alcance que retêm. Um tipo de ordem de longo alcance dá origem a uma **fase esmética** (da palavra grega para ensaboado), em que as moléculas se alinham em camadas (Fig. 16.18). Outras substâncias, e alguns cristais líquidos esméticos em temperaturas mais elevadas, não têm a estrutura em camada, mas retêm um alinhamento paralelo (Fig. 16.19): esta mesófase é a **fase nemática** (da palavra grega para filamento). As propriedades óticas fortemente anisotrópicas dos cristais líquidos nemáticos, e sua resposta a campos elétricos, são a base de seu emprego nos visores de

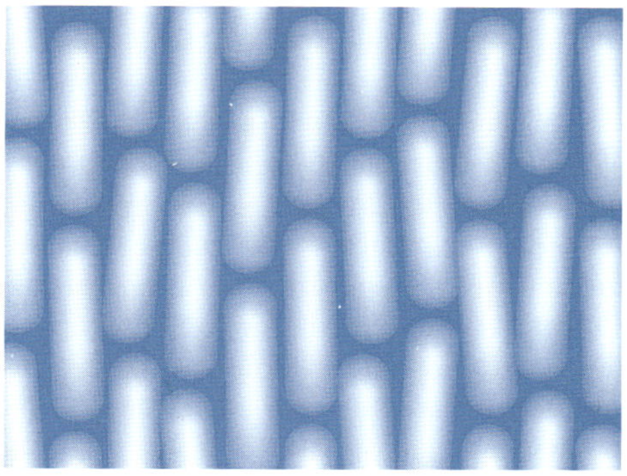

Figura 16.18 Arranjo de moléculas na fase esmética de um cristal líquido.

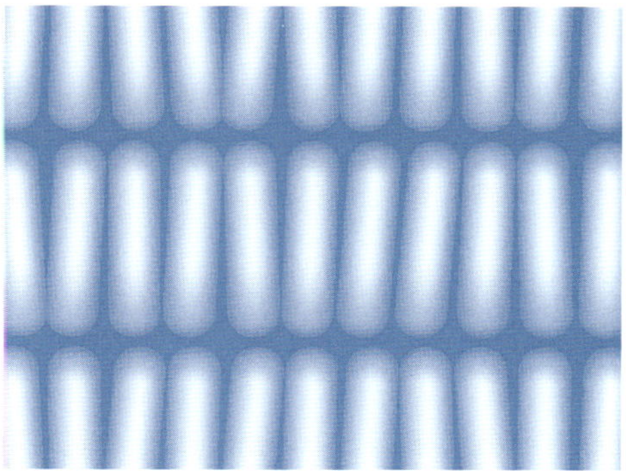

Figura 16.19 Arranjo de moléculas na fase nemática de um cristal líquido.

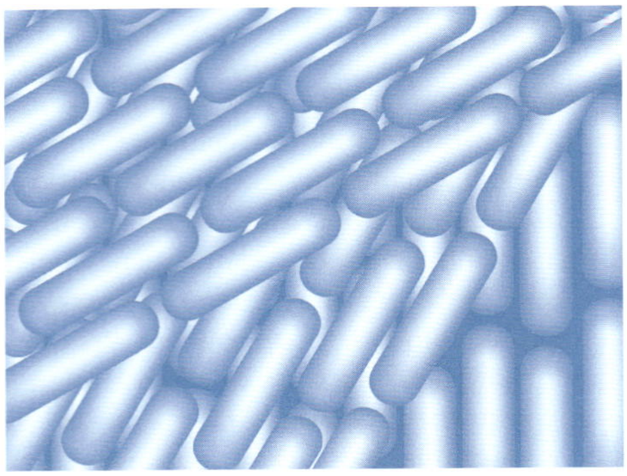

Figura 16.20 Arranjo de moléculas na fase colestérica de um cristal líquido. São mostradas três camadas; a orientação relativa dessas camadas é repetida em camadas sucessivas para dar um arranjo helicoidal de moléculas.

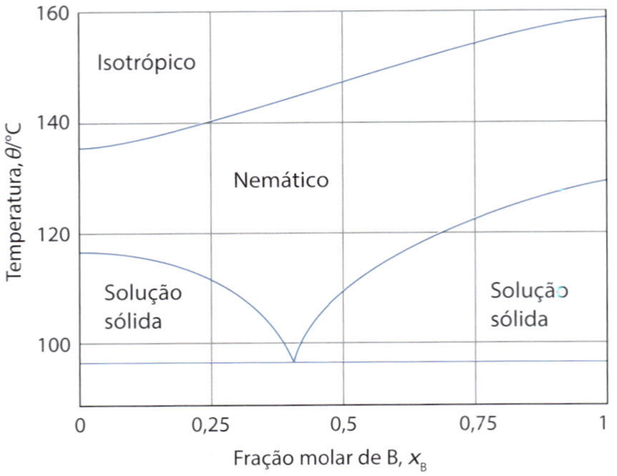

Figura 16.21 Diagrama de fase a 1 atm de um sistema binário formado por duas substâncias cristalinas líquidas, o 4,4-dimetoxiazoxibenzeno (A) e o 4,4-dietoxiazoxibenzeno (B).

cristal líquido. Na **fase colestérica**, que é assim denominada porque alguns derivados do colesterol a formam, as moléculas ficam em folhas a ângulos que se alteram levemente entre folhas vizinhas (Fig. 16.20), formando assim estruturas helicoidais. O passo da hélice varia com a temperatura e, como resultado, as cores dos cristais líquidos colestéricos, que se devem à difração e variam com o passo, dependem da temperatura. São empregados para detectar distribuições de temperatura em material vivo, inclusive pacientes humanos, e têm até sido incorporados em tecidos. Os cristais líquidos fornecem um modelo para as membranas das paredes de células biológicas (Impacto 16.2).

Embora existam muitos materiais cristalinos líquidos, é frequentemente difícil obter uma faixa de temperatura tecnologicamente útil para a existência da mesófase. Essa dificuldade é contornada pelo uso de misturas. Um exemplo do tipo de diagrama de fase que se obtém é mostrado na Figura 16.21. Como pode ser observado, a mesófase existe em um intervalo de temperatura mais amplo que o dos materiais cristalinos líquidos isolados.

16.5 Classificação dos sistemas dispersos

O nome dado ao sistema depende da natureza das substâncias envolvidas. Um **sol** é a dispersão de um sólido em um líquido (assim como grupos de átomos de ouro em água) ou de um sólido em um sólido (tal como vidro de rubi, que é um sol de ouro em vidro, e atinge sua cor por espalhamento). Um **aerossol** é a dispersão de um líquido em um gás (como neblina e muitos 'sprays') e de um sólido em um gás (como a fumaça): as partículas muitas vezes são grandes o suficiente para serem vistas com um microscópio. Uma **emulsão** é a dispersão de um líquido em um líquido (como o leite e algumas tintas). Um **gel** é um sistema no qual pelo menos um componente tem pequena rigidez (como um polímero reticulado ou uma bicamada lipídica) e pelo menos um componente tem alta mobilidade (por exemplo, o solvente).

O preparo de aerossóis pode ser tão simples quanto o espirro (que produz um aerossol). Métodos de laboratório e comerciais fazem uso de diversas técnicas. O material (quartzo, por exemplo) pode ser moído na presença do meio de dispersão. A passagem de uma corrente elétrica intensa através de uma célula eletroquímica pode levar à fragmentação de um eletrodo em partículas coloidais; um arco voltaico entre eletrodos imersos no meio de suporte também produz um coloide. A precipitação química, às vezes, resulta em um coloide. Um precipitado (por exemplo, iodeto de prata) já formado pode ser convertido em um coloide pela adição de um **agente peptizante**, uma substância que dispersa um coloide. Um exemplo de agente peptizante é o iodeto de potássio, que fornece íons que aderem às partículas coloidais fazendo-as repelir umas as outras. As argilas podem ser peptizadas por álcalis, sendo o íon OH^- o agente ativo.

As emulsões normalmente são preparadas por agitação simultânea dos dois componentes, embora algum tipo de **agente emulsificante** tenha de ser utilizado para estabilizar o produto. Esse emulsificador pode ser um sabão (ácido graxo de cadeia longa), um surfactante, ou um sol liofílico que forma uma película protetora em volta da fase dispersa. No leite, que é uma emulsão de gorduras em água, o agente emulsificante é a caseína, uma proteína que contém grupos fosfato. A formação da nata indica que a caseína não é inteiramente satisfatória na estabilização do leite: as gorduras dispersas coalescem em gotículas oleosas, que flutuam para a superfície. Essa separação pode ser evitada garantindo-se que a emulsão seja dispersa de forma bem fina inicialmente: a agitação vigorosa com ultrassom ou extrusão através de uma malha muito fina leva ao leite 'homogeneizado'.

Os aerossóis são formados pela pulverização de um líquido pela ação de um jato de gás. A dispersão é facilitada quando o líquido tem carga elétrica, pois então as repulsões eletrostáticas facilitam a desagregação em gotículas. Este procedimento pode também ser empregado para produzir emulsões, pois a fase líquida carregada pode ser esguichada sobre o outro líquido.

Os sistemas dispersos são muitas vezes purificados por diálise, uma técnica baseada em osmose (Seção 6.18) e em que uma membrana (por exemplo, a celulose) é selecionada, a qual é permeável ao solvente e aos íons, mas não às partículas coloidais maiores. O objetivo é remover muito (mas não tudo, por motivos explicados mais tarde neste livro) do material iônico que pode ter acompanhado sua formação. A diálise é muito lenta, e normalmente acelerada pela aplicação de um campo elétrico e pelo uso da carga transportada por muitos coloides; a técnica é então denominada **eletrodiálise**.

16.6 Superfície, estrutura e estabilidade

A principal característica dos coloides é a área superficial muito extensa da fase dispersa comparada com a área da superfície da mesma quantidade de um material comum. Como exemplo, um cubo com 1 cm de lado possui uma área de superfície de 6 cm^2. Quando é disperso como 10^{18} pequenos cubos de 10 nm, a área de superfície total é de 6×10^6 cm^2 (quase o tamanho de uma quadra de tênis). Este dramático aumento da área significa que os efeitos de superfície são de importância dominante na química dos sistemas dispersos.

Como resultado de sua grande área superficial, os coloides são termodinamicamente instáveis em relação à fase contínua: isto é, muitos coloides têm uma tendência termodinâmica de reduzir sua área superficial (como um líquido). Sua estabilidade aparente deve, portanto, ser uma consequência da cinética da diminuição da área superficial: sistemas dispersos são termodinamicamente instáveis, mas cineticamente não são lábeis (ou seja, a energia de ativação para a diminuição da área é grande). No entanto, à primeira vista, mesmo o argumento cinético parece falso: as partículas coloidais atraem-se umas as outras em grandes distâncias pela interação de dispersão; assim, existe uma força de longo alcance que tende a condensá-los em um único glóbulo.

Diversos são os fatores que se opõem à atração da dispersão de longo alcance. Pode haver uma película protetora na superfície das partículas do coloide que estabiliza a interface e não permite a penetração quando duas partículas se tocam. Por exemplo, os átomos superficiais de um sol de platina em água reagem quimicamente, ficam coordenados com $—(OH)_3H_3$, e esta camada envolve a partícula como uma cápsula. Uma gordura pode ser emulsificada por um sabão porque as longas caudas de hidrocarbonetos penetram na gotícula de óleo, mas os grupos principais de $—CO_2^-$ (ou outros grupos hidrofílicos dos detergentes) circundam a superfície, formam ligações de hidrogênio com a água, e dão origem a uma cobertura de carga negativa que repele uma possível aproximação de outra partícula de carga semelhante.

Por **surfactante** queremos dizer uma espécie que se acumula na interface de duas fases ou substâncias (uma das quais pode ser o ar) e modifica as propriedades da superfície. Um surfactante efetivo se acumula na interface entre as fases e não se dissolve bem em nenhuma das duas fases contínuas. Um surfactante típico consiste em uma longa cauda de hidrocarbonetos que se dissolve em hidrocarboneto e outros materiais apolares, e um **grupo principal** hidrofílico, que se dissolve em um solvente polar (tipicamente a água). Grupos principais típicos incluem as espécies iônicas $—CO_2^-$ e $—SO_3^-$; espécies não iônicas típicas incluem $—(OC_2H_4)_6OH$ e $—(OC_2H_4)_8OH$. Um surfactante é uma substância **anfipática**, significando que tem ambas as regiões, hidrofóbica e hidrofílica (a parte anfi- do nome vem da palavra grega para 'ambos'). Os sabões, por exemplo, consistem em sais de metal alcalino de ácidos carboxílicos de cadeia longa, e o surfactante do detergente é tipicamente um ácido benzenossulfônico de cadeia longa ($R—C_6H_4SO_3H$) ou seu sal. O modo de ação de um surfactante em um detergente, e do sabão, é dissolver-se tanto na fase aquosa quanto na fase hidrocarboneto, em que suas superfícies ficam em contato, e desse modo solubilizar a fase hidrocarboneto de modo a poder ser levado na água (Fig. 16.22).

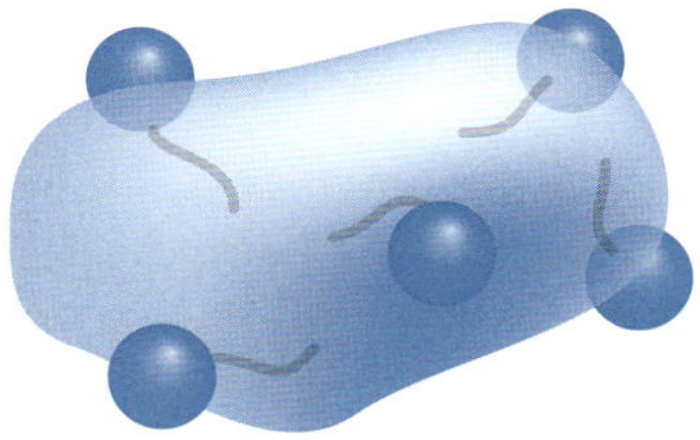

Figura 16.22 Uma molécula de surfactante em um detergente ou sabão age mergulhando sua cauda de hidrocarbonetos hidrofóbicos na gordura, deixando assim seus grupos hidrofílicos na superfície da gordura, onde podem interagir atrativamente com a água à sua volta.

As moléculas de surfactante podem agregar-se na forma de **micelas**, agrupamentos de moléculas de tamanho coloidal, mesmo na ausência de gotículas de gordura, pois suas caudas hidrofóbicas tendem a agregar-se, e suas cabeças hidrofílicas oferecem proteção (Fig. 16.23). As micelas formam-se apenas quando a concentração do surfactante for igual ou superior a um valor denominado **concentração micelar crítica** (CMC). Os surfactantes formam micelas apenas quando a temperatura estiver acima de um valor crítico denominado **temperatura Krafft**, T_K.

A termodinâmica da formação de micelas explica a existência de uma temperatura crítica. Experimentos mostram que a entalpia de formação de micelas em sistemas aquosos é provavelmente positiva (ou seja, o processo é endotérmico), com $\Delta H \approx 1–2$ kJ por mol de moléculas surfactantes, por causa, em grande parte, das repulsões entre os grupos principais dos surfactantes. O fato de as micelas se formarem acima da CMC indica que a variação de entropia que acompanha a sua formação deve ser positiva, para que a variação da energia de Gibbs do processo, $\Delta G = \Delta H - T\Delta S$, seja negativa; medições experimentais sugerem um valor aproximado de +140 J K^{-1} mol^{-1} à temperatura ambiente. O fato de a variação de entropia ser positiva, embora as moléculas estejam se agregando, mostra que deve haver uma contribuição para a entropia vinda do solvente: as moléculas do solvente circundante não precisam mais solvatar moléculas individuais do surfactante, tornando-se menos organizadas, como no efeito hidrofóbico (Seção 15.7). O papel da entropia é ampliado pela tempera-

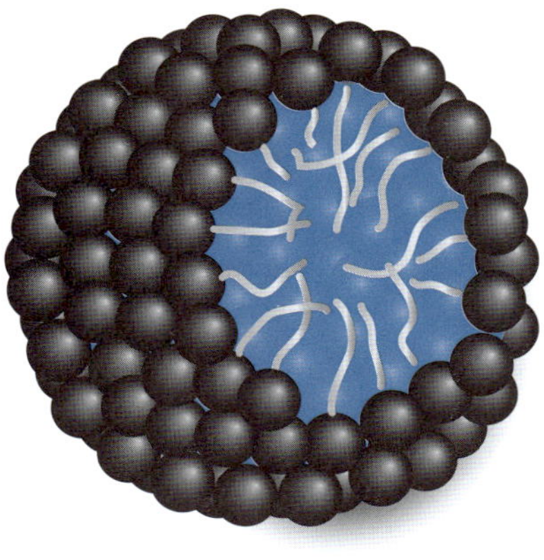

Figura 16.23 Representação de uma micela esférica. Os grupos hidrofílicos estão representados por esferas e as cadeias de hidrocarbonetos hidrofóbicos, pelas hastes: estas últimas são móveis. (Veja o Encarte em Cores.)

tura (o fator T no termo $T\Delta S$), ΔG pode se tornar negativo e a formação de micela espontânea quando a temperatura é suficientemente alta.

A auto-organização de uma micela tem as características de um processo cooperativo, no qual a adição de uma molécula surfactante a um aglomerado que está se formando se torna mais provável à medida que o tamanho do agregado aumenta; assim, após um início lento, há uma cascata de formação de micelas. Se admitirmos que a micela dominante M_N contém N monômeros M, então o equilíbrio dominante que precisamos considerar é

$$N\,M \rightleftharpoons M_N \qquad K = \frac{[M_N]}{[M]^N} \tag{16.4a}$$

Admitimos, provavelmente de forma altamente duvidosa, considerando o grande tamanho dos monômeros, que a solução é ideal e que atividades podem ser substituídas pelas concentrações molares. A concentração total de surfactante é $[M]_{total} = [M] + N[M_N]$ porque cada micela é formada por N moléculas monoméricas. Portanto,

$$K = \frac{[M_N]}{\left([M]_{total} - N[M_N]\right)^N} \tag{16.4b}$$

■ Breve ilustração 16.4 A fração de moléculas de surfactante nas micelas

A Eq. 16.4b pode ser resolvida numericamente para a concentração micelar em função da concentração total de surfactante. Alguns resultados para $K = 1$ são mostrados na Figura 16.24. Vemos que, para valores grandes de N, há uma transição razoavelmente marcante nas concentrações relativas de moléculas surfactantes que estão presentes nas micelas, o que corresponde à existência de uma CMC.

Espécies surfactantes iônicas tendem a ser separadas pelas repulsões coulombianas entre os grupos principais e são normalmente limitadas a 10 a 100 moléculas. Surfactantes não iônicos podem agregar-se em grupos de 1000 ou mais e, à medida que a temperatura aumenta, esses grandes agregados se separam em uma fase distinta em uma temperatura chamada **ponto nuvem**. As formas das micelas individuais variam com a concentração. Embora ocorram micelas esféricas, elas são mais comumente esferas achatadas quando próximas da CMC, e na forma de bastões, em concentrações mais altas. O interior de uma micela é como uma gotícula de óleo e a espectroscopia de ressonância magnética mostra que as caudas de hidrocarboneto são móveis, mas com movimento ligeiramente mais restrito do que na fase contínua.

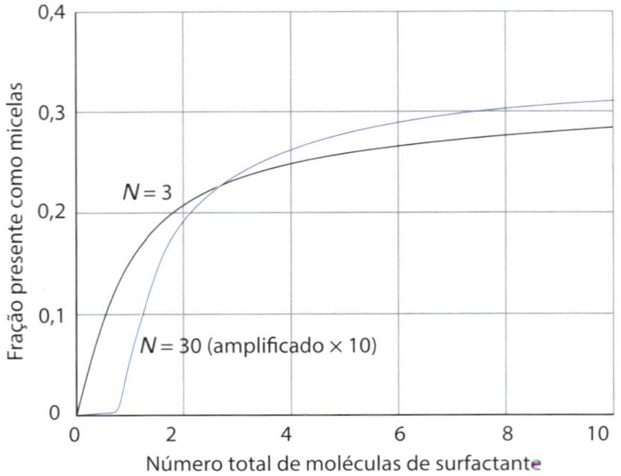

Figura 16.24 Concentração de micelas em função do número total de moléculas surfactantes para $K = 1$.

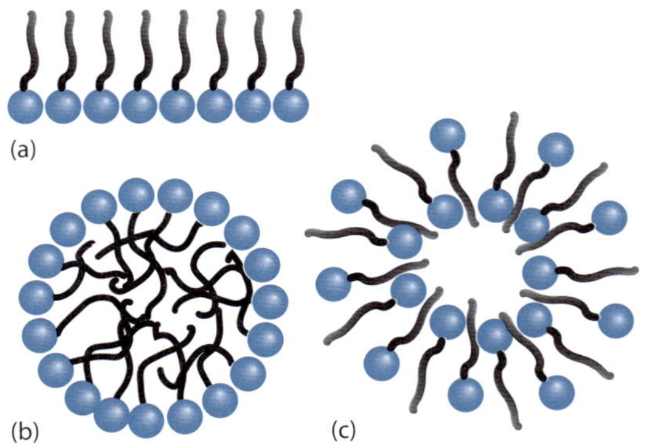

Figura 16.25 Moléculas anfipáticas formam uma variedade de estruturas correlatas na água: (a) uma monocamada; (b) uma micela esférica; (c) uma vesícula de bicamada.

As micelas são importantes na indústria e biologia por conta de sua função solubilizadora: a matéria pode ser transportada pela água depois de ter sido dissolvida em seus interiores hidrocarbônicos. Por essa razão, os sistemas micelares são empregados como detergentes e carreadores de medicamento, e para síntese orgânica, flotação em espuma, e recuperação do petróleo. São reconhecidos como parte de uma família de estruturas semelhantes formadas quando substâncias anfipáticas estão presentes na água (Fig. 16.25). Uma **monocamada** forma-se na interface ar-água, com os grupos principais hidrofílicos de frente para a água. As micelas são como monocamadas que envolvem uma região. Uma **vesícula de bicamada** é como uma micela dupla, com uma superfície interna de moléculas apontando para dentro cercadas por uma camada externa apontando para fora. A versão 'achatada' de uma vesícula de bicamada é a análoga de uma membrana celular.

Algumas micelas em concentrações elevadas formam folhas extensas, paralelas, com duas moléculas de espessura, chamadas de *micelas lamelares*. Nestas lamelas, as moléculas individuais dispõem-se perpendicularmente ao plano das folhas, com os grupos hidrófilos no exterior, na solução aquosa, e o meio apolar no interior. Este tipo de micela é muito parecido com as membranas biológicas e muitas vezes é um modelo útil na investigação básica de estruturas biológicas.

Impacto na bioquímica 16.2

Membranas biológicas

Embora micelas lamelares sejam modelos convenientes de membranas celulares, as membranas reais são estruturas altamente sofisticadas. O elemento estrutural básico de uma membrana é um fosfolipídio, como a fosfatidilcolina (**4**), que contém cadeias hidrocarbônicas compridas (tipicamente na faixa de C_{14}—C_{24}) e uma variedade de grupos polares, como

$CH_2CH_2N(CH_3)_3^+$. As cadeias hidrofóbicas se agrupam para formar uma bicamada extensa de, aproximadamente, 5 nm de espessura. As moléculas de lipídios formam camadas em vez de micelas esféricas, pois as cadeias hidrocarbônicas são muito volumosas para permitir agrupamentos em aglomerados quase esféricos.

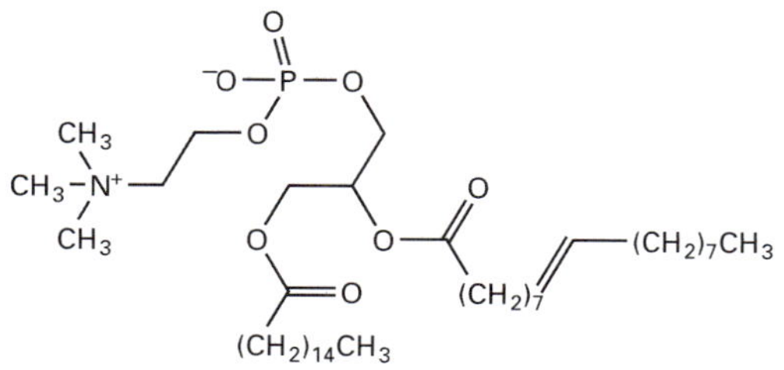

4 Fosfatidilcolina

A bicamada é uma estrutura altamente móvel. Não somente as cadeias hidrocarbônicas se movem incessantemente na região entre os grupos polares, como também as moléculas de fosfolipídios e de outras moléculas inseridas na bicamada migram sobre a superfície. É melhor pensar na membrana como um fluido viscoso, em vez de uma estrutura permanente, com uma viscosidade de aproximadamente 100 vezes a da água. Em comum com o comportamento normal da difusão (Seção 11.11), a distância média em que uma molécula de fosfolipídio se difunde é proporcional à raiz quadrada do tempo. Normalmente, uma molécula de fosfolipídio migra cerca de 1 μm (o diâmetro de uma célula) em aproximadamente 1 min.

Proteínas periféricas são proteínas presas à bicamada. **Proteínas integrais** são proteínas imersas na bicamada móvel, mas viscosa. Estas proteínas podem atravessar a bicamada e consistem em hélices α firmemente agrupadas ou, em alguns casos, em folhas β contendo resíduos hidrofóbicos que se localizam confortavelmente dentro da região hidrocarbônica da bicamada. Há duas visões do movimento das proteínas integrais na bicamada. No **modelo do mosaico fluido**, as proteínas são móveis, mas os seus coeficientes de difusão são muito menores que os dos lipídios. No **modelo da balsa de lipídios**, vários lipídios e moléculas de colesterol formam estruturas ordenadas, ou 'balsas' que envolvem as proteínas e as ajudam a se deslocar para partes específicas da célula.

A mobilidade da bicamada faz com que a mesma possa fluir em torno de uma molécula próxima da superfície externa, tragá-la e incorporá-la dentro da célula pelo processo chamado de **endocitose**. Por outro lado, o material do interior da célula envolvido pela membrana celular pode coalescer com a própria membrana da célula, que então retira e ejeta o material no processo denominado **exocitose**. No entanto, a função das proteínas embebidas na bicamada é agir como dispositivos para transporte de matéria para dentro e fora da célula de uma maneira mais sutil. Ao oferecer canais hidrofílicos em um ambiente que de outra forma seria hidrofóbico, algumas proteínas agem como canais e bombas iônicas (Impacto 9.1).

Todas as bicamadas lipídicas sofrem uma transição de um estado de alta para baixa mobilidade de cadeia em uma temperatura que depende da estrutura do lipídio. Existe energia disponível suficiente na temperatura ambiente para que ocorra uma rotação limitada das ligações, ocorrendo a retorção da cadeia flexível. No entanto, a membrana está ainda altamente organizada no sentido de que a estrutura de bicamada não se desfaz, e o sistema é mais bem descrito como um cristal líquido (Fig. 16.26a). Em

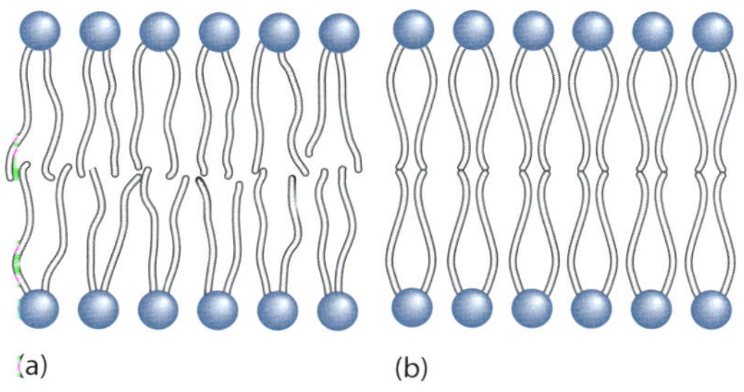

Figura 16.26 Ilustração da variação com a temperatura da flexibilidade das cadeias hidrocarbônicas em uma bicamada lipídica. (a) À temperatura fisiológica, a bicamada existe como um cristal líquido, no qual existe ordem, mas as cadeias se retorcem. (b) A uma temperatura específica, as cadeias são muito congeladas e diz-se que a bicamada existe na forma de um gel.

temperaturas menores, as amplitudes do movimento de retorção diminuem até que uma temperatura específica é alcançada, na qual o movimento é muito restrito. A membrana é dita existir como um gel (Fig. 16.26b). Membranas biológicas existem como cristais líquidos em temperaturas fisiológicas.

Entremeado nos fosfolipídios das membranas biológicas estão os esteróis, como o colesterol (**5**), que é largamente hidrofóbico, mas contém um grupo hidrófilo —OH. A presença dos esteróis, que se encontram em proporções diferentes de acordo com o tipo de célula, impede as cadeias hidrofóbicas de lipídios de 'congelar' em um gel e, rompendo o empacotamento das cadeias, fazem com que o ponto de fusão da membrana se distribua em um intervalo de temperaturas.

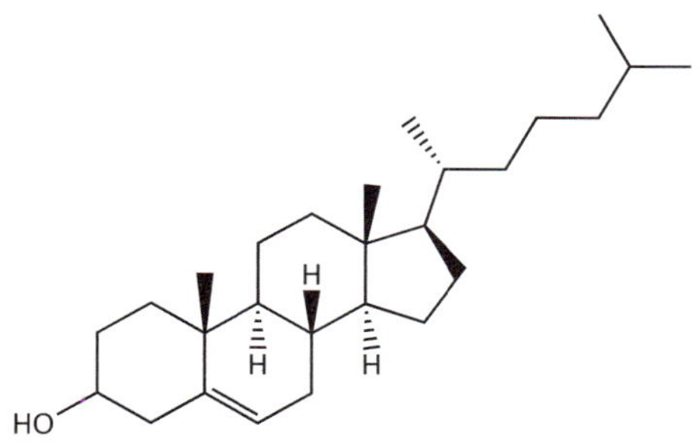

5 Colesterol

16.7 A dupla camada elétrica

Além da estabilização física dos sistemas dispersos, uma grande fonte de estabilidade cinética é a existência de uma carga elétrica nas superfícies das partículas coloidais. Por conta dessa carga, os íons de carga oposta tendem a se agregar nas proximidades.

Devem ser distinguidas duas regiões de carga. Primeiramente, há uma camada quase imóvel de íons que aderem firmemente à superfície da partícula coloidal, e que podem incluir moléculas de água (se esse for o meio de suporte). O raio da esfera que captura essa camada rígida é chamado de **raio de cisalhamento**, e é o principal fator determinante da mobilidade das partículas (Fig. 16.27). O potencial elétrico na região do raio de cisalhamento, medido em relação a um ponto distante, no seio do meio contínuo, é denominado **potencial eletrocinético**, ζ (zeta). A unidade carregada atrai uma atmosfera iônica de carga oposta. A camada interna de

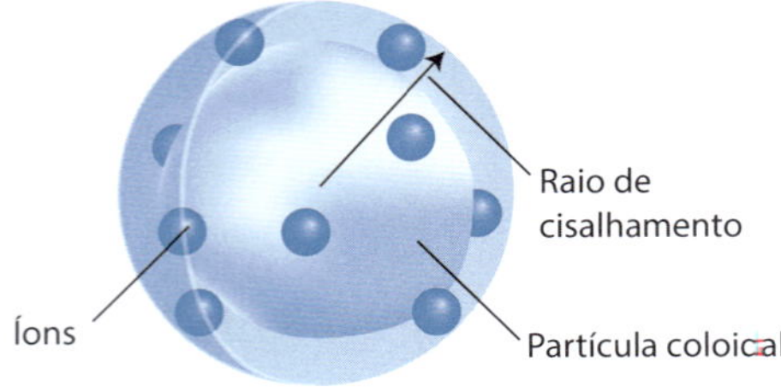

Figura 16.27 Definição do raio de cisalhamento para uma partícula coloidal. As esferas são íons fixados à superfície da partícula.

carga e a atmosfera externa constituem conjuntamente a **dupla camada elétrica**.

Em concentrações elevadas de íons de carga elevada, a atmosfera é densa e o potencial cai para seu valor no seio do meio contínuo em uma pequena distância. Nesse caso, há pouca repulsão eletrostática para impedir a íntima aproximação de duas partículas coloidais. Como resultado, a **floculação**, a coalescência das partículas coloidais, ocorre como consequência das forças de van der Waals (Fig. 16.28). A floculação frequentemente é reversível, e deve ser distinguida da **coagulação**, que é a unificação irreversível do coloide no seio da fase contínua. Quando a água de rio que contém argila coloidal flui para o mar, a salmoura induz à coagulação, sendo a causa principal do assoreamento dos estuários.

Os sóis de óxidos e sulfetos de metal têm cargas que dependem do pH; o enxofre e os metais nobres tendem a ter carga negativa. As macromoléculas de ocorrência natural também adquirem carga quando dispersas na água, e uma característica importante das proteínas e outras macromoléculas naturais é que sua carga global depende do pH do meio. Por exemplo, no ambiente ácido, os prótons se ligam aos grupos básicos, e a carga líquida da macromolécula é positiva; em meios básicos a carga líquida é negativa como resultado da perda de prótons. No **ponto isoelétrico**, o pH é tal que não existe nenhuma carga líquida na macromolécula.

O principal papel da dupla camada elétrica é tornar o coloide cineticamente estável (isto é, garantir que sobreviva por longos períodos apesar de ser termodinamicamente instável). As partículas coloidais em colisão só rompem a dupla camada e coalescem se a colisão tem energia suficiente para destruir as camadas de íons e solvatar as moléculas, ou se o movimento térmico tiver perturbado a acumulação de carga na superfície. Esse tipo de rompimento da dupla camada pode ocorrer a altas temperaturas, e esta é uma das razões pelas quais os sóis precipitam quando são aquecidos. O papel protetor da dupla camada é a razão pela qual é importante não remover todos os íons (além daqueles necessários para garantir a neutralidade elétrica global) quando um coloide está sendo purificado por diálise, e porque as proteínas coagulam mais prontamente em seu ponto isoelétrico.

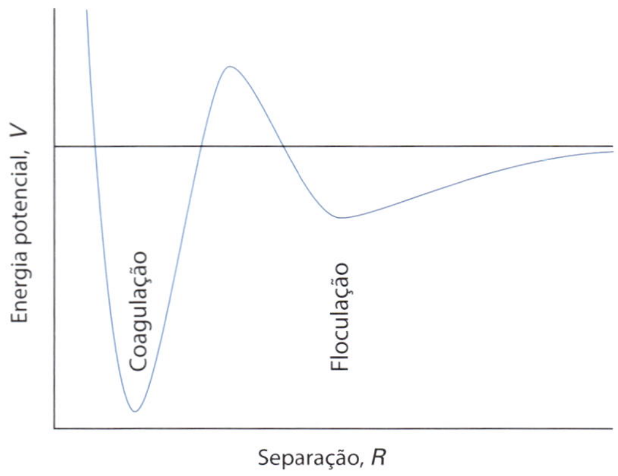

Figura 16.28 A energia potencial de interação entre duas partículas coloidais varia com a distância conforme mostrado nesta ilustração. O poço externo, raso, representa as interações de van der Waals entre as partículas e explica a floculação; o poço interno, profundo, representa a união – a coagulação – das partículas.

A presença de carga nas partículas coloidais e macromoléculas naturais também nos permite controlar seu movimento, como na diálise e eletroforese. Além de sua aplicação à determinação da massa molar, a eletroforese tem diversas aplicações analíticas e tecnológicas. Uma das aplicações analíticas é na separação de diferentes macromoléculas, como discutido na Seção 16.12. Aplicações técnicas incluem silenciosas impressoras jato de tinta, pintura de objetos por gotículas de tinta carreadas pelo ar, e formação de borracha eletroforética por deposição de moléculas de borracha carregadas sobre anodos com a forma do produto desejado (por exemplo, luvas cirúrgicas).

16.8 Superfícies líquidas e surfactantes

Superfícies líquidas são interfaces móveis nas quais solutos podem se agrupar e influenciar as suas propriedades. A superfície suave de líquidos estacionários se deve ao desbalanceamento de forças; enquanto uma molécula no interior de uma amostra sofre atrações em todas as direções, aquelas da superfície sofrem apenas forças voltadas para o interior. Uma molécula em uma interface ar-líquido tem uma energia potencial maior que outra no seio do líquido, pois interage com menos vizinhos; assim, deve ser realizado trabalho para levar a molécula do interior para a camada superficial. O trabalho necessário para aumentar a área de uma superfície de um valor $\Delta\sigma$ é proporcional a esse valor, e podemos escrever $w = \gamma\Delta\sigma$, em que a constante de proporcionalidade γ é a **tensão superficial**. Para que $\gamma\Delta\sigma$ seja expresso em joules, γ deve ser expresso em newtons por metro, N m^{-1} (porque então 1 N m^{-1} $\times$ 1 m^2 = 1 N m = 1 J). Alguns valores de tensão superficial são dados na Tabela 16.1. De um modo geral, a tensão superficial é alta quando há fortes forças atuando entre as moléculas ou átomos, como na água e no mercúrio. A tensão superficial geralmente decai com o aumento da temperatura e se anula no ponto de ebulição.

Tabela 16.1
Tensão superficial de líquidos a 293 K

	g/(mN m^{-1})
Benzeno	28,88
Mercúrio	472
Metanol	22,6
Água	72,75

Observe que 1 N m^{-1} = 1 J m^{-2}.

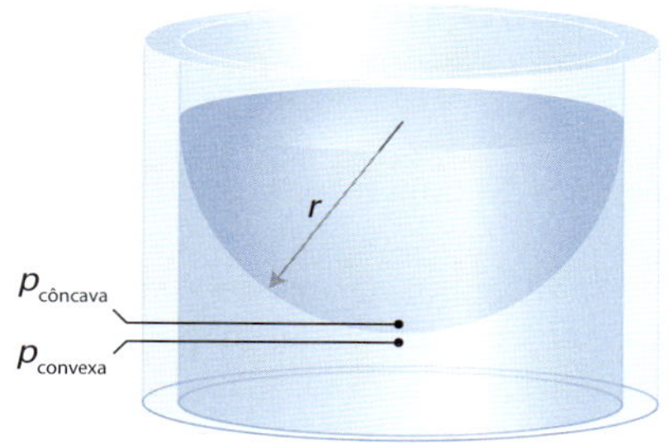

Figura 16.29 A pressão na parte externa de uma superfície curva (no lado 'convexo') é menor que a da parte interna da superfície (no lado 'côncavo'); quanto maior a tensão superficial do líquido, maior é a diferença de pressão.

Vimos no Capítulo 4 que o trabalho de não expansão (aquele que não envolve expansão do volume contra uma pressão externa) pode ser identificado com uma variação da energia de Gibbs, ΔG; logo, podemos escrever

$$\Delta G = \gamma \Delta \sigma \qquad (16.5)$$

Esta é a conexão entre as propriedades das superfícies e a termodinâmica.

Uma consequência da variação da energia de Gibbs expressa na Eq. 16.5 é que a pressão é diferente em cada um dos lados de uma superfície líquida curva (como uma gota ou uma cavidade em um líquido). Como mostramos na Dedução a seguir, a pressão em cada lado de uma superfície esférica de raio r é dada pela **equação de Laplace:**

$$p_{\text{côncava}} = p_{\text{convexa}} + \frac{2\gamma}{r} \qquad \text{Equação de Laplace} \quad (16.6)$$

Esta equação nos diz que a pressão na parte externa de uma superfície curva (no lado convexo, veja a Figura 16.29) é menor que a da parte interna da superfície, e que quanto maior a tensão superficial do líquido, maior é a diferença de pressão.

Dedução 16.1

A equação de Laplace

Se a pressão no interior de uma cavidade esférica é $p_{\text{côncava}}$, a força total (que é pressão × área) que atua na parede da cavidade de área $4\pi r^2$ é $4\pi r^2 p_{\text{côncava}}$. A força que tende a comprimir a cavidade é a soma de efeitos em razão da pressão no exterior da cavidade – no lado convexo da superfície – e à tensão superficial. A primeira dá origem a uma força $4\pi r^2 p_{\text{convexa}}$. A força devida à tensão superficial é calculada como é visto a seguir.

A variação na área da superfície quando o raio da cavidade cresce por um pequeno valor δr de r para $r + \delta r$ é

$$\delta\sigma = 4\pi(r+\delta r)^2 - 4\pi r^2 = 4\pi(r^2 + 2r\delta r + \delta r^2) - 4\pi r^2$$

$$\approx 8\pi r\delta r + 4\pi \overbrace{(\delta r)^2}^{\text{Muito pequeno}}$$

A variação da energia de Gibbs, na Eq. 16.5, é, portanto, $8\pi\gamma r\delta r$. Sob pressão e temperatura constantes, a diferença de energia de Gibbs é igual ao trabalho de não expansão associado com a variação (neste caso, a expansão não é contra a pressão atmosférica externa, então, na realidade é o trabalho de 'não expansão' adicional no sentido do Capítulo 4); assim, o trabalho realizado quando a cavidade se expande em δr é $w = 8\pi\gamma r\delta r$. Dos Fundamentos 0.9, sabemos que a magnitude do trabalho realizado é igual ao produto da força pela distância, sendo assim, neste caso, a magnitude da força que se opõe deve ser $8\pi\gamma r$. A força total voltada para o interior é, portanto, $4\pi r^2 p_{\text{convexa}} + 8\pi\gamma r$. Quando as forças que atuam para dentro e para fora são balanceadas,

$$4\pi r^2 p_{\text{côncava}} = 4\pi r^2 p_{\text{convexa}} + 8\pi\gamma r$$

Esta relação pode ser reescrita na forma da Eq. 16.6 dividindo-se ambos os lados por $4\pi r^2$.

A diferença de pressão através de uma superfície curva tem diversas consequências. Uma é que dá origem à **capilaridade**, em que um líquido ascende pelo interior de um tubo estreito. Como pode ser visto na Figura 16.30, a pressão imediatamente abaixo do menisco de um líquido em um tubo estreito é menor, por um valor de $2\gamma/r$, que a pressão atmosférica. O líquido é empurrado para cima no tubo até que a pressão hidrostática, a pressão devida à coluna de líquido, cancela a redução da pressão em razão da curvatura. A pressão hidrostática de uma coluna de líquido de altura h é igual a ρgh em que ρ é a densidade de massa do líquido e g é a aceleração em queda livre. Ou seja, o líquido ascende a uma altura na qual $\rho gh = 2\gamma/r$ e, portanto,

$$h = \frac{2\gamma}{\rho g r} \qquad \text{Ação capilar} \quad (16.7)$$

Esta expressão fornece um método simples para calcular a tensão superficial de um líquido (após reescrevê-la na forma $\gamma = {}^1\!/_2\rho grh$).

Breve ilustração 16.5 Ação capilar

Se a água, a 25 °C, ascende a uma altura de 7,36 cm em um tubo capilar de raio interno igual a 0,20 mm, a tensão superficial é

$$\gamma = \tfrac{1}{2}(997{,}1 \text{ kg m}^{-3}) \times (9{,}81 \text{ m s}^{-2}) \times (7{,}36 \times 10^{-2} \text{ m}) \times (2{,}0 \times 10^{-4} \text{ m})$$
$$= 7{,}2 \times 10^{-2} \text{ kg s}^{-2} = 7{,}2 \times 10^{-2} \text{ N m}^{-1}$$

Este valor pode ser escrito como 72 mN m^{-1}.

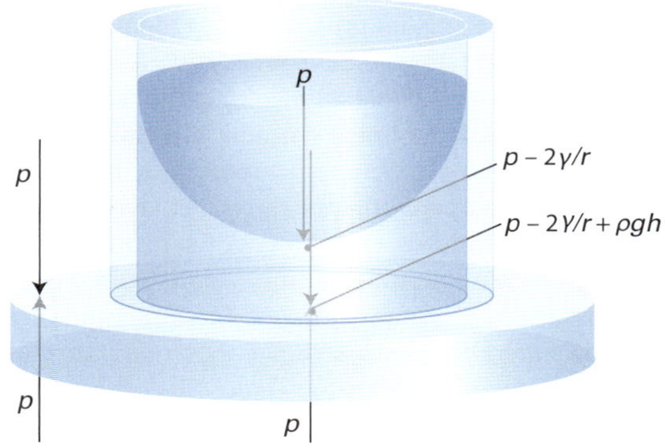

Figura 16 30 Quando um tubo capilar é colocado primeiramente em um líquido, o líquido sobe pelas paredes, curvando assim a superfície, e continua subindo até que a pressão total na base da coluna (que surge da atmosfera, do efeito de curvatura e da contribuição hidrostática) seja igual à pressão atmosférica.

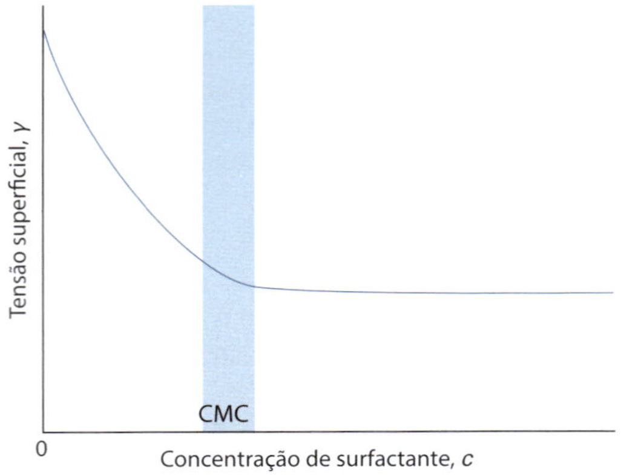

Figura 16.31 Variação da tensão superficial com a concentração de surfactante.

A tensão superficial de um líquido varia acentuadamente se um surfactante estiver presente. Moléculas anfipáticas se acumulam na superfície água-ar com suas caudas hidrofóbicas expostas ao ar para minimizar a interação com a água. A sua acumulação na superfície em relação ao interior do líquido é descrita pelo **excesso de superfície**, Γ (gama maiúsculo). No caso simples em que não há surfactante no vapor sobre a superfície, esta grandeza é obtida observando-se a quantidade total de surfactante em uma amostra do líquido, n_{total}, e subtraindo-se deste valor o correspondente à quantidade que se sabe estar em solução, $n_{\text{solução}}$, por medida de sua concentração. Então,

$$\Gamma = \frac{n_{\text{total}} - n_{\text{solução}}}{\sigma} \quad \text{Excesso de superfície} \quad (16.8)$$

em que σ é a área da superfície. Abaixo da concentração micelar crítica, o coeficiente angular do gráfico da tensão superficial contra o logaritmo da concentração é igual a $-RT\Gamma$, e Γ pode assim ser determinado.[3] Acima da CMC, a tensão superficial é independente da concentração do surfactante, e assim a CMC pode ser determinada graficamente (Fig. 16.31).

Líquidos puros não formam espumas: a energia de Gibbs aumenta quando uma superfície é formada, logo há sempre uma tendência espontânea de uma cavidade formada em um líquido desaparecer. Uma bolha na água em ebulição sobe à superfície e se rompe quando lá chega. Entretanto, se um surfactante estiver presente, há uma diferença menor de pressão entre o seu interior e as vizinhanças (porque a tensão superficial é menor) e a superfície é estabilizada pelo excesso superficial de surfactantes. Uma bolha em uma solução que contém um surfactante sobe até a superfície após ser formada e aí sobrevive. Será acompanhada por outras, e haverá formação de espuma. A estrutura da espuma é, por si própria, um problema matemático muito interessante, pois as bolhas originalmente esféricas se deformam em poliedros que minimizam a área total da superfície. Pode-se prever matematicamente que os poliedros mais comuns têm 13,4 lados, e, de fato, observa-se que a maioria tem 14 lados, com o segundo mais abundante tendo 12 lados.

[3] Veja o livro *Físico-Química* (2010), destes mesmos autores (LTC Editora).

Determinação do tamanho e da forma

A difração de raios X, uma técnica discutida em detalhes no Capítulo 17, revela a posição de quase todos os átomos, salvo os átomos de hidrogênio, até mesmo em moléculas muito grandes. Entretanto, existem várias razões por que outras técnicas também têm que ser usadas. Em primeiro lugar, pela impossibilidade de se terem imagens de raios X bem definidas quando a amostra é uma mistura de moléculas com comprimentos de cadeias diferentes e com graus de reticulação também diferentes. Mesmo quando todas as moléculas em uma amostra são idênticas, talvez seja impossível obter um monocristal. Além disso, embora a investigação das proteínas e do DNA tenha mostrado como são imensamente interessantes e motivadores os dados obtidos pelos raios X, as informações colhidas são incompletas. O que se pode dizer, por exemplo, sobre a forma de uma molécula no seu ambiente natural, uma célula biológica? O que se sabe sobre a resposta da forma da molécula às modificações no seu meio?

As técnicas de raios X e RMN são tão importantes que são abordadas separadamente nos Capítulos 17 e 21, respectivamente. Aqui vamos nos concentrar em técnicas que são empregadas quando não estão disponíveis ou não são apropriadas. No entanto, em primeiro lugar, é preciso esclarecer o que se entende por massa molar de uma amostra que pode conter moléculas com uma faixa de massas molares.

16.9 Massas molares médias

Muitas proteínas (especialmente as enzimas) são **monodispersas**, significando que têm uma única e definida massa molar. Pode haver variações pequenas, como um aminoácido substituindo outro, dependendo da fonte da amostra. Entretanto, um polímero sintético é **polidisperso**, no sentido de que uma amostra é uma mistura de moléculas com cadeias de vários comprimentos e massas molares. As várias técnicas que são usadas para medir massas molares fazem com que os resultados tenham valores médios diferentes para sistemas polidispersos. A **massa molar média numérica**, $\bar{M}_n$, é o valor obtido multiplicando-se cada uma das massas molares pela fração numérica (N_i/N) de moléculas com aquela massa presente na amostra:

$$\bar{M}_n = \frac{1}{N}\sum_i N_i M_i \quad \text{Definição} \quad \text{Massa molar média numérica} \quad (16.9a)$$

em que N_i (com i = 1, 2, ...) é o número de moléculas com massa molar M_i e N é o número total de moléculas. Dividindo-se os termos no numerador e no denominador pelo número de Avogrado, N_A, e escrevendo $N_i/N_A = n_i$ e $N/N_A = n$, podemos exprimir essa equação em termos do número de mols em vez do número de moléculas:

$$\bar{M}_n = \frac{1}{n}\sum_i n_i M_i \quad \text{Forma alternativa} \quad \text{Massa molar média numérica} \quad (16.9b)$$

A **massa molar média ponderal**, $\bar{M}_w$, é a média calculada multiplicando-se cada uma das massas molares das moléculas pela fração ponderal (m_i/m) das moléculas com aquela massa presente na amostra:

$$\bar{M}_w = \frac{1}{m}\sum_i m_i M_i \quad \text{Definição} \quad \text{Massa molar média ponderal} \quad (16.9c)$$

Nesta expressão, m_i é a massa total das moléculas de massa molar M_i, e m é a massa total da amostra. Em geral, essas duas médias são diferentes, e a razão $\bar{M}_w/\bar{M}_n$ é o **índice de heterogeneidade** (ou 'índice de polidispersão'). Na determinação das massas molares das proteínas esperamos que as diversas médias sejam coincidentes, pois a amostra é monodispersa, a menos que tenha ocorrido degradação. Nas amostras de polímeros sintéticos, porém, há normalmente uma amplitude de valores das massas molares e as diversas médias levam a valores diferentes. Os materiais sintéticos típicos têm a razão $\bar{M}_w/\bar{M}_n \approx 4$. O termo 'monodisperso' é usado convencionalmente para os polímeros sintéticos em que esta razão é menor do que 1,1. As amostras de polietileno comercial podem ser muito mais heterogêneas, e essa razão pode chegar a 30. Uma consequência da distribuição das massas molares dos polímeros sintéticos ser estreita é que existe, frequentemente, um grau de cristalinidade maior no sólido e, portanto, a massa específica e o ponto de fusão são mais elevados. A amplitude dos valores é controlada pela escolha do catalisador e pelas condições de reação.

Exemplo 16.1

Cálculo do índice de heterogeneidade de uma amostra polimérica

Determine o índice de heterogeneidade de uma amostra de poli(cloreto de vinila) a partir dos seguintes dados:

Intervalo de massa molar/(kg mol^{-1})	Massa molar média no intervalo/(kg mol^{-1})	Massa da amostra no intervalo/g
5–10	7,5	9,6
10–15	12,5	8,7
15–20	17,5	8,9
20–25	22,5	5,6
25–30	27,5	3,1
30–35	32,5	1,7

Estratégia Começamos calculando a massa molar média numérica e a massa molar média ponderal usando as Equações 16.9b e 16.9c, respectivamente. Para isso, multiplicamos a massa molar em cada intervalo pela fração numérica e pela fração ponderal de moléculas, respectivamente, em cada intervalo. O número de mols em cada intervalo é obtido pela divisão da massa da amostra no intervalo pela massa molar média correspondente ao intervalo e pelo uso da Eq. 16.9b. Finalmente, usamos as massas molares médias para calcular o índice de heterogeneidade como a razão $\bar{M}_w/\bar{M}_n$.

Solução Os números de mols presentes em cada intervalo são os seguintes:

Intervalo	5–10	10–15	15–20	20–25	25–30	30–35
Massa molar/(kg mol^{-1})	7,5	12,5	17,5	22,5	27,5	32,5
Quantidade/mmol	1,30	0,70	0,51	0,25	0,11	0,052
					Quantidade total/mmol:	2,92

A massa molar média numérica é então

$$\bar{M}_n/(\text{kg mol}^{-1}) = \frac{1}{2,92}(1,3\times 7,5 + 0,70\times 12,5 + 0,51\times 17,5 + 0,25\times 22,5 + 0,11\times 27,5 + 0,052\times 32,5) = 13$$

A massa molar média ponderal é calculada diretamente dos dados, levando em conta que a soma das massas em cada intervalo dá a massa total da amostra, igual a 37,6 g. Segue-se que:

$$\bar{M}_w/(\text{kg mol}^{-1}) = \frac{1}{37,6}(9,6\times 7,5 + 8,7\times 12,5 + 8,9\times 17,5 + 5,6\times 22,5 + 3,1\times 27,5 + 1,7\times 32,5) = 16$$

O índice de heterogeneidade é $\bar{M}_w/\bar{M}_n = 1,2$.

Exercício proposto 16.3

A *massa molar média Z* é definida por

$$\bar{M}_Z = \frac{\sum_i N_i M_i^3}{\sum_i N_i M_i^2}$$

Estime a massa molar média Z da amostra descrita no Exemplo 16.1.

Resposta: 19 kg mol^{-1}

Massas molares médias numéricas podem ser determinadas pela pressão osmótica de soluções de polímeros (Seção 6.8). O limite superior para a confiança na osmometria de membrana é de aproximadamente 1000 kg mol^{-1}. Um problema grave para macromoléculas de relativamente baixa massa molar (menos de aproximadamente 10 kg mol^{-1}) é a sua capacidade de percolar através da membrana. Uma consequência desta permeabilidade parcial é que a osmometria de membrana tende a superestimar a massa molar média de uma mistura polidispersa. Entre as várias técnicas existentes para a determinação da massa molar e da polidispersividade, que não são tão limitadas, podemos citar a espectrometria de massa, o espalhamento de luz proveniente de *laser*, a ultracentrifugação, a eletroforese e a cromatografia.

Uma nota sobre a boa prática As massas das macromoléculas frequentemente são expressas em daltons (Da), em que 1 Da = m_u (com m_u = 1,661 × 10^{-27} kg). Observe que 1 Da é uma medida de massa *molecular*, não de massa *molar*. Poderíamos dizer que a massa (não a massa molar) de certa macromolécula é 100 kDa (isto é, sua massa é 100 × 10^3 × m_u); ainda poderíamos dizer que sua massa molar é 100 kg mol^{-1}; não diríamos (ainda que seja prática comum) que sua massa molar é 100 kDa.

16.10 Espectrometria de massa

A espectrometria de massa está entre as técnicas mais precisas para a determinação de massas molares. O procedimento consiste em ionizar a amostra na fase gasosa e, então, medir a razão entre a massa e o número de cargas (m/z) de todos os íons. As macromoléculas apresentam um desafio porque é difícil produzir íons gasosos de espécies grandes sem fragmentação. Entretanto, a **ionização por dessorção com *laser* favorecida pela matriz** (sigla em inglês MALDI) resolveu este problema. Nesta técnica, a macromolécula é embebida em uma matriz sólida composta por um material orgânico e sais inorgânicos, como cloreto de sódio ou trifluoroetanoato de prata, $AgCF_3CO_2$. Esta amostra é irradiada então com um *laser* pulsado. A energia do *laser*, que é absorvida pela matriz, ejeta eletronicamente íons, cátions e macromoléculas neutras da matriz excitada, criando deste modo uma densa nuvem de gás sobre a superfície da amostra. A macromolécula é ionizada por colisões e complexação com cátions pequenos, como H^+, Na^+ e Ag^+, e as massas dos íons resultantes são determinadas em um espectrômetro de massa.

A Figura 16.32 mostra o espectro de massa MALDI de uma amostra polidispersa de poli(oxibutenoxiadipoíla), comumente chamado de poli(adipato de butila) (**6**) obtido com uma matriz de NaCl. A técnica MALDI produz principalmente íons moleculares com carga unitária que não estão fragmentados. Portanto, os picos múltiplos no espectro surgem em razão de polímeros com comprimentos diferentes (diferentes '*N*-meros', em que *N* é o número de unidades que se repetem) sendo a intensidade de cada pico proporcional à abundância de cada *N*-mero na amostra. Valores de $\bar{M}_n$, $\bar{M}_w$ e do índice de heterogeneidade podem ser calculados a partir dos dados. Também é possível usar o espectro de massa para verificar a estrutura de um polímero, como mostrado no exemplo a seguir.

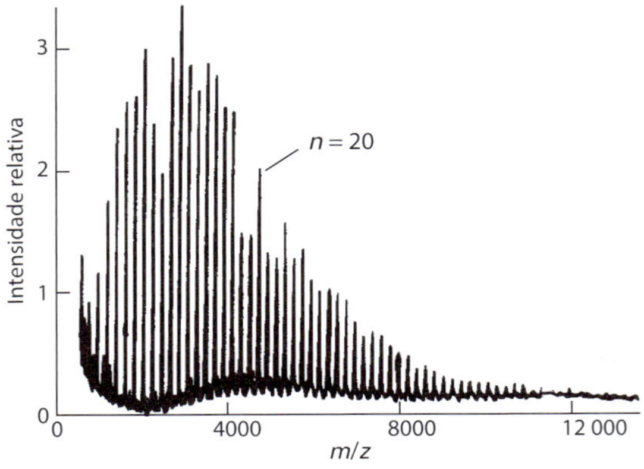

Figura 16.32 Espectro MALDI de uma amostra de poli(adipato de butileno) com $\bar{M}_n$ = 4525 g mol^{-1}. A ilustração e o exemplo foram adaptados de Mudiman *et al.*, *J. Chem. Educ.*, **74**, 1288 (1997).

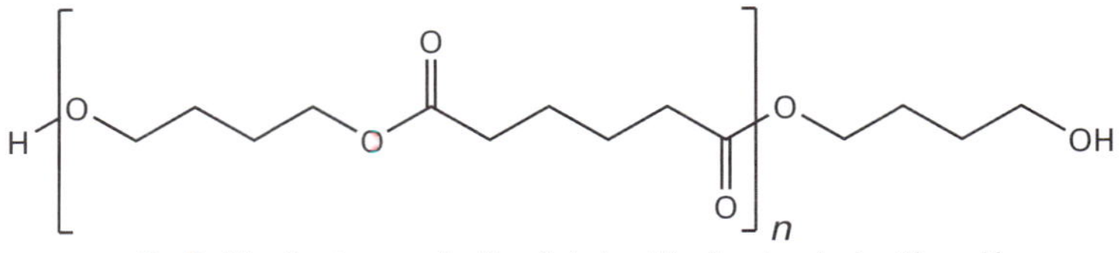

6 Poli(oxibuteneoxiadipoíla), 'poli(adipato de butileno)'

Exemplo 16.2

Interpretação do espectro de massa de um polímero

O espectro de massa na Figura 16.32 consiste em picos espaçados de 200 g mol^{-1}. O pico em 4113 g mol^{-1} corresponde ao polímero com *N* = 20 unidades que se repetem. A matriz usada continha NaCl. A partir destes dados verifique que a amostra consiste em um polímero com a estrutura geral dada por (**6**).

Estratégia Como cada pico corresponde a um valor diferente de *N*, a diferença de massa molar, ΔM, entre os picos corresponde à massa molar, *M*, da unidade que se repete (o grupo dentro dos parênteses em **6**). Além disso, a massa molar dos grupos terminais (os grupos fora dos parênteses em **6**) pode ser obtida da massa molar de qualquer pico usando-se,

$$M(\text{grupos terminais}) = M(N\text{-mero}) - N\Delta M - M\text{cátion}$$

em que o último termo corresponde à massa molar do cátion que se une à macromolécula durante a ionização.

Solução O valor de ΔM é consistente com a massa molar da unidade que se repete mostrada em (**6**), que é 200 g mol^{-1}. A massa molar do grupo terminal é calculada recordando que o cátion na matriz é o Na^+:

$$\begin{aligned} M(\text{grupos terminais}) &= 4113 \text{ g mol}^{-1} - 20(200 \text{ g mol}^{-1}) \\ &\quad - 23 \text{ g mol}^{-1} \\ &= 90 \text{ g mol}^{-1} \end{aligned}$$

O resultado é consistente com a massa molar do grupo terminal —$O(CH_2)_4OH$ (89 g mol^{-1}) mais a massa molar do grupo terminal —H (1 g mol^{-1}).

Exercício proposto 16.4

Qual seria a massa molar do polímero com *N* = 20 se o trifluoroacetato de prata fosse usado em vez do NaCl na preparação da matriz?

Resposta: 4,2 kg mol^{-1}

16.11 Ultracentrifugação

No campo gravitacional, as partículas pesadas depositam-se na base de uma coluna de solução, em um processo conhecido como **sedimentação.** A velocidade da sedimentação depende da intensidade do campo e da massa e da forma das partículas. As moléculas esféricas (e em geral as moléculas compactas) sedimentam com maior velocidade do que as moléculas compridas ou extensas. Por exemplo, as hélices do DNA sedimentam com muito maior rapidez quando se desfazem em uma cadeia randômica, assim, as velocidades de sedimentação podem ser usadas para estudar o processo de desnaturação (a perda da estrutura). A sedimentação é normalmente um processo muito lento, mas pode ser acelerada pela **ultracentrifugação**, uma técnica que substitui o campo gravitacional por um campo centrífugo. Este efeito é obtido em uma ultracentrífuga. Este aparelho é, essencialmente, um cilindro que pode girar em altas velocidades em torno do seu eixo, contendo, na sua periferia, um tubo portador da amostra (Fig. 16.33). As ultracentrífugas modernas podem proporcionar acelerações equivalentes aproximadamente 10^5 vezes a da gravidade ('10^5 *g*'). A amostra está, inicialmente, uniforme, mas as molé-

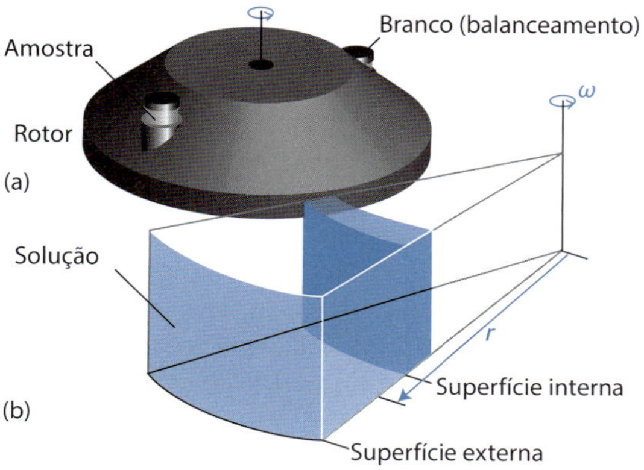

Figura 16.33 (a) Cabeçote de uma ultracentrífuga. A amostra, em um tubo, em um dos lados, é equilibrada por outro tubo, com um branco inativo, colocado diametralmente do lado oposto. (b) Detalhe da cavidade com a amostra. O 'topo' é a superfície mais interna, e a força centrífuga provoca a sedimentação para a superfície mais externa. Uma partícula, a uma distância r do eixo, sofre uma força centrífuga de módulo $mr\omega^2$.

culas do soluto se deslocam para a extremidade mais externa do tubo a uma velocidade que pode ser interpretada em termos da massa molar média numérica. Em uma versão alternativa, 'em equilíbrio', dessa técnica, a massa molar média ponderal pode ser obtida por intermédio da razão entre as concentrações c das macromoléculas em duas diferentes distâncias radiais em uma centrífuga que opera à velocidade angular ω (em radianos por segundo):

$$\bar{M}_w = \frac{2RT}{(r_2^2 - r_1^2)b\omega^2}\ln\frac{c_2}{c_1} \qquad (16.10)$$

Nesta expressão, b é um fator que leva em consideração o empuxo do meio. Neste caso, a centrífuga opera a velocidades menores do que na técnica de sedimentação a fim de evitar que o soluto fique todo aglomerado em uma fina película no fundo do tubo da centrífuga. É possível que sejam necessários vários dias, nestas velocidades mais baixas, para que o equilíbrio seja atingido.

Exemplo 16.3

Determinação da massa molar por ultracentrifugação

Os dados de um experimento de ultracentrifugação de equilíbrio, realizado a 295 K em uma solução aquosa de uma proteína, mostram que um gráfico de ln c em função de $(r/\text{cm})^2$ é uma reta com um coeficiente angular de 0,959. A velocidade de rotação da centrífuga era de 50.000 rotações por minuto e b = 0,55. Calcule a massa molar média ponderal da proteína.

Estratégia Precisamos reinterpretar a Eq. 16.10 em termos do coeficiente angular do gráfico de ln c em função de r^2. Para tanto, reescrevemos a Eq. 16.10 como segue:

$$\bar{M}_w = \frac{2RT}{(r_2^2 - r_1^2)b\omega^2}\ln\frac{c_2}{c_1} \overbrace{=}^{\ln(x/y)=\ln x - \ln y} \frac{2RT}{(r_2^2 - r_1^2)b\omega^2}(\ln c_2 - \ln c_1)$$

$$\overbrace{=}^{\text{rearranjo}} \frac{2RT}{b\omega^2}\times\overbrace{\frac{\ln c_2 - \ln c_1}{r_2^2 - r_1^2}}^{\text{coeficiente angular de ln c em função de } r^2}$$

Se um gráfico de ln c em função de r^2 é linear, então, a razão (ln c_2 − ln c_1)/($r_2^2 - r_1^2$) tem a forma do coeficiente angular da reta. Na prática, ln(c/g cm^{-3}) é graficamente representado em função de $(r/\text{cm})^2$ para dar um coeficiente angular adimensional. Segue que

$$\bar{M}_w = \frac{2RT}{b\omega^2}\times(\text{coeficiente angular}\times\text{cm}^{-2}) \qquad (16.11)$$

e podemos utilizar os dados fornecidos para calcular a massa molar média ponderal $\bar{M}_w$. Cada revolução completa do rotor corresponde a uma variação angular de 2π radianos; assim sendo, para obter a frequência angular ω, multiplicamos a velocidade de rotação em ciclos por segundo por 2π.

Solução A frequência angular é

$$\omega = 2\pi\times 50\,000\ \text{min}^{-1}\times\frac{1\ \text{min}}{60\ \text{s}} = 2\pi\times\frac{50\,000}{60}\text{s}^{-1}$$

Segue da Eq. 16.11, com 1 cm^2 = 10^4 m^{-2} e o coeficiente angular de 0,959, que a massa molar média ponderal é

$$\bar{M}_w = \frac{2\times\overbrace{(8{,}3145\ \overbrace{\text{J}}^{\text{kg m}^2\text{ s}^{-2}}\ \text{K}^{-1}\ \text{mol}^{-1})}^{R}\times\overbrace{(295\ \text{K})}^{T}\times\overbrace{(0{,}959}^{\text{coeficiente angular}}\times 10^4\ \text{m}^{-2})}{\underbrace{0{,}55}_{b}\times\left(\underbrace{2\pi\times\frac{50\,000}{60}\ \text{s}^{-1}}_{\omega}\right)^2}$$

$$= 3{,}1\ \text{kg mol}^{-1}$$

Exercício proposto 16.5

Os dados de um experimento de sedimentação de equilíbrio, realizado a 293 K em um soluto macromolecular em solução aquosa, mostram que o gráfico de ln(c/g cm^{-3}) em função de $(r/\text{cm})^2$ é uma reta com um coeficiente angular de 0,821. A velocidade de rotação da centrífuga era de 450 Hz (1 Hz = 1 s^{-1}) e b = 0,60. Calcule a massa molar média ponderal do soluto.

Resposta: 8,3 kg mol^{-1}

16.12 Eletroforese

Muitas macromoléculas, tais como o DNA, têm carga líquida e se movem sob a ação de um campo elétrico. Este movimento é chamado de **eletroforese**. A mobilidade eletroforética resulta da velocidade de deslocamento constante alcançada por um íon quando a força elétrica é equilibrada pela força retardadora do atrito. A eletroforese é uma ferramenta valiosa na separação de biopolímeros presentes em misturas complexas, como as que resultam do fracionamento de células biológicas. Na **eletroforese em gel**, a migração ocorre sobre uma camada de gel. Na **eletroforese capilar**, a amostra é dispersa em um meio (por exemplo, metilcelulose) e mantida em um tubo fino de vidro ou de plástico com diâmetros da faixa de 20 a 100 μm. O tamanho pequeno do dispositivo faz com que seja fácil dissipar o calor quando campos elétricos intensos são aplicados. Separações excelentes podem ser efetuadas em minutos em vez de horas. Cada fração de polímero emergindo do capilar pode ser caracterizada posteriormente por outras técnicas, tais como a MALDI.

16.13 Dispersão da luz *laser*

Medidas do espalhamento de luz por partículas de tamanho polimérico são baseadas no fato de que o espalhamento de luz pelas partículas grandes é feito de forma muito eficiente. Um exemplo familiar é a luz do Sol espalhada por partículas de pó. A análise da intensidade da luz espalhada por uma amostra em diferentes ângulos relativos à radiação incidente, originária de um feixe de *laser* monocromático, fornece o tamanho e a massa molar de polímeros, agregados grandes (como coloides; veja a Seção 16.6) e sistemas biológicos constituídos desde proteínas até vírus.

O **espalhamento dinâmico da luz** pode ser usado para investigar a difusão de polímeros em solução. Considere duas moléculas de polímero sendo irradiadas por um feixe de *laser*. Admita que em certo instante as ondas espalhadas por estas partículas interferem construtivamente no detector, conduzindo a um sinal intenso. Porém, à medida que as moléculas se movem pela solução, as ondas espalhadas podem interferir destrutivamente em outro momento, fazendo com que não exista nenhum sinal. Quando esse comportamento é estendido a um número muito grande de moléculas em solução, leva a flutuações na intensidade da luz que podem ser analisadas para revelar a massa molar e o coeficiente de difusão do polímero.

Verificação de conceitos importantes

- ☐ 1 Macromoléculas são moléculas muito grandes formadas a partir de moléculas menores.
- ☐ 2 Os polímeros sintéticos são produzidos por ligação e, em alguns casos, ligação cruzada de pequenas unidades conhecidas como monômeros.
- ☐ 3 A conformação de uma macromolécula é o arranjo espacial das diferentes partes de uma cadeia.
- ☐ 4 A estrutura primária de um polímero é a sequência de suas unidades monoméricas.
- ☐ 5 O modelo menos estruturado de uma macromolécula é uma cadeia randômica.
- ☐ 6 A estrutura secundária de uma proteína é a disposição espacial das cadeias de polipeptídeos e inclui a hélice α e a folha β.
- ☐ 7 As cadeias polipeptídicas helicoidais e em forma de folha se dobram em uma estrutura terciária por causa dos efeitos de ligação entre os resíduos da cadeia.
- ☐ 8 Algumas macromoléculas têm uma estrutura quaternária como agregados de duas ou mais cadeias polipeptídicas.
- ☐ 9 A desnaturação de uma proteína é a perda da estrutura; uma transição hélice-cadeia randômica é um processo cooperativo.
- ☐ 10 Os polímeros sintéticos são classificados como elastômeros, fibras e plásticos.
- ☐ 11 Um elastômero perfeito é um polímero no qual a energia interna é independente da extensão da cadeia randômica; para pequenas extensões um modelo de cadeia randômica obedece à força de restauração da lei de Hooke.
- ☐ 12 Os polímeros sintéticos sofrem uma transição de um estado de alta para baixa mobilidade da cadeia na temperatura de transição vítrea, T_v.
- ☐ 13 Uma mesofase é uma fase macroscópica que tem um caráter intermediário entre um sólido e um líquido.
- ☐ 14 Um sistema disperso é uma dispersão de pequenas partículas de um material em outro.
- ☐ 15 Os cristais líquidos são classificados em esméticos, nemáticos ou colestéricos.
- ☐ 16 Um surfactante é uma espécie que se acumula na interface de duas fases ou substâncias, e modifica as propriedades da superfície.
- ☐ 17 O raio de cisalhamento é o raio da esfera que captura a camada rígida de carga associada a uma partícula coloidal.
- ☐ 18 O potencial eletrocinético é o potencial elétrico no raio de cisalhamento medido em relação a um ponto distante, no meio do seio contínuo.
- ☐ 19 A camada interna de carga e a atmosfera externa constituem, conjuntamente, a dupla camada elétrica.
- ☐ 20 Muitas partículas coloidais são termodinamicamente instáveis, mas cineticamente não são lábeis.
- ☐ 21 A tensão superficial é uma medida do trabalho necessário para formar uma superfície líquida.
- ☐ 22 A pressão no lado convexo de uma superfície curva é menor que a no lado côncavo; a diferença dá origem à capilaridade.
- ☐ 23 A acumulação de um surfactante na superfície diminui a tensão superficial.
- ☐ 24 Muitas proteínas (particularmente as enzimas) são monodispersas; um polímero sintético é polidisperso.
- ☐ 25 Técnicas para a determinação de massas molares médias de macromoléculas incluem a osmometria, a espectrometria de massa (como a MALDI), velocidades de sedimentação e equilíbrios, eletroforese em gel e capilar e espalhamento da luz *laser*.

Mapa conceitual das equações importantes

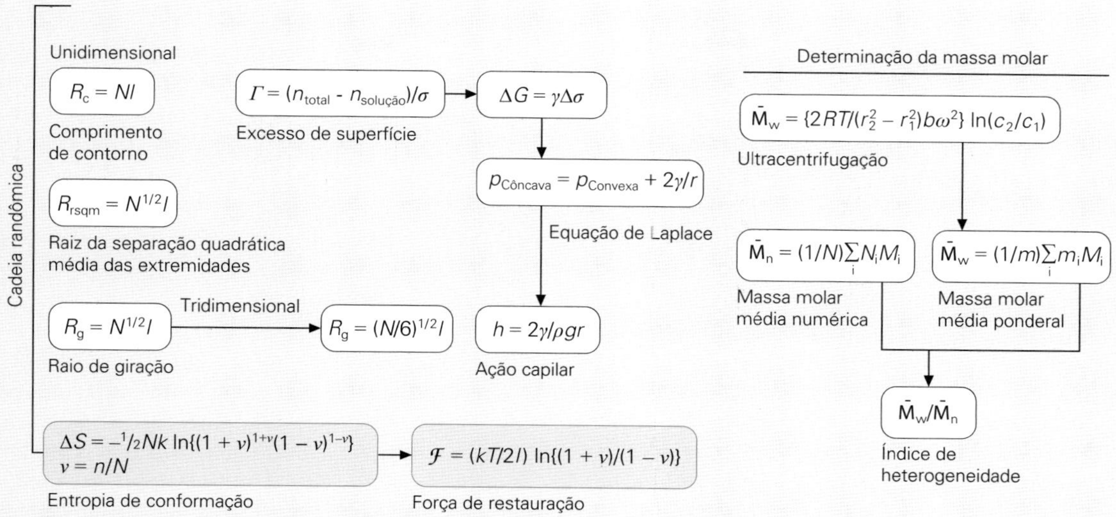

Os boxes em azul indicam expressões válidas para elastômeros perfeitos.

Questões e exercícios

Questões teóricas

16.1 Faça a distinção entre a massa molar média numérica e a ponderal. Por que essas massas podem ser diferentes?

16.2 Faça a distinção entre comprimento de contorno, raiz da separação quadrática média e raio de giração de uma cadeia randômica.

16.3 Quais são as limitações do modelo de cadeia randômica para polímeros?

16.4 Descreva os métodos disponíveis para a determinação das massas molares de macromoléculas e polímeros.

16.5 Por que o elastômero perfeito atua como uma mola enrolada?

16.6 Que interações moleculares contribuem para a formação, estabilidade térmica e resistência mecânica de um material polimérico?

16.7 Explique as origens físicas da atividade superficial de uma molécula de surfactante.

16.8 Explique a formação e a importância da dupla camada elétrica no contexto dos sistemas dispersos.

Exercícios

16.1 A cadeia de um polímero tem 800 segmentos, cada qual com 1,10 nm de comprimento. Se a cadeia for idealmente flexível, qual será (a) o comprimento de contorno, (b) a raiz da separação quadrática média entre as suas duas extremidades?

16.2 Calcule o comprimento de contorno e a raiz da separação quadrática média das extremidades da cadeia para o polietileno com massa molar igual a 250 kg mol^{-1}.

16.3 O raio de giração de uma molécula de cadeia comprida é de 7,3 nm. A cadeia consiste em ligações C—C. Admita que a cadeia seja aleatoriamente enovelada e estime o número de ligações que possui.

16.4 Qual é a variação de entropia de conformação quando uma cadeia randômica é estirada em 10 % de sua forma completamente enovelada (ou seja, $\nu = 0{,}1$ na Eq. 16.2)?

16.5 Uma cadeia elastomérica de polibutadieno, —$(CH_2CHCHCH_2)_n$—, consistindo em n = 4000 unidades, cada qual com 150 pm de comprimento, é estendida em 5,0 % do seu comprimento total. Qual é a magnitude da força de restauração, a 25 °C? Use a lei de Hooke para calcular a constante de força do elastômero e, daí, a frequência com a qual a cadeia vibra.

16.6 A tabela a seguir lista as temperaturas de transição vítrea, T_v, de diversos polímeros. Enuncie as razões pelas quais a estrutura da unidade monomérica afeta o valor de T_v.

Polímero	Poli(oximetileno)	Polietileno
Estrutura	—$(OCH_2)_n$—	—$(CH_2CH_2)_n$—
T_v/K	198	253
Polímero	**Poli(cloreto de vinila)**	**Poliestireno**
Estrutura	—$(CH_2CHCl)_n$—	—$(CH_2CH(C_6H_5))_n$—
T_v/K	354	381

16.7 Com as informações que são vistas na tabela a seguir e com a expressão do raio de giração de uma esfera maciça, classifique as espécies seguintes como globulares ou alongadas. O volume específico, v_s, é o inverso da massa específica.

	M/(g mol^{-1})	v_s/(cm^3 g^{-1})	R_g/nm
Albumina do soro	66×10^3	0,752	2,98
Vírus do tomateiro	$10,6 \times 10^6$	0,741	12,0
DNA	4×10^6	0,556	117,0

16.8 Determine o trabalho que deve ser realizado para dobrar o volume de uma bolha esférica de ar (tratada como uma cavidade esférica), de raio inicial de 5,0 mm, em água, a 298 K. A tensão superficial da água, nesta temperatura, é de 72 mN m^{-1}.

16.9 A que altura você espera que o etanol (γ = 22,39 mN m^{-1} a 298 K, ρ = 789 kg m^{-3}) ascenda por capilaridade em um tubo de raio interno igual a 0,10 nm?

16.10 Em um experimento para a determinação da tensão superficial do metanol (ρ = 791 kg m^{-3} a 298 K) verificou-se que o metanol ascendeu a uma altura de 5,8 cm em um tubo de diâmetro interno igual a 0,20 mm. Qual é a tensão superficial do metanol a 298 K?

16.11 Use a equação de Laplace para calcular a diferença de pressão entre os dois lados de uma superfície curva de água (γ = 72 mN m^{-1} a 298 K) de raio (a) 0,10 mm, (b) 1,0 mm.

16.12 Calcule o excesso de superfície do soluto por meio dos seguintes dados:

Concentração molar da solução como preparada: 0,100 mol dm^{-3}

Concentração molar da solução como determinada: 0,081 mol dm^{-3}

Volume total da solução: 100 cm^3

Raio do bécher contendo a solução: 2,50 cm

16.13 Calcule a massa molar média numérica e a massa molar média ponderal de uma mistura equimolar de dois polímeros que têm M = 82 kg mol^{-1} e M = 108 kg mol^{-1}.

16.14 Uma solução consiste no solvente, 30 % em massa de um dímero com M = 30 kg mol^{-1} e o restante na forma do monômero. Que massa molar média seria medida em uma determinação (a) da pressão osmótica, (b) do espalhamento da luz?

16.15 Determine o índice de heterogeneidade de uma amostra de poliestireno a partir dos seguintes dados:

Intervalo de massa molar/(kg mol^{-1})	Massa molar média no intervalo/(kg mol^{-1})	Massa da amostra no intervalo/g
5–10	6,5	16,0
10–15	11,5	27,1
15–20	19,5	29,5
20–25	23,5	13,4
25–30	28,5	8,7
30–35	35,5	3,5

16.16 O poliestireno é um polímero sintético com a estrutura —$(CH_2CH(C_6H_5))_n$—. Uma batelada de poliestireno polidisperso foi preparada iniciando-se a polimerização com radicais t-butila. Um dos resultados esperados é que o grupo t-butila se acople covalentemente à extremidade dos produtos finais. Uma amostra desta partida foi embebida em uma matriz orgânica contendo trifluoracetato de prata e o espectro MALDI-TOF consistiu em um grande número de picos separados de 104 g mol^{-1}, com o pico mais intenso em 25.578 g mol^{-1}. Comente sobre a pureza desta amostra e determine o número de segmentos —$(CH_2CH(C_6H_5))$— nas espécies que são responsáveis pelo pico mais intenso no espectro.

16.17 Os dados obtidos em uma experiência de equilíbrio de sedimentação, executada a 300 K, com um soluto macromolecular em solução aquosa, lançados em um gráfico de ln c contra $(r/\mathrm{cm})^2$, dão uma reta com o coeficiente angular de 659. A velocidade de rotação da centrífuga foi de 55 000 rpm. O volume específico do soluto é v_s = 0,61 cm^3 g^{-1}. Calcule a massa molar do soluto. *Sugestão:* Use a Eq. 16.10; você precisa saber que a correção por causa do empuxo é $b = 1 - \rho v_s$; considere ρ = 0,996 g cm^{-3}.

Projetos

O símbolo ‡ indica que o cálculo é necessário.

16.18‡ A probabilidade de que as extremidades de uma cadeia randômica tridimensional contendo N ligações, cada uma de comprimento l, seja encontrada na faixa de R até $R + dR$ é $f(R)dR$, em que $f(R) = 4\pi(a/\pi^{1/2})R^2 e^{-a^2R^2}$ com $a = (3/2Nl^2)^{1/2}$. Use essa expressão para deduzir expressões para (a) a raiz da separação quadrática média entre as extremidades da cadeia, (b) a separação média e (c) a separação mais provável. Estime estas três grandezas para uma cadeia flexível com N = 5000 e l = 154 pm.

16.19 Construa um deslocamento ao acaso bidimensional usando uma rotina geradora de números aleatórios com um *software* matemático ou uma planilha eletrônica. Construa um deslocamento de 50 e de 100 passos. Se houver muitos alunos trabalhando no problema, calcule a separação média e a separação mais provável nos gráficos por medidas diretas. Essas separações variam conforme $N^{1/2}$?

16.20‡ Vamos explorar aqui os elastômeros de forma mais quantitativa. (a) Estime a força necessária para expandir em 10 % uma cadeia randômica perfeitamente enovelada (um elastômero perfeito) contendo 1000 ligações, a 300 K. (b) A força de restauração que atua quando uma cadeia randômica é estendida de dx está relacionada com a entropia de conformação por $F = -T\mathrm{d}S/\mathrm{d}x$. Use esta expressão para deduzir as Eqs. 16.3a e 16.3b.

16.21 A Eq. 16.4b é surpreendentemente capciosa de ser resolvida. Convença-se deste fato considerando o caso simples em que N = 2 e K = 1 e obtenha uma expressão para $[M_2]$. *Sugestão:* Use o fato de que $[M_2] < [M]_{total}$ para eliminar uma das raízes da equação quadrática. Estenda agora a sua abordagem para resolver a Eq. 16.4b por meio de um software matemático, aumentando sistematicamente o valor de N até que a transição se torne marcante. Considere inicialmente K = 1, mas, uma vez estabelecido o procedimento, explore as consequências de alterar o valor de K.

17

Sólidos metálicos, iônicos e covalentes

A química moderna está intimamente relacionada com as propriedades dos sólidos. Além de sua utilidade intrínseca para construção, os sólidos modernos tornaram possível a revolução dos semicondutores, e recentes avanços em cerâmica nos dão esperança de que podemos estar agora à beira de uma revolução dos supercondutores. Avanços em nossa compreensão da mobilidade eletrônica em sólidos também são úteis em biologia, em que processos de transporte de elétrons são responsáveis por muitos processos bioquímicos, particularmente fotossíntese e respiração.

A técnica principal para investigar os arranjos de átomos em fases condensadas, principalmente em sólidos cristalinos, é a difração de raios X, mas a ressonância magnética nuclear (RMN, Capítulo 21) está agora dando também uma contribuição significativa. A informação proveniente da difração de raios X e da ressonância magnética nuclear é base para grande parte da biologia molecular, assim o material apresentado aqui é a base para nossa discussão de estruturas de biomoléculas apresentada no Capítulo 16. Em cada caso, a estrutura cristalina observada é a solução que a natureza propôs ao problema de condensar objetos de várias formas em um agregado de energia mínima e, para temperaturas acima de zero, de energia de Gibbs mínima.

Ligação em sólidos

Há vários tipos de ligação em um sólido. A mais simples de todas (em princípio) é a ligação em um **sólido metálico** de um elemento, no qual elétrons estão deslocalizados ao longo de distribuições de cátions idênticos, ligando o todo em uma estrutura rígida, porém maleável. Como os elétrons deslocalizados podem acomodar padrões de ligação com caráter direcional muito pequeno, as estruturas cristalinas de metais são em grande parte determinadas pelo problema geométrico de empacotar átomos esféricos em uma estrutura densa e ordenada. Em um **sólido iônico**, os íons (em geral, de raios diferentes, e nem sempre esféricos) são mantidos unidos pela interação coulombiana entre si, empacotando-se para dar uma estrutura eletricamente neutra. Em um **sólido covalente**

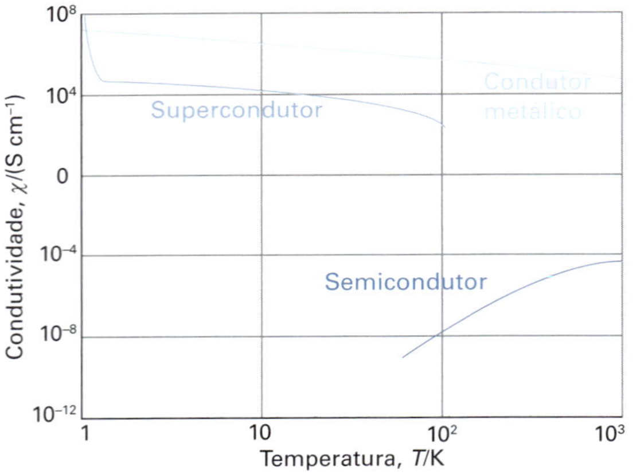

Figura 17.1 Variação típica das condutividades elétricas de diferentes classes de condutores eletrônicos com a temperatura.

(ou *sólido reticular*), ligações covalentes de orientação espacial definida ligam os átomos em uma rede que se estende pelo cristal. As exigências estereoquímicas da valência superam o problema geométrico de empacotar esferas, dando origem a estruturas elaboradas e extensas. Exemplos importantes de sólidos covalentes são o diamante e a grafita (Seção 17.8). **Sólidos moleculares**, que são o assunto da maioria esmagadora das determinações estruturais modernas, consistem em moléculas discretas atraídas uma pela outra pelas interações descritas no Capítulo 15.

Alguns sólidos – notadamente os metais – conduzem eletricidade porque eles têm elétrons móveis. Estes **condutores eletrônicos** são classificados com base na variação de sua condutividade elétrica com a temperatura (Fig. 17.1).

- Um **condutor metálico** é um condutor eletrônico com uma condutividade que *diminui* com o aumento da temperatura.
- Um **semicondutor** é um condutor eletrônico com uma condutividade que *aumenta* com o aumento da temperatura.

Condutores metálicos incluem os elementos metálicos, as suas ligas, e a grafita (uma distribuição paralela de planos de grafeno). Alguns sólidos orgânicos são condutores metálicos. Exemplos de semicondutores são o silício, o diamante e o arseneto de gálio. Um semicondutor geralmente tem uma condutividade mais baixa que aquela típica dos metais, mas a magnitude da condutividade não é relevante para a distinção. É uma convenção classificar substâncias com condutividade elétrica muito baixa, como a maioria dos sólidos moleculares, como **isolantes**. Nós iremos usar esse termo, mais por conveniência que por ter um significado fundamental. **Supercondutores** são substâncias que conduzem eletricidade com resistência nula. O mecanismo da supercondutividade em metais em temperaturas muito baixas (da ordem da do hélio líquido) é bem conhecido; aquele dos **semicondutores de alta temperatura** (sigla inglesa HTSC), e que são cerâmicas de óxidos mistos, como $YBa_2Cu_3O_7$, ainda não foi esclarecido.

17.1 A teoria das bandas nos sólidos

Sólidos metálicos e iônicos podem ser tratados pela teoria do orbital molecular. A vantagem dessa aproximação é que podemos visualizá-los como dois extremos de um único tipo de sólido. Em cada caso, os elétrons responsáveis pela ligação estão deslocalizados ao longo do sólido (como na molécula de benzeno, mas em uma escala muito maior). Em um metal, os elétrons podem ser encontrados em todos os átomos com igual probabilidade, o que se ajusta ao quadro elementar de um metal como consistindo em cátions imersos em um 'mar' de elétrons quase uniforme. Em um sólido iônico, as funções de onda ocupadas pelos elétrons deslocalizados estão concentradas quase que completamente nos ânions. Assim, os átomos de Cl no NaCl, por exemplo, estão presentes como íons Cl^-, e os átomos de Na, que têm densidade eletrônica de valência baixa, estão presentes como íons Na^+.

Para investigar a teoria do orbital molecular em sólidos, vamos considerar inicialmente uma única e infinitamente longa fileira de átomos idênticos, cada um tendo um orbital s disponível para formar orbitais moleculares (como no sódio). Um átomo do sólido contribui com um orbital s de certa energia (Fig. 17.2). Quando um segundo átomo é acrescentado, forma-se um orbital ligante e um antiligante. O orbital do terceiro átomo superpõe-se ao seu vizinho mais próximo (e apenas levemente ao seu segundo vizinho) e são formados três orbitais moleculares a partir destes três orbitais atômicos. O quarto átomo leva à formação de um quarto orbital molecular. Nesse ponto, podemos perceber que o efeito geral de acrescentar sucessivamente os átomos é o de espalhar a banda de energia coberta pelos orbitais moleculares, e também preencher essa banda de energia com cada vez mais orbitais (um a mais para cada átomo adicional). Quando forem acrescentados N átomos à fileira, teremos N orbitais moleculares, que cobrem a banda de energia com uma largura finita. O orbital de mais baixa energia desta banda é totalmente ligante, e o de mais alta energia, totalmente antiligante entre átomos adjacentes (Fig. 17.3). Na aproximação de Hückel (Seção 14.13), as energias dos orbitais são dadas por

$$E_k = \alpha + 2\beta\cos\left(\frac{k\pi}{N+1}\right)$$

$$k = 1, 2, \ldots, N \qquad \text{Energias dos orbitais do metal} \qquad (17.1)$$

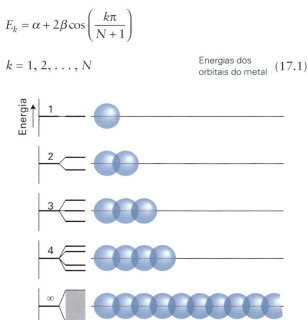

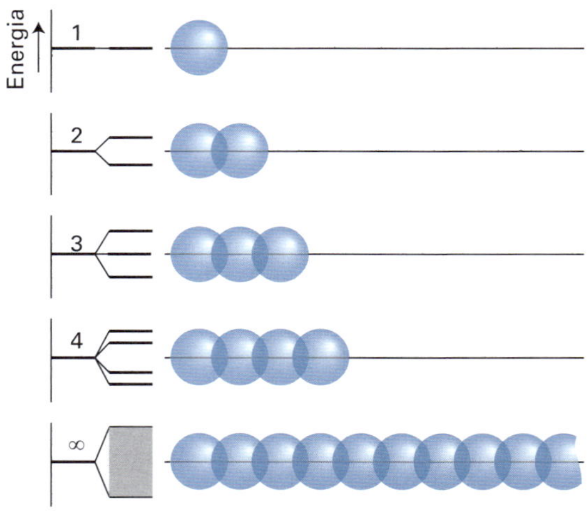

Figura 17.2 Formação de uma banda de N orbitais moleculares por adição sucessiva de N átomos a uma fileira. Observe que a banda permanece com uma largura finita e, embora pareça contínua quando N é grande, consiste em N diferentes orbitais.

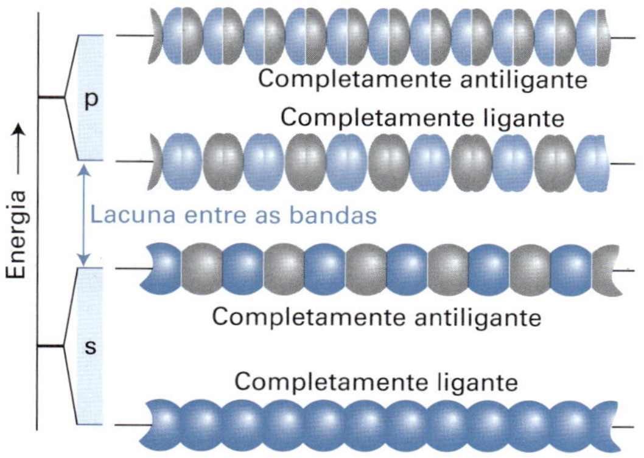

Figura 17.3 A superposição de orbitais s dá origem a uma banda s e a superposição de orbitais p dá origem a uma banda p. Nesse caso, os orbitais s e p dos átomos estão tão separados que existe uma lacuna entre as bandas. Em muitos casos a separação é menor e as bandas se superpõem.

em que α é aproximadamente igual à energia de ionização (o negativo deste valor) do átomo e β é uma grandeza negativa que representa o abaixamento de energia por causa da interação entre os átomos. Quando N for infinitamente grande, a separação entre níveis adjacentes, $E_{k+1} - E_k$, tende a zero, mas, como mostrado na Dedução a seguir, a largura da banda, $E_N - E_1$, se torna $4|\beta|$, uma grandeza finita.

Dedução 17.1

A largura de uma banda

A energia do nível com $k = 1$ é

$$E_1 = \alpha + 2\beta\cos\left(\frac{\pi}{N+1}\right)$$

À medida que N se torna infinito, o termo que contém o cosseno tende a cos 0, que é igual a 1. Portanto, neste limite, $E_1 = \alpha + 2\beta$. Quando k tem o valor máximo, correspondendo a N,

$$E_N = \alpha + 2\beta\cos\left(\frac{N\pi}{N+1}\right)$$

Quando N tende ao infinito, podemos ignorar o 1 no denominador e o termo do cosseno se torna cos π, que é igual a -1. Portanto, neste limite, $E_N = \alpha - 2\beta$. A diferença entre a energia mais alta e a mais baixa da banda é, portanto, $4|\beta|$. Utilizamos os sinais de módulo (|...|), a instrução para ignorar o sinal negativo em torno de β, porque β é negativo, mas a largura da banda, como qualquer largura, é uma grandeza positiva.

Uma banda formada pela superposição de orbitais s é chamada uma **banda s.** Se os átomos tiverem orbitais p disponíveis, então o mesmo procedimento conduz a uma **banda p** (como na metade superior da Figura 17.3, com diferentes valores de α e β na Eq. 17.1). A banda p na ilustração tem supostamente uma superposição σ ao longo da cadeia; uma banda p também pode se formar de uma sobreposição π entre vizinhos. Se os orbitais atômicos p tiverem energia mais elevada que os orbitais s, então a banda p estará acima da banda s e pode haver uma **lacuna entre as bandas**, uma faixa de energia para a qual não corresponde nenhum orbital. Se a separação dos orbitais atômicos não é grande, os dois tipos de banda podem sobrepor-se.

17.2 A ocupação das bandas

Considere agora a estrutura eletrônica de um sólido formado por átomos que podem contribuir, cada qual, com somente um orbital de valência e com somente um elétron (por exemplo, os metais alcalinos). Há N orbitais atômicos e, portanto, N orbitais moleculares contidos em uma banda de largura finita. Há N elétrons para acomodar, que formam pares que ocupam os $\frac{1}{2}N$ orbitais moleculares de mais baixa energia (Fig. 17.4). O orbital molecular de mais alta energia ocupado é chamado o **nível de Fermi.** Porém, diferentemente das moléculas discretas que consideramos no Capítulo 14, há orbitais vazios logo acima e muito próximos em energia ao nível de Fermi, de modo que é muito pequena a energia necessária para excitar os elétrons nos orbitais ocupados mais elevados. Alguns dos elétrons são, portanto, muito móveis, e dão origem à condutividade elétrica. Uma banda de orbitais não preenchida é denominada uma **banda de condução.**

Como foi mencionado, a condutividade metálica se caracteriza por uma diminuição na condutividade elétrica com o aumento da temperatura. Esse comportamento é contemplado no modelo apresentado porque um aumento na temperatura causa um movimento térmico mais vigoroso dos átomos, resultando em um maior número de colisões entre os elétrons em movimento e os próprios átomos. Ou seja, a temperaturas altas, os elétrons se desviam de suas trajetórias através dos sólidos e são menos eficientes como transportadores de carga.

Quando cada átomo proporciona um orbital de valência mas dois elétrons, os $2N$ elétrons enchem os N orbitais da banda s. O nível de Fermi coincide agora com o topo da banda e há uma lacuna até o início da banda seguinte (Fig. 17.5a). Uma banda cheia é denominada **banda de valência.** Deve-se suspeitar que tais elementos, que incluem os membros do Grupo 2, sejam isolantes. Entretanto, os orbitais p também formam bandas que, em alguns casos (como no Grupo 2), se superpõem às bandas s. As bandas disponíveis para os elétrons não estão, então, completamente cheias, e os elementos são condutores metálicos.

Quando há uma lacuna entre uma banda s e uma banda p, o elemento e a primeira banda estão cheios e a substância não

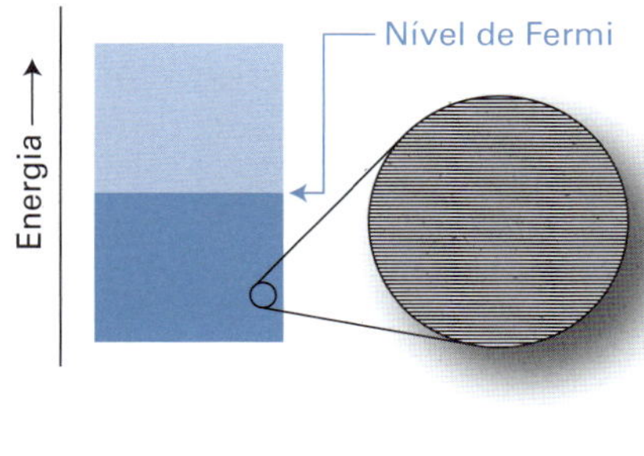

Figura 17.4 Quando N elétrons ocupam uma banda de N orbitais, essa banda só fica metade cheia e os elétrons próximos do nível de Fermi (o topo dos níveis cheios) são móveis.

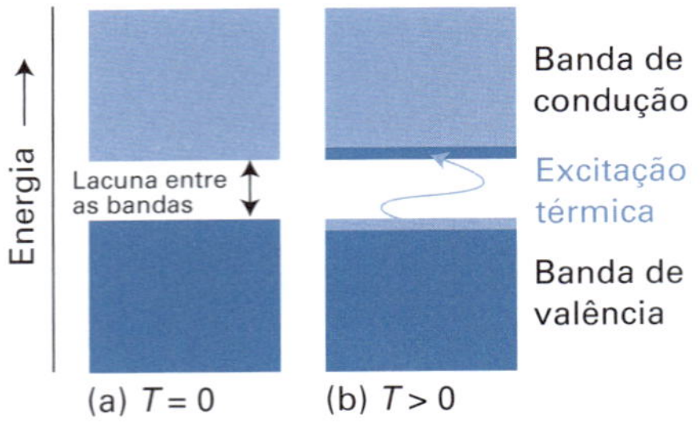

Figura 17.5 (a) Quando $2N$ elétrons estão presentes, a banda fica cheia e o material é um isolante em $T = 0$. (b) Em temperaturas acima de $T = 0$, os elétrons ocupam os níveis da banda de condução às custas da banda de valência, e o sólido é um semicondutor.

é um condutor metálico. Entretanto, à medida que a temperatura se eleva, os elétrons podem ocupar os orbitais vazios da banda superior (Figura 17.5b): vimos em Fundamentos que a distribuição de Boltzmann se espalha pelos níveis superiores de energia à medida que a temperatura se eleva. Agora os elétrons são móveis, e o sólido se torna um condutor eletrônico. Na realidade, o sólido é um semicondutor, porque a condutividade elétrica depende do número de elétrons que são promovidos através da lacuna e este número aumenta à medida que a temperatura se eleva. Essa condição é observada em elementos, como o Si e o Ge, em que bandas formadas pelos elétrons de valência não se superpõem, deixando uma lacuna.

Se a lacuna for larga, poucos elétrons serão excitados em temperaturas ordinárias, a condutividade permanecerá perto de zero, e o sólido é um isolante. Assim, a distinção convencional entre um isolante e um semicondutor está relacionada com o tamanho da lacuna entre as bandas e não é uma diferença intrínseca, como a que existe entre um metal (bandas incompletas em $T = 0$) e um semicondutor (bandas cheias em $T = 0$).

Outro método de aumentar o número de portadores de carga e aumentar a condutividade de um sólido é implantar átomos estranhos na rede de um material puro. Se estes **dopantes** puderem capturar elétrons (como os átomos de índio ou de gálio em silício, pois o In e o Ga têm um elétron de valência a menos que o Si), então os dopantes retiram esses elétrons da banda completa, deixando aí buracos que permitem o movimento dos elétrons restantes (Fig. 17.6a). Este procedimento de dopagem leva à **semicondutividade do tipo p**, o p indicando que os buracos são positivos em relação aos elétrons da banda. Por outro lado, um dopante pode proporcionar elétrons em excesso (por exemplo, átomos de fósforo introduzidos em germânio), e os elétrons adicionais ocupam bandas que estavam vazias, proporcionando **semicondutividade do tipo n** (Fig. 17.6b), em que o n mostra que os portadores de carga são negativos.

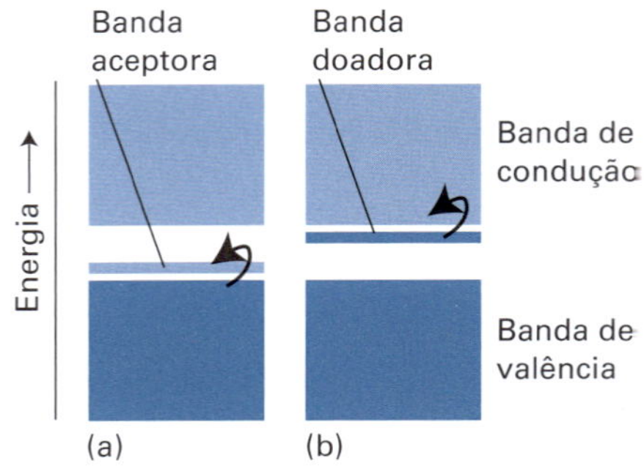

Figura 17.6 (a) Um dopante com número menor de elétrons que seu hospedeiro pode formar uma banda estreita que aceita elétrons da banda de valência. Os buracos na banda de valência são móveis, e a substância é um *semicondutor tipo p*. (b) Um dopante com mais elétrons que seu hospedeiro forma uma banda estreita que pode suprir elétrons para a banda de condução. Os elétrons fornecidos são móveis, e a substância é um *semicondutor tipo n*.

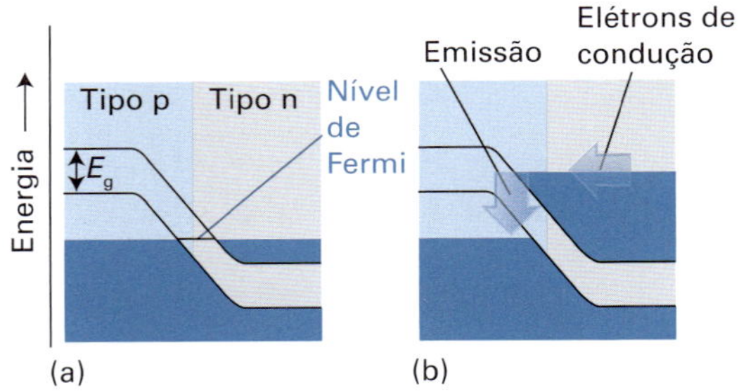

Figura 17.7 A estrutura de um diodo de junção (a) sem diferença de potencial aplicada, (b) com diferença de potencial aplicada.

17.3 As propriedades ópticas das junções líquidas

A estrutura de uma **junção p–n**, a interface de dois tipos de semicondutor, é mostrada na Figura 17.7. Quando um circuito externo fornece elétrons para o lado n desta junção, os elétrons da banda de condução daquele semicondutor caem em buracos na banda de valência do semicondutor do tipo p.

Quando os elétrons caem da banda superior para a banda inferior, liberam energia. Em alguns sólidos, os comprimentos de onda das funções de onda do estado superior e do inferior são diferentes, indicando que os momentos lineares do estado inicial e do final são diferentes (pela relação de de Broglie, $p = h/\lambda$). Como resultado, as transições só podem ocorrer se o elétron transferir momento linear para a rede: o dispositivo fica aquecido e os átomos são estimulados a vibrar. Esse é o caso dos semicondutores de silício, sendo uma das razões pelas quais os computadores precisam de um sistema de resfriamento eficiente.

Em alguns materiais, mais notavelmente no arseneto de gálio, GaAs, as funções de onda do estado inicial e final do elétron têm o mesmo comprimento de onda, correspondendo, assim, ao mesmo momento linear. Desse modo, as transições podem ocorrer sem a necessidade de a rede participar eliminando a diferença entre os momentos angulares. A diferença de energia é então emitida como luz. Práticos **diodos emissores de luz** deste tipo são amplamente usados nos displays eletrônicos. O próprio arseneto de gálio emite luz infravermelha, mas a largura da lacuna da banda aumenta pela incorporação do fósforo.

Breve ilustração 17.1 Diodos emissores de luz

Um material com a composição aproximada $GaAs_{0,6}P_{0,4}$ emite luz na região vermelha do espectro, e diodos que emitem luz laranja e âmbar podem também ser produzidos com diferentes proporções de Ga, As e P. A região espectral que varia do amarelo ao azul pode ser coberta usando-se fosfeto de gálio (luz amarela ou verde) e nitreto de gálio (luz verde ou azul). Com algumas modificações, esses materiais também podem ser usados na fabricação de *lasers de diodo*, como veremos no Capítulo 20.

17.4 Supercondutividade

Após a descoberta pelo físico holandês Heike Kamerlingh Onnes, em 1911, de que o mercúrio é um supercondutor abaixo da **temperatura crítica**, T_c, de 4,2 K, o ponto de ebulição do hélio líquido, os físicos e os químicos têm progredido lenta, mas continuamente, na descoberta de supercondutores com temperatura crítica mais elevada. Os metais, como o tungstênio, o mercúrio e o chumbo, tendem a ter temperaturas críticas abaixo de 10 K. Compostos intermetálicos, como o Nb_3X (X = Sn, Al ou Ge) e ligas, como Nb/Ti e Nb/Zr, têm temperatura crítica entre 10 K e 23 K. Entretanto, em 1986, foi descoberta uma variedade completamente nova de supercondutores de alta temperatura (sigla inglesa HTSC), com temperaturas críticas bem acima de 77 K, o ponto de ebulição do nitrogênio líquido, usado em refrigeração e de baixo custo. Por exemplo, o $HgBa_2Ca_2Cu_2O_8$ tem $T_c = 153$ K.

O conceito central da supercondutividade em alta temperatura é a existência do **par de Cooper**, um par de elétrons que existe por conta das interações elétron-elétron indiretas mediadas pelos núcleos dos átomos da rede. Assim, se um elétron está em uma região específica de um sólido, os núcleos que ali se encontram se movem em sua direção, dando origem a uma estrutura local distorcida (Fig. 17.8). Como essa distorção local é rica em carga positiva, a aproximação de um segundo elétron ao primeiro é favorecida. Desse modo, há uma atração virtual entre os dois elétrons, que se movem conjuntamente, como um par. Um par de Cooper sofre menos espalhamento do que um elétron individual à medida que se movimenta através do sólido, pois a distorção causada por um elétron pode atrair o outro elétron de volta, caso os mesmos sejam desviados de sua trajetória em uma colisão. Uma vez que o par de Cooper é estável em relação ao espalhamento, pode transportar carga livremente através do sólido, e assim dar origem à supercondutividade. A distorção local é rompida pelo movimento térmico dos íons no sólido, de forma que a atração virtual ocorre somente em temperaturas muito baixas.

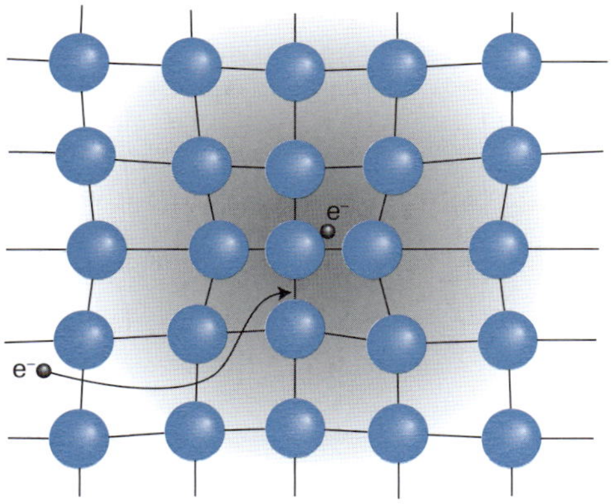

Figura 17.8 A formação de um par de Cooper. Um elétron distorce a rede do cristal e um segundo elétron tem uma energia menor se for para aquela região. Estas interações elétron-rede juntam efetivamente os dois elétrons em um par.

Os pares de Cooper responsáveis pela supercondutividade em baixa temperatura são provavelmente importantes nos HTSC, mas o mecanismo para o emparelhamento ainda é calorosamente discutido.

■ Breve ilustração 17.2 Supercondutores de alta temperatura

O $YBa_2Cu_3O_7$, um dos supercondutores mais estudados, consiste em camadas de CuO_5 piramidal quadrado e folhas quase planas de unidades de CuO_4 quadrado plano (Fig. 17.9). Acredita-se que o movimento dos elétrons ao longo das unidades de CuO_4 ligadas expliquem a supercondutividade, enquanto as unidades de CuO_5 ligadas atuam como 'reservatório de carga' que mantêm um número adequado de elétrons nas camadas supercondutoras.

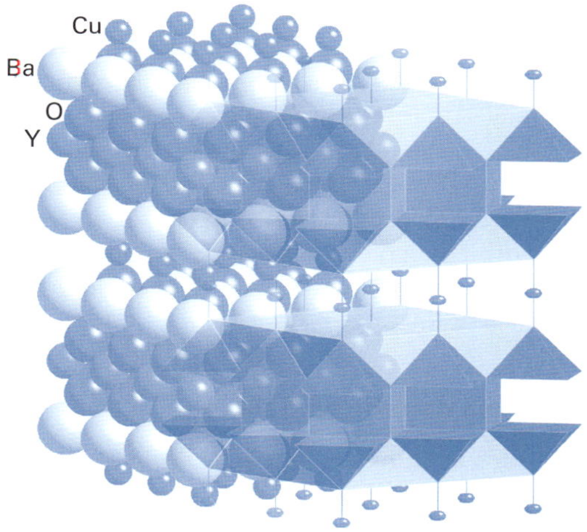

Figura 17.9 A estrutura do supercondutor $YBa_2Cu_3O_7$. Os poliedros mostram as posições dos átomos de oxigênio e indicam que os íons de metal estão em ambientes com coordenação quadrada plana e piramidal quadrada. (Veja o Encarte em Cores.)

17.5 O modelo iônico de ligação

Suponha que tenhamos uma fileira de átomos com eletronegatividades diferentes, como uma fileira de átomos de sódio e de cloro, em lugar de átomos idênticos, como tratamos até então. Cada átomo de sódio contribui com um orbital s e com um elétron. Cada átomo de cloro contribui com um orbital p que contém um elétron.

Vamos usar os orbitais s e p para construir orbitais moleculares que se estendem ao longo do sólido. Agora, contudo, há uma diferença crucial. Os orbitais nos dois tipos de átomo têm energias notoriamente diferentes, assim (da mesma maneira que na construção de orbitais moleculares para moléculas diatômicas, Seção 14.11) nós os consideraremos separadamente. Os orbitais Cl3p interagem para formar uma banda e os orbitais Na3s, de energia mais elevada, interagem formando outra banda. Porém, como os átomos de sódio se superpõem muito pouco (são separados por um átomo de cloro), a banda Na3s é muito estreita; o mesmo acontece com a banda Cl3p, por uma razão semelhante. Como resultado, há uma lacuna grande entre duas bandas estreitas (Fig. 17.10).

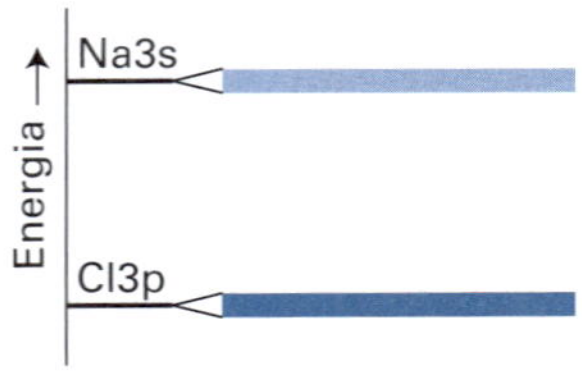

Figura 17.10 As bandas formadas de dois elementos de eletronegatividades muito diferentes (como o sódio e o cloro) são muito separadas e estreitas. Se cada átomo fornece um elétron, a banda inferior fica cheia e a substância é um isolante.

Tabela 17.1

Entalpias de rede, $\Delta H_L^{\ominus}$/(kJ mol^{-1})

LiF	1037	LiCl	852	LiBr	815	LiI	761
NaF	926	NaCl	786	NaBr	752	NaI	705
KF	821	KCl	717	KBr	689	KI	649
MgO	3850	CaO	3461	SrO	3283	BaO	3114
MgS	3406	CaS	3119	SrS	2974	BaS	2832
Al_2O_3	15 900						

Considere agora a ocupação das bandas. Se houver N átomos de sódio e N átomos de cloro, haverá $2N$ elétrons para acomodar (um de cada átomo de Na e um de cada átomo de Cl). Esses elétrons ocupam e enchem a banda mais baixa, de Cl3p. Em função da grande lacuna existente, a substância é um isolante. Além disso, como só a banda Cl3p está ocupada, a densidade eletrônica está quase completamente nos átomos de cloro. Em outras palavras, podemos tratar o sólido como constituído de cátions Na^+ e ânions Cl^-, da mesma maneira que em uma visão elementar de ligação iônica.

Agora que sabemos onde a densidade eletrônica fica majoritariamente localizada, podemos adotar um modelo muito mais simples do sólido. Em vez de expressar a estrutura em termos de orbitais moleculares, nós a tratamos como uma coleção de cátions e ânions. Essa simplificação é a base do **modelo iônico** de ligação.

17.6 Entalpia de rede cristalina

A força de uma ligação covalente é medida por sua energia de dissociação, a energia necessária para separar os dois átomos unidos pela ligação. Em aplicações termodinâmicas, nós expressamos esta energia em termos de entalpias de ligação (Seção 3.2). A força de uma ligação iônica é medida de forma semelhante, mas agora temos que levar em conta a energia necessária para separar *todos* os íons, um do outro, de uma amostra sólida e, para aplicações termodinâmicas, expressar esta energia como uma variação de entalpia. A **entalpia de rede,** $\Delta H_L^{\ominus}$, é a variação de entalpia-padrão que acompanha a separação das espécies que compõem o sólido (como íons, se o sólido é iônico; ou moléculas, se o sólido é molecular) por mol de fórmulas unitárias. Por exemplo, a entalpia de rede de um sólido iônico como cloreto de sódio é a variação de entalpia molar que acompanha o processo:

$$NaCl(s) \rightarrow Na^+(g) + Cl^-(g) \quad \Delta H_L^{\ominus} = 786 \text{ kJ mol}^{-1}$$

Como a entalpia de rede é invariavelmente uma quantidade positiva, é, em geral, fornecida sem seu sinal +. A entalpia de rede de um sólido molecular, como gelo, é a entalpia molar padrão de sublimação; a entalpia de rede de um metal é sua entalpia de atomização.

Entalpias de rede de sólidos são determinadas a partir de dados experimentais usando-se um **ciclo Born-Haber**, que é um ciclo (um caminho fechado) de várias etapas que incluem a formação da rede como uma das etapas. O valor da entalpia de rede – a única incógnita em um ciclo bem escolhido – é obtida da condição de ser nula a soma das variações de entalpia, medidas em uma única temperatura, no ciclo completo (pois a entalpia é uma propriedade de estado). Um ciclo típico para um composto iônico tem a forma mostrada na Figura 17.11. O exemplo seguinte ilustra como o ciclo é usado, e a Tabela 17.1 dá valores característicos da entalpia de rede.

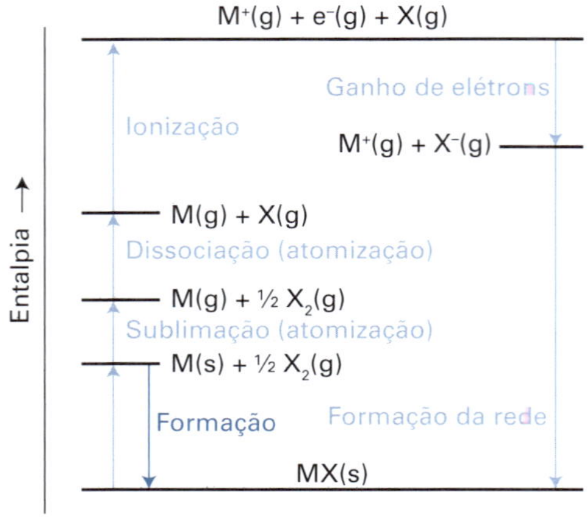

Figura 17.11 Ciclo de Born-Haber para a determinação de uma das entalpias desconhecidas, mais comumente a entalpia de rede. As setas que apontam para cima representam variações positivas na entalpia; as que apontam para baixo representam variações negativas de entalpia. Todas as etapas do ciclo correspondem à mesma temperatura.

Exemplo 17.1

Determinação da entalpia de rede usando um ciclo Born-Haber

Calcular a entalpia de rede do KCl(s) usando um ciclo Born-Haber e as informações dadas a seguir, válidas para 25 °C.

Processo	$\Delta H^{\ominus}$/(kJ mol^{-1})
Sublimação do K(s)	+89
Ionização do K(g)	+418
Dissociação do Cl_2(g)	+244
Captura de elétron para o Cl(g)	–349
Formação de KCl(s)	–437

Estratégia Primeiramente, montamos o ciclo, mostrando a atomização dos elementos, suas ionizações e a formação da rede sólida; depois completamos o ciclo (para a etapa *composto sólido → elementos originais*) usando a entalpia de formação. A soma das

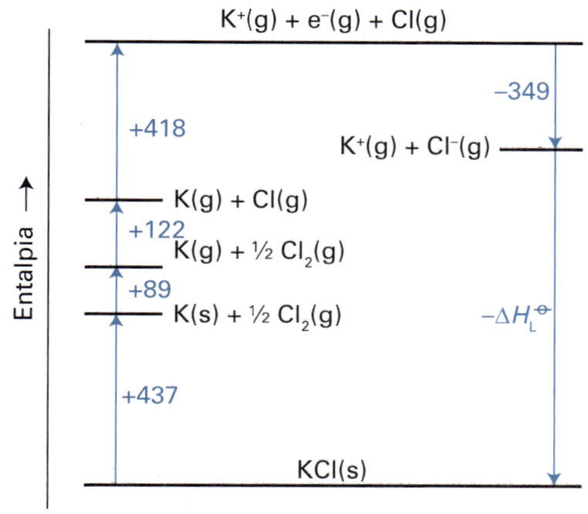

Figura 17.12 Ciclo de Born-Haber para o cálculo da entalpia de rede do cloreto de potássio. A soma das variações de entalpia no ciclo é zero. Os valores numéricos estão em quilojoules por mol.

variações de entalpia no ciclo é zero, assim incluímos os dados numéricos e fazemos com que a soma de todos os termos seja nula; resolvemos então a equação para uma incógnita (a entalpia de rede).

Solução A Figura 17.12 mostra o ciclo requerido. A primeira etapa é a sublimação (atomização) do potássio sólido:

	$\Delta H^\ominus$/(kJ mol^{-1})	
$K(s) \rightarrow K(g)$	+89	(entalpia de sublimação ou atomização do potássio)

Átomos de cloro são formados pela dissociação do Cl_2:

$\frac{1}{2}Cl_2(g) \rightarrow Cl(g)$	+122	(metade da entalpia de ligação do Cl–Cl)

Agora, íons potássio são formados por ionização dos átomos em fase gasosa:

$K(g) \rightarrow K^+(g) + e^-(g)$	+418	(entalpia de ionização do potássio)

e íons cloreto são formados a partir dos átomos de cloro,

$Cl(g) + e^-(g) \rightarrow Cl^-(g)$	−349	(entalpia de ganho de elétron do cloro)

O sólido é então formado:

$K^+(g) + Cl^-(g) \rightarrow KCl(s)$	$-\Delta H_L^\ominus$ (a variação de entalpia quando a rede *se forma* é o negativo da entalpia de rede)

e o ciclo é completado decompondo-se o KCl(s) em seus elementos:

$KCl(s) \rightarrow K(s) + \frac{1}{2}Cl_2(g)$	+437 (o negativo da entalpia de formação do KCl)

A soma das variações de entalpia é $\Delta H_L^\ominus$ + 717 kJ mol^{-1}; entretanto, a soma tem de ser igual a zero, assim $\Delta H_L^\ominus$ = 717 kJ mol^{-1}.

Exercício proposto 17.1

Calcule a entalpia de rede do brometo de magnésio a partir dos dados abaixo e a informação contida na *Seção de dados*.

Processo	$\Delta H^\ominus$/(kJ mol^{-1})
Sublimação do Mg(s)	+148
Ionização do Mg(g) a Mg^{2+}(g)	+2187
Dissociação do Br_2(g)	+193
Captura de elétron para o Br(g)	−325

Resposta: 2.402 kJ mol^{-1}

17.7 A origem da entalpia de rede

Nossa próxima tarefa é explicar os valores das entalpias de rede. A interação dominante em uma rede iônica é a interação coulombiana entre íons, que é, de longe, mais forte que qualquer outra interação atrativa; vamos nos concentrar nessas interações.

O ponto de partida é a energia potencial coulombiana (Ferramentas do químico 9.1 e Fundamentos 0.9) de interação entre dois íons de números de carga z_1 e z_2 (em que os cátions têm números de carga positivos e os ânions têm números de carga negativos) separados por uma distância r_{12}:

$$V_{12} = \frac{(z_1 e)(z_2 e)}{4\pi\varepsilon_0 r_{12}} \qquad (17.2)$$

em que ε_0 é a permissividade do vácuo. Para calcular a energia potencial total de todos os íons em um cristal, temos que somar essa expressão para todos os íons presentes. Os vizinhos mais próximos (que têm sinais opostos) se atraem e contribuem com um termo negativo grande, os segundos vizinhos mais próximos (que têm o mesmo sinal) se repelem e contribuem com um termo positivo ligeiramente mais fraco, e assim por diante (Fig. 17.13). O resultado global, porém, é que há uma atração líquida entre os cátions e os ânions e uma contribuição favorável (negativa) para a energia do sólido. Por exemplo, como é mostrado na Dedução vista a seguir, para uma fileira uniformemente espaçada de cátions e ânions alternados, para a qual $z_1 = +z$ e $z_2 = -z$, com d a distância entre íons adjacentes,

$$V = -\frac{z^2 e^2}{4\pi\varepsilon_0 d} \times 2\ln 2 \qquad (17.3)$$

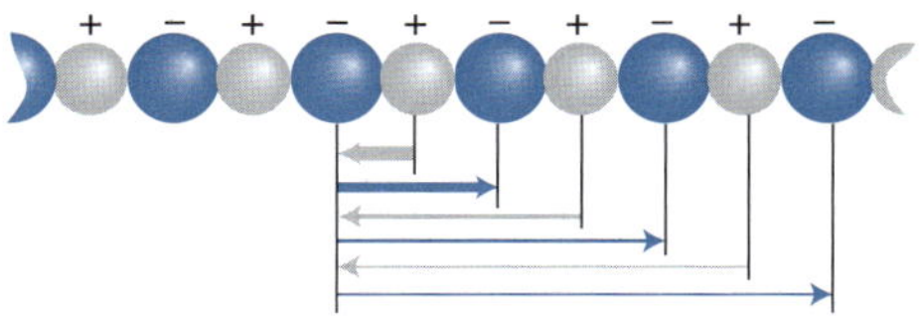

Figura 17.13 Há contribuições positivas e negativas alternadas à energia potencial de um retículo cristalino por causa das repulsões entre íons de carga igual e atrações de íons de carga oposta. O total da energia potencial é negativo, mas a soma poderia convergir bem lentamente.

Dedução 17.2

A energia de rede de um cristal unidimensional

Considere uma fileira de cátions e ânions alternados, que se estende infinitamente à esquerda e à direita do íon de interesse. A energia potencial coulombiana de interação com os íons à direita é a seguinte soma de termos:

$$V = \frac{1}{4\pi\varepsilon_0} \times \left(\overbrace{-\frac{z^2e^2}{d}}^{\text{Atração}} \overbrace{+\frac{z^2e^2}{2d}}^{\text{Repulsão}} \overbrace{-\frac{z^2e^2}{3d}}^{\text{Atração}} \overbrace{+\frac{z^2e^2}{4d}}^{\text{Repulsão}} + \cdots \right)$$

$$= -\frac{z^2e^2}{4\pi\varepsilon_0 d}\left(1 - \tfrac{1}{2} + \tfrac{1}{3} - \tfrac{1}{4} + \cdots\right)$$

A série em azul é bem conhecida dos matemáticos (veja Ferramentas do químico 6.1) como tendo o valor ln 2:

$$1 - \tfrac{1}{2} + \tfrac{1}{3} - \tfrac{1}{4} + \cdots = \ln 2$$

Portanto, podemos concluir que

$$V = -\frac{z^2e^2}{4\pi\varepsilon_0 d} \times \ln 2$$

A interação do íon de interesse com os íons à esquerda é a mesma, assim a energia potencial total de interação é duas vezes esta expressão para V, que é a Eq. 17.3.

Quando o cálculo é repetido para ordenamentos tridimensionais, mais realistas, de íons, observa-se também que a energia potencial depende dos números de carga dos íons e do valor de um único parâmetro d, que pode ser tomado como a distância entre os centros dos vizinhos mais próximos:

$$V = \frac{e^2}{4\pi\varepsilon_0} \times \frac{z_1 z_2}{d} \times A \qquad \text{Interação coulombiana total} \qquad (17.4)$$

Aqui, A é um número denominado **constante de Madelung**. O valor da constante de Madelung para uma única fileira de íons é 2 ln 2 = 1,386..., como já vimos. A Tabela 17.2 dá os valores calculados da constante de Madelung para uma série de redes com estruturas que nós iremos descrever ainda neste capítulo. Como o número de carga dos cátions é positivo e o dos ânions é negativo, o produto z_1z_2 é negativo. Então, V também é negativo, o que corresponde a um abaixamento da energia potencial em relação ao gás de íons muito separados.

Até então, consideramos somente a interação coulombiana entre íons. Porém, independentemente de seus sinais, os íons se repelem uns aos outros quando ficam muito próximos e as suas funções de onda se superpõem. Estas repulsões adicionais trabalham contra a atração coulombiana líquida entre íons, aumentando assim a energia do sólido. Quando seu efeito é considerado,[1] pode-se mostrar que a entalpia de rede é determinada pela **equação de Born-Mayer:**

$$\Delta H_L^{\ominus} = \frac{|z_1 z_2|}{d} \times \frac{N_A e^2}{4\pi\varepsilon_0} \times \left(1 - \frac{d^*}{d}\right) \times A \qquad \text{Equação de Born-Mayer} \qquad (17.5)$$

em que d^* é um parâmetro empírico que é tomado frequentemente como 34,5 pm (apenas porque esse valor leva a um acordo razoável com os dados experimentais). Os sinais de módulo (|...|) indicam que devemos remover qualquer sinal de menos do produto de z_1 com z_2, o que leva a um valor positivo para a entalpia de rede. As características importantes dessa expressão são:

- Como $\Delta H_L^{\ominus} \propto |z_1z_2|$, a entalpia de rede aumenta com o aumento do número de carga dos íons.
- Como $\Delta H_L^{\ominus} \propto 1/d$, a entalpia de rede aumenta com a diminuição do raio iônico.

A segunda conclusão segue do fato de que quanto menor o raio iônico, menor é o valor de d. Estas características estão em acordo com a variação dos valores experimentais mostrados na Tabela 17.1.

Tabela 17.2
Constantes de Madelung

Tipo de estrutura	A
Cloreto de césio	1,763
Fluorita	2,519
Sal-gema	1,748
Rutilo	2,408

■ Breve ilustração 17.3 A equação de Born-Mayer

Para calcular a entalpia de rede do MgO, que tem uma estrutura de sal-gema (A = 1,748), utilizamos $d = r(Mg^{2+}) + r(O^{2-})$ = 72 + 140 pm = 212 pm a partir da Tabela 17.6, vista posteriormente neste capítulo. Vamos usar (também para referência futura)

$$\frac{N_A e^2}{4\pi\varepsilon_0} = \frac{(6{,}022\ldots\times10^{23}\ \text{mol}^{-1})\times(1{,}602\ldots\times10^{-19}\ \text{C})^2}{4\pi\times(8{,}854\ldots\times10^{-12}\ \text{J}^{-1}\ \text{C}^2\ \text{m}^{-1})}$$

$$= 1{,}389\,354\ldots\times10^{-4}\ \text{J mmol}^{-1}$$

e obtemos

$$\Delta H_L^{\ominus} = \frac{4}{2{,}12\times10^{-10}\ \text{m}} \times (1{,}389\,354\ldots\times10^{-4}\ \text{J mmol}^{-1})$$

$$\times\left(1 - \frac{34{,}5\ \text{pm}}{212\ \text{pm}}\right)\times 1{,}748$$

$$= 3840\ \text{kJ mol}^{-1}$$

com três algarismos significativos. O valor experimental é 3.850 kJ mol^{-1}, sugerindo que o modelo iônico é confiável para o composto em questão.

Exercício proposto 17.2

Quem você espera que tenha entalpia de rede maior, o óxido de magnésio ou o óxido de estrôncio?

Resposta: MgO

[1] Veja o livro *Físico-Química* (2010) destes mesmos autores (LTC Editora) para uma dedução.

17.8 Redes covalentes

Já observamos que ligações covalentes em uma orientação espacial definida unem os átomos em sólidos de rede covalente. Sólidos covalentes são geralmente duros e frequentemente não reativos. Exemplos incluem o silício, o fósforo vermelho, o nitreto de boro e – de grande importância – o diamante e a grafita, que iremos discutir detalhadamente.

O diamante e a grafita são dois alótropos do carbono. No diamante, cada carbono com hibridização sp^3 está ligado tetraedricamente aos seus quatro vizinhos (Fig. 17.14). A rede de fortes ligações C—C se repete por meio do cristal e, como resultado, o diamante é a substância mais dura que se conhece.

Uma nota sobre a boa prática Alótropos são formas distintas de um elemento que diferem no modo pelo qual os átomos estão ligados. Embora o termo seja aplicado apenas a elementos (e inclui diferentes espécies moleculares, como O_2 e O_3), o termo *polimorfo* se aplica a diferentes estruturas *sólidas* que um elemento ou composto pode adotar, tais como as diferentes fases do ferro (que também são alótropos) ou do carbonato de cálcio (que são polimorfos, mas não alótropos).

Na grafita, as ligações σ entre os átomos de carbono com hibridização sp^2 formam anéis hexagonais que, quando se repetem através de um plano, dão origem a folhas (Fig. 17.15). Como as folhas podem deslizar umas contra as outras (em especial quando há impurezas presentes), a grafita é amplamente utilizada como lubrificante. Não pode ser utilizada no espaço, porque a falta de atmosfera faz com que não exista gás adsorvido e as camadas tornam-se imóveis.

As propriedades elétricas do diamante e da grafita são determinadas pelas diferenças entre os padrões de ligação nesses sólidos. A grafita é um condutor eletrônico porque os elétrons estão livres para se mover através das bandas formadas pela superposição dos orbitais p não hibridizados e parcialmente preenchidos que estão perpendiculares às folhas hexagonais. Esse modelo de bandas explica a observação experimental de que a grafita conduz bem a eletricidade dentro das folhas, mas não tão bem entre as folhas. A condutividade elétrica dessas folhas de grafeno (semelhante à grafita) de átomos de carbono está sendo agora considerada no desenvolvimento de dispositivos eletrônicos em escala nanométrica. Vemos da Figura 17.14 que redes π deslocalizadas não são possíveis no diamante, que – ao contrário da grafita – é um isolante (mais precisamente, um semicondutor com uma grande lacuna de banda).

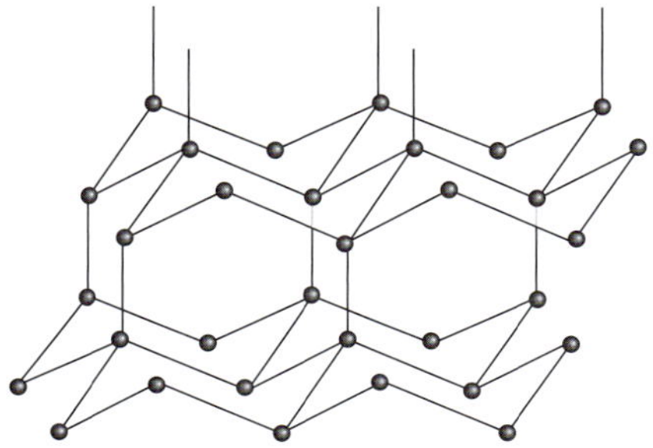

Figura 17.14 Fragmento da estrutura do diamante. Cada átomo de C está tetraedricamente ligado a quatro vizinhos. Esta estrutura resulta em um cristal rígido com alta condutividade térmica.

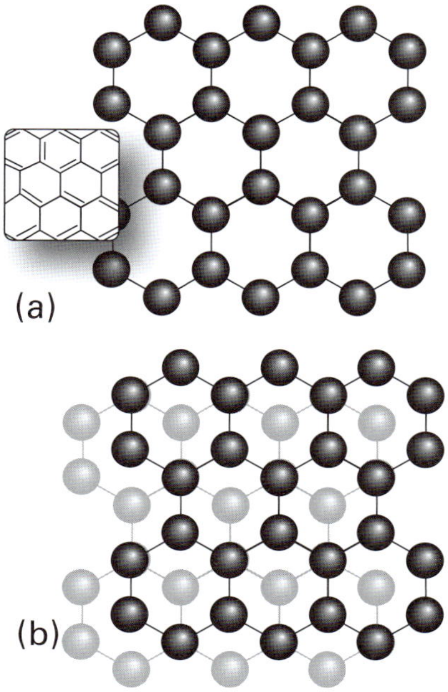

Figura 17.15 A grafita consiste em planos de hexágonos de átomos de carbono empilhados um sobre o outro. (a) A disposição dos átomos de carbono em uma folha; (b) as disposições relativas das folhas vizinhas. Quando impurezas estão presentes, os planos podem deslizar facilmente uns sobre os outros. A grafita conduz bem eletricidade dentro dos planos, mas não conduz tão bem perpendicularmente aos planos.

Impacto na tecnologia 17.1

Nanofios

Muito esforço em pesquisa tem sido despendido na fabricação de conjuntos de átomos e moléculas de tamanho nanométrico que possam ser usados como pequenos blocos construtores em uma variedade de aplicações tecnológicas. O futuro impacto econômico da **nanotecnologia**, o conjunto de aplicações de dispositivos construídos a partir de componentes em escala nanométrica, pode vir a ser muito significativo. Por exemplo, a demanda crescente por dispositivos eletrônicos digitais muito pequenos tem impulsionado o desenvolvimento de microprocessadores cada vez menores e mais poderosos. Entretanto, há um limite superior na densidade de circuitos eletrônicos que podem ser incorporadas nos chips à base de silício nas tecnologias de fabricação atuais. Como a capacidade de processar os dados aumenta com o número de circuitos em um chip, segue-se que, em breve, os *chips* e os dispositivos que os utilizam terão de se tornar maiores para que o poder de processamento possa aumentar indefinidamente. Uma forma de contornar este problema é fabricar dispositivos a partir de componentes de tamanho nanométrico. Outra vantagem de se construir dispositivos eletrônicos em escala nanométrica, ou *nanodispositivos*, é a possibilidade de se utilizar efeitos quantomecânicos. Por exemplo, o tunelamento eletrônico entre duas regiões condutoras separadas por uma região isolante fina pode aumentar a velocidade da condução eletrônica e, dessa forma, a velocidade de processamento de dados em um nanoprocessador digital.

O estudo dos nanodispositivos também pode ampliar nossa compreensão básica sobre as reações químicas. Reatores químicos em escala nanométrica podem funcionar como laboratórios para o estudo de reações químicas em ambientes restritos.

Algumas dessas reações podem ser a base para a construção de sensores químicos em escala nanométrica, com aplicações potencias na medicina. Por exemplo, nanodispositivos com propriedades bioquímicas cuidadosamente desenvolvidas poderiam substituir vírus e bactérias como a espécie ativa em vacinas.

Algumas técnicas já foram desenvolvidas para a fabricação de estruturas de tamanho nanométrico. A síntese de *nanofios*, conjuntos de átomos de tamanho nanométrico que podem conduzir eletricidade, foi um grande passo na fabricação de nanodispositivos. Um tipo importante de nanofio é baseado em *nanotubos de carbono*, cilindros finos de carbono que são mecanicamente resistentes e altamente condutores. Nos últimos anos, têm sido desenvolvidos métodos para a síntese seletiva de nanotubos; esses métodos consistem em diferentes formas de se condensar um plasma de carbono, na presença ou na ausência de um catalisador. O arranjo estrutural mais simples é chamado de *nanotubo de parede única* (sigla inglesa SWNT), mostrado na Figura 17.16. Em um SWNT, átomos de carbono com hibridização sp^2 formam anéis hexagonais remanescentes das folhas de carbono encontradas na grafita. Os tubos têm um diâmetro de 1 a 2 nm e extensão de vários micrômetros. As características mostradas na ilustração foram confirmadas por visualização direta por meio da microscopia de tunelamento por varredura. Um *nanotubo de parede múltipla* (sigla inglesa MWNT) consiste em vários SWNTs concêntricos, e seus diâmetros variam entre 0,4 e 25 nm.

A origem da condutividade elétrica nos nanotubos de carbono é a deslocalização dos elétrons π que ocupam os orbitais p não hibridizados, tal como na grafita (Seção 17.8). Estudos recentes mostram uma correlação entre estrutura e condutividade nos SWNTs. A ilustração mostra que um SWNT é um semicondutor. Se os hexágonos são girados de 60°, o SWNT resultante é um condutor metálico.

Nanofios de silício podem ser produzidos focalizando-se um feixe de *laser* pulsado sobre uma amostra sólida composta de silício e ferro. Átomos de Si e Fe são ejetados, pela ação do *laser*, da superfície da amostra, formando um vapor. Esta fase vapor pode se condensar, a temperaturas suficientemente baixas, em líquido formado por nanoaglomerados de $FeSi_n$. O diagrama de fases para esta mistura complexa indica que o silício sólido e o $FeSi_n$ líquido estão em equilíbrio em temperaturas maiores que 1.473 K. Assim, é possível precipitar-se silício sólido da mistura líquida, se as condições experimentais forem controladas de modo a se manter os nanoaglomerados de $FeSi_n$ em um estado líquido saturado com silício. Observa-se que o silício precipitado consiste em nanofios de diâmetro aproximado de 10 nm e de comprimento maior que 1 μm.

Os nanofios também são fabricados por meio da *epitaxia por feixe molecular* (sigla em inglês MBE). Nesta técnica átomos ou

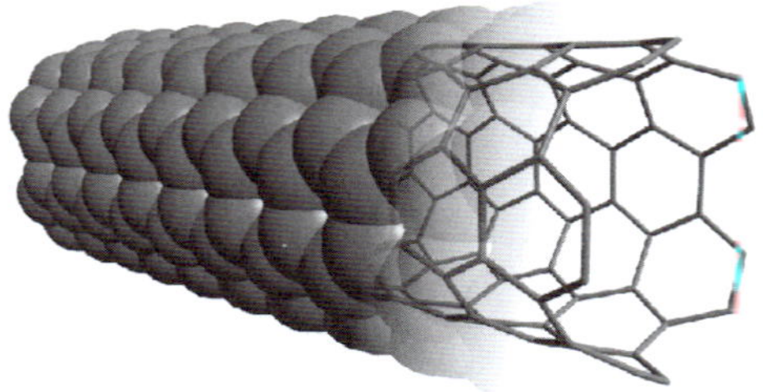

Figura 17.16 Em um nanotubo de parede única (SWNT), os átomos de carbono com hibridização sp^2 formam anéis hexagonais que crescem como tubos com diâmetros entre 0,4 e 2 nm e extensão de alguns micrômetros.

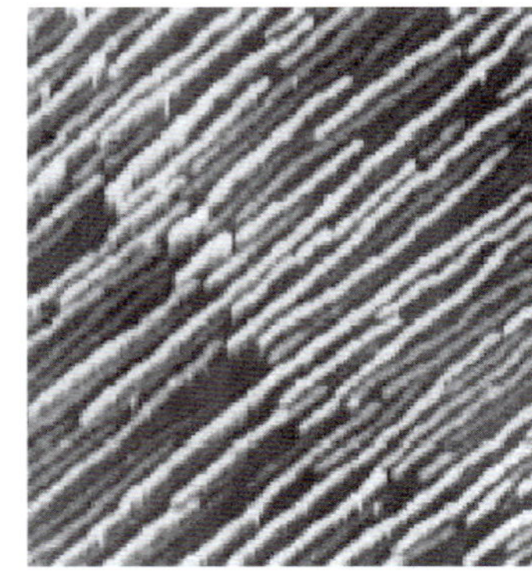

Figura 17.17 Nanofios de germânio fabricados sobre uma superfície de silício por epitaxia por feixe molecular. A imagem foi obtida por microscopia de força atômica. Reproduzido com a permissão de T. Ogino *et al. Acc. Chem. Res.* 32, 447 (1999).

moléculas em fase gasosa são pulverizados sobre a superfície de um cristal, em uma câmara de alto vácuo. Por meio de um controle cuidadoso da temperatura da câmara, e do processo de pulverização, é possível a obtenção de estruturas nanométricas de formas específicas. Por exemplo, a Figura 17.17 mostra uma imagem de nanofios de germânio sobre uma superfície de silício. Os nanofios têm, aproximadamente, 2 nm de altura, 10-32 nm de largura, e 10-600 nm de comprimento. Também podem ser depositados *quantum dots*, caixas ou esferas de átomos de dimensão nanométrica, sobre uma superfície. *Quantum dots* semicondutores podem ser importantes blocos de construção de *lasers* em escala nanométrica.

A manipulação direta de átomos sobre as superfícies também pode ser utilizada para a construção de nanofios. A atração coulombiana entre um átomo e a ponta de prova de um microscópio de varredura por tunelamento (STM, Seção 18.2) pode ser utilizada para se movimentar átomos através da superfície, arrumando-os em estruturas, como em forma de fios.

17.9 Propriedades magnéticas dos sólidos

As propriedades magnéticas dos sólidos são determinadas pelas interações entre os spins de seus elétrons. Alguns materiais são magnéticos e outros podem se tornar magnetizados quando colocados em um campo magnético externo. Uma amostra macroscópica exposta a um campo magnético de intensidade $\mathcal{H}$ adquire uma **magnetização,** $\mathcal{M}$ que é proporcional a $\mathcal{H}$

$$\mathcal{M} = \chi\mathcal{H} \qquad \text{Definição de } \chi \qquad \text{Magnetização} \qquad (17.6)$$

em que χ (qui) é a **suscetibilidade magnética volumar,** adimensional (Tabela 17.3). Podemos imaginar a magnetização como uma grandeza que contribui para a densidade de linhas de força no material (Fig. 17.18). Materiais para os quais χ é negativo são denominados **diamagnéticos** e tendem a se afastar de um campo magnético; a densidade de linhas de força no material é menor que no vácuo. Aqueles para os quais χ é positivo são chamados **paramagnéticos,** tendendo a ser atraídos pelo campo magnético, e a densidade de linhas de força em seu interior é maior que no vácuo.

Tabela 17.3
*Suscetibilidades magnéticas a 298 K**

	$\chi/10^{-6}$	$\chi_m/(10^{-6}\ cm^3\ mol^{-1})$
Al(s)	+22	+2,2
Cu(s)	−9,6	−6,8
$CuSO_4{\cdot}5H_2O(s)$	+176	+1930
$H_2O(l)$	−9,06	−160
$MnSO_4{\cdot}4H_2O(s)$	+2640	+2790
NaCl(s)	−13,9	−38
S(s)	−12,9	−2,0

*χ é a suscetibilidade magnética adimensional; χ_m é a suscetibilidade magnética molar. As duas grandezas estão relacionadas por $\chi_m = \chi V_m$, em que V_m é o volume molar da amostra.

O diamagnetismo surge do efeito do campo magnético sobre os elétrons das moléculas. Especificamente, um campo magnético aplicado induz a circulação de correntes eletrônicas que dão origem a um campo magnético que geralmente se opõe ao campo aplicado e reduz a densidade de linhas de força. A maioria das moléculas sem nenhum spin desemparelhado é diamagnética. Neste caso, as correntes eletrônicas induzidas ocorrem nos orbitais ocupados da molécula em seu estado fundamental.

O tipo mais comum de paramagnetismo tem origem nos spins de elétrons desemparelhados, que se comportam como pequenos imãs, tendendo a se alinhar com o campo aplicado. Quanto maior o alinhamento dessa forma, maior o abaixamento de energia, e a amostra tende a se mover na direção do campo aplicado. Muitos compostos dos elementos do bloco d são paramagnéticos porque têm diversos elétrons d desemparelhados. Moléculas, em particular os radicais, com elétrons desemparelhados são paramagnéticas. Exemplos incluem o gás castanho dióxido de nitrogênio (NO_2) e o radical peroxila (HO_2), que desempenha um papel importante na química atmosférica. Em alguns poucos casos o campo induzido reforça o campo aplicado e aumenta a densidade de linhas de força no material, ainda que não tenha elétrons desemparelhados. Nesses casos, as correntes eletrônicas induzidas surgem da migração de elétrons através dos orbitais desocupados, logo esse tipo de paramagnetismo ocorre apenas se os estados excitados forem de baixa energia (como em alguns complexos dos blocos d e f).

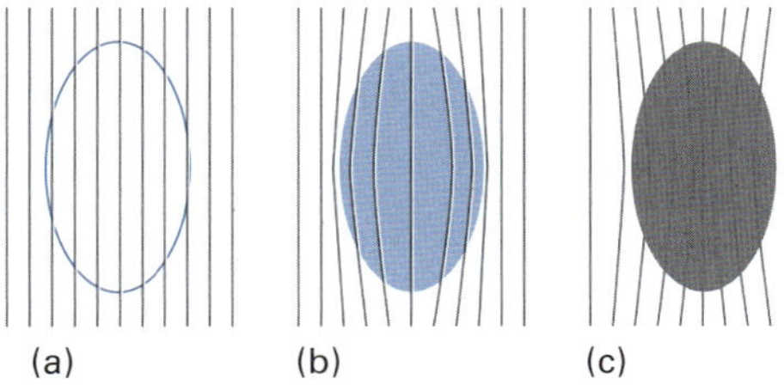

Figura 17.18 (a) No vácuo, a intensidade de um campo magnético pode ser representada pela densidade de linhas de força; (b) em um material diamagnético, as linhas de força são reduzidas; (c) em um material paramagnético, aumentam.

■ **Breve ilustração 17.4** Caráter magnético

O magnésio sólido é um metal em que os dois elétrons de valência de cada átomo de Mg são doados a uma banda de orbitais construídos a partir de orbitais 3s. A partir de *N* orbitais atômicos podemos construir *N* orbitais moleculares que se espalham pelo metal. Cada átomo fornece dois elétrons; assim, temos 2*N* elétrons para acomodar. Esses elétrons ocupam e preenchem os *N* orbitais moleculares. Não há quaisquer elétrons desemparelhados, então, o metal é diamagnético. Uma molécula de O_2 tem a estrutura eletrônica descrita na Seção 14.10, na qual vimos que dois elétrons ocupam orbitais π antiligantes separados, com spins paralelos. Concluímos que o oxigênio é um gás paramagnético.

Exercício proposto 17.3

Repita a análise do Zn(s) e do NO(g).

Resposta: Zn diamagnético, NO paramagnético

Em baixas temperaturas, alguns sólidos paramagnéticos fazem uma transição para uma fase em que amplas regiões, chamadas **domínios**, de spins eletrônicos se alinham com orientações paralelas. Este alinhamento cooperativo dá origem a uma magnetização muito intensa – em alguns casos milhões de vezes mais forte – e é chamado de **ferromagnetismo** (Fig. 17.19). Em outros casos o efeito cooperativo leva a orientações alternadas do spin: os spins são confinados em uma disposição de baixa magnetização para dar origem a uma **fase antiferromagnética** que tem magnetização nula, pois as contribuições de spins diferentes se cancelam. A transição para a fase ferromagnética ocorre na **temperatura Curie**, T_C, e a transição para a fase antiferromagnética ocorre na **temperatura Néel**, T_N.

Os supercondutores têm propriedades magnéticas peculiares. Alguns supercondutores, classificados como do Tipo I, apresentam uma perda abrupta da supercondutividade quando um campo aplicado ultrapassa um valor crítico $\mathcal{H}_c$ característico do material. Supercondutores do Tipo I são também completamente diamagnéticos – as linhas de força são completamente eliminadas – abaixo de $\mathcal{H}_c$. Essa eliminação de um campo magnético em um material é conhecida como **efeito Meissner**, e pode ser demonstrado pela levitação de um supercondutor sobre um magneto. Supercondutores do

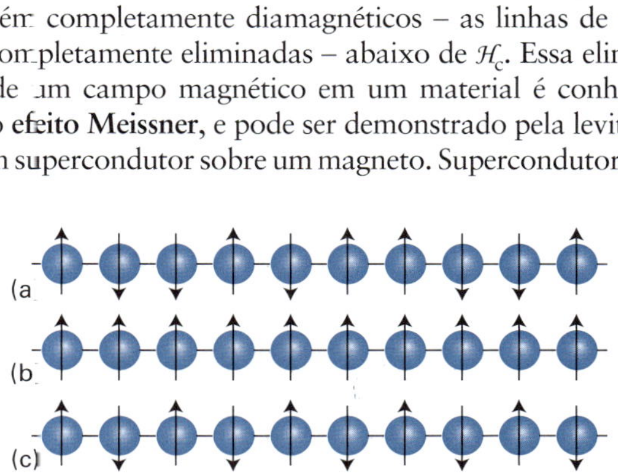

Figura 17.19 (a) Em um material paramagnético, os spins dos elétrons estão alinhados aleatoriamente na ausência de um campo magnético aplicado; (b) em um material ferromagnético, os spins dos elétrons estão confinados em um alinhamento paralelo sobre grandes domínios; (c) em um material antiferromagnético, os spins dos elétrons estão confinados em uma disposição antiparalela. As duas últimas disposições sobrevivem mesmo na ausência de um campo aplicado.

Tipo II, que incluem os HTSCs, exibem uma perda gradativa da supercondutividade e do diamagnetismo com o aumento do campo magnético.

Estrutura cristalina

Vamos agora analisar as estruturas adotadas por átomos e íons quando se agrupam para dar um sólido cristalino. As estruturas dos cristais são de importância prática considerável, porque têm implicações em geologia, materiais, materiais tecnologicamente avançados como semicondutores e supercondutores de alta temperatura, e biologia. A primeira etapa, e frequentemente muito difícil, em uma análise estrutural de macromoléculas biológicas por raios X é formar cristais nos quais as moléculas grandes se mantêm ordenadas. Por outro lado, a cristalização de uma partícula de vírus o tiraria de circulação, e uma das estratégias adotadas pelos vírus para evitar este tipo de sepultamento faz uso inconsciente da geometria do agrupamento cristalino.

17.10 Células unitárias

O padrão que átomos, íons, ou moléculas adotam em um cristal é expresso em termos de um ordenamento de pontos que compõem a **rede espacial**, que identifica a localização das espécies individuais (Fig. 17.20). Uma **célula unitária** de um cristal é uma figura tridimensional pequena, obtida pela junção típica de oito desses pontos, podendo ser usada para construir a rede cristalina inteira somente por deslocamentos de translação, como uma parede pode ser construída de tijolos (Fig. 17.21). Um número infinito de células unitárias diferentes pode descrever a mesma estrutura, mas é convencional escolher a célula com a maior simetria e menores dimensões.

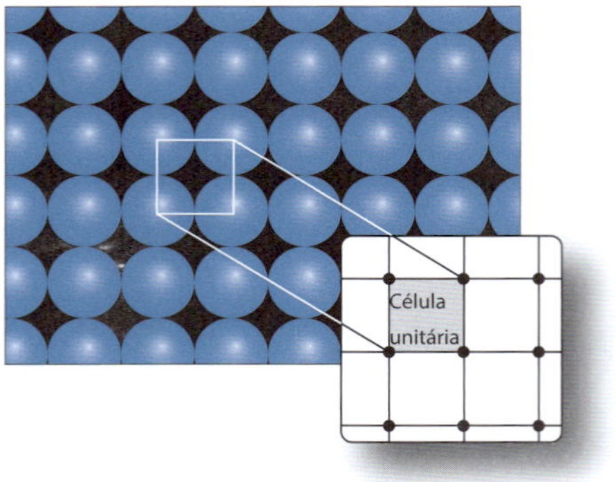

Figura 17.20 Um cristal consiste em um arranjo uniforme de átomos, moléculas, ou íons, conforme representam as esferas. Em muitos casos, os componentes do cristal estão longe da forma esférica, mas este diagrama ilustra a ideia geral. A localização de cada átomo, molécula, ou íon pode ser representada por um único ponto; aqui (apenas por conveniência), as posições são representadas por um ponto no centro da esfera. A célula unitária, que é mostrada sombreada no detalhe, é o menor bloco a partir do qual todo o arranjo de pontos pode ser construído sem girar ou modificar o bloco de outra forma.

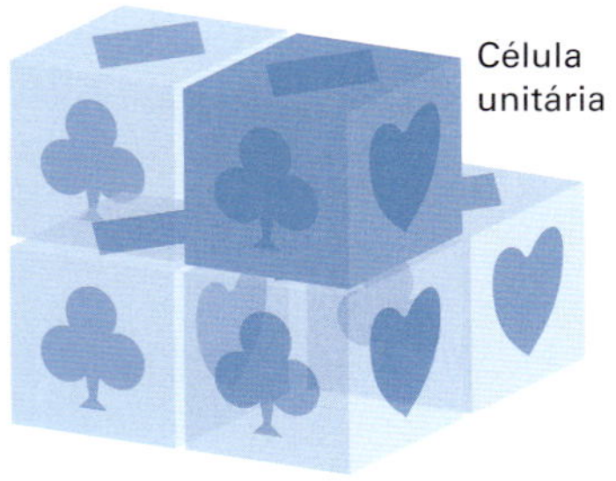

Figura 17.21 Uma célula unitária, mostrada aqui em três dimensões, é como um tijolo para construção. Novamente, apenas translações puras são permitidas na construção do cristal. (Alguns padrões de ligação de paredes reais utilizam rotação de tijolos, então para esses padrões um único tijolo não é uma célula unitária.)

Células unitárias são classificadas em um dos sete **sistemas cristalinos**, de acordo com a simetria que estes sistemas possuem, sob rotações em torno de eixos diferentes. Por exemplo, o *sistema cúbico* tem quatro eixos ternários (Fig. 17.22). Um eixo ternário é um eixo de rotação que restaura a aparência da célula unitária três vezes durante uma revolução completa, por rotações de 120°, 240° e 360°. Os quatro eixos de um cubo fazem um ângulo tetraédrico um ao outro. O *sistema monoclínico* tem um eixo binário (Fig. 17.23). Um eixo binário é um eixo de rotação que deixa a célula aparentemente inalterada por duas vezes durante uma revolução completa, por rotações de 180° e 360°. As **simetrias essenciais**, ou seja, as propriedades que devem estar presentes para a célula unitária pertencer a um sistema particular, estão listadas na Tabela 17.4.

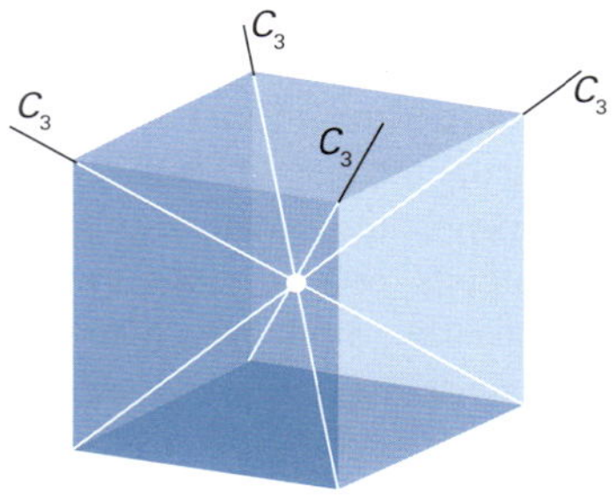

Figura 17.22 Uma célula unitária pertencente ao sistema cúbico possui quatro eixos ternários (representados por C_3) dispostos tetraedricamente.

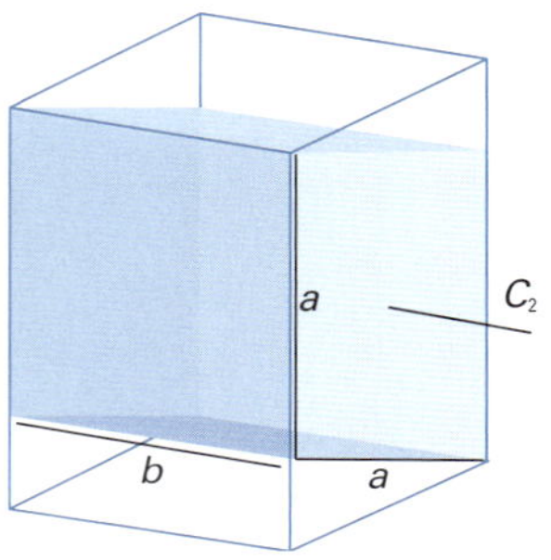

Figura 17.23 Uma célula unitária pertencente ao sistema monoclínico tem um eixo binário (representado por C_2) (ao longo de b).

Tabela 17.4
Simetrias essenciais dos sete sistemas cristalinos

Sistemas	Simetrias essenciais
Triclínico	Nenhum
Monoclínico	Um eixo binário
Ortorrômbico	Três eixos binários perpendiculares
Romboédrico	Um eixo ternário
Tetragonal	Um eixo de ordem quatro
Hexagonal	Um eixo de ordem seis
Cúbico	Quatro eixos ternários em um arranjo tetraédrico

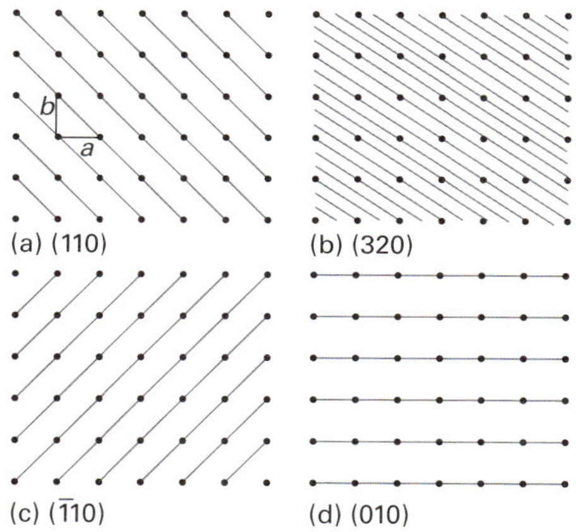

Figura 17.25 Alguns dos planos que podem ser traçados através dos pontos da rede espacial e seus índices de Miller correspondentes (*hkl*). A origem do sistema de coordenadas usado para identificar os planos coincide com a posição do ponto da rede na ponta da parte inferior esquerda de cada rede.

Uma célula unitária não necessita ter faces perpendiculares e pode ter pontos da rede localizados em posições diferentes de seus vértices, assim cada sistema cristalino pode apresentar variedades diferentes. Por exemplo, em alguns casos pontos podem ocorrer nas faces e no corpo da célula sem destruir a sua simetria essencial. Estas várias possibilidades dão origem a quatorze tipos distintos de célula unitária, que definem **as redes de Bravais** (Fig. 17.24).

17.11 Identificação dos planos cristalinos

Para especificar uma célula unitária completamente, precisamos também saber seu tamanho, como os comprimentos de seus lados. Existe uma relação útil entre o espaçamento entre os planos que passam pelos pontos de rede que (como iremos ver) podemos medir, e os comprimentos que precisamos saber.

Como arranjos bidimensionais de pontos são mais fáceis de se visualizar do que arranjos tridimensionais, iremos introduzir os conceitos de que precisamos, com referência inicialmente a duas dimensões, e então estenderemos as conclusões a três dimensões. Consideremos a rede bidimensional retangular formada de uma célula unitária ortogonal (retangular) de lados a e b (Fig. 17.25). Podemos distinguir os quatro conjuntos de planos mostrados na ilustração pelas distâncias às quais esses conjuntos interceptam os eixos. Um modo de identificar os planos seria então representar cada conjunto pelas menores distâncias de interseção. Por exemplo, poderíamos representar os quatro conjuntos na ilustração como $(1a,1b)$, $(2a,3b)$, $(-1a,1b)$ e $(\infty a,1b)$. Se, porém, sempre concordarmos em marcar as distâncias ao longo dos eixos como múltiplos dos comprimentos da célula unitária, então poderíamos omitir o a e o b e identificar os planos mais simplesmente como $(1,1)$, $(2,3)$, $(-1,1)$ e $(\infty,1)$.

Agora suponhamos que o arranjo na Figura 17.25 é a visão de topo de uma rede retangular tridimensional na qual a célula unitária tem um comprimento c na direção z. Todos os quatro conjuntos de planos interceptam o eixo z no infinito, assim a identificação completa dos conjuntos de planos dos pontos da rede são $(1,1,\infty)$, $(2,3,\infty)$, $(-1,1,\infty)$ e $(\infty,1,\infty)$.

A presença do infinito nos identificadores dos planos é inconveniente. Podemos eliminar este problema tomando o inverso dos números que identificam os planos; essa etapa também tem vantagens adicionais, como iremos ver a seguir. Os **índices de Miller** resultantes, (hkl), são os inversos dos números entre parênteses com frações eliminadas.

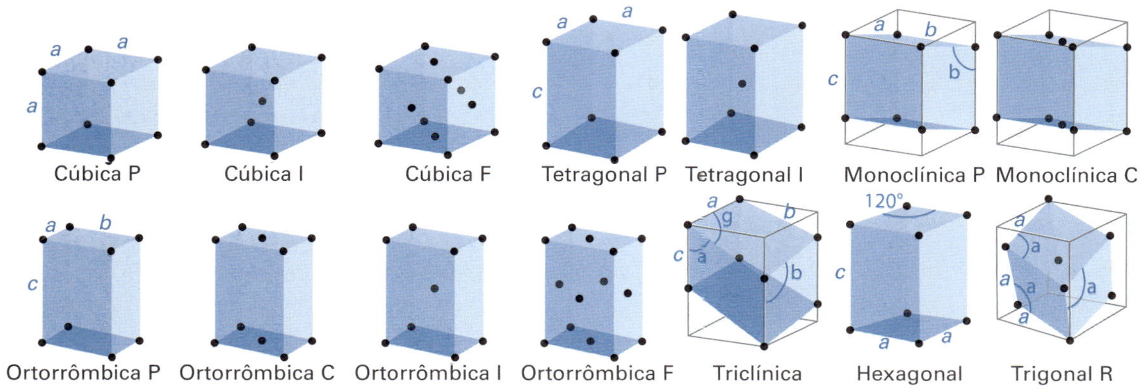

Figura 17.24 As quatorze redes de Bravais. A letra P denota uma célula unitária primitiva, I uma célula unitária de corpo centrado, F uma célula unitária de face centrada, e C (ou A ou B) uma célula com pontos de rede em duas faces opostas.

■ **Breve ilustração 17.5** Índices de Miller

Os planos $(1,1,\infty)$ na Figura 17.25 são os planos (110) na notação de Miller (porque $1/1 = 1$ e $1/\infty = 0$). Semelhantemente, os planos $(2,3,\infty)$ se tornam inicialmente $(1/2,1/3,0)$ quando os inversos são formados, e então passam a (3,2,0), quando as frações são eliminadas através da multiplicação por 6, sendo então referidos como planos (320).

Exercício proposto 17.4

Um membro representativo de um conjunto de planos em um cristal intercepta os eixos a $3a$, $2b$ e $2c$. Quais são os índices de Miller dos planos?

Resposta: (233)

Escrevemos índices negativos com uma barra sobre o número: a Figura 17.25c mostra os planos $(\bar{1}10)$, que se lê 'planos barra um, um'. A Figura 17.26 apresenta alguns planos em três dimensões, inclusive um exemplo de uma rede com eixos que não são mutuamente perpendiculares.

É útil ter em mente, como ilustrado na Figura 17.25, que quanto menor o valor de h no índice de Miller (hkl), mais paralelo é o plano ao eixo a. O mesmo vale para k e o eixo b e para l e o eixo c. Quando $h = 0$, os planos interceptam o eixo a no infinito, logo os planos $(0kl)$ são paralelos ao eixo a. Semelhantemente, os planos $(h0l)$ são paralelos a b e os planos $(hk0)$ são paralelos a c.

Os índices de Miller são muito úteis para calcular a separação dos planos. Por exemplo, mostramos na Dedução a seguir que esses índices podem ser usados para se obter uma expressão simples para a separação, d, dos planos (hkl) em uma rede ortogonal:

$$\frac{1}{d^2} = \frac{h^2}{a^2} + \frac{k^2}{b^2} + \frac{l^2}{c^2} \quad \text{Rede ortogonal} \quad \text{Separação entre os planos} \qquad (17.7)$$

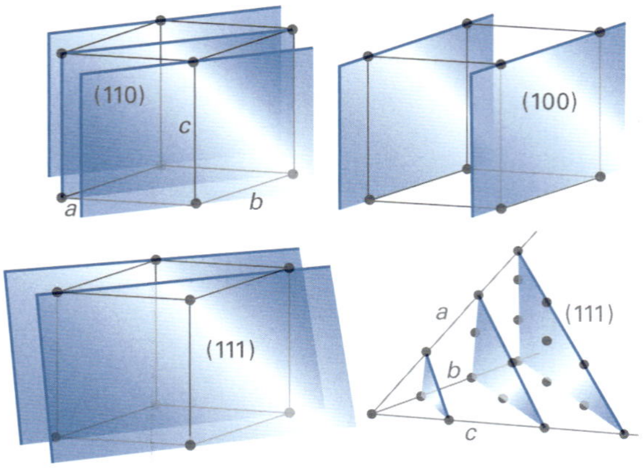

Figura 17.26 Alguns planos representativos em três dimensões e seus índices de Miller. Observe que um 0 indica que um plano é paralelo ao eixo correspondente, e que a indexação pode também ser empregada para células unitárias com eixos não ortogonais.

Dedução 17.3

A separação entre os planos da rede

Considere os planos $(hk0)$ de uma rede retangular formada a partir de uma célula unitária ortorrômbica de lados com comprimentos a e b (Fig. 17.27). Podemos escrever as seguintes expressões trigonométricas para o ângulo ϕ mostrado na ilustração:

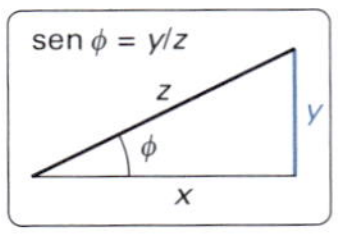

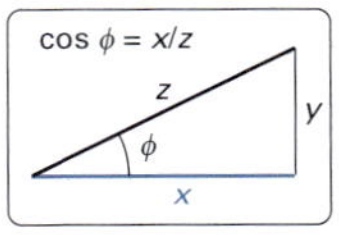

$$\text{sen}\,\phi \overbrace{=} \frac{d}{(a/h)} = \frac{hd}{a} \qquad \cos\phi \overbrace{=} \frac{d}{(b/k)} = \frac{kd}{b}$$

Como os planos da rede interceptam o eixo a h vezes e o eixo b k vezes, o comprimento de cada hipotenusa é calculado dividindo-se a por h e b por k. Assim, uma vez que $\text{sen}^2\phi + \cos^2\phi = 1$, obtemos

$$\left(\frac{hd}{a}\right)^2 + \left(\frac{kd}{b}\right)^2 = 1$$

que pode ser escrita, dividindo-se ambos os lados por d^2, na forma

$$\frac{1}{d^2} = \frac{h^2}{a^2} + \frac{k^2}{b^2}$$

Em três dimensões, esta expressão se generaliza na Eq. 17.7.

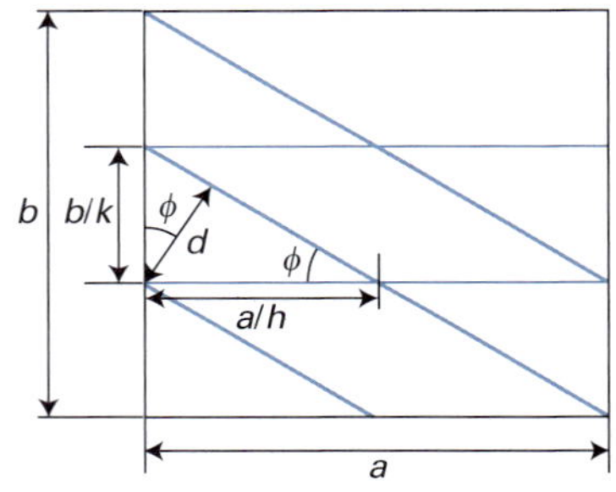

Figura 17.27 Construção geométrica utilizada para relacionar a separação entre os planos às dimensões da célula unitária.

Exemplo 17.2

Usando os índices de Miller

Calcular a separação entre (a) os planos (123) e (b) os planos (246) de uma cela ortorrômbica com a = 0,82 nm, b = 0,94 nm e c = 0,75 nm.

Estratégia Para a primeira parte, nós simplesmente substituímos a informação na Eq. 17.7. Para a segunda parte, em vez de repetir o cálculo, devemos examinar como d na Eq. 17.7 varia quando todos os três índices de Miller são multiplicados por 2 (ou por um fator mais geral, n).

Solução Substituindo os dados na Eq. 17.7, obtemos

$$\frac{1}{d^2} = \frac{1^2}{(0{,}82\ \text{nm})^2} + \frac{2^2}{(0{,}94\ \text{nm})^2} + \frac{3^2}{(0{,}75\ \text{nm})^2} = \frac{22}{\text{nm}^2}$$

Segue-se que d = 0,21 nm. Quando os índices aumentarem por um fator de 2, a separação se torna

$$\frac{1}{d^2}=\frac{(2\times1)^2}{(0{,}82\text{ nm})^2}+\frac{(2\times2)^2}{(0{,}94\text{ nm})^2}+\frac{(2\times3)^2}{(0{,}75\text{ nm})^2}=2^2\times\frac{22}{\text{nm}^2}$$

Assim, para estes planos d = 0,11 nm. Em geral, o aumento uniforme dos índices por um fator n diminui a separação entre os planos de n.

Exercício proposto 17.5

Calcule a separação entre os planos (133) e (399) na mesma rede.

Resposta: 0,19 nm, 0,063 nm

17.12 A determinação da estrutura

Uma das técnicas mais importantes para a determinação das estruturas de cristais é a **difração de raios X.** Em sua forma mais simples, a técnica é usada para identificar o tipo de rede e a separação entre os planos de pontos da rede (e, consequentemente, a distância entre os centros dos átomos e íons). Em sua forma mais elaborada, a difração de raios X fornece informação detalhada sobre a localização de todos os átomos em moléculas tão complicadas quanto proteínas. Técnicas especiais estão também disponíveis para o estudo das variações estruturais que acompanham as reações químicas. O sucesso considerável da biologia molecular moderna se originou das técnicas de difração de raios X, que cresceram em sensibilidade e abrangência com o aumento dos recursos computacionais. Aqui vamos nos concentrar nos princípios da técnica e vamos ilustrar como pode ser usada para determinar o espaçamento entre os átomos em um cristal.

Uma propriedade característica das ondas é que **interferem** umas com as outras, resultando em uma amplitude maior na qual os seus deslocamentos se somam e em uma amplitude menor na qual os deslocamentos se subtraem (Fig. 17.28). A primeira é denominada 'interferência construtiva' e a segunda, 'interferência destrutiva'. Como a intensidade da radiação eletromagnética é proporcional ao quadrado da amplitude das ondas, as regiões de interferência construtiva e destrutiva aparecem como regiões de intensidades ampliadas e diminuídas. O fenômeno da **difração** é a interferência causada por um objeto no caminho das ondas, e o padrão da variação da intensidade resultante é denominado **figura de difração.** A difração ocorre quando as dimensões do objeto que provoca a difração são comparáveis ao comprimento de onda da radiação. Ondas sonoras, com comprimentos de onda da ordem de 1 m, são difratadas por objetos macroscópicos. Ondas de luz, com comprimentos de onda da ordem de 500 nm, são difratadas através de fendas estreitas.

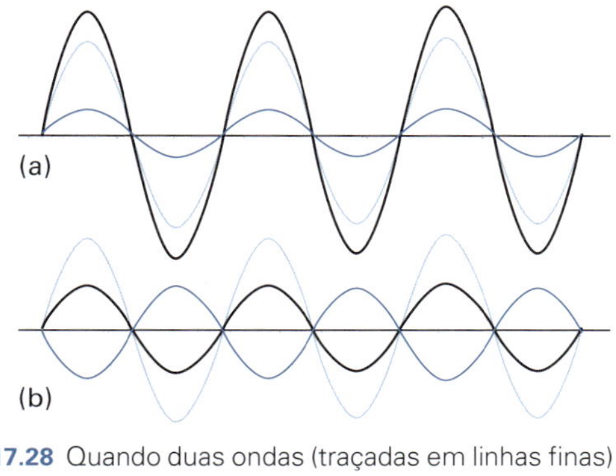

Figura 17.28 Quando duas ondas (traçadas em linhas finas) estão na mesma região do espaço, dependendo de sua fase relativa, podem interferir (a) construtivamente, para dar uma amplitude intensificada, ou (b) destrutivamente, para dar uma amplitude menor.

Os raios X têm comprimentos de onda comparáveis aos comprimentos das ligações em moléculas e aos espaçamentos dos átomos em cristais (aproximadamente 100 pm), assim os raios X são difratados por esses átomos ou moléculas. A análise do padrão de difração permite obter uma imagem detalhada da localização dos átomos. Elétrons que se movem a aproximadamente 2×10^4 km s^{-1} (depois de acelerados por aproximadamente 4 kV) têm comprimentos de onda de cerca de 20 pm (lembre-se do Exemplo 12.2), e também podem ser difratados por moléculas. Nêutrons gerados em um reator nuclear e com suas velocidades reduzidas a velocidades térmicas (ou seja, ejetando-se núcleos dos átomos até que sua energia cinética seja a mesma que a dos alvos) têm comprimentos de onda semelhantes e também podem ser usados para estudos de difração.

Exemplo 17.3

Cálculo do comprimento de onda de nêutrons térmicos

Calcule o comprimento de onda de nêutrons que foram desacelerados por colisões com átomos das vizinhanças a 300 K.

Estratégia Precisamos combinar a relação de de Broglie $\lambda = h/p$ com uma estimativa do momento linear médio a partir da energia média das partículas, $E_k = \frac{1}{2}mv^2 = p^2/2m$. A energia cinética média pode ser estimada a partir do teorema da equipartição (Fundamentos 0.12), que, para o movimento de translação em três dimensões, é $E_k = \frac{3}{2}kT$.

Solução A partir de $E_k = p^2/2m$, $p = (2mE_k)^{1/2}$ e a partir de $E_k = \frac{3}{2}kT$, $p = (3mkT)^{1/2}$, conclui-se da relação de de Broglie que

$$\lambda=\frac{h}{p}=\frac{h}{(3mkT)^{1/2}}$$

Agora inserimos os dados utilizando para m a massa de um nêutron, m_n = 1,675 × 10^{-27} kg:

$$\lambda=\frac{\overbrace{6{,}626\times10^{-34}\text{ J s}}^{h}}{\{3\times\underbrace{(1{,}675\times10^{-27}\text{ kg})}_{m_n}\times\underbrace{(1{,}381\times10^{-23}\text{ J K}^{-1})}_{k}\times\underbrace{(300\text{ K})}_{T}\}^{1/2}}$$

$$=\frac{6{,}626\times10^{-34}}{(3\times1{,}675\times1{,}381\times10^{-50}\times300)^{1/2}}\;\frac{\overbrace{\text{J s}}^{\text{kg m}^2\text{ s}^{-1}}}{\underbrace{\left(\frac{\text{J kg}}{}\right)^{1/2}}_{\text{kg m s}^{-1}}}$$

$$= 1{,}45 \times 10^{-10}\text{ m}$$

Para o cancelamento das unidades, usamos 1 J = 1 kg m^2 s^{-2}. O comprimento de onda é 145 pm.

Exercício proposto 17.6

Você está investigando o uso de prótons em um experimento de difração. Qual é o comprimento de onda de um próton acelerado a partir do repouso até 100 kV? *Sugestão:* Consulte o Exemplo 12.2.

Resposta: 905 pm

A radiação eletromagnética de comprimento de onda curto, que denominamos raios X é produzida bombardeando um metal com elétrons de alta energia. Os elétrons são desacelerados ao atingirem o metal e geram radiação com uma gama contínua de comprimentos de onda. Esta radiação é chamada **bremsstrahlung** (*Bremse* é um termo alemão para freio, *Strahlung* para raio). Superposto ao contínuo aparecem picos estreitos, de alta intensidade. Estes picos surgem da interação dos elétrons que chegam com os elétrons nas camadas internas dos átomos: uma colisão ejeta um elétron (Fig. 17.29), e um elétron de energia mais alta cai para a região vaga, emitindo a energia de excesso como um fóton de raios X. Um exemplo do processo é a ejeção de um elétron da camada K (a camada com $n = 1$) de um átomo de cobre, seguida pela transição de um elétron externo à região vaga. A energia assim liberada dá origem à 'radiação K_α' do cobre, de comprimento de onda 154 pm. Entretanto, há atualmente uma ênfase maior na utilização da **radiação síncroton** como fonte de raios X monocromáticos de alta intensidade. A radiação síncroton é produzida quando elétrons se movem em alta velocidade em um círculo, sua direção em constante mudança corresponde à aceleração, e cargas aceleradas geram radiação eletromagnética. As altas velocidades obtidas em aceleradores de partículas conhecidos como *síncrotons* levam à produção de radiação de frequência muito alta. A principal desvantagem é que as fontes de radiação síncroton são caras e devem ser construídas com recursos federais.

Em 1923, o físico alemão Max von Laue sugeriu que os raios X poderiam ser difratados ao atravessar um cristal, pois os comprimentos de onda dos raios X são comparáveis à separação dos átomos, e a difração ocorre quando o comprimento de onda da radiação é comparável às dimensões do alvo. A sugestão de Laue foi quase imediatamente confirmada por Walter Friedrich e Paul Knipping, e então desenvolvida por William e Lawrence Bragg, que depois receberam juntos o Prêmio Nobel. Desde então, o procedimento avançou até se tornar uma técnica de poder extraordinário.

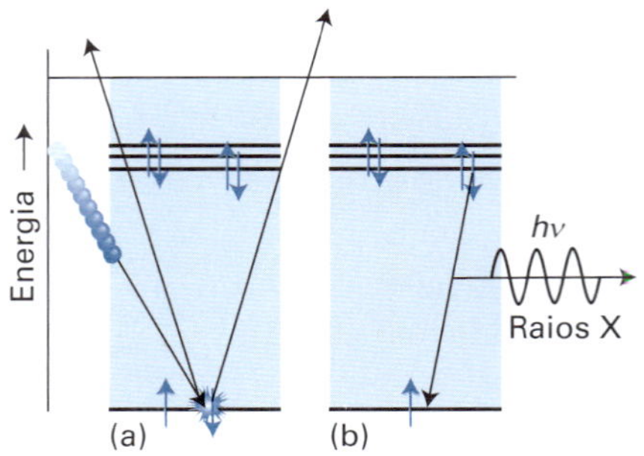

Figura 17.29 Formação de raios X. (a) Quando um metal é submetido a um feixe eletrônico de alta energia, um elétron em uma camada interior de um átomo é ejetado. (b) Quando um elétron cai no orbital vago, vindo de um orbital de energia muito mais alta, o excesso de energia é liberado como um fóton de raios X.

17.13 A lei de Bragg

A primeira abordagem para a análise dos padrões de difração de raios X tratou um plano de átomos como um espelho semitransparente e modelou o cristal como camadas de planos de reflexão de separação d (Fig. 17.30). O modelo permite calcular facilmente o ângulo que o cristal deve fazer com o feixe de raios X incidente para que ocorra interferência construtiva. Também deu origem ao nome **reflexão** para representar uma intensa mancha que surge de interferência construtiva.

A diferença de percurso entre os dois raios representados na ilustração é

$$AB + BC = 2d \text{ sen } \theta$$

em que 2θ é o **ângulo de incidência**. Quando a diferença de percurso é igual a um comprimento de onda ($AB + AC = \lambda$), as ondas refletidas interferem construtivamente. Segue-se que uma reflexão deve ser observada quando o ângulo de incidência com a superfície satisfizer à **lei de Bragg:**

$$\lambda = 2d \text{ sen } \theta \quad \text{Lei de Bragg} \quad (17.8)$$

A lei de Bragg é usada primordialmente na determinação do espaçamento entre os planos da rede no cristal, pois a distância d pode ser facilmente calculada quando o ângulo θ correspondente a uma reflexão for determinado experimentalmente.

Uma nota sobre a boa prática Frequentemente você verá a lei de Bragg na forma $n\lambda = 2d \text{sen } \theta$, em que n, um número inteiro, é a 'ordem' da difração. A tendência moderna é omitir n e associar a difração aos planos d/n (lembre-se da discussão no Exemplo 17.2).

Exemplo 17.4

Aplicação da lei de Bragg

Uma reflexão a partir dos planos (111) de um cristal cúbico foi observada, para um ângulo de incidência de 11,2°, quando raios X K_α do Cu, de comprimento de onda 154 pm, eram usados. Qual é o comprimento da face da célula unitária?

Estratégia Podemos achar a separação, d, entre os planos da rede pela Eq. 17.8 e dos dados do problema. Obtemos então o compri-

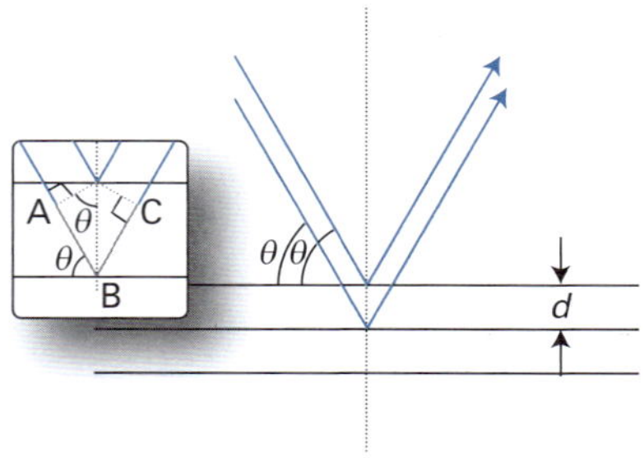

Figura 17.30 A dedução da lei de Bragg considera cada plano da rede como refletor da radiação incidente. As diferenças de percurso de dois raios vizinhos diferentes é AB + BC, o que depende do ângulo de incidência θ. A interferência construtiva (uma 'reflexão') ocorre quando AB + BC é igual a um número inteiro de comprimentos de onda.

mento do lado da célula unitária usando a Eq. 17.7. Como a célula é cúbica, $a = b = c$, e então a Eq. 17.7 se simplifica para

$$\frac{1}{d^2} = \frac{h^2}{a^2} + \frac{k^2}{a^2} + \frac{l^2}{a^2} = \frac{h^2 + k^2 + l^2}{a^2}$$

que pode ser escrita na forma $a^2 = d^2 \times (h^2 + k^2 + l^2)^{1/2}$ e, portanto, como

$$a = d \times (h^2 + k^2 + l^2)^{1/2}$$

Solução Segundo a lei de Bragg, a separação entre os planos (111) responsáveis pela difração é

$$d = \frac{\lambda}{2 \operatorname{sen} \theta} = \frac{154 \text{ pm}}{2 \operatorname{sen} 11{,}2°}$$

Segue-se que, como $h = 1$, $k = 1$ e $l = 1$,

$$a = \overbrace{\frac{154 \text{ pm}}{2 \operatorname{sen} 11{,}2°}}^{d} \times \overbrace{3^{1/2}}^{(h^2+k^2+l^2)^{1/2}} = 687 \text{ pm}$$

Exercício proposto 17.7

Calcule o ângulo em que ocorreria reflexão a partir dos planos (123) da mesma rede.

Resposta: 24,8°

17.14 Técnicas experimentais

O método original de Laue consistiu em passar um feixe de raios X com uma ampla faixa de comprimentos de onda em um único cristal, e registrar a figura de difração em uma chapa fotográfica. A ideia por trás deste método era que, embora um cristal pudesse não estar orientado adequadamente para agir como uma rede de difração para um único comprimento de onda, a lei de Bragg seria satisfeita, para uma orientação arbitrária do cristal, para pelo menos um dos comprimentos de onda da faixa de comprimento de onda presente no feixe.

Uma técnica alternativa foi desenvolvida por Peter Debye e Paul Scherrer e independentemente por Albert Hull. Eles usaram radiação monocromática (de uma única frequência) e uma amostra pulverizada. Quando a amostra é um pó, podemos estar seguros de que alguns dos cristais distribuídos aleatoriamente estão orientados de forma a satisfazer à lei de Bragg. Por exemplo, alguns deles estão orientados de forma que seus planos (111), de espaçamento d, dão origem a uma reflexão a um ângulo particular, e outros estão orientados de forma que seus planos (230) dão origem a uma reflexão em um ângulo diferente. Cada conjunto de planos (hkl) dá origem a reflexões em um ângulo diferente. Na versão moderna da técnica, que usa um **difratômetro de pó**, a amostra é espalhada em um prato plano e a figura de difração é monitorada eletronicamente. A aplicação principal é para análise qualitativa, porque a figura de difração é um tipo de impressão digital e pode ser identificada por comparação com as de uma biblioteca de padrões (Fig. 17.31). A técnica também é usada para a caracterização de substâncias que não podem ser cristalizadas ou para a determinação inicial das dimensões e simetrias de células unitárias.

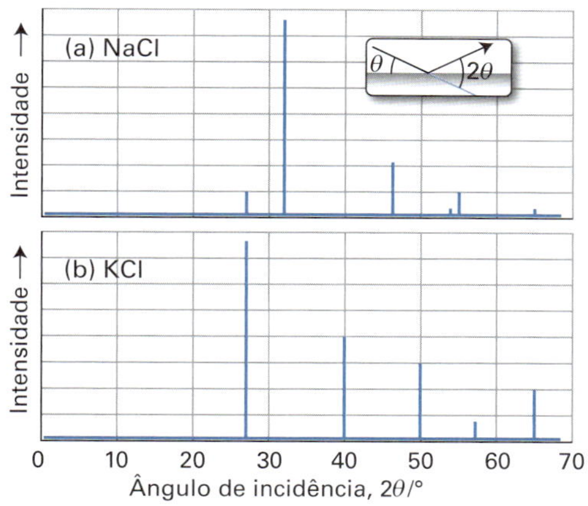

Figura 17.31 Figuras típicas da difração de pó por raios X para (a) cloreto de sódio, (b) cloreto de potássio, que podem ser empregadas para identificar o material e determinar o tamanho de sua célula unitária.

A difração de raios X moderna, que utiliza um **difratômetro de raios X** (Fig. 17.32), é atualmente uma técnica altamente sofisticada. Sem dúvida, a informação mais detalhada vem do desenvolvimento das técnicas estabelecidas pelos Bragg, no qual um único cristal é empregado como o objeto de difração e um feixe monocromático de raios X é usado para gerar a figura de difração. O monocristal, que pode ter um comprimento de apenas uma fração de um milímetro, é girado em relação ao feixe, e o padrão de difração é monitorado e eletronicamente registrado para cada orientação do cristal. Os dados básicos são, portanto, um conjunto de intensidades que surgem a partir dos planos de Miller (hkl), com cada conjunto de planos produzindo uma reflexão de intensidade I_{hkl}. Para nossas finalidades, iremos nos concentrar nos planos ($h00$), escrevendo as intensidades como I_h.

Para obter a estrutura do cristal a partir das intensidades, precisamos convertê-las na *amplitude* da onda responsável pelo sinal. Como a intensidade da radiação eletromagnética é dada pelo quadrado da amplitude, precisamos obter os **fatores de estrutura** $F_h = (I_h)^{1/2}$. Aqui está a primeira dificuldade: não sabemos que sinal considerar. Por exemplo, se $I_h = 4$, então F_h pode ser +2 ou −2. Esta ambiguidade é o **problema da fase** da difração de raios X. Entretanto, uma vez obtidos os fatores de estrutura, podemos calcular a densidade eletrônica $\rho(x)$ por meio da seguinte soma:

$$\rho(x) = \frac{1}{V}\left\{F_0 + 2\sum_{h=1}^{\infty} F_h \cos(2h\pi x)\right\}$$

Reconstrução da densidade eletrônica (17.9)

em que V é o volume da célula unitária. Esta expressão é denominada **síntese Fourier** da densidade eletrônica: mostramos como é usada no exemplo visto a seguir. A síntese de Fourier busca reconstruir a densidade eletrônica variável em uma célula unitária pela superposição de várias ondas cosseno de diferentes comprimentos de onda. Baixos valores do índice h dão as principais características da estrutura (correspondem a termos cosseno de comprimentos de onda longos), enquanto valores altos de h dão os detalhes finos (termos cosseno de comprimento de onda curto). É claro que, se não soubermos

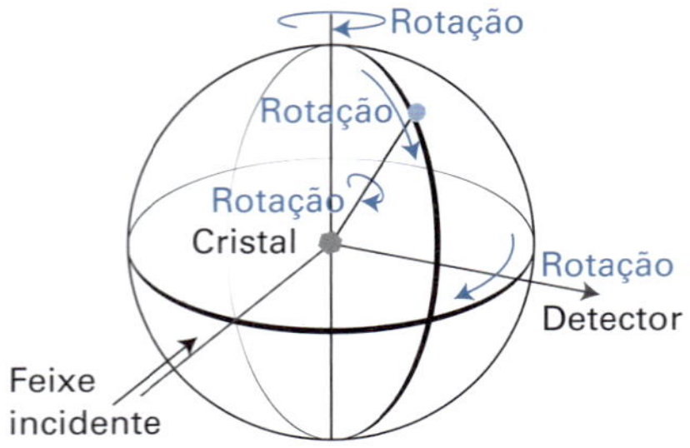

Figura 17.32 Difratômetro de quatro círculos. Os ajustes das orientações dos componentes são controlados por computador; cada reflexão é monitorada uma após a outra, e suas intensidades são registradas.

o sinal de F_h, não saberemos se o termo correspondente na soma é positivo ou negativo, e iremos obter densidades eletrônicas diferentes, e estruturas diferentes do cristal, para escolhas diferentes de sinal.

Exemplo 17.5

Construindo a densidade eletrônica

As intensidades seguintes foram obtidas em uma experiência em um sólido orgânico:

h	0	1	2	3	4	5	6	7	8	9
I_h	256	100	5	1	50	100	8	10	5	10
h	10	11	12	13	14	15				
I_h	40	25	9	4	4	9				

Construa a densidade eletrônica ao longo da direção x.

Estratégia Começamos obtendo os fatores de estrutura a partir dos correspondentes valores de I_h usando $F_h = I_h^{1/2}$. Usamos então a Eq. 17.9 para representar a densidade eletrônica, como $V\rho(x)$, em função de x. Entretanto, como F_h pode ser positivo ou negativo, faremos hipóteses sobre os sinais de F_h, obter diferentes gráficos para as diferentes tentativas e investigar a plausibilidade de cada hipótese.

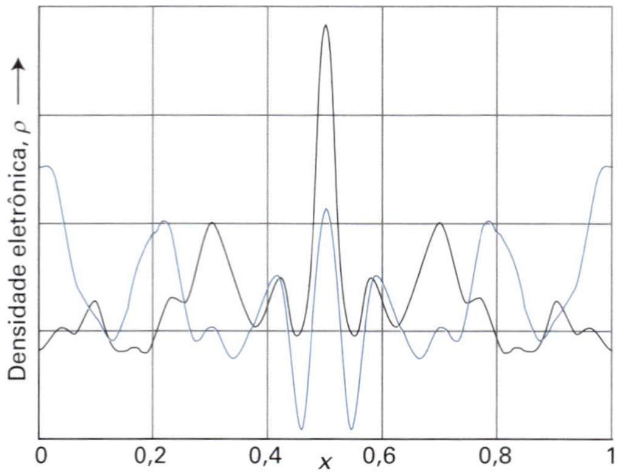

Figura 17.33 Síntese de Fourier da densidade eletrônica de um cristal unidimensional utilizando os dados do Exemplo 17.5. Os sinais alternados para os fatores de estrutura estão em negrito; no outro caso, usaram-se sinais positivos para h até 5, e então sinais negativos.

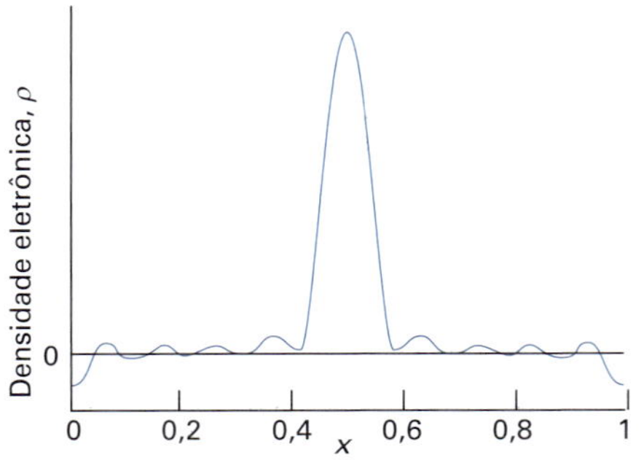

Figura 17.34 Densidade eletrônica calculada a partir dos dados do Exercício proposto 17.8.

Solução Para obter os fatores de estrutura, tomamos a raiz quadrada das intensidades:

h	0	1	2	3	4	5	6	7	8	9
F_h	±16,0	±10	±2,2	±1	±7,1	±10	±2,8	±3,2	±2,2	±3,2
h	10	11	12	13	14	15				
F_h	±6,3	±5	±3	±2	±2	±3				

Suponha que os sinais se alternam, + − + − ...; então, conforme a Eq. 17.9, a densidade eletrônica é

$$V\rho(x) = 16 - 20\cos(2\pi x) + 4{,}4\cos(4\pi x) - \ldots - 6\cos(30\pi x)$$

Esta função é representada na Figura 17.33, como uma linha em negrito, e as localizações dos vários tipos de átomo são fáceis de identificar como picos na densidade eletrônica. Se nós usamos sinais + até $h = 5$ e − depois disso, a densidade eletrônica é

$$V\rho(x) = 16 + 20\cos(2\pi x) + 4{,}4\cos(4\pi x) + \ldots - 6\cos(30\pi x)$$

Esta densidade é mostrada na Figura 17.33. Essa estrutura tem mais regiões em que a densidade eletrônica é negativa, sendo menos plausível do que a estrutura obtida a partir da primeira escolha de fases.

Exercício proposto 17.8

Os fatores de estrutura a seguir foram determinados em uma investigação de raios X. Construa a densidade eletrônica ao longo da direção correspondente.

h	0	1	2	3	4	5	6	7	8	9
F_h	10	−10	8	−8	6	−6	4	−4	2	−2

Resposta: Figura 17.34

O problema da fase pode ser superado de certa forma pelo método da **substituição isomorfa,** pela qual átomos pesados são introduzidos no cristal. A técnica se baseia no fato de que o espalhamento de raios X é causado pelas oscilações que uma onda eletromagnética incidente provoca nos elétrons dos átomos, e que átomos pesados produzem um espalhamento mais forte do que átomos leves. Dessa forma, os átomos pesados dominam na figura de difração e simplificam grandemente sua interpretação. O problema da fase também pode ser resolvido analisando se a estrutura calculada é quimicamente plausível, se a densidade eletrônica é positiva em todas as regiões ou utilizando-se técnicas matemáticas mais refinadas. Um número imenso de estruturas cristalinas foi determinado dessa forma. Nas seções seguintes mostramos como algumas dessas estruturas podem ser explicadas. Para metais e íons monoatômicos, podemos modelar os átomos e íons como esferas duras, e considerar como tais esferas podem ser empilhadas em um ordenamento regular eletricamente neutro.

17.15 Cristais metálicos

A maioria dos elementos metálicos cristaliza em uma de três formas simples possíveis, duas das quais podem ser explicadas considerando o empilhamento de esferas para dar o agrupamento mais compacto possível. Nessas **estruturas de agrupamento compacto,** as esferas que representam os átomos são agrupadas de forma a ocupar o menor espaço e com o maior número de vizinhos mais próximos possível.

Podemos formar uma camada de esferas idênticas densamente agrupadas, com a utilização máxima do espaço disponível, como ilustrado na Figura 17.35a. Podemos então formar uma segunda camada densamente agrupada colocando esferas nas depressões da primeira camada (Fig. 17.35b). A terceira camada pode ser adicionada em qualquer um de dois modos, ambos resultando no mesmo grau de agrupamento compacto. Em um, as esferas são colocadas de forma que reproduzam a primeira camada (Fig. 17.35c), para dar uma configuração ABA de camadas. Por outro lado, as esferas podem ser colocadas sobre as lacunas da primeira camada (Fig. 17.35d), dando uma configuração ABC.

São formados dois tipos de estruturas se as duas configurações de empilhamento forem repetidas. As esferas têm um **agrupamento compacto hexagonal** (agrupamento ch) se a configuração ABA é repetida para dar uma sucessão de camadas ABABAB... O nome reflete a simetria da célula unitária (Fig. 17.36). Metais com estruturas de agrupamento ch incluem berílio, cádmio, cobalto, manganês, titânio e zinco. O hélio sólido (que só se forma sob pressão) também adquire esse arranjo de átomos. Por outro lado, se a configuração de ABC é repetida dando a sequência ABCABC..., as esferas formam um **agrupamento compacto cúbico** (agrupamento cc). Aqui também, o nome reflete a simetria da célula unitária (Fig. 17.37). Metais com esta estrutura incluem prata, alumínio, ouro, cálcio, cobre, níquel, chumbo e platina. Os gases nobres também adotam uma estrutura de agrupamento cc, à exceção do hélio.

A compacidade das estruturas ch e cc é indicada pelo **número de coordenação,** o número de átomos que circundam, na vizinhança mais próxima possível, um certo átomo. Nas estruturas compactas que mencionamos, o número de coordenação é 12. Outra medida da compacidade é a **fração de agrupamento,** isto é, a fração do espaço ocupado pelas esferas. Nos agrupamentos compactos mencionados, esta fração é 0,740 conforme mostramos na Dedução a seguir. Ou seja, em um sólido constituído por esferas idênticas compactamente agrupadas, 74,0 % do espaço disponível está ocupado e só 26,0 % do volume total é espaço vazio.

(a)
(b)
(c)
(d)

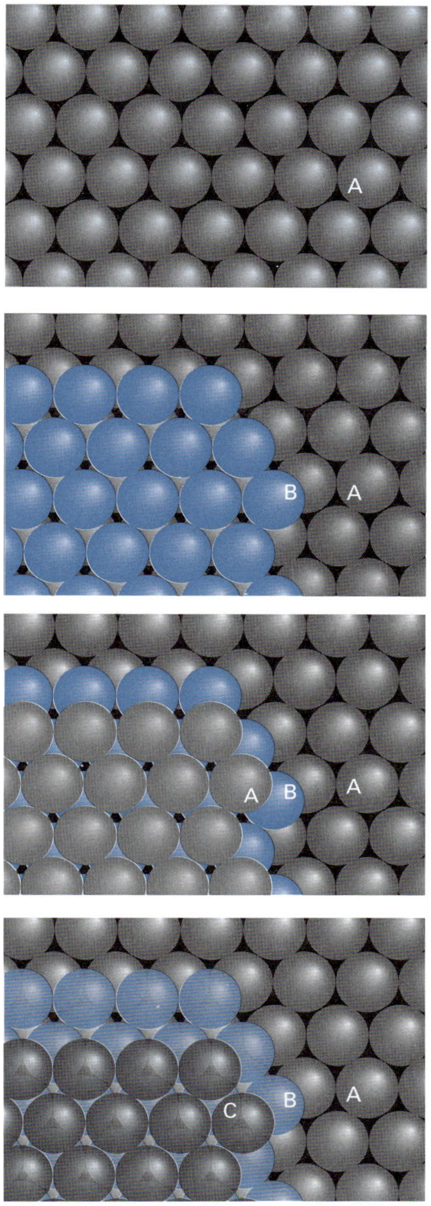

Figura 17.35 Agrupamento compacto de esferas idênticas. (a) A primeira camada de esferas agrupadas compactamente. (b) A segunda camada de esferas agrupadas compactamente ocupa as depressões da primeira camada. As duas camadas são o componente AB da estrutura. (c) A terceira camada de esferas agrupadas compactamente poderia ocupar as depressões localizadas diretamente na vertical das esferas da primeira camada, resultando em uma estrutura ABA. (d) Por outro lado, a terceira camada poderia estar nas depressões que não estão sobre as verticais das esferas na primeira camada, resultando em uma estrutura ABC. (Veja o Encarte em Cores.)

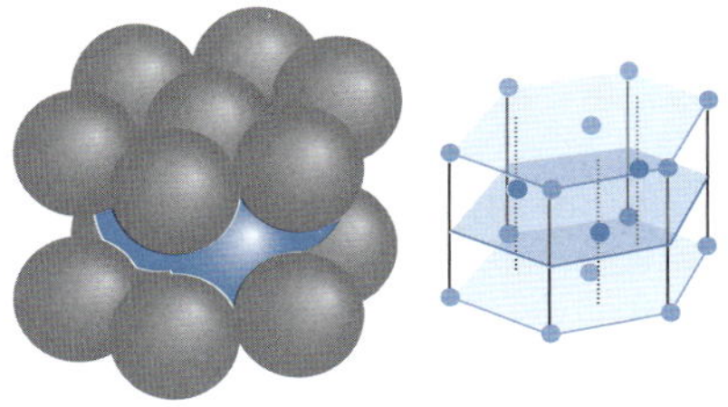

Figura 17.36 Estrutura de agrupamento compacto hexagonal. A intensidade da coloração das esferas que indica as três camadas de átomos e a mesma da Figura 17.35.

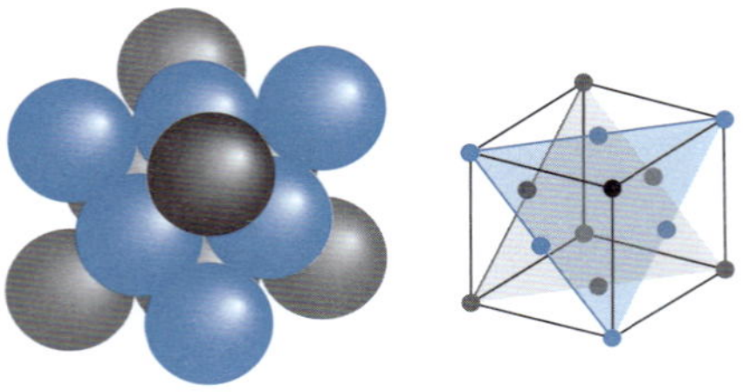

Figura 17.37 Estrutura de agrupamento compacto cúbico. A coloração das esferas é a mesma da Figura 17.35.

Dedução 17.3

Fração de agrupamento

Considere a célula unitária de agrupamento compacto cúbico da Figura 17.38. Há seis meias-esferas dentro de cada célula, correspondendo a 3 esferas, e oito octantes de uma esfera, correspondendo a outra esfera, para um total de 4 esferas. O volume de cada esfera é $\frac{4}{3}\pi r^3$; sendo assim, o volume total ocupado pelas esferas é de $^{16}/_{3}\pi r^3$. A diagonal de uma face tem comprimento $4r$, então, segundo o teorema de Pitágoras, o comprimento, a, do lado da célula unitária cúbica é tal que $a^2 + a^2 = (4r)^2$, assim, $a = 8^{1/2}r$. O volume da célula unitária cúbica, portanto, é $a^3 = 8^{3/2}r^3$. Conclui-se que a fração do cubo ocupada pelas esferas é

$$\frac{\text{Volume total de esferas}}{\text{Volume do cubo}} = \frac{(16/3)\pi r^3}{8^{3/2}r^3} = \frac{2\pi}{3 \times 8^{1/2}} = 0{,}7405$$

Esta fração corresponde a 74,05 % de ocupação. Uma célula unitária de agrupamento ch deve ter a mesma fração de agrupamento que uma de agrupamento compacto igual.

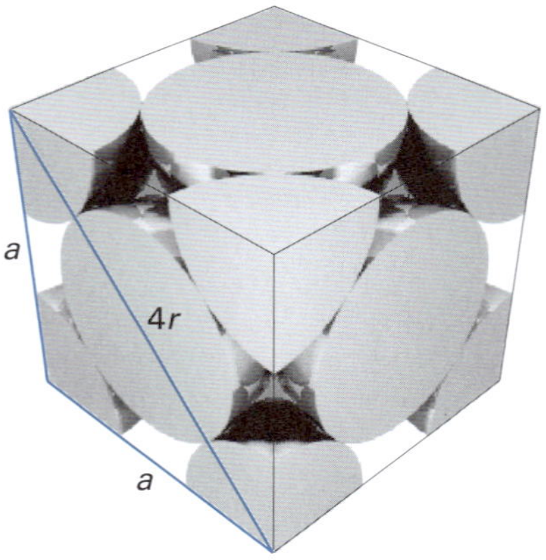

Figura 17.38 As dimensões de uma célula unitária acc usada para calcular a fração de agrupamento.

O fato de muitos metais terem estruturas de agrupamento compacto explica uma de suas características comuns, a de ter massa específica alta. Porém, há uma diferença entre os metais de estrutura ch e os de estrutura cc. No agrupamento compacto cúbico, as faces dos cubos se estendem ao longo do sólido, e dão origem a um **plano de deslizamento.** Uma análise cuidadosa da estrutura cc mostra que existem oito planos de deslizamento em várias orientações, enquanto uma estrutura ch tem apenas um conjunto de planos de deslizamento. Quando o metal estiver sob tensão, as camadas de átomos podem deslizar uma sobre a outra ao longo do plano de deslizamento. Como um metal com estrutura de agrupamento cc tem mais planos de deslizamento, é mais maleável que um metal de agrupamento ch. Assim, o cobre, que tem uma estrutura cc, é altamente maleável, enquanto o zinco, que tem estrutura ch, é mais frágil. Entretanto, deve-se ter em mente que os metais de uso real não são monocristais: são policristalinos, com numerosas regiões granuladas e defeitos que permeiam a estrutura. Uma boa parte da metalurgia está ligada ao controle da densidade dos grãos e de suas fronteiras.

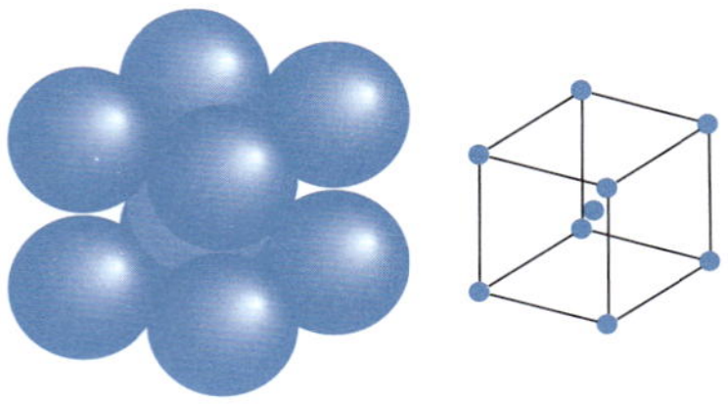

Figura 17.39 Célula unitária cúbica de corpo centrado. As esferas dos vértices tocam a esfera central, mas o padrão de agrupamento deixa mais espaço vazio do que nas duas estruturas de agrupamento compacto.

Vários metais comumente encontrados adotam estruturas que não são agrupamentos compactos. Isto sugere que ligações covalentes com caráter direcional entre átomos vizinhos influenciam a estrutura e impõem um arranjo geométrico específico. Um desses arranjos leva a uma rede **cúbica de corpo centrado** (ccc), com uma esfera no centro de um cubo formado por oito outras (Fig. 17.39). A estrutura ccc está presente em vários metais comuns, inclusive bário, césio, cromo, ferro, potássio e tungstênio. O número de coordenação de uma rede ccc é 8 e sua fração de agrupamento é somente 0,68, mostrando que apenas dois terços do espaço disponível estão ocupados.

Exemplo 17.6

Cálculo da fração de agrupamento

Qual é o número de coordenação e a fração de agrupamento de uma rede cúbica primitiva na qual há um ponto da rede em cada vértice de um cubo?

Estratégia Observe o diagrama da célula unitária da Figura 17.40 e calcule o número de coordenação examinando o número de vizinhos mais próximos de um dos pontos da rede no vértice da

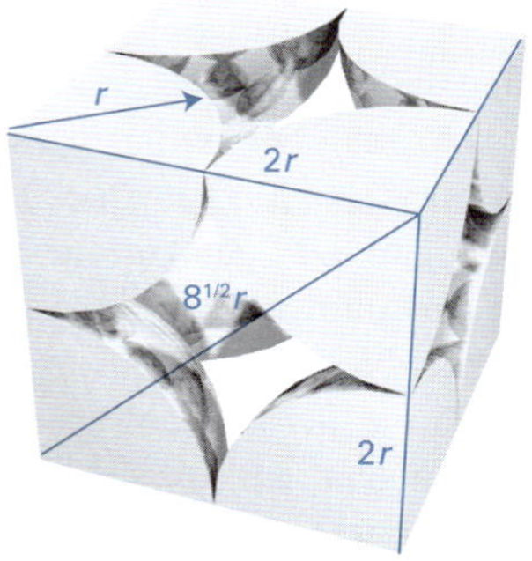

Figura 17.40 Dimensões de uma célula unitária cúbica primitiva usada para calcular a fração de agrupamento.

célula e imaginando a presença de células vizinhas. Para a fração de agrupamento, calcule o volume da célula e o volume total das esferas localizadas em cada vértice, supondo que as esferas estejam em contato. Para a fração de agrupamento, calcule a razão entre esses dois volumes.

Solução Cada vértice contém seis vizinhos mais próximos, então, o número de coordenação é 6. O volume total da célula de lado a é a^3. O raio de cada esfera é $\frac{1}{2}a$. Há 8 esferas, mas cada uma contribui com $^1/_8$ do seu volume para o interior da célula unitária. Desse modo, efetivamente, há uma esfera completa na célula. O volume dessa esfera é $\frac{4}{3}\pi(\frac{1}{2}a)^3 = \frac{1}{6}\pi a^3$. A fração de agrupamento, portanto, é $\frac{1}{6}\pi a^3/a^3 = \frac{1}{6}\pi$, ou 0,52.

Exercício proposto 17.9

Calcule a fração de agrupamento de uma pilha de cilindros em agrupamento compacto. A área de um triângulo é $^1/_2$ da base × altura.

Resposta: $\pi/2(3)^{1/2} = 0,91$

17.16 Cristais iônicos

Quando modelamos as estruturas de cristais iônicos por camadas de esferas, temos que levar em conta o fato de que os dois ou mais tipos de íons presentes no composto têm raios diferentes (com o dos cátions menor que o dos ânions, em geral) e cargas diferentes.

O número de coordenação de um íon em um cristal iônico é o número de vizinhos mais próximos de carga oposta. Mesmo que, por casualidade, os íons tenham o mesmo tamanho, o problema de assegurar que as células unitárias são eletricamente neutras faz com que seja impossível alcançar o número de coordenação 12, típico das estruturas de agrupamento compacto. Esta é uma das razões pelas quais sólidos iônicos geralmente são menos densos que metais. O agrupamento mais compacto que pode ser alcançado é a **estrutura de cloreto de césio,** com número de coordenação 8, na qual cada cátion é rodeado por oito ânions e cada ânion é rodeado por oito cátions (Fig. 17.41). Na estrutura de cloreto de césio, um íon de uma carga ocupa o centro de uma célula unitária cúbica

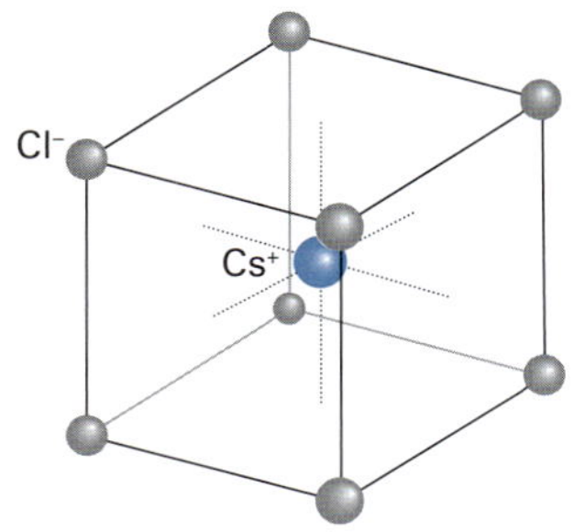

Figura 17.41 A estrutura de cloreto de césio consiste em duas redes cúbicas simples que se interpenetram, uma de cátions e outra de ânions, de forma que cada cubo de íons de uma espécie tem um contraíon no centro da célula. Esta ilustração mostra uma célula unitária simples com um íon Cs^+ no centro. Imaginando-se oito dessas células unitárias empilhadas para formar um cubo maior, deveria ser possível imaginar uma forma alternativa de célula unitária com Cs^+ nos vértices e um íon Cl^- no centro.

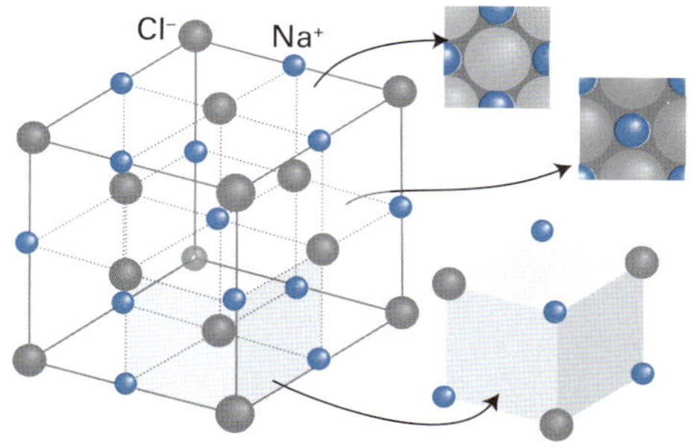

Figura 17.42 A estrutura de sal-gema (NaCl) consiste em duas redes cúbicas de face centrada ligeiramente expandidas que se interpenetram. Os diagramas adicionais desta ilustração mostram vários detalhes da estrutura.

com oito íons de carga oposta em seus vértices. Esta estrutura é adotada pelo próprio cloreto de césio, pelo sulfeto de cálcio, cianeto de césio (com alguma distorção), e um tipo de bronze (CuZn).

Quando os raios dos íons diferem mais do que no cloreto de césio, até mesmo o agrupamento com número de coordenação 8 não pode ser alcançado. Uma estrutura comum adotada é a **estrutura de sal-gema** exemplificada pelo cloreto de sódio (sal-gema é uma forma mineral de cloreto de sódio), na qual cada cátion é rodeado por seis ânions e cada ânion é rodeado por seis cátions (Fig. 17.42). A estrutura de sal-gema é a estrutura do próprio cloreto de sódio e de vários outros compostos de fórmula MX, inclusive brometo de potássio, cloreto de prata, e óxido de magnésio.

A passagem da estrutura de cloreto de césio para a estrutura de sal-gema pode (às vezes) ser correlacionada com a **razão entre os raios:**

$$\gamma = \frac{r_{menor}}{r_{maior}}$$ Definição Razão entre os raios (17.10)

Os dois raios são do menor e do maior íon no cristal. A **regra da razão entre os raios,** que provém da resolução do problema geométrico de agrupar esferas de raios diferentes, sugere os tipos estruturais apresentados na Tabela 17.5. A esfarelita (ou blenda de zinco), que é mencionada na tabela, é uma forma de sulfeto de zinco, ZnS (Fig. 17.43). A regra da relação entre os raios é razoavelmente confirmada pela observação experimental. O afastamento entre uma estrutura e a estrutura predita é tomado como indício de desvio da ligação iônica para a ligação covalente.

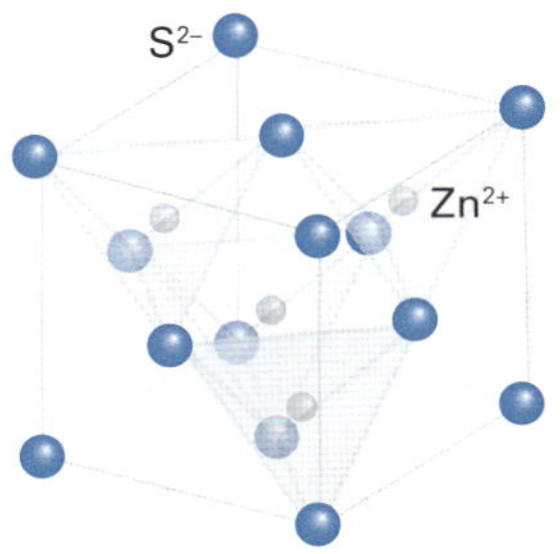

Figura 17.43 Estrutura da esfarelita (blenda de zinco, ZnS). Esta estrutura é típica de íons que têm raios muito diferentes e cargas iguais, porém opostas.

Tabela 17.5
Razão entre os raios e tipo de cristal

Razão entre os raios		Coordenação	Tipo de cristal
$\gamma > 3^{1/2} - 1 = 0{,}732$		(8,8)	cloreto de césio
$2^{1/2} - 1 = 0{,}414 < \gamma < 0{,}732$		(6,6)	sal-gema
$\gamma < 0{,}414$	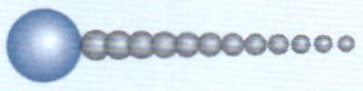	(4,4)	esfarelita, blenda de zinco

Os **raios iônicos,** usados para calcular γ, ou qualquer outra grandeza na qual é importante saber os tamanhos dos íons, são estimados pela distância entre os centros de íons adjacentes em um cristal. Porém, em uma experiência de difração, nós medimos a distância entre os centros dos íons. É preciso distribuir a distância total entre dois íons definindo o raio de um íon e referindo os demais com base neste valor. Uma escala muito usada é a que atribui o valor 140 pm para o raio do íon O^{2-} (Tabela 17.6). Outras escalas também estão disponíveis (como a baseada no F^- para discutir os haletos), e é essencial não misturar valores de escalas diferentes. Uma vez que os raios iônicos envolvem uma arbitrariedade de escolhas, predições baseadas em seus valores (como as realizadas usando a regra da razão entre os raios) devem ser vistas com cautela.

■ **Breve ilustração 17.6** A regra da razão entre os raios

Os raios iônicos do magnésio (Mg^{2+}) e do oxigênio (O^{2-}) são 72 pm e 140 pm, respectivamente. Portanto, a razão entre os raios do MgO é

$$\gamma = \frac{72 \text{ pm}}{140 \text{ pm}} = 0{,}51$$

De acordo com a Tabela 17.5, essa razão sugere uma estrutura de sal-gema, como, de fato, é.

Exercício proposto 17.10

É provável que o iodeto de sódio tenha a estrutura de sal-gema ou a de cloreto de césio?

Resposta: sal-gema

Tabela 17.6
Raios iônicos, r/pm

Li^+	Be^{2+}	B^{3+}	N^{3-}	O^{2-}	F^-
159	27	12	171	140	133
Na^+	Mg^{2+}	Al^{3+}	P^{3-}	S^{2-}	Cl^-
102	72	53	212	184	181
K^+	Ca^{2+}	Ga^{3+}	As^{3-}	Se^{2-}	Br^-
138	100	62	222	198	196
Rb^+	Sr^{2+}				
149	116				
Cs^+	Ba^{2+}				
170	136				

17.17 Cristais moleculares

Os estudos de difração de raios X em sólidos fornecem uma grande quantidade de informação, inclusive distâncias interatômicas, ângulos de ligação, estereoquímica e parâmetros vibracionais. **Sólidos moleculares,** que são o foco da maioria esmagadora das determinações estruturais modernas, são mantidos unidos por interações de van der Waals e ligações de hidrogênio (Capítulo 15). A estrutura observada do cristal é a solução da Natureza ao problema de condensar objetos de várias formas em um agregado de mínima energia (na realidade, para $T > 0$, de mínima energia de Gibbs). A predição da estrutura é difícil, em especial quando as moléculas são grandes, mas softwares especialmente desenvolvidos para investigar as energias de interação podem nos dias de hoje fazer predições razoavelmente confiáveis. O problema se torna mais complicado por causa do papel das ligações de hidrogênio, que em alguns casos dominam a estrutura do cristal, como no gelo (Fig. 17.44), mas em outros (por exemplo, no fenol) distorcem a estrutura que é determinada principalmente pelas interações de van der Waals.

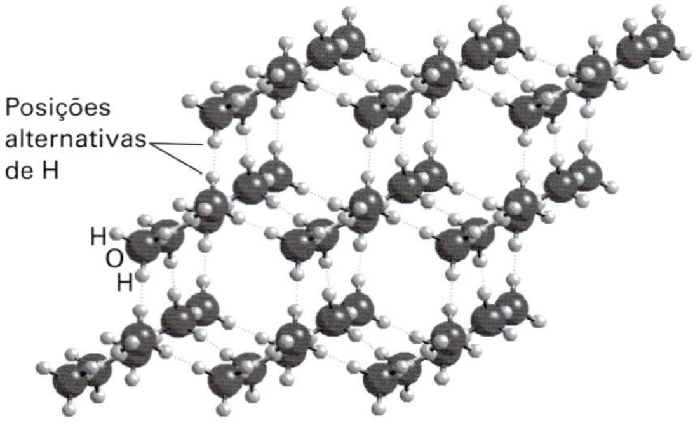

Figura 17.44 Fragmento da estrutura cristalina do gelo (gelo I). Cada átomo de O está no centro de um tetraedro de quatro átomos de O a uma distância de 276 pm. O átomo de O central está unido a dois átomos de H por duas ligações O—H curtas e a dois átomos de H de duas moléculas vizinhas por duas ligações de hidrogênio. No global, a estrutura consiste em planos de anéis hexagonais 'enrugados' de moléculas de H_2O (semelhante à forma cadeira do cicloexano). Os dois átomos de H entre cada átomo de O mostram as duas localizações alternativas dos átomos de H.

Impacto na bioquímica 17.2

Cristalografia de raios X de macromoléculas biológicas

A **cristalografia de raios X** é o desenvolvimento das técnicas de difração de raios X para a determinação da localização dos átomos em moléculas tão complicadas quanto biopolímeros. O sucesso da bioquímica moderna em explicar processos como a replicação do DNA, biossíntese de proteínas e catálise enzimática é o resultado direto do desenvolvimento de procedimentos de preparação, instrumentais e computacionais, que levaram à determinação de um grande número de estruturas de macromoléculas biológicas por cristalografia de raios X. A maioria dos trabalhos é agora realizada não em fibras, mas em cristais, nos quais as macromoléculas ocupam posições ordenadas. Uma técnica que funciona bem para proteínas carregadas consiste em se adicionar uma grande quantidade de um sal, como o $(NH_4)_2SO_4$, a uma solução-tampão contendo o biopolímero. O aumento da força iônica da solução diminui tanto a solubilidade da proteína que esta precipita, algumas vezes formando cristais adequados para a análise por difração de raios X. Uma estratégia comum para a indução da cristalização envolve a retirada gradual do solvente da solução contendo o biopolímero pela *difusão do vapor*. Uma possível implementação do método consiste em se colocar uma gota da solução, contendo o biopolímero, pendente acima de uma solução aquosa (o reservatório), como mostrado na Figura 17.45. Se a solução do reservatório for mais concentrada em um soluto não volátil (por exemplo, um sal) que a solução contendo o biopolímero, o solvente evapora lentamente da gota. Ao mesmo tempo, a concentração do biopolímero aumenta pouco a pouco até o aparecimento dos primeiros cristais.

São usadas técnicas especiais para cristalizar proteínas hidrofóbicas, como aquelas que atravessam a bicamada de uma membrana celular. Nestes casos, moléculas de surfactantes, como fosfolipídeos contendo em uma extremidade grupos polares e caudas hidrofóbicas, são usados para prender as moléculas de proteínas e fazer então com que as mesmas se tornem solúveis em soluções-tampão aquosas. Difusão de vapor pode ser usada para induzir à cristalização.

Uma vez que cristais satisfatórios tenham sido obtidos, os dados de difração de raios X são coletados e analisados como descrito no texto. As estruturas tridimensionais de um grande número de polímeros biológicos têm sido determinadas dessa maneira. Entretanto, as técnicas discutidas até o presente momento mostram somente imagens estáticas que não são úteis em estudos de dinâmica e reatividade. Essa limitação decorre do fato do método de rotação de Bragg necessitar de cristais estáveis, que não mudam de estrutura durante os longos tempos de aquisição de dados. Entretanto, técnicas especiais de difração de raios X, resolvidas no tempo tornaram-se disponíveis nos últimos anos. Atualmente, é possível fazer medições sofisticadas dos movimentos atômicos no decorrer das reações químicas e bioquímicas.

Técnicas de difração de raios X resolvidas no tempo fazem uso das fontes de radiação síncrotron, que podem emitir intensos pulsos de raios X policromáticos, com larguras de pulso variando entre 100 ps e 200 ps (1 ps = 10^{-12} s). Em vez do método de Bragg, usa-se o método de Laue, porque muitas reflexões podem ser obtidas simultaneamente, a rotação da amostra não é necessária e os tempos de aquisição dos dados são curtos. Porém, bons dados de difração não podem ser obtidos a partir de um único pulso de raios X e reflexões provenientes de vários pulsos têm que ser promediadas. Na prática, esta média determina o tempo de resolução do experimento, que é comumente de dezenas de microssegundos ou menor.

O progresso de uma reação pode ser estudado por análise em tempo real do sistema envolvido ou por aprisionamento de intermediários por meios físicos ou químicos. Independentemente da estratégia, deve-se fazer com que todas as moléculas em um cristal reajam ao mesmo tempo, de modo que esquemas especiais de iniciação de reação são necessários. Uma forma de iniciar a reação é permitir que a solução que contém um dos reagentes sofra difusão para um cristal que contém o outro reagente. Este método é simples, porém limitado a tempos de reação relativamente longos, já que a difusão de soluções para cristais grandes o suficiente para medições cristalográficas é da ordem de segundos a minutos.

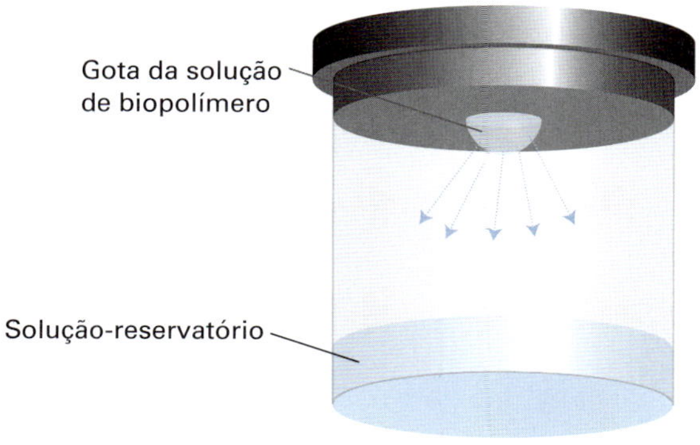

Figura 17.45 Em uma implementação da cristalização de um biopolímero pelo método da difusão do vapor, uma única gota da solução contendo o biopolímero fica sobre uma solução, que é muito concentrada em um soluto não volátil. O solvente evapora da gota, que é mais diluída, até a pressão de vapor da água no recipiente fechado atingir um valor constante de equilíbrio. Durante a evaporação (representada pelas setas apontando para baixo), a solução do biopolímero fica mais concentrada e, em dado momento, cristais do material podem-se formar.

Verificação de conceitos importantes

☐ 1 Os sólidos são classificados como metálicos, iônicos, covalentes e moleculares.

☐ 2 Os condutores eletrônicos são classificados como condutores metálicos ou semicondutores conforme a dependência da sua condutividade com a temperatura.

☐ 3 Um supercondutor é um condutor eletrônico com resistência nula.

☐ 4 Segundo a teoria das bandas, os elétrons ocupam orbitais moleculares formados pela superposição de orbitais atômicos.

☐ 5 Bandas cheias são denominadas bandas de valência e bandas vazias são denominadas bandas de condução.

☐ 6 Os semicondutores são classificados como do tipo p ou do tipo n conforme a condução seja devida a buracos na banda de valência ou a elétrons na banda de condução.

☐ 7 A entalpia de rede é a variação de entalpia (por mol de fórmulas unitárias) que acompanha a separação completa dos componentes do sólido.

☐ 8 Um material é diamagnético se tende a se afastar de um campo magnético, e paramagnético se tende a se aproximar do campo magnético.

☐ 9 O ferromagnetismo é um alinhamento cooperativo dos spins eletrônicos em um material e produz uma forte magnetização.

☐ 10 O antiferromagnetismo é por causa das orientações alternadas dos spins em um material, e produz uma magnetização fraca.

☐ 11 Os supercondutores do Tipo I apresentam uma perda abrupta da supercondutividade quando um campo magnético aplicado é superior a um valor crítico $\mathcal{H}_c$ característico do material, e são também completamente diamagnéticos abaixo de $\mathcal{H}_c$.

☐ 12 Os supercondutores do Tipo II apresentam uma perda gradativa da supercondutividade e do diamagnetismo com o aumento do campo magnético.

☐ 13 As células unitárias são classificadas em sete sistemas cristalinos segundo suas simetrias rotacionais.

☐ 14 Uma célula unitária é a menor figura tridimensional que pode ser usada para construir a rede completa do cristal por deslocamentos puramente translacionais.

☐ 15 Uma rede de Bravais é um dos quatorze tipos de células unitárias mostradas na Fig. 17.24.

☐ 16 Os planos da rede são especificados por um conjunto de índices de Miller (*khl*).

☐ 17 Muitos metais elementares têm estruturas com agrupamento compacto com número de coordenação igual a 12.

☐ 18 Estruturas de agrupamento compacto podem ser cúbicas (cc) ou hexagonais (ch).

☐ 19 Estruturas iônicas representativas incluem a do cloreto de césio, a do sal-gema e a da blenda de zinco.

☐ 20 A regra da razão entre os raios pode ser usada com cautela para predizer qual dessas três estruturas é a mais provável.

Mapa conceitual das equações importantes

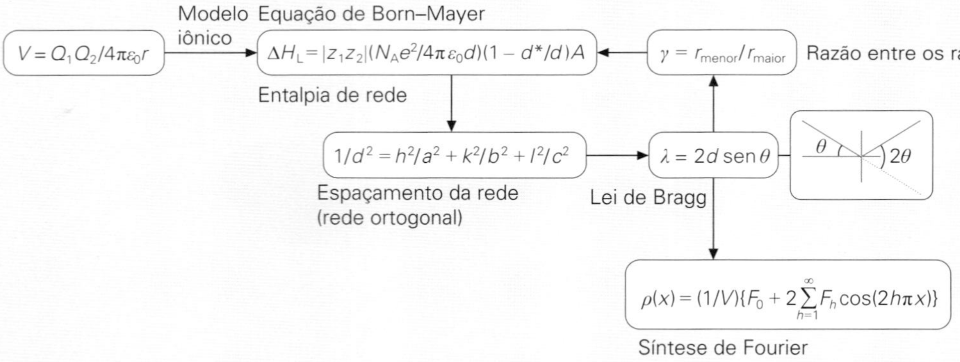

Questões e exercícios

Questões teóricas

17.1 Explique como são identificados os condutores metálicos, os semicondutores e os isolantes e explique as suas propriedades em termos da teoria das bandas. Por que a grafita é um condutor eletrônico e o diamante é um isolante?

17.2 Explique como são representados os planos de pontos da rede cristalina.

17.3 Descreva as consequências do problema da fase na determinação dos fatores de estrutura e como o problema é superado.

17.4 Descreva as estruturas dos sólidos metálicos elementares em termos do agrupamento de esferas rígidas.

17.5 Descreva as estruturas do cloreto de césio e do sal-gema. Como a regra da razão entre os raios ajuda na classificação de uma estrutura de cada tipo?

17.6 Descreva os diferentes tipos de magnetismo que os materiais podem apresentar e explique as suas origens.

Exercícios

17.1 A resistência elétrica de uma amostra aumenta de 100 Ω para 120 Ω quando a temperatura varia de 0 °C para 100 °C. A substância é um condutor metálico ou um semicondutor?

17.2 Os níveis de energia de N átomos na aproximação de Hückel são dados por (Eq. 17.1):

$$E_k = \alpha + 2\beta\cos\frac{k\pi}{N+1} \qquad k = 1, 2, \ldots, N$$

Se os átomos são dispostos em um anel, os níveis de energia são dados por:

$$E_k = \alpha + 2\beta\cos\frac{2k\pi}{N} \qquad k = 0, \pm1, \pm2, \ldots, \pm\tfrac{1}{2}N$$

(para N par). Discuta as consequências, caso existam, de se unir as extremidades de um material inicialmente estirado.

17.3 Classifique como do tipo n ou do tipo p um semicondutor formado dopando-se (a) germânio com fósforo, (b) germânio com índio.

17.4 Semicondutores do Tipo I mostram perda abrupta da supercondutividade quando um campo magnético aplicado ultrapassa um valor crítico $\mathcal{H}_c$ que depende da temperatura crítica T_c de acordo com

$$\mathcal{H}_c(T) = \mathcal{H}_c(0)\left\{1-\frac{T^2}{T_c^2}\right\}$$

em que $\mathcal{H}_c(0)$ é o valor de $\mathcal{H}_c$ quando $T \to 0$. O chumbo tem T_c = 7,19 K e $\mathcal{H}_c$ = 63,9 kA m^{-1}. Em que temperatura o chumbo se torna supercondutor em um campo magnético de 20,0 kA m^{-1}?

17.5 Descreva a ligação no óxido de cálcio, CaO, em termos das bandas formadas pelos orbitais atômicos do Ca e do O. Como esta descrição justifica o modelo iônico deste composto?

17.6 Calcule a entalpia de rede do CaO a partir dos seguintes dados:

	ΔH/(kJ mol^{-1})
Sublimação do Ca(s)	+178
Ionização do Ca(g) a Ca^{2+}(g)]	+1735
Dissociação do O_2(g)	+249
Captura de elétron para o O(g)	−141
Captura de elétron para o O^-(g)	+844
Formação do CaO(s) a partir do Ca(s) e do O_2(g)	−635

17.7 Calcule a entalpia de rede do $MgBr_2$ a partir dos seguintes dados:

	ΔH/(kJ mol^{-1})
Sublimação do Mg(s)	+148
Ionização do Mg(g) a Mg^{2+}(g)	+2187
Vaporização do Br_2(l)	+31
Dissociação do Br_2(g)	+193
Captura de elétron para o Br(g)	−331
Formação do $MgBr_2$(s) a partir do Br_2(l)	−524

17.8 Calcule a razão entre as entalpias de rede do SrO e do CaO a partir da equação de Born-Mayer usando os raios iônicos listados na Tabela 17.6.

17.9 Calcule a energia potencial de um íon no centro de um 'cristal esférico' difuso, em que esferas concêntricas de íons de carga oposta cercam cada íon e o número de íons nas superfícies esféricas decresce rapidamente com a distância. Suponha: esferas sucessivas têm raios d, $2d$,... e o número de íons (todos de mesma carga) em cada esfera sucessiva é inversamente proporcional ao raio da esfera. Você precisará da seguinte soma:

$$1-\frac{1}{2^2}+\frac{1}{3^2}-\frac{1}{4^2}+\cdots=\frac{\pi^2}{12}$$

17.10 A ponta de um microscópio de tunelamento por varredura pode ser usada para mover átomos em uma superfície. O movimento de átomos e íons em uma superfície depende da capacidade dessas partículas de saírem de dada posição e localizarem-se em uma segunda posição e, portanto, da variação de energia associada a este processo. Como exemplo, vamos considerar uma rede cristalina bidimensional quadrada de íons monovalentes, positivos e negativos, com separação de 200 pm. Consideremos, ainda, um cátion sobre o terraço superior dessa rede. Calcule, por meio de soma direta, a sua interação coulombiana quando o mesmo se localiza em um sítio vazio da rede cristalina, diretamente acima de um ânion.

17.11 O composto Rb_3TlF_6 tem uma célula unitária tetragonal com dimensões a = 651 pm e c = 934 pm. Calcule o volume da célula unitária e a massa especifica do sólido.

17.12 A célula unitária ortorrômbica do $NiSO_4$ tem as dimensões a = 634 pm, b = 784 pm e c = 516 pm, e a massa específica do sólido é estimada em 3,9 g cm^{-3}. Determine o número de fórmulas unitárias por célula unitária e calcule um valor mais preciso da massa específica.

17.13 As células unitárias de $SbCl_3$ são ortorrômbicas, com dimensões a = 812 pm, b = 947 pm e c = 637 pm. Calcule o espaçamento entre (a) os planos (321), (b) os planos (642).

17.14 Represente um conjunto de pontos na forma de um arranjo retangular baseado em células unitárias de lados a e b, e marque os planos que têm índices de Miller (10), (01), (11), (12), (23), (41), $(4\bar{1})$.

17.15 Repita o Exercício 17.14 para um arranjo de pontos em que os eixos a de b fazem um ângulo de 60° um com o outro.

17.16 Em certa célula unitária, os planos interceptam os eixos do cristal em (2a, 3b, c), (a, b, c), (6a, 3b, 3c), (2a, −3b, −3c). Identifique os índices de Miller dos planos.

17.17 Represente uma célula unitária ortorrômbica e marque na célula os planos (100), (010), (001), (011), (101) e $(10\bar{1})$.

17.18 Represente uma célula unitária triclínica e marque na célula os planos (100), (010), (001), (011), (101) e $(10\bar{1})$.

17.19 Calcule as separações entre os planos (111), (211) e (100) em um cristal no qual a célula unitária cúbica tem lados de comprimento 572 pm.

17.20 Calcule as separações entre os planos (123) e (236) em um cristal ortorrômbico no qual a célula unitária tem lados de comprimentos 784, 633 e 454 pm.

17.21 O ângulo de incidência de uma reflexão de Bragg de um conjunto de planos cristalinos separados por 97,3 pm é 19,85°. Calcule o comprimento de onda dos raios X.

17.22 Reflexões dos planos (100) do titanato de bário, $BaTiO_3$, que tem uma estrutura cristalina tetragonal, foram observadas em um ângulo de incidência de 9,13° com radiação K_α do Co de comprimento de onda 179 pm. Qual é o valor do parâmetro *a* da célula unitária?

17.23 Construa a densidade eletrônica ao longo do eixo dos *x* de um cristal, dados os seguintes fatores de estrutura:

h	0	1	2	3	4	5	6	7	8	9
F_h	+30,0	+8,2	+6,5	+4,1	+5,5	−2,4	+5,4	+3,2	−1,0	+1,1

h	10	11	12	13	14	15
F_h	+6,5	+5,2	−4,3	−1,2	+0,1	+2,1

17.24 A separação entre os planos (100) do lítio metálico é 350 pm e sua massa específica é 0,53 g cm^{-3}. A estrutura do lítio é cúbica de face centrada ou cúbica de corpo centrado?

17.25 O cobre cristaliza na estrutura cúbica de face centrada, com células unitárias de lado 361 pm. (a) Prediga a aparência do padrão de difração de pó usando radiação de 154 pm. (b) Calcule a massa específica do cobre com base nessa informação.

17.26 Calcule a fração de agrupamento de uma pilha de cilindros.

17.27 Calcule a fração de agrupamento de uma estrutura de agrupamento compacto cúbico.

17.28 Suponha que um vírus possa ser considerado como uma esfera que se empilha em uma estrutura de agrupamento compacto hexagonal. Se a massa específica do vírus é a mesma que a da água (1,00 g cm^{-3}), qual é a massa específica do sólido?

17.29 Quantos (a) vizinhos mais próximos, (b) segundos vizinhos mais próximos existem em uma estrutura cúbica de corpo centrado? Quais são as suas distâncias se o lado do cubo é de 600 nm?

17.30 Quantos (a) vizinhos mais próximos, (b) segundos vizinhos mais próximos existem em uma estrutura cúbica de agrupamento compacto? Quais são as suas distâncias se o lado do cubo é de 600 nm?

17.31 O processamento térmico e mecânico de materiais é uma etapa importante para garantir que esses materiais tenham as propriedades físicas apropriadas para a aplicação de interesse. Suponha: um elemento metálico sofre uma transição de fase na qual sua estrutura cristalina muda de um agrupamento compacto cúbico para cúbico de corpo centrado. (a) O sólido fica mais ou menos denso? (b) Em função de qual fator sua massa específica varia?

17.32 Use a regra da razão entre os raios para predizer o tipo de estrutura cristalina esperado para óxido de magnésio.

Projetos

O símbolo ‡ indica que o cálculo é necessário.

17.33‡ Vamos explorar aqui a teoria das bandas de sólidos com mais detalhes. (a) Use a Eq. 17.1 para obter uma expressão para a separação entre níveis adjacentes em uma banda de *N* átomos e mostre que a separação tende a zero quando *N* cresce indefinidamente. (b) Calcule a densidade de estados para uma longa fileira de átomos, em que a densidade de estados é a grandeza $\rho(k)$ na expressão $dE = \rho(k)dk$, e faça o gráfico de $\rho(k)$. Onde a densidade de estados é máxima? *Sugestão:* Use a Eq. 17.1 e obtenha dE/dk. (c) O tratamento nas partes (a) e (b) se aplica apenas a um sólido unidimensional. Em três dimensões, a variação da densidade de estados se assemelha mais à representada na Figura 17.46. Explique o fato de que, em um sólido tridimensional, a maior densidade de estados fica próxima do centro da banda e a menor densidade fica próxima das extremidades da banda.

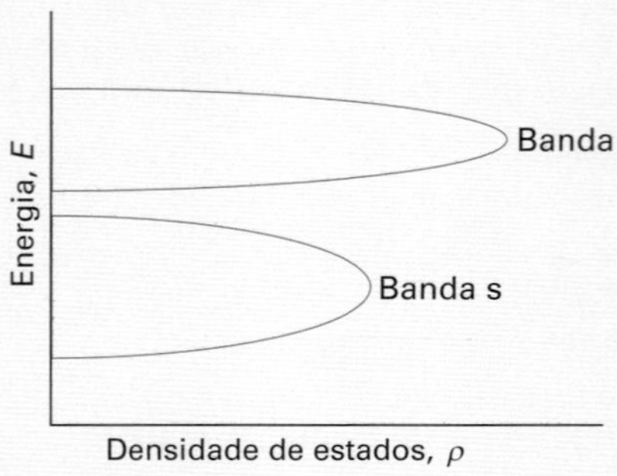

Figura 17.46 Densidades de estado típicas em um sólido.

17.34 A proteína amarela fotoativa está envolvida na 'resposta fototática negativa', ou seja, o movimento para longe da luz da bactéria *Ectothiorhodospira halophila*. No intervalo de tempo de 1 ns após a absorção de um fóton com λ = 446 nm, um íon fenolato ligado à proteína (1) sofre isomerização *trans-cis* para formar o intermediário mostrado na segunda ilustração. Segue-se então uma série de rearranjos que incluem a ejeção do cromóforo do seu sítio de ligação, localizado bem internamente na proteína, seu retorno ao sítio, e a sua volta à conformação *trans*. Consulte a literatura atual e prepare um pequeno relatório sobre o uso de técnicas de difração de raios X resolvida no tempo na descrição das mudanças estruturais que se seguem à excitação eletrônica do cromóforo com um pulso de *laser*.

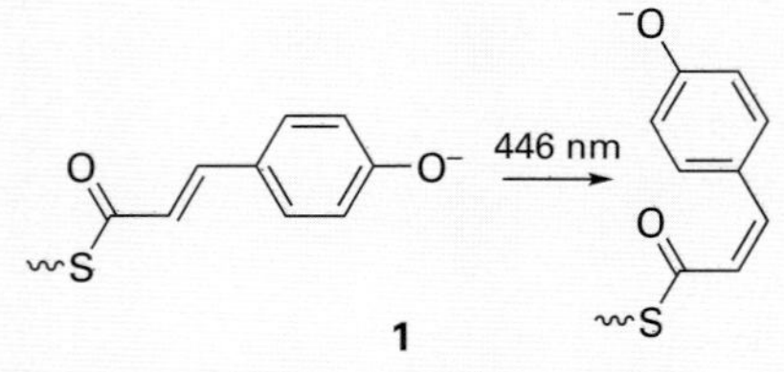

1

17.35 Um transistor é um dispositivo semicondutor comumente usado como chave ou amplificador de sinais elétricos. Prepare um pequeno relatório sobre o desenvolvimento de um transistor em escala nanométrica que usa um nanotubo de carbono como componente. Um ponto de partida útil é o trabalho resumido por Tans *et al.*(*Nature*, 393, 49 (1998)).

18

Superfícies sólidas

Os processos nas superfícies sólidas condicionam a viabilidade de muitos aspectos da indústria, seja construtivamente, como na catálise, seja destrutivamente, como na corrosão. As reações químicas nas superfícies sólidas podem ser muito diferentes das que se passam no interior de uma fase, quando caminhos de reação com energia de ativação muito mais baixa podem ser fornecidos pela superfície e assim resultam na catálise. Mais recentemente, ampliou-se o conceito de superfície sólida com a introdução de materiais microporosos como catalisadores, em que a 'superfície' inclui o interior do sólido poroso.

Embora comecemos o capítulo com uma discussão de superfícies limpas, você não deve perder a visão do fato de que, para os químicos, os aspectos importantes de uma superfície são a fixação de substâncias nesta superfície e as reações que aí acontecem. Também de interesse são superfícies imersas em solventes e em gases a altas pressões. Neste caso, o conceito de uma superfície 'limpa' perde muito de seu significado. Além disso, a estrutura e até mesmo a composição elementar na superfície pode ser completamente diferente daquela do material no seio da fase que se situa abaixo da superfície, como na presença de uma camada de óxido sobre o alumínio. Como as reações que ocorrem normalmente em uma superfície envolvem somente algumas camadas de átomos superficiais, a reatividade de uma superfície pode ser determinada somente por essa composição diferente e pode ter pouco a ver com a composição do seio.

Reações nas superfícies incluem processos fundamentais em eletroquímica. Portanto, na parte final deste capítulo vamos rever alguns tópicos abordados no Capítulo 9, porém com um enfoque na dinâmica dos processos de eletrodos, em vez das propriedades de equilíbrio que foram descritas naquele capítulo.

O crescimento e a estrutura das superfícies

A ligação de partículas a uma superfície é chamada de **adsorção**. A substância que é adsorvida é o **adsorvato** e o material sobre o qual ocorre a adsorção, que iremos estudar nesta seção, é o **adsorvente** ou **substrato**. O processo inverso da adsorção é a **dessorção**.

18.1 Crescimento das superfícies

Uma imagem simples da superfície de um cristal perfeito é a de uma bandeja de laranjas em um supermercado (Fig. 18.1). Uma molécula de gás que colide com a superfície pode ser concebida como uma bola de tênis que pula aleatoriamente sobre as laranjas. A molécula perde energia ao quicar em função da influência das forças intermoleculares, mas possivelmente escapa da superfície antes de perder suficiente energia cinética para que seja capturada. O mesmo ocorre, em certa medida, com um cristal iônico em contato com uma solução. É pequena a vantagem energética quando um íon em solução perde parte das suas moléculas de solvatação e se fixa em uma posição exposta sobre uma superfície plana.

O modelo se altera quando a superfície tem defeitos, pois então, formam-se arestas de camadas incompletas de átomos ou de íons. Um típico defeito superficial é o **degrau**, que separa duas camadas planas regulares de átomos denominadas **terraços** (Fig. 18.2). Um degrau pode, por sua vez, exibir defeitos, incluindo irregularidades. Quando um átomo chega a um terraço desloca-se, sob a ação do potencial intermolecular, e pode alcançar um degrau ou um vértice formado por uma irregularidade. Em lugar de interagir com apenas um único átomo do terraço, a molécula agora interage com diversos átomos e a interação pode ser suficientemente forte para aprisioná-la. Da mesma forma, quando há deposição de íons a partir de uma solução, a perda das moléculas de solvatação é compensada pela interação coulombiana forte entre os íons que chegam à superfície e muitos outros íons que estão nos defeitos da superfície.

A rapidez do crescimento depende do plano cristalino envolvido e – talvez surpreendentemente – as faces do cristal com o crescimento mais lento dominam a aparência final do cristal. Esta característica é explicada na Figura 18.3, na qual vemos que, embora a face horizontal cresça para frente com muita rapidez, acaba por desaparecer e é a face crescendo mais lentamente que sobrevive.

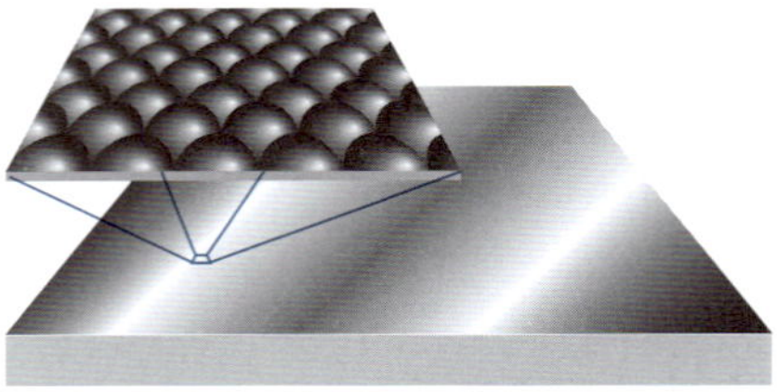

Figura 18.1 Esquema da superfície plana de um sólido. Este modelo bem simples é convalidado, em grande parte, pelas imagens da microscopia de varredura por tunelamento.

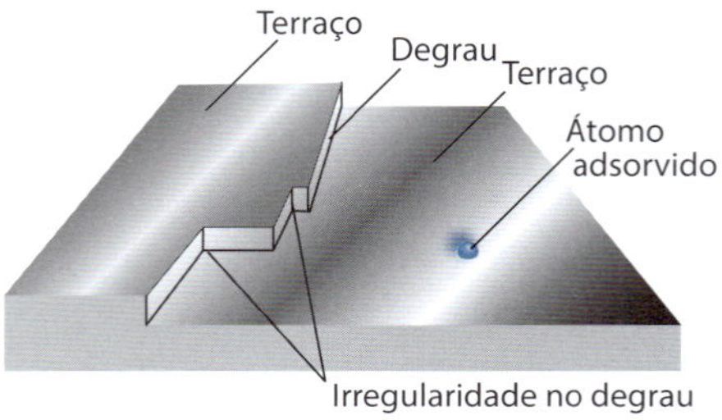

Figura 18.2 Alguns tipos de defeitos que podem ocorrer sobre terraços perfeitos. Os defeitos têm papel importante no crescimento da superfície e na catálise.

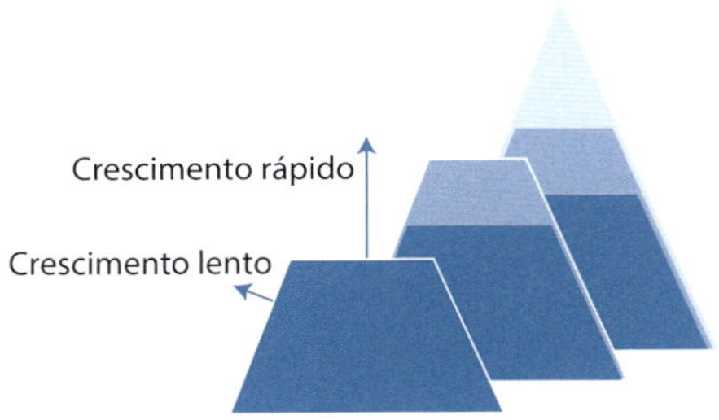

Figura 18.3 A aparência externa final de um cristal é determinada pelas faces de crescimento mais lento. Na figura aparecem três estágios do crescimento.

18.2 Composição e estrutura das superfícies

Em condições normais, uma superfície exposta a um gás é continuamente bombardeada por moléculas e a superfície recém-preparada é rapidamente recoberta. A rapidez com que o recobrimento ocorre pode ser estimada usando-se a teoria cinética dos gases e uma expressão para a velocidade com a qual a superfície é bombardeada com átomos e moléculas. No laboratório, precisamos de técnicas especiais, descritas mais adiante, para estudar a composição e a estrutura de superfícies.

(a) O fluxo de colisão

O **fluxo de colisão**, Z_W, é o número de colisões sobre uma região de uma superfície durante um intervalo dividido pela área da região e pela duração do intervalo:[1]

$$Z_W = \frac{p}{(2\pi mkT)^{1/2}} \qquad \text{Fluxo de colisão} \quad (18.1a)$$

em que m é a massa das moléculas. Se escrevermos $m = M/N_A$, em que M é a massa molar do gás, a Eq. 18.1 se torna

$$Z_W = \frac{(N_A/2\pi k)^{1/2}p}{(TM)^{1/2}} \qquad \text{Forma alternativa} \quad \text{Fluxo de colisão} \quad (18.1b)$$

Inserindo os valores numéricos das constantes e selecionando as unidades das variáveis, a forma prática desta expressão é

$$Z_W = \frac{Z_0(p/\text{Pa})}{\{(T/\text{K})(M/(\text{g mol}^{-1}))\}^{1/2}},$$

$$\text{com } Z_0 = 2{,}63 \times 10^{24}\ \text{m}^{-2}\ \text{s}^{-1}$$

Forma alternativa Fluxo de colisão (18.1c)

Como sempre, vamos extrair o significado físico da expressão matemática. À primeira vista, a Eq. 18.1 parece sugerir que o fluxo de colisão diminui com o aumento de temperatura, apesar de as moléculas estarem se movendo mais rapidamente. Em um recipiente a volume constante, a pressão é proporcional à temperatura, logo, a dependência global da temperatura é de $T/T^{1/2}$. Ou seja, $Z_W \propto T^{1/2}$, e o fluxo aumenta com a temperatura proporcionalmente à velocidade das moléculas.

[1] Para a origem desta equação, veja o livro *Físico-Química* (2010) destes mesmos autores (LTC Editora).

■ **Breve ilustração 18.1** O fluxo de colisão

Para o ar, com $M = 29$ g mol^{-1}, $p = 1$ atm $= 1{,}013\,25 \times 10^5$ Pa e $T = 298$ K, obtemos

$$Z_W = \frac{\overbrace{(2{,}63\times10^{24}\ \text{m}^{-2}\ \text{s}^{-1})}^{Z_0}\times\overbrace{(1{,}013\,25\times10^5)}^{p/p_0}}{(\underbrace{298}_{T/\text{K}} \times \underbrace{29}_{M/\text{g mol}^{-1}})^{1/2}}$$

$$= 2{,}9\times10^{27}\ \text{m}^{-2}\ \text{s}^{-1}$$

Como 1 m^2 da superfície metálica tem cerca de 10^{19} átomos, cada átomo é atingido cerca de 10^8 vezes em cada segundo. Mesmo que umas poucas colisões produzam moléculas adsorvidas com a superfície, o intervalo de tempo para que uma superfície recém-preparada permaneça limpa é muito curto.

Exercício proposto 18.1

Calcule o fluxo de colisão com uma superfície de um recipiente que contém propano a 25 °C quando a pressão é de 100 Pa.

Resposta: $Z_W = 2{,}30 \times 10^{24}$ m^{-2}s^{-1}

(b) Técnicas experimentais

A maneira evidente de manter a superfície limpa é a redução da pressão. Quando a pressão é reduzida para 0,1 mPa (como em um sistema de vácuo simples) o fluxo de colisão cai por volta de 10^{18} m^{-2} s^{-1}, correspondente a uma colisão por átomo superficial a cada 0,1 s. Isto é muito breve para a maioria das experiências, e com técnicas de **alto vácuo** (sigla em inglês UHV) é possível chegar, rotineiramente, a pressões da ordem de 0,1 μPa (quando $Z_W = 10^{15}$ m^{-2} s^{-1}). Com cuidados especiais, a pressão pode ir até cerca de 1 nPa (com $Z_W = 10^{13}$ m^{-2} s^{-1}). Estes fluxos de colisão correspondem a cada átomo da superfície ser atingido uma vez em cerca de 10^5 a 10^6 s, ou seja, uma vez por dia.

A composição de uma superfície pode ser determinada por várias técnicas de ionização. As mesmas técnicas podem ser usadas para se perceberem contaminações depois da limpeza e para se detectarem camadas de material adsorvido no decorrer dos experimentos. Uma técnica que pode ser usada é a **espectroscopia de fotemissão**. Nesta técnica, baseada no efeito fotoelétrico, a radiação ionizante utilizada para emitir elétrons das espécies adsorvidas pode ser raios X ou radiação ultravioleta dura, de comprimento de onda curto. Estas técnicas são conhecidas pelas siglas (em inglês) XPS ou UPS, respectivamente. As energias cinéticas dos elétrons emitidos de seus orbitais são medidas e o espectro de energias é usado para identificar o material presente (Fig. 18.4). UPS, que examina os elétrons emitidos das camadas de valência, também é usada para determinar as características das ligações e dos detalhes das estruturas eletrônicas das substâncias presentes na superfície. Sua utilidade é sua capacidade para revelar os orbitais do adsorvato que estão envolvidos nas ligações com o substrato. Por exemplo, a principal diferença entre os resultados de fotemissão do benzeno livre e a do benzeno adsorvido sobre paládio está nas energias dos elétrons π. Interpreta-se esta diferença admitindo-se que as moléculas de C_6H_6 estejam paralelas à superfície do substrato e ligadas ao mesmo por meio dos seus orbitais π. A piridina (C_5H_5N), ao contrário, une-se de maneira mais ou menos perpendicular à superfície, e a união se faz por uma ligação σ formada pelo par de elétrons isolado do nitrogênio.

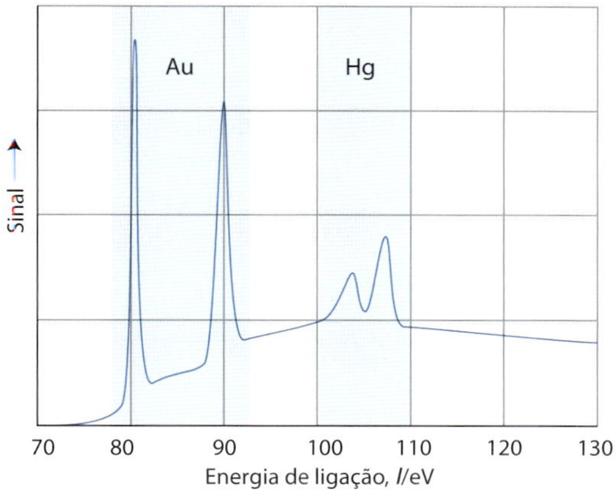

Figura 18.4 Espectro de emissão de fotelétrons excitados por raios X de uma amostra de ouro contaminada por uma camada superficial de mercúrio. (M. W. Roberts e C. S. McKee, *Chemistry of the metal-gas interface*, Oxford (1978).)

Uma importante técnica, muito usada na indústria microeletrônica, é a **espectroscopia de elétrons Auger** (sigla em inglês AES). O **efeito Auger** é a emissão de um segundo elétron depois da emissão de um primeiro elétron pelo efeito de radiação de alta energia. O primeiro elétron a sair deixa uma vacância em um orbital de baixa energia e um elétron de um orbital de maior energia a ocupa. A energia liberada nesta transição pode ser emitida sob a forma de radiação, que é denominada **fluorescência de raio X** (Fig. 18.5a), ou levar à ejeção de outro elétron (Fig. 18.5b). Este último é o elétron secundário do efeito Auger. As energias dos elétrons secundários são características do material presente, e por isso o efeito Auger é uma 'impressão digital' da amostra (Fig. 18.6). Na prática, o espectro Auger é normalmente obtido pela irradiação da amostra com um feixe de elétrons em vez de radiação eletromagnética. Na **microscopia Auger de varredura** (sigla em inglês SAM), o feixe de elétrons finamente focalizado varre e mapeia a composição de uma superfície. A resolução pode atingir cerca de 50 nm.

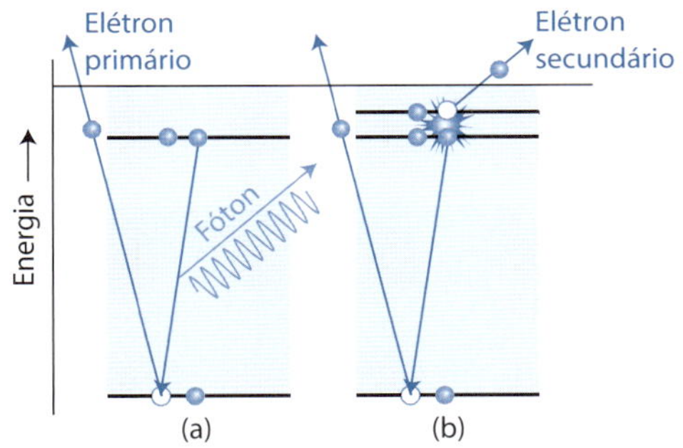

Figura 18.5 Quando um elétron é ejetado de um sólido, (a) é possível que um elétron de maior energia ocupe o orbital vazio e ocorra a emissão de um fóton de raio X para produzir fluorescência de raio X. Porém, também é possível (b) que o elétron que ocupa a vacância ceda sua energia para outro elétron, que é então emitido na forma do efeito Auger.

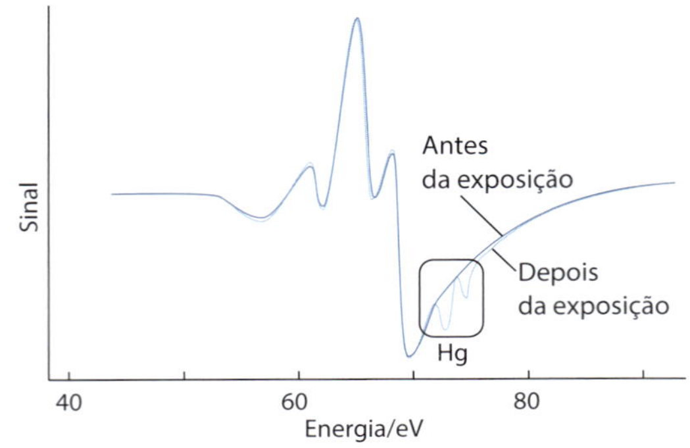

Figura 18.6 Um espectro Auger da mesma amostra usada na Figura 18.4, antes e depois da deposição do mercúrio. (M. W. Roberts e C. S. McKee, *Chemistry of the metal-gas interface*, Oxford (1978).)

Uma das técnicas mais informativas para a determinação da configuração dos átomos nas proximidades e adsorvidos na superfície é a **difração de elétrons de baixa energia** (sigla em inglês LEED). Essa técnica é semelhante à difração de raio X, mas utiliza o caráter ondulatório dos elétrons. O uso de elétrons de baixa energia (na faixa de 10 a 200 eV, correspondente a comprimentos de onda de 100 a 400 pm) garante que a difração seja provocada, exclusivamente, por átomos superficiais ou muito próximos da superfície. A montagem experimental está esquematizada na Figura 18.7 e a fotografia da imagem obtida sobre uma tela fluorescente em um resultado típico de LEED é mostrada na Figura 18.8.

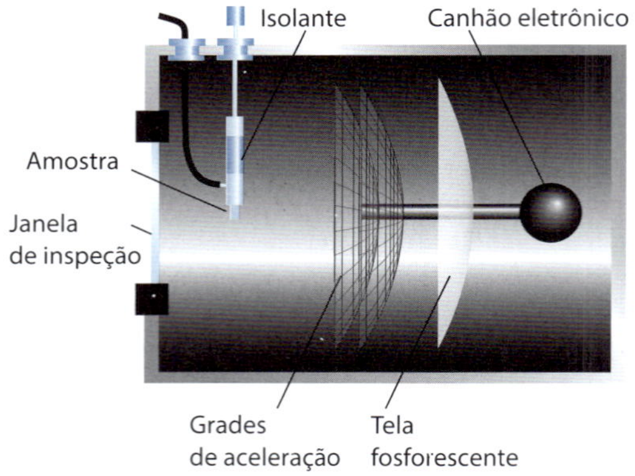

Figura 18.7 Esquema da montagem de um aparelho usado para um experimento de LEED. Os elétrons difratados pelas camadas superficiais são observados pela fosforescência que provocam na tela sensível.

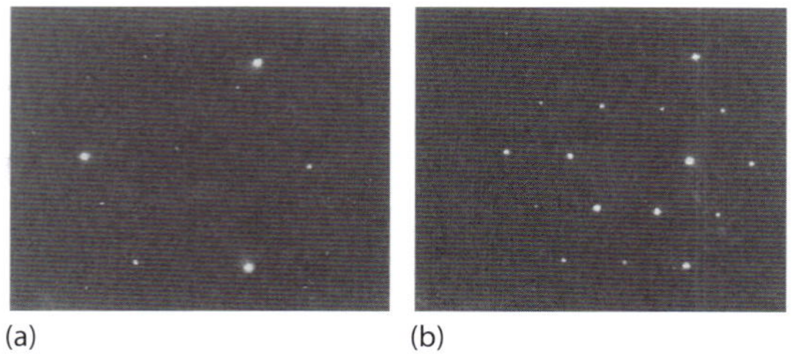

Figura 18.8 Fotografias de LEED de (a) uma superfície limpa de platina e (b) a mesma superfície exposta ao propino, $CH_3C{\equiv}CH$. (Fotos fornecidas pelo Prof. G. A. Somorjai.)

Exemplo 18.1

Interpretando uma imagem obtida de LEED

A imagem de LEED obtida da face (110) não reconstruída limpa do paládio é mostrada (a) a seguir. A superfície reconstruída fornece a imagem mostrada em (b). O que pode ser inferido a respeito da superfície reconstruída?

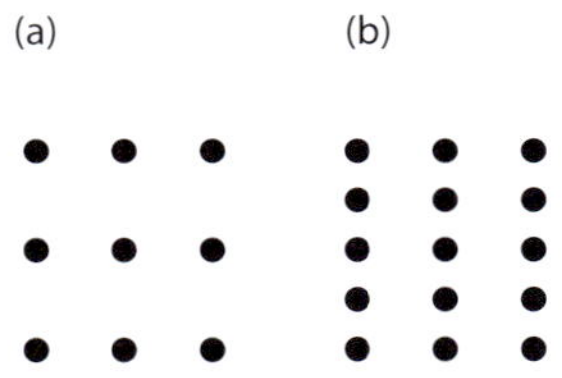

Estratégia Lembre, a partir da lei de Bragg (Seção 17.13), $\lambda = 2d$ sen θ, que, para dado comprimento de onda, quanto menor separação d entre as camadas, maior o ângulo de espalhamento (de modo que $2d$ sen θ permanece constante e igual ao comprimento de onda). Em termos da imagem de LEED, quanto mais afastados os átomos responsáveis pela imagem, mais próximas as manchas aparecem na imagem. Duplicar a separação entre os átomos corresponde a reduzir à metade a separação entre os pontos e vice-versa. Portanto, inspecione as duas imagens e identifique como a imagem nova se relaciona com a velha.

Solução A separação horizontal dos pontos não se altera, indicando que os átomos permanecem na mesma posição naquela dimensão quando a reconstrução ocorre. Entretanto, o espaçamento vertical é reduzido à metade. Isto sugere que a separação entre os átomos é duplicada naquela direção quando esses átomos encontram-se na superfície reconstruída.

Exercício proposto 18.2

Esboce a imagem de LEED para uma superfície que foi reconstruída a partir do que é mostrado em (a) anteriormente, triplicando a separação vertical entre os átomos.

Resposta:
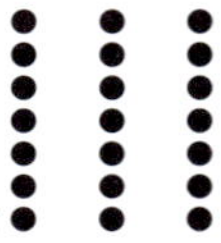

As experiências de LEED mostram que a superfície de um cristal raramente tem a forma exata de um hipotético corte regular através do corpo cristalino. Como regra geral, observa-se que as superfícies metálicas são frequentemente simples deformações da rede, mas a distância entre a camada superior dos átomos e a que lhe fica imediatamente abaixo é cerca de 5% menor do que a distância regular. Em geral, os semicondutores têm superfícies reconstruídas a uma profundidade de diversas camadas. Nos sólidos iônicos também se observam reconstruções. Por exemplo, no fluoreto de lítio, os íons de Li^+ e de F^- vizinhos à superfície estão em planos ligeiramente diferentes. Um exemplo real do detalhe que pode agora ser obtido por técnica refinada de LEED é mostrado na Figura 18.9 para o CH_3C— adsorvido em um plano (111) do ródio.

A presença de terraços, degraus e irregularidades em uma superfície aparecem em imagens de LEED e suas densidades superficiais (o número de defeitos em uma região dividido pela área da região) podem ser estimadas. A Figura 18.10

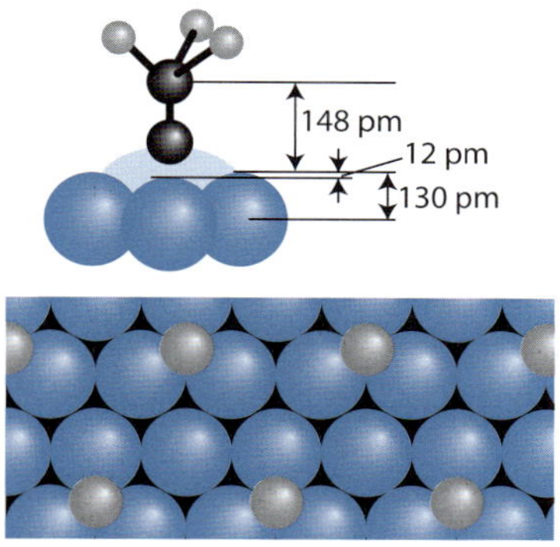

Figura 18.9 Estrutura de uma superfície nas vizinhanças do ponto de ligação do CH_3C— à superfície (111) do ródio, a 300 K, e as variações das posições dos átomos metálicos que acompanham a adsorção química.

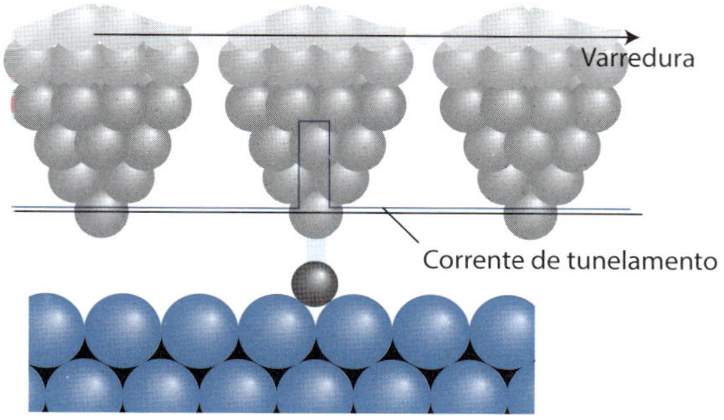

Figura 18.11 Um microscópio de varredura por tunelamento faz uso da corrente de elétrons que tunelam entre a superfície e a ponta de prova. Esta corrente é muito sensível à distância entre a ponta de prova e a superfície.

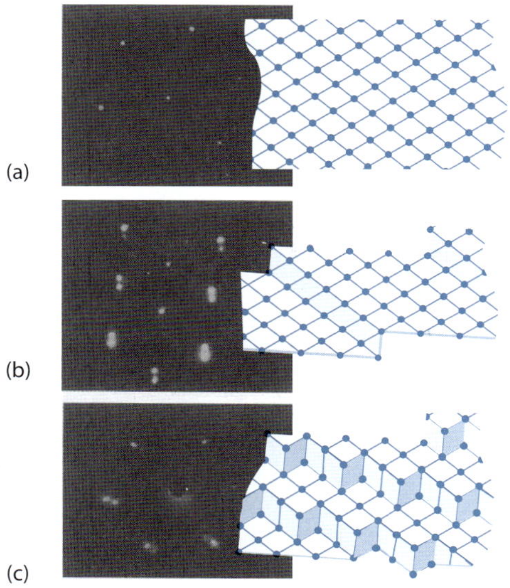

Figura 18.10 Figuras de LEED podem ser usadas para determinar a densidade de defeitos de uma superfície. As fotos são de uma superfície de platina com (a) baixa densidade de defeitos, (b) degraus regulares separados por quatro átomos e (c) degraus regularmente espaçados com irregularidades. (Fotos fornecidas pelo Prof. G. A. Somorjai.)

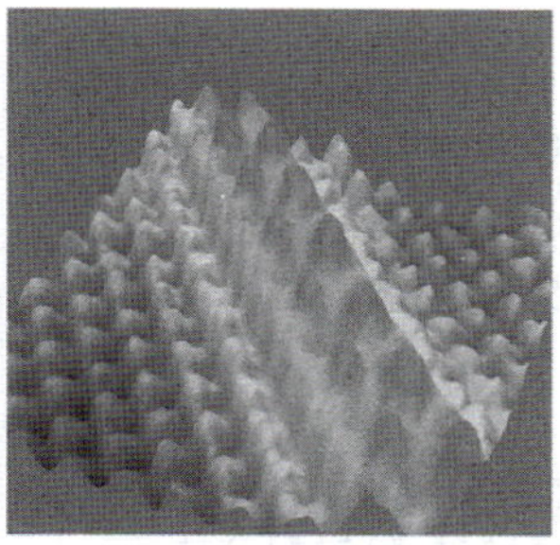

Figura 18.12 Uma imagem de átomos de césio sobre uma superfície de arseneto de gálio obtida por STM.

mostra três exemplos de como degraus e irregularidades afetam os padrões das figuras. As amostras foram obtidas pela clivagem de um cristal sob diferentes ângulos em relação a um plano de átomos. Quando o corte é paralelo ao plano, somente se formam terraços, e a densidade de degraus aumenta à medida que o ângulo do corte aumenta. A observação de estrutura adicional nas figuras de LEED, em vez de obscurecimento, mostra que os degraus estão regularmente espaçados.

Terraços, degraus, irregularidades e discordâncias em uma superfície podem ser observados por **microscopia de varredura por tunelamento** (sigla inglesa STM) e **microscopia de força atômica** (sigla inglesa AFM), duas técnicas que revolucionaram o estudo de superfícies. Na STM, uma agulha de platina-ródio ou de tungstênio varre a superfície de um sólido condutor. Quando esta agulha fica muito perto da superfície, os elétrons tunelam através do espaço entre a superfície do sólido e a ponta de prova (Fig. 18.11). No *modo de operação corrente constante*, a ponta de prova se desloca para cima e para baixo, de acordo com a forma da superfície e a topografia da superfície, inclusive quaisquer adsorvatos, podendo ser mapeada em escala atômica. O movimento vertical da ponta de prova é feito fixando-a a um cilindro piezoelétrico, que se contrai ou se expande conforme a diferença de potencial elétrico a que estiver submetido. No *modo de operação z constante*, a posição vertical da ponta de prova se mantém fixa e a corrente de tunelamento é monitorada. Como a probabilidade de tunelamento é muito sensível à distância entre a ponta de prova e os átomos da superfície, o microscópio pode detectar variações minúsculas, em escala atômica, na altura da superfície. Um exemplo do tipo de imagem obtida com uma superfície limpa é mostrado na Figura 18.12, em que a elevação tem a altura de somente um átomo. Na Figura 18.13 pode-se observar a dissociação do SiH_3, adsorvido na superfície Si(001), em SiH_2 e átomos de H. A ponta de prova da STM pode ser utilizada também para manipular átomos adsorvidos sobre uma superfície. Pode-se, assim, fabricar estruturas complexas diminutas, como dispositivos eletrônicos nanométricos.

Na AFM, uma ponta de prova afilada, solidária com um braço flexível (cantilever), varre a superfície. A força exercida pela superfície, e quaisquer adsorvatos, provoca o abaixamento ou a elevação da ponta de prova e a deflexão do braço (Fig. 18.14). Acompanha-se esta deflexão utilizando um feixe de *laser*. Como não há corrente entre a amostra e a ponta de prova, a técnica pode ser aplicada também às superfícies não condutoras. Uma demonstração espetacular da potência da AFM é dada na Figura 18.15, que mostra moléculas individuais de DNA sobre uma superfície sólida.

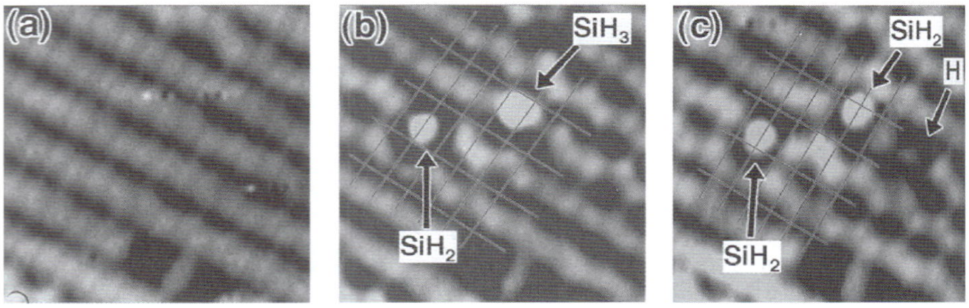

Figura 18.13 Visualização, por meio STM, da reação $SiH_3 \rightarrow SiH_2 + H$ sobre uma superfície de Si(001) de área 4,7 nm × 4,7 nm. (a) Superfície de Si(001) antes de ser exposta ao Si_2H_6(g). (b) O Si_2H_6 adsorvido dissocia-se em SiH_2(superfície), à esquerda da imagem, e SiH_3(superfície), à direita da imagem. (c) Após 8 min, o SiH_3(superfície) dissocia-se em SiH_2(superfície) e H(superfície). (Imagens reproduzidas com a permissão de Y. Wang, M.J. Bronikowski e R. J. Hamers, *Surface Science* **64**, 311 (1994).)

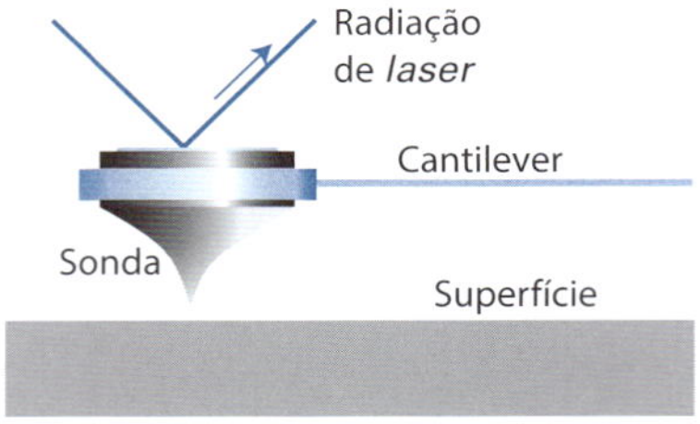

Figura 18.14 Na microscopia de força atômica, um feixe de *laser* é usado para detectar variações minúsculas na posição de uma ponta de prova quando esta é atraída ou repelida pelos átomos sobre uma superfície.

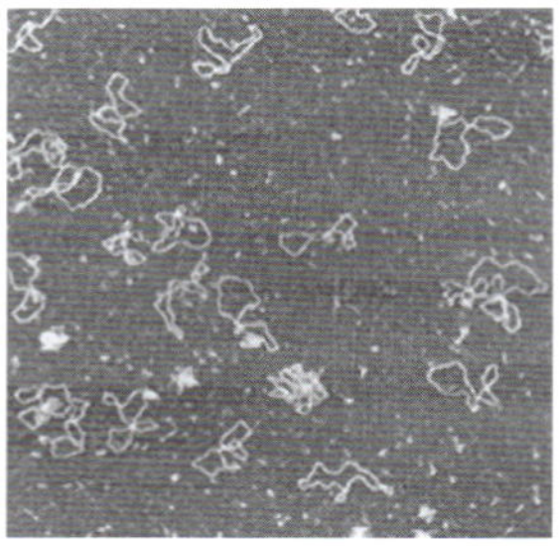

Figura 18.15 Uma imagem obtida por AFM de plasmídeos de DNA bacteriano sobre uma superfície de mica (Cortesia da Veeco Instruments.)

A extensão de adsorção

A extensão do recobrimento de uma superfície é expressa, comumente, pelo **grau de recobrimento,** θ (teta):

$$\theta = \frac{\text{número de sítios de adsorção ocupados}}{\text{número de sítios de adsorção disponíveis}}$$

Definição Grau de recobrimento (18.2)

O grau de recobrimento pode ser inferido a partir do volume de adsorvato adsorvido por $\theta = V/V_\infty$, em que V_∞ é o volume de adsorvato que corresponde ao recobrimento por uma monocamada completa. Em cada caso, os volumes na definição de θ são do gás livre medido sob as mesmas condições de pressão e temperatura, não o volume que o gás adsorvido ocupa quando ligado à superfície. A **velocidade de adsorção** é a velocidade de variação da cobertura superficial e pode ser determinada pela observação das mudanças do grau de recobrimento com o tempo.

■ **Breve ilustração 18.2** O grau de recobrimento

Para a adsorção do CO em carvão, a 273 K, V_∞ = 111 cm^3, corrigido para 1 atm. Quando a pressão parcial do CO é 80,0 kPa, o valor de V (também corrigido para 1 atm) é 41,6 cm^3, logo, segue-se que

$$\theta = \frac{V}{V_\infty} = \frac{41{,}6\ \text{cm}^3}{111\ \text{cm}^3} = 0{,}375$$

que corresponde a 37,5 % da superfície que está sendo recoberta.

Entre as técnicas principais de medição da velocidade de adsorção figuram os métodos de escoamento, em que a própria amostra atua como uma bomba, pois a adsorção remove moléculas do gás. Uma técnica normalmente utilizada é, portanto, a medida das vazões de afluência e de efluência do gás no sistema: a diferença é a velocidade de retenção do gás pela amostra. Na **dessorção por *flash***, a amostra é subitamente aquecida (por um pulso elétrico) e a elevação resultante da pressão é interpretada em termos da quantidade de adsorvato originalmente na amostra. A interpretação pode ser complicada pela dessorção de um composto (por exemplo, de WO_3 a partir de oxigênio sobre tungstênio). **Ressonância de plasmons de superfície** (sigla em inglês SPR) é uma técnica em que a cinética e a termodinâmica dos processos de superfície, particularmente de sistemas biológicos, são monitorados detectando o efeito da adsorção e dessorção sobre as propriedades ópticas de um substrato de ouro. A **gravimetria,** na qual a amostra é pesada em uma microbalança durante a experiência, também é uma técnica que pode ser usada. Um instrumento comum para medidas gravimétricas é a **microbalança de cristal de quartzo** (sigla em inglês QCM), na qual a massa de uma amostra adsorvida em uma superfície de um cristal de quartzo é relacionada com as variações nas propriedades mecânicas da microbalança. O princípio fundamental por trás de uma microbalança de quartzo é a capacidade de um cristal de quartzo vibrar em uma frequência característica quando um campo elétrico oscilante é aplicado. A frequência de vibração diminui quando um material é dispersado sobre a superfície do cristal e a variação de frequência é proporcional à massa do material. Massas tão pequenas quanto alguns nanogramas (1 ng = 10^{-9} g) podem ser medidas com segurança por essa técnica.

18.3 Adsorção física e adsorção química

As moléculas e átomos podem se ligar de duas maneiras a uma superfície, embora não exista uma fronteira clara entre os dois tipos de adsorção. Na **adsorção física** (também chamada fisissorção) há uma interação de van der Waals entre o adsorvato e o substrato (por exemplo, uma interação de dispersão ou uma interação dipolo-dipolo, Seção 15.3, do tipo responsável pela condensação de vapores em líquidos). A energia liberada quando uma molécula é adsorvida fisicamente é da mesma ordem de grandeza que a entalpia de condensação. Estas energias pequenas podem ser absorvidas como vibrações da rede do adsorvente e dissipadas como movimento térmico. Uma molécula que se desloque sobre a superfície perde gradualmente energia e termina por ser adsorvida no processo denominado **acomodação**. A entalpia da adsorção física pode ser medida pela determinação da elevação da temperatura de uma amostra cuja capacidade calorífica seja conhecida. Valores típicos estão na faixa de −20 kJ mol^{-1} (Tabela 18.1). Esta pequena variação de entalpia é insuficiente para romper as ligações químicas, de modo que uma molécula fisicamente adsorvida retém a sua identidade, embora possa ser deformada. Entalpias de adsorção física podem também ser medidas observando-se a dependência com a temperatura dos parâmetros que aparecem na isoterma de adsorção (Seção 18.4).

Na **adsorção química** (também chamada quimissorção) as moléculas (ou átomos) se adsorvem à superfície por ligações químicas (usualmente covalentes) e tendem a se acomodar em sítios que propiciem o número de coordenação máximo com o substrato. A entalpia da adsorção química é muito mais negativa do que a da adsorção física e os valores representativos estão na faixa de −200 kJ mol^{-1} (Tabela 18.2). A distância entre a superfície e o átomo mais próximo do adsorvato é também normalmente menor na adsorção química do que na adsorção física. Uma molécula quimicamente adsorvida pode ser decomposta em virtude da demanda das valências não preenchidas dos átomos da superfície e a existência de fragmentos moleculares sobre a superfície, como resultado da adsorção química, é uma das razões do efeito catalítico das superfícies sólidas.

Tabela 18.1
Entalpias máximas observadas de adsorção física

Adsorvato	$\Delta_{ads}H^{\ominus}/(\text{kJ mol}^{-1})$
CH_4	−21
H_2	−84
H_2O	−59
N_2	−21

Tabela 18.2
Entalpias de adsorção química, $\Delta_{ads}H^{\ominus}/(\text{kJ mol}^{-1})$

Adsorvato	Adsorvente (substrato)		
	Cr	Fe	Ni
C_2H_4	−427	−285	−243
CO		−192	
H_2	−188	−134	
NH_3		−188	−155

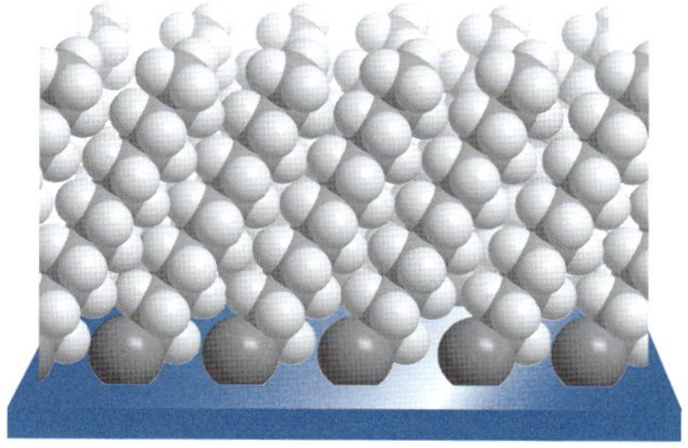

Figura 18.16 Monocamadas autoestruturadas de alquiltióis formadas sobre uma superfície de ouro pela adsorção química de grupos tióis e agregação de cadeias alquílicas.

Um tipo de adsorção química que tem recebido muita atenção recentemente é a formação de uma **monocamada autoestruturada** (sigla em inglês SAM), que é um agregado molecular ordenado que forma uma monocamada de material orgânico sobre uma superfície. Para entender a formação de uma monocamada autoestruturada, consideramos o que acontece quando expomos uma superfície de ouro a moléculas, por exemplo, de alquiltióis, RSH, em que R representa uma cadeia alquílica. Os tióis sofrem adsorção química sobre a superfície formando adutos de RS—Au(I). Se representamos os átomos próximos aos sítios de adsorção como Au_n, então podemos escrever o processo de ligação como

$$RSH + Au_n \rightarrow RS\text{—}Au(I)\cdot Au_{n-1} + {}^{1}\!/_{2}\, H_2(g)$$

Se R apresenta uma cadeia suficientemente longa, as interações de van der Waals entre as unidades RS— adsorvidas levam à formação de uma monocamada superficial altamente organizada (Fig. 18.16).

18.4 Isotermas de adsorção

O gás livre A e o gás adsorvido estão em um equilíbrio dinâmico da forma

$$A(g) + M(\text{superfície}) \rightleftharpoons AM(\text{superfície})$$

e o grau de recobrimento da superfície depende da pressão do gás sobre a superfície. A variação de entalpia que corresponde à reação direta (por mol de espécie adsorvida) é a **entalpia de adsorção**, $\Delta_{ads}H$. A variação de θ com a pressão a uma temperatura constante é denominada **isoterma de adsorção.**

A isoterma de adsorção mais simples fisicamente aceitável é baseada em três hipóteses:

1. A adsorção não pode ir além do recobrimento com uma monocamada.
2. Todos os sítios de adsorção são equivalentes uns aos outros e a superfície é uniforme (isto é, a superfície é perfeitamente plana em escala microscópica).
3. Não há interações entre as moléculas adsorvidas, de modo que a capacidade de uma molécula ser adsorvida em certo sítio é independente da ocupação dos sítios vizinhos.

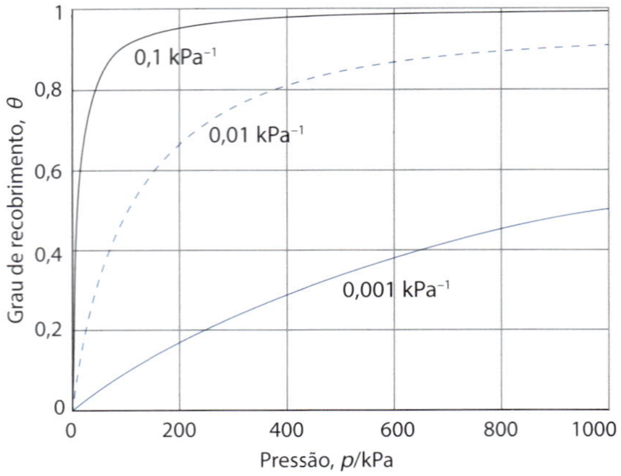

Figura 18.17 A isoterma de Langmuir de adsorção não dissociativa para diferentes valores de α.

(a) A isoterma de Langmuir

As suposições 2 e 3 implicam, respectivamente, que a entalpia de adsorção é a mesma para todos os sítios e é independe da extensão do recobrimento da superfície. Mostramos na Dedução a seguir que a relação entre o grau de recobrimento θ e a pressão parcial de A, p, que resulta dessas três suposições é a **isoterma de Langmuir:**

$$\theta = \frac{\alpha p}{1+\alpha p} \qquad \alpha = \frac{k_a}{k_d} \qquad \text{Isoterma de Langmuir} \quad (18.3)$$

em que k_a e k_d são, respectivamente, as constantes de velocidade para a adsorção e para a dessorção. Observe que α, sendo a razão entre as constantes de velocidade direta e inversa, é um tipo de constante de equilíbrio (Capítulo 7), mas não é uma constante de equilíbrio, pois tem unidades. O gráfico dessa expressão para vários valores de α (que tem as dimensões de 1/pressão) é mostrado na Figura 18.17. Vemos que:

- Quando a pressão parcial de A aumenta, o grau de recobrimento aumenta tendendo a 1. Metade da superfície está recoberta quando $p = 1/\alpha$.
- Em baixas pressões (no sentido de que $\alpha p << 1$), o denominador pode ser substituído por 1 e $\theta = \alpha p$. Nestas condições, o recobrimento da superfície aumenta linearmente com a pressão.
- Em altas pressões (no sentido de que $\alpha p >> 1$), o 1 no denominador pode ser desprezado, αp se cancela e $\theta = 1$. Agora a superfície está saturada.

Dedução 18.1

A isoterma de Langmuir

Para obtermos a isoterma de Langmuir, admitimos que a velocidade com que A se adsorve na superfície é proporcional à pressão parcial (pois a velocidade com que as moléculas colidem com a superfície é proporcional à pressão) e ao número de sítios que não estão ocupados naquele instante, $(1-\theta)N$:

$$\text{Velocidade de adsorção} = k_a N(1-\theta)p$$

em que k_a é a constante de velocidade de adsorção. A velocidade com que as moléculas adsorvidas deixam a superfície é proporcional ao número de sítios ocupados na superfície ($N\theta$):

$$\text{Velocidade de dessorção} = k_d N\theta$$

em que k_d é a constante de velocidade de dessorção. No equilíbrio as duas velocidades são iguais, de modo que podemos escrever

$$k_a N(1-\theta)p = k_d N\theta$$

O N se cancela em ambos os lados da equação e, usando $\alpha = k_a/k_d$, obtemos

$$\alpha p(1-\theta) = \theta$$

que pode ser reescrita na forma da Eq. 18.3

Exemplo 18.2

Aplicação da isoterma de Langmuir

Os dados da tabela seguinte são os da adsorção do CO sobre carvão a 273 K. Verifique se esses dados se ajustam à isoterma de Langmuir e obtenha a constante α e o volume de gás correspondente ao recobrimento completo. Em cada caso, o volume V foi corrigido para a pressão de 1,00 atm.

p/kPa	13,3	26,7	40,0	53,3	66,7	80,0	93,3
V/cm^3	10,2	18,6	25,5	31,5	36,9	41,6	46,1

Estratégia Pela Eq. 18.3,

$$\frac{1}{\theta} = \frac{1+\alpha p}{\alpha p} = \frac{1}{\alpha p} + 1$$

Então, substituindo $\theta = V/V_\infty$, em que V_∞ é o volume que corresponde ao recobrimento completo (medido a 273 K e 1,00 atm)

$$\frac{V_\infty}{V} = \frac{1}{\alpha p} + 1$$

A divisão de ambos os lados por V_∞ e a multiplicação por p permite obter

$$\overbrace{\frac{p}{V}}^{y} = \overbrace{\frac{1}{\alpha V_\infty}}^{\text{coeficiente linear}} + \overbrace{\frac{1}{V_\infty} \times p}^{\text{coeficiente angular} \times x}$$

Logo, o gráfico de p/V contra p deve dar uma reta de coeficiente angular (inclinação) $1/V_\infty$ e coeficiente linear (interseção) $1/\alpha V_\infty$, e a razão entre o coeficiente angular e o coeficiente linear dá α:

$$\frac{\overbrace{\text{coeficiente angular}}^{1/V_\infty}}{\underbrace{\text{coeficiente linear}}_{1/\alpha V_\infty}} = \frac{1}{V_\infty} \times \alpha V_\infty = \alpha$$

Solução Os dados para o gráfico são os seguintes:

p/kPa	13,3	26,7	40,0	53,3	66,7	80,0	93,3
(p/kPa)/(V/cm^3)	1,30	1,44	1,57	1,69	1,81	1,92	2,02

Os pontos estão no gráfico da Figura 18.18. O ajuste (pelos mínimos quadrados) dá 0,00900 para o coeficiente angular, de modo que $V_\infty = 111 \text{ cm}^3$. A interseção em $p = 0$ é 1,20, assim

$$\alpha = \frac{\overbrace{0{,}00900}^{\text{Coeficiente angular}} \quad \overbrace{\text{cm}^{-3}}^{\text{Unidades de } (p/V)/p}}{\underbrace{1{,}20}_{\text{Coeficiente linear}} \quad \underbrace{\text{kPa cm}^{-3}}_{\text{Unidades de } p/V}} = 7{,}51 \times 10^{-3} \text{ kPa}^{-1}$$

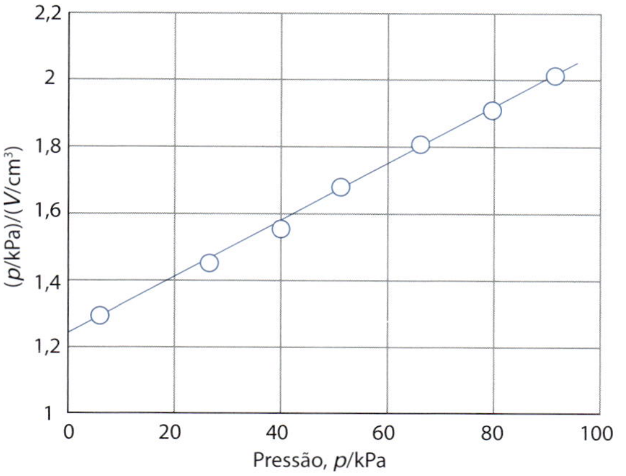

Figura 18.18 Gráfico dos dados do Exemplo 18.2. Conforme ilustrado aqui, a isoterma de Langmuir prediz uma reta que deve ser obtida quando se representa *p/V* contra *p*.

Para incluir as unidades no coeficiente linear e no coeficiente angular, adimensionais, usamos o procedimento descrito em Ferramentas do Químico 1.1: o coeficiente angular é o de *p/V* representado graficamente contra *p*, logo suas unidades são as de (*p/V*)/*p*; o coeficiente linear está no eixo vertical, o valor de *p/V*, logo tem as unidades de *p/V*.

Exercício proposto 18.3

Repita o cálculo para os seguintes dados:

p/kPa	13,3	26,7	40,0	53,3	66,7	80,0	93,3
V/cm³	10,3	19,3	27,3	34,1	40,0	45,5	48,0

Resposta: 128 cm³, 6,70 × 10⁻³ kPa⁻¹

(b) A entalpia de adsorção isostérica

Um ponto adicional é que, como destacado em relação à Eq. 18.3, como α é essencialmente uma constante de equilíbrio, então sua dependência com a temperatura é dada pela equação de van't Hoff (Seção 7.8):

$$\ln\alpha = \ln\alpha' - \frac{\Delta_{ads}H^{\ominus}}{R}\left(\frac{1}{T}-\frac{1}{T'}\right) \quad \text{Entalpia de adsorção isostérica} \quad (18.4)$$

Segue-se que se fizermos um gráfico de ln α contra $1/T$, então o coeficiente angular do gráfico é igual a $-\Delta_{ads}H^{\ominus}/R$, em que $\Delta_{ads}H^{\ominus}$ é a entalpia-padrão de adsorção. Entretanto, como esta grandeza pode variar com a extensão do recobrimento da superfície em razão da interação entre si das moléculas de adsorvato ou em função da adsorção ocorrer em uma sequência de sítios diferentes, deve-se tomar cuidado de medir α no mesmo valor do grau de recobrimento. O valor resultante de $-\Delta_{ads}H^{\ominus}$ é denominado **entalpia de adsorção isostérica**. A variação de $-\Delta_{ads}H^{\ominus}$ com θ permite explorar a validade das suposições sobre as quais a isoterma de Langmuir está baseada.

Exemplo 18.3

A entalpia isostérica de adsorção

A pressão do nitrogênio gasoso em equilíbrio com uma camada de nitrogênio adsorvida sobre rutilo (TiO_2) com um grau de recobrimento de θ = 0,10 variou com a temperatura da seguinte maneira:

T/K	220	240	260	280	300
p/kPa	2,8	7,7	17,0	38,0	68,0

Determine a entalpia isostérica de adsorção em θ = 0,10.

Estratégia Primeiro, encontramos na isoterma de Langmuir a relação entre α e *p* para um dado grau de recobrimento. A seguir, convertemos a equação de van't Hoff em uma equação relacionando *p* e *T* no lugar de α e *T*, e fazemos o gráfico apropriado dos dados.

Solução Reescrevemos a Eq. 18.3 na forma

$$\alpha = \frac{\theta}{1-\theta}\times\frac{1}{p}$$

e, então, tomando os logaritmos

$$\ln\alpha = \overbrace{\ln\left(\frac{\theta}{1-\theta}\right)}^{\text{constante porque }\theta\text{ é fixo}} + \ln\frac{1}{p} \overbrace{=}^{\ln(1/x)=-\ln x} \text{constante} - \ln p$$

A equação de van't Hoff então se torna

$$\overbrace{\text{constante} - \ln p}^{\ln\alpha} = \overbrace{\text{constante} - \ln p'}^{\ln\alpha} - \frac{\Delta_{ads}H^{\ominus}}{R}\left(\frac{1}{T}-\frac{1}{T'}\right)$$

Depois de cancelarmos as constantes e mudarmos os sinais em ambos os lados, podemos rearranjar esta equação para

$$\overbrace{\ln p}^{y} = \overbrace{\ln p' - \frac{\Delta_{ads}H^{\ominus}}{RT'}}^{\text{Coeficiente linear}} + \overbrace{\frac{\Delta_{ads}H^{\ominus}}{R}}^{\text{Coeficiente angular}} \overbrace{\times\frac{1}{T}}^{\times x}$$

Portanto, um gráfico de ln *p* contra $1/T$ deve ser uma reta de coeficiente angular $\Delta_{ads}H^{\ominus}/R$. Montamos a seguinte tabela:

(10³ K)/*T*	4,55	4,17	3,85	3,57	3,33
ln(*p*/kPa)	1,03	2,04	2,83	3,64	4,22

Na Figura 18.19 estão lançados os pontos respectivos. O coeficiente angular da reta (pelos mínimos quadrados) é igual a −0,381, de modo que

$$\frac{\Delta_{ads}H^{\ominus}}{R} = \overbrace{-0{,}381\times10^{3}}^{\text{Coeficiente angular}} \overbrace{\text{K}}^{\text{Unidades de }\ln p/(1/T)\text{: } 1 \;\; \text{K}^{-1}}$$

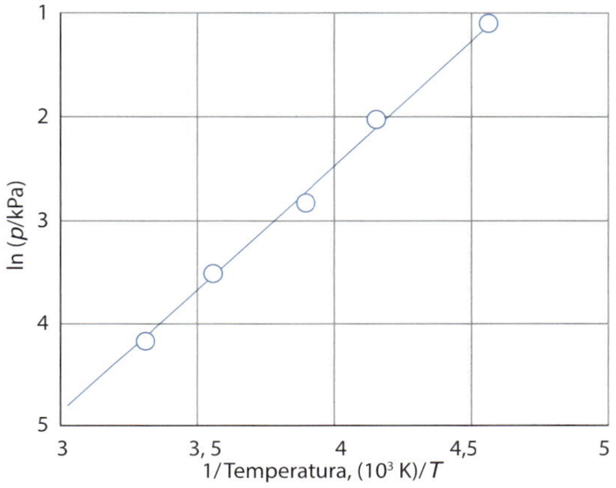

Figura 18.19 A entalpia de adsorção isostérica pode ser obtida pelo coeficiente angular do gráfico de ln *p* contra $1/T$, em que *p* é a pressão necessária para alcançar o recobrimento de superfície especificado. Os dados são os do Exemplo 18.3

Portanto,

$$\Delta_{ads}H^{\ominus} = (-0{,}381 \times 10^3\ K) \times (8{,}3145\ J\ K^{-1}\ mol^{-1})$$
$$= -3{,}17 \times 10^3\ J\ mol^{-1}$$

ou $-3{,}17$ kJ mol^{-1}.

Exercício proposto 18.4

Os dados vistos a seguir mostram as pressões de CO necessárias para que o volume de adsorção (corrigido para 1,00 atm e 273 K) seja 10,0 cm^3. Calcule a entalpia de adsorção neste recobrimento de superfície.

T/K	200	210	220	230	240	250
p/kPa	4,00	4,95	6,03	7,20	8,47	9,85

Resposta: $-7{,}52$ kJ mol^{-1}

Admita agora que o substrato se dissocia na adsorção, como em

$$A_2(g) + M(superfície) \rightleftharpoons A\text{–}M(superfície) + A\text{–}M(superfície)$$

Mostramos na Dedução a seguir que a isoterma resultante é

$$\theta = \frac{(\alpha p)^{1/2}}{1+(\alpha p)^{1/2}} \qquad \text{Isoterma de Langmuir para a adsorção com dissociação} \qquad (18.5)$$

O grau de recobrimento depende agora da raiz quadrada da pressão em vez da própria pressão (Fig. 18.20).

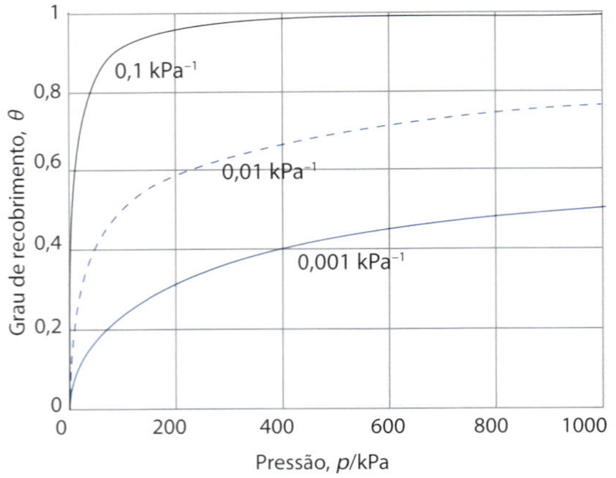

Figura 18.20 Isoterma de Langmuir da adsorção dissociativa $A_2(g) \rightarrow 2\ A(superfície)$, para diferentes valores de K.

Dedução 18.2

O efeito da dissociação do substrato sobre a isoterma de Langmuir

Quando o substrato se dissocia na adsorção, a velocidade de adsorção é proporcional à pressão e à probabilidade de *ambos* os átomos encontrarem sítios, que é proporcional ao quadrado do número de sítios vazios,

$$\text{Velocidade de adsorção} = k_a p\{N(1-\theta)\}^2$$

A velocidade de dessorção é proporcional à frequência de encontros de átomos sobre a superfície e é, portanto, de segunda ordem no número de átomos presentes:

$$\text{Velocidade de dessorção} = k_d(N\theta)^2$$

A condição de inexistência de alteração líquida (velocidades iguais de adsorção e dessorção) é

$$k_a p\{N(1-\theta)\}^2 = k_d(N\theta)^2$$

Depois de substituir $\alpha = k_a/k_d$ e cancelar N em ambos os lados, obtemos

$$\alpha p(1-\theta)^2 = \theta^2$$

e tomando a raiz quadrada de ambos os lados da expressão, obtemos

$$(\alpha p)^{1/2}(1-\theta) = \theta, \text{ ou } (\alpha p)^{1/2} = \{1 + (\alpha p)^{1/2}\}\theta$$

que pode ser reescrita na forma da Eq. 18.5.

A segunda modificação que precisamos considerar trata da **coadsorção**, na qual uma mistura de dois gases A e B competem pelos mesmos sítios na superfície. É deixado como um exercício (Exercício 18.13) para que você mostre que se A e B seguem ambos isotermas de Langmuir e se adsorvem sem dissociação, então

$$\theta_A = \frac{\alpha_A p_A}{1+\alpha_A p_A + \alpha_B p_B} \qquad \theta_B = \frac{\alpha_B p_B}{1+\alpha_A p_A + \alpha_B p_B} \qquad \text{Isoterma de Langmuir de coadsorção} \qquad (18.6)$$

em que α_J (com J = A ou B) é a razão entre as constantes de velocidade de adsorção e dessorção para a espécie J, p_J é sua pressão parcial na fase gasosa e θ_J é a fração do número total de sítios ocupados por J. Coadsorção deste tipo é importante na catálise e iremos usar essas isotermas mais tarde.

(c) A isoterma BET

Se a camada adsorvida inicialmente puder operar como substrato para adsorção de outras camadas (por exemplo, uma adsorção física), então, em lugar de a isoterma exibir saturação a uma pressão elevada, pode ser esperado que a quantidade de adsorvente aumente indefinidamente quando mais e mais moléculas condensam sobre a superfície, assim como o vapor d'água pode condensar indefinidamente sobre a superfície da água líquida. A isoterma mais comumente adotada para descrever a adsorção em multicamadas foi deduzida por Stephen Brunauer, Paul Emmett e Edward Teller, e é denominada **isoterma BET**:

$$\frac{V}{V_{mon}} = \frac{cz}{(1-z)\{1-(1-c)z\}} \qquad \text{com } z = \frac{p}{p^*} \qquad \text{Isoterma BET} \qquad (18.7)$$

Nesta expressão, p^* é a pressão de vapor sobre a camada de adsorvato que tem espessura correspondente a mais do que uma molécula e que pode, portanto, ser considerada como a pressão de vapor do seio do líquido, V_{mon} é o volume correspondente ao recobrimento por uma monocamada e $c = \alpha_0/\alpha_1$, em que α_0 é a constante de equilíbrio para a adsorção sobre o substrato e α_1 é a constante de equilíbrio para a adsorção física sobre as camadas de recobrimento já presentes (Fig. 18.21). Desde que as entropias da adsorção química e da adsorção física sejam as mesmas,

$$c = e^{(\Delta_{des}H^{\ominus} - \Delta_{vap}H^{\ominus})/RT} \qquad (18.8)$$

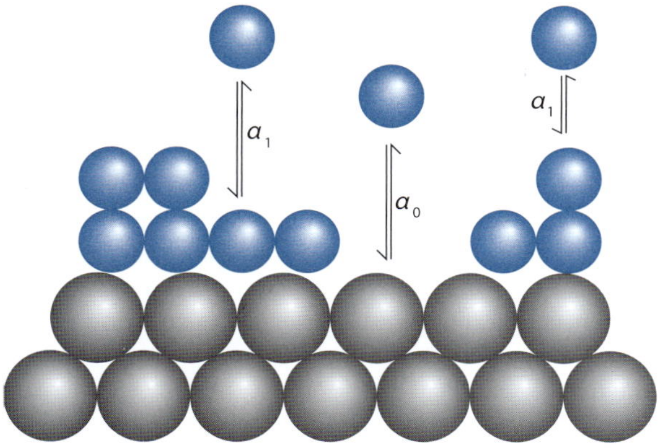

Figura 18.21 A adsorção sobre um substrato ocorre com uma constante de equilíbrio α_0, e a adsorção física sobre as camadas de recobrimento já presentes ocorre com uma constante de equilíbrio α_1.

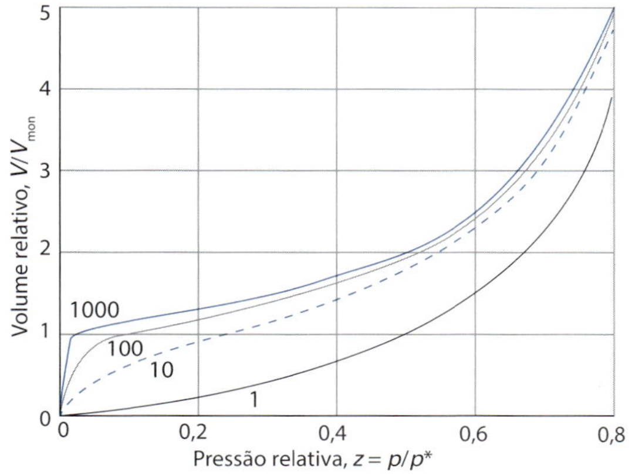

Figura 18.22 Gráficos das isotermas BET para diferentes valores de *c*. O valor de V/V_{mon} cresce indefinidamente porque o adsorvato pode condensar sobre a superfície recoberta do substrato.

em que $\Delta_{des}H^{\ominus}$ é a entalpia-padrão de dessorção a partir do substrato e $\Delta_{vap}H^{\ominus}$ é a entalpia-padrão de vaporização do adsorvato líquido.

As formas das isotermas BET estão ilustradas na Figura 18.22. Em baixas pressões, o efeito dominante é adsorção da monocamada, então podemos esperar que a isoterma BET se transforme na isoterma de Langmuir. De fato, quando $p \ll p^*$, de modo que, $z \ll 1$, podemos escrever

$$\frac{V}{V_{mon}} = \frac{cz}{\underbrace{(1-z)}_{\approx 1}\underbrace{(1-z+cz)}_{\approx 1}} \approx \frac{cz}{1+cz} \qquad (18.9)$$

que tem a forma da isoterma de Langmuir. Quando a pressão aumenta, no entanto, o recobrimento pelas multicamadas torna-se importante e a extensão do recobrimento aumenta sem limite. A isoterma BET não é exata em todas as pressões, mas é muito usada na indústria para determinar a área superficial dos sólidos.

Quando $c \gg 1$ e $cz \gg 1$, que é o caso quando a entalpia de dessorção a partir do substrato é muito alta, a isoterma BET assume a forma

$$\frac{V}{V_{mon}} = \frac{cz}{(1-z)\underbrace{(1-z+cz)}_{\approx cz}} \approx \frac{cz}{(1-z)cz} = \frac{1}{1-z} \qquad (18.10)$$

Esta expressão se aplica para gases inertes sobre superfícies polares, para os quais $c \approx 10^2$.

A isoterma BET é razoavelmente correta na faixa de $0{,}8 < \theta < 2$ e, portanto, fornece uma técnica razoavelmente segura para medir a área superficial de sólidos (correspondendo a $\theta = 1$). O adsorvato normalmente é o nitrogênio gasoso.

Exemplo 18.4

Aplicação da isoterma BET para determinar a área de uma superfície

O número de mols de N_2 adsorvidos sobre 0,30 g de sílica a 77 K (ponto de ebulição normal do nitrogênio) foi determinado medindo-se o volume adsorvido e então usando-se a lei do gás perfeito para calcular o número de mols. Os seguintes valores foram obtidos:

p/Torr	100	200	300	400
n/mmol	0,90	1,10	1,40	1,90

Determine o valor de c e o número de sítios de adsorção na amostra.

Estratégia Para usar a isoterma BET, primeiro invertemos ambos os lados da Eq. 18.7:

$$\frac{V_{mon}}{V} = \frac{(1-z)\{1-(1-c)z\}}{cz}$$

$$= \frac{(1-z)-(1-z)(1-c)z}{cz}$$

$$\overset{(A-B)/C=A/C-B/C}{=} \frac{1-z}{cz} - \frac{(1-c)(1-z)}{c}$$

A razão V_{mon}/V pode ser feita igual a n_{mon}/n, em que n é a quantidade de moléculas do adsorvato adsorvidas e n_{mon} é a quantidade de moléculas do adsorvato na monocamada. Obtemos, então,

$$\frac{n_{mon}}{n} = \frac{1-z}{cz} - \frac{(1-c)(1-z)}{c}$$

Para termos uma expressão da forma y = coeficiente linear + coeficiente angular × x, multiplicamos ambos os lados por $z/n_{mon}(1-z)$, obtendo

$$\frac{zn_{mon}}{n_{mon}(1-z)n} = \frac{z}{n_{mon}(1-z)}\left(\frac{1-z}{cz}\right) - \frac{z(1-c)(1-z)}{n_{mon}(1-z)c}$$

que, após o cancelamento dos vários termos em azul, se torna

$$\overbrace{\frac{z}{(1-z)n}}^{y} = \overbrace{\frac{1}{cn_{mon}}}^{\text{Coeficiente linear}} - \overbrace{\frac{(1-c)}{cn_{mon}}}^{\text{Coeficiente angular}} \overbrace{\times z}^{\times x} \qquad (18.11)$$

Usamos $z = p/p^*$, com $p^* = 760$ Torr (porque a pressão de vapor de uma substância em seu ponto de ebulição normal é 1 atm). Esta expressão é a equação de uma reta quando é feito o gráfico do lado esquerdo contra z, tendo um coeficiente linear $1/cn_{mon}$ e um coeficiente angular $(c-1)/cn_{mon}$. A partir dos coeficientes linear e angular podemos determinar os valores de c e n_{mon}.

Solução Preparamos a seguinte tabela:

p/Torr	100	200	300	400
$z = p/p^*$	0,132	0,263	0,395	0,526
$z/\{(1-z)(n/\text{mmol})\}$	0,17	0,32	0,47	0,58

A Figura 18.23 mostra um gráfico dos dados. O coeficiente linear é 0,039, de modo que $1/c(n_{mon}/\text{mmol}) = 0{,}039$ e, portanto, $cn_{mon} =$

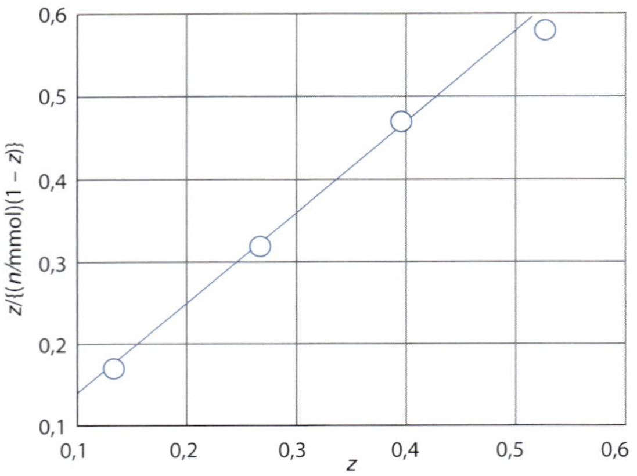

Figura 18.23 Gráfico dos dados do Exemplo 18.4.

15 mmol. O coeficiente angular é 1,1, de modo que $(c - 1)/c(n_{mon}/\text{mmol}) = 1{,}1$ e, portanto,

$$c - 1 = 1{,}1 \times 15 = 16$$

e assim $c = 17$ e $n_{mon} = (15 \text{ mmol})/16 = 0{,}94$ mmol. Este número de mols corresponde a

$$N_{mon} = n_{mon}N_A = (9{,}4 \times 10^{-4} \text{ mol}) \times (6{,}022 \times 10^{23} \text{ mol}^{-1}) = 5{,}7 \times 10^{20}$$

sítios de adsorção.

Exercício proposto 18.5

Repita a análise usando os seguintes dados para uma amostra diferente de sílica:

p/Torr	100	150	200	250	300	350
n/mmol	1,28	1,55	1,79	2,05	2,33	2,67

Resposta: $n_{mon} = 1{,}54$ mmol, $N_{mon} = 9{,}27 \times 10^{20}$

18.5 As velocidades dos processos nas superfícies

A Figura 18.24 mostra como a energia potencial de uma molécula varia em função da sua distância até o sítio de adsorção. Quando a molécula se aproxima da superfície, a sua energia potencial diminui quando se adsorve fisicamente em um **estado precursor** da adsorção química. Muitas vezes a molécula se fragmenta durante a passagem ao estado de quimissorção, e depois de um aumento inicial da energia provocado pelo alongamento das ligações, há uma grande diminuição provocada pelo estabelecimento das ligações químicas entre o substrato e adsorvato alcançando suas forças completas. Mesmo no caso em que não ocorra fragmentação da molécula, é possível haver, inicialmente, aumento da energia potencial durante o ajuste das ligações quando a molécula se aproxima da superfície.

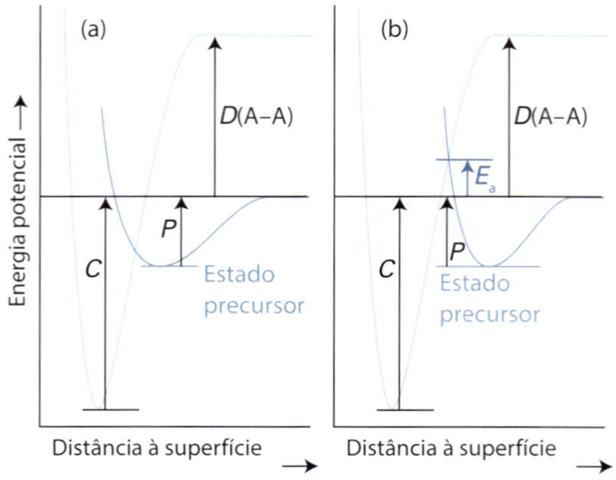

Figura 18.24 Perfis de energia potencial da adsorção química dissociativa de uma molécula A_2. Em cada caso, P é a entalpia da adsorção física (não dissociativa) e C a da adsorção química (em $T = 0$). As posições relativas das curvas determinam se a adsorção química é (a) não ativada ou (b) ativada.

Na maioria dos casos, portanto, podemos esperar que exista uma barreira de energia potencial que separa o estado precursor do estado da molécula quimicamente adsorvida. Essa barreira, no entanto, pode ser baixa e pode não ser mais alta do que a energia de uma molécula distante da superfície e estacionária (como na Fig. 18.24a). Neste caso, a quimissorção não é um processo ativado, pois toda molécula que se aproxima da superfície pode atingi-la, independentemente de sua energia cinética, e a adsorção química será, possivelmente, rápida. A adsorção de muitos gases sobre superfícies metálicas limpas parece ser um processo não ativado. Em outros casos, a barreira eleva-se acima do eixo de energia nula (como na Fig. 18.24b); tais adsorções químicas são ativadas e mais lentas do que as não ativadas, pois somente uma fração das moléculas que se aproximam da superfície pode atingi-la e ficar adsorvida. Um exemplo é o da adsorção do H_2 sobre o cobre, que tem uma energia de ativação na faixa de 20-40 kJ mol^{-1}.

Um ponto que surge dessa discussão é o de que as velocidades de adsorção não são bons critérios para se distinguir as adsorções químicas das físicas. A adsorção química pode ser rápida se a energia de ativação for nula ou pequena; mas pode ser lenta se a energia de ativação for elevada. A adsorção física é, em geral, rápida, mas pode parecer lenta se estiver ocorrendo em um meio poroso.

(a) A probabilidade de adsorção

A velocidade de recobrimento da superfície pelo adsorvato depende da capacidade de o substrato dissipar a energia das moléculas que se aproximam como energia térmica quando elas colidem com a superfície. Se não houver rápida dissipação de energia, a molécula migra sobre a superfície até que uma vibração provoque a sua expulsão de volta para camada gasosa ou até que essa molécula alcance uma extremidade. A proporção das colisões com a superfície que levam com sucesso à adsorção é chamada de **probabilidade de adsorção,** s:

$$s = \frac{\text{velocidade de adsorção de partículas pela superfície}}{\text{velocidade de colisões das partículas com a superfície}}$$

Definição Probabilidade de adsorção (18.12)

O denominador pode ser calculado pela teoria cinética dos gases (utilizando a Eq. 18.1) e o numerador pode ser medido pela observação da velocidade de alteração da pressão no processo de adsorção. Os valores de s variam bastante. Por exemplo, na temperatura ambiente, o valor da probabilidade de adsorção, s, para o CO sobre a superfície de diversos metais do grupo d está no intervalo que vai de 0,1 até 1,0, sugerindo que quase todas as colisões são bem-sucedidas; porém, para o N_2 sobre o rênio, $s < 10^{-2}$, o que mostra que em mais de 100 colisões apenas uma é bem-sucedida.

A dessorção é sempre um processo ativado, pois as moléculas adsorvidas têm que sair de um poço de potencial. Uma molécula adsorvida fisicamente vibra em um poço de potencial raso e pode escapar da superfície após um breve intervalo de tempo. Podemos esperar que a dependência da velocidade de primeira ordem de saída em relação à temperatura seja semelhante à forma funcional de Arrhenius:

$$k_d = Ae^{-E_d/RT} \quad \text{Dessorção ativada} \quad (18.13)$$

em que A é um fator pré-exponencial (obtido da interseção em um gráfico de Arrhenius, Seção 10.9, em $1/T = 0$) e a energia de ativação de dessorção, E_d, é provavelmente comparável à entalpia de adsorção física. Na discussão das meias-vidas de reações de primeira ordem (Seção 10.8) vimos que $t_{1/2} = (\ln 2)/k$; assim, para a dessorção, a meia-vida para a molécula estar adsorvida tem uma dependência em relação à temperatura dada por

$$t_{1/2} = \frac{\ln 2}{k_d} = \tau_0 e^{E_d/RT} \qquad \tau_0 = \frac{\ln 2}{A} \quad \text{Meia-vida de residência} \quad (18.14)$$

Observe o sinal positivo do expoente; a meia-vida *diminui* quando a temperatura aumenta.

■ Breve ilustração 18.3 Meias-vidas de residência

Se admitirmos que $1/\tau_0$ é aproximadamente igual à frequência de vibração de uma ligação fraca entre a molécula e a superfície (cerca de 10^{12} Hz) e se $E_d \approx 25$ kJ mol^{-1}, então meias-vidas de residência em torno de 10 ns são previstas à temperatura ambiente. Meias-vidas da ordem de 1 s são obtidas somente abaixando-se a temperatura para cerca de 100 K. Na adsorção química, com $E_d = 100$ kJ mol^{-1} e estimando $\tau_0 = 10^{-14}$ s (pois a ligação adsorvato-substrato é muito forte), esperamos uma meia-vida de residência da ordem de 3×10^3 s (cerca de uma hora) na temperatura ambiente, diminuindo para 1 s na temperatura aproximadamente de 350 K.

Exercício proposto 18.6

Qual é a meia-vida de um átomo sobre uma superfície a 800 K se sua energia de ativação de dessorção é de 200 kJ mol^{-1}? Considere $\tau_0 = 0,1$ ps.

Resposta: $t_{1/2} = 1,3$ s

(b) Técnicas experimentais

Uma maneira de medir a energia de ativação de dessorção é monitorar a velocidade de aumento da pressão quando a amostra é mantida em uma série de temperaturas e então tentar fazer um gráfico de Arrhenius. Uma técnica mais sofisticada é a **dessorção com temperatura programada** (sigla em inglês TPD) ou a **espectroscopia de dessorção térmica** (sigla em inglês TDS). A observação básica é a do surto da velocidade de dessorção (detectado por um espectrômetro de massa) quando a temperatura é elevada linearmente até um ponto em que a dessorção ocorre muito rapidamente; mas, uma vez que a dessorção tenha ocorrido, não há mais adsorvato para escapar da superfície, de modo que o fluxo de dessorção cai novamente enquanto a temperatura continua a aumentar. Por conseguinte, o espectro de TPD, o gráfico do fluxo de dessorção contra a temperatura, exibe um pico cuja localização depende da energia de ativação de dessorção. Existem três máximos no exemplo mostrado na Figura 18.25, indicando a presença de três sítios de adsorção com energias de ativação diferentes.

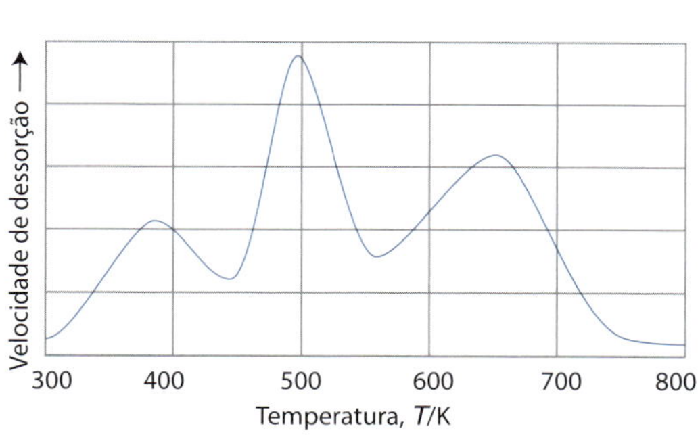

Figura 18.25 Espectro de dessorção térmica do H_2 da face (100) do tungstênio. Os três picos assinalam a presença de três sítios com entalpias de adsorção diferentes e, portanto, de três energias de ativação de dessorção diferentes. (P. W. Tamm e L. D. Schmidt, *J. Chem. Phys.* 51, 5352 (1969).)

Em muitos casos observa-se uma única energia de ativação de dessorção (e um único pico no espectro de TPD). A existência de vários picos pode corresponder à adsorção sobre planos cristalinos diferentes ou à adsorção de multicamadas.

■ Breve ilustração 18.4 Dessorção com temperatura programada

Os átomos de cádmio sobre tungstênio exibem duas energias de ativação de dessorção, uma de 18 kJ mol^{-1} e outra de 90 kJ mol^{-1}. A explicação é que os átomos de Cd mais fortemente ligados unem-se diretamente com o substrato e os menos fortemente ligados estão em uma camada (ou em mais de uma camada) acima da monocamada inicial. Outro exemplo de um sistema mostrando duas energias de ativação é o do CO adsorvido sobre tungstênio. As energias de ativação são 120 kJ mol^{-1} e 300 kJ mol^{-1}. Acredita-se que, neste caso, são dois os tipos de sítios de ligação entre o metal e o adsorvato. Um envolve uma ligação simples M—CO. O outro é o da adsorção com dissociação em átomos individualmente adsorvidos de C e O.

Atividade catalítica nas superfícies

Vimos no Capítulo 11 que um catalisador atua fornecendo um caminho de reação alternativo com uma energia de ativação menor. Um catalisador não altera a composição final de equilíbrio do sistema, mas modifica apenas a velocidade com que o sistema se aproxima do equilíbrio. Nesta seção vamos analisar a **catálise heterogênea**, na qual o catalisador e os reagentes encontram-se em fases diferentes. Um exemplo comum é um sólido introduzido como um catalisador heterogêneo em uma reação em fase gasosa. Muitos processos industriais fazem uso de catalisadores heterogêneos, que incluem platina, ródio, zeólitas (Seção 18.7) e vários óxidos metálicos, mas cada vez mais a atenção se volta para os catalisadores homogêneos, em parte porque são mais fáceis de serem resfriados. Contudo, sua utilização normalmente requer etapas adicionais de separação e tais catalisadores estão frequentemente imobilizados sobre um suporte; neste caso, tornam-se heterogêneos. Em geral, catalisadores heterogêneos são altamente seletivos e, para encontrar um catalisador apropriado, cada reação tem de ser investigada individualmente. Programas de computador estão começando a ser uma fonte frutífera de predição de atividade catalítica.

Um metal atua como um catalisador heterogêneo para certas reações em fase gasosa fornecendo uma superfície à qual um reagente possa se ligar por adsorção química. Por exemplo, moléculas de hidrogênio podem se ligar como átomos à superfície de níquel e estes átomos reagem muito mais facilmente com outras espécies (por exemplo, um alqueno) do que as moléculas originais. Portanto, a etapa de adsorção química resulta em um caminho de reação com uma energia de ativação menor do que na ausência do catalisador. Observe que a adsorção química é normalmente necessária para a atividade catalítica: a adsorção física pode preceder a adsorção química, mas, em si, não é suficiente.

A catálise heterogênea depende, usualmente, de pelo menos um dos reagentes ser adsorvido (em geral em uma adsorção química) e ser modificado, assumindo uma forma com a qual participa facilmente da reação. Muitas vezes essa modificação toma a forma de uma fragmentação das moléculas do reagente. O ***ensemble* do catalisador** é a configuração mínima de átomos no sítio ativo da superfície que pode ser usado para modelar a ação de um catalisador. O *ensemble* do catalizador pode ser determinado, por exemplo, diluindo-se o metal ativo com um metal inerte quimicamente e observando-se a atividade catalítica da liga resultante. Dessa maneira foi observado, por exemplo, que pelo menos 12 átomos de Ni vizinhos são necessários para a quebra da ligação C—C na conversão do etano em metano.

18.6 Reações unimoleculares

A lei de velocidade de uma reação unimolecular catalisada por uma superfície, tal como a decomposição de uma substância em uma superfície, pode ser escrita em termos de uma isoterma de absorção, se admitimos que a velocidade é proporcional ao grau de recobrimento da superfície. Por exemplo, se θ é dado pela isoterma de Langmuir (Eq. 18.3, $\theta = \alpha p(1 + \alpha p)$, temos que

$$\text{Velocidade} = k_r\theta = \frac{k_r\alpha p}{1+\alpha p} \qquad (18.15)$$

em que p é a pressão da substância adsorvente.

■ Breve ilustração 18.5 Decomposição unimolecular catalisada pela superfície

Considere a decomposição da fosfina (PH_3) sobre tungstênio, que é de primeira ordem em baixas pressões. Podemos utilizar a Eq. 18.15 para justificar essa observação. Quando a pressão é tão baixa que $\alpha p << 1$, podemos ignorar αp no denominador da Eq. 18.15 e obtemos

$$\text{Velocidade} = \frac{k_r\alpha p}{\underbrace{1+\alpha p}_{\approx 1}} \approx k_r\alpha p$$

Prevê-se que a decomposição seja de primeira ordem, conforme observado experimentalmente.

Exercício proposto 18.7

Escreva uma lei de velocidade para a decomposição da PH_3 sobre tungstênio a pressões elevadas.

Resposta: Velocidade = k_r; a reação é de ordem zero a pressões elevadas.

18.7 O mecanismo de Langmuir-Hinshelwood

No **mecanismo de Langmuir-Hinshelwood** de reações catalisadas pela superfície, a reação ocorre pelos encontros entre os fragmentos moleculares adsorvidos e átomos também adsorvidos na superfície. Por isso, a velocidade deve ser a de um processo de segunda ordem no grau de recobrimento da superfície:

$$A + B \rightarrow P \qquad \text{Velocidade} = k_r\theta_A\theta_B$$

A inserção das isotermas apropriadas para A e B dá então a velocidade da reação em termos das pressões parciais dos reagentes. Por exemplo, se A e B obedecem às isotermas dadas na Eq. 18.6, então se espera que a lei de velocidade seja dada por

$$\text{Velocidade} = k_r \times \overbrace{\frac{\alpha_A p_A}{(1+\alpha_A p_A + \alpha_B p_B)}}^{\text{Isoterma de Langmuir para A}} \times \overbrace{\frac{\alpha_B p_B}{(1+\alpha_A p_A + \alpha_B p_B)}}^{\text{Isoterma de Langmuir para B}}$$

$$= \frac{k_r\alpha_A\alpha_B p_A p_B}{(1+\alpha_A p_A + \alpha_B p_B)^2} \qquad (18.16)$$

Os parâmetros α das isotermas e a constante de velocidade k_r são todos dependentes da temperatura, de modo que a dependência global entre a velocidade e a temperatura pode ser muito distinta de uma dependência do tipo Arrhenius, no sentido de que é pouco provável que a constante de velocidade seja proporcional a $e^{-E_a/RT}$. O mecanismo de Langmuir-Hinshelwood é o predominante na oxidação catalítica de CO a CO_2 sobre a superfície (111) da platina.

18.8 O mecanismo de Eley-Rideal

No **mecanismo de Eley-Rideal** de uma reação catalisada por superfície, uma molécula da fase gasosa colide com outra molécula já adsorvida na superfície. Esperamos, portanto, que a velocidade de formação dos produtos seja então proporcional à pressão parcial, p_B, do gás B não adsorvido e ao grau de recobrimento da superfície pelo gás adsorvido A, θ_A. Conclui-se que a lei de velocidade deve ser

$$A + B \rightarrow P \qquad \text{Velocidade} = k_r p_B\theta_A$$

A constante de velocidade, k_r, pode ser muito maior do que a da reação em fase gasosa não catalisada, pois a reação na superfície tem uma energia de ativação baixa e a própria adsorção não é, geralmente, ativada. Se conhecermos a isoterma de adsorção de A, podemos exprimir a lei de velocidade em termos da sua pressão parcial correspondente, p_A. Por exemplo, se a adsorção de A segue a isoterma de Langmuir, $\theta_A = \alpha_A p_A/(1 + \alpha_A p_A)$, no intervalo de pressão de interesse, então a lei de velocidade é

$$\text{Velocidade} = \frac{k_r \alpha p_A p_B}{1 + \alpha p_A} \quad (18.17)$$

Se A fosse uma molécula diatômica e fosse adsorvida na forma de átomos, então substituiríamos a isoterma dada na Eq. 18.5.

■ Breve ilustração 18.6 O mecanismo de Eley-Rideal

De acordo com a Eq. 18.17, quando a pressão parcial de A for elevada (isto é, se $\alpha p_A >> 1$), o recobrimento da superfície será quase completo e

$$\text{Velocidade} = \frac{k_r \alpha p_A p_B}{\underbrace{1+\alpha p_A}_{\approx \alpha p_A}} \approx \frac{k_r \alpha p_A p_B}{\alpha p_A} \overbrace{\approx}^{\text{Cancelando } \alpha p_A} k_r p_B$$

A velocidade é igual a $k_r p_B$. Assim, a etapa determinante da velocidade é a da colisão de B com os fragmentos adsorvidos. Quando a pressão de A for baixa ($\alpha p_A << 1$), talvez em virtude da sua reação, a velocidade seja igual a $k_r \alpha p_A p_B$; neste caso, o grau de recobrimento da superfície é importante na determinação da velocidade.

Exercício proposto 18.8

Reescreva a Eq. 18.17 para os casos em que A é uma molécula diatômica que se adsorve como átomos.

Resposta: Velocidade = $k_r p_B (\alpha p_A)^{1/2}/(1 + (\alpha p_A)^{1/2})$

Pode-se imaginar que quase todas as reações catalisadas termicamente em superfícies ocorrem pelo mecanismo de Langmuir-Hinshelwood, mas várias reações com um mecanismo de Eley-Rideal foram identificadas a partir dos resultados de experiências com feixes moleculares. Por exemplo, a reação entre o H(g) e o D(ad) para formar HD(g) parece seguir o mecanismo de Eley-Rideal e envolve a colisão direta do átomo de H incidente com o de D adsorvido, que é arrancado da superfície. Entretanto, os dois mecanismos podem ser interpretados como casos limites idealizados e todas as reações ocorrem entre os dois, exibindo características de ambos.

Impacto na tecnologia 18.1

Exemplos de catálise heterogênea

Quase toda a indústria química moderna depende do desenvolvimento, escolha e aplicação de catalisadores (Tabela 18.3). O que esperamos expor nesta seção é dar uma breve indicação sobre alguns dos problemas envolvidos. Além dos que vamos abordar, existem problemas relacionados com o perigo de envenenamento do catalisador por subprodutos da reação ou por impurezas, e também as questões econômicas relacionadas com o custo, regeneração e o tempo de vida do catalisador.

A atividade de um catalisador depende da força da adsorção química, como mostra a curva do 'vulcão' da Figura 18.26 (a denominação se deve à forma geral da curva; mas observe que o eixo vertical é logarítmico, de modo que as atividades altas são muito mais altas do que as atividades baixas). Para ser ativo, o catalisador deve ser extensamente recoberto pelo adsorvato, o que é o caso quando a adsorção química é forte. Por outro lado, se a ligação substrato-adsorvato for muito forte, então a atividade diminui, uma vez que outras moléculas não podem reagir com as moléculas adsorvidas ou então as moléculas adsorvidas ficam imobilizadas sobre a superfície. Este padrão de comportamento sugere que a atividade de um catalisador deve aumentar inicialmente com a força da adsorção (medida, por exemplo, pela entalpia da adsorção) e depois diminuir, e que os catalisadores mais ativos devem ser aqueles localizados nas vizinhanças do máximo da curva do vulcão. Os metais mais ativos são os que estão nas proximidades da região central do bloco d.

Como a catálise heterogênea é um fenômeno de superfície, é essencial a presença de áreas superficiais grandes. Neste sentido, catalisadores sólidos podem ser finamente divididos ou ter estruturas com canais e cavidades internas (como nas zeólitas; veja a seguir). Suportes inativos de catalisadores são usados para estabilizar nanopartículas catalíticas dispersas sobre elas.

Muitos metais são adequados para adsorver gases, e a intensidade da adsorção diminui, em geral, na ordem da sequência O_2, C_2H_2, C_2H_4, CO, H_2, CO_2, N_2. Algumas destas moléculas adsorvem-se dissociativamente (por exemplo, o H_2). Os elementos do bloco d, como o ferro, o vanádio e o cromo, exibem muita ativi-

Tabela 18.3
Propriedades dos catalisadores

Catalisador	Função	Exemplos
Metais	Hidrogenação Desidrogenação	Fe, Ni, Pt
Óxidos e sulfetos semicondutores	Oxidação Dessulfurização	NiO, ZnO, MgO, Bi_2O_3/MoO_3, MoS_2
Óxidos isolantes	Desidratação	Al_2O_3, SiO_2, MgO
Ácidos	Polimerização Isomerização Craqueamento Alquilação	H_3PO_4, H_2SO_4, SiO_2/Al_2O_3, zeólitas

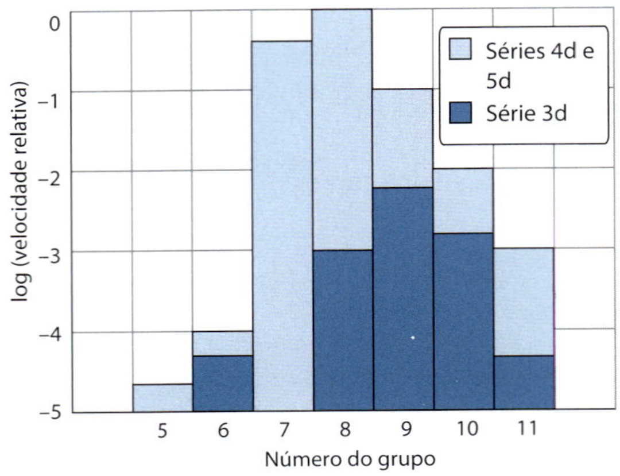

Figura 18.26 A 'curva do vulcão' da atividade catalítica é fruto de os reagentes terem que ser adsorvidos fortemente, mas não tão fortemente que fiquem imobilizados. A curva de baixo corresponde à série de metais do bloco 3d e a de cima à da série dos metais (4d, 5d). O número dos grupos é o da tabela periódica (veja a contracapa interna).

dade diante de todos estes gases, mas o manganês e o cobre não são capazes de adsorver o N_2 e o CO_2. Os metais à esquerda da tabela periódica (por exemplo, magnésio e lítio) podem adsorver (com os quais, na realidade, reagem), somente o gás mais ativo (O_2). Essas tendências estão resumidas na Tabela 18.4.

Como um exemplo de ação catalítica, consideramos a hidrogenação dos alquenos. O alqueno (**1**) adsorve-se pela formação de duas ligações com a superfície (**2**), e sobre a mesma superfície podem estar átomos de H adsorvidos. Quando há um encontro, uma das ligações entre o alqueno e a superfície é rompida (formando-se **3** ou **4**) e depois outro encontro com um segundo átomo de H liberta o hidrocarboneto completamente hidrogenado, que é a espécie termodinamicamente mais estável. O indício de uma reação em duas etapas é o aparecimento de diferentes isômeros dos alquenos na mistura. Estes isômeros se formam graças à movimentação da cadeia hidrocarbônica sobre a superfície do metal. Nesta movimentação é possível que um átomo da cadeia seja novamente adsorvido quimicamente para formar (**5**) e então se dessorva formando (**6**), que é um isômero da molécula original. O novo alqueno não seria formado se a ligação com os dois átomos de hidrogênio se fizesse simultaneamente.

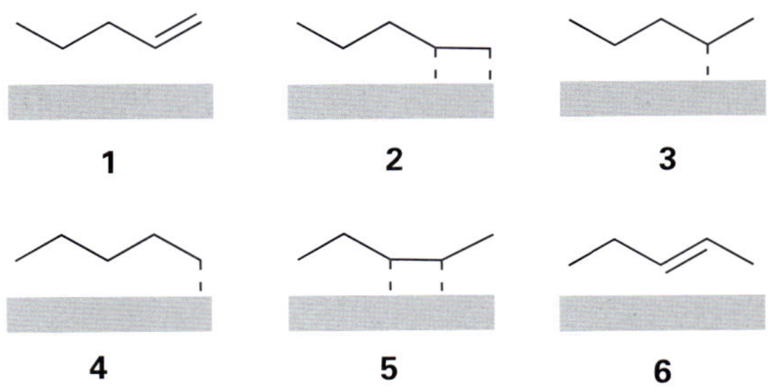

A oxidação catalítica também é muito usada na indústria e no controle da poluição. Embora em certos casos seja desejável alcançar a oxidação completa (por exemplo, na preparação de ácido nítrico a partir da amônia), em outros o desejável é a oxidação parcial. Por exemplo, a oxidação completa do propeno a dióxido de carbono e água é um desperdício, mas a oxidação parcial a propenal (acroleína, $CH_2{=}CHCHO$) é o ponto de partida de importantes processos industriais. Igualmente, as oxidações controladas do eteno a etanol, etanal (acetaldeído) e (na presença de cloro) a cloroeteno (cloreto de vinila, para a produção de PVC), são a etapa inicial de indústrias químicas muito importantes.

Algumas dessas reações são catalisadas por óxidos de metais do bloco d de vários tipos. A físico-química das superfícies dos óxidos é muito complicada, como se pode apreciar considerando-se o que ocorre durante a oxidação do propeno a propenal sobre molibdato de bismuto. O primeiro estágio é a adsorção da molécula de propeno com a perda de um hidrogênio para formar o radical propenila (alila), $CH_2{=}CHCH_2\cdot$. Um átomo de O na superfície pode agora se transferir para este radical, levando à formação do propenal e à sua dessorção da superfície. O átomo de H também escapa levando um átomo de O da superfície e produzindo H_2O, que abandona a superfície. A superfície fica com vacâncias e com íons metálicos em estados de oxidação mais baixos. As vacâncias são atacadas por moléculas de O_2, do gás sobrejacente, que então se adsorve quimicamente na forma de íons O_2^-, e reformam o catalisador. Esta sequência de eventos, que é denominada de **mecanismo de Mars van Krevelen**, envolve grandes sublevantamentos superficiais e parte do material do catalisador se fragmenta sob a ação das tensões desenvolvidas.

Muitas das moléculas orgânicas pequenas que se usam na preparação de diversas espécies de produtos provêm do petróleo. Em geral, esses pequenos blocos construtores que constituem os polímeros e muitos produtos da indústria petroquímica são obtidos de hidrocarbonetos de cadeia longa presentes no petróleo bruto extraído das jazidas subterrâneas. A fragmentação induzida

Tabela 18.4

*Capacidade de adsorção química**

	O_2	C_2H_2	C_2H_4	CO	H_2	CO_2	N_2
Ti, Cr, Mo, Fe	+	+	+	+	+	+	+
Ni, Co	+	+	+	+	+	+	−
Pd, Pt	+	+	+	+	+	−	−
Mn, Cu	+	+	+	+	±	−	−
Al, Au	+	+	+	−	−	−	−
Li, Na, K	+	+	−	−	−	−	−
Mg, Ag, Zn, Pb	+	−	−	−	−	−	−

* Adsorção química forte; ±, adsorção química; −, sem adsorção química.

cataliticamente dessas cadeias hidrocarbônicas longas é o **craqueamento**, e se faz frequentemente com o auxílio de catalisadores de sílica-alumina. Estes catalisadores atuam pela formação de carbocátions instáveis que se dissociam e se rearranjam formando isômeros muito ramificados. Estes isômeros ramificados queimam de modo mais uniforme e eficiente nos motores de combustão interna e são utilizados para produzir combustíveis de alta octanagem.

A **reforma** catalítica usa um catalisador de dupla função, como, por exemplo, uma dispersão de platina e alumina ácida. A platina oferece a função metálica e fomenta a desidrogenação e a hidrogenação. A alumina proporciona a função ácida e propicia a formação de carbocátions a partir dos alquenos. A sequência de eventos da reforma catalítica mostra com muita clareza as complicações que têm que ser desvendadas para que uma reação tão importante quanto esta seja compreendida e aperfeiçoada. A primeira etapa é a adsorção química do hidrocarboneto de cadeia longa à platina. Neste processo há a perda inicial de um átomo de H e depois a de um segundo átomo de H, com a formação de um alqueno. O alqueno migra para um sítio ácido de Brønsted, em que recebe um próton e se liga à superfície na forma de um carbocátion. Este carbocátion pode participar de várias reações. Pode romper-se, pode isomerizar-se em forma mais ramificada ou formar variedades de anéis fechados. Depois, a molécula adsorvida perde um próton, escapa da superfície e migra (possivelmente por meio do gás) como um alqueno para um sítio metálico do catalisador, em que é hidrogenada. No final, temos uma rica coleção de moléculas pequenas que podem ser recolhidas, fracionadas e usadas como matéria-prima de outros produtos.

Nos anos mais recentes, ampliou-se o conceito de superfície sólida com a disponibilidade de **materiais microporosos**, nos quais a superfície se estende profundamente no interior do sólido. As zeólitas são aluminossilicatos microporosos de fórmula geral $\{[M^{n+}]_{x/n}\cdot[H_2O]_m\}\{[AlO_2]_x[SiO_2]_y\}^{x-}$, em que cátions M^{n+} e moléculas de H_2O ocupam as cavidades ou poros da estrutura Al—O—Si (Fig. 18.27). Moléculas neutras pequenas como o CO_2, NH_3 e hidrocarbonetos (incluindo compostos aromáticos) também podem se adsorver nas superfícies internas e iremos ver que isto explica parcialmente a atividade catalítica das zeólitas.

Algumas zeólitas para as quais $M = H^+$ são ácidos muito fortes e servem como catalisadores para uma série de reações que são

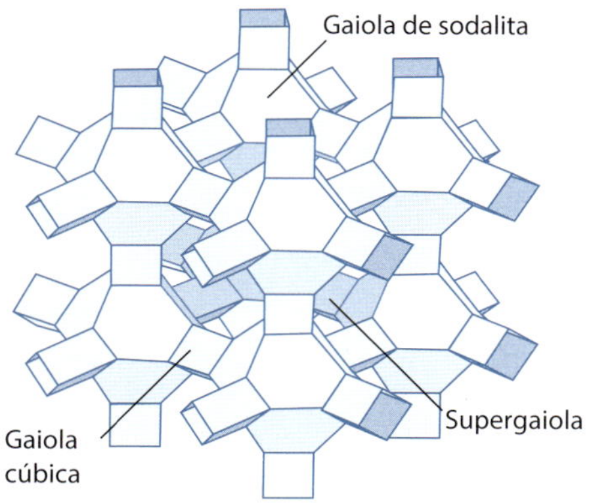

Figura 18.27 Modelo da disposição dos átomos de Si, Al e O em uma zeólita. Cada vértice corresponde a um átomo de Al ou Si, e cada aresta corresponde à localização aproximada de um átomo de O. Observe a grande cavidade central que pode conter cátions, moléculas de água ou outras moléculas pequenas.

de grande importância para a indústria petroquímica. Exemplos incluem a desidratação do metanol produzindo hidrocarbonetos que constituem a gasolina e outros combustíveis:

$$x\,CH_3OH \xrightarrow{\text{zeólita}} (CH_2)_x + x\,H_2O$$

e a isomerização do 1,3-dimetilbenzeno (*m*-xileno) em 1,4-dimetilbenzeno (*p*-xileno). A forma cataliticamente importante destas zeólitas ácidas pode ser um ácido de Brønsted (**7**) ou um ácido de Lewis (**8**). Como no caso das enzimas, uma zeólita, com uma dada composição e estrutura, atua como um catalisador altamente seletivo para certos reagentes e produtos porque apenas moléculas de tamanhos específicos podem entrar ou sair das cavidades em que a catálise ocorre. Também é possível que as zeólitas possuam seletividade em função da sua capacidade de se ligar e de estabilizar apenas os estados de transição que se ajustem perfeitamente aos seus poros. O estudo do mecanismo da catálise em zeólitas é muito facilitado pela utilização da simulação computacional de sistemas microporosos, que mostram como as moléculas se encaixam nos poros, migram através dos canais e reagem em sítios ativos apropriados.

7

8

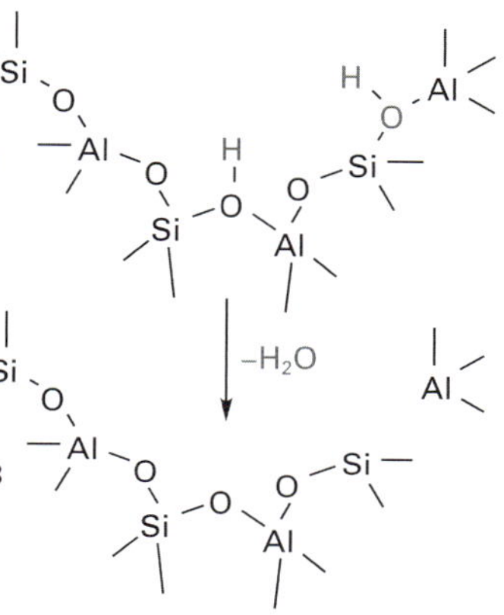

Processos em eletrodos

Uma espécie muito especial de superfície é aquela de um eletrodo em contato com um eletrólito. Estudos de processos sobre superfícies de eletrodos são de enorme importância na eletroquímica, por fornecerem informações a respeito da velocidade de transferência de elétrons entre o eletrodo e a espécie eletroativa na solução, e são essenciais para a melhora do desempenho de baterias e células de combustível (Impacto 9.2). O conhecimento detalhado dos fatores que determinam a velocidade de transferência de elétrons permite um entendimento mais amplo sobre a produção de energia nas baterias e sobre a condução de elétrons em metais, semicondutores e dispositivos eletrônicos em escala nanométrica. De fato, as consequências econômicas dos processos nos eletrodos são quase incalculáveis. A maioria dos métodos atualmente usados para gerar eletricidade é ineficiente, e o desenvolvimento de células de combustível poderia revolucionar a nossa produção e distribuição de energia, pelo menos pela redução da geração de óxidos de nitrogênio poluentes. Hoje, produzimos energia ineficientemente e os bens produzidos se deterioram em função da corrosão. Cada etapa dessa sequência de desperdícios pode ser melhorada se soubermos mais a respeito da cinética dos processos eletroquímicos. Da mesma forma, as técnicas de eletrossíntese orgânica e inorgânica, nas quais um eletrodo é um componente ativo de um processo industrial, dependem de uma compreensão profunda da cinética dos processos que ocorrem nos eletrodos.

18.9 A interface eletrodo-solução

Enquanto a maioria do nosso estudo anterior foi centralizado na interface sólido-gás, voltamos agora a nossa atenção para um condutor metálico imerso em uma solução aquosa de íons. O modelo mais simples da interface entre as fases sólida e líquida é uma **dupla camada elétrica**, que consiste em uma camada de cargas positivas na superfície do eletrodo e outra camada de cargas negativas, vizinha à primeira, na solução (ou vice-versa). Este arranjo cria uma diferença de potencial elétrico, denominada **diferença de potencial Galvani**, entre o seio do metal e o da solução. Por simplicidade, daqui para frente iremos identificar a diferença de potencial Galvani com o que, no Capítulo 9, chamamos de potencial de eletrodo.

Podemos construir uma imagem mais detalhada da interface pela análise da configuração dos íons e dipolos elétricos na solução. No **modelo da dupla camada de Helmholtz** da interface, os íons solvatados se distribuem sobre a superfície do eletrodo, da qual mantêm-se separados por suas respectivas esferas de hidratação (Fig. 18.28). A localização da camada de carga iônica, que é chamada de **plano externo de Helmholtz** (PEH), é identificada como o plano que passa através dos íons solvatados. Neste modelo simples, o potencial elétrico varia linearmente dentro da camada limitada pela superfície do eletrodo, em um lado, e o PEH no outro lado. Em um refinamento deste modelo, alguns íons que perderam as suas respectivas moléculas de solvatação e que se uniram à superfície do eletrodo por ligações químicas são considerados como formando o **plano interno de Helmholtz** (PIH). O modelo da dupla camada de Helmholtz ignora o efeito perturbador da agitação térmica, que tende a romper e dispersar o plano externo rígido de cargas. No **modelo de Gouy-Chapman** da **dupla camada difusa**, o efeito da desordem da agitação térmica é levado em conta da mesma maneira que o modelo de Debye-Huckel descreve a atmosfera iônica de um íon (Seção 9.1) com a substituição do íon central do modelo de Debye-Huckel por um eletrodo plano, infinito (Fig. 18.29).

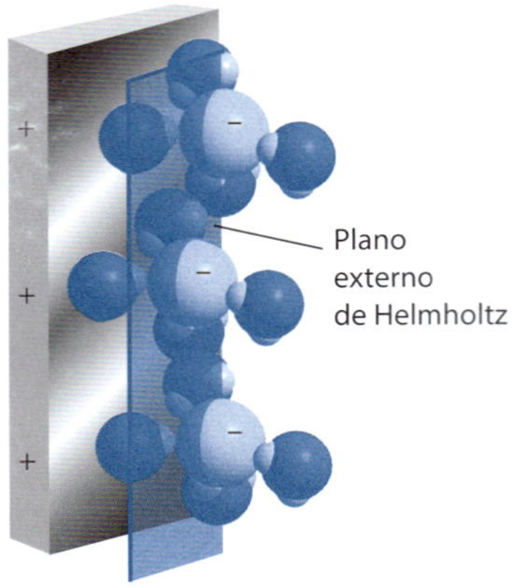

Figura 18.28 Em um modelo simples da interface eletrodo-solução existem dois planos rígidos de carga. Um é o plano externo de Helmholtz (PEH), que é por causa dos íons com suas respectivas moléculas de solvatação, e o outro plano é a própria superfície do eletrodo.

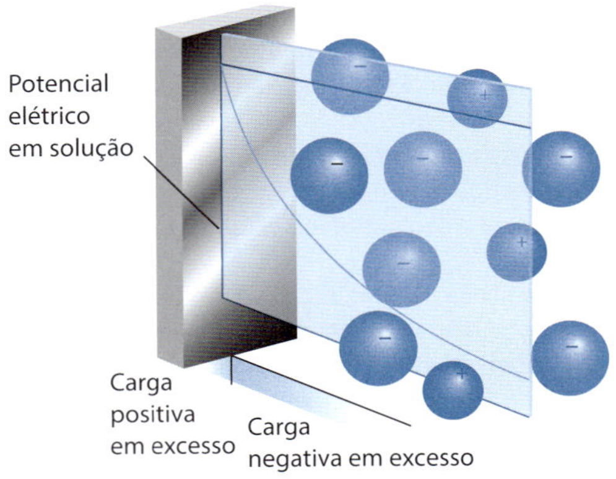

Figura 18.29 O modelo de Gouy–Chapman para a dupla camada elétrica trata a região externa como uma atmosfera de contraíons, semelhante à atmosfera iônica na teoria de Debye–Huckel. O gráfico do potencial elétrico em função da distância à superfície do eletrodo mostra o significado da dupla camada difusa (veja o texto para detalhes).

18.10 A velocidade da transferência de elétrons

Vamos considerar uma reação no eletrodo em que um íon é reduzido pela transferência de um único elétron na etapa determinante da velocidade. A última frase é importante: na deposição do cádmio, por exemplo, há a transferência de um único elétron na etapa determinante da velocidade, embora a deposição completa envolva a transferência de dois elétrons. A grandeza em que centralizamos a nossa atenção é a **densidade da corrente**, j, a corrente elétrica fluindo através de uma região de um eletrodo dividida pela área da região. Uma análise da diferença de potencial Galvani no eletrodo sobre a densidade de corrente utilizando uma versão da teoria do estado de transição (Seção 10.11) conduz à **equação de Butler-Volmer:**[2]

$$j = j_0\{e^{(1-\alpha)f\eta} - e^{-\alpha f\eta}\} \qquad \text{Equação de Butler-Volmer} \qquad (18.18)$$

Nesta expressão, $f = F/RT$, em que F é a constante de Faraday (Seção 9.7; a 298 K, $f = 38{,}9\ V^{-1}$). Vamos analisar os outros parâmetros desta equação:

- A grandeza η (eta) é a **sobretensão:**

  $$\eta = E' - E \qquad \text{Sobretensão} \qquad (18.19)$$

  em que E é o potencial do eletrodo em equilíbrio, quando não há corrente líquida, e E' é o potencial do eletrodo quando a célula está fornecendo uma corrente.

- A grandeza α é o **coeficiente de transferência,** e é uma indicação se o estado de transição entre as formas reduzida e oxidada das espécies eletroativas em solução é como rea-

[2] Para a dedução desta equação, veja o livro *Físico-Química* (2010) destes mesmos autores (LTC Editora).

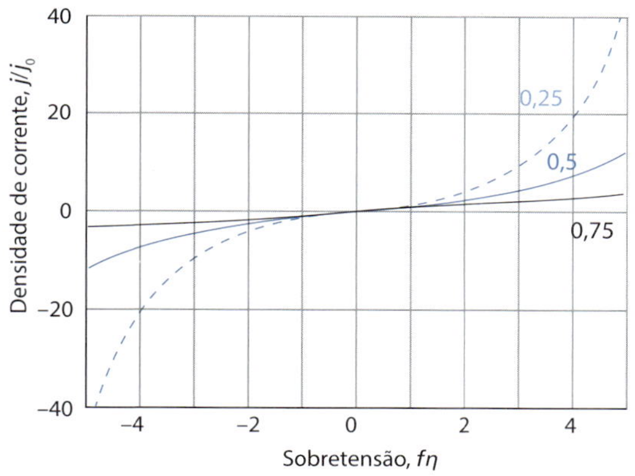

Figura 18.30 A dependência da densidade de corrente com a sobretensão para diferentes valores do coeficiente de transferência.

gente ($\alpha = 0$) ou como produto ($\alpha = 1$); valores típicos estão próximos de 0,5.

- A grandeza j_0 é a **densidade de corrente de troca**, que é igual às duas densidades de corrente, que têm sinais diferentes, e que por sua vez são iguais entre si em módulo quando o eletrodo está em equilíbrio. Como é usual em química, o equilíbrio é dinâmico, de modo que, mesmo que não exista corrente líquida circulando em um eletrodo, há fluxo de elétrons entrando e fluxo de elétrons saindo.

A Figura 18.30 mostra como a Eq. 18.18 traduz a dependência da densidade de corrente contra a sobretensão para diferentes valores do coeficiente de transferência.

- Quando a sobretensão é tão pequena que $f\eta << 1$ (na prática, η menor do que aproximadamente 0,01 V) as exponenciais na Eq. 18.18 podem ser desenvolvidas em série, usando-se $e^x = 1 + x + \cdots$ e $e^{-x} = 1 - x + \cdots$ (Ferramentas do químico 6.1), dando

$$j = j_0\{\overbrace{1+(1-\alpha)f\eta+\cdots}^{e^{(1-\alpha)f\eta}} - \overbrace{(1-\alpha f\eta+\cdots)}^{e^{-\alpha f\eta}}\} \approx j_0 f\eta \qquad (18.20)$$

Esta equação mostra que a densidade de corrente é proporcional à sobretensão, de modo que, em baixas sobretensões, a interface se comporta semelhante a um condutor que obedece à lei de Ohm. Neste caso, a corrente é proporcional à diferença de potencial.

- Quando a sobretensão é grande e positiva (na prática, $\eta \geq$ 0,12 V), a segunda exponencial na Eq. 18.18 é muito menor do que a primeira e pode ser desprezada. Por exemplo, se η = 0,2 V e α = 0,5, $e^{-\alpha f\eta}$ = 0,02, enquanto $e^{(1-\alpha)f\eta}$ = 49. Portanto, (ignorando os sinais, que indicam a direção da corrente)

$$j = j_0 e^{(1-\alpha)f\eta}$$

Tomando os logaritmos de ambos os lados (e usando as regras dos logaritmos descritas em Ferramentas do químico 2.2, $\ln xy = \ln x + \ln y$, $\ln e^x = x$), obtemos

$$\ln j = \ln j_0 + (1-\alpha)f\eta \qquad (18.21a)$$

O gráfico do logaritmo da densidade de corrente contra a sobretensão é denominado de **gráfico de Tafel**. Neste gráfico, o coeficiente angular dá o valor de α e a interseção em $\eta = 0$ dá a densidade de corrente de troca. Se, em vez disso, a sobretensão é grande, mas negativa (na prática, $\eta \leq -0{,}12$ V), a primeira exponencial na Eq. 18.18 pode ser desprezada. Então

$$j = j_0 e^{-\alpha f\eta}$$

de modo que, tomando os logaritmos, como anteriormente,

$$\ln j = \ln j_0 - \alpha f\eta \qquad (18.21b)$$

Neste caso, o coeficiente angular do gráfico de Tafel é $-\alpha f$.

Exemplo 18.5

Interpretação do gráfico de Tafel

Os dados da tabela vista a seguir se referem à corrente anódica em um eletrodo de platina, com 2,0 cm^2 de área, em contato com solução aquosa de íons Fe^{3+} e Fe^{2+}, a 298 K. Calcule a densidade de corrente de troca e o coeficiente de transferência do processo no eletrodo.

η/mV	50	100	150	200	250
I/mA	8,8	25,0	58,0	131	298

Estratégia O processo anódico é a oxidação $Fe^{2+}(aq) \rightarrow Fe^{3+}(aq) + e^-$. Para analisar os dados, montamos um gráfico de Tafel (de ln j contra η) usando a forma anódica (Eq. 18.21a). A interseção em η = 0 é ln j_0 e o coeficiente angular é $(1-\alpha)f$.

Solução Monta-se a seguinte tabela:

η/mV	50	100	150	200	250
j/(mA cm^{-2})	4,4	12,5	29,0	65,5	149
ln(j/(mA cm^{-2}))	1,48	2,53	3,37	4,18	5,00

Os pontos são lançados na Figura 18.31. A região de sobretensão elevada proporciona uma reta cuja interseção é 0,88 e coeficiente angular 0,0165. Do primeiro valor, segue-se que ln(j_0/mA cm^{-2}) = 0,88, de modo que j_0 = 2,4 mA cm^{-2}. Do outro valor, vem que

$$\underbrace{(1-\alpha)f = 0{,}0165}_{\text{Coeficiente angular}} \quad \underbrace{\text{mV}^{-1}}_{\text{Unidades de } \overbrace{\ln j}^{1}/\overbrace{\eta}^{\text{mV}}}$$

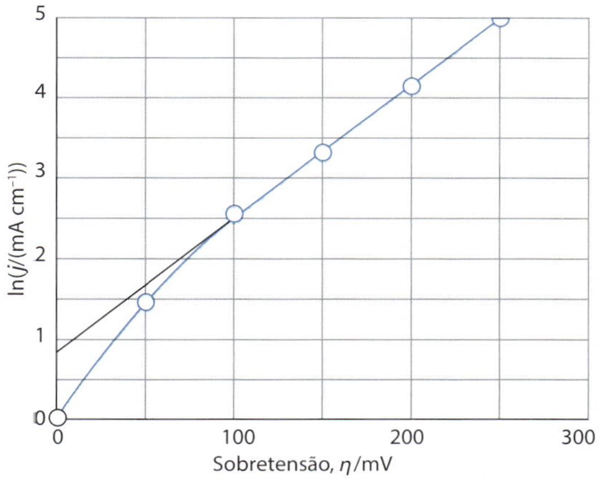

Figura 18.31 Um gráfico de Tafel é usado para determinação da densidade de corrente de troca (dada pela interseção extrapolada em η = 0) e do coeficiente de transferência (a partir do coeficiente angular). Os dados são os do Exemplo 18.5.

assim,

$$\alpha = 1 - \frac{\overbrace{(0{,}0165\ \text{mV}^{-1})}^{16{,}5\ \text{V}^{-1}}}{\underbrace{f}_{38{,}9\ \text{V}^{-1}}} = 1 - 0{,}42\ldots = 0{,}58$$

Observe que o gráfico de Tafel não é linear quando $\eta < 100$ mV; nesta região, $\alpha f\eta = 2{,}3$ e a aproximação $\alpha f\eta >> 1$ não é válida.

Exercício proposto 18.9

Repita o cálculo anterior com os seguintes dados de corrente catódica:

η/mV	−50	−100	−150	−200	−250	−300
I/mA	0,3	1,5	6,4	27,6	118,6	510

Resposta: $\alpha = 0{,}75$, $j_0 = 0{,}041$ mA cm^{-2}

Alguns valores experimentais dos parâmetros da equação de Butler-Volmer aparecem na Tabela 18.5. A partir desses valores vemos que as densidades de corrente de troca variam sobre um intervalo muito grande. Por exemplo, para o par N_2/N_3^- sobre platina tem-se $j_0 = 10^{-76}$ A cm^{-2}, enquanto para o par H^+/H_2 também sobre platina tem-se $j_0 = 7{,}9 \times 10^{-4}$ A cm^{-2}, uma diferença de aproximadamente 73 ordens de grandeza. As correntes de troca são em geral grandes quando o processo redox não envolve rompimento de ligação (como é o caso no par $[Fe(CN)_6]^{3-}$/$[Fe(CN)_6]^{4-}$) ou então quando só há rompimento de ligações fracas (como no par Cl_2/Cl^-). Em geral, são pequenas quando há transferência de mais de um elétron ou quando há o rompimento de ligações múltiplas ou de ligações fortes, como no caso do par N_2/N_3^- e nas reações redox de compostos orgânicos.

Eletrodos com potenciais que variam muito pouco quando uma corrente passa através deles são classificados como **não polarizáveis**. Aqueles que têm uma forte dependência do potencial em relação à corrente são classificados como **polarizáveis**. A partir da equação linearizada (Eq. 18.21) fica claro que o critério para ser pouco polarizável é uma alta densidade de corrente de troca (de modo que η possa ser pequeno, embora j seja grande). Os eletrodos de calomelano e $H_2|Pt$ são muito não polarizáveis, o que é uma das razões pelas quais são tão extensivamente usados como eletrodos de referência em eletroquímica.

Tabela 18.5

Densidades de corrente de troca e coeficientes de transferência a 298 K

Reação	Eletrodo	j_0/(A cm^{-2})	α
$2\ H^+ + 2\ e^- \rightarrow H_2$	Pt	$7{,}9 \times 10^{-4}$	
	Ni	$6{,}3 \times 10^{-6}$	0,58
	Pb	$5{,}0 \times 10^{-12}$	
$Fe^{3+} + e^- \rightarrow Fe^{2+}$	Pt	$2{,}5 \times 10^{-3}$	0,58

18.11 Voltametria

Uma das hipóteses na dedução da equação de Butler-Volmer é a da conversão desprezível da espécie eletroativa em densidades baixas de corrente, o que leva à uniformidade da concentração nas proximidades do eletrodo. Esta hipótese deixa de ser válida quando as densidades de corrente são elevadas, pois o consumo da espécie eletroativa nas vizinhanças do eletrodo provoca um gradiente de concentração. A difusão da espécie para o eletrodo a partir do seio da solução é um processo lento e pode ser o determinante da velocidade; para se ter certa corrente será necessária uma grande sobretensão. Este efeito é denominado **polarização de concentração.** A polarização de concentração é importante na interpretação da **voltametria,** o estudo da passagem da corrente através de um eletrodo em função da diferença de potencial aplicado.

Na Figura 18.32 está ilustrada a resposta a uma experiência de **voltametria com varredura linear**. Inicialmente, o valor absoluto do potencial é baixo e a corrente se deve à migração dos íons na solução. No entanto, quando o potencial se aproxima do potencial de redução do soluto, a corrente catódica aumenta. Logo depois de o potencial ter ultrapassado o potencial de redução, a corrente aumenta e alcança um valor máximo. Esta corrente máxima é proporcional à concentração molar da espécie reduzida, de modo que é possível determinar esta concentração pela altura do pico depois da subtração de uma linha de base extrapolada.

Na **voltametria cíclica** o potencial é aplicado com uma forma de onda triangular (linearmente crescente e linearmente decrescente) e acompanha-se a variação da corrente. A Figura 18.33 mostra um voltamograma cíclico típico. A forma da curva, inicialmente, é semelhante à da curva da voltametria com varredura linear, mas depois da inversão da varredura há uma rápida modificação da corrente em virtude da elevada concentração da espécie oxidável nas proximidades do eletrodo; esta concentração é fruto da varredura redutora. Quando o potencial está próximo ao valor necessário para oxidar a espécie reduzida, aparece uma corrente significativa até se completar a oxidação e a corrente retorna ao zero. Dados de voltametria cíclica são obtidos com velocidades de varredura de aproximadamente 50 mV s^{-1}, de modo que uma varredura sobre uma faixa de 2 V leva cerca de 80 s.

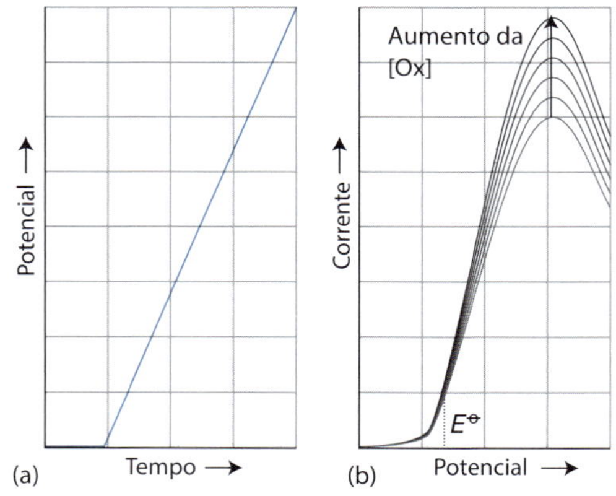

Figura 18.32 (a) A variação do potencial com o tempo e (b) a curva de resposta da corrente contra o potencial em um experimento de voltametria. O valor do pico da densidade de corrente é proporcional à concentração da espécie eletroativa (por exemplo, [Ox]) na solução.

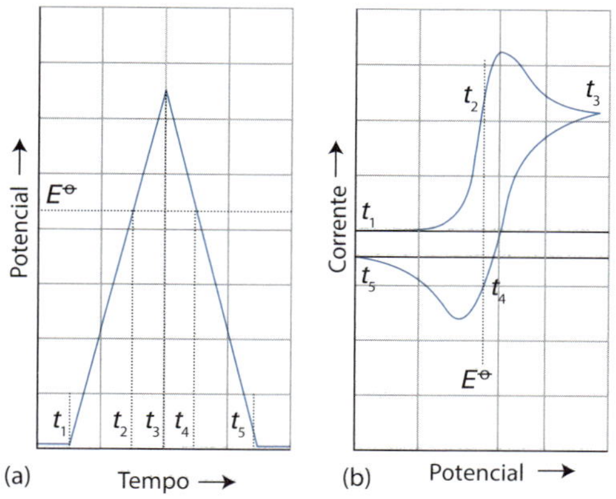

Figura 18.33 (a) A variação do potencial contra o tempo e (b) curva da corrente contra o potencial em uma voltametria cíclica.

Quando a reação de redução no eletrodo pode ser invertida, como é o caso com o par $[Fe(CN)_6]^{3-}/[Fe(CN)_6]^{4-}$, o voltamograma cíclico é quase simétrico em relação ao potencial-padrão do par (como na Fig. 18.33). A varredura começa com o $[Fe(CN)_6]^{3-}$ presente na solução, e, quando o potencial se aproxima de $E^{\ominus}$ do par, o $[Fe(CN)_6]^{3-}$ nas vizinhanças do eletrodo é reduzido e a corrente começa a circular. À medida que o potencial continua a se alterar, a corrente volta a diminuir novamente, pois todo o $[Fe(CN)_6]^{3-}$ nas proximidades do eletrodo foi reduzido e a corrente atingiu o seu valor limite. O potencial então retorna linearmente ao seu valor inicial, e a série de eventos inversa ocorre com o $[Fe(CN)_6]^{4-}$ formado durante a varredura direta sendo agora oxidado. O pico da corrente localiza-se no outro lado de $E^{\ominus}$, de modo que, pela posição dos dois picos da curva, é possível identificar a espécie ativa e o seu respectivo potencial-padrão, como indicado na ilustração.

A forma global da curva proporciona informações sobre a cinética do processo no eletrodo e sobre a modificação da forma, quando a velocidade de variação do potencial se altera, dá informações sobre as velocidades dos processos envolvidos. Por exemplo, se o pico correspondente à fase de retorno da varredura do potencial estiver faltando, isto indica que a oxidação (ou a redução) é irreversível. A aparência da curva pode também depender da velocidade da varredura, pois se a varredura é muito rápida alguns processos podem não ter tempo para se desenvolver. O exemplo visto a seguir ilustra este tipo de análise.

Exemplo 18.6

Análise de uma experiência de voltametria cíclica

Acredita-se que a eletrorredução do *p*-bromonitrobenzeno em amônia líquida ocorra de acordo com o seguinte mecanismo:

$BrC_6H_4NO_2 + e^- \rightarrow BrC_6H_4NO_2^-$

$BrC_6H_4NO_2^- \rightarrow \cdot C_6H_4NO_2 + Br^-$

$\cdot C_6H_4NO_2 + e^- \rightarrow C_6H_4NO_2^-$

$C_6H_4NO_2^- + H^+ \rightarrow C_6H_5NO_2$

Sugira a forma que se pode esperar para o voltamograma cíclico com base neste mecanismo.

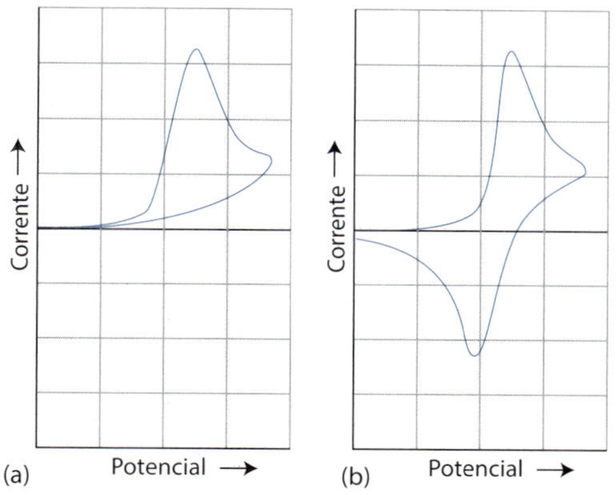

Figura 18.34 (a) Quando uma etapa não reversível em um mecanismo de reação tem tempo para ocorrer, o voltamograma cíclico pode não exibir o pico de oxidação ou de redução invertido. (b) Contudo, se a velocidade de varredura aumenta, é possível que ocorra a etapa de retorno antes de a etapa irreversível ter oportunidade de intervir e obtém-se então um voltamograma 'reversível' típico.

Estratégia Decida as etapas que, provavelmente, são reversíveis na escala de tempo de varredura do potencial: esses processos darão voltamogramas simétricos. Os processos irreversíveis levam a formas assimétricas pela impossibilidade de ocorrência de redução (ou de oxidação). É possível, porém, que, com velocidades de varredura muito rápida, não haja tempo para a reação de um intermediário e a forma reversível será então observada.

Solução Em velocidades de varredura baixa, a segunda reação tem tempo de ocorrer, e se observará uma curva típica de redução com dois elétrons; mas, não haverá pico de oxidação na segunda metade do ciclo, pois o produto, $C_6H_5NO_2$, não pode se oxidar (Fig. 18.34a). Com velocidades de varredura rápidas, a segunda reação não terá tempo de ocorrer antes de a oxidação do intermediário $BrC_6H_4NO_2^-$ passar a ocorrer durante a varredura inversa, de modo que o voltamograma terá a forma típica de uma redução reversível por um elétron (Fig. 18.34b).

Exercício proposto 18.10

Sugira uma interpretação do voltamograma da Figura 18.35. O material eletroativo é o ClC_6H_4CN em solução ácida. Depois da redução a $ClC_6H_4CN^-$, o radical aniônico pode formar, irreversivelmente, o C_6H_5CN.

Resposta: $ClC_6H_4CN + e^- \rightleftharpoons ClC_6H_4CN^-$, $ClC_6H_4CN^- + H^+ + e^- \rightarrow C_6H_5CN + Cl^-$, $C_6H_5CN + e^- \rightleftharpoons C_6H_5CN^-$

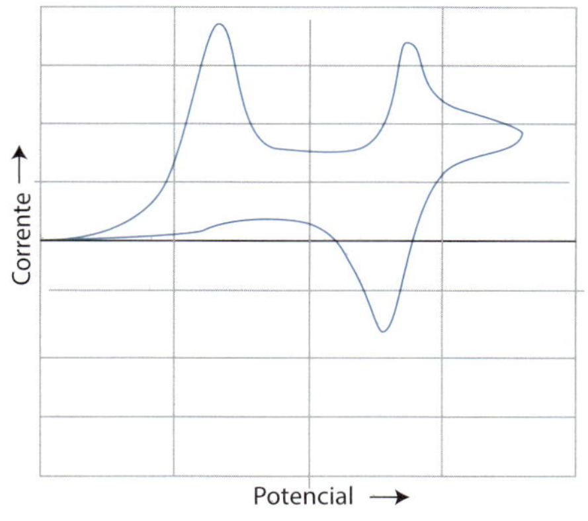

Figura 18.35 Voltamograma cíclico citado no Exercício proposto 18.8.

18.12 Eletrólise

Para induzir circulação de corrente através de uma célula eletrolítica e a ocorrência de uma reação não espontânea, a diferença de potencial externa aplicada à célula deve ser maior do que o potencial de corrente nula por um valor no mínimo igual à **sobretensão da célula.** Esta sobretensão é igual à soma das sobretensões nos dois eletrodos mais a queda ôhmica (IR_s, em que R_s é a resistência interna da célula) por causa da passagem de corrente através do eletrólito. É possível que o potencial extra necessário para se alcançar uma velocidade de reação significativa seja grande quando a densidade de corrente de troca nos eletrodos for pequena.

A velocidade de desprendimento de gás ou de deposição de um metal durante uma eletrólise pode ser estimada pela equação de Butler-Volmer e por tabelas de densidades de correntes de troca. A densidade de corrente de troca depende muito da natureza da superfície do eletrodo e varia no decorrer da eletrodeposição de um metal sobre outro metal. Uma regra aproximada afirma que desprendimento de gás ou deposição de metal significativos só ocorrem se a sobretensão for maior do que cerca de 0,6 V.

A Tabela 18.5 mostra que é ampla a faixa de variação das densidades de corrente de troca em um eletrodo metal/hidrogênio. As menores correntes de troca ocorrem para o chumbo e o mercúrio, e o valor de 1 pA cm^{-2} corresponde à substituição de uma monocamada de átomos sobre o eletrodo uma vez em cada 5 a (a é o símbolo de ano no SI). Nesses sistemas, para que o desprendimento de hidrogênio seja significativo, a sobretensão tem de ser elevada. Ao contrário, o valor para a platina (1 mA cm^{-2}) corresponde à substituição de uma monocamada de átomos a cada 0,1 s, de modo que o desprendimento de gás ocorre para uma sobretensão muito menor.

Verificação de conceitos importantes

- ☐ 1 Adsorção é a ligação de moléculas a uma superfície. O inverso da adsorção é a dessorção.
- ☐ 2 A substância que se adsorve é o adsorvato e o material que está por baixo é o adsorvente ou substrato.
- ☐ 3 As técnicas para o estudo da composição e da estrutura da superfície incluem microscopia de varredura por tunelamento (STM), microscopia de força atômica (AFM), espectroscopia de fotoemissão, espectroscopia de elétrons Auger (AES) e difração de elétrons de baixa energia (LEED).
- ☐ 4 O grau de recobrimento, q, é a razão entre o número de sítios ocupados e o número de sítios disponíveis.
- ☐ 5 As técnicas para o estudo da velocidade dos processos de superfície incluem dessorção por flash, ressonância de plasmons de superfície (SPR) e gravimetria usando microbalança de cristal de quartzo (QCM).
- ☐ 6 Adsorção física (fisissorção) é a adsorção por intermédio de uma interação de van der Waals; adsorção química (quimissorção) é a adsorção associada à formação de uma ligação química (geralmente covalente).
- ☐ 7 A entalpia isostérica de adsorção é determinada a partir de um gráfico de ln α contra $1/T$.
- ☐ 8 A probabilidade de adsorção, s, é a proporção das colisões com a superfície que levam à adsorção.
- ☐ 9 A dessorção é um processo ativado; a energia de ativação de dessorção é medida pela dessorção com temperatura programada (TPD) ou espectroscopia de dessorção térmica (TDS).
- ☐ 10 No mecanismo de Langmuir-Hinshelwood de reações catalisadas pela superfície, a reação ocorre em função dos encontros entre os fragmentos moleculares adsorvidos e átomos também adsorvidos na superfície.
- ☐ 11 No mecanismo de Eley-Rideal de uma reação catalisada pela superfície, uma molécula da fase gasosa colide com outra molécula, já adsorvida na superfície.
- ☐ 12 Uma dupla camada elétrica consiste em uma camada de cargas positivas na superfície do eletrodo e outra camada de cargas negativas, vizinha à primeira, na solução (ou vice-versa).
- ☐ 13 A diferença de potencial Galvani é a diferença de potencial entre o seio do metal e o seio da solução.
- ☐ 14 Modelos da dupla camada elétrica incluem o modelo de Helmholtz e o modelo de Gouy-Chapman.
- ☐ 15 Um gráfico de Tafel é um gráfico do logaritmo da densidade de corrente contra a sobretensão: o coeficiente angular dá o valor de α e a interseção em $\eta = 0$ dá a densidade de corrente de troca.
- ☐ 16 Voltametria é o estudo da corrente através de um eletrodo como uma função da diferença de potencial aplicada.
- ☐ 17 Para que haja circulação de corrente através de uma célula eletrolítica, a diferença de potencial aplicada tem de ser maior do que o potencial da célula por um valor no mínimo igual à sobretensão da célula.

Mapa conceitual das equações importantes

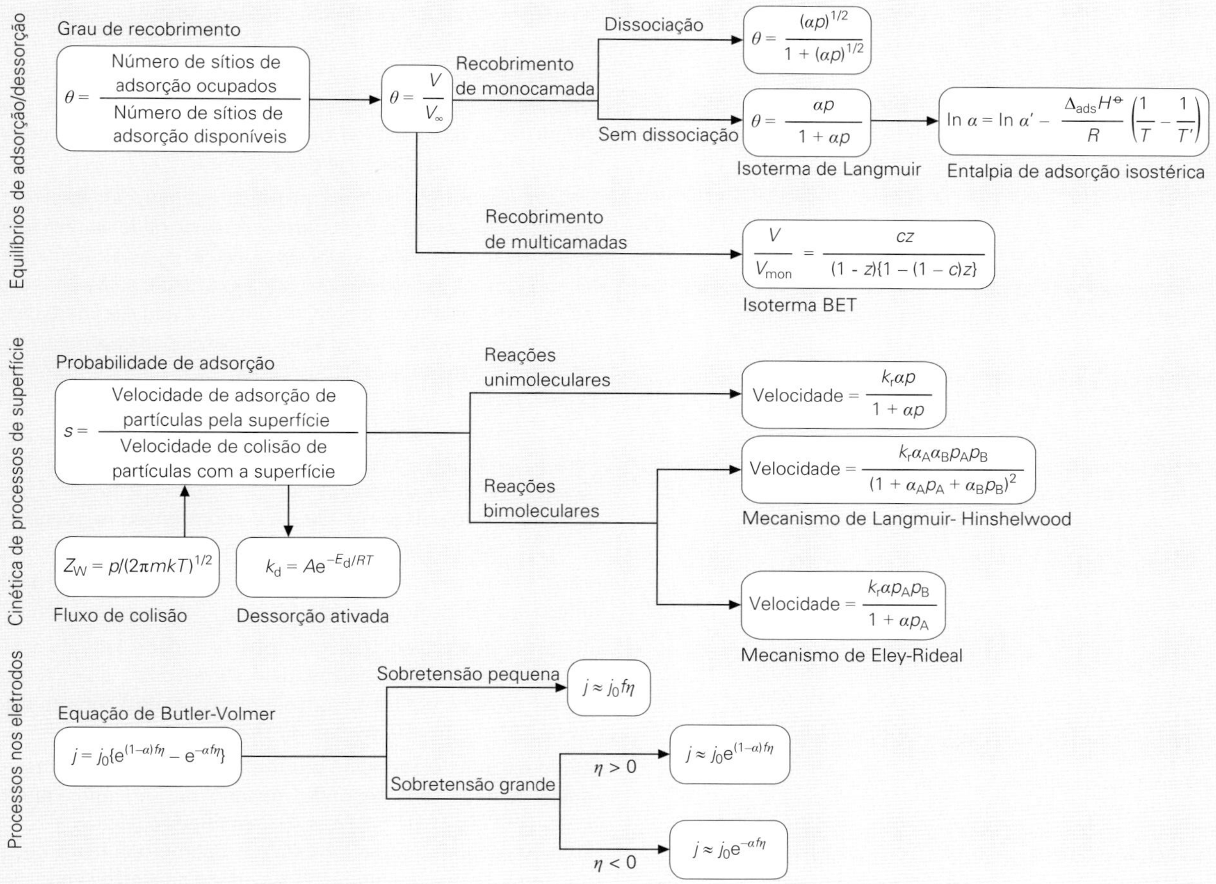

Questões e exercícios

Questões teóricas

18.1 Faça um resumo das técnicas disponíveis para a caracterização da composição e da estrutura de uma superfície.

18.2 Explique e justifique as suposições que são usadas para obter a isoterma de Langmuir.

18.3 Demonstre que a isoterma BET descreve a adsorção em multicamadas, mostrando que a mesma se comporta fisicamente da maneira que se esperaria quando os vários parâmetros são mudados.

18.4 Descreva as características essenciais dos mecanismos de Langmuir-Hinshelwood, e Eley-Rideal para reações catalisadas pela superfície. Como esses mecanismos podem ser verificados experimentalmente?

18.5 Esboce as etapas do mecanismo de Mars van Krevelen de uma reação catalisada. Como pode ser verificado experimentalmente?

18.6 Descreva os vários modelos da estrutura da interface eletrodo-eletrólito.

18.7 Discuta a técnica da voltametria cíclica e explique a forma característica de um voltamograma cíclico, tal como aquele mostrado nas Figuras 18.33 e 18.34.

Exercícios

18.1 Calcule a frequência das colisões moleculares por centímetro quadrado de superfície em um vaso contendo (a) hidrogênio, (b) propano, a 25 °C, quando a pressão for de (i) 100 Pa, (ii) 0,10 μTorr.

18.2 Que pressão tem o argônio gasoso quando a taxa de colisão dos átomos sobre uma superfície circular com o diâmetro de 2,5 mm é de $8{,}5 \times 10^{20}\ s^{-1}$, a 450 K?

18.3 Calcule a velocidade média com que os átomos de He colidem com um átomo de Cu em uma superfície formada pela exposição de um plano (100) no cobre metálico. O gás está a 100 K e sob a pressão de 25 Pa. Os cristais do cobre são cúbicos de face centrada, com a aresta da célula unitária medindo 361 pm.

18.4 Em um experimento de adsorção, a temperatura do dispositivo de volume constante e contendo um número de mols fixo de adsorvato gasoso aumenta de 300 K para 400 K. Qual o fator de aumento do fluxo de colisão?

18.5 Uma monocamada de moléculas de CO é adsorvida sobre a superfície de 1,00 g de um catalisador de Fe/Al_2O_3, a 77 K, que é a temperatura de ebulição do nitrogênio líquido. Em função do aquecimento, o monóxido de carbono ocupa 4,25 cm^3 a 0 °C e 1,00 bar. Qual é a área superficial do catalisador?

18.6 A adsorção de um gás é descrita pela isoterma de Langmuir com α = 1,85 kPa^{-1} a 25 °C. Calcule a pressão em que o grau de recobrimento da superfície é de (a) 0,10 e (b) 0,90.

18.7 Obtenha uma versão da isoterma de Langmuir partindo da Eq. 18.1 para a velocidade com que as moléculas colidem com a superfície.

18.8 Os dados abaixo são os da adsorção química do hidrogênio sobre o cobre em pó, a 25 °C. Verifique se esses dados se ajustam a uma isoterma de Langmuir a recobrimentos baixos. Estime o valor de α para o equilíbrio da adsorção e o volume adsorvido correspondente ao recobrimento completo.

p/Pa	25	129	253	540	1000	1593
V/cm^3	0,042	0,163	0,221	0,321	0,411	0,471

18.9 Os valores de α para a adsorção de CO sobre carvão vegetal são $1{,}0 \times 10^{-3}$ $Torr^{-1}$ a 273 K e $2{,}7 \times 10^{-3}$ $Torr^{-1}$ a 250 K. Calcule a entalpia de adsorção.

18.10 Os dados a seguir mostram as pressões de CO necessárias para que o volume de adsorção (corrigido para 1,00 atm e 273 K) seja 10,0 cm^3 utilizando a mesma amostra que no Exemplo 18.2. Calcule a entalpia de adsorção nessa superfície.

T/K	200	210	220	230	240	250
p/kPa	4,32	5,59	7,07	8,80	10,67	12,80

18.11 Admita que você quer alcançar certo recobrimento de superfície de um adsorvato que se dissocia. Determine a partir da Eq. 18.5 como p varia em função de θ.

18.12 Admita que uma molécula de ozônio se dissocia em três átomos de oxigênio quando se adsorve sobre uma superfície. Deduza a isoterma correspondente.

18.13 Verifique se as isotermas de adsorção para dois reagentes A e B que competem pelos mesmos sítios sobre uma superfície são dadas pela Eq. 18.6.

18.14 Na tabela a seguir aparecem os dados da adsorção da amônia sobre o fluoreto de bário a 0 °C, quando p^* = 429,6 kPa. Verifique se esses dados seguem a isoterma BET e estime os valores de c e de V_{mon}.

p/kPa	14,0	37,6	65,6	79,2	82,7	100,7	106,4
V/cm^3	11,1	13,5	14,9	16,0	15,5	17,3	16,5

18.15 A entalpia da adsorção da amônia sobre o níquel é de −155 kJ mol^{-1}. Estime a vida média da molécula de NH_3 adsorvida no níquel, a 600 K.

18.16 O tempo médio de permanência de um átomo de oxigênio adsorvido em uma superfície de tungstênio é de 0,36 s a 2548 K e de 3,49 s a 2362 K. (a) Determine a energia de ativação de dessorção. (b) Qual é o fator pré-exponencial para esses átomos fortemente adsorvidos quimicamente?

18.17 Em uma experiência de adsorção do oxigênio sobre o tungstênio verificou-se que o mesmo volume de oxigênio foi dessorvido em 27 min a 1856 K e 2,0 min a 1978 K. Qual é a energia de ativação de dessorção? Durante quanto tempo será dessorvido o mesmo número de mols (a) a 298 K e (b) a 3000 K?

18.18 Amônia a 10,0 Pa e 210 K foi adsorvida sobre uma superfície de área igual a 10 cm^2 com uma velocidade de 0,33 mmol s^{-1}. Qual é a probabilidade de adsorção?

18.19 O iodeto de hidrogênio é fortemente adsorvido no ouro, mas fracamente adsorvido na platina. Admita que a adsorção siga a isoterma de Langmuir e determine a ordem da reação de decomposição do HI sobre a superfície de cada metal.

18.20 De acordo com o mecanismo de Langmuir-Hinshelwood de reações catalisadas pela superfície, a velocidade da reação entre A e B depende da velocidade com que as espécies adsorvidas se encontram. (a) Escreva a lei de velocidade para a reação de acordo com este mecanismo. (b) Encontre a forma limite da lei de velocidade quando as pressões parciais dos reagentes são baixas. (c) Este mecanismo pode ser aplicado para uma cinética de ordem zero?

18.21 Em certo eletrodo em contato com solução aquosa dos íons M^{2+} e M^{3+}, a 25 °C, o coeficiente de transferência é de 0,48. Observa-se que a densidade de corrente é 17,0 mA cm^{-2} quando a sobretensão é 115 mV. Qual é a sobretensão necessária para uma densidade de corrente de 38 mA cm^{-2}?

18.22 Determine a densidade de corrente de troca a partir da informação dada no Exercício 18.21.

18.23 Na descarga do H^+ sobre platina, a densidade de corrente de troca é, nos casos típicos, de 0,79 mA cm^{-2}, a 25 °C. Qual a densidade de corrente em um eletrodo quando a sobretensão for de (a) 10 mV, (b) 100 mV, (c) −5,0 V? Considere α = 0,5.

18.24 Quantos elétrons ou prótons são transportados através da dupla camada, por segundo, quando os seguintes eletrodos $Pt,H_2|H^+$,$Pt|Fe^{3+},Fe^{2+}$ e $Pb,H_2|H^+$ estão em equilíbrio a 25 °C? A área de cada eletrodo é de 1,0 cm^2. Estime o número de vezes por segundo que um átomo da superfície do eletrodo participa de uma transferência de elétrons, admitindo que um átomo do eletrodo ocupa cerca de $(280\ pm)^2$ da superfície.

18.25 Para um eletrodo de $Pt|H_2|H^+$, em H_2SO_4 diluído, a 25 °C, foram observadas em um experimento as densidades de corrente a seguir. Estime α e j_0 para o eletrodo.

η/mV	50	100	150	200	250
j/(mA cm^{-2})	2,66	8,91	29,9	100	335

Como a densidade de corrente neste eletrodo dependeria da sobretensão para o mesmo conjunto de magnitudes, mas de sinal oposto?

18.26 Os dados de corrente e voltagem a seguir são para um anodo de índio relativamente a um eletrodo-padrão de hidrogênio, a 293 K.

$-E$/V	0,388	0,365	0,350	0,335
j/(A m^{-2})	0	0,590	1,438	3,507

Com esses dados calcule o coeficiente de transferência e a densidade de corrente de troca. Qual é a densidade da corrente catódica quando o potencial é de 0,365 V?

18.27 Os dados a seguir são para a sobretensão do desprendimento de H_2 com um eletrodo de mercúrio em soluções aquosas diluídas de H_2SO_4, a 25 °C. Determine a densidade de corrente de troca e o coeficiente de transferência, α.

η/V	0,60	0,65	0,73	0,79	0,84	0,89	0,93	0,96
j/(mA m^{-2})	2,9	6,3	28	100	250	630	1650	3300

Explique quaisquer desvios em relação aos resultados esperados da equação de Tafel.

18.28 As ilustrações a seguir são de quatro exemplos diferentes de voltamogramas. Identifique os processos que ocorrem em cada sistema. Em cada caso, o eixo vertical é a corrente e o eixo horizontal é o potencial do eletrodo (negativo).

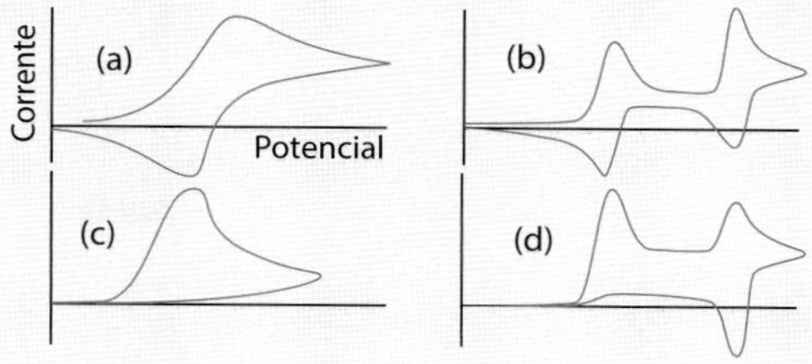

Projetos

O símbolo ‡ indica que o cálculo é necessário.

18.29‡ Exploramos aqui o microscópio de força atômica (AFM) quantitativamente. (a) Vimos em Fundamentos que a energia potencial de interação entre duas cargas Q_1 e Q_2 separadas por uma distância r é $V = Q_1Q_2/4\pi\varepsilon_0 r$. Para ter uma ideia da magnitude das forças medidas por AFM, calculamos a força atuando entre dois elétrons separados por 0,50 nm. De que fator a força diminui se a distância entre os elétrons aumenta para 0,60 nm? *Sugestão:* A relação entre força e energia potencial é $F = -\mathrm{d}V/\mathrm{d}r$. (b) Admita que a interação existente em um experimento de AFM possa ser expressa como um potencial de Lennard-Jones (Seção 15.8): como a força varia com a distância?

18.30‡ A forma diferencial da equação de van't Hoff para a dependência da constante de equilíbrio em relação à temperatura é $\mathrm{d}(\ln K)/\mathrm{d}T = \Delta_r H^{\ominus}/RT^2$. Encontre a expressão correspondente para a dependência da pressão em relação à temperatura, para dado grau de recobrimento, com base na isoterma de Langmuir.

18.31 Aqui vamos explorar mais a concepção e funcionamento de células de combustível (Impacto 9.2). (a) Calcule o limite termodinâmico correspondente ao potencial de célula das células de combustível operando com (i) hidrogênio e oxigênio, (ii) metano e ar. Use as informações sobre a energia de Gibbs contidas na *Seção de dados* e considere que as espécies estão em seus estados-padrão a 25 °C. (b) A reação $2\ H^+ + 2\ e^- \rightarrow H_2$ é importante para a operação de células de combustível de hidrogênio/oxigênio. Use os dados da Tabela 18.5 para a densidade de corrente de troca e coeficiente de transferência para a reação $2\ H^+ + 2\ e^- \rightarrow H_2$ sobre níquel, a 25 °C, para determinar que densidade de corrente seria necessária para obter uma sobretensão de 0,20 V calculada a partir da (i) equação de Butler-Volmer e (ii) equação de Tafel? A validade da aproximação de Tafel é afetada em sobretensões mais elevadas (de 0,4 V e acima)?

19

Espectroscopia: rotações e vibrações moleculares

A **espectroscopia** é a análise da radiação eletromagnética emitida, absorvida, ou espalhada pelas moléculas. Vimos no Capítulo 13 que fótons agem como mensageiros de dentro dos átomos, e que podemos utilizar espectros atômicos para obter informações detalhadas sobre estrutura eletrônica. Fótons de radiação que vão desde ondas de rádio até o ultravioleta também nos trazem informações a respeito das moléculas. A diferença entre a espectroscopia molecular e a atômica, no entanto, é que a energia de uma molécula pode mudar não apenas como resultado de transições eletrônicas, como também porque essa energia pode fazer transições entre seus estados rotacionais e vibracionais. Os espectros moleculares são mais complicados, mas contêm mais informações, incluindo os níveis de energia eletrônica, comprimentos das ligações, ângulos das ligações e forças das ligações. A espectroscopia molecular também é utilizada para analisar materiais e para monitorar variações de concentração em estudos cinéticos (Seção 10.1).

Como na discussão dos espectros atômicos, a frequência de um fóton emitido ou absorvido é dada pela condição de frequência de Bohr (Seção 13.1):

$$h\nu = |E_1 - E_2| \qquad \text{Condição de frequência de Bohr} \quad (19.1)$$

Aqui, E_1 e E_2 são as energias dos dois estados entre os quais ocorre a transição e h é a constante de Planck. Esta relação é muitas vezes escrita em termos de comprimento de onda, λ (lâmbda), da radiação utilizando a relação (conforme explicada em Fundamentos 0.13)

$$\lambda = \frac{c}{\nu} \qquad \text{Comprimento de onda} \quad (19.2a)$$

em que c é a velocidade da luz, ou em termos do número de onda, $\tilde{\nu}$ (ni til):

$$\tilde{\nu} = \frac{1}{\lambda} = \frac{\nu}{c} \qquad \text{Número de onda} \quad (19.2b)$$

As unidades de número de onda quase sempre são escolhidas como centímetros recíprocos (cm^{-1}); assim, podemos visualizar o número de onda da radiação como o número de comprimentos de onda completos por centímetro. Em Fundamentos, a Figura 0.8 resume as várias regiões do espectro eletromagnético.

Uma nota sobre a boa prática Você ouvirá diversas vezes as pessoas falarem de 'uma frequência de tantos números de onda'. Esta expressão está duplamente errada. Primeiro, *frequência* e *número de onda* são dois observáveis físicos distintos, com unidades diferentes, e devem ser distinguidos. Segundo, 'número de onda' não é uma unidade, é um observável com dimensões de 1/comprimento e comumente expresso em centímetros recíprocos (cm^{-1}).

Neste capítulo, no qual investigamos a espectroscopia rotacional e vibracional, iremos estabelecer inicialmente as energias rotacionais e vibracionais permitidas para as moléculas e então discutiremos as transições entre os estados correspondentes.

Espectroscopia rotacional

Pequena quantidade de energia é necessária para alterar o estado de rotação de uma molécula, e a radiação eletromagnética emitida e absorvida se encontra na região das micro-ondas, com comprimentos de onda da ordem de 0,1 a 1 cm e frequências próximas a 10 GHz. A espectroscopia rotacional de amostras em fase gasosa é, portanto, também conhecida como **espectroscopia de micro-ondas.** Para se atingir suficiente absorção, o percurso das amostras gasosas deve ser muito longo, da ordem de metros. Percursos longos são obtidos pela passagem múltipla do feixe entre dois espelhos paralelos situados em cada extremidade da cavidade que contém a amostra. Um *klystron* (que é utilizado nas instalações de radares e nos fornos de micro-ondas) ou, como é mais usado atualmente, um dispositivo semicondutor conhecido como *diodo de Gunn*, é usado para gerar as micro-ondas. Um detector de micro-ondas é tipicamente um *diodo de cristal*, que consiste em uma ponta de tungstênio em contato com um semicondutor, como germânio, silício ou arseneto de gálio. A intensidade da radiação que chega ao detector é geralmente modulada, pois sinais alternados são mais fáceis de serem amplificados que um sinal contínuo. Na maioria dos casos o feixe é cortado por um obturador rotatório. Amostras gasosas são essenciais na espectroscopia rotacional (de micro-ondas), pois nesta fase as moléculas podem girar livremente.

19.1 Os níveis de energia rotacional das moléculas

Como primeira aproximação, os estados rotacionais das moléculas estão baseados em um modelo chamado de **rotor rígido**, um corpo que não é distorcido pela rotação. O tipo mais simples de rotor rígido é o **rotor linear**, correspondente a uma molécula linear, como o HCl, o CO_2, ou o HC≡CH, que se supõe não ser capaz de dobrar ou alongar sob a tensão da rotação. Conforme mostra a Dedução a seguir, observa-se que as energias de um rotor linear são

$$E_J = hBJ(J+1) \qquad J = 0, 1, 2, \ldots \qquad \text{Rotor linear} \quad \text{Níveis de energia rotacional} \quad (19.3)$$

em que J é o **número quântico rotacional.** A constante B (uma frequência, com as unidades em hertz, Hz, com 1 Hz significando 1 ciclo por segundo) é chamada de **constante rotacional** da molécula, sendo definida como

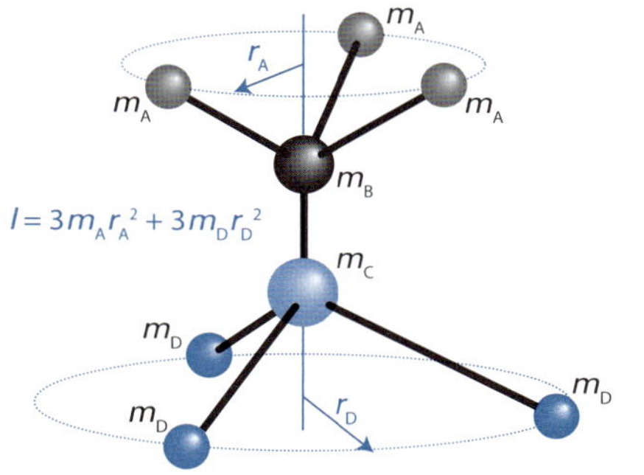

Figura 19.1 Definição do momento de inércia. Nesta molécula há três átomos idênticos ligados ao átomo B e três átomos diferentes, porém mutuamente idênticos, ligados ao átomo C. Neste exemplo, o centro de massa está sobre o eixo que passa pelos átomos B e C, e as distâncias perpendiculares são medidas a partir desse eixo.

$$B = \frac{\hbar}{4\pi I} \qquad \text{Constante rotacional} \quad (19.4)$$

em que I é o **momento de inércia** da molécula (esta propriedade foi apresentada em Fundamentos 0.5). O momento de inércia de uma molécula é a massa de cada átomo multiplicada pelo quadrado de sua distância do eixo de rotação (Fig. 19.1):

$$I = \sum_i m_i r_i^2 \qquad \text{Momento de inércia} \quad (19.5)$$

Uma nota sobre a boa prática Para calcular o momento de inércia com exatidão, precisamos especificar o nuclídeo. Também, a massa a ser usada é a massa atômica real, não a massa molar do elemento. As massas dos nuclídeos são expressas como múltiplos da constante de massa atômica (uma constante, não uma unidade) e por isso escrevemos, por exemplo, 16,00m_u e não 16,00 m_u.

Dedução 19.1

Níveis de energia de um rotor linear

O ponto de partida para esta dedução utiliza os conceitos de energia e de momento angular apresentados em Fundamentos 0.5 e 0.9. Um rotor linear pode girar em torno de dois eixos perpendiculares fixos na molécula, com os eixos x e y perpendiculares ao eixo molecular e o eixo z localizando-se ao longo do eixo molecular. O momento de inércia em torno dos eixos x e y é I (o mesmo em cada caso) e nulo em torno do eixo z (porque todos os átomos estão localizados nesse eixo). Desse modo, a energia cinética rotacional total e, portanto, a energia total, é o somatório das duas contribuições:

$$E = \tfrac{1}{2}I\omega_x^2 + \tfrac{1}{2}I\omega_y^2$$

Em termos do momento angular, $\mathcal{J}_q = I\omega_q$ em torno de cada eixo perpendicular,

$$E = \frac{\mathcal{J}_x^2}{2I} + \frac{\mathcal{J}_y^2}{2I} = \frac{\mathcal{J}^2}{2I}$$

em que $\mathcal{J}$ é o momento angular total (não há componente z para um rotor linear).

Vamos agora fazer a transição da mecânica clássica para a quântica. De acordo com a mecânica quântica, o quadrado da magnitude do momento angular é $J(J+1)\hbar^2$, com o número quântico $J = 0, 1, 2, \ldots$ (Seção 12.8). Conclui-se que a expressão da mecânica quântica para a energia de um rotor linear é

$$E = J(J+1)\frac{\hbar^2}{2I} \overbrace{=}^{\hbar=h/2\pi} J(J+1)\frac{\hbar}{2I}\times\frac{h}{2\pi} = h\overbrace{\frac{\hbar}{4\pi I}}^{B}J(J+1)$$

Esta expressão é a mesma da Eq. 19.3 quando reconhecemos que $B = \hbar/4\pi I$.

O momento de inércia desempenha um papel na rotação análogo à massa na translação. Um corpo com um alto momento de inércia (como o de um volante ou uma molécula pesada) sofre apenas uma pequena aceleração rotacional quando é aplicada uma força de torção (um torque), mas um corpo com pequeno momento de inércia sofre uma grande aceleração quando submetido ao mesmo torque. A Tabela 19.1 dá as expressões para os momentos de inércia de vários tipos de moléculas em termos das massas de seus átomos e de seus comprimentos e ângulos de ligação.

Exemplo 19.1

Cálculo da constante rotacional

Calcule a constante rotacional de uma molécula de $^1H^{35}Cl$.

Estratégia Comece calculando o momento de inércia da molécula empregando a expressão apropriada encontrada na Tabela 19.1. Então, converta o momento de inércia na constante rotacional utilizando a Eq. 19.4.

Solução As massas dos dois átomos são $1{,}008m_u$ e $34{,}969m_u$ para o ^1H e o ^{35}Cl, respectivamente. O comprimento da ligação em equilíbrio é 127,4 pm. Na Tabela 19.1 o valor de μ é

$$\mu = \frac{\overbrace{m_A}^{m(^1H)}\ \overbrace{m_B}^{m(^{35}Cl)}}{\underbrace{m}_{m(^1H)+m(^{35}Cl)}} = \frac{(1{,}008m_u)\times(34{,}969m_u)}{1{,}008m_u + 34{,}969m_u}$$

$$= \frac{1{,}008\times 34{,}969}{1{,}008+34{,}969}m_u = 0{,}9798m_u$$

Portanto, o momento de inércia é

$$I = \mu R^2 = \overbrace{0{,}9798\times\overbrace{(1{,}660\,54\times10^{-27}\ \text{kg})}^{m_u}}^{\mu}\times\overbrace{(1{,}274\times10^{-10}\ \text{m})^2}^{R^2}$$

$$= 2{,}6407\times10^{-47}\ \text{kg m}^2$$

Segue, então, da Eq. 19.4 que a constante rotacional do $^1H^{35}Cl$ é

$$B = \frac{\hbar}{4\pi I} = \frac{\overbrace{1{,}054\,57\times10^{-34}\ \text{J s}}^{\hbar}}{4\pi\times\underbrace{(2{,}6407\times10^{-47}\ \text{kg m}^2)}_{I}}$$

$$= 3{,}1779\times10^{11}\frac{\overbrace{\text{J}}^{1\ \text{kg m}^2\ \text{s}^{-2}}\ \text{s}}{\text{kg m}^2} = 3{,}1779\times10^{11}\frac{\text{kg m}^2\ \text{s}^{-2}\ \text{s}}{\text{kg m}^2}$$

$$= 3{,}1779\times10^{11}\ \overbrace{\text{s}^{-1}}^{\text{Hz}}$$

Este valor corresponde a $3{,}1779\times10^{11}$ Hz (ou 0,31979 THz). Expresso como número de onda, quando é identificado como $\tilde{B}$ ('B til'), com $\tilde{B} = B/c$, valendo 66,604 cm^{-1}.

Exercício proposto 19.1

Calcule a constante rotacional do $^2H^{35}Cl$ ($m(^2H) = 2{,}0141m_u$).

Resposta: 0,163 50 THz

A Figura 19.2 mostra os níveis de energia previstos pela Eq. 19.3. Observamos que a separação entre os níveis adjacentes aumenta com J. Também observamos que, como J pode ser 0 (Seção 12.8), a mais baixa energia possível é $E_0 = 0$: não existe energia rotacional no ponto zero para moléculas.

As moléculas não são realmente rotores *rígidos*, uma vez que distorcem sob a tensão da rotação. À medida que seus comprimentos de ligação aumentam, seus níveis de energia ficam ligeiramente mais próximos entre si. Esse efeito é levado em consideração admitindo-se que a Eq. 19.3 pode ser modificada para:

$$E_J = hBJ(J+1) - hDJ^2(J+1)^2 \qquad \text{Rotor linear} \quad \text{Distorção centrífuga} \qquad (19.6)$$

O parâmetro D é a **constante de distorção centrífuga.** É grande quando a ligação é facilmente estirada, e assim sua magnitude está relacionada com as constantes de força das ligações, uma medida da sua rigidez (Seção 19.7). Mais adiante, quando discutirmos as vibrações moleculares, iremos ver que B depende do estado vibracional da molécula, pois o momento de inércia da molécula varia quando a mesma vibra.

Algumas moléculas não lineares, todas sendo capazes de girar em torno de três eixos, podem ser modeladas como um **rotor simétrico**, um rotor rígido em que os momentos de inércia em torno de dois eixos são os mesmos, porém diferentes de um terceiro (e todos os três são diferentes de zero). Formalmente, para uma molécula ser um rotor simétrico, deve ter um eixo de simetria de ordem três ou maior. Um exemplo de um rotor simétrico é a amônia, NH_3, e outro exemplo é o pentacloreto de fósforo, PCl_5 (Fig. 19.3). Como mostrado na Dedução a seguir, os níveis de energia rotacional de um rotor simétrico são

$$E_{J,K} = hBJ(J+1) + h(A-B)K^2$$
$$J = 0, 1, 2, \ldots \qquad \text{Rotor simétrico} \qquad (19.7)$$
$$K = J, J-1, \ldots, -J$$

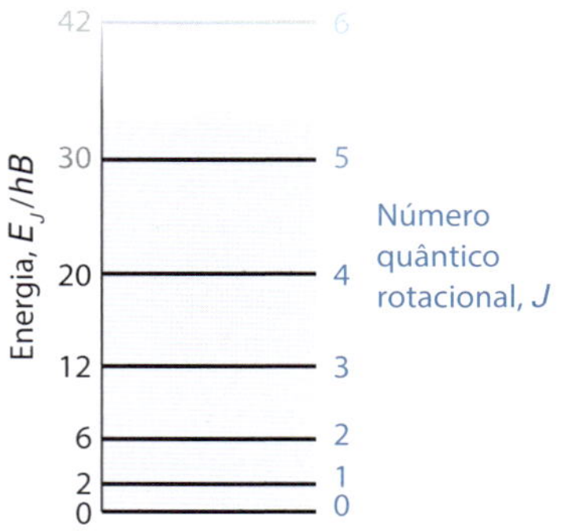

Figura 19.2 Níveis de energia de um rotor rígido linear, em múltiplos de hB.

Tabela 19.1

*Momentos de inércia**

1. Moléculas diatômicas	
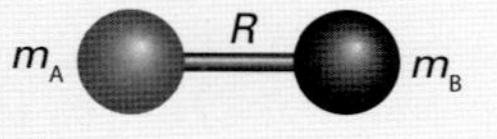	$I = \mu R^2 \quad \mu = \dfrac{m_A m_B}{m}$
2. Rotores triatômicos lineares	
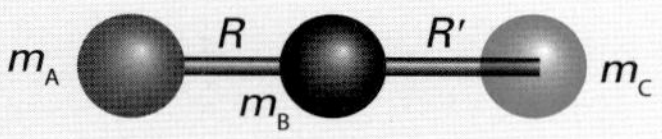	$I = m_A R^2 + m_C R'^2 - \dfrac{(m_A R - m_C R')^2}{m}$
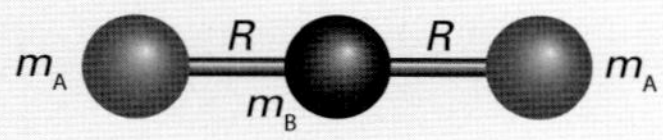	$I = 2m_A R^2$
3. Rotores simétricos	
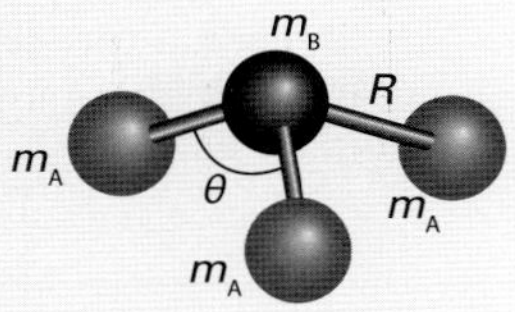	$I_\parallel = 2m_A(1 - \cos\theta)R^2$ $I_\perp = m_A(1 - \cos\theta)R^2 + \dfrac{m_A}{m}(m_B + m_C)(1 + 2\cos\theta)R^2$
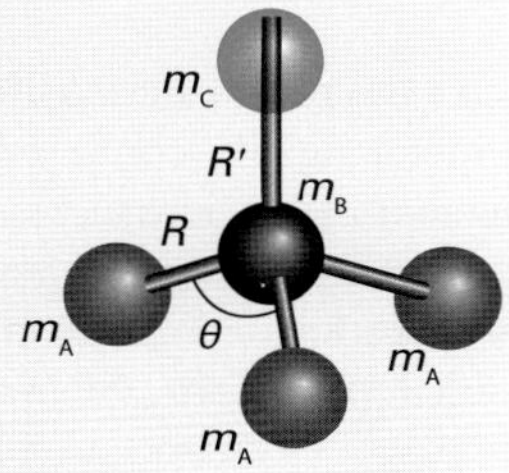	$I_\parallel = 2m_A(1 - \cos\theta)R^2$ $I_\perp = m_A(1 - \cos\theta)R^2 + \dfrac{m_A}{m}(m_B + m_C)(1 + 2\cos\theta)R^2$ $+ \dfrac{m_C}{m}(3m_A + m_B)R'^2 + 6m_A\{{}^{1}/_{3}(1 + 2\cos\theta)\}^{1/2}RR'$
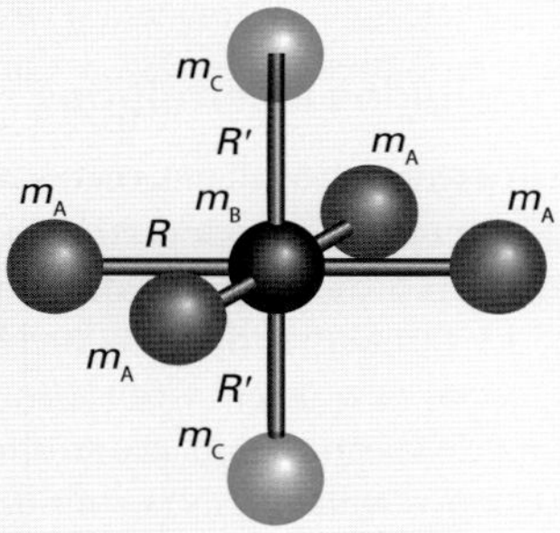	$I_\parallel = 4m_A R^2$ $I_\perp = 2m_A R^2 + 2m_C R'^2$
4. Rotores esféricos	
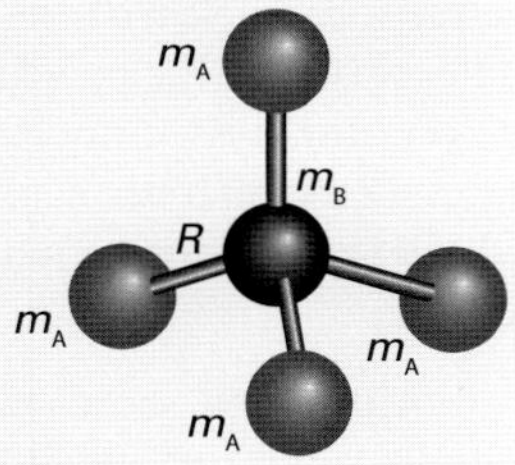	$I = {}^{8}/_{3} m_A R^2$
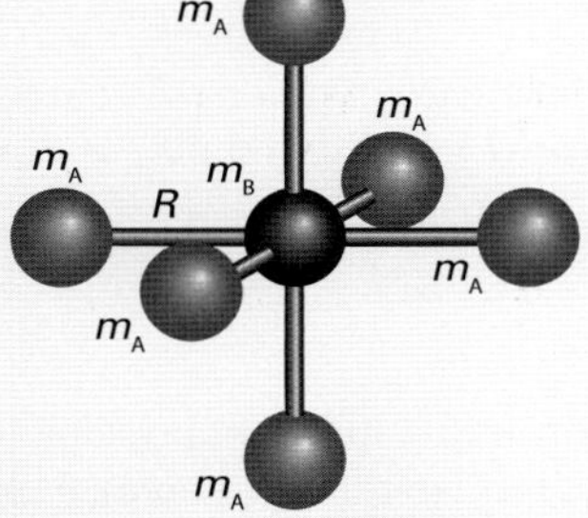	$I = 4m_A R^2$

* Em cada caso, m é a massa total da molécula.

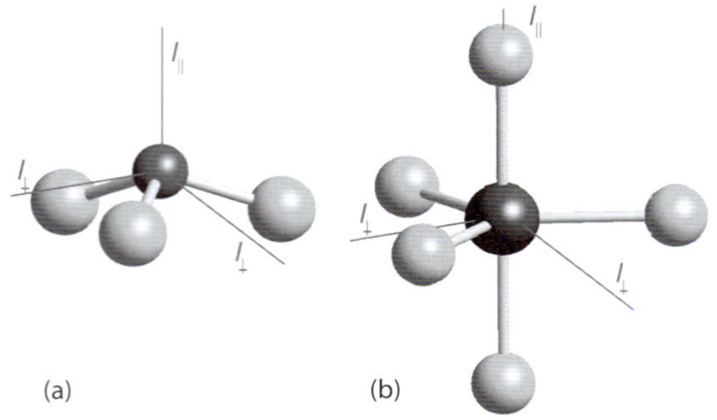

Figura 19.3 Momentos de inércia diferentes (a) em uma molécula piramidal trigonal e (b) em uma molécula bipiramidal trigonal.

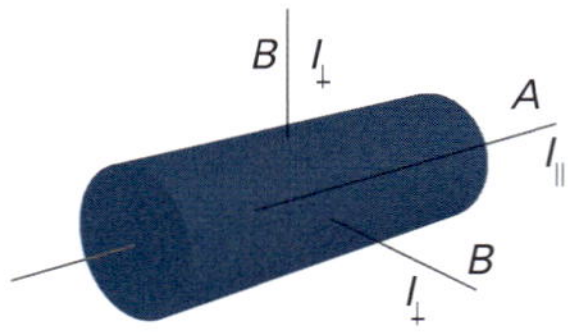

Figura 19.4 As duas constantes rotacionais de um rotor simétrico são inversamente proporcionais aos momentos de inércia paralelo e perpendicular ao eixo da molécula.

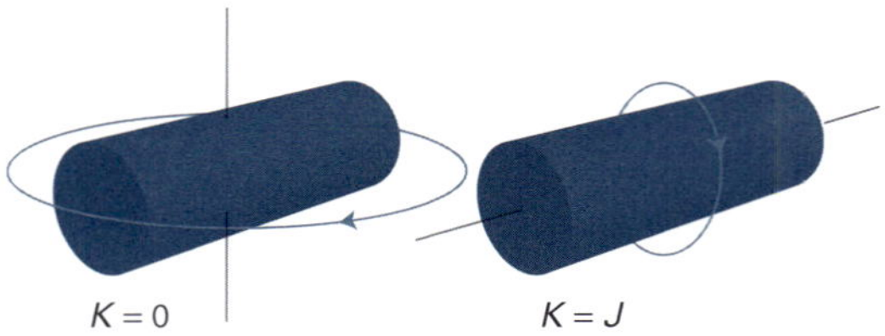

Figura 19.5 Quando $K = 0$ para um rotor simétrico, o movimento total da molécula se dá em torno de um eixo perpendicular ao eixo de simetria do rotor. Quando o valor de $|K|$ é próximo de J, quase todo o movimento se dá em torno do eixo de simetria.

As constantes rotacionais A e B são inversamente proporcionais aos momentos de inércia paralelos e perpendiculares ao eixo da molécula (Fig. 19.4):

$$A = \frac{\hbar}{4\pi I_{\parallel}} \qquad B = \frac{\hbar}{4\pi I_{\perp}} \qquad \text{Constantes rotacionais} \quad (19.8)$$

O número quântico K nos dá, por meio de $K\hbar$, a componente do momento angular em torno do eixo molecular (Fig. 19.5). Quando $K = 0$, a molécula está girando de ponta-cabeça e nunca em torno de seu próprio eixo. Quando $K = \pm J$ (os maiores valores de sua faixa), a molécula está girando principalmente em torno de seu eixo. Valores intermediários de K correspondem a uma combinação dos dois modos de rotação.

Dedução 19.2

Níveis de energia de um rotor simétrico

O ponto de partida desta dedução é uma generalização da expressão da energia total de um rotor linear para

$$E = \frac{\mathcal{J}_x^2}{2I_{\perp}} + \frac{\mathcal{J}_y^2}{2I_{\perp}} + \frac{\mathcal{J}_z^2}{2I_{\parallel}}$$

É conveniente escrever esta expressão em termos da magnitude do momento angular $\mathcal{J}^2 = \mathcal{J}_x^2 + \mathcal{J}_y^2 + \mathcal{J}_z^2$:

$$E = \frac{\mathcal{J}_x^2}{2I_{\perp}} + \frac{\mathcal{J}_y^2}{2I_{\perp}} + \frac{\mathcal{J}_z^2}{2I_{\parallel}} + \overbrace{\frac{\mathcal{J}_z^2}{2I_{\perp}} - \frac{\mathcal{J}_z^2}{2I_{\perp}}}^{0} = \frac{\mathcal{J}^2}{2I_{\perp}} + \left(\frac{1}{2I_{\parallel}} - \frac{1}{2I_{\perp}}\right)\mathcal{J}_z^2$$

Como na Dedução anterior, neste ponto fazemos a transição da mecânica clássica para a quântica. Segundo a mecânica quântica, o quadrado da magnitude do momento angular é $J(J+1)\hbar^2$, com $J = 0, 1, 2, \ldots$ e qualquer componente (como $\mathcal{J}_z$) é limitada aos valores $K\hbar$ com $K = J, J-1, \ldots, -J$. Por convenção, o número quântico K desempenha o papel de M_J para a componente em um eixo internamente definido, enquanto M_J é preservado para a projeção do momento angular sobre um eixo externamente definido. Conclui-se que a expressão da mecânica quântica para a energia de um rotor simétrico é

$$E = \frac{\overbrace{J(J+1)\hbar^2}^{\mathcal{J}^2}}{2I_{\perp}} + \left(\frac{1}{2I_{\parallel}} - \frac{1}{2I_{\perp}}\right)\overbrace{K^2\hbar^2}^{\mathcal{J}_z^2}$$

Finalmente, com A e B definidos conforme a Eq. 19.8, obtemos a Eq. 19.7.

Um caso especial de rotor simétrico é um **rotor esférico**, um corpo rígido com três momentos de inércia iguais (como uma esfera). Moléculas tetraédricas, octaédricas e icosaédricas (CH_4, SF_6 e C_{60}, por exemplo) são rotores esféricos. Seus níveis de energia são muito simples: quando $I_{\parallel} = I_{\perp}$, as constantes rotacionais A e B são iguais, e a Eq. 19.7 simplifica-se na Eq. 19.3.

19.2 Estados rotacionais proibidos e permitidos

Nem todos os estados rotacionais de moléculas simétricas, como H_2 ou CO_2, são permitidos. A eliminação de certos estados é uma consequência do princípio da exclusão de Pauli que, como foi visto no Capítulo 13, também proíbe a ocorrência de certos estados atômicos (como os que têm três elétrons em um orbital, ou dois elétrons de mesmo spin no mesmo orbital). As restrições sobre os estados rotacionais permitidos em função do princípio de Pauli podem ser explicadas pelo efeito do spin nuclear denominado **estatística nuclear**.

Para entender como o princípio da exclusão de Pauli exclui certos estados rotacionais, precisamos exprimir esse princípio de uma forma mais geral do que a apresentada na Informação adicional 13.1, que tratava apenas de elétrons. A forma mais geral do princípio de Pauli estabelece que

> Quando dois férmions quaisquer indistinguíveis são trocados, a função de onda deve mudar de sinal; quando dois bósons quaisquer indistinguíveis são trocados, a função de onda deve permanecer a mesma.

(Bósons são partículas com spin inteiro; férmions são partículas com spin semi-inteiro; Seção 13.6.) Em resumo, se A e B são partículas indistinguíveis, então

Para férmions: $\psi(\text{B,A}) = -\psi(\text{A,B})$

Para bósons: $\psi(\text{B,A}) = \psi(\text{A,B})$

A parte do 'férmion' deste princípio implica no princípio da *exclusão* de Pauli, como vimos no Capítulo 13, porém, é mais geral nesta forma e de aplicação mais ampla.

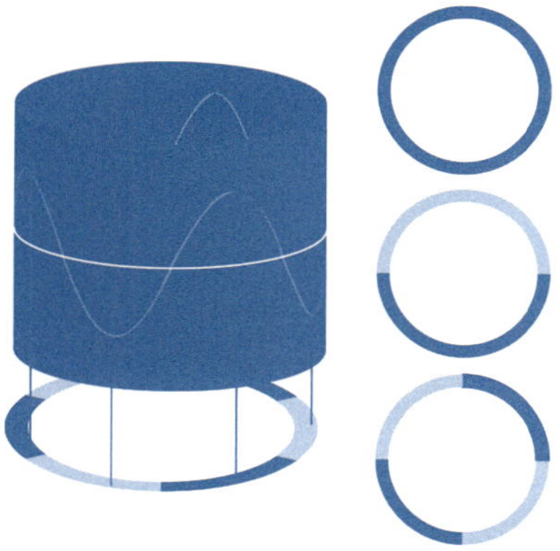

Figura 19.6 As fases das funções de onda de uma partícula em um anel para os primeiros estados: observe que a paridade da função de onda (seu comportamento sob inversão por meio do centro do anel) é par, ímpar, par, … .

Uma nota sobre a boa prática Este *princípio de Pauli* é a afirmação geral aqui apresentada. O *princípio da exclusão de Pauli* é consequência do princípio de Pauli e refere-se à exclusão de mais de dois elétrons do mesmo estado.

Considere uma molécula de CO_2 (mais precisamente, uma molécula de CO_2 em que ambos os átomos de O são idênticos, como no $^{16}OC^{16}O$), que vamos representar por O_ACO_B. Quando a molécula gira 180°, torna-se O_BCO_A, com os dois átomos de O trocados. O spin nuclear do oxigênio-16 é zero, logo trata-se de um bóson; portanto, a função de onda deve permanecer inalterada por essa troca. Entretanto, quando *qualquer* molécula gira 180°, sua função de onda varia por um fator de $(-1)^J$. Para ver por que isso é verdade, representamos na Figura 19.6 as primeiras funções de onda de uma partícula que circula em um anel. Verificamos que uma rotação de 180° deixa as funções de onda com $J = 0, 2, \ldots$ inalteradas, mas há troca de sinal nas funções de onda com $J = 1, 3, \ldots$. A única forma de os dois requisitos (de que a função de onda não troque de sinal e de que venha a trocar por um fator $(-1)^J$) serem consistentes é que J seja restrito a valores pares. Ou seja, uma molécula de CO_2 pode existir somente em estados rotacionais com $J = 0, 2, 4, \ldots$.

A análise das implicações da estatística nuclear é mais complicada para moléculas nas quais os núcleos têm spin diferente de zero (que incluem o H_2, com seus núcleos de spin $^1/_2$) porque os estados rotacionais permitidos dependem da orientação relativa dos spins nucleares. Entretanto, os resultados podem ser expressos de forma muito simples:

$$\frac{\text{Número de modos para obter J ímpar}}{\text{Número de modos para obter J par}} = \begin{cases} (I+1)/I \text{ de núcleos com spin semi-inteiro} \\ I/(I+1) \text{ de núcleos com spin inteiro} \end{cases} \quad (19.9)$$

em que I é o número quântico de spin nuclear.

■ **Breve ilustração 19.1** Estatística do spin nuclear

Para o H_2, com seus núcleos de spin $^1/_2$,

$$\frac{\text{Número de modos para obter } J \text{ ímpar}}{\text{Número de modos para obter } J \text{ par}} = \frac{I+1}{I} = \frac{^1/_2+1}{^1/_2} = 3$$

Há, portanto, três vezes mais o número de modos de se obterem níveis rotacionais com J ímpar do que com J par. Os níveis com J par correspondem a moléculas com spins nucleares paralelos, que são chamados de *orto*-hidrogênio; os níveis com J ímpar correspondem a spins nucleares emparelhados e são chamados de *para*-hidrogênio. As diferentes orientações relativas dos spins nucleares se transformam uma na outra muito lentamente. Assim, uma molécula de H_2 com spins nucleares paralelos permanecerá distinta de outra com spins nucleares emparelhados por um longo período. As duas formas de hidrogênio podem ser separadas por métodos físicos, e armazenadas.

Exercício proposto 19.2

Determine a razão entre o número de modos para obter níveis rotacionais com J ímpar e par para o D_2 em que D é o deutério, ^2H, para o qual $I = 1$.

Resposta: 1:2

19.3 Populações em equilíbrio térmico

Como os estados rotacionais das moléculas têm energias muito próximas, podemos esperar que muitos estados estejam ocupados na temperatura ambiente. Entretanto, devemos considerar a degenerescência dos níveis rotacionais porque, embora dado *estado* possa ter uma baixa população, pode haver muitos estados com a mesma energia, e a população total de um *nível de energia* pode ser muito grande.

Para evitar as complicações adicionais de estatística de spin nuclear, consideramos apenas moléculas lineares que não possuem um centro de simetria, como o HCl e o OCS; então, não há restrições quanto a quais estados são permitidos pelo princípio de Pauli. O momento angular da molécula pode ter $2J + 1$ diferentes orientações em relação a um eixo externo, cada uma caracterizada pelo valor do número quântico $M_J = J, J - 1, \ldots, -J$ (Fig. 19.7; assim como nos átomos, há $2l + 1$ orientações do momento angular orbital, cada uma correspondendo a um valor permitido de m_l). A energia da molécula é independente do seu plano de rotação, logo todos os $2J + 1$ estados têm a mesma energia; portanto, há $(2J + 1)$ estados da mesma energia para cada nível rotacional J. Conforme explicado em Fundamentos 0.11, cada um desses *estados* (não níveis) tem uma população proporcional ao fator de Boltzmann, $e^{-E_J/kT}$, neste caso com $E_J = hBJ(J + 1)$. Para aplicar a distribuição de Boltzmann aos níveis em vez dos estados,

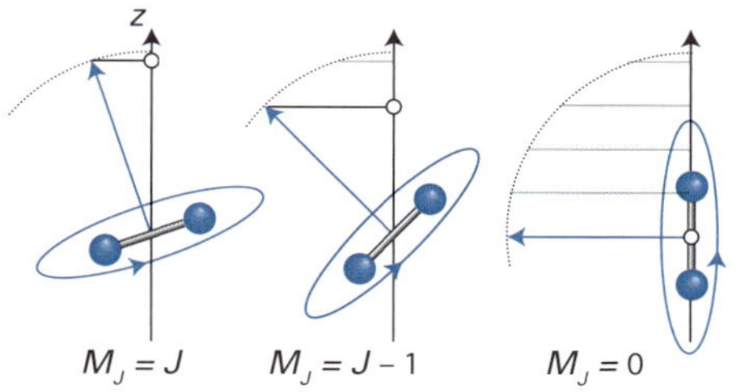

Figura 19.7 O significado do número quântico M_J (neste caso, para $J = 4$) indica a orientação do momento angular rotacional da molécula em relação a um eixo externo.

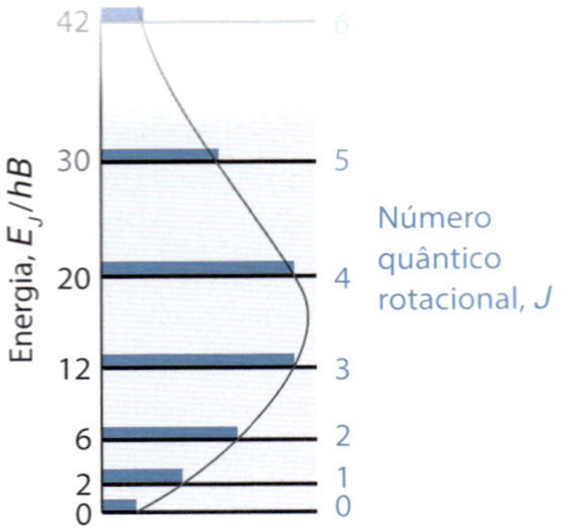

Figura 19.8 As populações relativas dos níveis de energia rotacional de um rotor linear em equilíbrio térmico.

devemos multiplicar pelo número de estados em cada nível, $g_J = 2J + 1$. A população total, P_J, de dado nível que consiste em $2J + 1$ estados individuais, em relação à população do nível mais inferior com $J = 0$ e seu único estado ($M_J = 0$), é, portanto

$$\frac{P_J}{P_0} = (2J+1)e^{-hBJ(J+1)/kT} \qquad \text{Rotor linear} \qquad \text{População de Boltzmann} \qquad (19.10)$$

A Figura 19.8 mostra como essa população varia com J. Como mostrado na Dedução a seguir, essa população passa por um máximo em um valor inteiro de J próximo a

$$J_{\text{máx}} = \left(\frac{kT}{2hB}\right)^{1/2} - \tfrac{1}{2} \qquad \text{Rotor linear} \qquad \text{Nível de população máxima} \qquad (19.11)$$

Para uma molécula linear típica (por exemplo, OCS, com B = 6 GHz) à temperatura ambiente, $J_{\text{máx}} = 22$. Assim, o espectro de absorção da molécula deve apresentar, de modo geral, uma distribuição similar de intensidades.

■ Breve ilustração 19.2 O nível mais populado

No Exercício 19.1 estabelecemos que $B = 3{,}1779 \times 10^{11}$ Hz para o $^1H^{35}Cl$. Sendo assim, o nível de energia rotacional mais populado, a 298 K, está em um valor inteiro de J próximo a

$$J_{\text{máx}} = \left\{\frac{\overbrace{(1{,}381\times10^{-23}\,\text{J K}^{-1})}^{k}\times\overbrace{(298\,\text{K})}^{T}}{2\times\underbrace{(6{,}626\times10^{-34}\,\text{J s})}_{h}\times\underbrace{(3{,}1779\times10^{11}\,\text{Hz})}_{B}}\right\}^{1/2} - \frac{1}{2}$$

$$= 2{,}6$$

O inteiro mais próximo é 3; então, o nível com $J = 3$ (com seus 7 estados) é o mais populado, a 298K. A molécula tem um baixo momento de inércia, pois praticamente todo o movimento rotacional é o do átomo de H em torno de um átomo quase estacionário de Cl. Dessa forma, seus níveis de energia são muito separados e somente poucos são termicamente acessíveis em baixas temperaturas.

Dedução 19.3

O nível mais populado

Precisamos encontrar o valor de J para o qual P_J é máximo. Para isso, lembramos de Ferramentas do químico 1.3 que, para obter o valor de x correspondente ao extremo (máximo ou mínimo) de qualquer função $f(x)$, derivamos a função, igualamos o resultado a zero e resolvemos a equação para x. Aplicando este procedimento à Eq. 19.10 com J tratado, neste estágio, como uma variável contínua, obtemos:

$$\frac{d}{dJ}\overbrace{(2J+1)}^{f}\overbrace{e^{-hBJ(J+1)/kT}}^{g}$$

$$\overset{d(fg)/dx=(df/dx)g+f(dg/dx)}{=} \overbrace{\underbrace{\left\{\frac{d}{dJ}(2J+1)\right\}}_{2}e^{-hBJ(J+1)/kT}}^{(df/dx)g}$$

$$+ \overbrace{(2J+1)\underbrace{\left\{\frac{d}{dJ}e^{-hBJ(J+1)/kT}\right\}}_{-\{hB(2J+1)/kT\}e^{-hBJ(J+1)/kT}}}^{f(dg/dx)}$$

$$= 2e^{-hBJ(J+1)/kT} + (2J+1)\left\{-\frac{hB(2J+1)}{kT}e^{-hBJ(J+1)/kT}\right\}$$

$$= \left\{2 - \frac{hB(2J+1)^2}{kT}\right\}e^{-hBJ(J+1)/kT}$$

Esta expressão é igual a zero quando o termo que multiplica a função exponencial (em azul) é zero. Portanto, após fazer $J = J_{\text{máx}}$, precisamos resolver

$$2 - \frac{hB(2J_{\text{máx}}+1)^2}{kT} = 0$$

que dá a Eq. 19.11 Esta dedução tratou J como uma variável contínua, apesar de que, de fato, esse valor é confinado a valores inteiros. Portanto, o valor real de J, que corresponde à população máxima, é interpretado como o inteiro mais próximo do $J_{\text{máx}}$ calculado.

19.4 Transições rotacionais: espectroscopia de micro-ondas

Se uma transição vai ou não ser induzida ou induzir oscilações no campo eletromagnético ao seu redor vai depender de uma grandeza denominada **momento de dipolo de transição.** Esta grandeza é uma medida do momento de dipolo associado ao deslocamento de carga elétrica que acompanha a transição (Fig. 19.9).[1] A intensidade da transição é proporcional ao quadrado do momento de dipolo da transição associada. Um grande momento de transição indica que a transição dá um 'solavanco' forte no campo eletromagnético, e que o campo eletromagnético interage fortemente com a molécula. Uma **regra de seleção** é um enunciado que indica quando um dipolo de transição é diferente de zero. Uma regra de seleção possui duas partes:

- A **regra de seleção geral** especifica os aspectos gerais que uma molécula deve possuir para ter um espectro de dado tipo.
- A **regra de seleção específica** determina que variações podem ocorrer nos números quânticos.

Uma transição que pode ocorrer por uma regra de seleção específica é dita **permitida.** Transições que não podem ocorrer

[1] De maneira (quase) precisa, o momento de dipolo de transição para a transição *estado inicial* → *estado final* é o valor da integral $\int \psi_{\text{final}}\mu\psi_{\text{inicial}}d\tau$; para maiores informações veja o livro *Físico-Química* (2010) destes mesmos autores (LTC Editora).

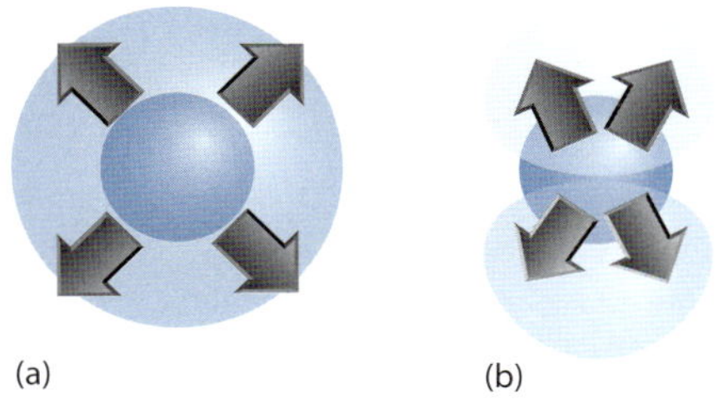

Figura 19.9 O momento de transição é uma medida da magnitude do deslocamento de carga que ocorre durante a transição. (a) Uma redistribuição esférica de carga, como nesta redistribuição, não tem momento de dipolo associado, e não dá origem à radiação eletromagnética. (b) Essa redistribuição de carga tem um momento de dipolo associado.

por uma regra de seleção específica são ditas **proibidas**. As transições proibidas às vezes ocorrem com pequena intensidade, porque a regra de seleção é baseada em uma aproximação que pode não ser completamente válida.

A regra de seleção geral para transições rotacionais é que *a molécula tem de ser polar*. A base clássica dessa regra é que um observador estacionário, ao observar uma molécula polar rotatória, vê suas cargas parciais movendo-se para trás e para a frente, e seu movimento abala o campo eletromagnético fazendo-o oscilar (Fig. 19.10). Como a molécula tem de ser polar, segue-se que moléculas tetraédricas (CH_4, por exemplo), octaédricas (SF_6), lineares simétricas (CO_2) e diatômicas homonucleares (H_2) não têm espectros rotacionais. Por outro lado, moléculas diatômicas heteronucleares (HCl) e poliatômicas polares menos simétricas (NH_3) são polares e têm espectros rotacionais. Dizemos que as moléculas polares são **rotacionalmente ativas**, enquanto as moléculas não polares são **rotacionalmente inativas**.

Para transições rotacionais, as regras de seleção específicas são:

$$\Delta J = \pm 1 \qquad \Delta K = 0 \qquad \text{Regras de seleção rotacionais} \qquad (19.12)$$

A primeira dessas regras de seleção pode ser reconhecida como a regra $\Delta l = \pm 1$ para átomos (Seção 13.7), para a conservação de momento angular quando um fóton é absorvido ou criado. Um fóton é uma partícula de spin 1, e, quando é absorvido ou criado, o momento angular da molécula deve mudar

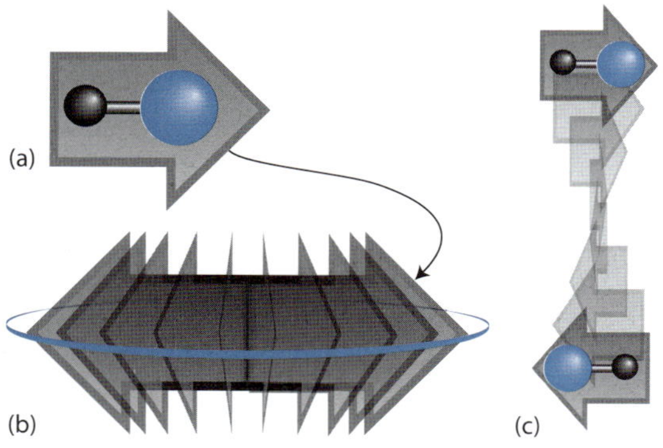

Figura 19.10 Para um observador externo, (a) uma molécula polar em rotação tem (b) um momento de dipolo elétrico (a seta) que (c) parece oscilar. Este dipolo oscilante pode interagir com o campo eletromagnético.

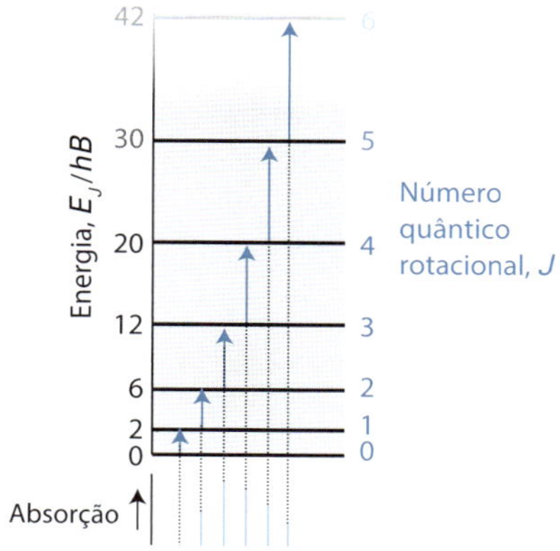

Figura 19.11 As transições rotacionais permitidas (mostradas como absorção) para uma molécula linear.

uma quantidade compensatória. Como J é uma medida do momento angular da molécula, J pode mudar somente em ±1 (para transições rotacionais puras, $\Delta J = +1$ corresponde à absorção e $\Delta J = -1$, à emissão). A segunda regra de seleção ($\Delta K = 0$; isto é, o número quântico K não pode mudar) pode ser explicada pelo fato de que o momento de dipolo de uma molécula polar não se move quando uma molécula gira em torno de seu eixo de simetria (pensemos em NH_3 girando em torno de seu eixo de ordem três). Como resultado, não pode haver qualquer aceleração ou desaceleração da rotação da molécula em torno daquele eixo pela absorção ou emissão de radiação eletromagnética.

Quando uma molécula linear assimétrica rígida altera seu número quântico rotacional de J para $J + 1$ em uma absorção, a variação na energia rotacional da molécula é

$$\begin{aligned}\Delta E = E_{J+1} - E_J &\overset{E_J = hBJ(J+1)}{\widehat{=}} hB(J+1)(J+2) - hBJ(J+1) \\ &= hB\{J^2 + 3J + 2 - (J^2 + J)\} \\ &= 2hB(J+1)\end{aligned}$$

A mesma expressão aplica-se a um rotor simétrico, pois K não varia em uma transição. A frequência da radiação absorvida em uma transição que começa no nível J é, portanto,

$$\nu_J = 2B(J+1) \qquad \text{Rotor rígido} \qquad \text{Frequências de transições rotacionais} \qquad (19.13a)$$

e as linhas ocorrem em $2B$, $4B$, $6B$, ... A distribuição das intensidades é semelhante à apresentada na Figura 19.11, com uma intensidade máxima em $\nu_{J_{\text{máx}}}$, com $J_{\text{máx}}$ dado pela Eq. 19.11. Um O espectro rotacional de uma molécula linear polar (HCl) e de um rotor simétrico polar (NH_3) consiste, portanto, em uma série de linhas de frequências separadas por $2B$.

■ Breve ilustração 19.3 Frequências de transições rotacionais

No Exemplo 19.1 calculamos a constante rotacional do $^1H^{35}Cl$ como $3,1779 \times 10^{11}$ Hz (ou 317,79 GHz); portanto, o espectro rotacional dessa molécula consiste em uma série de linhas espaçadas em 635,6 GHz e, dessa maneira, nas frequências de 635,6 GHz, 1271,2 GHz, 1906,8 GHz, ... O comprimento de onda da primeira dessas linhas é 0,472 nm.

Exercício proposto 19.3

Qual é a frequência e o comprimento de onda da transição $J = 1 \leftarrow 0$ na molécula de $^2H^{35}Cl$? A massa do ^2H é $2{,}014m_u$. Antes de iniciar o cálculo, decida se a frequência deverá ser maior ou menor que para o $^1H^{35}Cl$.

Resposta: 327,0 GHz, 0,9167 mm

Se a distorção centrífuga for significativa, usamos então a Eq. 19.6 do mesmo modo, e obtemos

$$\nu_J = 2B(J+1) - 4D(J+1)^3 \qquad \text{Rotor não rígido} \quad \text{Frequências de transições rotacionais} \qquad (19.13b)$$

Agora, como o segundo termo se subtrai dos valores sempre crescentes do primeiro à medida que J aumenta, as linhas convergem à proporção que J aumenta. Para determinar B e D experimentalmente, dividimos ambos os lados por $J + 1$ e obtemos

$$\overbrace{\frac{\nu_J}{J+1}}^{} = \overbrace{2B}^{\text{Interseção}} \; \overbrace{-4D}^{\text{Coeficiente angular}} \times \overbrace{(J+1)^2}^{x} \qquad (19.14)$$

Portanto, fazendo-se um gráfico de $\nu_J/(J + 1)$ contra $(J + 1)^2$, devemos obter uma linha reta com interseção $2B$ e coeficiente angular $-4D$ (veja o Exercício 19.17).

Uma vez tenhamos medido a separação entre linhas adjacentes em um espectro rotacional de uma molécula e a tenhamos convertido em B, podemos empregar o valor de B para obter um valor para o momento de inércia $I_\perp$. Para uma molécula diatômica, podemos converter esse valor em um valor do comprimento de ligação, R, utilizando a Eq. 19.4. Dessa maneira podemos obter comprimentos de ligação altamente exatos. Em alguns casos, a substituição isotópica pode auxiliar. Um caso clássico é a determinação dos dois comprimentos de ligação da molécula de OCS. A análise do espectro de micro-ondas desta molécula linear dá uma única grandeza, a constante rotacional, e, dessa grandeza, não podemos deduzir os dois comprimentos de ligação diferentes. Contudo, com os dados de absorção de dois isotopômeros (moléculas de diferente composição isotópica) $^{16}O^{12}C^{33}S$ e $^{16}O^{12}C^{34}S$ e assumindo que a substituição isotópica não altera os comprimentos de ligação temos duas informações: os momentos de inércia de cada isotopômero, e a determinação dos dois comprimentos de ligação (veja o Exercício 19.18).

19.5 Larguras de linha

As linhas espectrais não são infinitamente estreitas. Um importante processo de alargamento das linhas em amostras gasosas é o **efeito Doppler**, em que há alteração da frequência da radiação quando a fonte se move na direção ou para longe do observador (Fig. 19.12). As moléculas atingem altas velocidades em todas as direções em um gás, e um observador estacionário, o espectrômetro, detecta a faixa de frequências de alteração Doppler correspondentes. Algumas moléculas aproximam-se do observador, outras se movem para longe; algumas movem-se rapidamente, outras, lentamente. A 'linha' espectral detectada é o perfil de absorção ou de emissão que tem origem em todas as alterações Doppler resultantes. O perfil reflete a distribuição de Maxwell de velocidades moleculares (Seção 1.6) na direção ou para longe do observador, e o resultado é aquele que observamos em uma curva gaussiana, em forma de sino (uma curva da forma e^{-x^2}, Figura 19.13 e Ferramentas do químico 1.2). Quando a temperatura é T e a massa molar da molécula é M, a largura da linha na metade de sua altura máxima (a 'largura à meia-altura') é

$$\delta\nu = \frac{2\nu}{c}\left(\frac{2RT\ln 2}{M}\right)^{1/2} \qquad \text{Largura à meia-altura} \qquad (19.15)$$

que é mais bem escrita como $\delta\nu \propto (T/M)^{1/2}$. A largura Doppler aumenta com a temperatura, porque as moléculas adquirem uma faixa mais ampla de velocidades (lembre-se da Fig. 1.9). Portanto, para obter espectros de nitidez máxima, é melhor trabalhar com amostras gasosas frias.

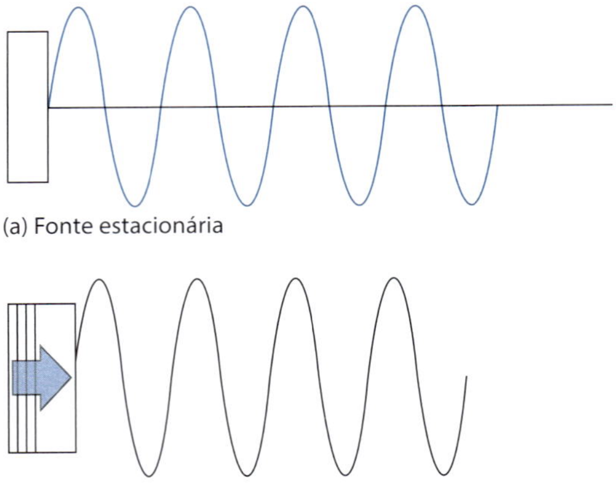

Figura 19.12 O efeito Doppler. (a) A radiação emitida por uma fonte estacionária. (b) Quando a mesma fonte se move na direção do observador, a radiação parece ter se deslocado para frequências mais altas. De maneira semelhante, uma fonte que recua desloca a radiação para frequências mais baixas.

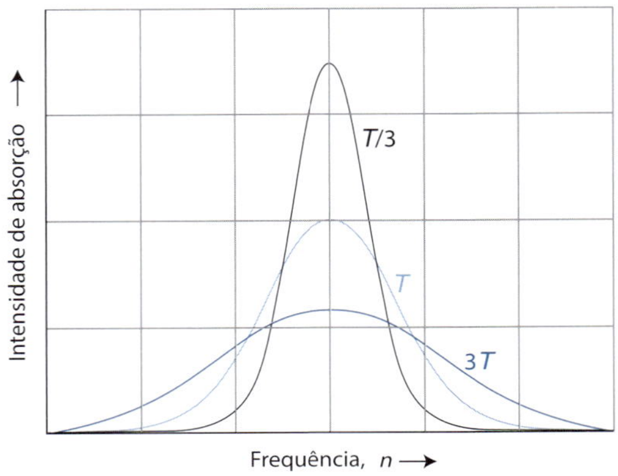

Figura 19.13 A forma alargada de uma linha espectral, pelo efeito Doppler, reflete a distribuição de velocidades de Maxwell das moléculas da amostra na temperatura da experiência. Observe que a linha se alarga à medida que a temperatura se eleva. A largura à meia-altura é dada pela Eq. 19.15.

■ **Breve ilustração 19.4** Largura de linha Doppler

A largura Doppler da transição $J = 1 \leftarrow 0$ do $^1H^{35}Cl$ (de massa molar 35,973 g mol^{-1}, correspondente a $3{,}5973 \times 10^{-2}$ kg mol^{-1}), a 298 K é

$$\delta\nu = \frac{\overbrace{2\times(6{,}356\times10^{11}\ \mathrm{s^{-1}})}^{\nu}}{\underbrace{2{,}998\times10^{8}\ \mathrm{m\ s^{-1}}}_{c}} \times \left(\frac{2\times\overbrace{(8{,}3145\ \mathrm{J\ K^{-1}\ mol^{-1}})}^{R}\times\overbrace{(298\ \mathrm{K})}^{T}\times\ln 2}{\underbrace{3{,}5973\times10^{-2}\ \mathrm{kg\ mol^{-1}}}_{M}}\right)^{1/2}$$

$$= \frac{2\times6{,}356\times10^{11}}{2{,}998\times10^{8}} \times\left(\frac{2\times8{,}3145\times298\times\ln 2}{3{,}5973\times10^{-2}}\right)^{1/2}\overbrace{\frac{1}{\mathrm{m}}\left(\frac{\overbrace{\mathrm{kg\ m^2\ s^{-2}}}^{\mathrm{J}}\ \mathrm{mol^{-1}}}{\mathrm{kg\ mol^{-1}}}\right)^{1/2}}^{\mathrm{m\ s^{-1}}}$$

$$= 1{,}310 \times 10^{6}\ \mathrm{s^{-1}}$$

Este valor corresponde a uma largura de 1,310 MHz.

Exercício proposto 19.4

Determine a largura Doppler da transição $J = 4 \leftarrow 3$ do $^{12}C^{16}O$, que é observada em 461,0 Mhz, a 400 K.

Resposta: 1,248 kHz

Outra fonte de alargamento de linha é o tempo de vida finito dos estados envolvidos na transição. Quando a equação de Schrödinger é resolvida para um sistema que está mudando com o tempo, verifica-se que os estados do sistema não têm energias precisamente definidas. Se a constante de tempo para o decaimento de um estado é τ (tau), que é chamado de **tempo de vida** do estado, então seus níveis de energia são mascarados por uma incerteza δE (correspondente a uma faixa de frequência de $\delta\nu = \delta E/h$), com

$$\delta E \approx \frac{\hbar}{\tau} \text{ ou } \delta\nu \approx \frac{1}{2\pi\tau} \qquad \text{Alargamento do tempo de vida} \quad (19.16)$$

supõe-se que o decaimento do estado seja exponencial e proporcional a $e^{-t/\tau}$. Vemos que quanto mais breve o tempo de vida de um estado, menos bem definida é sua energia. A incerteza na energia inerente aos estados de sistemas que têm tempos de vida finitos é denominada **alargamento do tempo de vida.** Somente se τ é infinito, pode-se especificar a energia de um estado exatamente (com $\delta E = 0$). Porém, nenhum estado excitado tem um tempo de vida infinito; assim sendo, todos os estados provocam alargamento do tempo de vida, e quanto menores os tempos de vida dos estados envolvidos em uma transição, mais largas são as linhas espectrais.

■ **Breve ilustração 19.5** Alargamento do tempo de vida

Para uma transição de um estado com tempo de vida de 50 ps, o alargamento é

$$\delta\nu \approx \frac{1}{2\pi\times(5{,}0\times10^{-11}\ \mathrm{s})} = 3{,}2\times10^{9}\ \mathrm{s^{-1}}$$

A largura corresponde a 3,2 GHz.

Exercício proposto 19.5

As larguras das linhas no espectro de um estado excitado de vida curta do NO_2 são devidas ao alargamento do tempo de vida. Calcule o tempo de vida do estado que dá origem a uma linha com a largura aumentada pelo tempo de vida de 47 kHz.

Resposta: 3,4 μs

Uma nota sobre a boa prática O alargamento do tempo de vida é às vezes chamado de 'alargamento da incerteza' porque a Eq. 19.16 pode ser escrita como $\tau\delta E \approx \hbar$ que lembra a forma do princípio da incerteza de Heisenberg para a energia e o tempo. Entretanto, há razões técnicas para não se considerar esta relação como uma verdadeira relação de incerteza (essencialmente por não haver um operador para o tempo na mecânica quântica) e o termo 'alargamento do tempo de vida' deve ser preferido.

Dois processos são principalmente responsáveis pelos tempos de vida finitos dos estados excitados, e assim para as larguras das transições em que os mesmos estão envolvidos. O dominante é a **desativação por colisão**, que vem das colisões entre moléculas ou com as paredes do recipiente. Se o tempo de vida de colisão é τ_{col}, então a largura da linha resultante por causa da colisão é $\delta E_{col} \approx \hbar/\tau_{col}$. Nos gases, o tempo de vida de colisão pode ser estendido, e o alargamento – que neste caso também é denominado *alargamento por pressão* – minimizado trabalhando-se a baixas pressões. A segunda contribuição é a **emissão espontânea** (ver Informação adicional 20.2), a emissão de radiação quando um estado excitado cai para um estado de mais baixa energia. A taxa de emissão espontânea depende de detalhes das funções de onda do estado excitado e do de mais baixa energia. Como a taxa de emissão espontânea não pode ser alterada (sem alterar a molécula), é um limite natural para o tempo de vida de um estado excitado. O alargamento do tempo de vida resultante é a **largura natural da linha** da transição.

A largura natural da linha de uma transição não pode ser alterada pela modificação da temperatura ou da pressão. A largura natural da linha depende muito da frequência da transição ν (aumenta como ν^3), então transições de baixa frequência (tais como as transições de micro-ondas, da espectroscopia rotacional) têm larguras de linha naturais muito pequenas; para tais transições, os processos de alargamento de linha por colisão e Doppler são dominantes.

19.6 Espectros Raman rotacionais

Na **espectroscopia Raman**, os níveis de energia molecular são investigados examinando-se as frequências presentes na radiação espalhada pelas moléculas. Em um experimento típico, um feixe monocromático de radiação *laser* incidente passa por uma amostra e a radiação espalhada a partir da face frontal da amostra é monitorada. Cerca de 1 em cada 10^7 dos fótons incidentes colide com as moléculas, perde alguma energia e sai com energia mais baixa. Esses fótons espalhados constituem a **radiação Stokes**, de frequência mais baixa.

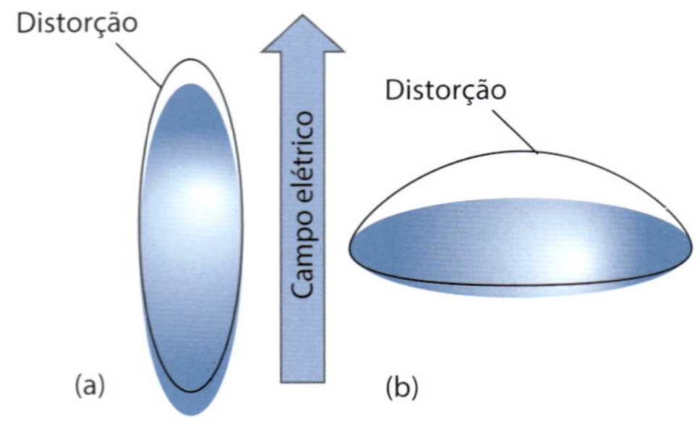

Figura 19.14 A anisotropia da polarizabilidade é ilustrada aqui pela diferente distorção induzida por um campo elétrico quando a molécula é alinhada (a) paralelamente e (b) perpendicularmente ao campo.

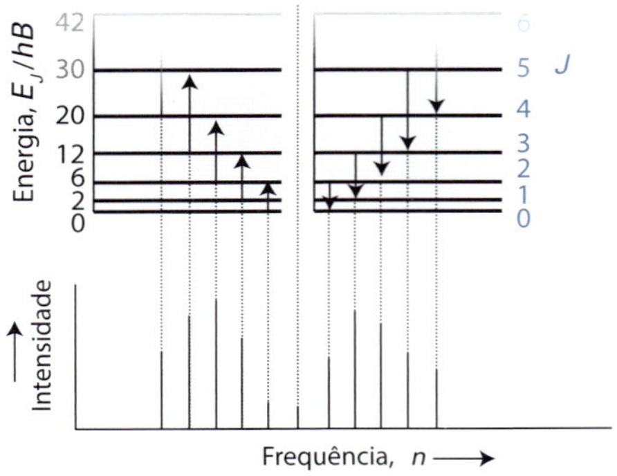

Figura 19.15 Transições responsáveis pelas linhas Stokes e anti-Stokes de um espectro Raman rotacional de uma molécula linear.

Outros fótons incidentes podem receber energia das moléculas (se as mesmas já estiverem excitadas) e emergem como **radiação anti-Stokes**, de frequência mais alta. A componente da radiação espalhada na direção do feixe incidente e que não sofre variação de frequência é chamada **radiação Rayleigh.**

Os *lasers* são usados como fontes de radiação em espectroscopia Raman por duas razões. Primeiro, as alterações na frequência da radiação espalhada são muito pequenas; logo, é necessária radiação altamente monocromática para que as alterações sejam observadas. Segundo, a intensidade da radiação espalhada é baixa; logo, são necessários feixes incidentes intensos, como os provenientes de um *laser*.

A regra de seleção geral para espectros Raman rotacionais é que a polarizabilidade da *molécula tem de ser anisotrópica.* Vimos na Seção 15.4 que a polarizabilidade de uma molécula é uma medida da extensão pela qual um campo elétrico aplicado consegue induzir um momento de dipolo elétrico ($\mu^* = \alpha\mathcal{E}$). A *anisotropia* dessa polarizabilidade é sua variação com a orientação da molécula (Fig. 19.14). Moléculas tetraédricas (CH_4), octaédricas (SF_6), e icosoédricas (C_{60}), como todos os rotores esféricos, têm a mesma polarizabilidade, independentemente de suas orientações; essas moléculas são **rotacionalmente inativas na espectroscopia Raman:** não têm espectros Raman rotacionais. Todas as outras moléculas, inclusive as diatômicas homonucleares, como o H_2, são **rotacionalmente ativas na espectroscopia Raman.**

As regras de seleção específicas para as transições Raman rotacionais das moléculas lineares (as únicas que vamos considerar) são

$$\Delta J = +2 \text{ (linhas Stokes)}$$
$$\Delta J = -2 \text{ (linhas anti-Stokes)}$$

Regras de seleção Raman rotacionais (19.17)

Segue-se que a mudança da energia, quando um rotor rígido realiza a transição $J \to J + 2$ é

$$\Delta E = E_{J+2} - E_J \overset{E_J = hBJ(J+1)}{=} hB(J+2)(J+3) - hBJ(J+1)$$
$$= hB\{J^2 + 5J + 6 - (J^2 + J)\}$$
$$= 2hB(2J + 3)$$

Assim, a alteração da frequência para a transição $J \to J + 2$ é

$J \to J + 2$ is

$$\Delta\nu = 2B(2J + 3)$$

Alteração Raman (19.18)

Portanto, quando um fóton é espalhado por moléculas nos estados rotacionais $J = 0, 1, 2, \ldots$, e transfere energia para uma molécula, a frequência é reduzida em $6B$, $10B$, $14B$, ... da frequência da radiação incidente. Se o fóton adquire energia durante a colisão, então, um argumento semelhante mostra que as linhas anti-Stokes ocorrem com frequências $6B$, $10B$, $14B$, ... superiores à radiação incidente (Fig. 19.15). Segue-se que, a partir de uma medição da separação das linhas Raman, podemos determinar o valor de B e, assim, calcular o comprimento da ligação. Como as espécies diatômicas homonucleares são rotacionalmente ativas no Raman, essa técnica pode ser aplicada às mesmas, bem como às espécies heteronucleares.

Há uma restrição importante sobre essas considerações para moléculas simétricas, como o H_2 ou o $C^{16}O_2$. Vimos na Seção 19.2 que a estatística nuclear descarta alguns estados ou leva a uma alternância de populações. Vimos, por exemplo, que o $C^{16}O_2$ pode existir apenas em estados com valores pares de J. Consequentemente, o seu espectro Raman rotacional consiste em linhas a $6B$, $14B$, $22B$, ... e separadas de $8B$, porque as linhas que começam com valores ímpares de J estão ausentes. Para moléculas com spin nuclear diferente de zero, todas as linhas Raman estão presentes, mas apresentam uma alternância nas intensidades: para o H_2, as linhas com J ímpar são três vezes mais intensas que as com J par, ao passo que, para o D_2 e para o N_2, as linhas com J par são duas vezes mais intensas que as com J ímpar.

Espectroscopia vibracional

Todas as moléculas são capazes de vibrar, e moléculas complicadas podem fazer isso em grande número de diferentes maneiras. Até o benzeno, com 12 átomos, pode vibrar de 30 diferentes modos, alguns dos quais envolvendo a expansão e a contração do anel e outros, sua deformação em vários formatos distorcidos. Uma molécula tão grande quanto uma proteína consegue vibrar de dezenas de milhares de diferentes maneiras, girando, alongando-se e deformando-se nas diferentes regiões e de maneiras diferentes. As vibrações podem ser excitadas pela absorção de radiação eletromagnética. Observar as frequências nas quais ocorre essa absorção oferece informações valiosas a respeito da identidade da molécula e fornece informações quantitativas sobre a flexibilidade de suas ligações.

19.7 As vibrações das moléculas

Baseamos nossa discussão na Figura 19.16, que apresenta uma curva típica de energia potencial (é uma reprodução da Fig. 14.1) de uma molécula diatômica quando sua ligação é alongada, puxando um átomo para longe do outro, ou quando se empurra um átomo em direção ao outro. Em regiões próximas do comprimento da ligação de equilíbrio R_e (no mínimo da curva), podemos aproximar a energia potencial por uma parábola (uma curva da forma $y \propto x^2$), e escrever

$$V(x) = \tfrac{1}{2}k_f x^2 \quad \text{Aproximação do potencial parabólico} \quad (19.19)$$

em que $x = R - R_e$ é o deslocamento do equilíbrio e k_f é a constante de força da ligação (unidades: newton por metro, N m^{-1}), como na discussão de vibrações da Seção 12.9. Quanto mais íngremes as paredes do potencial (mais rígida a ligação), maior a constante de força.

A energia potencial na Eq. 19.19 tem a mesma forma daquela do oscilador harmônico (Seção 12.9), assim podemos utilizar as soluções da equação de Schrödinger para esse sistema. A única complicação é que ambos os átomos da ligação estão se movendo, então a 'massa' do oscilador tem de ser interpretada cuidadosamente. O cálculo detalhado mostra que, para dois átomos de massas m_A e m_B unidos por uma ligação de constante de força k_f, os níveis de energia são

$$E_v = (v + \tfrac{1}{2})h\nu \qquad v = 0, 1, 2, \ldots \quad \text{Aproximação harmônica} \quad \text{Níveis de energia} \quad (19.20a)$$

em que

$$\nu = \frac{1}{2\pi}\left(\frac{k_f}{\mu}\right)^{1/2} \quad \text{Frequência vibracional} \quad (19.20b)$$

e

$$\mu = \frac{m_A m_B}{m_A + m_B} \quad \text{Molécula diatômica} \quad \text{Massa efetiva} \quad (19.20c)$$

μ é chamada de **massa efetiva** da molécula, uma medida da quantidade de matéria que se move durante a vibração. As massas efetivas de moléculas poliatômicas são combinações complicadas das massas atômicas em que cada massa atômica

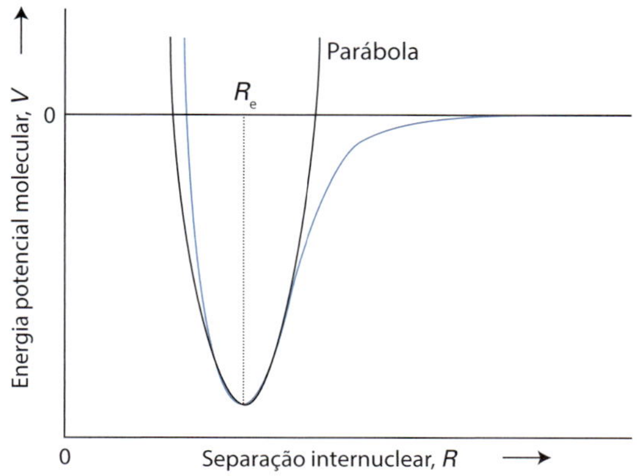

Figura 19.16 Uma curva de energia potencial molecular pode ser aproximada por uma parábola próximo do fundo do poço de potencial. Um potencial parabólico leva a oscilações harmônicas. A aproximação parabólica é inadequada quando as energias de excitação vibracional são elevadas.

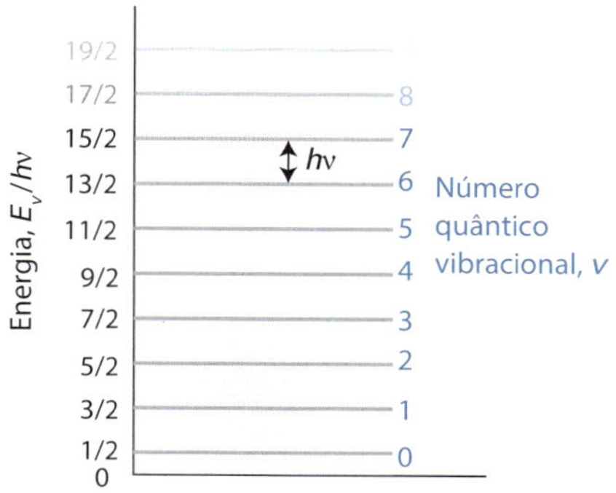

Figura 19.17 Níveis de energia de um oscilador harmônico. O número quântico v varia de 0 a infinito e os níveis de energia permitidos são uniformemente espaçados, com separação igual a $h\nu$.

contribui de maneira que reflete o quanto se movimentam. As transições vibracionais são normalmente expressas como números de onda (em centímetros recíprocos); assim, é conveniente escrever a Eq. 19.20a na forma

$$E_v = (v + {}^1\!/\!_2)hc\tilde{\nu} \qquad \tilde{\nu} = \nu/c \quad (19.20d)$$

A Figura 19.17 (uma repetição da Fig. 12.35) ilustra esses níveis de energia: vemos que estão uniformemente espaçados, com separação de $hc\tilde{\nu}$ entre níveis adjacentes.

Uma nota sobre a boa prática A *massa efetiva* é geralmente chamada de *massa reduzida*. No entanto, isto se deve ao fato de a massa vibracional efetiva de uma molécula diatômica ser dada pela mesma expressão que a da massa reduzida, uma grandeza que ocorre na separação do movimento interno de uma molécula de sua translação global. Para moléculas poliatômicas a massa efetiva não é a mesma que a massa reduzida, dependendo do modo vibracional. É melhor fazer a distinção entre as duas desde o início.

À primeira vista, pode-se estranhar o fato de a massa efetiva aparecer no lugar da massa total dos dois átomos. No entanto, a presença de μ é fisicamente plausível. Se o átomo A for tão pesado quanto uma parede de alvenaria, não se moverá de forma alguma durante a vibração e a frequência vibracional será determinada pelo átomo móvel mais leve. Na verdade, se A é uma parede de alvenaria, podemos desprezar m_B em comparação com m_A no denominador de μ e obter $\mu \approx m_B$, a massa do átomo mais leve. Este é aproximadamente o caso no HI, por exemplo, em que o átomo de I mal se move e $\mu \approx m_H$. No caso de uma molécula diatômica homonuclear, para a qual $m_A = m_B = m$, a massa efetiva é metade da massa de um dos átomos: $\mu = {}^1\!/\!_2 m$.

Breve ilustração 19.6 A frequência vibracional

Uma molécula de $^1H^{35}Cl$ tem uma constante de força de 516 N m^{-1}, um valor típico para este parâmetro. Sua massa efetiva (que calculamos como sua 'massa reduzida' no Exemplo 19.1) é $0{,}9798m_u$. Portanto, sua frequência vibracional é

$$\nu = \frac{1}{2\pi}\left(\frac{\overbrace{516\ \overbrace{\text{N}}^{\text{kg m s}^{-2}}\ \text{m}^{-1}}^{k_f}}{0{,}9798 \times \underbrace{(1{,}660\,54 \times 10^{-27}\ \text{kg})}_{m_u}}\right)^{1/2}$$

$$= 8{,}96 \times 10^{13}\ \text{s}^{-1}$$

Para o cancelamento de unidades, utilizamos 1 N = 1 kg m s^{-2}. A frequência corresponde a 89,6 THz. Você pode lembrar-se de que, na Breve ilustração 12.8, calculamos a frequência considerando que o átomo de Cl era estacionário e obtivemos 88,5 THz. O número de onda correspondente no presente caso é

$$\tilde{\nu} = \frac{\nu}{c} = \frac{8{,}96\times10^{13}\ \text{s}^{-1}}{2{,}998\times10^{8}\ \text{m s}^{-1}} = 2{,}99\times10^{5}\ \text{m}^{-1}$$

Este valor corresponde a $2{,}99 \times 10^3$ cm^{-1}.

19.8 Transições vibracionais

Como frequências vibracionais típicas são da ordem de 10^{13}–10^{14} Hz, transições podem ser induzidas com radiação dessa frequência, o que corresponde à radiação no infravermelho; assim, as transições vibracionais são observadas pela **espectroscopia no infravermelho.** Como já foi mencionado, na espectroscopia no infravermelho as transições normalmente são expressas em termos de seus números de onda e encontram-se tipicamente na faixa de 300-3000 cm^{-1}.

A regra de seleção geral para espectros vibracionais é que *o momento de dipolo elétrico da molécula deve se alterar durante a vibração*. A base dessa regra é que a molécula pode fazer o campo eletromagnético oscilar somente se tem um momento de dipolo elétrico que oscila assim que a molécula vibra (Fig. 19.18). A molécula não necessita ter um dipolo permanente: a regra exige apenas uma *alteração* do momento de dipolo, em alguns casos a partir de zero. O movimento de estiramento de uma molécula diatômica homonuclear, com momento de dipolo igual a zero, não muda seu momento de dipolo elétrico: as vibrações de tais moléculas nem absorvem nem geram radiação. Dizemos que as moléculas diatômicas homonuclearess são **inativas no infravermelho**, pois seus momentos de dipolo permanecem em zero, não importa quão longa seja a ligação. Moléculas diatômicas heteronucleares, que têm um momento de dipolo que muda quando a ligação se alonga e contrai, são **ativas no infravermelho**.

Exemplo 19.2

Aplicação da regra de seleção geral

Faça a previsão de quais das seguintes moléculas são ativas no infravermelho: N_2, CO_2, OCS, H_2O, $CH_2{=}CH_2$, C_6H_6.

Estratégia Moléculas que são ativas no infravermelho (ou seja, têm espectros vibracionais) têm momentos de dipolo que variam durante a vibração. Assim, verificamos se a distorção da molécula pode alterar o seu momento de dipolo (inclusive mudando-o do valor zero).

Solução Todas as moléculas, à exceção do N_2, possuem pelo menos um modo vibracional que leva a uma variação no momento de dipolo, logo são todas ativas no infravermelho, exceto o N_2. Deve-se observar que nem todos os modos de moléculas complicadas são ativos no infravermelho. Por exemplo, a vibração no CO_2 na qual as ligações O—C—O se alongam e se contraem simetricamente são inativas, pois deixam o momento de dipolo inalterado (com valor zero). Contudo, uma deformação angular da molécula é ativa e pode absorver radiação.

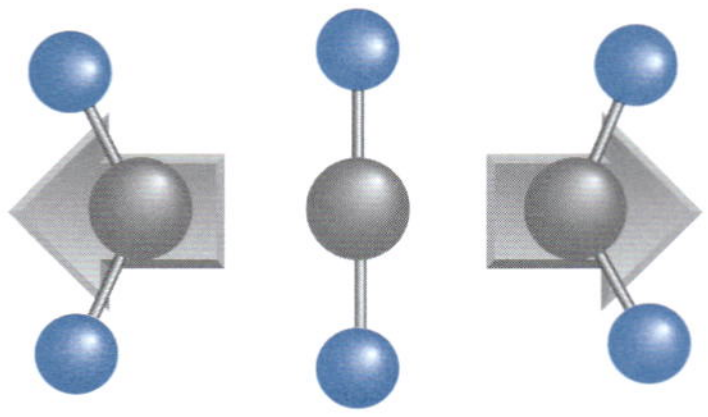

Figura 19.18 A oscilação de uma molécula, mesmo que não seja polar, pode levar a um dipolo oscilante que interage com o campo eletromagnético. Aqui, vemos a representação de uma deformação angular do CO_2.

Exercício proposto 19.6

Repita a questão para H_2, NO e N_2O.

Resposta: NO e N_2O

A regra de seleção específica para transições vibracionais é

$$\Delta v = \pm 1 \qquad \text{Regra de seleção vibracional} \qquad (19.21)$$

A variação de energia na transição de um estado com número quântico v para um com número quântico $v + 1$ é

$$\Delta E = E_{v+1} - E_v \overset{E_v=(v+\frac{1}{2})hc\tilde{\nu}}{=} (v+\tfrac{3}{2})hc\tilde{\nu} - (v+\tfrac{1}{2})hc\tilde{\nu} = hc\tilde{\nu} \qquad (19.22)$$

Segue-se que a absorção ocorre quando a radiação incidente fornece fótons com essa energia, e, portanto, quando a radiação incidente possui um número de onda dado pela Eq. 19.20d. Moléculas com ligações rígidas (k_f grande) que unem átomos com massas baixas (μ pequeno) têm números de ondas vibracionais altos. As deformações angulares geralmente são menos rígidas do que os modos de estiramento, e tendem a ocorrer no espectro em número de ondas inferiores às de estiramento.

À temperatura ambiente, quase todas as moléculas estão inicialmente em seus estados vibracionais fundamentais (o estado com $v = 0$). Assim, a transição espectral mais importante é de $v = 0$ a $v = 1$.

Breve ilustração 19.7 Transições vibracionais

Segue-se do cálculo de $\tilde{\nu}$ para o HCl (na Breve ilustração 19.6) que $\tilde{\nu} = 2992$ cm^{-1}; logo, o espectro de absorção no infravermelho desta molécula será uma absorção neste número de onda. A frequência e o comprimento de onda correspondentes são 89,6 THz e 3,35 μm, respectivamente.

Exercício proposto 19.7

A constante de força da ligação no grupo CO de uma ligação peptídica é de aproximadamente 1,2 kN m^{-1}. Em que número de onda você espera que a mesma absorva? *Sugestão*: Para o cálculo da massa efetiva, trate o grupo como uma molécula de $^{12}C^{16}O$.

Resposta: em aproximadamente 1720 cm^{-1}

19.9 Anarmonicidade

Os termos vibracionais na Eq. 19.20 são apenas aproximações porque estão baseados em uma aproximação parabólica à curva de energia potencial real. Uma parábola não pode ser a curva correta para todos os estiramentos, pois não permite que a molécula se dissocie. Em excitações vibracionais elevadas, a oscilação dos átomos (mais precisamente, o espalhamento da função de onda vibracional) permite que a molécula atinja regiões da curva de energia potencial em que a aproximação parabólica é ruim. O movimento se torna, então, **anarmônico**, no sentido de que a força de restauração não é mais proporcional ao deslocamento. Como a curva real é menos restritiva que a parábola, podemos prever que os níveis de energia se tornam menos separados nas excitações elevadas, tal como os níveis de energia de uma partícula em uma caixa ficam mais próximos à medida que o comprimento da caixa aumenta.

A convergência dos níveis para números quânticos vibracionais elevados é expressa substituindo-se a Eq. 19.20 por

$$E_v = (v + \tfrac{1}{2})hc\tilde{\nu} - (v + \tfrac{1}{2})^2 hc\tilde{\nu}x_e + \cdots \qquad \text{Correção para a anarmonicidade} \quad (19.23)$$

em que x_e é a **constante de anarmonicidade**. A anarmonicidade também explica o aparecimento de linhas fracas de absorção adicionais chamadas de **harmônicos**, que correspondem às transições com $\Delta v = +2, +3, \ldots$. Estes harmônicos aparecem porque a regra de seleção usual é derivada das propriedades das funções de onda do oscilador harmônico, que são apenas aproximadamente válidas quando a anarmonicidade está presente. Os harmônicos em um espectro vibracional podem aparecer na região do infravermelho próximo, e a **espectroscopia harmônica** é uma técnica usada pelos químicos analíticos na caracterização dos alimentos.

19.10 Espectros Raman vibracionais de moléculas diatômicas

Na **espectroscopia Raman vibracional**, o fóton incidente deixa parte de sua energia nos modos vibracionais da molécula que atinge, ou recolhe energia adicional de uma vibração que já tenha sido excitada.

A regra de seleção geral para transições Raman vibracionais é que *a polarizabilidade molecular tem de mudar à medida que a molécula vibra.* A polarizabilidade tem papel importante na espectroscopia Raman vibracional, pois a molécula deve ser comprimida e alongada pela radiação incidente de modo que uma excitação vibracional possa ocorrer durante a colisão fóton-molécula. Tanto as moléculas diatômicas homonucleares como as heteronucleares expandem-se e contraem-se durante uma vibração, e o controle dos núcleos sobre os elétrons varia, alterando assim a polarizabilidade molecular. Ambos os tipos de molécula diatômica são, portanto, vibracionalmente ativas no espectro Raman vibracional.

A regra de seleção específica para transições Raman vibracionais é a mesma para transições no infravermelho:

$$\Delta v = \pm 1 \qquad \text{Regra de seleção Raman} \quad (19.24)$$

Tabela 19.2
Propriedades das moléculas diatômicas

	$\tilde{\nu}$/cm^{-1}	R_e/pm	k_f/(N m^{-1})	D/(kJ mol^{-1})
$^1H_2^+$	2333	106	160	256
$^1H_2$	4401	74	575	432
$^2H_2$	3118	74	577	440
$^1H^{19}F$	4138	92	955	564
$^1H^{35}Cl$	2991	127	516	428
$^1H^{81}Br$	264	141	412	363
$^1H^{127}I$	2308	161	314	295
$^{14}N_2$	235S	110	2294	942
$^{16}O_2$	158	121	1177	494
$^{19}F_2$	892	142	445	154
$^{35}Cl_2$	560	199	323	239

Os fótons que são espalhados com um número de onda menor que o da luz incidente, as linhas Stokes, são aqueles para os quais $\Delta v = \pm 1$. As linhas Stokes são mais intensas do que as linhas anti-Stokes (para as quais $\Delta v = -1$), pois pouquíssimas moléculas estão inicialmente em um estado vibracional excitado.

As informações disponíveis nos espectros Raman vibracionais somam-se àquelas da espectroscopia no infravermelho, pois também podem ser estudadas as moléculas diatômicas homonucleares. Os espectros podem ser interpretados em termos das constantes de força, energias de dissociação e comprimentos de ligação, e algumas das informações obtidas acham-se incluídas na Tabela 19.2. São usadas, por exemplo, no cálculo de constantes de equilíbrio pelas técnicas da termodinâmica estatística.

19.11 As vibrações de moléculas poliatômicas

Quantos modos de vibração existem em uma molécula poliatômica? Podemos responder essa pergunta pensando em como cada átomo pode alterar sua posição, e mostramos na Dedução a seguir que, para uma molécula construída a partir de N átomos, o número de modos vibracionais, N_{vib}, é

Moléculas não lineares: $N_{vib} = 3N - 6$
Moléculas lineares: $N_{vib} = 3N - 5$

■ Breve ilustração 19.8 Número de modos de vibração

Uma molécula de água, H_2O, é triatômica e não linear, e tem três modos de vibração. O naftaleno, $C_{10}H_8$, tem 48 modos distintos de vibração. Qualquer molécula diatômica (N = 2) tem um modo; o dióxido de carbono (N = 3) tem quatro modos vibracionais.

Exercício proposto 19.8

Quantos modos normais de vibração existem em (a) etino (HC≡CH) e (b) uma molécula proteica com 4.000 átomos?

Resposta: (a) 7, (b) 11.994

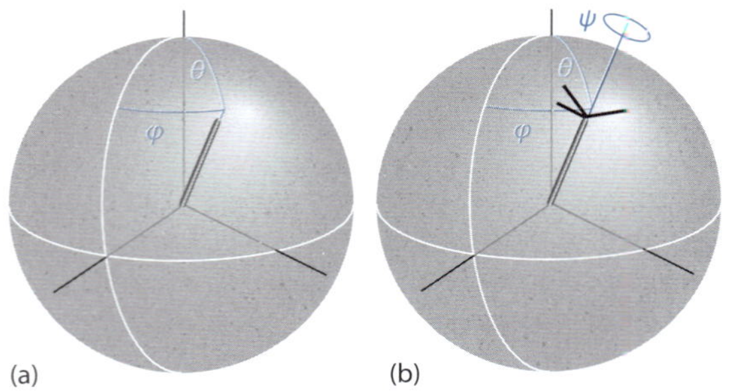

Figura 19.19 (a) A orientação de uma molécula linear requer a especificação de dois ângulos (a latitude e a longitude de seu eixo). (b) A orientação de uma molécula não linear requer a especificação de três ângulos (a latitude e a longitude de seu eixo e o ângulo de torção – o ângulo azimutal – em torno daquele eixo).

Dedução 19.4

Número de modos normais

Cada átomo pode se mover ao longo de qualquer um de três eixos perpendiculares. Portanto, o número total de deslocamentos em uma molécula formada por N átomos é $3N$. Três desses deslocamentos correspondem ao movimento do centro de massa da molécula, ou seja, ao movimento translacional da molécula como um todo. Os $3N - 3$ deslocamentos restantes são modos 'internos' da molécula, que deixam o seu centro de massa inalterado. São necessários três ângulos para especificar a orientação da molécula não linear no espaço (Fig. 19.19). Logo, três dos $3N - 3$ deslocamentos internos deixam todos os ângulos e comprimentos de ligação inalterados, mas mudam a orientação da molécula como um todo. Estes três deslocamentos são, portanto, rotações. Assim, restam $3N - 6$ deslocamentos que não alteram nem o centro de massa nem a orientação da molécula no espaço. Estes $3N - 6$ deslocamentos são os modos de vibração. Um cálculo semelhante para uma molécula linear, que requer apenas dois ângulos para especificar sua orientação no espaço, dá $3N - 5$ modos de vibração.

A descrição do movimento vibracional de uma molécula poliatômica é muito mais simples se consideramos combinações dos movimentos de estiramento e deformação angular das ligações individuais. Por exemplo, embora possamos descrever duas das quatro vibrações de uma molécula de CO_2 como estiramentos das ligações carbono–oxigênio individuais, ν_L e ν_R na Figura 19.20, a descrição do movimento é muito mais simples se utilizamos duas combinações dessas vibrações. Um dos problemas no tratamento de estiramentos de ligações individuais é que essas ligações não são independentes: se uma ligação é estimulada a vibrar, o movimento do átomo de C compartilhado rapidamente estimula a outra ligação a vibrar. Uma das combinações é ν_1 na Figura 19.21: essa combinação é o **estiramento simétrico**. A outra combinação é ν_3, o **estiramento assimétrico**, em que os dois átomos de O sempre se movem na mesma direção, oposta ao átomo de C. Os dois modos são independentes no sentido de que, se um é excitado, então seu movimento não excita o outro. Trata-se de dois dos quatro 'modos normais' da molécula, seus deslocamentos vibracionais coletivos independentes. Os outros dois modos normais (degenerados) são os **modos de deforma-**

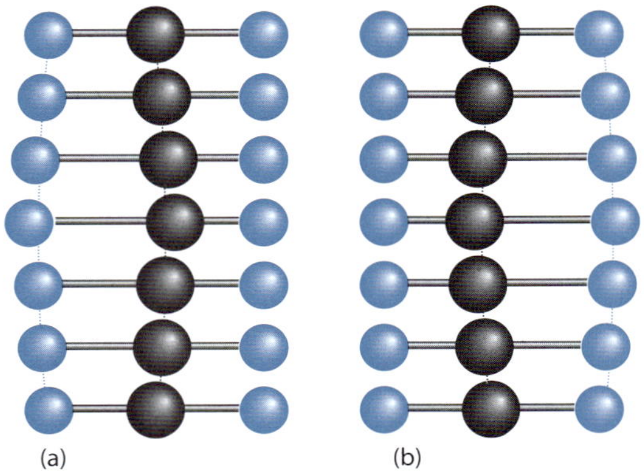

Figura 19.20 As vibrações de estiramento de uma molécula de CO_2 podem ser representadas de várias maneiras. Nesta representação, (a) uma ligação O═C vibra enquanto o átomo de O restante fica estacionário, e (b) a ligação C═O vibra enquanto o outro átomo de O fica estacionário. Como o átomo estacionário está ligado ao átomo de C, não fica estacionário por muito tempo. Ou seja, se uma vibração começa, rapidamente estimula a outra vibração.

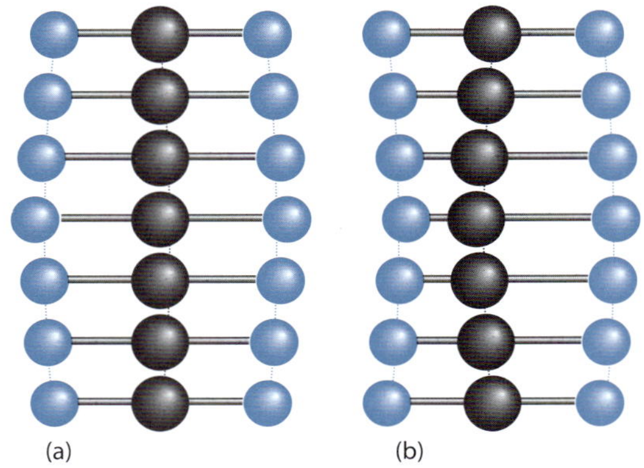

Figura 19.21 Por outro lado, podemos tomar combinações lineares dos dois modos para formar estes dois modos normais de vibração da molécula. O modo em (a) é o estiramento simétrico e o modo em (b) é o estiramento assimétrico. Os dois modos são independentes: um pode ser excitado sem afetar o outro. Os modos normais simplificam grandemente a descrição das vibrações da molécula.

ção angular, ν_2. Em geral, um **modo normal** é um movimento independente e sincronizado de átomos ou grupos de átomos que podem ser excitados sem levar à excitação de qualquer outro modo normal.

Os quatro modos normais de vibração do CO_2, e os $3N - 6$ (ou $3N - 5$) modos normais de moléculas poliatômicas no geral (por exemplo, os do metano, Fig. 19.22), são a chave para a descrição das vibrações moleculares. Cada modo normal se comporta como um oscilador harmônico independente e as energias dos níveis vibracionais são dadas pela mesma expressão que a da Eq. 19.20, mas com uma massa efetiva que depende de quanto cada átomo contribui para a vibração. Átomos que não participam do movimento, como o átomo de C no estiramento simétrico do CO_2, não contribuem para a massa efetiva. A constante de força também depende, de forma não trivial, do quanto as ligações se distorcem, por estiramento ou por deformação angular, durante uma vibração. Geralmente, um modo normal em que predomina uma deformação angular tem uma constante de força menor (portanto,

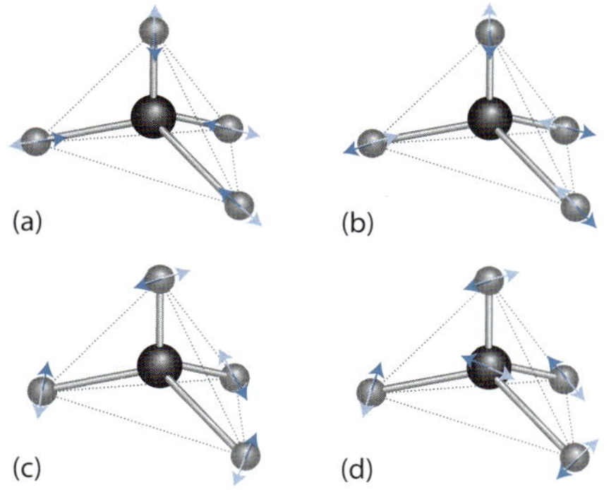

Figura 19.22 Alguns dos modos normais de vibração do CH_4. Uma seta indica a direção do movimento de um átomo durante a vibração.

uma frequência mais baixa) que um modo normal em que um estiramento é predominante.

A regra de seleção geral para a atividade de um modo normal no infravermelho é que *o movimento que corresponde a um modo normal deve originar uma mudança no momento de dipolo*. Algumas vezes, uma simples inspeção permite avaliar se isso está ocorrendo. Por exemplo, o estiramento simétrico do CO_2 não altera o momento de dipolo da molécula (que vale zero), logo este modo é inativo no infravermelho e não contribui para o espectro de infravermelho da molécula. Por outro lado, o estiramento assimétrico provoca uma alteração no momento de dipolo, pois a molécula se deforma assimetricamente durante a vibração, logo este modo é ativo no infravermelho. O fato de este modo absorver radiação no infravermelho permite que o dióxido de carbono atue como um 'gás de estufa' ao absorver radiação no infravermelho emitida da superfície da Terra. Como a variação do momento de dipolo é paralela ao eixo molecular no modo de estiramento assimétrico, as transições que surgem desse modo são classificadas como **bandas paralelas** no espectro. Ambos os modos de deformação angular são ativos no infravermelho, sendo acompanhados de um dipolo que varia perpendicularmente ao eixo molecular, e as transições que envolvem esses modos levam a uma **banda perpendicular** no espectro.

■ Breve ilustração 19.9 Atividade no infravermelho

O espectro no infravermelho do óxido de dinitrogênio (óxido nitroso, N_2O) difere do espectro do dióxido de carbono de várias maneiras, apesar de ambos serem moléculas triatômicas lineares. Primeiramente, os modos vibracionais correspondentes têm frequências diferentes em função das diferentes massas atômicas e constantes de força. No CO_2, o estiramento simétrico não é ativo no infravermelho; logo, apenas três modos (o estiramento assimétrico e os dois modos de deformação angular, degenerados) são ativos. Por outro lado, todos os quatro modos do N_2O são ativos.

Alguns modos normais de moléculas orgânicas podem ser considerados como movimentos de grupos funcionais individuais. Outros não têm um caráter tão localizado, sendo mais bem descritos como movimentos coletivos da molécula como um todo. Em geral, estes últimos têm frequências relativamente baixas, ocorrendo no espectro em números de onda abaixo de 1500 cm^{-1}. A região do espectro de absorção que corresponde à vibração da molécula como um todo é chamada de **região de impressão digital** do espectro, pois é característica da molécula. A coincidência da região de impressão digital com o espectro de uma substância conhecida, obtido de uma biblioteca de espectros de infravermelho, permite confirmar a presença daquela substância.

Tabela 19.3
Números de onda vibracionais típicos

Tipo de vibração	$\tilde{\nu}/cm^{-1}$
C—H	2850–2960
C—H	1340–1465
C—C estiramento, flexão	700–1250
C=C estiramento	1620–1680
C≡C estiramento	2100–2260
O—H estiramento	3590–3650
C=O estiramento	1640–1780
C≡N estiramento	2215–2275
N—H estiramento	3200–3500
Ligações hidrogênio	3200–3570

As vibrações características dos grupos funcionais que ocorrem fora da região de impressão digital são muito úteis na identificação de um composto desconhecido. A maioria dessas vibrações pode ser considerada como modos de estiramento, pois as frequências correspondentes às deformações angulares, por serem menores, caem em geral na região de impressão digital, sendo de mais difícil identificação. Os números de onda típicos de alguns grupos funcionais estão listados na Tabela 19.3.

Exemplo 19.3

Interpretação de um espectro no infravermelho

O espectro no infravermelho de um composto orgânico é mostrado na Figura 19.23. Identifique o composto.

Estratégia Algumas características do espectro que aparecem acima de 1.500 cm^{-1} podem ser identificadas por comparação com os dados da Tabela 19.3.

Solução (a) Estiramento C—H do anel benzênico, indicando um benzeno substituído; (b) estiramento da ligação O—H de carboxila

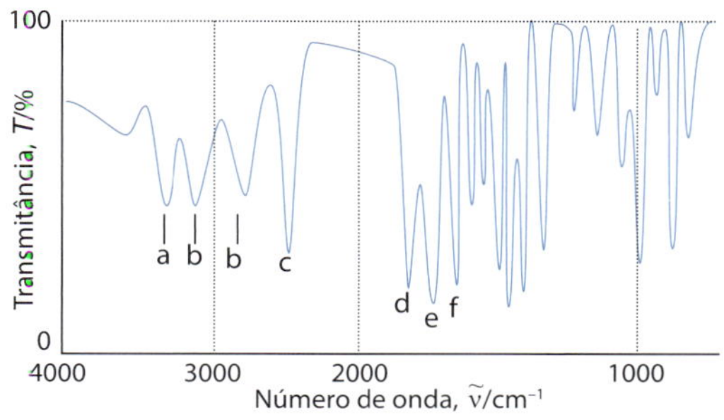

Figura 19.23 Um espectro típico de absorção no infravermelho, obtido de uma amostra prensada juntamente com brometo de potássio na forma de disco. Como explicado no exemplo, a substância pode ser identificada como o $O_2NC_6H_4$—C≡C—COOH.

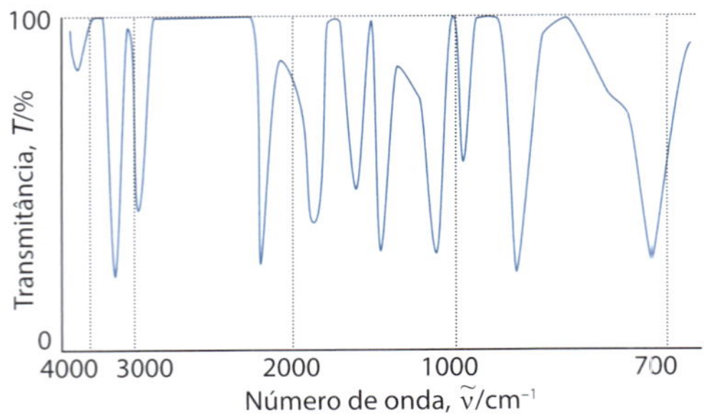

Figura 19.24 O espectro considerado no Exercício proposto 19.9.

ácida, indicando um ácido carboxílico; (c) absorção intensa de um grupo C≡C conjugado, indicando um alquino substituído; (d) esta absorção intensa também é característica de um ácido carboxílico, conjugado a uma ligação múltipla carbono–carbono; (e) uma vibração característica do anel benzênico, confirmando a dedução feita em (a); (f) uma absorção característica de um grupo nitro ($-NO_2$) ligado a um sistema carbono–carbono com ligação múltipla, sugerindo um benzeno substituído por um grupo nitro. A molécula contém como componentes um anel benzênico, uma ligação carbono–carbono aromática, um grupo —COOH e um grupo $-NO_2$. A molécula é, de fato, $O_2N-C_6H_4-C\equiv C-COOH$. Uma análise mais detalhada e a comparação da região de impressão digital mostra que é o isômero 1,4.

Exercício proposto 19.9

Sugira uma identificação de um composto orgânico responsável pelo espectro mostrado na Figura 19.24. *Sugestão.* A fórmula molecular do composto é C_3H_5ClO.

Resposta: $CH_2{=}CClCH_2OH$

19.12 Espectros de vibração–rotação

Os espectros vibracionais de moléculas em fase gasosa são mais complicados do que o que foi discutido até agora, pois a excitação de uma vibração leva também à excitação da rotação. O efeito é semelhante ao que ocorre quando os patinadores de gelo abrem ou fecham os seus braços, girando mais lentamente ou mais rapidamente. O efeito no espectro é dividir a linha única correspondente à transição vibracional em um grande número de linhas com separações adjacentes que dependem da constante rotacional da molécula.

Para definir a chamada 'estrutura da banda' de uma transição vibracional, começamos escrevendo as expressões para os níveis de energia vibracional e rotacional. Para uma molécula linear rígida (o único tipo que iremos considerar) combinamos as Equações 19.3 e 19.20 e escrevemos

$$E_{v,J} = (v + \tfrac{1}{2})hv + hBJ(J + 1)$$

Energias de vibração–rotação (19.25)

(Para esta parte da discussão, é mais fácil exprimir as transições vibracionais em frequências, em vez de números de onda, mas a conversão entre os mesmos é imediata). Conforme mencionamos na Seção 19.1, B depende do estado vibracional e, desse modo, de υ, mas vamos ignorar essa complicação

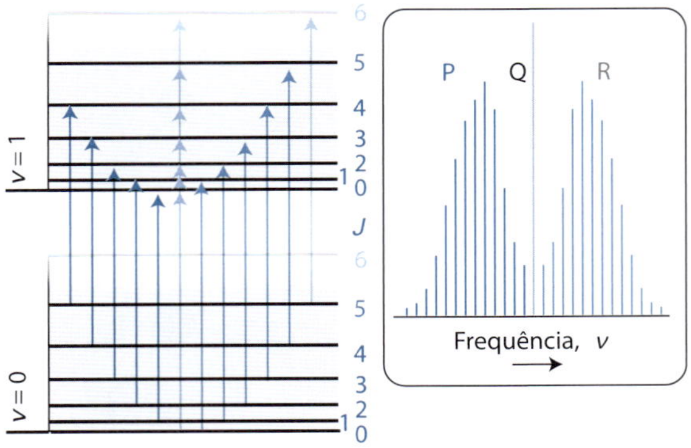

Figura 19.25 A formação dos ramos P, Q e R em um espectro de vibração-rotação. As intensidades refletem as populações dos níveis rotacionais iniciais.

nesta discussão. A seguir, aplicamos as regras de seleção. Desde que a molécula seja polar, ou que pelo menos adquira um momento de dipolo em uma transição vibracional (como quando o CO_2 se flexiona ou sofre um estiramento assimétrico), o número quântico rotacional pode variar de ±1 ou 0 (em alguns casos, veja a seguir). As linhas de absorção caem então em três grupos chamados **ramos** do espectro.

Ramo P, transições com $\Delta J = -1$: $\nu_J = \nu - 2BJ$
Ramo Q, transições com $\Delta J = 0$: $\nu_J = \nu$
Ramo R, transições com $\Delta J = +1$: $\nu_J = \nu + 2B(J + 1)$

O ramo Q nem sempre é permitido. Por exemplo, é observado no espectro do NO, mas não no espectro do HCl. A diferença pode ser atribuída ao fato de que o NO, com um elétron em um orbital π, tem um momento angular eletrônico em torno de seu eixo internuclear, mas o HCl não.[2]

A Figura 19.25 mostra o aspecto resultante dos ramos de um espectro típico. A separação entre as linhas dos ramos P e R de uma transição vibracional é $2B$. Portanto, o comprimento de ligação pode ser obtido sem a necessidade de um espectro rotacional puro, de micro-ondas. Contudo, este último é mais exato.

19.13 Espectros Raman vibracionais de moléculas poliatômicas

A regra de seleção geral para o espectro Raman vibracional é que *o modo normal de vibração é acompanhado de uma mudança na polarizabilidade*. Entretanto, é geralmente muito difícil julgar por simples inspeção se isso ocorre. Por exemplo, o estiramento simétrico do CO_2 expande e contrai a molécula alternadamente: este movimento altera a sua polarizabilidade, levando a um modo ativo no espectro Raman. Os outros modos do CO_2 são inativos no Raman, pois a polarizabilidade não se altera à medida que os átomos se movimentam conjuntamente. Uma explicação muito simples (que não é válida para todos os casos) é que a polarizabilidade de uma molécula depende de seu tamanho; enquanto o estiramento simétrico modifica o tamanho da molécula, isso não ocorre

[2] Para mais detalhes veja o livro *Físico-Química* (2010) destes mesmos autores (LTC Editora).

Figura 19.26 Em uma operação de inversão, consideramos todos os pontos de uma molécula e os projetamos através do centro da molécula a uma distância igual ao outro lado.

com o estiramento assimétrico nem com os modos de deformação angular – pelo menos em primeira aproximação.

Em alguns casos, pode-se utilizar uma regra bastante geral sobre a atividade dos modos vibracionais no espectro Raman ou no infravermelho:

> A **regra de exclusão** estabelece que se a molécula tem um centro de inversão, então nenhum modo pode ser simultaneamente ativo no espectro Raman e no infravermelho.

(Um modo pode ser inativo nos dois espectros.) Uma molécula tem um centro de inversão se parecer não ter sido modificada quando cada átomo da molécula é projetado através um ponto a uma distância igual em cada lado (Fig. 19.26). Como quase sempre podemos julgar intuitivamente quando dado modo modifica o momento de dipolo molecular, podemos usar essa regra para identificar modos que não são ativos no espectro Raman. A regra aplica-se ao CO_2, mas não se aplica nem à H_2O nem ao CH_4, pois ambos não têm centro de inversão. Assim, tanto o estiramento assimétrico quanto os modos de deformação angular do CO_2 são ativos no infravermelho; podemos então dizer de imediato que são inativos no Raman, como afirmamos anteriormente.

■ Breve ilustração 19.10 Atividade no Raman

Um dos modos de vibração do benzeno é um 'modo de respiração' em que o anel se expande e contrai alternadamente de forma simétrica (Fig. 19.27). À medida que realiza isso, a polarizabilidade da molécula se altera porque a distribuição eletrônica pode ser modificada por um campo elétrico de maneira diferente quando a molécula é comprimida ou estirada. Como resultado, esse modo é ativo no Raman, não sendo ativo no infravermelho porque o momento de dipolo molecular permanece inalterado (em zero).

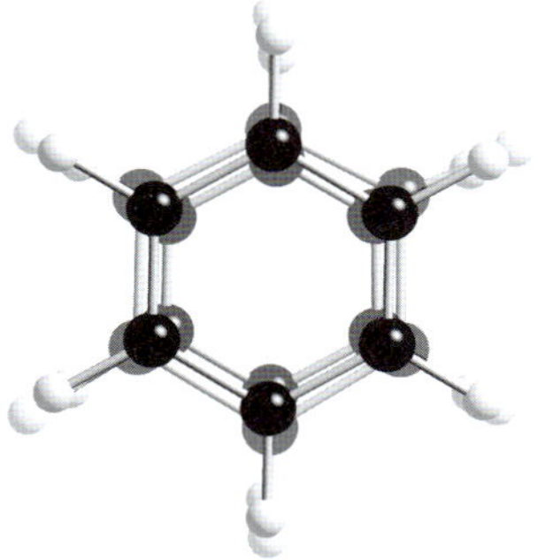

Figura 19.27 O modo vibracional de respiração simétrica de uma molécula de benzeno.

Exercício proposto 19.10

Preveja se o modo de estiramento simétrico do eteno, C_2H_4, no qual todas as ligações C—H vibram em fase, é ativo no infravermelho, ativo no Raman ou em ambos.

Resposta: Ativo apenas no Raman

Uma modificação do efeito Raman básico usa radiação incidente que coincide com a frequência de uma transição eletrônica da amostra (Fig. 19.28). A técnica é então denominada **espectroscopia Raman ressonante**, e se caracteriza por uma intensidade muito maior da radiação espalhada. Além disso, como geralmente apenas uns poucos modos vibracionais contribuem para o espalhamento, o espectro é muito mais simples. A espectroscopia Raman ressonante é empregada para examinar moléculas biológicas que absorvem intensamente na região visível e ultravioleta do espectro. Exemplos incluem os cofatores heme na hemoglobina, os citocromos e os pigmentos β-caroteno e clorofila, que capturam energia solar durante a fotossíntese das plantas.

Impacto no meio ambiente 19.1

Mudança climática

A energia solar atinge o topo da atmosfera terrestre a uma taxa de 343 W m^{-2}. Cerca de 30 % dessa energia é refletida de volta para o espaço pela Terra ou pela atmosfera. O sistema atmosférico da Terra absorve a energia remanescente e a reemite para o espaço como radiação de corpo negro, com a maior parte da intensidade na forma de radiação no infravermelho, no intervalo de 200–2500 cm^{-1} (4–50 μm). A temperatura média da Terra é mantida segundo um balanço de energia entre a radiação solar absorvida pela Terra e a radiação de corpo negro que a Terra emite.

A retenção da radiação no infravermelho por alguns gases na atmosfera é conhecida como *efeito estufa*, assim denominado porque aquece a Terra como se o planeta estivesse contido em

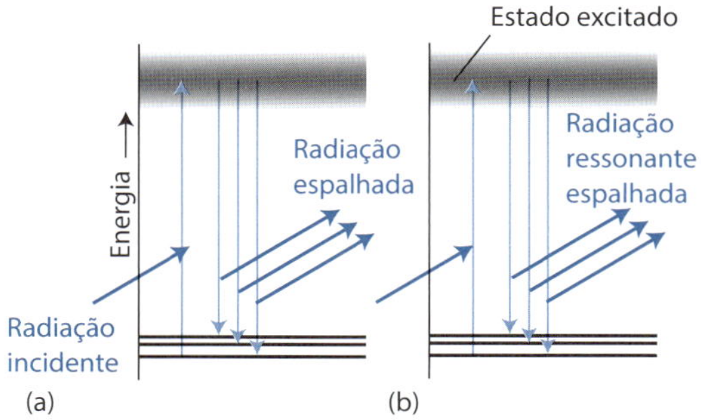

Figura 19.28 (a) Na espectroscopia Raman, um fóton incidente é espalhado por uma molécula, ou com um aumento em sua frequência (se a radiação ganha energia da amostra), ou – como mostrado aqui – com uma frequência mais baixa, se a radiação perde energia para a molécula. O processo é mais bem visualizado como uma excitação da molécula a uma ampla faixa de estados (representados pela banda sombreada), e o retorno subsequente da molécula a um estado de mais baixa energia; a variação líquida de energia é transportada pelo fóton. (b) No *efeito Raman ressonante*, a radiação incidente tem a frequência correspondente a uma transição eletrônica que ocorre na molécula. Um fóton é emitido quando o estado excitado retorna a um estado próximo do estado fundamental.

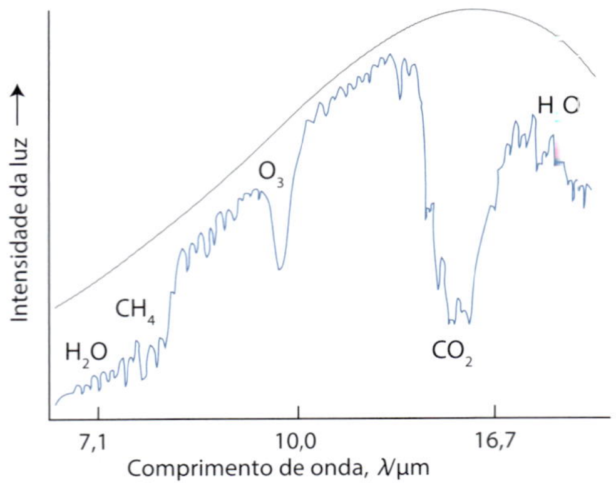

Figura 19.29 A intensidade da radiação no infravermelho que seria perdida da Terra na ausência do efeito estufa é mostrada pela linha suave. A linha irregular é a intensidade da radiação que é realmente emitida. Também é indicado o comprimento de onda máximo da radiação absorvida por cada gás envolvido no efeito estufa.

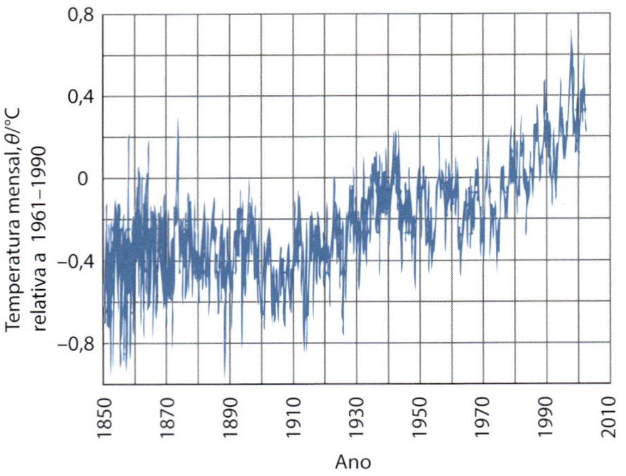

Figura 19.30 A mudança progressiva da temperatura média da superfície da Terra, baseada nos dados do IPCC de 2007.

uma estufa gigantesca. O resultado é que o efeito estufa natural eleva a temperatura média da superfície bem acima do ponto de congelamento da água, criando um ambiente propício à vida. Os componentes principais da atmosfera terrestre, O_2 e N_2, não contribuem para o efeito estufa porque moléculas diatômicas homonucleares não podem absorver radiação no infravermelho. No entanto, os gases em menor quantidade na atmosfera, vapor d'água e CO_2, absorvem radiação no infravermelho, sendo os responsáveis pelo efeito estufa (Fig. 19.29). O vapor d'água absorve fortemente nas faixas de 1300–1900 cm^{-1} (5,3–7,7 μm) e 3550–3900 cm^{-1} (2,6–2,8 μm), enquanto o CO_2 absorve fortemente nas faixas de 500–725 cm^{-1} (14–20 μm) e 2250–2400 cm^{-1} (4,2–4,4 μm).

O aumento nos níveis dos gases envolvidos no efeito estufa, que também incluem o metano, óxido de dinitrogênio, ozônio e alguns clorofluorocarbonos, como resultado da atividade humana, tem o potencial para intensificar o efeito estufa natural, levando a um aquecimento significativo do planeta. Este problema, conhecido como *aquecimento global*, é o que vamos investigar agora com mais detalhes.

A concentração de vapor d'água na atmosfera tem se mantido estacionária ao longo do tempo, porém as concentrações de outros gases envolvidos no efeito estufa estão aumentando. Do ano 1000 até 1750, a concentração de CO_2 permaneceu razoavelmente estável, mas a partir daquela época, cresceu 28 %. A concentração de metano, CH_4, mais que dobrou durante esse tempo, estando agora no nível mais alto dos últimos 160.000 anos (160 ka; a é uma unidade do SI que representa 1 ano). Estudos de bolsões de ar em geleiras da Antártida mostram que o aumento da concentração de CO_2 e CH_4 na atmosfera nos últimos 160 ka se correlaciona bem com o aumento na temperatura da superfície terrestre.

As atividades humanas são as principais responsáveis pelo aumento na concentração de CO_2 e CH_4 na atmosfera. A maior parte do CO_2 atmosférico provém da queima de combustíveis hidrocarbônicos, que começou em grande escala com a Revolução Industrial em meados do século XIX. O metano adicional vem principalmente da indústria do petróleo e da agricultura.

A temperatura da superfície da Terra aumentou cerca de 0,8 °C desde meados do século XIX (Fig. 19.30). Em 2007, o Comitê Intergovernamental de Mudança Climática (sigla inglesa IPCC) estimou que nossa dependência contínua dos combustíveis hidrocarbônicos acoplada ao crescimento populacional pode levar a um aumento adicional de 1–3 °C na temperatura da Terra até 2100 em relação à temperatura da superfície em 2000. Além disso, a velocidade de variação da temperatura provavelmente será maior que a de qualquer período nos últimos 10 ka. Para se ter a perspectiva exata do que significa um aumento de temperatura de 3 °C, observe que a temperatura média da Terra durante a última idade do gelo foi apenas 6 °C mais baixa do que a atual. Assim como o resfriamento do planeta (por exemplo, durante uma idade do gelo) pode levar à deterioração de ecossistemas, o mesmo pode ocorrer em um aquecimento dramático. Um exemplo de uma variação significativa do meio ambiente causada por um aumento de temperatura de 3 °C seria a elevação do nível do mar em cerca de 0,5 m, o suficiente para alterar os padrões do tempo meteorológico e submergir os atuais ecossistemas existentes nas costas.

Projeções realizadas por computadores para os próximos 200 anos predizem um aumento ainda maior dos níveis de CO_2 atmosférico, e sugerem que, para manter o CO_2 em sua concentração atual, teríamos de reduzir imediatamente o consumo de combustíveis hidrocarbônicos. É claro que, a fim de reverter as tendências de aquecimento global, devemos desenvolver alternativas aos combustíveis fósseis, como o hidrogênio (que pode ser usado nas células de combustível, Impacto 9.2) e tecnologias baseadas em energia solar.

Verificação de conceitos importantes

- ☐ **1** **As populações dos níveis de energia rotacional são dadas pela distribuição de Boltzmann levando-se em conta a degenerescência de cada nível.**
- ☐ **2** **A intensidade de uma transição é proporcional ao momento de dipolo da transição.**
- ☐ **3** **Uma regra de seleção é um enunciado sobre quando o dipolo da transição pode ser diferente de zero.**
- ☐ **4** **Uma regra de seleção geral especifica os aspectos gerais que a molécula deve possuir para apresentar certo tipo de espectro.**

☐ 5 Uma regra de seleção específica é um enunciado sobre quais variações nos números quânticos podem ocorrer em uma transição.

☐ 6 A regra de seleção geral para transições rotacionais é que a molécula deve ser polar. A regra específica está na tabela adiante.

☐ 7 O princípio de Pauli estabelece que, para férmions, $\psi(B,A) = -\psi(A,B)$, e que para bósons, $\psi(B,A) = \psi(A,B)$.

☐ 8 As consequências do princípio de Pauli para os estados rotacionais são chamadas de estatística nuclear.

☐ 9 O espectro rotacional de uma molécula linear polar e de um rotor simétrico polar consiste em uma série de linhas em frequências separadas de 2B.

☐ 10 Uma contribuição para a largura de linha é o efeito Doppler; outra contribuição é o alargamento do tempo de vida.

☐ 11 Em um espectro Raman, linhas deslocadas para frequências mais baixas que a da radiação incidente são chamadas Stokes, e linhas deslocadas para frequências mais altas são as anti-Stokes.

☐ 12 A regra de seleção geral para os espectros Raman rotacionais é que a polarizabilidade da molécula deve ser anisotrópica. As regras de seleção específicas estão na tabela de *Equações importantes* mais adiante.

☐ 13 A regra de seleção geral para os espectros vibracionais é que o momento de dipolo elétrico da molécula deve mudar durante a vibração. As regras de seleção específicas estão na tabela de *Equações importantes* a seguir.

☐ 14 O número de modos vibracionais de moléculas não lineares é $3N-6$; para moléculas lineares, esse número é $3N-5$.

☐ 15 As transições rotacionais acompanham as transições vibracionais, e desdobram o espectro em um ramo P ($\Delta J = -1$), um ramo Q ($\Delta J = 0$) e um ramo R ($\Delta J = +1$).

☐ 16 O ramo Q é observado apenas quando a molécula possui momento angular em torno de seu eixo.

☐ 17 A regra de seleção geral para o espectro Raman vibracional de uma molécula poliatômica é que o modo normal de vibração seja acompanhado por uma mudança de polarizabilidade.

☐ 18 A regra de exclusão estabelece que, se a molécula tem um centro de inversão, então nenhum modo pode ser simultaneamente ativo no infravermelho e no Raman.

☐ 19 Na espectroscopia Raman ressonante, uma radiação quase coincidente com a frequência de uma transição eletrônica é usada para excitar a amostra e o resultado é uma intensidade muito maior da radiação espalhada.

Mapa conceitual das equações importantes

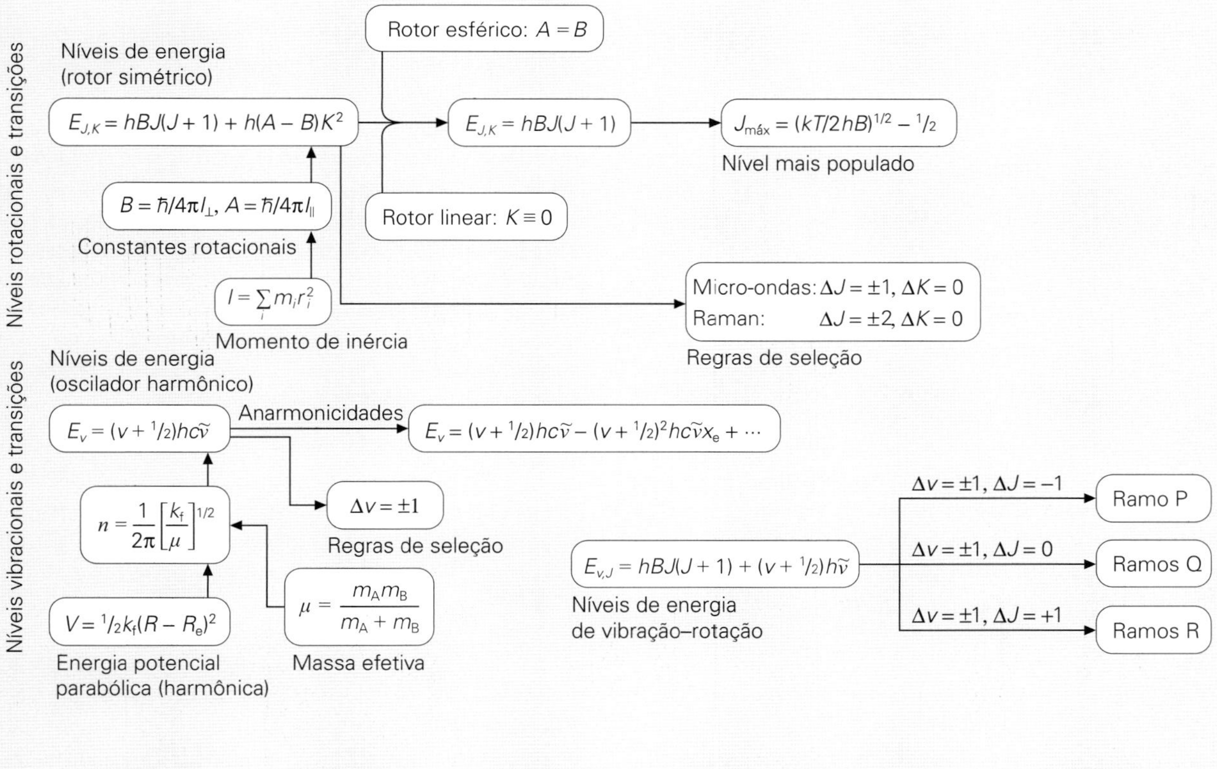

Questões e exercícios

Questões teóricas

19.1 Discuta a origem física das regras de seleção gerais para a espectroscopia de micro-ondas e Raman rotacional.

19.2 Descreva as origens físicas das larguras de linha nos espectros de absorção e de emissão de gases, líquidos e sólidos. Como podem ser reduzidas?

19.3 Considere uma molécula diatômica que seja altamente suscetível à distorção centrífuga em seu estado vibracional fundamental. Você espera que a excitação em níveis de energia rotacional mais altos modifique o comprimento de ligação de equilíbrio desta molécula? Justifique sua resposta.

19.4 Por que o estado vibracional de uma molécula diatômica afeta sua constante rotacional? Há algum efeito, mesmo considerando que o potencial seja rigorosamente parabólico?

19.5 Explique fisicamente o fato de que uma molécula poliatômica linear composta por *N* átomos tem um modo vibracional a mais que uma molécula não linear de *N* átomos.

19.6 (a) Discuta a origem física das regras de seleção gerais para a espectroscopia no infravermelho e Raman vibracional. (b) Suponha que você deseje caracterizar os modos normais do benzeno em fase gasosa. Por que é importante obter ambos os espectros, de absorção no infravermelho e Raman, de sua amostra?

19.7 Sugira uma razão pela qual a substituição do ^{12}C pelo ^{13}C no CO_2 afeta algumas de suas frequências vibracionais, mas não todas.

19.8 Explique o aparecimento dos ramos P, Q e R no espectro de vibração-rotação de uma molécula diatômica.

Exercícios

Para estes exercícios, use $m(^1H) = 1{,}0078m_u$, $m(^2H) = 2{,}0140m_u$, $m(^{12}C) = 12{,}0000m_u$, $m(^{13}C) = 13{,}0034m_u$, $m(^{16}O) = 15{,}9949m_u$, $m(^{19}F) = 18{,}9984m_u$, $m(^{32}S) = 31{,}9721m_u$, $m(^{34}S) = 33{,}9679m_u$, $m(^{35}Cl) = 34{,}96881m_u$, $m(^{127}I) = 126{,}9045m_u$.

19.1 Expresse um comprimento de onda de 442 nm em (a) uma frequência, (b) um número de onda.

19.2 Qual é o (a) número de onda, (b) comprimento de onda da radiação usada em um transmissor de rádio FM que opera em 88,0 MHz?

19.3 A energia cinética de uma roda de bicicleta que gira uma vez por segundo é de 0,2 J. A que número quântico rotacional corresponde esta energia? Para o momento de inércia, tome a massa da roda como 0,75 kg e o seu raio como 70 cm.

19.4 Calcule o momento de inércia do (a) $^1H_2$, (b) $^2H_2$, (c) $^{12}C^{16}O_2$, (d) $^{13}C^{16}O_2$.

19.5 Calcule as constantes rotacionais das moléculas do Exercício 19.4. Dê sua resposta em hertz (Hz) e como um número de onda em cm^{-1}.

19.6 (a) Expresse o momento de inércia de uma molécula octaédrica AB_6 em termos de seus comprimentos de ligação e das massas dos átomos B. (b) Calcule a constante rotacional do $^{32}S^{19}F_6$, para o qual o comprimento da ligação S–F é 158 pm.

19.7 (a) Obtenha expressões para os dois momentos de inércia de uma molécula plana quadrada AB_4 em termos de seus comprimentos de ligação e das massas dos átomos B.

19.8 Suponha que você está pesquisando a presença de moléculas de SO_3 (planas) no espectro de micro-ondas das nuvens de gás interestelar. (a) Você precisa conhecer as constantes rotacionais *A* e *B*. Calcule estes parâmetros para o $^{32}S^{16}O_3$, para o qual o comprimento da ligação S—O é 143 pm. (b) Você pode utilizar a espectroscopia de micro-ondas para distinguir as abundâncias relativas do $^{32}S^{16}O_3$ e do $^{33}S^{16}O_3$?

19.9 Quais das seguintes moléculas podem ter espectro rotacional puro? (a) HCl, (b) N_2O, (c) O_3, (d) SF_4, (e) XeF_4.

19.10 Quais das moléculas no Exercício 19.9 podem ter espectro Raman rotacional?

19.11 Uma molécula de metano em rotação é descrita pelos números quânticos *J*, M_J e *K*. Quantos estados rotacionais têm energia igual a $hBJ(J + 1)$, com $J = 8$?

19.12 Suponha que a molécula de metano no exercício 19.11 é substituída pelo clorometano. Quantos estados rotacionais têm energia igual a $hBJ(J + 1)$, com $J = 8$?

19.13 A constante rotacional do $^1H^{35}Cl$ é 318,0 GHz. Qual é a separação das linhas em seu espectro rotacional puro, (a) em gigahertz, (b) em centímetros recíprocos?

19.14 A constante rotacional do $^{127}I^{35}Cl$ é 0,1142 cm^{-1}. Calcule o comprimento da ligação I–Cl.

19.15 Suponha que o hidrogênio é substituído pelo deutério no $^1H^{35}Cl$. Você espera que a transição $J = 1 \leftarrow 0$ se desloque para maior ou menor número de onda?

19.16 O espectro de micro-ondas do $^1H^{127}I$ consiste em uma série de linhas separadas de 384 GHz. Calcule o comprimento da ligação. Qual seria a separação das linhas no $^2H^{127}I$?

19.17 Os seguintes números de onda são observados no espectro rotacional do OCS: 1,217 1054 cm^{-1}, 1,622 8005 cm^{-1}, 2,028 4883 cm^{-1} e 2,434 1708 cm^{-1}. Use o procedimento gráfico implícito na Eq. 19.14 para inferir os valores de *B* e *D* para esta molécula.

19.18 O espectro de micro-ondas do $^{16}O^{12}CS$ exibe as seguintes linhas de absorção (em GHz):

J	1	2	3	4
^{32}S	24,325 92	36,488 82	48,651 64	60,814 08
^{34}S	23,732 33			47,462 40

Admita que os comprimentos das ligações não se alteram pela substituição e calcule os comprimentos das ligações CO e CS no OCS. *Sugestão:* O momento de inércia de uma molécula linear da forma ABC é

$$I = m_A R_{AB}^2 + m_C R_{BC}^2 - \frac{(m_A R_{AB} - m_C R_{BC})^2}{m_A + m_B + m_C}$$

em que r_{AB} e r_{BC} são os comprimentos das ligações A–B e B–C, respectivamente.

19.19 Qual é o comprimento de onda Doppler quando nos aproximamos de um sinal de trânsito vermelho (660 nm) a 65 milhas por hora (1 milha = 1,61 quilômetro)? A que velocidade o sinal apareceria como luz verde (520 nm)?

19.20 Uma linha espectral do $^{48}Ti^{8+}$ em uma estrela distante está deslocada de 654,2 nm para 706,5 nm e tem largura de 61,8 pm. Qual é a velocidade de recuo e a temperatura da superfície da estrela?

19.21 Estime o tempo de vida de um estado que dá origem a uma linha de largura (a) 0,10 cm^{-1}, (b) 1,0 cm^{-1}, (c) 1,0 GHz.

19.22 Uma molécula em um líquido sofre cerca de 1×10^{13} colisões a cada segundo. Suponha que (a) toda colisão é eficaz em desativar a molécula vibracionalmente e (b) uma colisão em 200 é eficaz. Calcule, para cada caso, a largura (em cm^{-1}) das transições vibracionais na molécula.

19.23 O número de onda da radiação incidente em um espectrômetro Raman é 20.623 cm^{-1}. Qual o número de onda da radiação Stokes espalhada na transição $J = 4 \leftarrow 2$ do $^{16}O_2$?

19.24 A constante rotacional do $^{12}C^{16}O_2$ (obtida da espectroscopia Raman) é 11,70 GHz. Qual é o comprimento da ligação CO na molécula?

19.25 Suponha que o grupo C=O em uma ligação peptídica possa ser considerado como isolado do restante da molécula. Sabendo-se que a constante de força da ligação em um grupo carbonila é 908 N m^{-1}, calcule a frequência vibracional do (a) $^{12}C{=}^{16}O$, (b) $^{13}C{=}^{16}O$.

19.26 O número de onda da transição vibracional fundamental do Cl_2 é 565 cm^{-1}. Calcule a constante de força da ligação.

19.27 Os haletos de hidrogênio têm os seguintes números de onda vibracionais fundamentais:

	HF	HCl	HBr	HI
$\tilde{\nu}/cm^{-1}$	4141,3	2988,9	2649,7	2309,5

Calcule as constantes de força das ligações hidrogênio–haleto.

19.28 Usando os dados do Exercício 19.27, prediga os números de onda vibracionais fundamentais dos haletos de deutério.

19.29 Quais das seguintes moléculas têm espectro de absorção no infravermelho? (a) H_2, (b) HCl, (c) CO_2, (d) H_2O, (e) CH_3CH_3, (f) CH_4, (g) CH_3Cl, (h) N_2.

19.30 No espectro do CO infravermelho é observada uma intensa transição vibracional centrada em 2143,29 cm^{-1} com uma transição menos intensa em 4259,66 cm^{-1}. Qual é o número de onda vibracional e a constante de anarmonicidade do CO?

19.31 Quantos modos normais de vibração existem para o (a) NO_2, (b) N_2O, (c) ciclo-hexano, (d) hexano?

19.32 A absorção no infravermelho pelo $^1H^{81}Br$ dá origem a um ramo R a partir de $v = 0$. Qual é o número de onda da linha que se origina do estado rotacional com $J = 2$?

19.33 Foram observadas transições de vibração–rotação no espectro infravermelho do $^1H^{19}F$ em números de onda de 2886,50, 2908,51, 2930,43, 2974,55, 2996,57, 3018,58 cm^{-1}. Atribua as transições consultando a Figura 19.25. Determine, então, o comprimento de ligação do $^1H^{19}F$.

19.34 Considere o modo vibracional que corresponde à expansão uniforme do anel do benzeno que é ativo: (a) no Raman, (b) no infravermelho.

19.35 Suponha que são propostas três conformações para a molécula não linear H_2O_2 (**1**, **2** e **3**). O espectro de absorção no infravermelho da H_2O_2 gasosa tem bandas em 870, 1370, 2869 e 3417 cm^{-1}. O espectro Raman da mesma amostra apresenta bandas em 877, 1408, 1435 e 3407 cm^{-1}. Todas as bandas correspondem ao número de onda da vibração fundamental e pode-se admitir que (i) as bandas em 870 e 877 cm^{-1} correspondem ao mesmo modo normal e (ii) o mesmo se dá com as bandas em 3417 e 3407 cm^{-1}. (a) Se a H_2O_2 fosse linear, quantos modos de vibração teria? (b) Determine qual das conformações propostas é inconsistente com os dados espectroscópicos. Justifique sua resposta.

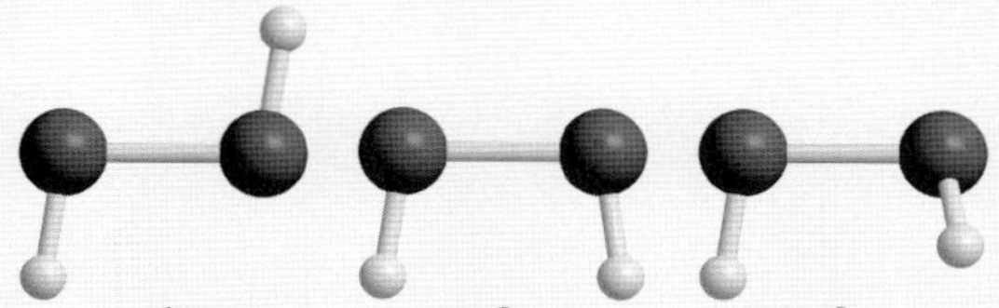

1 2 3

Projetos

O símbolo ‡ indica que o cálculo é necessário.

19.36‡ O nível de energia rotacional mais populado de um rotor linear é dado pela Eq. 19.11. Qual é o nível de energia rotacional mais populado de um rotor esférico, sabendo-se que sua degenerescência é $(2J + 1)^2$?

19.37 A proteína hemoritrina (Her) é responsável pela ligação e transporte de O_2 em alguns invertebrados. Cada molécula de proteína tem dois íons Fe^{2+} muito próximos e que atuam conjuntamente para ligar uma molécula de O_2. O grupo Fe_2O_2 da hemoritrina oxigenada é colorido, apresentando uma banda de absorção eletrônica a 500 nm. (a) O espectro Raman de ressonância da hemoritrina oxigenada, obtido com um *laser* a 500 nm, tem uma banda a 844 cm^{-1}; esta banda corresponde ao modo de estiramento O—O do $^{16}O_2$ ligado. Por que se escolhe a espectroscopia Raman de ressonância, em vez da espectroscopia no infravermelho, para o estudo do O_2 ligado à hemoritrina? (b) A prova de que a banda a 844 cm^{-1} originada de uma espécie O_2 ligada pode ser obtida por meio de experimentos nos quais a hemoritrina é misturada a $^{18}O_2$, em vez de $^{16}O_2$. Determine o número de onda da vibração fundamental do modo de estiramento do $^{18}O{-}O^{18}$ em uma amostra de hemoritrina tratada com $^{18}O_2$. (c) Os números de onda da vibração fundamental para o estiramento O—O do O_2, O_2^- (ânion superóxido) e O_2^{2-} (ânion peróxido) são 1555, 1107 e 878 cm^{-1}, respectivamente. (i) Explique esta tendência em termos das estruturas eletrônicas do O_2, O_2^- e do O_2^{2-}. (ii) Quais são as ordens de ligação do O_2, O_2^- e do O_2^{2-}? (d) Baseados nos dados fornecidos na parte (c), quais das seguintes espécies des-

4 5

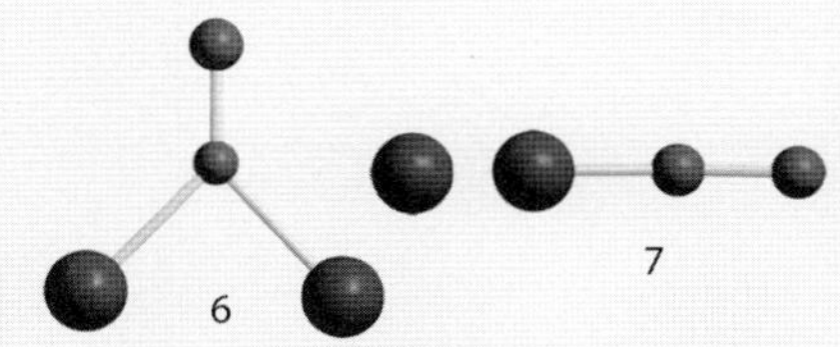

6 7

crevem melhor o grupo Fe_2O_2 na hemoritrina: $Fe_2^{2+}O_2$, $Fe^{2+}Fe^{3+}O_2^-$ ou $Fe_2^{3+}O_2^{2-}$? Justifique sua resposta. (e) O espectro Raman de ressonância da hemoritrina misturada ao $^{16}O^{18}O$ tem duas bandas que podem ser atribuídas ao estiramento O—O do oxigênio ligado. Discuta como esta observação pode ser utilizada para descartar um ou mais dos quatro esquemas (**4-7**) propostos para a ligação do O_2 ao sítio Fe_2 da hemoritrina.

19.38 Vimos no Impacto no meio ambiente 19.1 que a água, o dióxido de carbono e o metano são capazes de absorver algumas emissões no infravermelho da Terra, enquanto o nitrogênio e o oxigênio, não. Os métodos computacionais discutidos na Seção 14.14 podem também ser usados para simular espectros vibracionais. O resultado dos cálculos permite que se determine uma correspondência entre uma frequência vibracional e os deslocamentos atômicos que originam certo modo normal. (a) Usando um programa de modelagem molecular e o método computacional da escolha de seu professor, investigue e represente pictoricamente os modos normais de vibração do CH_4, CO_2 e H_2O em fase gasosa. (b) Que modos de vibração do CH_4, CO_2 e H_2O são responsáveis pela absorção de radiação no infravermelho?

20

Espectroscopia: Transições eletrônicas

A energia necessária para alterar a ocupação dos orbitais em uma molécula é da ordem de vários elétrons-volt (uma diferença de energia de 1 eV é equivalente à radiação de 8066 cm^{-1}). Consequentemente, os fótons emitidos ou absorvidos quando ocorrem tais alterações ficam nas regiões visível e ultravioleta do espectro, que se estendem desde cerca de 14.000 cm^{-1} para luz vermelha até 21.000 cm^{-1} para o azul, e até 50.000 cm^{-1} para radiação ultravioleta (Tabela 20.1).

Muitas das cores dos objetos no mundo à nossa volta, inclusive o verde das plantas, as cores das flores e dos corantes sintéticos, e as cores de pigmentos e minerais, têm origem nas transições em que um elétron faz uma transição de um orbital de uma molécula ou íon para outro. A variação na distribuição da densidade de probabilidade de um elétron que ocorre quando a clorofila absorve a luz vermelha e azul (deixando o verde ser refletido) é a etapa principal da coleta de energia pela qual nosso planeta captura energia do Sol e a utiliza para acionar as reações não espontâneas da fotossíntese. Em alguns casos, o reposicionamento de um elétron pode ser tão extensivo que resulta na quebra de uma ligação e na dissociação da molécula: tais processos dão origem às numerosas reações da fotoquímica, inclusive às reações que sustentam ou prejudicam a atmosfera.

Espectros no ultravioleta e no visível

A luz branca é uma mistura de luz de todas as diferentes cores. A remoção, por absorção, de qualquer uma dessas cores da luz branca resulta na observação da cor complementar. Por exemplo, a absorção da luz vermelha contida na luz branca por um objeto leva àquele objeto parecer ser verde, a cor complementar do vermelho. De maneira inversa, a absorção do verde resulta no objeto parecer ser vermelho. Os pares de cores complementares estão bem resumidos pela palheta de cores dos artistas mostrada na Figura 20.1, em que as cores complementares situam-se diametralmente no lado oposto uma da outra.

Tabela 20.1
Cor, frequência e energia da luz

Cor	λ/nm	ν/(10^{14} Hz)	$\tilde{\nu}$/(10^4 cm^{-1})	E/eV	E/(kJ mol^{-1})
Infravermelho	1000	3,00	1,00	1,24	120
Vermelho	700	4,28	1,43	1,77	171
Laranja	620	4,84	1,61	2,00	193
Amarelo	580	5,17	1,72	2,14	206
Verde	530	5,66	1,89	2,34	226
Azul	470	6,38	2,13	2,64	254
Violeta	420	7,14	2,38	2,95	285
Ultravioleta próximo	300	10,0	3,3	4,15	400
Ultravioleta distante	200	15,0	5,00	6,20	598

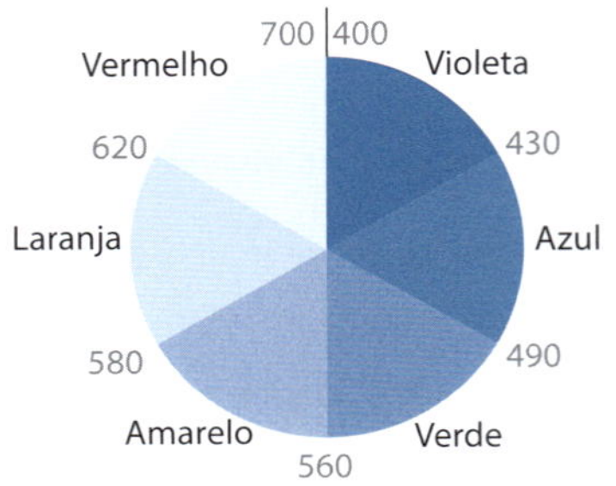

Figura 20.1 Palheta de cores dos artistas: cores complementares se opõem umas às outras diametralmente. Os números correspondem aos comprimentos de onda da luz, em nm. (Veja o Encarte em Cores.)

Entretanto, há que se enfatizar que a percepção da cor é um fenômeno muito sutil. Embora um objeto possa parecer verde por absorver a cor vermelha, pode também parecer verde porque absorve todas as cores da luz incidente, *exceto* a verde. Esta é a origem da cor da vegetação, porque a clorofila absorve em duas regiões do espectro, deixando o verde ser refletido (Fig. 20.2). Além disso, uma banda de absorção pode ser muito larga e, embora possa ter um máximo em um comprimento de onda particular, pode ter uma cauda longa que se espalha para outras regiões (Fig. 20.3). Nesses casos, fica muito difícil predizer a cor percebida a partir da posição do máximo de absorção.

No Capítulo 19, discutimos os princípios gerais que determinam a extensão da absorção da radiação eletromagnética por uma amostra e que contribuem para a largura das linhas dos espectros de absorção. Aqui, vamos aplicar aqueles princípios às transições eletrônicas nas regiões do visível e do ultravioleta do espectro eletromagnético.

20.1 Considerações práticas

Para a região visível do espectro, diodos emissores de luz (Seção 17.3) ou lâmpadas de tungstênio-iodo são usados como fonte em um espectrômetro de absorção. Uma descarga por um gás de deutério ou xenônio contido em um tubo de quartzo é também muito utilizada para o ultravioleta próximo.

O elemento de dispersão mais simples é um prisma de vidro ou quartzo, mas os instrumentos modernos utilizam uma rede de difração. Para o trabalho na região visível do espectro, o dispositivo consiste em uma placa de vidro ou cerâmica na qual foram traçadas ranhuras muito finas distanciadas 1.000 nm uma da outra (um espaçamento comparável ao comprimento de onda da luz visível) e revestida com alumínio refletor. A rede causa interferência entre ondas refletidas a partir de sua superfície e a interferência construtiva ocorre em ângu-

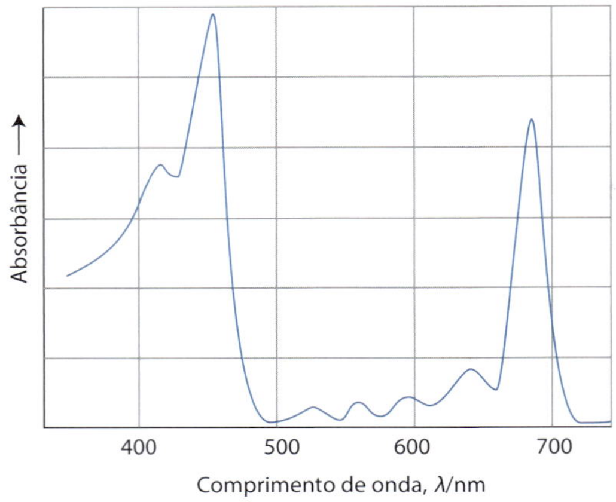

Figura 20.2 Espectro de absorção da clorofila na região do visível. Observe que a clorofila absorve nas regiões do vermelho e azul, e que a luz verde não é absorvida significativamente.

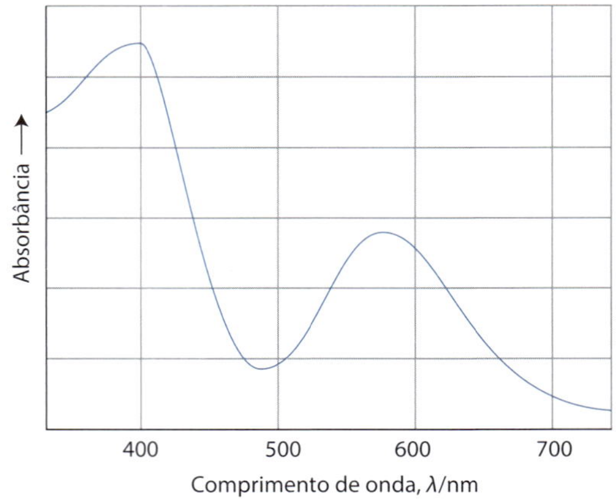

Figura 20.3 A absorção eletrônica de uma espécie em solução é normalmente muito ampla e consiste em diversas bandas largas.

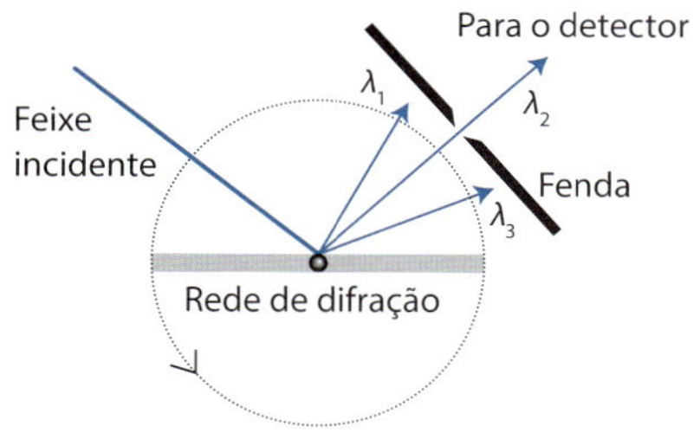

Figura 20.4 Um feixe de luz é dispersado por uma rede de difração em três componentes de comprimentos de onda λ_1, λ_2 e λ_3. Na configuração mostrada, apenas a radiação com λ_2 passa pela fenda estreita e alcança o detector. A rotação da rede de difração na direção mostrada pelas setas permite que λ_1 e λ_3 alcancem o detector.

los específicos, que dependem da frequência da radiação que está sendo utilizada. Assim, cada comprimento de onda de luz é dirigido para uma direção específica (Fig. 20.4). Em um monocromador, uma fenda estreita de saída permite que apenas um intervalo pequeno de comprimento de onda alcance o detector. Por meio da rotação da rede em torno de um eixo perpendicular aos feixes incidente e difratado, é possível que comprimentos de onda diferentes sejam analisados; dessa forma, o espectro de absorção é obtido para uma faixa estreita de comprimentos de onda de cada vez.

Os detectores podem consistir em um único elemento sensível à radiação ou em vários pequenos elementos dispostos em arranjos uni ou bidimensionais. Um dispositivo comum é um fotodiodo, um dispositivo de estado sólido que conduz eletricidade quando é atingido por fótons, pois reações de transferência de elétrons no material do detector, induzidas pela luz, criam portadores de carga móveis (elétrons negativamente e "buracos" positivamente carregados). O silício é sensível na região do visível. Um dispositivo sensível à carga (sigla em inglês CCD) é um arranjo bidimensional de vários milhões de detectores constituídos por fotodiodos. Com um CCD, um amplo intervalo de comprimentos de onda que emergem de um policromador é detectado simultaneamente, eliminando, assim, a necessidade de se medir a intensidade da luz a cada pequeno intervalo de comprimentos de onda. Detectores CCD são amplamente utilizados para medir a absorção, a emissão e o espalhamento Raman.

20.2 Intensidades de absorção

A intensidade de absorção da radiação em um comprimento de onda específico está relacionada com a concentração [J] da espécie absorvedora pela lei de Beer-Lambert:

$$I = I_0 10^{-\varepsilon[\mathrm{J}]L} \qquad \text{Lei de Beer-Lambert} \quad (20.1)$$

I_0 e I são as intensidades incidente e transmitida, respectivamente, L é o comprimento da amostra e ε (épsilon) é o **coeficiente de absorção molar** (o antigo e ainda muito usado "coeficiente de extinção"), com as dimensões de 1/(concentração molar × comprimento). Valores típicos de ε para transições intensas são da ordem de 10^4–10^5 $\mathrm{dm^3\ mol^{-1}\ cm^{-1}}$, indicando que em uma solução de concentração molar igual a 0,01 $\mathrm{mol\ dm^{-3}}$ a intensidade da luz (de frequência correspondente ao máximo de absorção) cai a 10 % de seu valor inicial

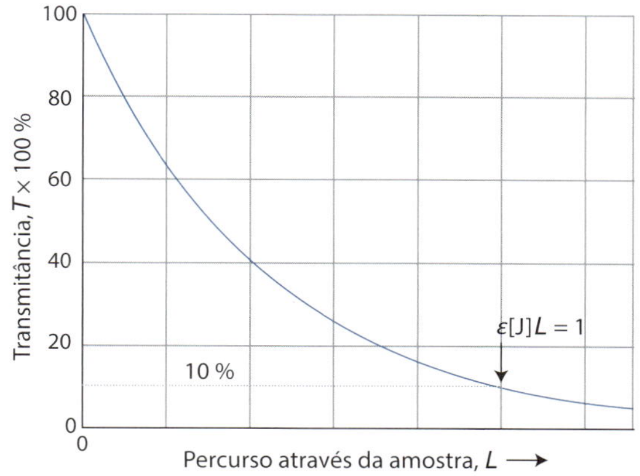

Figura 20.5 A intensidade da luz transmitida por uma amostra absorvente diminui exponencialmente com o comprimento da trajetória pela amostra.

após atravessar 0,1 mm da solução (Fig. 20.5). A lei de Beer-Lambert é empírica, mas sua forma pode ser justificada considerando-se a passagem da luz por meio absorvente uniforme (Informação adicional 20.1).

A **absorbância** $A = \varepsilon[\mathrm{J}]L$ de uma amostra é medida conhecendo-se as intensidades inicial e final de um feixe de luz e usando-se a Eq. 20.1 na forma

$$A = \log \frac{I_0}{I} \qquad \text{Definição} \quad \text{Absorbância} \quad (20.2)$$

(O logaritmo é o comum, na base 10.) É comum expressar a absorção da radiação em termos da **transmitância**, T, de uma amostra em dada frequência, na qual

$$T = \frac{I}{I_0} \qquad \text{Definição} \quad \text{Transmitância} \quad (20.3)$$

Assim, $A = -\log T$. A lei de Beer-Lambert assume, então, uma das duas formas a seguir:

$$A = \varepsilon L[\mathrm{J}], \; T = 10^{-\varepsilon[\mathrm{J}]L} \qquad \text{Formas alternativas} \quad \text{Lei de Beer-Lambert} \quad (20.4)$$

■ Breve ilustração 20.1 A lei de Beer-Lambert

A transmitância em uma amostra absorvente varia de $T_1 = 10^{-\varepsilon[\mathrm{J}]L_1}$ a $T_2 = 10^{-\varepsilon[\mathrm{J}]L_2}$ quando o percurso na amostra varia de L_1 a L_2. Se o percurso dobra, $L_2 = 2L_1$ e

$$T_2 = 10^{-2\varepsilon[\mathrm{J}]L_1} \overbrace{=}^{e^{ax}=(e^x)^a} (10^{-\varepsilon[\mathrm{J}]L_1})^2 = T_1^2$$

Se a transmitância é 0,01 para um percurso de 1,0 cm (correspondendo a 90 % de redução da intensidade), então será de $(0{,}1)^2 = 0{,}01$ se dobrarmos o percurso (correspondendo a 99 % de redução da intensidade global).

As concentrações de uma espécie absorvente podem ser determinadas como foi explicado na Seção 10.1, usando-se a Eq. 20.4 na forma $[\mathrm{J}] = A/\varepsilon L$. Medições em dois comprimentos de onda podem ser usados para encontrar as concentrações individuais de dois componentes A e B em uma mistura. Para essa análise, escrevemos a absorbância total em dado comprimento de onda como

$$A = A_\mathrm{A} + A_\mathrm{B} = \varepsilon_\mathrm{A}[\mathrm{A}]L + \varepsilon_\mathrm{B}[\mathrm{B}]L = (\varepsilon_\mathrm{A}[\mathrm{A}] + \varepsilon_\mathrm{B}[\mathrm{B}])L$$

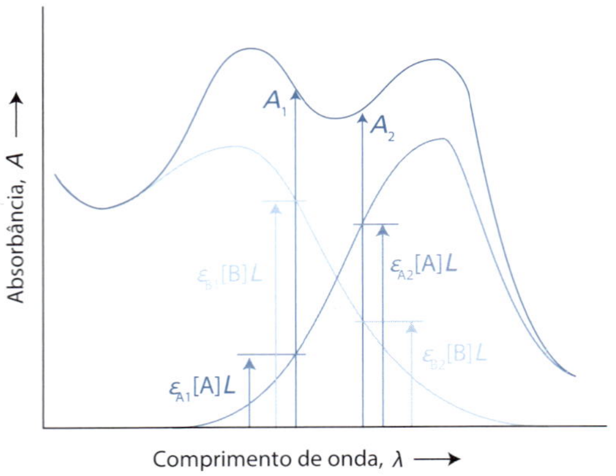

Figura 20.6 As concentrações de duas espécies absorventes em uma mistura podem ser determinadas a partir de seus coeficientes de absorção molar e da medição de suas absorbâncias em dois comprimentos de onda diferentes localizados dentro de sua região de absorção conjunta.

Então, para duas medições da absorbância total em dois comprimentos de onda λ_1 e λ_2 nos quais os coeficientes de absorção molar são ε_1 e ε_2 (Fig. 20.6), temos

$$A_1 = (\varepsilon_{A1}[A] + \varepsilon_{B1}[B])L \qquad A_2 = (\varepsilon_{A2}[A] + \varepsilon_{B2}[B])L$$

Como mostrado na Dedução vista a seguir, essas duas equações simultâneas podem ser resolvidas para as duas incógnitas, as concentrações molares de A e B:

$$[A] = \frac{\varepsilon_{B2}A_1 - \varepsilon_{B1}A_2}{(\varepsilon_{A1}\varepsilon_{B2} - \varepsilon_{A2}\varepsilon_{B1})L} \tag{20.5a}$$

$$[B] = \frac{\varepsilon_{A1}A_2 - \varepsilon_{A2}A_1}{(\varepsilon_{A1}\varepsilon_{B2} - \varepsilon_{A2}\varepsilon_{B1})L} \tag{20.5b}$$

Dedução 20.1

Determinação das concentrações em uma mistura

As duas equações para resolver [A] e [B] são

$$\varepsilon_{A1}[A]L + \varepsilon_{B1}[B]L = A_1 \qquad \varepsilon_{A2}[A]L + \varepsilon_{B2}[B]L = A_2$$

Para igualar os dois segundos termos, multiplicamos a primeira equação por ε_{B2} e a segunda por ε_{B1}, para obter

$$\varepsilon_{B2}\varepsilon_{A1}[A]L + \varepsilon_{B2}\varepsilon_{B1}[B]L = \varepsilon_{B2}A_1$$

$$\varepsilon_{B1}\varepsilon_{A2}[A]L + \varepsilon_{B1}\varepsilon_{B2}[B]L = \varepsilon_{B1}A_2$$

Quando a segunda equação é subtraída da primeira, obtemos

$$\varepsilon_{B2}\varepsilon_{A1}[A]L - \varepsilon_{B1}\varepsilon_{A2}[A]L = \varepsilon_{B2}A_1 - \varepsilon_{B1}A_2$$

que se rearranja na Eq. 20.5a. Para obter a Eq. 20.5b, repetimos o processo multiplicando a primeira equação por ε_{A2} e a segunda por ε_{A1}, de forma que os termos em [A] se cancelam quando as duas equações são subtraídas.

Pode haver um comprimento de onda no qual os coeficientes de extinção molar das duas espécies são iguais; escrevemos esse valor comum como ε_{iso}. A absorbância total da mistura neste comprimento de onda é

$$A_{iso} = (\varepsilon_{iso}[A] + \varepsilon_{iso}[B])L = \varepsilon_{iso}([A] + [B])L \tag{20.6}$$

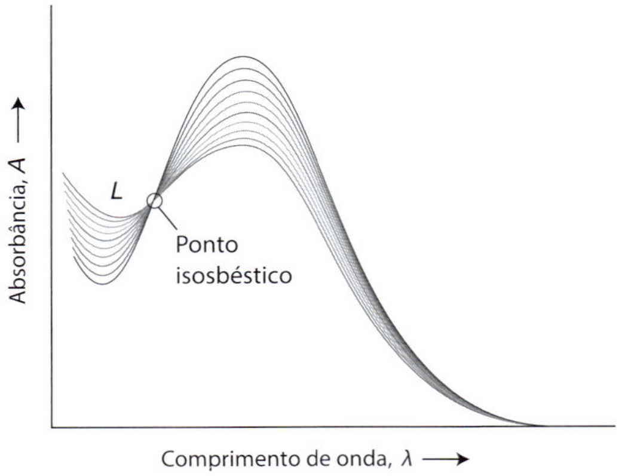

Figura 20.7 Formam-se um ou mais pontos isosbésticos quando há duas espécies absorventes inter-relacionadas em solução. As curvas correspondem a diferentes estágios da reação A → B.

Mesmo se A e B são interconvertidos em uma reação da forma A → B ou seu inverso, então, como a concentração total dos mesmos permanece constante, assim o faz A_{iso}. Como resultado, um ou mais **pontos isosbésticos** (o nome "isosbéstico" vem das palavras gregas para "o mesmo" e "extinguir"), que são pontos invariantes do espectro de absorção, podem ser observados (Fig. 20.7). É muito improvável que três ou mais espécies tenham os mesmos coeficientes de extinção molar em um único comprimento de onda. Portanto, a observação de um ponto isosbéstico ou pelo menos não mais de um ponto desses, é evidência nítida de que uma solução consiste em apenas dois solutos em equilíbrio um com o outro sem intermediários.

O coeficiente de absorção molar depende da frequência da radiação incidente e é máximo onde a absorção é a mais intensa. O valor máximo do coeficiente de absorção molar, $\varepsilon_{máx}$, é uma indicação da intensidade de uma transição. Contudo, como as bandas de absorção geralmente se estendem sobre uma faixa de comprimentos de onda, a absorção em um único comprimento de onda pode não ser uma indicação real da intensidade. Esta última é mais bem descrita pelo **coeficiente de absorção integrado,** $\mathcal{A}$, a área sob o gráfico do coeficiente de absorção molar em função do número de onda (Fig. 20.8).

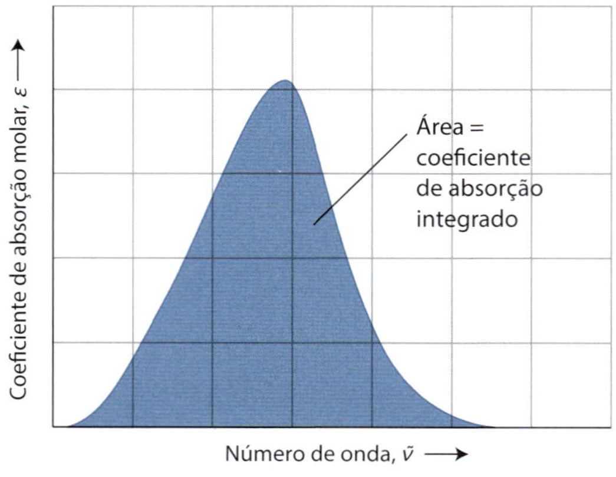

Figura 20.8 O coeficiente de absorção integrado de uma transição é a área sob o gráfico do coeficiente de absorção molar em função do número de onda da radiação incidente.

20.3 O princípio de Franck-Condon

Sempre que ocorre uma transição eletrônica, esta é acompanhada da excitação de vibrações da molécula. No estado eletrônico fundamental de uma molécula, os núcleos assumem posições em resposta às forças coulombianas que atuam sobre os mesmos. Essas forças provêm dos elétrons e de outros núcleos. Após uma transição eletrônica, quando a densidade eletrônica migrou para uma parte diferente da molécula, os núcleos são submetidos a diferentes forças e a molécula pode responder à alteração das forças irrompendo-se em vibração. Como resultado, parte da energia utilizada para redistribuir um elétron é, de fato, empregada para estimular as vibrações das moléculas absorventes. Portanto, em vez de ser observada uma linha de absorção única, precisa e puramente eletrônica, o espectro de absorção consiste em diversas linhas. Essa **estrutura vibracional** de uma transição eletrônica pode ser resolvida se a amostra é gasosa, mas em um líquido ou sólido as linhas normalmente se fundem, resultando em uma banda larga quase sem estrutura (Fig. 20.9).

A estrutura vibracional de uma banda é explicada pelo **princípio de Franck-Condon:**

> Em virtude de os núcleos serem muito mais pesados do que os elétrons, uma transição eletrônica ocorre com rapidez muito maior do que os núcleos podem responder.

Em uma transição eletrônica, a densidade eletrônica diminui rapidamente em algumas regiões da molécula e aumenta rapidamente em outras. Como resultado, os núcleos inicialmente estacionários sofrem subitamente a ação um novo campo de força. Respondem a esse campo entrando em vibração, e oscilam (em uma linguagem clássica) em torno de sua separação original, que foi mantida durante a rápida excitação eletrônica. A separação de equilíbrio inicial, e estacionária, dos núcleos no estado eletrônico inicial torna-se, portanto, um novo e estacionário **ponto de retorno**, um dos pontos extremos de um movimento nuclear, do estado eletrônico final (Fig. 20.10).

Podemos predizer o estado vibracional final mais provável traçando uma linha vertical a partir do mínimo da curva inferior (ponto de partida para a transição) até o ponto no qual a linha intercepta a curva que representa o estado eletrônico superior (ponto de retorno da vibração recém-estimulada).

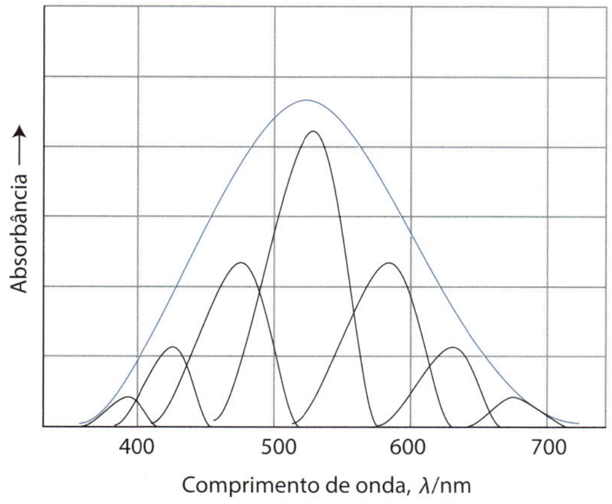

Figura 20.9 Uma banda de absorção eletrônica consiste em muitas bandas superpostas que se fundem para dar uma única banda larga com estrutura vibracional não resolvida.

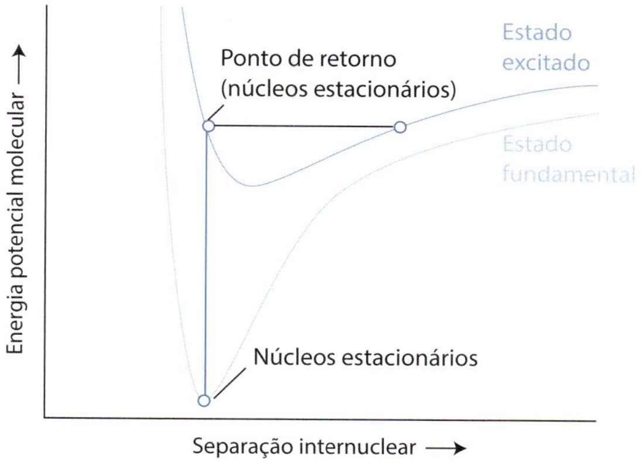

Figura 20.10 Segundo o princípio de Franck-Condon, a transição eletrônica mais intensa é do estado vibracional fundamental para o estado vibracional que se localiza verticalmente acima dele no estado eletrônico superior. Ocorrem transições para outros níveis vibracionais, mas com intensidade menor.

Este procedimento dá origem ao termo **transição vertical** para uma transição de acordo com o princípio de Franck-Condon. Na prática, a molécula eletronicamente excitada pode ser formada em um dos diversos estados vibracionais excitados, todos com pontos de retorno quase verticalmente acima do mínimo da curva inferior, logo a absorção ocorre em diversas frequências diferentes. Conforme aqui assinalado, em um meio condensado, as transições individuais fundem-se para dar uma banda de absorção larga, quase sem estrutura.

20.4 Tipos específicos de transições

A absorção de um fóton pode muitas vezes ser devida à excitação de um elétron que está localizado em um pequeno grupo de átomos. Por exemplo, uma absorção em cerca de 290 nm normalmente é observada quando um grupo carbonila está presente. Grupos com absorções óticas características são chamados de **cromóforos** (do grego "que dá cor"), e sua presença frequentemente responde pelas cores de muitas substâncias.

A transição responsável pela absorção em compostos carbonilados é devida aos pares isolados de elétrons no átomo de O. Um desses elétrons pode ser excitado para um orbital π^* vazio do grupo carbonila (Fig. 20.11), dando origem a uma

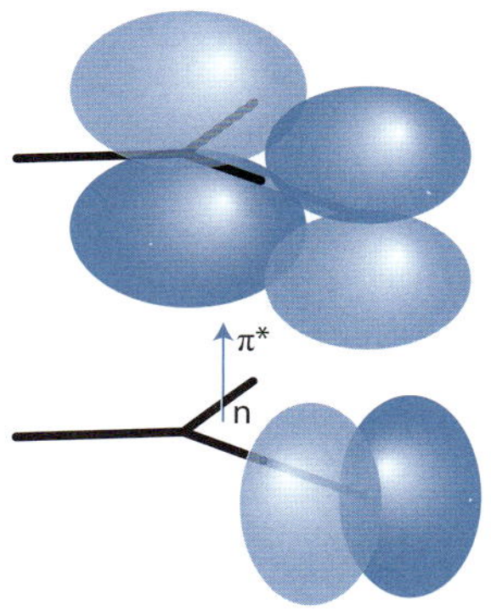

Figura 20.11 Um grupo carbonila age como um cromóforo principalmente por conta da excitação de um elétron do par solitário não ligante do O para um orbital π^* antiligante do CO.

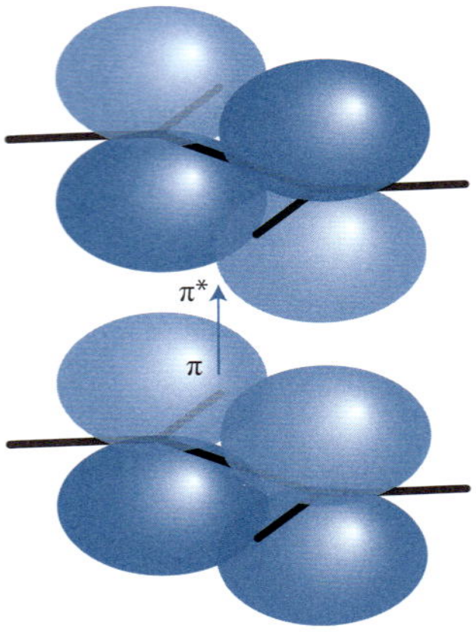

Figura 20.12 Uma ligação dupla carbono-carbono age como um cromóforo. Uma de suas transições importantes é a transição π-π* ilustrada aqui, na qual um elétron é promovido de um orbital π para o orbital antiligante correspondente.

transição n-π*, em que n representa um orbital não ligante, um que nem seja ligante nem antiligante, como aquele ocupado por um par solitário. As energias de absorção típicas são de cerca de 4 eV.

Uma ligação dupla C═C age como um cromóforo porque a absorção de um fóton excita um elétron π para um orbital π* antiligante (Fig. 20.12). A atividade cromófora é, portanto, devida a uma **transição π-π***. Sua energia fica em torno de 7 eV para uma ligação dupla não conjugada, que corresponde a uma absorção em 180 nm (no ultravioleta). Quando a ligação dupla é parte de uma cadeia conjugada, as energias dos orbitais moleculares ficam mais próximas e a transição desloca-se para a região visível do espectro (veja a Seção 14.16).

■ Breve ilustração 20.2 Transições π-π*

Muitos dos vermelhos e amarelos da vegetação devem-se a transições π-π*. Por exemplo, os carotenos que estão presentes nas folhas verdes (mas são ocultos pela intensa absorção da clorofila até esta última degradar-se) recolhem parte da radiação solar incidente na folha por uma transição π-π* em suas longas cadeias de hidrocarbonetos conjugados. Um tipo semelhante de absorção é responsável pelo processo primário da visão (Impacto 20.1).

Um complexo metálico d pode absorver luz como resultado da transferência de um elétron dos ligantes para os orbitais d do átomo central, ou vice-versa. Nessas **transições de transferência de carga**, o elétron move-se por uma distância considerável, o que significa que a redistribuição da carga, conforme medida pelo momento de dipolo de transição, pode ser grande e a absorção, correspondentemente intensa. De fato, as transições eletrônicas mais intensas responsáveis pelas cores de muitos complexos de metais d são transições de transferência de carga. No íon permanganato, MnO_4^-, a redistribuição da carga que acompanha a migração de um elétron dos átomos de O para o átomo de Mn central resulta em uma transição de transferência de carga na faixa de 420–700 nm, e responde pela intensa cor púrpura do íon.

Impacto na bioquímica 20.1

Visão

O olho é um órgão fotoquímico primoroso que age como um transdutor, convertendo energia radiante em sinais elétricos que se propagam pelos neurônios. Aqui vamos nos concentrar nos eventos que têm lugar no olho humano, mas processos semelhantes ocorrem em todos os animais. Na verdade, um tipo simples de proteína, a rodopsina, é o principal receptor da luz em todo o reino animal, indicando que a visão surgiu logo nos primórdios da história da evolução, indubitavelmente por causa de seu enorme valor para a sobrevivência.

Os fótons penetram no olho pela córnea, atravessam o fluido ocular que preenche o olho e incidem sobre a retina. O fluido ocular é principalmente água, e a passagem de luz por esse meio é grandemente responsável pela *aberração cromática* do olho, o borrão da imagem resultante de diferentes frequências que são trazidas para focos levemente diferentes. A aberração cromática é reduzida até certo ponto pela região manchada denominada *pigmento macular* que cobre parte da retina. Os pigmentos nessa região são xantofilas do tipo caroteno (**1**), que removem parte da luz azul, ajudando desse modo a dar nitidez à imagem. Os pigmentos ainda protegem as moléculas fotorreceptoras contra um fluxo muito grande de fótons de alta energia, potencialmente perigosos. As xantofilas têm elétrons deslocalizados que se dispersam ao longo da cadeia de ligações duplas conjugadas e a transição π-π* fica no visível.

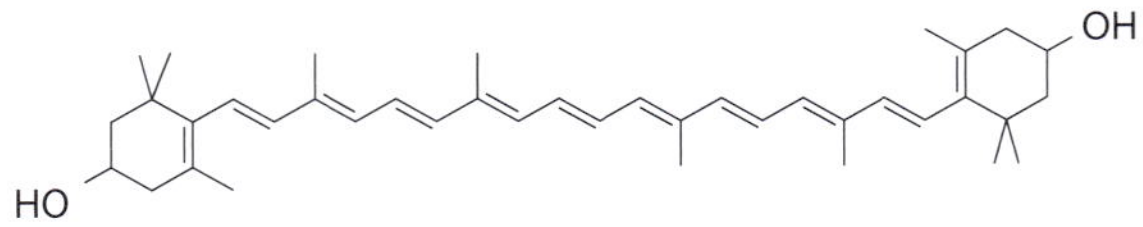

1 Uma xantofila

Quase 57 % dos fótons que penetram no olho chegam à retina; o restante é dispersado ou absorvido pelo fluido ocular. Aqui tem lugar o ato principal da visão, no qual o cromóforo de uma molécula de rodopsina absorve um fóton em outra transição π-π*. Uma molécula de rodopsina consiste em uma molécula de proteína opsina à qual está fixada uma molécula de 11-*cis*-retinal (**2**). Esta última assemelha-se à metade de uma molécula de caroteno, mostrando a economia que a natureza faz em seu emprego de materiais disponíveis. A fixação é pela formação de uma base de Schiff, aproveitando o grupo –CHO do cromóforo. A molécula de 11-*cis*-retinal livre absorve no ultravioleta, mas a fixação na molécula de proteína opsina desloca a absorção para a região do visível. As moléculas de rodopsina situam-se nas membranas de células especiais (os "bastonetes" e os "cones") que cobrem a retina. A molécula de opsina fica ancorada na membrana celular por dois grupos hidrofóbicos e circunda em muito o cromóforo (Fig. 20.13).

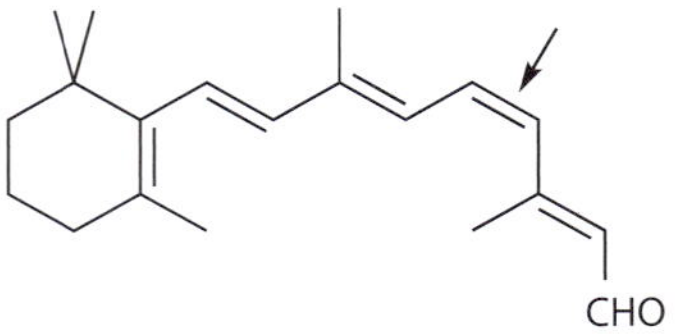

2 11-*cis*-Retinal

Imediatamente após a absorção de um fóton, a molécula de 11-*cis*-retinal sofre fotoisomerização para all-*trans*-retinal (**3**). A fotoisomerização leva cerca de 200 fs e cerca de 67 moléculas do

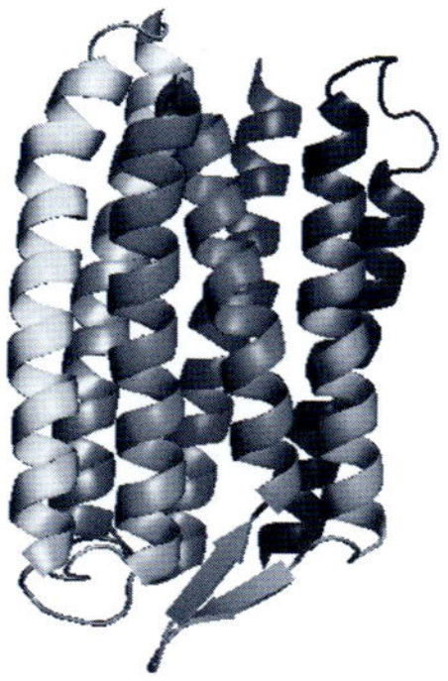

Figura 20.13 A estrutura da molécula de rodopsina.

pigmento isomerizam para cada 100 fótons que são absorvidos. O processo é capaz de ocorrer porque a excitação π-π^* de um elétron enfraquece uma das ligações π (aquela indicada pela seta no diagrama), sua rigidez torcional se perde, e uma parte da molécula gira de volta à sua posição. Naquele ponto, a molécula retorna ao seu estado fundamental, mas fica agora aprisionada em sua nova conformação. A cauda retilínea do all-*trans*-retinal leva a molécula a ocupar mais espaço do que o fez o 11-*cis*-retinal e, então, a molécula pressiona-se contra as espiras da molécula de opsina que a circunda. Desse modo, em cerca de 0,25–0,50 ms a contar da absorção inicial, a molécula de rodopsina é ativada.

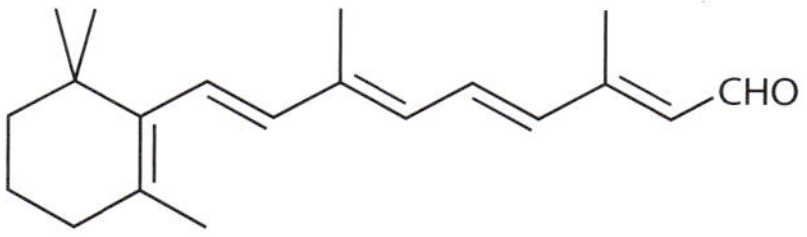

3 All-*trans*-retinal

Agora uma sequência de eventos bioquímicos – a *cascata bioquímica* – converte a configuração alterada da molécula de rodopsina em um pulso de potencial elétrico; este se propaga pelo nervo ótico até o córtex ótico, onde é interpretado como um sinal e incorporado à rede de eventos à qual damos o nome de "visão". Ao mesmo tempo, o estado de repouso da molécula de rodopsina é restaurado por uma série de eventos químicos não radiativos potencializados pelo ATP. O processo envolve a fuga do all-*trans*-retinal na forma de all-*trans*-retinol (em que o —CHO foi reduzido a —CH_2OH) a partir da molécula de opsina por um processo catalisado pela enzima rodopsina quinase e a fixação de outra proteína, a arrestina. A molécula de all-*trans*-retinol livre agora sofre isomerização catalisada por enzima em 11-*cis*-retinol seguida de desidrogenação para formar 11-*cis*-retinal, que é então enviada de volta para uma molécula de opsina. Neste ponto o ciclo de excitação, fotoisomerização e regeneração está pronto para recomeçar.

Decaimento radiativo e não radiativo

Na maioria dos casos, a energia de excitação de uma molécula que absorveu um fóton é dissipada, por um processo denominado **decaimento não radiativo**, por meio do movimento térmico desordenado de suas vizinhanças. Em outros casos, seus elétrons podem sofrer uma redistribuição que leva a molécula a sofrer uma **conversão interna** (CI), uma conversão sem radiação para outro estado de mesma multiplicidade. Todavia, um processo pelo qual uma molécula eletronicamente excitada pode descartar seu excesso de energia é por **decaimento radiativo**, em que um elétron relaxa de volta a um orbital de energia inferior e, no processo, gera um fóton. Como resultado, e se a radiação emitida estiver na região visível do espectro, o observador vê a amostra brilhando.

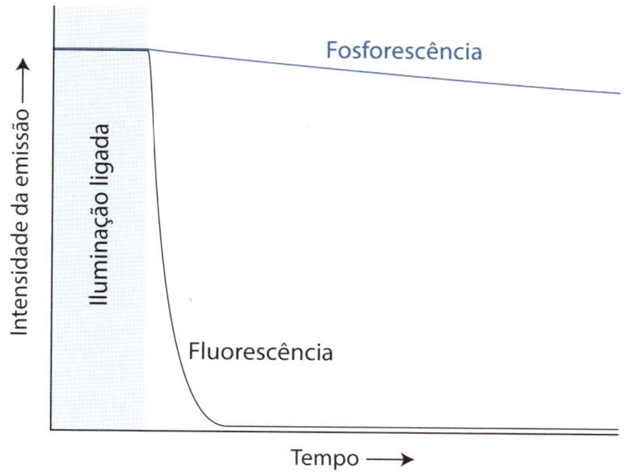

Figura 20.14 A distinção empírica (baseada em observações) entre fluorescência e fosforescência é que a primeira se extingue muito rapidamente após a remoção da fonte excitadora, enquanto a segunda continua com uma intensidade que diminui de forma relativamente lenta.

São dois os modos principais de decomposição radiativa, fluorescência e fosforescência (Fig. 20.14). Na **fluorescência**, a radiação espontaneamente emitida cessa rapidamente (em alguns nanossegundos) após a radiação que faz a excitação desaparecer. Na **fosforescência**, a emissão espontânea pode persistir por longos períodos – até mesmo horas, mas caracteristicamente persiste somente por segundos ou frações de segundos. A diferença sugere que a fluorescência é uma conversão imediata da luz absorvida em energia radiante reemitida, e que a fosforescência envolve o armazenamento de energia em um reservatório do qual vaza lentamente.

A absorção pode resultar em **dissociação**, ou fragmentação (Fig. 20.15). O início da dissociação pode ser detectado em

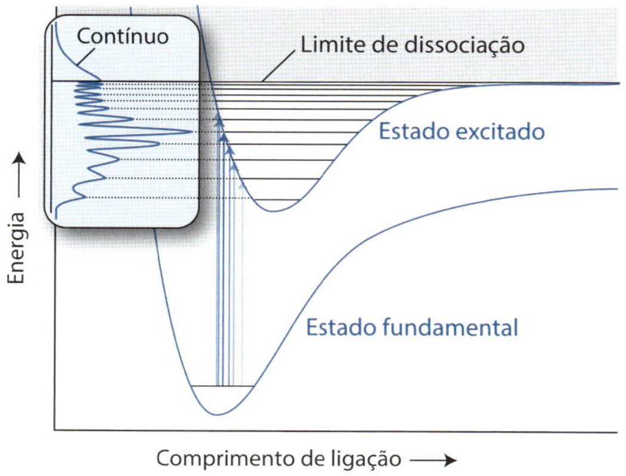

Figura 20.15 Quando ocorre absorção para estados não ligados do estado eletrônico de mais alta energia, a molécula dissocia-se e a absorção é um contínuo. Abaixo do limite de dissociação o espectro eletrônico tem uma estrutura vibracional normal.

um espectro de absorção observando-se que a estrutura vibracional de uma banda termina em certa energia. A absorção ocorre em uma banda contínua acima do **limite de dissociação**, a mais alta frequência antes do início da absorção contínua, pois o estado final são os fragmentos em movimento translacional não quantizado. A localização do limite de dissociação é uma maneira valiosa de determinar a energia de dissociação da ligação. A dissociação também pode ocorrer se uma transição eletrônica leva diretamente a um estado repulsivo, aquele que não apresenta nenhum mínimo correspondente a uma ligação. A conversão interna de um estado ligado para um estado repulsivo também pode resultar em dissociação. Como a conversão ocorre em números de onda abaixo do necessário para a dissociação do estado excitado inicial, este processo é chamado **pré-dissociação**.

20.5 Fluorescência

A Figura 20.16 é um exemplo simples de um **diagrama de Jablonski**, uma representação esquemática de níveis de energia eletrônica e vibracional de uma molécula e que mostra a sequência de etapas envolvidas na fluorescência. A absorção inicial leva a molécula a um estado eletrônico excitado e, se o espectro de absorção fosse monitorado, teria a mesma aparência daquele que é mostrado na Figura 20.17a. A molécula excitada é sujeita a colisões com as moléculas vizinhas, e à medida que perde energia desce a escada de níveis vibracionais. No entanto, as moléculas vizinhas podem ser incapazes de aceitar a maior parte da energia necessária para levar a molécula até o estado eletrônico fundamental. O estado excitado pode, assim, sobreviver tempo suficiente para gerar um fóton e emitir a energia excedente restante na forma de radiação. A transição eletrônica descendente é **vertical**, o que significa estar de acordo com o princípio de Franck-Condon, e o espectro de fluorescência tem a estrutura vibracional característica do estado eletrônico de mais baixa energia (Fig. 20.17b).

A fluorescência ocorre em uma frequência mais baixa que a da radiação incidente porque a radiação de fluorescência é emitida depois de certa energia vibracional ter sido descartada para a vizinhança. Os laranjas e verdes vivos dos corantes fluorescentes são uma manifestação diária desse efeito: absorvem no ultravioleta e azul, e fluorescem no visível. O mecanismo ainda sugere que a intensidade da fluorescência deve depender da capacidade das moléculas circundantes, como as do solvente, aceitarem os quanta eletrônico e vibracional. Realmente, observa-se que um solvente composto de moléculas com níveis vibracionais muito espaçados (como a água) pode aceitar um grande quantum de energia eletrônica e, assim, diminuir a intensidade da fluorescência do soluto.

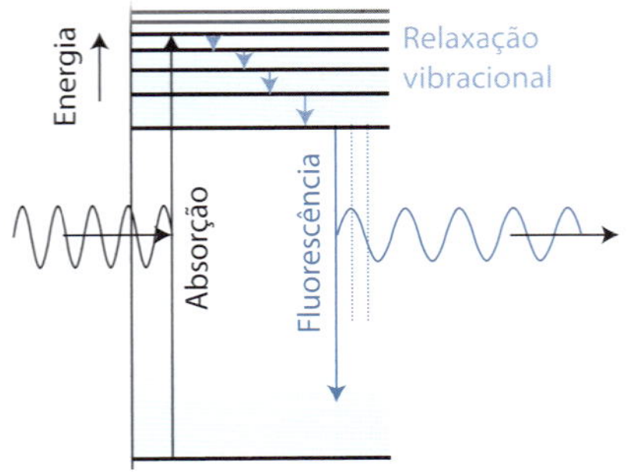

Figura 20.16 Diagrama de Jablonski mostrando a sequência de etapas que conduzem à fluorescência. Após a absorção inicial, os estados vibracionais superiores sofrem decaimento não radiativo – o processo de relaxação vibracional – fornecendo energia para a vizinhança. Então, ocorre uma transição radiativa a partir do estado vibracional fundamental do estado eletrônico superior. Na prática, a separação entre os estados vibracionais fundamentais dos estados eletrônicos é 10 a 100 vezes maior do que a separação entre os níveis vibracionais.

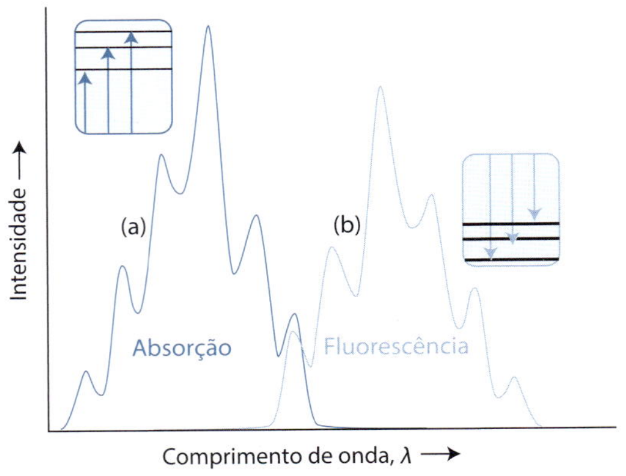

Figura 20.17 O espectro de absorção (a) mostra uma estrutura vibracional característica do estado de mais alta energia. O espectro de fluorescência (b) mostra uma estrutura característica do estado de mais baixa energia; é também deslocada para frequências inferiores e parece uma imagem de espelho da absorção.

20.6 Fosforescência

A Figura 20.18 é um diagrama de Jablonski que mostra os eventos que levam à fosforescência. As primeiras etapas são as mesmas da fluorescência, mas a presença de um estado tripleto desempenha um papel decisivo. Em um **estado tripleto**, dois elétrons em orbitais diferentes têm spins paralelos: o estado fundamental de O_2, que discutimos na Seção 14.10, é um exemplo. O nome "tripleto" reflete o fato (quanto-mecânico) de que o spin total de dois elétrons de spins paralelos (↑↑) pode adotar apenas três orientações com relação a um eixo. Um estado comum de spin emparelhado (↑↓) é denomi-

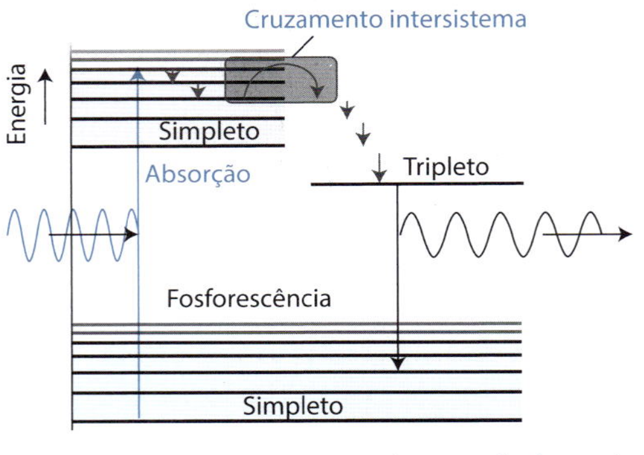

Figura 20.18 Sequência de etapas que levam à fosforescência. A etapa importante é o cruzamento intersistema a partir de um simpleto excitado para um estado tripleto excitado. O estado tripleto age como um reservatório de radiação lenta porque o retorno ao estado fundamental é muito lento.

nado **estado simpleto**, pois existe apenas uma orientação no espaço para este par de spins. Na linguagem apresentada na Seção 13.17, um estado tripleto tem $S = 1$ e M_S tem um dos três valores +1, 0 e −1; um estado simpleto tem $S = 0$ e M_S tem o valor único 0.

O estado fundamental de uma molécula fosforescente típica é um simpleto porque seus elétrons estão todos emparelhados; o estado para o qual a absorção excita a molécula é também um simpleto. No entanto, o aspecto peculiar de uma molécula fosforescente é que a molécula possui um estado tripleto excitado de energia semelhante àquela do estado simpleto excitado, e ao qual o estado simpleto excitado pode se converter. Desse modo, se há um mecanismo para desemparelhar dois spins de elétron (e assim converter ↑↓ em ↑↑), então a molécula pode passar por **cruzamento intersistema** (CIS) e tornar-se um estado tripleto. O desemparelhamento de spins de elétrons é possível se a molécula contém um átomo pesado, como um átomo de enxofre, com acoplamento spin-órbita forte (Seção 13.18). Dessa forma, o momento angular necessário para converter um estado simpleto em estado tripleto pode ser adquirido do movimento orbital dos elétrons.

Depois que uma molécula de simpleto excitado passa para um estado tripleto, continua a liberar energia para as vizinhanças e a descer a escada dos estados vibracionais. Todavia, a molécula agora está descendo a escada do tripleto e, sob a energia vibracional mais baixa, é aprisionada. As vizinhanças não conseguem extrair o quantum final da energia de excitação eletrônica. Além disso, a molécula não consegue emitir energia por irradiação, pois a volta ao estado fundamental é proibida pela regra de seleção que governa as transições: um estado tripleto não pode se converter em um estado simpleto porque o spin de um elétron não pode reverter sua direção relativamente ao outro elétron durante uma transição ($\Delta S = 0$ para transições eletrônicas). No entanto, a transição radiativa não é totalmente proibida porque o acoplamento spin-órbita responsável pelo cruzamento intersistema também quebra essa regra. As moléculas, consequentemente, são capazes de emitir com baixa intensidade, e a emissão pode permanecer por muito tempo depois que o estado excitado original foi formado.

O mecanismo de fosforescência resumido na Figura 20.18 explica a observação de que a energia de excitação parece ficar aprisionada em um reservatório com vazamento lento. Também sugere (conforme confirmado experimentalmente) que a fosforescência deve ser muito intensa em amostras sólidas: a transferência de energia é então menos eficiente e o cruzamento intersistema tem tempo para ocorrer assim que o estado excitado simpleto perde energia vibracional. O mecanismo ainda sugere que a eficiência da fosforescência deve depender da presença de um átomo moderadamente pesado – com sua capacidade de girar os spins dos elétrons – o que de fato é o caso.

20.7 Extinção

Diversos processos podem remover, ou **extinguir**, a energia de excitação de uma molécula fluorescente ou fosforescente. Exemplos de tais processos incluem a transferência de energia, transferência de elétrons e reações fotoquímicas, reações essas que são iniciadas pela absorção de luz.

Nesta seção vamos explorar as velocidades e os mecanismos de extinção e, para isso, precisamos desenvolver uma visão das escalas de tempo para a formação e a desativação de estados excitados. Transições eletrônicas causadas pela absorção de radiação no visível e no ultravioleta ocorrem em 10^{-16}–10^{-15} s. Espera-se, então, que o limite superior para a constante de velocidade de um processo de extinção, assim como uma reação fotoquímica de primeira ordem, seja de 10^{16} s^{-1}. A fluorescência é mais lenta que a absorção, com constantes de tempo típicas de 10^{-12}–10^{-6} s. Portanto, o estado excitado simpleto pode iniciar reações fotoquímicas muito rápidas, na escala de tempo de femtossegundos (10^{-15} s) a picossegundos (10^{-12} s). Constantes de tempo típicas para o cruzamento intersistema e a fosforescência para moléculas orgânicas grandes são 10^{-12}–10^{-4} s e 10^{-6}–10^{-1} s, respectivamente. Consequentemente, estados excitados tripletos são fotoquimicamente importantes. De fato, como o decaimento por fosforescência é várias ordens de grandeza mais lento que a maioria das reações típicas, espécies em estados tripleto excitados podem sofrer um grande número de colisões com outros reagentes antes da desativação. No entanto, vamos nos concentrar na extinção da fluorescência, pois importantes processos bioquímicos, como a visão (Impacto 20.1) e a fotossíntese (Impacto 20.2), são iniciados por desativação de estados excitados simpleto.

(a) Mecanismo de decaimento de estados excitados

Considere o mecanismo de desativação de um estado excitado simpleto na ausência de extinção. As seguintes etapas estão envolvidas:

Processo	Equação	Velocidade
Absorção	$S + h\nu_i \rightarrow S^*$	I_{abs}
Fluorescência	$S^* \rightarrow S + h\nu_F$	$k_F[S^*]$
Cruzamento intersistema	$S^* \rightarrow T^*$	$k_{CIS}[S^*]$
Conversão interna	$S^* \rightarrow S$	$k_{CI}[S^*]$

em que S é uma espécie absorvente, S* é um estado simpleto excitado, T* é um estado tripleto excitado e $h\nu_i$ e $h\nu_F$ representam os fótons incidente e fluorescente, respectivamente. Por conseguinte, após a radiação excitadora ter sido removida e S* não mais se formar,

$$\text{Velocidade de decaimento de } S^* = k_F[S^*] + k_{CIS}[S^*] + k_{CI}[S^*] = (k_F + k_{CIS} + k_{CI})[S^*] \quad (20.7a)$$

Segue-se que o estado excitado decai por um processo de primeira ordem; assim, quando a luz for removida, [S*] variará com o tempo t, segundo

$$[S^*]_t = [S^*]_0 e^{-(k_F + k_{CIS} + k_{CI})t} = [S^*]_0 e^{-t/\tau_0} \quad (20.7b)$$

em que o **tempo de vida de fluorescência observado**, τ_{obs}, é

$$\tau_{obs} = \frac{1}{k_F + k_{CIS} + k_{CI}} \quad \text{Definição} \quad \text{Tempo de vida de fluorescência observado} \quad (20.8)$$

(Note que o tempo de vida observado não é simplesmente a soma dos tempos de vida individuais, $\tau_f = 1/k_F$ etc.)

(b) O rendimento quântico da fluorescência

Vimos que nem toda molécula excitada decai por fluorescência. Portanto, vamos definir o **rendimento quântico da fluorescência**, ϕ_F, que é o número de eventos que levam à fluorescência dividido pelo número de fótons absorvidos pela molécula no mesmo intervalo de tempo:

$$\phi_F = \frac{\text{número de eventos que levam à fluorescência}}{\text{número de fótons absorvidos}}$$

Definição — Rendimento quântico da fluorescência (20.9a)

Se cada molécula que absorve um fóton sofrer fluorescência, então $\phi_F = 1$. Se nenhuma o fizer, porque a energia de excitação é perdida antes que a molécula tenha tempo para fluorescer, então $\phi_F = 0$.

Dividindo o numerador e o denominador desta expressão pelo intervalo de tempo durante o qual os eventos ocorrem, vemos que o rendimento quântico da fluorescência é também a velocidade de fluorescência dividida pela velocidade de absorção de fótons, I_{abs}:

$$\phi_F = \frac{\text{velocidade de fluorescência}}{\text{velocidade de absorção de fótons}} = \frac{v_F}{I_{abs}}$$

Rendimento quântico da fluorescência (20.9b)

Mostramos na Dedução a seguir que, na ausência de uma reação química iniciada pelo estado excitado simpleto, o rendimento quântico da fluorescência é:

$$\phi_{F,0} = \frac{k_F}{k_F + k_{CIS} + k_{CI}}$$

Sem extinção — Rendimento quântico da fluorescência (20.10)

Dedução 20.2

O rendimento quântico da fluorescência

A maioria das medições de fluorescência é realizada pela iluminação de uma amostra relativamente diluída com um feixe luminoso contínuo e intenso. Segue-se que [S*] é pequeno e constante, então, podemos recorrer à aproximação do estado estacionário (Capítulo 11) e escrever

Velocidade de variação de S*

$$= \underbrace{I_{abs}}_{\substack{\text{velocidade}\\ \text{de produção}\\ \text{de S*}}} - \underbrace{k_F[S^*]}_{\substack{\text{velocidade de}\\ \text{decaimento}\\ \text{de S* por}\\ \text{fluorescência}}} - \underbrace{k_{CIS}[S^*]}_{\substack{\text{velocidade de}\\ \text{decaimento de}\\ \text{S* por cruzamento}\\ \text{intersistema}}} - \underbrace{k_{CI}[S^*]}_{\substack{\text{velocidade de}\\ \text{decaimento}\\ \text{de S*}\\ \text{por conversão}}}$$

$$= I_{abs} - (k_F + k_{CIS} + k_{CI})[S^*] \underbrace{=}_{\substack{\text{aproximação do}\\ \text{estado estacionário}}} 0$$

Consequentemente,

$$I_{abs} = (k_F + k_{CIS} + k_{CI})[S^*]$$

Usando esta expressão e a Eq. 20.9b, escrevemos o rendimento quântico da fluorescência como

$$\phi_{F,0} = \frac{v_F}{I_{abs}} = \frac{k_F[S^*]}{(k_F + k_{CIS} + k_{CI})[S^*]}$$

que, após cancelamento de [S*], se torna a Eq. 20.10.

O tempo de vida de fluorescência observado pode ser medido pelo uso de uma técnica de *laser* pulsado. Primeiramente, a amostra é excitada com um pulso curto de luz de um *laser* em um comprimento de onda em que S absorve fortemente. Então, acompanha-se o decaimento exponencial da intensidade da fluorescência após o pulso. Das Eqs. 20.8 e 20.9, concluímos que

$$\tau_0 = \frac{1}{k_F + k_{CIS} + k_{CI}} \overbrace{=}^{\substack{\text{multiplicando}\\ \text{por}\\ k_F/k_F}} \overbrace{\left(\frac{k_F}{k_F + k_{CIS} + k_{CI}}\right)}^{\phi_{F,0}} \times \frac{1}{k_F}$$

$$= \frac{\phi_{F,0}}{k_F} \qquad (20.11)$$

■ Breve ilustração 20.3 A constante de velocidade de fluorescência

O rendimento quântico da fluorescência e o tempo de vida de fluorescência observado do triptofano em água é $\phi_{F,0} = 0{,}20$ e $\tau_0 = 2{,}6$ ns, respectivamente. Segue-se da Eq. 20.11 que a constante de velocidade de fluorescência k_F é

$$k_F = \frac{\phi_{F,0}}{\tau_0} = \frac{0{,}20}{2{,}6\times10^{-9}\ \text{s}} = 7{,}7\times10^{7}\ \text{s}^{-1}$$

Exercício proposto 20.1

Um substrato tem um rendimento quântico da fluorescência de $\phi_{F,0} = 0{,}35$. Em um experimento para medir o tempo de vida de fluorescência desse substrato observou-se que a emissão de fluorescência decai com uma meia-vida de 5,6 ns. Determine a constante de velocidade de fluorescência dessa substância.

Resposta: $k_F = 4{,}3\times10^{7}\ \text{s}^{-1}$

(c) A equação de Stern-Volmer

Uma molécula em um estado excitado deve decair para o estado fundamental ou formar um produto fotoquímico. Como é mostrado na Dedução vista a seguir, a relação entre os rendimentos quânticos de fluorescência $\phi_{F,0}$ e ϕ_F na ausência e na presença, respectivamente, de um extintor Q em uma concentração molar [Q] é dado pela **equação de Stern-Volmer:**

$$\frac{\phi_{F,0}}{\phi_F} = 1 + \tau_0 k_Q[Q]$$

Equação de Stern-Volmer (20.12)

Esta expressão mostra que um gráfico de $\phi_{F,0}/\phi_F$ em função de [Q] deve ser uma reta com coeficiente angular $\tau_0 k_Q$. Este gráfico é denominado **gráfico de Stern-Volmer** (Fig. 20.19). O método é geral e pode ser aplicado à extinção da emissão por fosforescência.

Dedução 20.3

A equação de Stern-Volmer

A adição do extintor Q abre um canal adicional para a desativação de S*:

Extinção: $S^* + Q \rightarrow S + Q$ Velocidade de extinção $= k_Q[Q][S^*]$

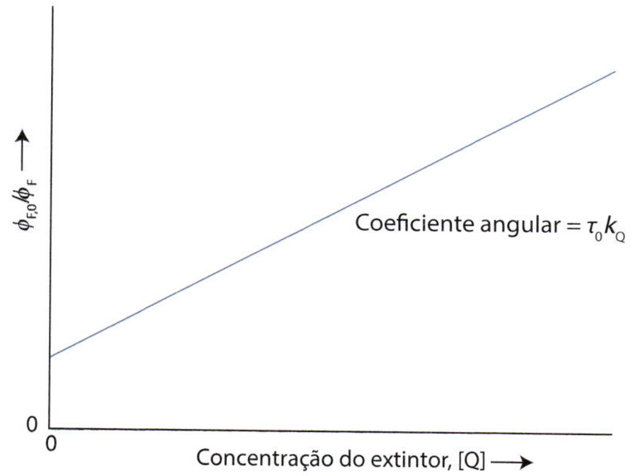

Figura 20.19 Forma do gráfico de Stern-Volmer e interpretação do coeficiente angular em termos da constante de velocidade para a extinção e do tempo de vida de fluorescência observado na ausência do extintor.

Como na Dedução 20.2, escrevemos a aproximação do estado estacionário para [S*] considerando todos os processos de decaimento apropriados:

$$\text{Velocidade de variação de [S*]} = \overbrace{I_{abs}}^{\substack{\text{velocidade de}\\ \text{produção}\\ \text{de S*}}} - \overbrace{k_F[S^*]}^{\substack{\text{velocidade}\\ \text{de}\\ \text{decaimento}\\ \text{de S* por}\\ \text{fluorescência}}} - \overbrace{k_{CIS}[S^*]}^{\substack{\text{velocidade de}\\ \text{decaimento}\\ \text{de S* por}\\ \text{cruzamento}\\ \text{intersistema}}}$$

$$- \overbrace{k_{CI}[S^*]}^{\substack{\text{velocidade de}\\ \text{decaimento de}\\ \text{S* por conversão}\\ \text{interna}}} - \overbrace{k_Q[Q][S^*]}^{\substack{\text{velocidade}\\ \text{de decaimento}\\ \text{de S* por}\\ \text{extinção}}}$$

$$= I_{abs} - (k_F + k_{CIS} + k_{CI} + k_Q[Q])[S^*]$$

$$\underbrace{=}_{\substack{\text{aproximação do}\\ \text{estado estacionário}}} 0$$

e o rendimento quântico da fluorescência na presença do extintor é

$$\phi_F = \frac{k_F}{k_F + k_{CIS} + k_{CI} + k_Q[Q]}$$

Quando [Q] = 0, o rendimento quântico é

$$\phi_{F,0} = \frac{k_F}{k_F + k_{CIS} + k_{CI}}$$

A Eq. 20.12 segue de

$$\frac{\phi_{F,0}}{\phi_F} = \overbrace{\left(\frac{k_F}{k_F + k_{CIS} + k_{CI}}\right)}^{\phi_{F,0}} \times \overbrace{\left(\frac{k_F + k_{CIS} + k_{CI} + k_Q[Q]}{k_F}\right)}^{1/\phi_F}$$

$$\overbrace{=}^{\text{Cancelando } k_F} \frac{k_F + k_{CIS} + k_{CI} + k_Q[Q]}{k_F + k_{CIS} + k_{CI}}$$

$$= 1 + \overbrace{\frac{1}{k_F + k_{CIS} + k_{CI}}}^{\tau_0 \text{ (Eq. 20.12)}} \times k_Q[Q]$$

$$= 1 + \tau_0 k_Q[Q]$$

Como a intensidade e o tempo de vida de fluorescência são ambos proporcionais ao rendimento quântico da fluorescência (especificamente, da Eq. 20.11, $\tau = \phi_F/k_F$), os gráficos de $I_{F,0}/I_F$ e τ_0/τ (em que o subscrito 0 indica uma medição da ausência do extintor) em função de [Q] também deverão ser lineares com mesmos coeficiente angular e interseção que os apresentados para a Eq. 20.12.

Exemplo 20.1

Determinação da constante de velocidade de extinção

A molécula 2,2′-bipiridina (**4**, bpy) forma um complexo com o íon Ru^{2+}. A tris-(2,2′-bipiridila) do rutênio(II), $Ru(bpy)_3^{2+}$ (**5**), tem uma forte absorção eletrônica em 450 nm. A extinção da $Ru(bpy)_3^{2+}$ em solução ácida foi monitorada pela medição dos tempos de vida de emissão a 600 nm. Determine a constante de velocidade de extinção para essa reação a partir dos dados a seguir:

$[Fe(OH_2)_6^{3+}]/(10^{-4}\ \text{mol dm}^{-3})$	0	1,6	4,7	7	9,4
$\tau/(10^{-7}\ \text{s})$	6	4,05	3,37	2,96	2,17

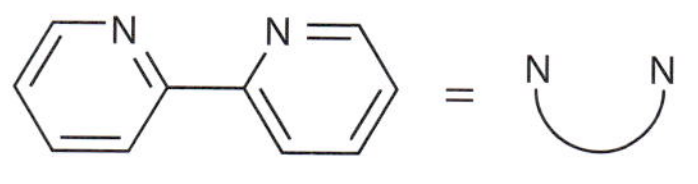

4 2,2′-Bipiridina (bpy)

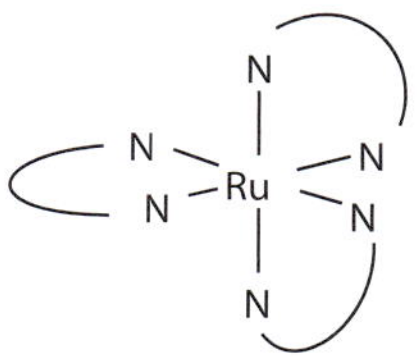

5 $[Ru(bpy)_3]^{2+}$

Estratégia Reescreva a equação de Stern-Volmer (Eq. 20.12) para usar com os dados do tempo de vida. Em seguida, ajuste uma linha reta aos dados.

Solução Como, da Eq. 20.11, $\phi_{F,0} = \tau_0 k_F$ e $\phi_F = \tau k_F$, podemos reescrever a Eq. 20.12 como

$$\frac{\phi_{F,0}}{\phi_F} = \frac{\tau_0 k_F}{\tau k_F} \overbrace{=}^{\text{Cancelando } k_F} \frac{\tau_0}{\tau} \overbrace{=}^{\text{Eq. 20.12}} 1 + \tau_0 k_Q[Q]$$

Dividindo por τ_0 dá

$$\frac{1}{\tau} = \frac{1}{\tau_0} + k_Q[Q] \qquad (20.13)$$

A Figura 20.20 mostra um gráfico de $1/\tau$ e os resultados de um ajuste à Eq. 20.13. O coeficiente angular é $2{,}8 \times 10^9$, então, $k_Q = 2{,}8 \times 10^9\ \text{dm}^3\ \text{mol}^{-1}\ \text{s}^{-1}$. Este exemplo mostra que medições de

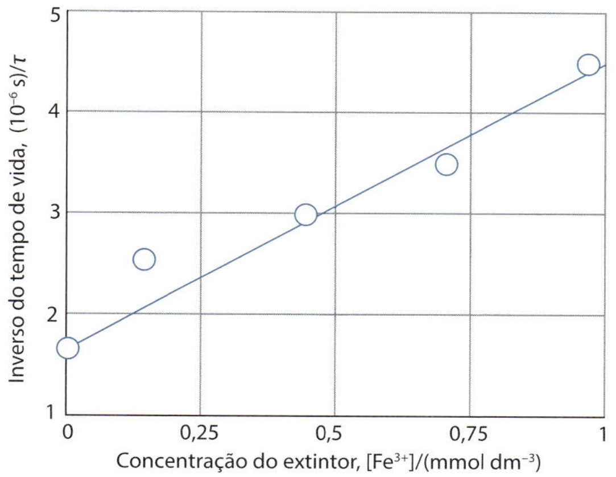

Figura 20.20 Gráfico de Stern-Volmer para os dados.

tempos de vida de emissão são preferidas porque produzem o valor de k_Q diretamente. Para determinar o valor de k_Q a partir das medições da intensidade ou do rendimento quântico, precisamos fazer uma medição independente de τ_0.

Exercício proposto 20.2

A extinção da fluorescência do triptofano pela dissolução do gás O_2 foi acompanhada medindo-se os tempos de vida de emissão a 348 nm em solução aquosa. Determine a constante de velocidade de extinção para este processo a partir dos seguintes dados:

$[O_2]/(10^{-2}$ mol dm$^{-3})$	0	2,3	5,5	8	10,8
$\tau/(10^{-9}$ s$)$	2,6	1,5	0,92	0,71	0,57

Resposta: $1,3 \times 10^{10}$ dm^3 mol^{-1} s^{-1}

Três mecanismos comuns para a extinção de um estado simpleto (ou tripleto) são:

Desativação por colisão: $S^* + Q \rightarrow S + Q$

Transferência de elétrons: $S^* + Q \rightarrow S^+ + Q^-$ ou $S^- + Q^+$

Transferência de energia ressonante: $S^* + Q \rightarrow S + Q^*$

A extinção por colisão é particularmente eficiente quando Q é uma espécie rica em elétrons, como um íon iodeto, que recebe energia de S* e decai não radiativamente para o estado fundamental.

■ Breve ilustração 20.4 Extinção por colisão

A extinção por colisão pelo íon iodeto pode ser usada para determinar a acessibilidade de resíduos de aminoácidos, em uma proteína dobrada, ao solvente. Por exemplo, a fluorescência de um resíduo de triptofano ($\lambda_{abs} \approx 290$ nm, $\lambda_{flúor} \approx 350$ nm) é extinta pelo íon iodeto quando o resíduo está na superfície de uma proteína e, portanto, acessível ao solvente. Ao contrário, resíduos no interior hidrofóbico de uma proteína não são eficientemente extintos pelo I^-.

A constante de velocidade de extinção não fornece, por si mesma, informação detalhada sobre o mecanismo de extinção, salvo a de sugerir que é controlado por difusão. Contudo, segundo a **teoria de Marcus** da transferência de elétrons, proposta por R. A. Marcus em 1965, a velocidade de transferência de elétrons (a partir do estado fundamental ou excitado) depende dos seguintes fatores:[1]

1. A distância entre o doador e o receptor, sendo a transferência tão mais eficiente quanto menor a distância entre eles.
2. A "energia de reorganização", o custo energético envolvido no rearranjo molecular do doador, do receptor e do meio reacional durante a transferência de elétrons. Prevê-se que a velocidade de transferência aumenta à medida que esta energia de reorganização é compensada pela energia de Gibbs da reação.
3. A energia de Gibbs de reação, $\Delta_r G$, sendo a transferência tão mais eficiente quanto mais exergônica for a reação, cresce até o ponto em que $-\Delta_r G$ for igual à energia de reorganização. Por exemplo, segue-se dos princípios da termodinâmica que levam à série eletroquímica (Capítulo 9) que a foto-oxidação eficiente de S requer que o potencial de redução de S* seja menor que o de Q.

A transferência de elétrons também pode ser estudada pela espectroscopia resolvida no tempo. Os produtos oxidados e reduzidos têm frequentemente espectros eletrônicos de absorção distintos daqueles dos compostos neutros dos quais se originam. Portanto, o rápido aparecimento dessas características no espectro de absorção, após a excitação por um pulso de *laser*, pode ser considerado uma indicação de extinção por transferência de elétrons.

(d) Transferência de energia ressonante

Para entender a transferência de energia ressonante observamos que, em um processo de absorção, a radiação eletromagnética incidente induz um momento de dipolo elétrico de transição em S. Quando aquele estado excitado retorna ao estado fundamental, o dipolo de transição resultante pode induzir um momento de dipolo de transição correspondente em uma molécula Q vizinha, e o faz com uma eficiência η_T, que pode ser expressa em termos dos rendimentos quânticos de fluorescência na ausência e na presença do extintor:

$$\eta_T = \frac{\phi_{F,0} - \phi_F}{\phi_{F,0}} \qquad \text{Definição} \qquad \text{Eficiência da transferência de energia ressonante} \qquad (20.14)$$

Segundo a **teoria de Förster** da transferência de energia ressonante, proposta em 1959 por T. Förster, para sistemas doador-receptor (S—Q) mantidos rigidamente por ligações covalentes ou por uma "armadura" proteica, η_T aumenta com a diminuição da distância, R, segundo a expressão:

$$\eta_T = \frac{R_0^6}{R_0^6 + R^6} \qquad \text{Eficiência da transferência de energia em termos da distância doador–receptor} \qquad (20.15)$$

em que R_0 é um parâmetro (com unidades de distância) característico de cada par doador-receptor. A Eq. 20.15 foi comprovada experimentalmente e valores de R_0 estão tabelados para vários pares doador-receptor (Tabela 20.2). Segundo a

Tabela 20.2
*Valores de R_0 para alguns pares doador-receptor**

Doador	Receptor	R_0/nm
Naftaleno	Dansila	2,2
Dansila	ODR	4,3
Pireno	Cumarina	3,9
1,5-I-AEDANS	FITC	4,9
Triptofano	1,5-I-AEDANS	2,2
Triptofano	Heme	2,9

*Abreviações: Dansila: ácido 5-dimetilamino-1-naftalenossulfônico; FITC: 5-isotiocianato de fluoresceína; ODR: octadecil-rodamina; 1,5-I-AEDANS: ácido 5-(((2-iodoacetil)amino)etil)amino)naftaleno-1-sulfônico (**6**)

[1] Para detalhes sobre a teoria de Marcus, veja o livro *Físico-Química* (2010) destes mesmos autores (LTC Editora).

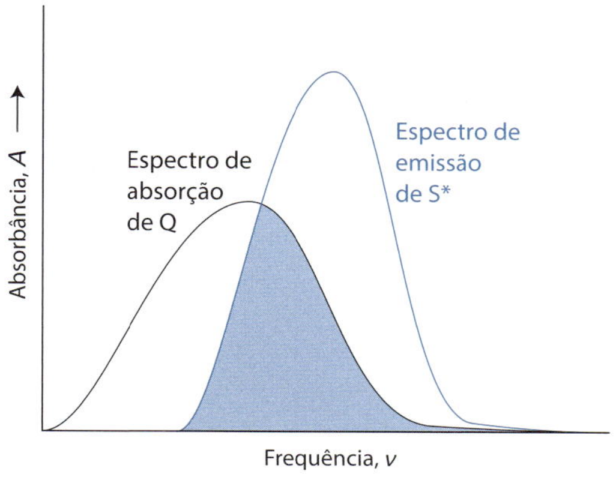

Figura 20.21 Segundo a teoria de Förster, a velocidade de transferência de energia de uma molécula S*, em um estado excitado, para uma molécula do agente de extinção Q é ótima nas frequências de radiação em que o espectro de emissão de S* sobrepõe-se ao espectro de absorção de Q, como ilustrado pela região escurecida.

teoria de Förster, para dada separação, a eficiência é máxima quando o espectro de emissão da molécula doadora se sobrepõe significativamente ao espectro de absorção do receptor. Na região de sobreposição, os fótons emitidos pelo doador podem ser absorvidos ressonantemente pelo receptor, pois as lacunas de energia das duas moléculas coincidem (Fig. 20.21).

A dependência de η_T com R forma a base da **transferência de energia ressonante por fluorescência** (sigla em inglês FRET), uma técnica que pode ser utilizada para medir distâncias em sistemas biológicos. Em um experimento típico de FRET, um sítio de um biopolímero ou membrana é marcado covalentemente com um doador de energia e outro sítio é marcado, também covalentemente, com um receptor de energia. A distância entre os marcadores é então calculada a partir do valor conhecido de R_0 e da Eq. 20.15. Vários testes mostraram que a técnica FRET é útil para medir distâncias na faixa de 1 a 9 nm.

Exemplo 20.2

Interpretação da técnica FRET

Considere um estudo da proteína rodopsina (Impacto 20.1). Quando um aminoácido na superfície da proteína rodopsina foi marcado covalentemente com o doador de energia 1,5-I-AEDANS (**6**) o rendimento quântico da fluorescência do marcador diminuiu de 0,75 para 0,68 em função da extinção pelo pigmento visual 11-*cis*-retinal (**2**). Usando o valor conhecido de R_0 = 5,4 nm para o par 1,5-I-AEDANS/11-*cis*-retinal, calcule a distância entre a superfície da proteína e o 11-*cis*-retinal.

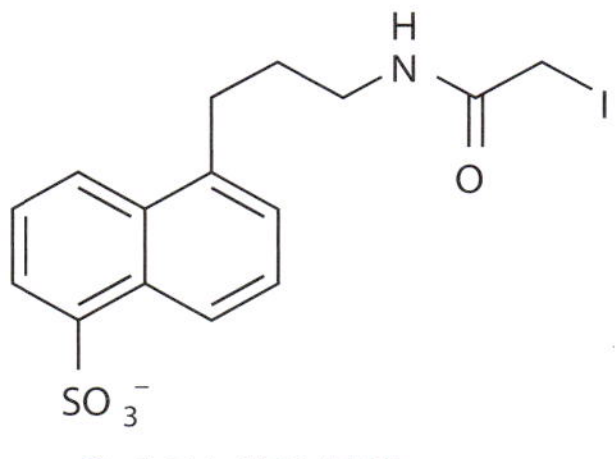

6 1,5-I-AEDANS

Estratégia Use a Eq. 20.14 para calcular η_T a partir dos rendimentos quânticos da fluorescência. Então, use a Eq. 20.15 e o valor de R_0 para calcular R, a distância entre a superfície da proteína e o 11-*cis*-retinal.

Solução Da Eq. 20.14 calculamos

$$\eta_T = \frac{0{,}75 - 0{,}68}{0{,}75} = 0{,}093$$

Antes de usar a Eq. 20.15, nós a rearranjamos:

$$\frac{1}{\eta_T} = \frac{R_0^6 + R^6}{R_0^6} = 1 + \frac{R^6}{R_0^6}$$

$$\frac{R^6}{R_0^6} = \frac{1}{\eta_T} - 1 = \frac{1-\eta_T}{\eta_T}$$

e, em seguida, resolvemos para R calculando a raiz um-sexto ($x^{1/6}$) de ambos os lados:

$$R = R_0\left(\frac{1-\eta_T}{\eta_T}\right)^{1/6}$$

Utilizando R_0 = 5,4 nm para o par 1,5-I AEDANS/11-*cis*-retinal, calculamos

$$R = \overbrace{(5{,}4\ \text{nm})}^{R_0} \times \left(\frac{1-\overbrace{0{,}093}^{\eta}}{\underbrace{0{,}093}_{\eta}}\right)^{1/6} = 7{,}9\ \text{nm}$$

Portanto, consideramos 7,9 nm como a distância entre a superfície da proteína e o 11-*cis*-retinal.

Exercício proposto 20.3

Um aminoácido na superfície de uma proteína foi marcado covalentemente com 1,5-I AEDANS e outro foi marcado covalentemente com FITC. O rendimento quântico da fluorescência do 1,5-I AEDANS diminuiu em 10 % em razão da extinção pelo FITC. Qual é a distância entre os aminoácidos?

Resposta: 7,1 nm

Impacto na bioquímica 20.2

Fotossíntese

Até 1 kW m^{-2} da radiação do Sol atinge a superfície da Terra, com a intensidade exata dependente da latitude, hora do dia e condições meteorológicas. Uma grande proporção de radiação solar com comprimentos de onda abaixo de 400 nm e acima de 1.000 nm é absorvida pelos gases atmosféricos, como o ozônio e o O_2, que absorvem radiação ultravioleta, e pelo CO_2 e H_2O, que absorvem radiação infravermelha. Como consequência, plantas, algas e algumas espécies de bactérias desenvolveram equipamentos fotossintéticos que capturam radiação no visível e no infravermelho próximo. As plantas usam radiação na faixa de comprimento de onda de 400-700 nm para impulsionar a redução endergônica de CO_2 a glicose, com a oxidação concomitante de água a O_2($\Delta_r G^{\ominus}$ = +2880 kJ mol^{-1}).

A fotossíntese das plantas ocorre no *cloroplasto*, uma organela especial da célula da planta. Elétrons fluem do redutor para o oxidante por intermédio de uma série de reações eletroquímicas que estão acopladas à síntese do ATP. No cloroplasto, as clorofilas *a* e *b* e os carotenoides (dos quais o β-caroteno é um exemplo) ligam-se a proteínas denominadas *complexos coletores de luz*, que absorvem energia solar e a transferem para complexos proteicos conhecidos como *centros de reação*, onde têm lugar reações de transferência de elétrons induzidas pela luz. A combinação de um complexo coletor de luz e um complexo de centro de reação é chamada de *fotossistema* e as plantas têm dois: o fotossistema I e o fotossistema II.

Nos fotossistemas I e II, a absorção de um fóton eleva uma molécula de clorofila ou carotenoide a um estado simpleto excitado. A energia inicial e os eventos de transferência de elétrons estão sob forte controle cinético, e a captura eficiente da luz solar provém da rápida extinção do estado simpleto excitado da clorofila por processos que ocorrem com tempos de relaxação muito menores que o tempo de vida de fluorescência, que é de cerca de 5 ns em dietil éter à temperatura ambiente. Dados de espectroscopia resolvida no tempo mostram que em 0,1–5 ps de absorção da luz por uma molécula de clorofila em um complexo coletor de luz, a energia salta até um pigmento vizinho por meio do mecanismo de Förster. Aproximadamente 100–200 ps depois, o que corresponde a milhares de saltos dentro do complexo, mais de 90 % da energia absorvida chega ao centro de reação. A absorção de energia da luz diminui o potencial de redução de dímeros especiais de moléculas de clorofila *a* conhecidos como P700 (no fotossistema I) e P680 (no fotossistema II). Em seus estados excitados, o P680 e o P700 iniciam reações de transferência de elétrons que culminam na oxidação da água a O_2 e na redução do $NADP^+$ a NADPH. As etapas iniciais de transferência de elétrons são rápidas e competem efetivamente com a fluorescência da clorofila. Por exemplo, a transferência de um elétron de um estado simpleto excitado do P680 ocorre em 3 ps. Os experimentos mostram que para cada molécula de NADPH formada no cloroplasto de plantas verdes uma molécula de ATP é sintetizada. Finalmente, as moléculas de ATP e NADPH participam do *ciclo de Calvin-Benson*, uma sequência de reações controladas por enzimas que levam à redução do CO_2 a glicose no cloroplasto.

Em resumo, a fotossíntese das plantas utiliza energia solar para transferir elétrons de um redutor fraco (água) para o dióxido de carbono. No processo, moléculas de alta energia (carboidratos, como a glicose) são sintetizadas na célula. A alimentação de carboidratos pelos animais advém da fotossíntese. O O_2 liberado pela fotossíntese como subproduto é utilizado para oxidar carboidratos a CO_2. Essa reação impulsiona processos biológicos, tais como biossíntese, contração muscular, divisão celular e condução nervosa. Portanto, a manutenção da vida na Terra depende de um ciclo oxigênio-carbono, firmemente regulado, que é impulsionado pela energia solar.

20.8 *Lasers*

A palavra *laser* é um acrônimo formado por *l*ight *a*mplification by *s*timulated *e*mission of *r*adiation. Conforme o nome sugere, trata-se de processo que depende da emissão *estimulada*, que se distingue dos processos de emissão espontânea característicos da fluorescência e fosforescência. Na **emissão estimulada**, um estado excitado é estimulado para emitir um fóton pela presença de radiação da mesma frequência e, quanto mais fótons estiverem presentes, maior será a probabilidade da emissão (para detalhes, veja a Informação adicional 20.2). Para visualizar o processo, podemos pensar nas oscilações do campo eletromagnético como distorcendo periodicamente a molécula excitada com a frequência da transição e, desse modo, estimulando a molécula a gerar um fóton da mesma frequência. O aspecto fundamental da ação de *laser* é a forte **realimentação positiva**, ou crescimento da intensidade, que resulta: quanto mais fótons presentes da frequência apropriada, mais fótons daquela frequência as moléculas excitadas serão estimuladas a formar, e assim o meio do *laser* se enche de fótons. Esses fótons podem escapar continuamente ou em pulsos.

(a) Exigências para ação de *laser*

Uma exigência para ação de *laser* é a existência de um estado excitado que tenha um tempo de vida longo para que participe da emissão estimulada. Outro requisito é a existência de uma população maior no estado de mais alta energia do que no estado de mais baixa energia, em que a transição termina. Como no equilíbrio térmico a população é maior no estado de energia mais baixa, é necessário obter uma **inversão da população** em que haja mais moléculas no estado de mais alta energia do que no de energia mais baixa.

Uma maneira de se atingir a inversão da população está ilustrada na Figura 20. 22. A inversão é obtida indiretamente por meio de um estado intermediário I. Dessa forma, a molécula é excitada para I, que então perde parte de sua energia não radiativamente (transferindo energia para as vibrações da vizinhança) indo para um estado de mais baixa energia B; a transição do *laser* é a volta de B para um estado A de energia ainda mais baixa. Como estão envolvidos quatro níveis no total, esse arranjo leva a um ***laser* de quatro níveis.** Uma vantagem desta disposição é que a inversão entre as populações dos níveis de A e de B é mais fácil de ser obtida do que quando o estado de mais baixa energia é o estado fundamental, muito populado. A transição de X para I é causada por um *flash* intenso de luz no processo denominado **bombeamento.** Em alguns casos, o *flash* do bombeamento é obtido com uma descarga elétrica no xenônio ou com a radiação de outro *laser*.

Na prática, o meio do *laser* é confinado a uma cavidade que garante que somente certos fótons de uma frequência particular, direção de propagação e estado de polarização sejam gerados abundantemente. A cavidade é, essencialmente, uma região entre dois espelhos que refletem a luz de um lado para outro. Esta disposição pode ser considerada como uma versão da partícula em uma caixa, sendo agora o fóton a partícula. Como no tratamento da partícula em uma caixa (Seção 12.7), os únicos comprimentos de onda admissíveis satisfazem a $N \times \frac{1}{2}\lambda = L$, em que N é um inteiro e L, o

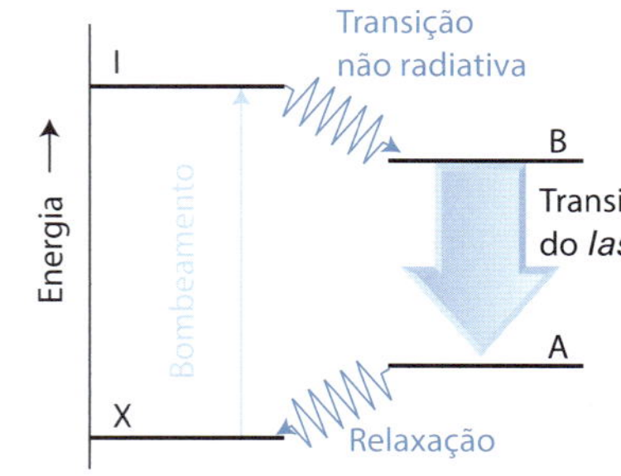

Figura 20.22 Transições envolvidas em um *laser* de quatro níveis. Como a transição do *laser* termina em um estado excitado (A), a inversão de população entre A e B é muito mais fácil de alcançar do que quando o estado inferior da transição do *laser* é o estado fundamental.

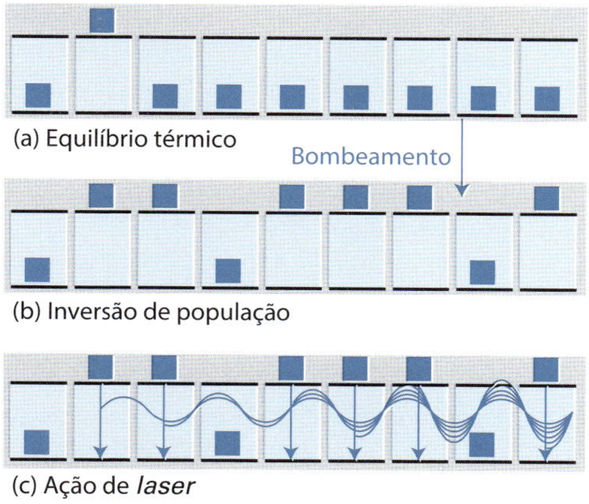

Figura 20.23 Ilustração esquemática das etapas que levam à ação de *laser*. (a) No equilíbrio térmico, mais átomos estão no estado fundamental. (b) Quando o estado inicial absorve, as populações são invertidas (os átomos são bombeados para o estado excitado). (c) Ocorre, então, uma cascata de radiação, pois um fóton emitido estimula outro átomo a emitir, e assim sucessivamente. A radiação é coerente (as fases estão em "degrau").

comprimento da cavidade. Ou seja, somente um número inteiro de meios comprimentos de onda se ajusta à cavidade; todas as demais ondas interferem umas com as outras de modo destrutivo. Além disso, nem todos os comprimentos de onda admitidos na cavidade são amplificados por meio do *laser* (muitos caem fora do intervalo de frequência da transição do *laser*), de forma que apenas uns poucos contribuem para a radiação *laser*. Esses comprimentos de onda são os **modos ressonantes** do *laser*.

Os fótons com o comprimento de onda correspondente aos modos ressonantes da cavidade e com a frequência correta para estimular a transição do *laser* são altamente amplificados. Um fóton pode ser gerado espontaneamente e se propagar no meio. Um fóton estimula a emissão de outro fóton, que por sua vez estimula outros mais (Fig. 20.23). A cascata de energia aumenta rapidamente e logo a cavidade se torna um reservatório intenso de radiação em todos os modos ressonantes que consegue sustentar. Parte dessa radiação pode escapar se um dos espelhos for parcialmente transmissor.

Os modos ressonantes da cavidade possuem várias características naturais e, em certa medida, podem ser selecionados. Somente os fótons que se deslocam em trajetórias exatamente paralelas ao eixo da cavidade sofrem mais que um par de reflexões, e somente esses fótons podem ser amplificados; todos os demais simplesmente desaparecem nas vizinhanças. Dessa forma, a luz de *laser* produz um feixe muito pouco divergente. Ela também pode ser polarizada, com o seu vetor campo elétrico em um plano específico (ou em outro estado de polarização), incluindo-se um filtro polarizador na cavidade ou usando-se transições polarizadas em um meio sólido.

(b) Exemplos de *lasers*

Um *laser de neodímio* é um exemplo de *laser* de quatro níveis (Fig. 20.24). Em uma de suas formas, consiste em íons Nd^{3+} em baixas concentrações em uma granada de alumínio e ítrio (sigla em inglês YAG, especificamente, $Y_3Al_5O_{12}$), sendo conhecido como *laser de Nd-YAG*. Este *laser* opera em vários

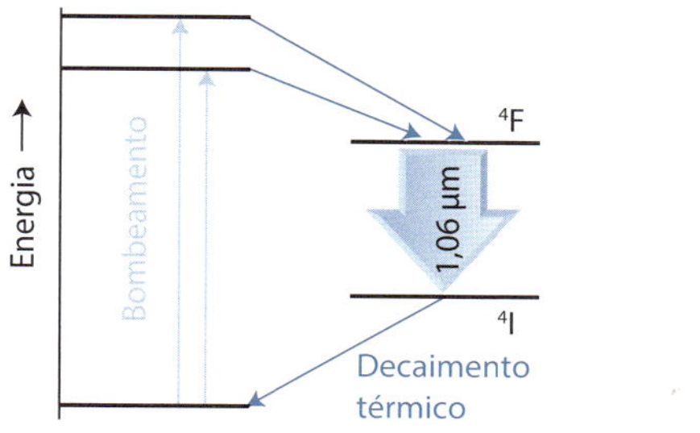

Figura 20.24 Transições envolvidas em um *laser* de neodímio. A ação de *laser* ocorre entre dois estados excitados e a inversão da população é mais fácil de ser obtida do que no *laser* de rubi.

comprimentos de onda no infravermelho, sendo mais comum uma banda a 1.064 nm. A transição a 1.064 nm é muito eficiente e o *laser* tem apreciável potência de saída. A potência é suficientemente grande para que a focalização do feixe em um material possa levar à observação de **fenômenos óticos não lineares,** que surgem por causa de variações nas propriedades óticas da substância na presença de um campo elétrico intenso oriundo da radiação eletromagnética. Um fenômeno ótico não linear útil é a **duplicação de frequência,** ou *geração de um segundo harmônico*, na qual um intenso feixe de *laser* é convertido em radiação com o dobro (e, em geral, um múltiplo) de sua frequência inicial à medida que atravessa um material adequado. A duplicação e triplicação da frequência de um *laser* de Nd-YAG produz luz verde a 532 nm e radiação ultravioleta a 355 nm, respectivamente.

Nos *lasers de diodo*, do tipo usado nos CD players e leitores de barra, a luz emitida em uma junção p–n (Seção 17.3) é sustentada removendo-se os elétrons que caem nos buracos do semicondutor do tipo p. Faz-se com que esse processo ocorra em uma cavidade formada usando-se a diferença abrupta de índice de refração entre os diferentes componentes da junção. A radiação contida na cavidade estimula a produção de mais radiação. Um material amplamente utilizado é o GaAs dopado com alumínio, que produz radiação *laser* no vermelho a 780 nm, e é muito usado em CD players. A nova geração de DVD players que utiliza radiação *laser* azul em vez da vermelha, permitindo uma maior densidade superficial de informação, usa GaN como material ativo.

Como os *lasers de gás* podem ser resfriados por um escoamento rápido do gás pela cavidade, podem ser usados para produzir potências elevadas. O *laser de dióxido de carbono*, que produz radiação entre 9,2 μm e 10,8 μm e com um máximo de emissão a 10,6 μm, no infravermelho, utiliza transições vibracionais (Fig. 20.25). A maior parte do gás de trabalho é nitrogênio, que se torna vibracionalmente excitado por colisões eletrônicas e iônicas em uma descarga elétrica. Os níveis vibracionais coincidem com a escada de níveis de estiramento assimétrico (ν_3, veja a Fig. 19.20) do CO_2, que coleta a energia durante uma colisão. A ação de *laser* então ocorre do mais baixo nível excitado de ν_3 para o mais baixo nível excitado do estiramento simétrico (ν_1), que permaneceu não populado durante as colisões. A potência de radiação pode ser tão elevada que *lasers* de dióxido de carbono podem ser usados para cortar aço para a construção de navios.

A inversão de população necessária para a ação de *laser* é obtida de forma mais sutil nos *lasers a exciplex*, pois nestes

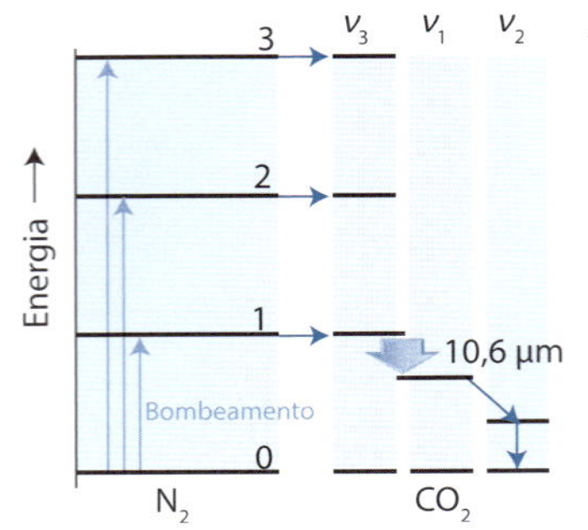

Figura 20.25 As transições envolvidas em um *laser* de dióxido de carbono. O bombeamento depende também da correspondente coincidência das separações de energia; neste caso as moléculas de N_2 vibracionalmente excitadas têm excesso de energia que corresponde a uma excitação vibracional do estiramento antissimétrico do CO_2. A transição *laser* é de $\nu_3 = 1$ para $\nu_1 = 1$.

(como vamos ver) o estado de mais baixa energia não existe efetivamente. Esta situação inusitada é obtida pela formação de um **exciplex**, uma combinação de dois átomos (ou moléculas) que sobrevive apenas em um estado excitado e que se dissocia tão logo a energia de excitação tenha sido descartada. O termo "*laser* a excímero" é também muito encontrado e usado imprecisamente quando "*laser* a exciplex" é mais adequado. Um exciplex tem a forma AB*, enquanto um excímero, um dímero excitado, tem a forma AA*. Um exemplo de um *laser* a exciplex é uma mistura de xenônio, cloro e neônio. Uma descarga elétrica na mistura produz átomos de Cl excitados que se ligam aos átomos de xenônio para formar o exciplex XeCl*. O exciplex sobrevive por cerca de 10 ns, tempo suficiente para participar da ação de *laser* a 308 nm (no ultravioleta). Assim que o XeCl* libera um fóton, os átomos se separam, pois a curva de energia potencial do estado fundamental é dissociativa e o estado fundamental do exciplex não pode ser populado (Fig. 20.26).

Os comprimentos de onda de um *laser* podem ser selecionados de várias formas. *Lasers de corante* têm amplas características espectrais, uma vez que o solvente alarga a estrutura vibracional das transições, transformando-as em bandas. Assim, é possível cobrir continuamente os comprimentos de

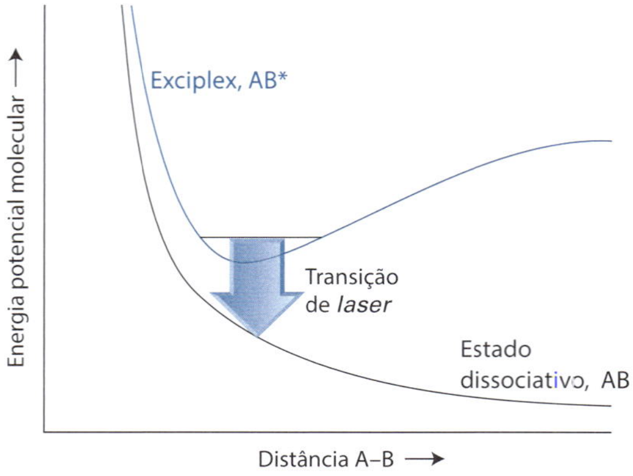

Figura 20.26 Curvas de energia potencial molecular para um exciplex. A espécie pode sobreviver apenas como um estado excitado porque, ao liberar sua energia, entra no estado de mais baixa energia, que é dissociativo. Como apenas o estado superior pode existir, nunca há qualquer população no estado inferior.

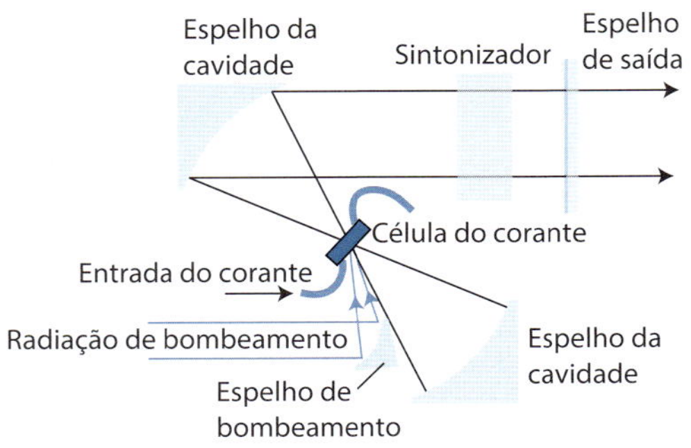

Figura 20.27 A configuração utilizada em um *laser* de corante. O corante escoa pela célula dentro da cavidade do *laser*. O escoamento ajuda a mantê-lo frio e evitar sua degradação.

onda girando-se a rede de difração na cavidade e conseguir a ação de *laser* em qualquer comprimento de onda escolhido. Como o ganho é muito elevado, apenas uma pequena extensão do percurso ótico precisa passar pelo corante. Os estados excitados do meio ativo, o corante, são mantidos por outro *laser* ou uma lâmpada de *flash*, e a solução do corante escoa pela cavidade do *laser* para evitar degradação térmica (Fig. 20.27). Soluções mais modernas são usar *lasers* sintonizáveis de Ti:safira (para comprimentos de onda na faixa de 650–1.100 nm) ou de luz branca.

(c) Aplicações de *lasers* em química

A radiação *laser* tem uma série de vantagens para aplicações em química. Uma dessas vantagens é seu caráter altamente monocromático, que possibilita fazer observações espectroscópicas muito precisas. Outra vantagem é a capacidade da radiação *laser* ser produzida em pulsos muito curtos (atualmente, tão rápidos quanto 1 fs): como resultado, eventos químicos muito rápidos, como transferências individuais de átomos durante uma reação química, podem ser acompanhados (veja a Seção 10.1). Radiação *laser* intensa também reduz o tempo necessário para observações espectroscópicas. A espectroscopia Raman (Capítulo 19) foi revitalizada pela introdução de *lasers*, pois o feixe intenso aumenta a intensidade da radiação espalhada; assim, a utilização de fontes de *laser* aumenta a sensibilidade da espectroscopia Raman. Um feixe bem definido também implica que o detetor pode ser projetado para receber apenas a radiação que passou pela amostra, e pode ser protegido com muita eficiência contra a radiação parasita que pode obscurecer o sinal Raman. A luz *laser* também pode ser liberada por intermédio de fibras óticas para ser usada em sistemas transportáveis e focalizada em diâmetros tão pequenos que a *microscopia Raman* pode ser usada para estudar partículas submicrométricas. A monocromaticidade da radiação *laser* é também uma grande vantagem, pois torna possível a observação da luz espalhada que difere em apenas frações de centímetros recíprocos da radiação incidente. Essa alta resolução é particularmente útil na observação da estrutura rotacional das linhas Raman, pois as transições rotacionais são da ordem de alguns centímetros recíprocos.

O grande número de fótons em um feixe incidente gerado por um *laser* dá origem a uma vertente qualitativamente diferente da espectroscopia, pois a densidade de fótons é tão grande que mais de um fóton pode ser absorvido por uma única molécula, resultando em **processos de multifótons**. Como as regras de seleção para processos de multifótons são diferentes, estados inacessíveis pela espectroscopia de um fóton convencional se tornam observáveis.

O caráter monocromático da radiação *laser* nos permite excitar estados específicos com precisão muito alta. Uma consequência da especificidade de estado é que a iluminação de uma amostra pode ser eficiente em estimular uma reação fotoquímica, pois sua frequência pode ser sintonizada exatamente para uma absorção. A excitação específica de um estado excitado particular de uma molécula pode aumentar significativamente a velocidade de uma reação, mesmo a baixas temperaturas. Como vimos no Capítulo 10, a velocidade de uma reação aumenta com o aumento da temperatura, pois as energias dos vários modos de movimento de uma molécula são intensificadas. Entretanto, esta intensificação na energia ocorre em todos os modos, mesmo naqueles que não contribuem apreciavelmente para a velocidade da reação. Com um *laser* podemos excitar o modo cineticamente significativo, obtendo um aumento na velocidade da forma mais efetiva possível. Um exemplo é a reação

$$BCl_3 + C_6H_6 \rightarrow C_6H_5{-}BCl_2 + HCl$$

que normalmente ocorre apenas acima de 600 °C na presença de um catalisador; a exposição à radiação de 10,6 μm de um *laser* de CO_2 leva à formação dos produtos à temperatura ambiente sem o catalisador. O potencial comercial desse procedimento é considerável, desde que os fótons de *laser* possam ser produzidos economicamente, pois compostos sensíveis ao calor, como os fármacos, podem eventualmente ser obtidos em temperaturas mais baixas que em reações convencionais.

A separação isotópica por intermédio de *laser* é possível porque dois isotopômeros (espécies que diferem apenas em sua composição isotópica) têm níveis de energia levemente diferentes e, consequentemente, frequências de absorção levemente diferentes. São necessários, pelo menos, dois processos de absorção. Na primeira etapa, um fóton excita um átomo a um estado de mais alta energia; na segunda etapa, um fóton leva à fotoionização a partir daquele estado (Fig. 20.28). A separação de energia entre os dois estados envolvidos na primeira etapa depende da massa do núcleo. Portanto, se a radiação *laser* for sintonizada na frequência apropriada, apenas um dos isotopômeros sofrerá excitação e estará disponível para a fotoionização na segunda etapa. Um exemplo deste procedimento é a fotoionização do vapor de urânio, em que o *laser*

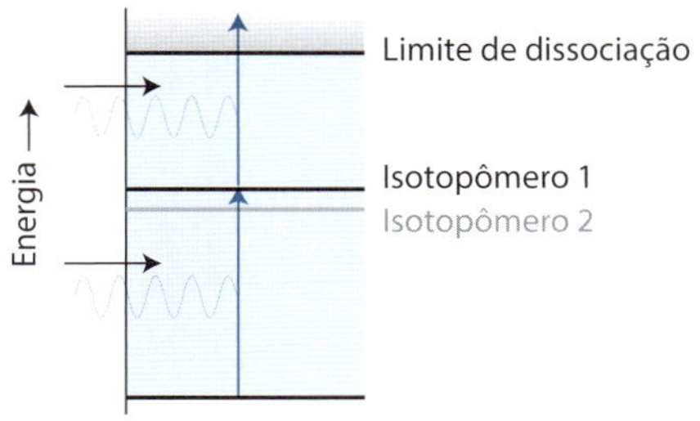

Figura 20.28 Em um método de separação isotópica, um fóton excita um isotopômero a um estado excitado, e então um segundo fóton leva à fotoionização. O sucesso da primeira etapa depende da massa do núcleo.

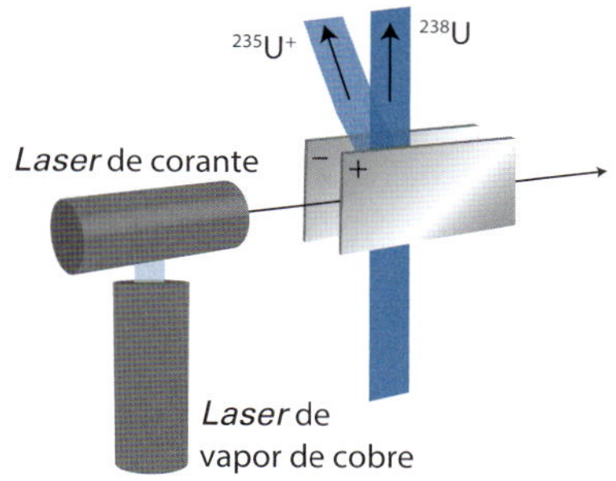

Figura 20.29 Um arranjo experimental para a separação isotópica. O *laser* de corante, que é bombeado por um *laser* de vapor de cobre, fotoioniza seletivamente os átomos de U conforme sua massa, e os íons são defletidos pelo campo elétrico aplicado às placas.

incidente é sintonizado para excitar ^{235}U, mas não ^{238}U. Os átomos de ^{235}U no feixe atômico são ionizados em um processo de duas etapas, sendo então atraídos para um eletrodo negativamente carregado e podendo ser coletados (Fig. 20.29).

A capacidade dos *lasers* de produzir pulsos de duração muito curta é particularmente útil em química quando queremos acompanhar processos ao longo do tempo. Na **espectroscopia resolvida no tempo**, pulsos de *laser* são usados para obter o espectro de absorção, emissão ou Raman de reagentes, intermediários, produtos e até mesmo estados de transição. *Lasers* que produzem pulsos de nanossegundos são geralmente adequados para a observação de reações com velocidades controladas pela velocidade com que os reagentes podem se movimentar em um meio fluido. No entanto, são necessários pulsos de *laser* de femtossegundos ou picossegundos para estudar transferências de energia, rotações moleculares, vibrações e conversões de um modo de movimento a outro. O arranjo mostrado na Figura 20.30 é frequentemente utilizado para o estudo de reações ultrarrápidas que podem ser iniciadas pela luz. Um pulso intenso, porém rápido, de *laser*, o *bombeamento*, promove a molécula A a um estado eletronicamente excitado A* que pode emitir um fóton (como fluorescência ou fosforescência) ou reagir com outra espécie B para produzir C. As velocidades de aparecimento e desapare-

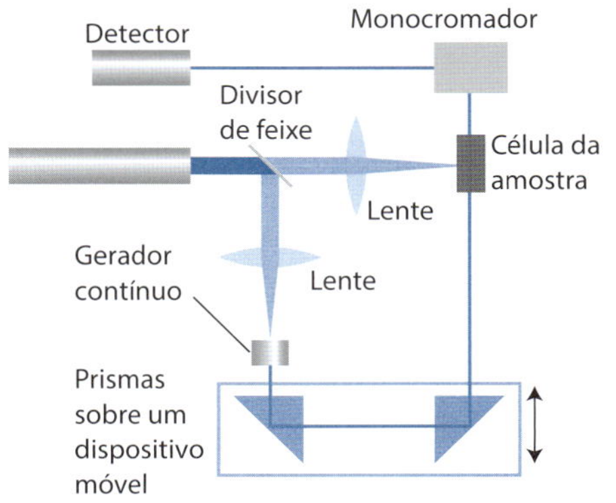

Figura 20.30 Um arranjo utilizado para a espectroscopia de absorção resolvida no tempo, no qual o mesmo *laser* pulsado é usado para gerar um pulso de bombeamento monocromático e, após a geração contínua em um líquido adequado, um pulso de prova de luz "branca". O tempo de retardo entre o bombeamento e os pulsos de prova pode ser alterado.

cimento das várias espécies são determinadas observando-se as variações, dependentes do tempo, do espectro de absorção da amostra no decorrer da reação. Esta observação é feita passando-se um pulso fraco de luz branca, a *ponta de prova*, pela amostra em tempos diferentes após o pulso de *laser*. Luz "branca" pulsada pode ser obtida diretamente do pulso de *laser* pelo fenômeno ótico não linear de *geração do continuum*, no qual a focalização de um pulso de *laser* ultrarrápido sobre um recipiente contendo um líquido como a água ou tetracloreto de carbono leva a um feixe de saída com uma larga distribuição de frequências. Pode-se introduzir um tempo de retardo entre o pulso de *laser* intenso e o pulso de luz "branca" permitindo que um dos feixes se desloque mais antes de alcançar a amostra. Por exemplo, uma diferença na distância de deslocamento de Δd = 3 mm corresponde a um tempo de retardo de $\Delta t = \Delta d/c \approx 10$ pm entre os dois feixes, em que c é a velocidade da luz.

Espectroscopia de fotoelétrons

A exposição de uma molécula à radiação de alta frequência pode resultar na ejeção de um elétron. Essa **fotoejeção** é a base de outro tipo de espectroscopia na qual monitoramos as energias dos fotoelétrons ejetados. Se a radiação incidente tem frequência ν, o fóton causador da fotoejeção tem energia $h\nu$. Se a energia de ionização da molécula é I, a diferença em energia, $h\nu - I$, é transportada na forma de energia cinética. Como a energia cinética de um elétron de velocidade v é $^1/_2 m_e v^2$, podemos escrever

$$h\nu = I + \tfrac{1}{2}m_e v^2 \qquad (20.16)$$

Portanto, pelo monitoramento da velocidade do fotoelétron, e conhecendo a frequência da radiação incidente, podemos determinar a energia de ionização da molécula e, assim, a intensidade com a qual o elétron estava ligado (Fig. 20.31). Neste contexto, a "energia de ionização" da molécula possui diferentes valores dependendo do orbital que o fotoelétron ocupava; quanto mais lento o elétron ejetado, mais baixa é a energia do orbital do qual foi ejetado. A aparelhagem é uma

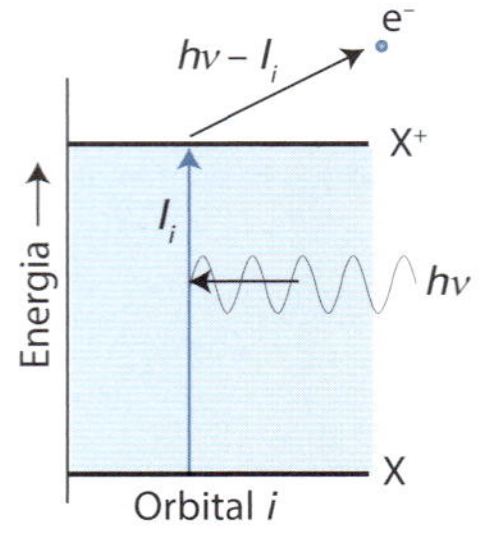

Figura 20.31 Princípio básico da espectroscopia de fotoelétrons. Um fóton incidente, de energia conhecida, colide com um elétron em um dos orbitais e o ejeta com uma energia cinética que é igual à diferença entre a energia fornecida pelo fóton e a energia de ionização do orbital ocupado. Um elétron vindo de um orbital com baixa energia de ionização emergirá com uma energia cinética alta (e alta velocidade), ao passo que um elétron proveniente de um orbital com uma energia de ionização alta será ejetado com uma energia cinética baixa (e baixa velocidade).

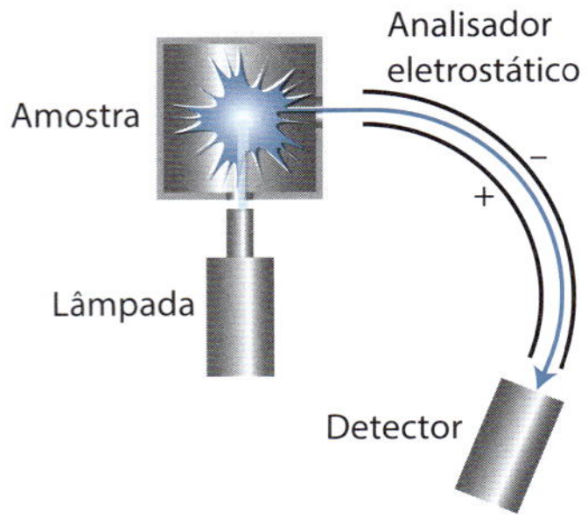

Figura 20.32 Um espectrômetro de fotoelétrons consiste em uma fonte de radiação de ionização (como uma lâmpada de descarga de hélio para espectroscopia de fotoelétrons no ultravioleta, UPS, e uma fonte de raios X para espectroscopia de fotoelétrons em raios X, XPS), um analisador eletrostático, e um detector de elétrons. A deflexão das trajetórias dos elétrons causada pelo analisador depende da velocidade dos elétrons.

modificação de um espectrômetro de massa (Fig. 20.32), em que é medida a velocidade dos fotoelétrons pela determinação da resistência do campo elétrico necessário para curvar suas trajetórias para o detector.

A Figura 20.33 mostra um espectro de fotoelétrons típico (do HBr). Se desprezarmos a estrutura fina, vemos que as linhas de HBr caem em dois grupos principais. Os elétrons menos firmemente ligados (com as energias de ionização mais baixas e, portanto, energias cinéticas muito altas quando da ejeção) são aqueles nos pares isolados do átomo de Br. A energia de ionização seguinte localiza-se em 15,2 eV, correspondendo à remoção de um elétron da ligação σ H—Br.

A estrutura fina do espectro do HBr mostra que a ejeção de um elétron σ é acompanhada de uma quantidade considerável de excitação vibracional. O princípio de Franck-Condon explica este fato se a ejeção for acompanhada de uma variação apreciável na distância de equilíbrio entre o HBr e o HBr^+: se isto ocorre, o íon é formado em um estado no qual a ligação é comprimida, o que é consistente com o efeito importante de ligação observado para elétrons σ. A pouca estrutura vibracional na outra banda é consistente com o caráter não

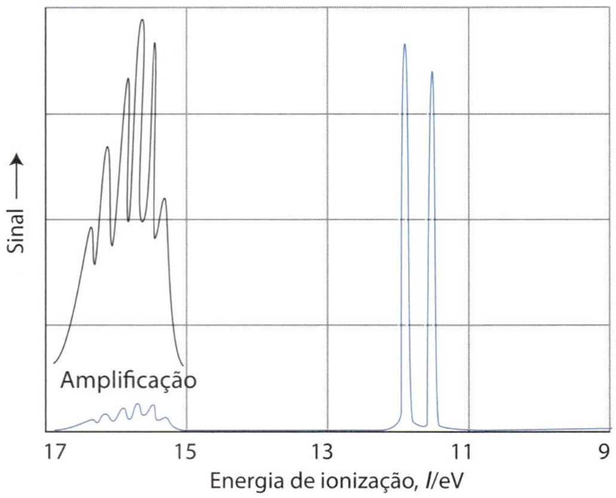

Figura 20.33 Espectro de fotoelétrons do HBr. A banda de energia de ionização mais baixa corresponde à ionização de um elétron do par isolado do Br. A banda superior de energia de ionização corresponde à ionização de um elétron ligante. A estrutura na última deve-se à excitação vibracional do HBr^+ que resulta da ionização.

ligante dos elétrons nos pares isolados $Br4p_x$ e $Br4p_y$, o que faz com que a distância de equilíbrio da ligação varie pouco com a remoção de um elétron.

■ **Breve ilustração 20.5** O Espectro de fotoelétrons da H2O

Os elétrons de mais alta energia cinética no espectro da H_2O utilizando radiação de He de 21,22 eV estão em cerca de 9 eV e mostram um grande espaçamento vibracional de 0,41 eV (1 eV = 8065,5 cm^{-1}). Como 0,41 eV corresponde a $3{,}3 \times 10^3$ cm^{-1}, que é semelhante ao número de onda do modo de estiramento simétrico da molécula de H_2O neutra (3652 cm^{-1}), podemos suspeitar de que o elétron é ejetado de um orbital com pouca influência na ligação da molécula. Ou seja, a fotoejeção vem de um orbital não ligante.

Exercício proposto 20.4

No mesmo espectro da H_2O, a banda próxima de 7,0 eV mostra uma longa série vibracional com espaçamento de 0,125 eV. O modo de deformação angular da H_2O localiza-se em 1596 cm^{-1}. Que conclusões podem ser tiradas a respeito das características do orbital ocupado pelo fotoelétron?

Resposta: O elétron contribui para a ligação HH de longa distância pela molécula.

Informação adicional 20.1

A lei de Beer-Lambert

A lei de Beer-Lambert é um resultado empírico. No entanto, sua forma é simples de ser explicada. Pensamos na amostra como consistindo em uma pilha de camadas infinitesimais, como pão fatiado (Fig. 20.34). A espessura de cada camada é dx. A variação da intensidade, dI, que ocorre quando a radiação eletromagnética atravessa uma camada particular é proporcional à espessura da camada, à concentração do absorvedor, J, e à intensidade da radiação incidente naquela camada da amostra, então $\mathrm{d}I \propto [\mathrm{J}] I\mathrm{d}x$. Como d$I$ é negativa (a intensidade é reduzida pela absorção), podemos escrever

$$\mathrm{d}I = -\kappa[\mathrm{J}]I\mathrm{d}x$$

em que κ (capa) é o coeficiente de proporcionalidade. A divisão por I nos dá

$$\frac{\mathrm{d}I}{I} = -\kappa[\mathrm{J}]\mathrm{d}x$$

Esta expressão aplica-se a cada camada sucessiva. Para obter a intensidade, I, que emerge de uma amostra de espessura L quando a intensidade incidente em uma face é I_0, somamos todas as alterações sucessivas. Como a soma sobre incrementos infinitesimalmente pequenos é uma integral, escrevemos:

$$\overbrace{\int_{I_0}^{I} \frac{\mathrm{d}I}{I}}^{\ln(I/I_0)} = -\kappa\int_0^L [\mathrm{J}]\mathrm{d}x \overbrace{=}^{[\mathrm{J}]\text{uniforme}} -\kappa[\mathrm{J}]\overbrace{\int_0^L \mathrm{d}x}^{L}$$

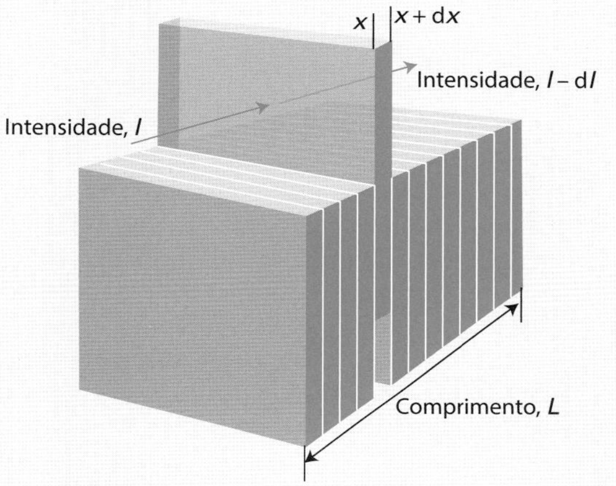

Figura 20.34 Para estabelecer a lei de Beer-Lambert, supõe-se que a amostra seja fatiada em um grande número de planos. A redução da intensidade causada por um plano é proporcional à intensidade incidente neste plano (após atravessar os planos precedentes), à espessura do plano e à concentração da espécie absorvente.

Portanto,

$$\ln\frac{I}{I_0} = -\kappa[\mathrm{J}]L$$

Como a relação entre logaritmos naturais e comuns é $\ln x = (\ln 10)\log x$, podemos escrever $\varepsilon = \kappa/\ln 10$ e obtemos

$$\log\frac{I}{I_0} = -\varepsilon[\mathrm{J}]L$$

que, na substituindo $A = \log(I_0/I) = -\log(I/I_0)$, é a lei de Beer-Lambert (Eq. 20.4).

Informação adicional 20.2

Probabilidades de transição de Einstein

A intensidade de uma linha de absorção está relacionada com a velocidade com que a energia da radiação eletromagnética em uma frequência especificada é absorvida por uma molécula. Einstein identificou três contribuições para as velocidades das transições entre estados. A **absorção estimulada** é a transição de um estado de energia baixa para outro de energia mais alta, impulsionada por um campo eletromagnético oscilante na frequência da transição. Ele admitiu que quanto mais intenso o campo eletromagnético (mais intensa for a radiação incidente), maior a velocidade com que as transições são induzidas e, portanto, mais forte a absorção pela amostra; assim, Einstein escreveu a velocidade de absorção estimulada como

$$\text{Velocidade de absorção estimulada} = NB\rho$$

em que N é o número de moléculas no estado inferior, a constante B é o **coeficiente de absorção estimulada de Einstein,** e $\rho\Delta\nu$ é a densidade de energia da radiação no intervalo de frequência entre ν e $\nu + \Delta\nu$ em uma região do campo eletromagnético dividida pelo volume da região, sendo ν a frequência da transição. Daqui por diante, podemos imaginar B como um parâmetro empírico que caracteriza a transição: se B for grande, então dada intensidade da radiação incidente induzirá muitas transições e a amostra será fortemente absorvedora.

Einstein também admitiu que a radiação pode induzir a transição da molécula do estado de energia alta para o estado de energia mais baixa, gerando um fóton de frequência ν. Então, escreveu a velocidade desta **emissão estimulada** como

$$\text{Velocidade de emissão estimulada} = N'B'\rho$$

em que N' é o número de moléculas no estado excitado e B' é o **coeficiente de emissão estimulada de Einstein.** Observe que somente radiação com a mesma frequência da transição pode estimular a queda do estado excitado para o de energia mais baixa. Contudo, Einstein percebeu que a emissão estimulada não era a única forma pela qual um estado excitado poderia gerar radiação ao retornar ao estado com menor energia; sugeriu então que o estado com maior energia pudesse sofrer **emissão espontânea,** com uma velocidade independente da intensidade da radiação (de qualquer frequência) presente na amostra. Portanto, Einstein escreveu que a velocidade total da transição do estado mais alto para o mais baixo era

$$\text{Velocidade de emissão global} = N'(A + B'\rho)$$

A constante A é o **coeficiente de emissão espontânea de Einstein.** Pode-se mostrar que o coeficiente de absorção estimulada e o de emissão estimulada são iguais, e que o coeficiente de emissão espontânea está aos mesmos relacionado por[2]

$$A = \left(\frac{8\pi h\nu^3}{c^3}\right)B$$

A igualdade entre os coeficientes de emissão e de absorção estimuladas implica, se as populações dos dois estados forem iguais, a velocidade de emissão estimulada será igual à da absorção estimulada e não haverá, liquidamente, absorção. A queda no valor de A com a diminuição da frequência implica que a emissão espontânea pode ser em grande parte ignorada nas frequências relativamente baixas das transições rotacionais e vibracionais, e as intensidades dessas transições podem ser investigadas em termos da emissão e da absorção estimuladas. Logo, a velocidade liquida de absorção é dada por

$$\text{Velocidade líquida de absorção} = NB\rho - N'B'\rho = (N - N')B\rho$$

e é proporcional à diferença entre as populações dos dois estados envolvidos na transição. Vimos em Fundamentos 0.11 que a razão entre as populações de estados com energias E e E' é dada por

$$\frac{N'}{N} = e^{-\Delta E/kT} \qquad \Delta E = E' - E$$

Segue-se que, para uma diferença de energia constante ΔE, a diferença de população $(N - N')$ e a intensidade da absorção aumentam com a diminuição da temperatura. Também, para uma temperatura específica, a diferença de população e a intensidade da absorção aumentam com o aumento da separação de energia entre os estados.

---

[2] Para uma dedução, veja o livro *Físico Química* (2010) destes mesmos autores (LTC Editora).

Verificação de conceitos importantes

- ☐ **1** A variação da intensidade de absorção com o comprimento do percurso é expressa pela lei de Beer-Lambert.
- ☐ **2** Um ponto isosbéstico corresponde a um comprimento de onda no qual a absorbância total de uma mistura binária é a mesma para todas as composições.
- ☐ **3** O princípio de Franck-Condon estabelece que, como os núcleos são muito mais pesados que os elétrons, uma transição eletrônica ocorre mais rapidamente do que os núcleos conseguem responder.
- ☐ **4** Um cromóforo é um grupo com absorção ótica característica: incluem complexos de metais d, o grupo carbonila e a ligação dupla carbono-carbono.
- ☐ **5** Na fluorescência, a radiação emitida espontaneamente cessa quase imediatamente (em nanossegundos) após a extinção da radiação de excitação.
- ☐ **6** Na fosforescência, a emissão espontânea pode persistir por longos períodos; o processo envolve o cruzamento intersistema para um estado tripleto.
- ☐ **7** Um gráfico de Stern-Volmer é usado para analisar a cinética da extinção da fluorescência em solução.
- ☐ **8** Desativação por colisão, transferência de elétrons e transferência de energia ressonante são processos comuns de extinção da fluorescência. As constantes de velocidade para a transferência de elétrons e de energia ressonante diminuem com o aumento da separação entre a molécula doadora e a receptora.
- ☐ **9** A ação de *laser* depende de se atingir a inversão de população e da emissão estimulada de radiação.
- ☐ **10** Aplicações de *laser* em química incluem a espectroscopia Raman, a espectroscopia resolvida no tempo e o estudo de processos de multifótons e de estados específicos.
- ☐ **11** A espectroscopia de fotoelétron é baseada na fotoejeção de um elétron pela radiação ultravioleta ou raios X.

Mapa conceitual das equações importantes

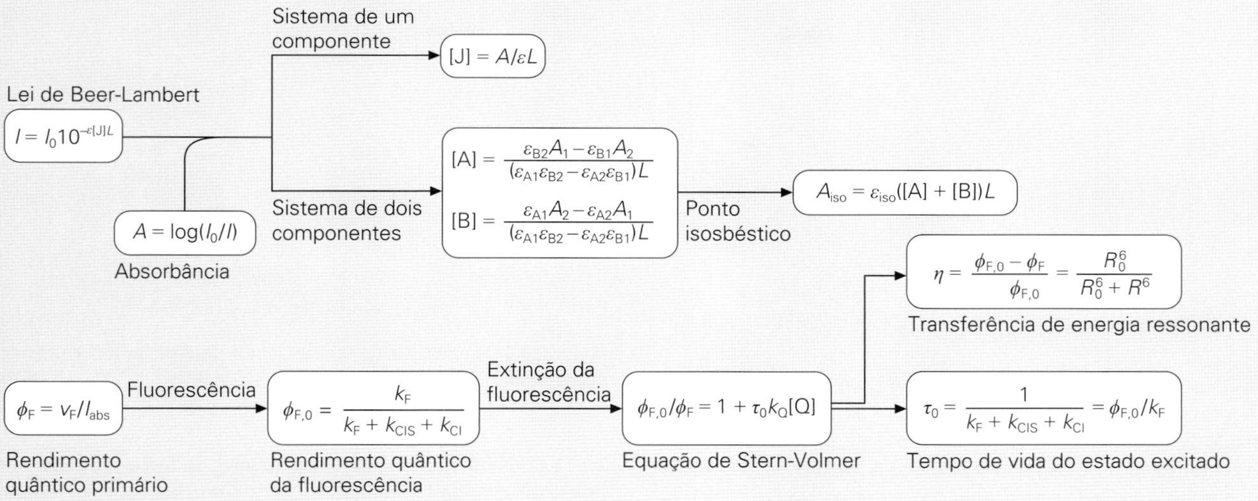

Questões e exercícios

Questões teóricas

20.1 Justifique a forma da lei de Beer-Lambert. Por que podem ser observados desvios dessa lei?

20.2 Explique a origem do princípio de Franck-Condon e como esse princípio conduz à aparência da estrutura vibracional em uma transição.

20.3 Explique como a cor pode surgir a partir das moléculas.

20.4 Descreva os mecanismos da fluorescência e da fosforescência. Como você poderia testar os mecanismos propostos?

20.5 Descreva os princípios da ação de *laser* e as características da radiação *laser* que são aplicadas à química. Discuta, então, duas aplicações de *lasers* em química.

20.6 Por que o estudo da fluorescência é importante em biologia?

Exercícios

20.1 Uma solução aquosa de um derivado trifosfato de massa molar 502 g mol^{-1} foi preparada pela dissolução de 17,2 mg em 500 cm^3 de água, e uma amostra foi transferida para uma célula de 1,00 cm de comprimento. A absorbância foi medida como 1,011. (a) Calcule o coeficiente de absorção molar. (b) Calcule a transmitância, expressa em percentual, para uma solução de duas vezes a concentração.

20.2 Radiação de 268 nm passou por 1,5 mm de uma solução contendo benzeno em um solvente transparente a uma concentração de 0,080 mol dm^{-3}. A intensidade da luz é reduzida a 22 % de seu valor inicial (logo $T = 0{,}22$). Calcule a absorbância e o coeficiente de absorção molar do benzeno. Qual seria a transmitância em uma célula de 3,0 mm de comprimento?

20.3 Um *colorímetro de Dubosq* consiste em uma célula de comprimento fixo de trajetória e uma de trajetória variável. Ajustando-se o comprimento desta última até que a transmissão pelas duas células seja a mesma, a concentração da segunda solução pode ser inferida da concentração da primeira. Suponha que um corante vegetal de concentração 25 μg dm^{-3} é adicionado à célula fixa, cujo comprimento é 1,55 cm. Então uma solução do mesmo corante, mas de concentração desconhecida, é adicionada à segunda célula. Observa-se que a mesma transmitância é obtida quando o comprimento da segunda célula é ajustado em 1,18 cm. Qual é a concentração da segunda solução?

20.4 Os coeficientes de absorção molar de duas substâncias A e B em dois comprimentos de onda (representados por 1 e 2) são os que se seguem: $\varepsilon_{A1} = 10{,}0\ dm^3\ mol^{-1}\ cm^{-1}$, $\varepsilon_{B1} = 15{,}0\ dm^3\ mol^{-1}\ cm^{-1}$, $\varepsilon_{A2} = 18{,}0\ dm^3\ mol^{-1}\ cm^{-1}$, $\varepsilon_{B2} = 12{,}0\ dm^3\ mol^{-1}\ cm^{-1}$. As absorbâncias totais de uma solução nesses comprimentos de onda em uma célula de 2,0 mm de comprimento são 1,6 e 2,4, respectivamente. Quais são as concentrações molares de A e B na solução?

20.5 A Figura 20.35 mostra o espectro de absorção no UV-visível de um derivado de hemeritrina (Her) na presença de diferentes concentrações de íons CNS^-. O que pode ser inferido do espectro?

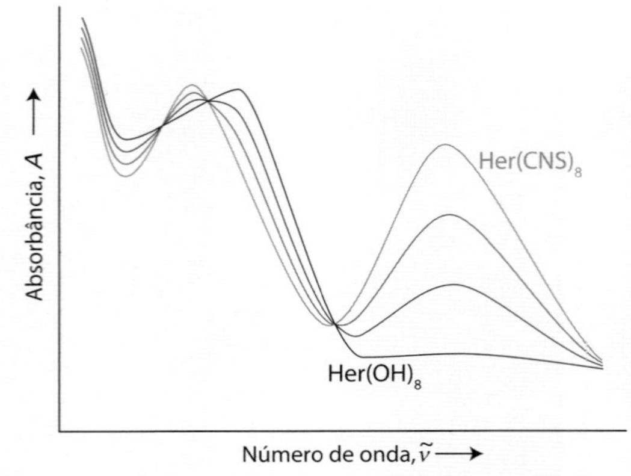

Figura 20.35 Espectro da hemeritrina na presença de íons tiocianato.

20.6 Imagine que você é um químico de cores e que lhe pedem para intensificar a cor de um corante sem alterar o tipo de composto, e que o corante em questão é um polieno. Você escolheria alongar ou encurtar a cadeia do polieno? A modificação do comprimento deslocaria a cor aparente do corante para o vermelho ou para o azul?

20.7 O composto $CH_3CH{=}CHCHO$ possui uma forte absorção no ultravioleta em 46.950 cm^{-1} e uma absorção fraca em 30.000 cm^{-1}. Justifique esses aspectos em termos da estrutura do composto.

20.8 A Figura 20.36 mostra o espectro de absorção no UV-visível de uma seleção de aminoácidos. Sugira razões para suas aparências diferentes em termos das estruturas das moléculas.

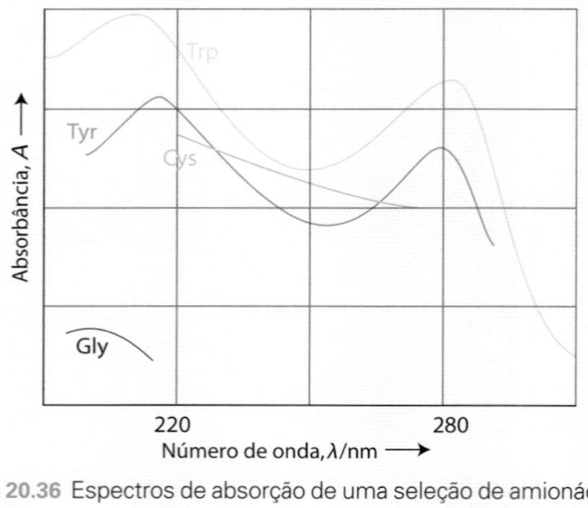

Figura 20.36 Espectros de absorção de uma seleção de amionácidos.

20.9 O espectro de fluorescência do vapor de antraceno exibe uma série de picos de intensidade crescente com os máximos a 440 nm, 410 nm, 390 nm e 370 nm, seguidos por nítido corte nos comprimentos de onda menores. O espectro de absorção eleva-se rapidamente a partir do zero até um máximo a 360 nm, com uma sequência de picos de intensidade decrescente a 345 nm, 330 nm e 305 nm. Explique estas observações.

20.10 A curva identificada por A na Figura 20.37 é o espectro de fluorescência da benzofenona em solução sólida em etanol a baixas temperaturas, observado quando a amostra está iluminada com luz de 360 nm. Quando se ilumina o naftaleno com luz de 360 nm não há absorção, porém, a curva identificada por B na ilustração é o espectro de fosforescência de uma solução sólida de uma mistura de naftaleno e benzofenona em etanol. Pode-se perceber agora uma componente da fluorescência do naftaleno. Explique esta observação.

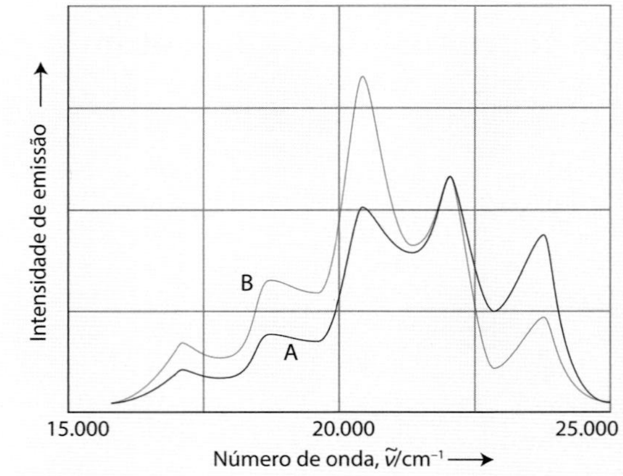

Figura 20.37 Espectros de fluorescência do naftaleno mencionados no Exercício 20.10.

20.11 Considere uma reação fotoquímica unimolecular com constante de velocidade $k_r = 1{,}7 \times 10^4\ s^{-1}$ e que envolve um reagente com um tempo de vida de fluorescência observado de 1,0 ns e um tempo de vida de fosforescência observado de 1,0 ms. O precursor da reação fotoquímica é mais provavelmente o estado simpleto ou o estado tripleto?

20.12 Quando a benzofenona é iluminada com radiação ultravioleta, é excitada para um estado simpleto. Este estado passa rapidamente para um tripleto, que fosforesce. A trietilamina atua como extintor de fosforescência do tripleto. Em um experimento em metanol como solvente, a intensidade da fosforescência variou com a concentração da amina conforme a tabela seguinte. Um experimento de espectroscopia resolvida no tempo mostrou que a meia-vida da fluorescência, na ausência de extintor, é de 29 μs. Qual o valor de k_Q?

[Q]/(mol dm^{-3})	0,0010	0,0050	0,0100
I_f/(unidades arbitrárias)	0,41	0,25	0,16

20.13 A extinção da fluorescência do triptofano pela dissolução do gás O_2 foi acompanhada medindo-se os tempos de vida de emissão a 348 nm em solução aquosa. Determine a constante de velocidade de extinção para este processo a partir dos seguintes dados:

$[(O)_2]/(10^{-2}$ mol dm$^{-3})$	0	2,3	5,5	8	10,8
τ/ns	2,6	1,5	0,92	0,71	0,57

20.14 A fluorescência de uma solução de um pigmento vegetal iluminada por radiação de 330 nm foi estudada na presença de um extintor, com os seguintes resultados:

[Q]/(mmol dm^{-3})	1,0	2,0	3,0	4,0	5,0
I_f/I_{abs}	0,31	0,18	0,13	0,10	0,081

Em uma segunda série de experimentos, a radiação incidente foi extinta e foi observado o tempo de vida do decaimento da fluorescência:

[Q]/(mmol dm^{-3})	1,0	2,0	3,0	4,0	5,0
τ/ns	76	45	32	25	20

Determine a constante de velocidade da extinção e a meia-vida da fluorescência.

20.15 O tempo de vida de fluorescência na ausência de um extintor é 1,4 ns, e na presença do extintor é 0,8 ns. Calcule a eficiência da extinção, que é a razão entre os rendimentos quânticos na presença e na ausência do extintor, $\phi_F/\phi_{F,0}$.

20.16 Os seguintes dados se referem a uma família de compostos com a composição geral A–B_n–C em que a distância R entre A e C foi alterada pelo aumento do número de unidades de B na cadeia:

R/nm	1,2	1,5	1,8	2,8	3,1	3,4	3,7	4,0	4,3	4,6
η_T	0,99	0,94	0,97	0,82	0,74	0,65	0,40	0,28	0,24	0,16

Esses dados são adequadamente descritos pela teoria de Förster (Eq. 20.15)? Em caso positivo, qual é o valor de R_0 para o par A–C?

20.17 A degradação de moléculas induzida pela luz, também chamada *fotodescoramento*, é um problema sério na *microscopia de fluorescência*, na qual um espécime (como uma célula biológica) marcado com um corante fluorescente é observado em um microscópio ótico. Uma molécula de um corante fluorescente geralmente usada para identificar biopolímeros pode resistir a aproximadamente 10^6 excitações por fótons antes que reações induzidas pela luz destruam seu sistema π e a molécula já não fluoresça. Por quanto tempo uma única molécula de corante fluorescerá enquanto for excitada por 1,0 mW de uma radiação a 488 nm proveniente de um *laser* de íon de argônio? Você pode admitir que o corante tem um espectro de absorção com máximo em 488 nm e que todo fóton emitido pelo *laser* é absorvido pela molécula.

20.18 Em um experimento com raios X, um fóton de comprimento de onda de 100 pm ejeta um elétron da camada interna de um átomo e ele emerge com uma velocidade de $23{,}4 \times 10^4$ km s^{-1}. Calcule a energia de ligação do elétron.

20.19 A energia necessária para a ionização de certo átomo é 21,4 eV. A absorção de um fóton de comprimento de onda desconhecido ioniza o átomo e ejeta um elétron com uma velocidade de $1{,}03 \times 10^6$ m s^{-1}. Calcule o comprimento de onda da radiação incidente.

20.20 Qual é a energia cinética de um elétron que tenha sido acelerado por meio de uma diferença de potencial de 10,0 kV?

20.21 Qual é (a) a energia, (b) a velocidade de um elétron que tenha sido ejetado de um orbital de energia de ionização de 10,0 eV por um fóton de radiação de comprimento de onda de 110 nm?

20.22 Em um espectro de fotoelétrons particular utilizando fótons de 21,21 eV, os elétrons foram ejetados com energias cinéticas de 11,01 eV, 8,23 eV e 5,22 eV. Esquematize o diagrama de níveis de energia dos orbitais moleculares para a espécie, mostrando as energias de ionização dos três orbitais identificáveis.

Projetos

20.23 Vamos explorar aqui a visão com mais detalhes. (a) O fluxo de fótons visíveis que chegam à Terra vindos da Estrela do Norte é de cerca de 4×10^3 mm^{-2} s^{-1}. Desses fótons, 30 % são absorvidos ou dispersados pela atmosfera e 25 % dos fótons sobreviventes são dispersados pela superfície da córnea do olho. Outros 9 % são absorvidos dentro da córnea. A área da pupila à noite é cerca de 40 mm^2 e o tempo de resposta do olho é de aproximadamente de 0,1 s. Dos fótons que atravessam a pupila, cerca de 43 % são absorvidos no meio ocular. Quantos fótons da Estrela do Norte são focalizados na retina em 0,1 s? Para uma continuação desta estória, veja R. W. Rodieck, *The First Steps in Seeing*, Sinauer (1998). (b) Na teoria do orbital molecular do elétron livre da estrutura eletrônica, os elétrons π em uma molécula conjugada são tratados como partículas não interativas em uma caixa com comprimento igual ao comprimento do sistema conjugado. Com base nesse modelo, em que comprimento de onda você esperaria que a molécula de all-*trans*-retinal absorva? Considere o comprimento médio da ligação carbono-carbono como 140 pm.

20.24 Vamos explorar os eventos de transferência de energia e de elétrons na fotossíntese. (a) Em complexos que absorvem luz, a fluorescência de uma molécula de clorofila é extinta pelas moléculas de clorofila próximas. Dado que, para um par de moléculas de clorofila *a*, R_0 = 5,6 nm, a que distância duas moléculas de clorofila *a* devem estar separadas para diminuir o tempo de vida de fluorescência de 1 ns (um valor típico para a clorofila *a* monomérica em solventes orgânicos) para 10 ps? (b) As reações de transferência de elétrons induzidas pela luz na fotossíntese ocorrem porque moléculas de clorofila (seja na forma monomérica, ou dimerizada) são melhores agentes redutores em seus estados eletrônicos excitados. Justifique esta observação com a ajuda da teoria de orbitais moleculares.

21

Espectroscopia: ressonância magnética

Uma das mais amplamente utilizadas e úteis formas da espectroscopia, e uma técnica que transformou a utilização da química e de suas disciplinas relacionadas, faz uso de um conceito da física clássica. Quando dois pêndulos estão suspensos em um mesmo suporte ligeiramente flexível e um desses pêndulos é posto em movimento, o outro é forçado a oscilar graças à ligação entre ambos. Há então um fluxo de energia entre os dois pêndulos. A transferência de energia ocorre mais eficazmente quando as frequências dos dois osciladores são idênticas. A condição de forte acoplamento efetivo quando as frequências são idênticas é denominada **ressonância**, e é dito que a energia de excitação 'ressona' entre os dois osciladores acoplados.

A ressonância é a base de vários fenômenos da vida diária, entre os quais a resposta dos aparelhos de rádio às oscilações fracas do campo eletromagnético gerado por um transmissor situado a uma grande distância. Neste capítulo iremos estudar uma aplicação espectroscópica que, no seu desenvolvimento original (e que em alguns casos ainda se mantém), dependia do ajuste de um conjunto de níveis de energia a uma fonte de radiação monocromática nas regiões de radiofrequência e micro-ondas e da observação da forte absorção por núcleos e elétrons, respectivamente, que ocorre na ressonância. Toda espectroscopia é uma forma de acoplamento ressonante entre o campo eletromagnético e as moléculas; o que distingue a ressonância magnética é que os próprios níveis de energia são modificados pela aplicação do campo magnético.

Ressonância magnética nuclear

A aplicação de ressonância que descrevemos aqui depende do fato de que muitos núcleos possuem momentos angulares de spin (Tabela 21.1). Um núcleo com **número quântico de spin nuclear** I (o análogo de s para os elétrons, e que pode ser um inteiro ou um semi-inteiro) pode ter $2I + 1$ orientações diferentes relativas a um eixo arbitrário. Essas orientações são diferenciadas pelo número quântico m_I, que pode assumir os valores $m_I = I, I - 1, \ldots, -I$. Um próton tem $I = \frac{1}{2}$ e pode ter uma das duas orientações ($m_I = +\frac{1}{2}$ e $-\frac{1}{2}$). O núcleo ^{14}N tem $I = 1$ e o seu spin pode ter qualquer uma das três orientações

Tabela 21.1
Constituição nuclear e número quântico de spin nuclear

Número de prótons	Número de nêutrons	I
par	par	0
ímpar	ímpar	inteiro (1, 2, 3, . . .)
par	ímpar	semi-inteiro ($^1/_2$, $^3/_2$, $^5/_2$, . . .)
ímpar	par	semi-inteiro ($^1/_2$, $^3/_2$, $^5/_2$, . . .)

(m_I = +1, 0, −1). Os núcleos de spin $^1/_2$ incluem prótons (^1H), o ^{13}C, o ^{19}F e o ^{31}P. O estado com $m_I = +^1/_2$ (↑) é simbolizado por α, e o que tem $m_I = -^1/_2$ (↓) é simbolizado por β.

As propriedades dos campos magnéticos e suas interações com a matéria, que são centrais a este capítulo, estão resumidas em Ferramentas do químico 21.1.

Ferramentas do químico 21.1 Campos magnéticos

A energia de um momento magnético $\boldsymbol{m}$ em um campo magnético $\mathcal{B}$ é

$$E = -\boldsymbol{m}\cdot\mathcal{B}$$

Aqui, $\mathcal{B}$ é a **indução magnética**, uma medida da intensidade do campo magnético. É expresso em tesla, T, em que 1 T = 1 kg s^{-2} A^{-1} (A simboliza ampere). Quando o campo está ao longo da direção z,

$$E = -m_z\mathcal{B}$$

A energia de interação dos dois dipolos magnéticos de magnitude m_1 e m_2 paralelos um ao outro no arranjo apresentado no Esquema 21.1 é

$$E = \frac{\mu_0 m_1 m_2}{4\pi r^3}(1-3\cos^2\theta)$$

em que μ_0 é a permeabilidade no vácuo (veja contracapa dianteira).

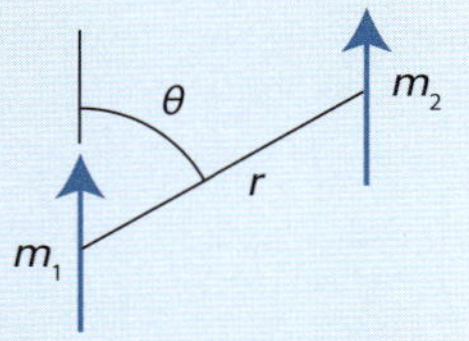

Esquema 21.1

21.1 Núcleos em campos magnéticos

Um núcleo com spin diferente de zero tem um momento magnético e comporta-se como um ímã minúsculo. A orientação desse ímã é determinada pelo valor de m_I, e em um campo magnético $\mathcal{B}$, as $2I + 1$ orientações do núcleo têm energias diferentes. Essas energias são dadas por

$$E_{m_I} = -\gamma_N \hbar \mathcal{B} m_I \quad \text{Energia do núcleo} \quad (21.1)$$

em que γ_N é a **razão giromagnética nuclear**. Para núcleos com spin $^1/_2$ com razões giromagnéticas positivas (como o ^1H), o estado α fica abaixo do estado β em termos de energia. A energia é às vezes escrita em termos do **magnéton nuclear,** μ_N,

$$\mu_N = \frac{e\hbar}{2m_p} = 5{,}051\times10^{-27}\ \text{J T}^{-1} \quad \text{Magnéton nuclear} \quad (21.2)$$

e de uma constante empírica chamada **fator *g* nuclear,** g_I, quando se torna

$$E_{m_I} = -g_I\mu_N\mathcal{B}m_I \quad \text{Energia do núcleo} \quad (21.3)$$

Os fatores g nucleares são grandezas adimensionais (números) determinadas de modo experimental com valores tipicamente da ordem de −6 a +6. Valores positivos de μ_N (e g_I) indicam que o polo norte do ímã nuclear se localiza na mesma direção do spin nuclear (este é o caso para os prótons). Valores negativos indicam que o ímã aponta na direção oposta. Um ímã nuclear é aproximadamente 2000 vezes mais fraco que o ímã associado ao spin do elétron. Dois núcleos muito comuns, o ^{12}C e o ^{16}O, têm spin zero e, consequentemente, não são afetados por campos magnéticos externos.

(a) Populações

A separação de energia entre os dois estados de spin $^1/_2$ de um núcleo (Fig. 21.1) é

$$\Delta E = E_\beta - E_\alpha = -\gamma_N\hbar\mathcal{B}(-^1/_2) + \gamma_N\hbar\mathcal{B}(+^1/_2) = \gamma_N\hbar\mathcal{B} \quad (21.4)$$

Conforme se pode inferir da discussão em Fundamentos 0.11, a razão entre as populações em equilíbrio térmico dos estados α e β, N_α e N_β, é dada pela distribuição de Boltzmann como

$$\frac{N_\beta}{N_\alpha} = e^{-\Delta E/kT} = e^{-\gamma_N\hbar\mathcal{B}/kT} \quad \text{Núcleos} \quad \text{Razão entre populações} \quad (21.5a)$$

Mostramos na Dedução a seguir que, por meio dessa relação, é possível mostrar que

$$N_\alpha - N_\beta \approx \frac{N\gamma_N\hbar\mathcal{B}}{2kT} \quad \text{Núcleos} \quad \text{Diferença entre populações} \quad (21.5b)$$

em que N é o número total de spins. Para núcleos com γ_N positivo, o estado α fica abaixo do estado β; conclui-se que há um número ligeiramente maior de spins α do que de spins β.

Tabela 21.2
Propriedades do spin nuclear

Núcleo	Abundância natural percentual	Spin, I	$\gamma_N/(10^7$ T^{-1} s$^{-1})$
^2H (D)	0,0156	1	4,1067
^{12}C	98,99	0	–
^1H	99,98	$^1/_2$	26,752
^{13}C	1,11	$^1/_2$	6,7272
^{14}N	99,64	1	1,9328
^{16}O	99,96	0	–
^{17}O	0,037	$^5/_2$	−3,627
^{19}F	100	$^1/_2$	25,177
^{31}P	100	$^1/_2$	10,840
^{35}Cl	75,4	$^3/_2$	2,624
^{37}Cl	24,6	$^3/_2$	2,184

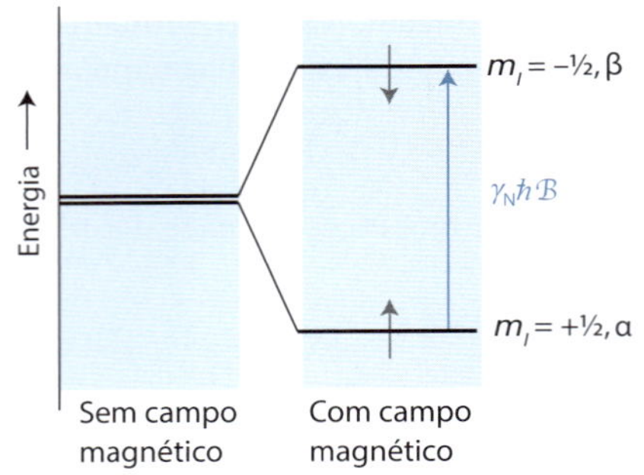

Figura 21.1 Os níveis de energia de um núcleo com spin $^1/_2$ em um campo magnético. A ressonância ocorre quando a energia de separação entre os níveis é igual à energia dos fótons do campo eletromagnético.

■ Breve ilustração 21.1 Populações do spin nuclear

Para os prótons, $\gamma_N = 2{,}675 \times 10^8\ T^{-1}\ s^{-1}$. Desse modo, para 1.000.000 de prótons em um campo de 10 T, a 20 °C,

$$N_\alpha - N_\beta \approx \frac{\overbrace{1.000.000}^{N}\times\overbrace{(2{,}675\times10^8\ T^{-1}\ S^{-1})}^{\gamma_N}\times\overbrace{(1{,}055\times10^{-34}\ J\ s)}^{\hbar}\times\overbrace{(10\ T)}^{\mathcal{B}}}{2\times\underbrace{(1{,}381\times10^{-23}\ J\ K^{-1})}_{k}\times\underbrace{(293\ K)}_{T}}$$

$$\approx 35$$

Mesmo em um campo tão forte há apenas um mínimo desbalanceamento de populações de cerca de 35 em um milhão.

Exercício proposto 21.1

Para os núcleos de ^{13}C, $\gamma_N = 6{,}7283 \times 10^7\ T^{-1}\ s^{-1}$. Determine o campo magnético necessário para induzir o mesmo desbalanceamento na distribuição de spins do ^{13}C, a 20 °C.

Resposta: 40 T, um campo irrealisticamente alto para um espectrômetro de RMN.

Dedução 21.1

A diferença entre populações

Para escrever uma expressão para a diferença entre as populações, iniciamos com a Eq. 21.5a, escrita como

$$\frac{N_\beta}{N_\alpha} = e^{-\gamma_N\hbar\mathcal{B}/kT} \overbrace{\approx}^{e^{-x}=1-x+\cdots} 1 - \frac{\gamma_N\hbar\mathcal{B}}{kT}$$

em que usamos o fato de que a função exponencial utilizada é $e^{-x} = 1 - x + {}^1/_2\,x^2 - \cdots$ (veja Ferramentas do químico 6.1) e mantemos apenas os dois primeiros termos, pois x é muito pequeno. Segue-se que

$$\frac{N_\alpha - N_\beta}{N_\alpha + N_\beta} = \frac{N_\alpha(1 - N_\beta/N_\alpha)}{N_\alpha(1 + N_\beta/N_\alpha)} \overset{\text{Cancelando } N_\alpha}{=} \frac{1 - \overbrace{N_\beta/N_\alpha}^{1-\gamma_N\hbar\mathcal{B}/kT}}{1 + \underbrace{N_\beta/N_\alpha}_{1-\gamma_N\hbar\mathcal{B}/kT}}$$

$$\approx \frac{1-(1-\gamma_N\hbar\mathcal{B}/kT)}{1+\underbrace{(1-\gamma_N\hbar\mathcal{B}/kT)}_{\approx 1}} \approx \frac{\gamma_N\hbar\mathcal{B}/kT}{2}$$

Então, com $N_\alpha + N_\beta = N$, o número total de spins, temos a Eq. 21.5b.

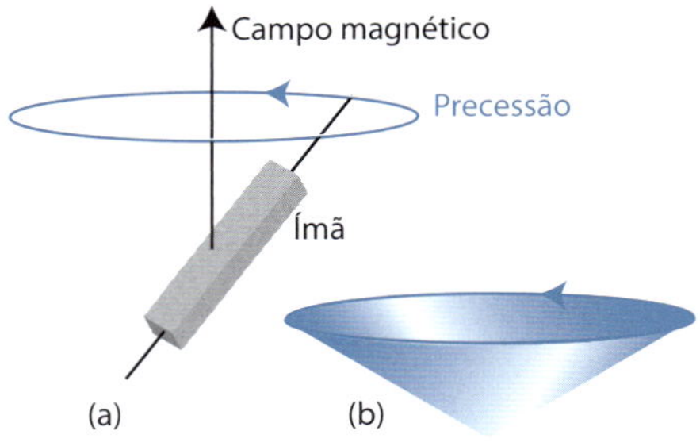

Figura 21.2 (a) Um ímã em um campo magnético sofre um movimento chamado *precessão*. Um spin nuclear (e um spin eletrônico) tem um momento magnético associado e se comporta da mesma forma. (b) A frequência de precessão é chamada frequência de precessão de Larmor e é proporcional ao campo aplicado e à magnitude do momento magnético.

(b) Ressonância

Se a amostra é exposta à radiação de frequência ν, as separações de energia dos spins entram em ressonância com a radiação quando a frequência satisfaz à **condição de ressonância:**

$$h\nu = \gamma_N\hbar\mathcal{B} \text{ ou } \nu = \frac{\gamma_N\mathcal{B}}{2\pi} \quad \text{Núcleos} \quad \text{Condição de ressonância} \quad (21.6)$$

Na ressonância, há um forte acoplamento entre os spins e a radiação, ocorrendo então absorção quando os spins mudam do estado de baixa energia para o de alta energia.

É algumas vezes interessante comparar as visões clássica e quanto-mecânica de núcleos magnéticos retratados como pequenos ímãs. Um ímã em um campo magnético externo sofre um movimento chamado **precessão** à medida que gira em torno da direção do campo (Fig. 21.2). A velocidade de precessão é proporcional à intensidade do campo aplicado, e é, de fato, igual a $(\gamma_N/2\pi)\mathcal{B}$ para núcleos, que neste contexto é denominada **frequência de precessão de Larmor**. Isto é, a absorção ressonante ocorre quando a frequência de precessão de Larmor é a mesma que a frequência do campo eletromagnético aplicado.

■ Breve ilustração 21.2 A condição de ressonância

Para calcular a frequência na qual a radiação entra em ressonância com os spins do próton em um campo magnético de 12 T, usamos a Eq. 21.6 como se segue:

$$\nu = \frac{\overbrace{(2{,}6752\times10^8\ T^{-1}\ s^{-1})}^{|\gamma_N|}\times\overbrace{(12\ T)}^{\mathcal{B}}}{2\pi} = 5{,}1\times10^8\ s^{-1}$$

ou 510 MHz (com 1 Hz = 1 s^{-1}).

Exercício proposto 21.2

Determine a frequência de ressonância dos núcleos do ^{31}P, para a qual $\gamma_N = 1{,}0841 \times 10^8\ T^{-1}\ s^{-1}$, nas mesmas condições.

Resposta: 207 MHz

(c) Intensidades de absorção

A velocidade de absorção da radiação eletromagnética é proporcional à população do estado de energia mais baixo (N_α no caso de uma transição RMN de próton) e a velocidade de emissão estimulada é proporcional à população do estado superior (N_β). Nas frequências baixas típicas da ressonância magnética, podemos desprezar a emissão espontânea, por ser muito lenta. Portanto, a velocidade líquida de absorção é proporcional à diferença de populações, $N_\alpha - N_\beta$. A intensidade de absorção, a velocidade pela qual a energia é absorvida, é proporcional ao produto da velocidade de transição (a velocidade pela qual os fótons são absorvidos) e à energia de cada fóton; esta última é proporcional à frequência ν da radiação incidente. Na ressonância, essa frequência é proporcional ao campo magnético aplicado, e podemos escrever então que

$$\text{Intensidade} \propto (N_\alpha - N_\beta)\mathcal{B} \qquad (21.7)$$

A diferença de população é proporcional ao campo, e inversamente proporcional à temperatura; desse modo, a intensidade global é proporcional a $\mathcal{B}^2/T$. Segue-se que diminuir a temperatura aumenta a intensidade, diminuindo a diferença entre populações. A intensidade também pode ser aumentada de forma significativa pelo aumento da intensidade do campo magnético aplicado, tornando altamente desejáveis os espectrômetros que operam em campos altos.

21.2 A técnica

Na sua forma mais simples, a **ressonância magnética nuclear** (RMN) é a observação da frequência na qual os núcleos magnéticos das moléculas entram em ressonância com um campo eletromagnético quando a molécula é exposta a um campo magnético forte. Quando aplicada ao spin do próton, a técnica é chamada, eventualmente, de **ressonância magnética do próton** (RMN-^{1}H). Inicialmente, a técnica só podia ser aplicada aos prótons (que se comportam como ímãs relativamente fortes porque γ_N é grande), mas nos dias de hoje existem vários núcleos (em especial ^{13}C, ^{31}P e ^{15}N) que podem ser investigados rotineiramente.

Um espectrômetro de RMN consiste em um ímã, que pode produzir um campo magnético intenso e uniforme, e fontes apropriadas de radiação de radiofrequência (Fig. 21.3). Nos instrumentos simples, o campo magnético é fornecido por um eletroímã; para trabalhos mais precisos usam-se ímãs supercondutores capazes de produzir campos da ordem de 10 T ou mais. (Um campo magnético de 10 T é muito forte. Por exemplo, um ímã pequeno fornece um campo magnético de somente alguns militeslas.) O uso de campos magnéticos intensos tem duas vantagens. A primeira é que, como já vimos, o campo aumenta a intensidade das transições. A segunda é que um campo alto simplifica o aspecto de certos espectros. A ressonância do próton ocorre em aproximadamente 400 MHz em campos de 9,4 T; assim o RMN é uma técnica de radiofrequência (400 MHz correspondem a um comprimento de onda de 75 cm).

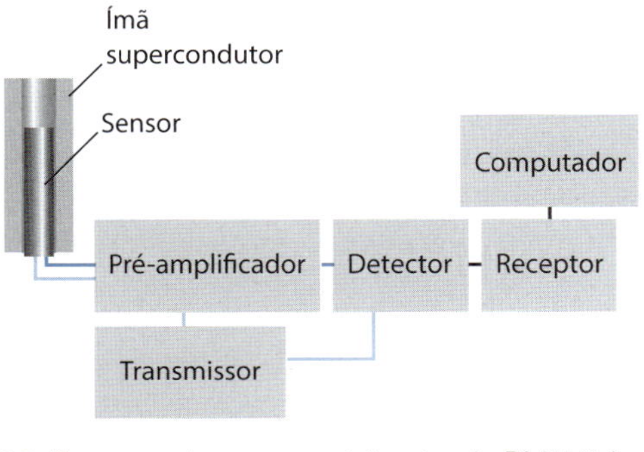

Figura 21.3 Esquema de um espectrômetro de RMN típico. A ligação entre o transmissor e o detector simboliza que a alta frequência do transmissor é subtraída do sinal de alta frequência recebido de modo que se possa processar um sinal de baixa frequência.

A **RMN com transformada de Fourier** (RMN-TF) é a técnica mais comumente usada em ressonância magnética moderna. A amostra é mantida em um campo magnético forte, gerado por um ímã supercondutor, e exposta a um ou mais pulsos breves de radiação eletromagnética, na região de radiofrequência, cuidadosamente controlados. Essa radiação muda as orientações dos spins nucleares de um modo controlado, e a radiação na região de radiofrequência que emitem, quando retornam ao estado de equilíbrio, é monitorada e analisada matematicamente (esta última etapa é a parte da técnica correspondente à "transformada de Fourier"). A radiação detectada contém toda a informação do espectro obtido pela técnica original, mas é um modo muito mais eficiente de se obter o espectro e, por isso, é muito mais sensível. Além disso, escolhendo sucessões diferentes de pulsos de excitação, os dados podem ser analisados de forma mais completa.

A informação em espectros de RMN

Spins nucleares interagem com o campo magnético *local*, o campo em sua vizinhança imediata. O campo local pode ser diferente do campo aplicado por causa da estrutura eletrônica local da molécula ou porque há outro núcleo com momento magnético nas proximidades.

21.3 O deslocamento químico

O campo magnético aplicado pode induzir movimentos circulares dos elétrons na molécula, e esse tipo de movimento dá origem a um pequeno campo magnético extra, $\mathcal{B}_{adi}$. Esse campo extra é proporcional ao campo aplicado e é convencional exprimi-lo como

$$\mathcal{B}_{adi} = -\sigma\mathcal{B} \qquad \text{Constante de blindagem} \quad (21.8)$$

em que a constante adimensional σ é a **constante de blindagem.** Estamos admitindo que o campo adicional seja paralelo ao campo aplicado: tratamentos mais avançados permitem que os dois não sejam paralelos. A constante σ pode ser positiva ou negativa dependendo de o campo induzido se somar ao ou ser subtraído do campo aplicado. A capacidade do campo externo aplicado em induzir o movimento circular de elétrons na estrutura nuclear da molécula depende dos detalhes da estrutura eletrônica nas vizinhanças do núcleo magnético de interesse. Assim, núcleos que estejam em grupos químicos diferentes têm constantes de blindagem diferentes.

Como o campo local total é

$$\mathcal{B}_{loc} = \mathcal{B} + \mathcal{B}_{adi} = (1 - \sigma)\mathcal{B}$$

a condição de ressonância é

$$\nu = \frac{\gamma_N \mathcal{B}_{loc}}{2\pi} = \frac{\gamma_N}{2\pi}(1 - \sigma)\mathcal{B} \qquad \text{Condição de ressonância} \quad (21.9)$$

Como a constante de blindagem σ varia com o ambiente, núcleos diferentes (ainda que do mesmo elemento, desde que em diferentes partes de uma molécula) entram em ressonância em frequências diversas.

O **deslocamento químico** de um núcleo é a diferença entre a sua frequência de ressonância e a de um padrão de referência. O padrão para os prótons é a ressonância do próton no tetrametilsilano, $Si(CH_3)_4$, normalmente chamado de TMS, que tem muitos prótons e se dissolve, sem reação química, em muitas soluções. Para o ^{13}C, a frequência de referência é a da ressonância do ^{13}C no TMS. Para o ^{31}P é a da ressonância do ^{31}P no $H_3PO_4(aq)$ a 85 %. Para outros núcleos, adotam-se outros padrões. A separação da frequência de ressonância de um grupo particular de núcleos em relação ao padrão aumenta com a intensidade do campo magnético aplicado, porque o campo induzido é proporcional ao campo aplicado. Assim, quanto maior o campo aplicado, maior o deslocamento.

Os valores dos deslocamentos químicos são dados na **escala δ**, definida como

$$\delta = \frac{\nu - \nu^\circ}{\nu^\circ} \times 10^6 \qquad \text{Definição} \qquad \text{Escala } \delta \qquad (21.10)$$

em que ν° é a frequência de ressonância do padrão. A vantagem da escala δ é que os deslocamentos por ela descritos são independentes do campo aplicado (pois o numerador e o denominador são proporcionais ao campo aplicado). Entretanto, as frequências de ressonância dependem do campo aplicado de acordo com a equação

$$\nu = \nu^\circ + (\nu^\circ/10^6)\delta \qquad (21.11)$$

Uma nota sobre a boa prática Em grande parte da literatura, deslocamentos químicos são dados em partes por milhão, ppm, em função do fator 10^6 na sua definição; isso é desnecessário. Ao ler 'δ = 10 ppm', interprete usando a Eq. 21.10 como $\delta = 10$.

■ Breve ilustração 21.3 A escala δ 1

Um núcleo com δ = 1,00 em um espectrômetro operando a 500 MHz, um 'espectrômetro de RMN de 500 MHz', tem um deslocamento relativo ao padrão igual a

$$\begin{aligned} \nu - \nu^\circ &= (500\ \text{MHz}/10^6) \times 1{,}00 = (500\ \text{Hz}) \times 1{,}00 \\ &= 500\ \text{Hz} \end{aligned}$$

pois 1 MHz = 10^6 Hz. Em um espectrômetro que opera a 100 MHz, o deslocamento relativo ao padrão é de apenas 100 Hz.

Exercício proposto 21.3

Qual é o deslocamento, em relação ao TMS, da frequência de ressonância de um grupo de núcleos com δ = 3,50 e uma frequência de operação de 350 MHz?

Resposta: 1,23 kHz

Se $\delta > 0$, dizemos que o núcleo está **desblindado**; se $\delta < 0$, então está **blindado.** Um δ positivo indica que a frequência de ressonância do grupo de núcleos em questão é mais alta que a do padrão. Consequentemente, $\delta > 0$ indica que o campo magnético local é mais forte que o existente nos núcleos no padrão nas mesmas condições e, portanto, é necessário um campo aplicado menor para entrar em ressonância com dado campo de radiofrequência. Alguns deslocamentos químicos típicos são dados na Figura 21.4.

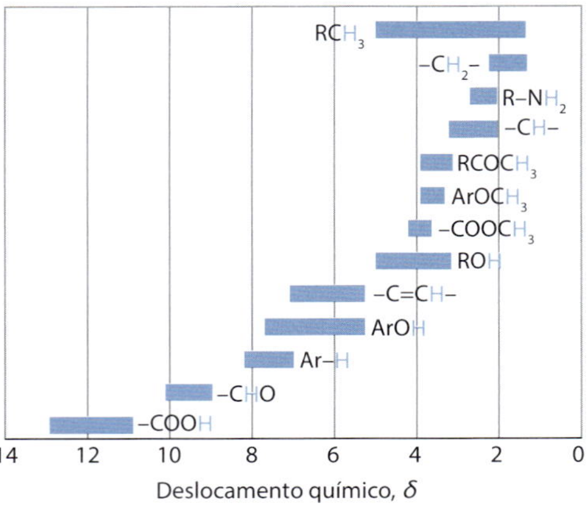

Figura 21.4 Intervalo dos deslocamentos químicos típicos nas ressonâncias do ^1H.

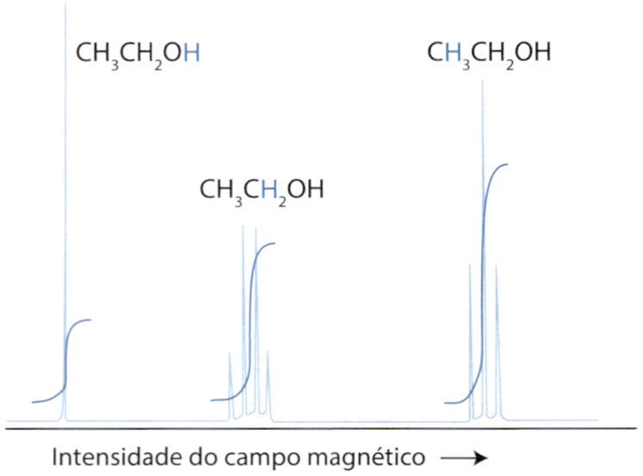

Figura 21.5 O espectro de RMN do etanol. As letras em azul identificam os prótons que dão origem ao pico de ressonância, e as curvas escalonadas são os sinais integrados para cada grupo de linhas.

■ Breve ilustração 21.4 A escala δ 2

A existência de um deslocamento químico explica as características gerais do espectro do etanol mostrado na Figura 21.5. Os prótons do CH_3 formam um grupo de núcleos com δ = 1. Os dois prótons no CH_2, que estão em uma parte diferente da molécula, sentem um campo magnético local diferente, e, em consequência, ressonam com δ = 3. Finalmente, o próton do OH está em outro ambiente, e tem um deslocamento químico de δ = 4.

Uma nota sobre a boa (ou, pelo menos, convencional) prática Tradicionalmente, os espectros de RMN são representados graficamente com δ crescente da direita para a esquerda. Como resultado, em dada radiofrequência, o campo magnético para ressonância aumenta da esquerda para a direita (Fig. 21.6).

As intensidades relativas do sinal (as áreas subtendidas pelas linhas de absorção) podem ser usadas para ajudar a atribuir a cada grupo químico certo grupo de linhas. Os espectrômetros podem **integrar** a absorção – isto é, determinar as áreas subtendidas pelo sinal de absorção – automaticamente (conforme mostrado na Figura 21.5). No etanol as intensidades dos grupos estão na razão 3:2:1, pois há três prótons no CH_3, dois prótons no CH_2 e um próton no OH, em cada molécula. A contagem do número de núcleos magnéticos e também a determinação dos seus respectivos deslocamentos químicos é algo valioso analiticamente, pois ajudam a identi-

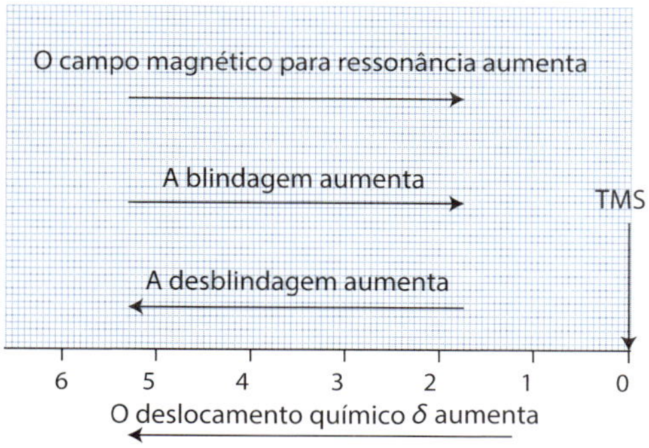

Figura 21.6 Convenção para apresentar um espectro de RMN.

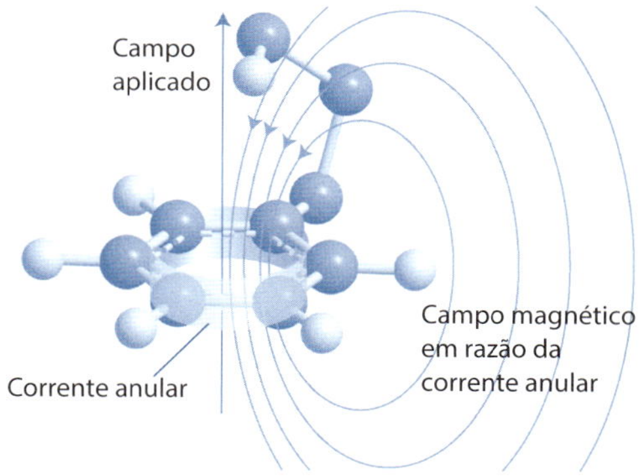

Figura 21.8 Os efeitos de blindagem e de desblindagem da corrente anular induzida no anel de benzeno pelo campo aplicado. Os prótons ligados ao anel são desblindados, mas um próton ligado a um substituinte, que fica acima ou abaixo do plano do anel, fica blindado.

ficar o composto presente em uma amostra e a identificar substâncias em ambientes diferentes.

A constante de blindagem observada é a soma de três contribuições:

$$\sigma = \sigma(\text{local}) + \sigma(\text{vizinhança}) + \sigma(\text{solvente}) \qquad (21.12)$$

A **contribuição local**, σ(local), é essencialmente a contribuição dos elétrons do átomo que contém o núcleo que está sendo observado. A **contribuição dos grupos vizinhos**, σ(vizinhança), é a contribuição dos grupos de átomos que formam o restante da molécula. A **contribuição do solvente**, σ(solvente), é a contribuição das moléculas do solvente.

A contribuição local geralmente é proporcional à densidade eletrônica do átomo a que pertence o núcleo de interesse. Assim, a blindagem diminui se a densidade eletrônica do átomo se reduz pela influência de átomos eletronegativos vizinhos. Esta redução da blindagem corresponde a um aumento da desblindagem e, portanto, a um aumento do deslocamento químico δ quando a eletronegatividade de um átomo vizinho aumenta (Fig. 21.7). Isto é, à medida que a eletronegatividade aumenta, δ aumenta.

Outra contribuição para σ(local) provém da capacidade de o campo aplicado forçar os elétrons a circularem pela molécula utilizando-se de orbitais desocupados no estado fundamental. Esta contribuição é grande em moléculas com estados excitados de baixa energia e dominante para átomos diferentes do hidrogênio. É nula nos átomos livres e em torno do eixo de moléculas lineares (como o etino, HC≡CH), em que os elétrons podem circular livremente, porque um campo aplicado ao longo do eixo internuclear não pode forçar os elétrons a passarem para outros orbitais.

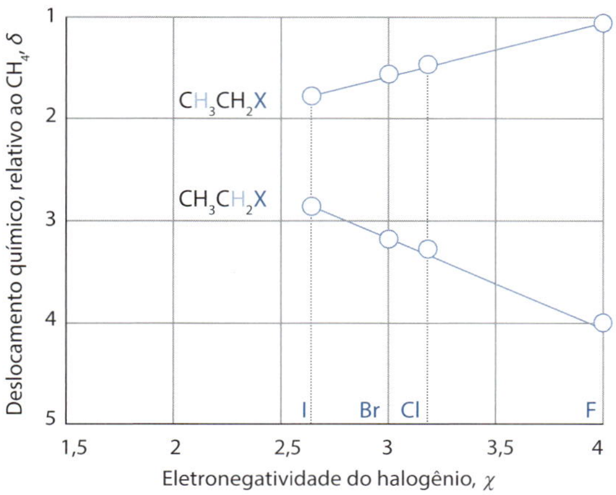

Figura 21.7 Variação do deslocamento químico com a eletronegatividade do halogênio nos haloalcanos. Observe que, embora o deslocamento químico dos prótons imediatamente adjacentes fique mais positivo (os prótons são desblindados) quando a eletronegatividade aumenta, os deslocamentos dos prótons próximos diminuem.

A contribuição dos grupos vizinhos provém de correntes induzidas em grupos de átomos próximos. A intensidade do campo magnético adicional que o próton experimenta é inversamente proporcional ao cubo da distância r entre H e X. Um caso especial de efeito de grupo vizinho encontra-se nos compostos aromáticos. A forte anisotropia da suscetibilidade magnética do anel de benzeno é atribuída à capacidade de o campo gerar uma **corrente anular**, uma circulação de elétrons em torno do anel, quando aplicado perpendicularmente ao plano da molécula. Os prótons no plano não estão blindados (Fig. 21.8), porém os que estiverem acima ou abaixo do plano (como membros de substituintes do anel) estão blindados.

O solvente pode influenciar de muitas maneiras o campo magnético local que atua sobre o núcleo. Alguns destes efeitos provêm de interações específicas entre o soluto e o solvente (por exemplo, formação de ligação hidrogênio e outras formas de complexos ácido-base de Lewis). A suscetibilidade magnética das moléculas do solvente, em especial se forem aromáticas, também pode ser fonte de um campo magnético local. Além disso, se houver interações estéricas que provoquem interação fraca, porém específica, entre as moléculas do soluto e do solvente, os prótons das moléculas do soluto podem ficar mais ou menos blindados, conforme se localizem em relação às moléculas do solvente (Fig. 21.9). Vamos ver que os espectros de RMN com espécies que contêm prótons com deslocamentos químicos muito diferentes são mais fáceis de interpretar do que os que têm prótons com deslocamentos semelhantes. Logo, a escolha apropriada do solvente pode simplificar o aspecto e a interpretação de um espectro.

21.4 A estrutura fina

O desdobramento dos grupos de ressonância em linhas separadas, como na Figura 21.5, é chamado a **estrutura fina** do espectro. Ela surge porque cada núcleo magnético contribui

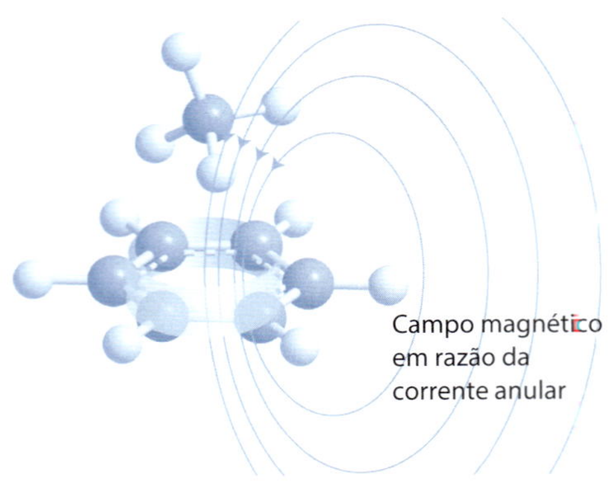

Figura 21.9 Um solvente aromático (no caso o benzeno) pode provocar correntes locais que blindam ou expõem um próton em uma molécula do soluto. Na posição relativa das moléculas do solvente e do soluto ilustradas na figura, o próton na molécula do soluto está blindado.

para o campo local que atua sobre os outros núcleos e modifica as suas respectivas frequências de ressonância. A intensidade da interação é expressa em termos da **constante de acoplamento spin-spin**, J, e é dada em hertz (Hz). As constantes de acoplamento do spin são uma propriedade intrínseca da molécula e, portanto, independentes da intensidade do campo magnético aplicado.

(a) A aparência do espectro

Em RMN, letras muito separadas no alfabeto (tipicamente, A e X) são usadas para indicar núcleos com deslocamentos químicos muito diferentes; letras próximas (como A e B) são usadas para núcleos com deslocamentos químicos semelhantes. Considere, inicialmente, uma molécula que contém dois núcleos A e X de spin $^1/_2$. Inicialmente, desprezamos o acoplamento spin-spin. A energia total dos dois prótons em um campo magnético $\mathcal{B}$ é a soma de dois termos semelhantes à Eq. 21.1, mas com $\mathcal{B}$ substituído por $(1-\sigma)\mathcal{B}$.

$$E = -\gamma_N\hbar(1-\sigma_A)\mathcal{B}m_A - \gamma_N\hbar(1-\sigma_X)\mathcal{B}m_X$$

Aqui σ_A e σ_X são as constantes de blindagem de A e X. Os quatro níveis de energia previstos por essa fórmula são mostrados à esquerda da Figura 21.10. A energia de acoplamento spin-spin normalmente é escrita

$$E_{\text{spin-spin}} = hJm_Am_X \quad \text{Acoplamento spin-spin} \quad (21.13)$$

Existem quatro possibilidades, dependendo dos valores dos números quânticos m_A e m_X:

	$\alpha_A\alpha_X$	$\alpha_A\beta_X$	$\beta_A\alpha_X$	$\beta_A\beta_X$
$E_{\text{spin-spin}}$	$+\frac{1}{4}hJ$	$-\frac{1}{4}hJ$	$-\frac{1}{4}hJ$	$+\frac{1}{4}hJ$

Os níveis de energia resultantes são mostrados à direita da Figura 21.10.

Agora consideramos as transições. Quando um núcleo A muda seu spin de α para β, o núcleo X permanece em seu mesmo estado de spin, que pode ser α ou β. As duas transições são mostradas na figura, e vemos que diferem em frequência por um valor J. Como resultado, o núcleo X pode sofrer uma

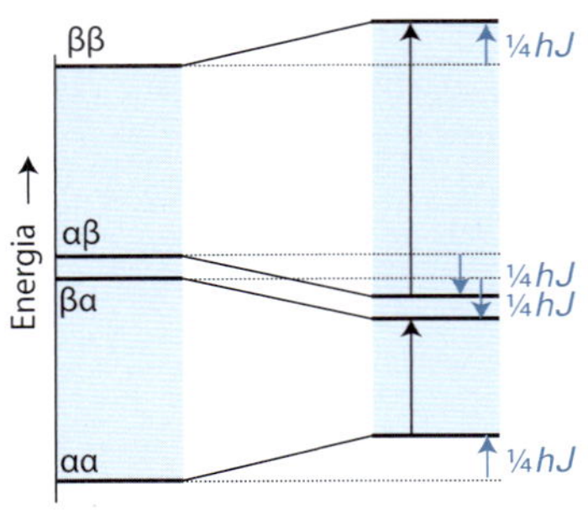

Figura 21.10 Níveis de energia de um sistema constituído de dois prótons na presença de um campo magnético. Os níveis à esquerda correspondem à ausência do acoplamento spin-spin. Aqueles à direita são o resultado quando se considera o acoplamento spin-spin. As únicas transições permitidas diferem em frequência por um valor J.

transição de α para β; agora o núcleo A permanece em seu mesmo estado de spin, que pode ser α ou β e são possíveis duas transições que diferem em frequência, novamente, por um valor J. Como resultado, o espectro consiste em um dupleto de linhas separadas por uma frequência J (Fig. 21.11).

Se existe outro núcleo de X na molécula com o mesmo deslocamento químico que o primeiro X (dando uma espécie AX_2), a ressonância de A desdobra-se em um dupleto para cada X, e cada linha do dupleto desdobra-se novamente na mesma quantidade pelo segundo X (Fig. 21.12). Isto resulta em um desdobramento em três linhas com a razão de intensidades 1:2:1 (porque a frequência central pode ser obtida de dois modos). Como no caso de AX, discutido anteriormente, a ressonância de X na espécie AX_2 desdobra-se em um dupleto por causa de A.

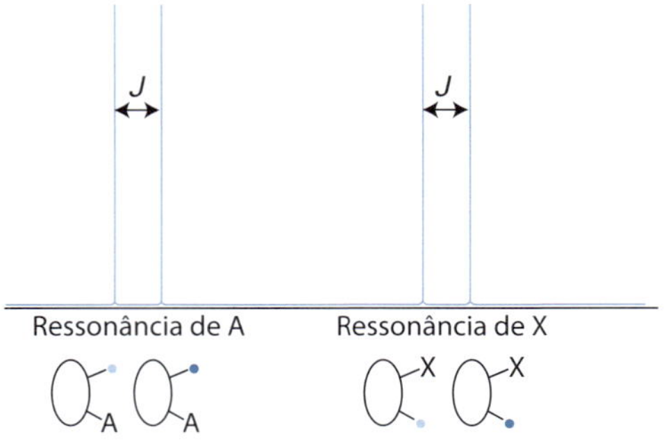

Figura 21.11 Efeito do acoplamento spin-spin no espectro de RMN de dois núcleos de spin $^1/_2$ com deslocamentos químicos muito diferentes. Cada frequência de ressonância é desdobrada em duas linhas separadas por J. Os círculos cheios indicam spins α e os abertos, spins β.

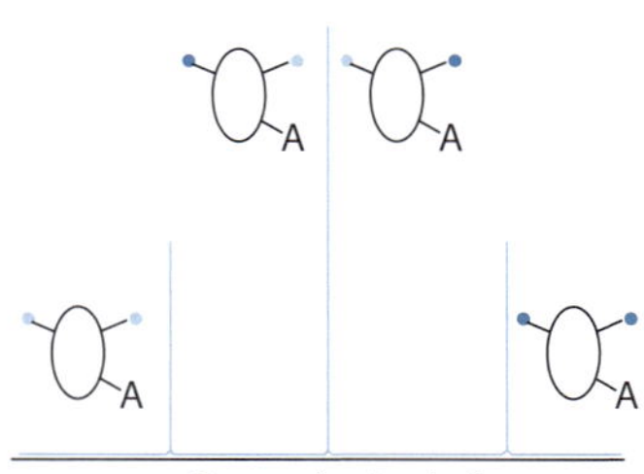

Figura 21.12 A origem do tripleto 1:2:1 na ressonância de A em uma espécie AX_2. Os dois núcleos de X podem ter os $2^2 = 4$ arranjos de spins (↑↑); (↑↓); (↓↑); (↓↓). Os dois arranjos no meio são responsáveis pelas ressonâncias coincidentes de A.

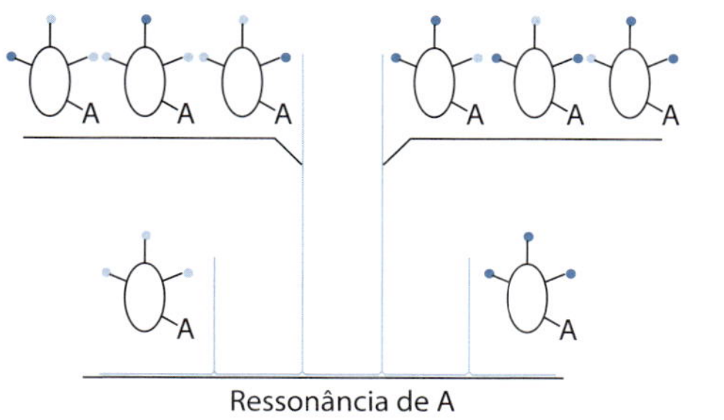

Figura 21.13 A origem do quadrupleto 1:3:3:1 na ressonância de A em uma espécie AX_3, em que A e X são núcleos de spin com deslocamentos químicos muito diferentes. Existem $2^3 = 8$ arranjos dos spins dos três núcleos X, e os seus efeitos no núcleo A dão origem a quatro grupos de ressonâncias.

Três núcleos X equivalentes (uma espécie AX_3) desdobram a ressonância de A em quatro linhas com intensidades na razão 1:3:3:1 (Fig. 21.13). A ressonância de X permanece um dupleto como resultado do desdobramento provocado por A. Em geral, N núcleos equivalentes de spin $\frac{1}{2}$ desdobram a ressonância de um spin próximo ou de um grupo de spins equivalentes em $N + 1$ linhas com uma distribuição de intensidades que é dada pelo triângulo de Pascal (**1**). As linhas subsequentes desse triângulo são formadas pela adição dos dois números adjacentes na linha de cima.

```
        1
      1   1
    1   2   1
  1   3   3   1
1   4   6   4   1
```

1 Triângulo de Pascal

■ **Breve ilustração 21.5** A estrutura fina em um espectro

Os três prótons do grupo CH_3 do CH_3CH_2OH desdobram a única ressonância dos prótons do CH_2 em um quadrupleto com a separação J e as intensidades na razão 1:3:3:1. De modo semelhante, os dois prótons do grupo CH_2 desdobram a única ressonância dos prótons CH_3 em um tripleto 1:2:1. Cada uma dessas linhas é desdobrada, em um dupleto, pelo próton do grupo OH.

Exercício proposto 21.4

Que estrutura fina pode ser esperada para os prótons no $^{14}NH_4^+$? O número quântico de spin do ^{14}N é 1.

Resposta: um tripleto 1:1:1 do ^{14}N

A constante de acoplamento spin-spin de dois núcleos unidos por N ligações é geralmente representada por ^{N}J, com índices para identificar os tipos de núcleos envolvidos. Desse modo, $^{1}J_{CH}$ é a constante de acoplamento de um próton unido diretamente a um átomo de ^{13}C, e $^{2}J_{CH}$ é a constante de acoplamento quando os mesmos dois núcleos estiverem separados por duas ligações (como no $^{13}C—C—H$). Os valores típicos de $^{1}J_{CH}$ ficam no intervalo entre 10^2 e 10^3 Hz; os valores de $^{2}J_{CH}$ são aproximadamente 10 vezes menores, entre aproximadamente 10 e 10^2 Hz. Os acoplamentos ^{3}J e ^{4}J levam a efeitos perceptíveis em um espectro, mas acoplamentos sobre maior número de ligações podem, geralmente, ser ignorados.

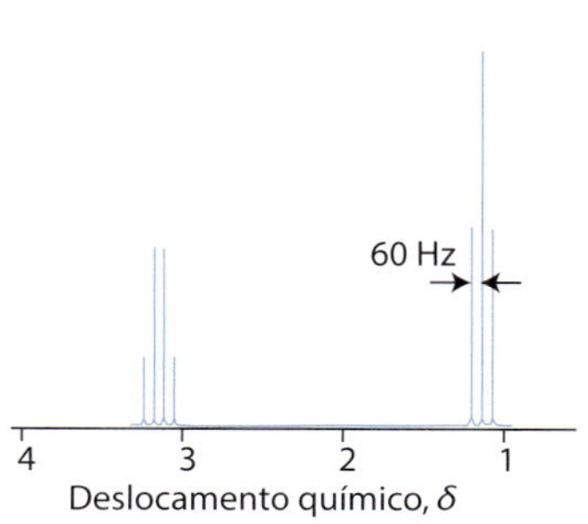

Figura 21.14 Espectro de RMN considerado na ilustração.

Exemplo 21.1

Interpretação de um espectro de RMN

A Figura 21.14 mostra o espectro de RMN-^{1}H do dietil éter, $(CH_3CH_2)_2O$. O que pode ser inferido desse espectro?

Estratégia Identifique as ressonâncias consultando a Figura 21.4. Depois, decida como a estrutura fina deve ser interpretada. As intensidades integradas dão uma ideia dos números de prótons de cada grupo quimicamente equivalentes. Considere por que os deslocamentos químicos são diferentes para os dois tipos de grupo e como o espectro poderia variar em um espectrômetro operando em um campo aplicado mais alto.

Solução A ressonância em $\delta = 3{,}4$ corresponde a CH_2 em um éter; em $\delta = 1{,}2$ corresponde a CH_3 em CH_3CH_2. A diferença da constante de blindagem pode ser identificada com o efeito do átomo de O central, que atrai densidade eletrônica para si próprio. O valor mais alto para o CH_2, indicando maior desblindagem, é pelo fato de o grupo estar próximo do átomo de O, do qual a densidade eletrônica é retirada de maneira mais intensa do que do grupo CH_3, mais distante. Como vimos na Breve ilustração 21.5, a estrutura fina do grupo CH_2 (um quadrupleto 1:3:3:1) é característica do desdobramento causado por CH_3; a estrutura fina da ressonância do CH_3 é característica do desdobramento causado por CH_2. A constante de acoplamento spin-spin é $J = -60$ Hz (a mesma para cada grupo). Se o espectro fosse obtido por meio de um espectrômetro que operasse com um campo magnético cinco vezes mais forte, os grupos de linhas seriam cinco vezes mais separados em frequência (mas, com os mesmos valores de δ). Nenhuma mudança no desdobramento spin-spin seria observada.

Exercício proposto 21.5

Interprete o espectro apresentado na Figura 21.15.

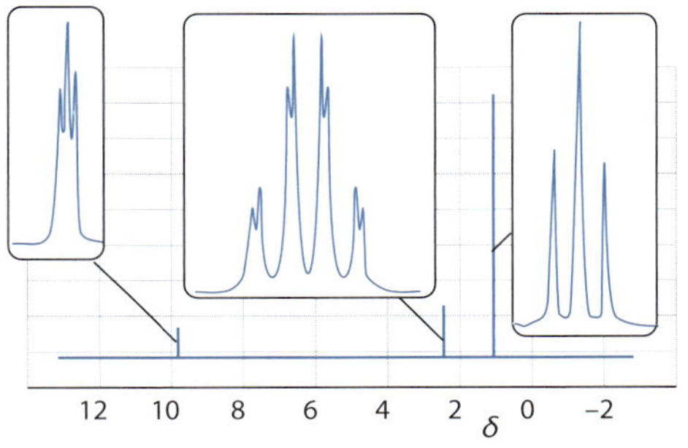

Figura 21.15 O espectro a que se referiu o Exercício proposto 21.5.

Resposta: Propanal, CH_3CH_2CHO

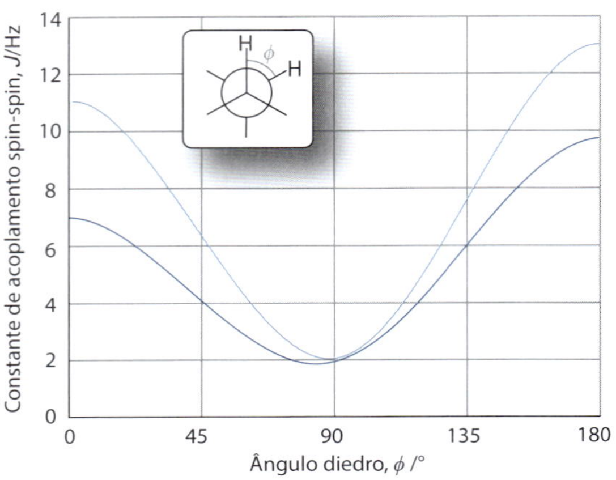

Figura 21.16 A variação de $^3J_{HH}$ com o ângulo, conforme a equação de Karplus. A curva superior é para o H—C—C—H e a inferior é para o H—N—C—H.

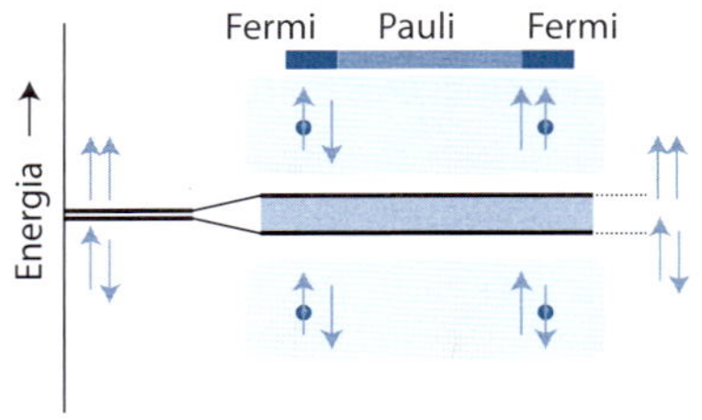

Figura 21.17 O mecanismo de polarização do acoplamento spin-spin ($^1J_{HH}$). As duas configurações têm energias ligeiramente diferentes. Neste caso, J é positivo, e a energia mais baixa corresponde à configuração com os spins antiparalelos.

O valor de $^3J_{HH}$ depende do ângulo diedro, ϕ, entre as duas ligações C—H (**2**). A variação é expressa de modo bem satisfatório pela **equação de Karplus:**

$$^3J_{HH} = A + B\cos\phi + C\cos 2\phi \qquad \text{Equação de Karplus} \qquad (21.14)$$

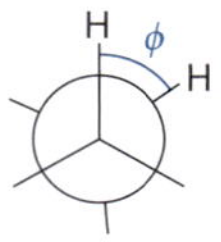

2

Valores típicos de A, B e C são +7 Hz, −1 Hz e +5 Hz, respectivamente.[1] A Figura 21.16 mostra a variação angular predita por essa equação. Segue que medições de $^3J_{HH}$ em uma série de compostos relacionados podem ser usadas para a determinação de suas conformações. A constante de acoplamento $^1J_{CH}$ também depende da hibridização do átomo de C:

	sp	sp^2	sp^3
$^1J_{CH}$/Hz:	250	160	125

■ Breve ilustração 21.6 A equação de Karplus

A investigação dos acoplamentos H—N—C—H em um polipeptídeo pode ajudar a determinar as suas conformações. Para o acoplamento $^3J_{HH}$ nesse tipo de grupo, A = +5,1 Hz, B = −1,4 Hz e C = +3,2 Hz. Para uma hélice α, ϕ é próximo de 120°, o que daria $^3J_{HH} \approx 4$ Hz. Para uma folha β, ϕ é próximo de 180°, o que daria $^3J_{HH} \approx 10$ Hz. Consequentemente, constantes de acoplamentos pequenas indicam uma hélice α, enquanto constantes de acoplamento grandes indicam uma folha β.

Exercício proposto 21.6

Experimentos com RMN mostram que, para o acoplamento H—C—C—H em polipeptídeos, A = +3,5 Hz, B = −1,6 Hz e C = +4,3 Hz. Em uma investigação do polipeptídeo flavodoxina, determinou-se que a constante de acoplamento $^3J_{HH}$ para aquele grupo é 2,1 Hz. Este valor é consistente com uma conformação de hélice α ou de folha β?

Resposta: hélice α

[1] A equação também é frequentemente escrita na forma de $^3J_{HH} = A' + B'\cos\phi + C'\cos^2\phi$.

(b) A origem do desdobramento spin-spin

O acoplamento spin-spin das moléculas em solução pode ser explicado por um **mecanismo de polarização,** que admite seja a interação transmitida por meio das ligações. O caso mais simples de analisar é o da constante $^1J_{XY}$, em que X e Y são núcleos de spin ½ unidos por uma ligação de par de elétrons (Fig. 21.17). O mecanismo de acoplamento depende de que, para certos átomos, é preferível que os spins do núcleo e de um elétron vizinho sejam paralelos (ambos α ou ambos β), mas para outros é preferível que sejam antiparalelos (um α e o outro β). O acoplamento entre o elétron e o núcleo é de origem magnética e pode ser ou uma interação dipolar entre momentos magnéticos dos elétrons e spins nucleares ou uma **interação de contato de Fermi,** uma interação que depende de um elétron ficar muito próximo de um núcleo, e que só pode, portanto, ocorrer se o elétron ocupa um orbital s. Iremos considerar que é energeticamente favorável para um spin do elétron e um spin do núcleo que sejam antiparalelos (por exemplo, para o próton e o elétron no átomo de hidrogênio), tanto $\alpha_e\beta_N$ quanto $\beta_e\alpha_N$, em que estamos usando os símbolos e e N para distinguir os spins do elétron e do núcleo.

Se o núcleo X for α_X, um elétron β do par ligante tenderá a estar nas suas proximidades (pois esta configuração é favorecida pela energia). O segundo elétron da ligação, que deve ter spin α se o outro é β, será preferencialmente encontrado na extremidade mais afastada da ligação (pois os elétrons tendem a se manter afastados a fim de ser mínima a repulsão entre ambos). Como é preferível, do ponto de vista da energia, que o spin de Y seja antiparalelo ao spin do elétron, um núcleo Y com spin β terá energia mais baixa que um núcleo Y com spin α:

Baixa energia: $\alpha_X\beta_e \ldots \alpha_e\beta_Y$

Alta energia: $\alpha_X\beta_e \ldots \alpha_e\alpha_Y$

O oposto é correto quando X for β, pois então o spin α de Y proporcionará energia mais baixa:

Baixa energia: $\beta_X\alpha_e \ldots \beta_e\alpha_Y$

Alta energia: $\beta_X\alpha_e \ldots \beta_e\beta_Y$

Resumindo, a configuração dos spins nucleares antiparalelos ($\alpha_X\beta_Y$ e $\beta_X\alpha_Y$) corresponde à energia mais baixa do que a configuração dos spins paralelos ($\alpha_X\alpha_Y$ e $\beta_X\beta_Y$) graças ao acoplamento magnético com os elétrons da ligação. Ou seja, $^1J_{HH}$ será positiva, pois então hJm_Xm_Y é negativo quando m_X e m_Y têm sinais opostos.

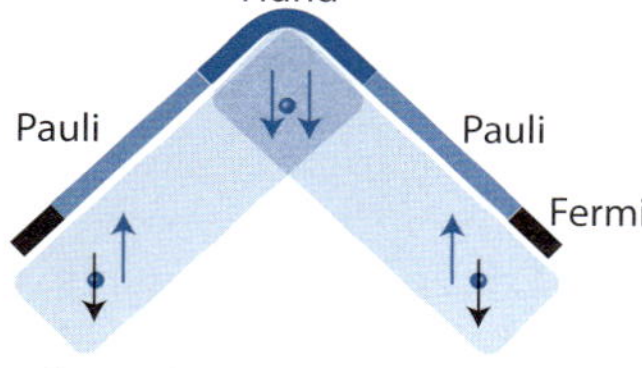

Figura 21.18 O mecanismo da polarização para o acoplamento spin-spin $^2J_{HH}$. A informação sobre o spin é transmitida de uma ligação para a seguinte por uma versão do mecanismo que explica a energia mais baixa dos elétrons com spins paralelos em diferentes orbitais atômicos (regra de Hund da máxima multiplicidade). Neste caso, $J < 0$, e a energia é mais baixa quando os spins nucleares forem paralelos.

Para explicar o valor de $^2J_{XY}$, por exemplo, no H—C—H, precisamos de um mecanismo que possa transmitir o alinhamento dos spins pelo átomo central de C (que pode ser o do ^{12}C, sem spin nuclear). Neste caso (Fig. 21.18), um núcleo X, com spin α polariza os elétrons da sua ligação e o elétron α estará, provavelmente, mais próximo do núcleo de C. A distribuição mais favorável de dois elétrons do mesmo átomo é com seus spins paralelos (regra de Hund, Seção 13.11), de modo que o arranjo mais favorável é com o elétron α da ligação vizinha estando próximo do núcleo de C. Consequentemente, o elétron β daquela ligação será encontrado com maior probabilidade próximo ao núcleo Y; portanto, esse núcleo terá energia mais baixa se for α:

Baixa energia: $\alpha_X\beta_e \ldots \alpha_e[C]\alpha_e \ldots \beta_e\alpha_Y$
Alta energia: $\alpha_X\beta_e \ldots \alpha_e[C]\alpha_e \ldots \beta_e\beta_Y$

Baixa energia: $\beta_X\alpha_e \ldots \beta_e[C]\beta_e \ldots \alpha_e\beta_Y$
Alta energia: $\beta_X\alpha_e \ldots \beta_e[C]\beta_e \ldots \alpha_e\alpha_Y$

Assim, de acordo com este mecanismo, a energia de Y será obtida se seu spin for paralelo ($\alpha_X\alpha_Y$ e $\beta_X\beta_Y$) ao de X. Isto é, $^2J_{HH}$ será negativa, pois então hJm_Xm_Y é negativo quando m_X e m_Y têm o mesmo sinal.

O acoplamento entre o spin nuclear e o spin do elétron pela interação de contato de Fermi é muito importante para os spins dos prótons, mas não é, necessariamente, o mecanismo mais importante para outros núcleos. Esses núcleos podem interagir por um mecanismo dipolar com os momentos magnéticos dos elétrons e com os movimentos dos orbitais, e não há maneira simples de determinar se J é positiva ou negativa.

21.5 Relaxação do spin

Quando a absorção ressonante continua, a população do estado de maior energia cresce de modo a igualar-se com a do estado de menor energia. Da Eq. 21.7, podemos esperar que a intensidade do sinal de absorção diminua com o tempo à medida que as populações dos estados de spin se igualem. Essa diminuição em função da igualdade progressiva das populações é chamada de **saturação.**

(a) Tipos de relaxação

O fato de a saturação não ser observada frequentemente, em particular quando a potência da radiofrequência é mantida baixa, significa que existem processos não radiativos mediante os quais os spins nucleares β podem liberar energia e se tornar spins α novamente, e, por conseguinte, ajudar a manter a diferença de população entre os dois estados. O retorno não radiativo para uma distribuição de equilíbrio de populações em um sistema (Eq. 21.5a) é um aspecto do processo denominado **relaxação.** Se pudéssemos imaginar a formação de um sistema de spins nos quais todos os núcleos estivessem no seu estado β, então o sistema retornaria exponencialmente para a distribuição de equilíbrio (um pequeno excesso de spins α em relação aos spins β) com uma constante de tempo chamada **tempo de relaxação spin-rede,** T_1 (Fig. 21.19).

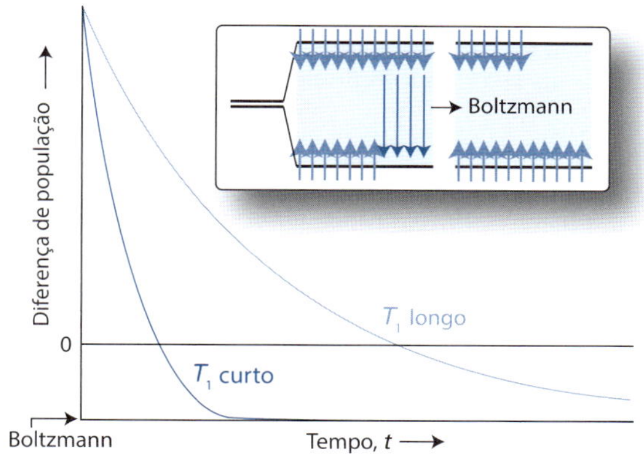

Figura 21.19 O tempo de relaxação spin-rede é a constante de tempo para o retorno exponencial da população dos estados de spin para as suas distribuições de equilíbrio (distribuição de Boltzmann).

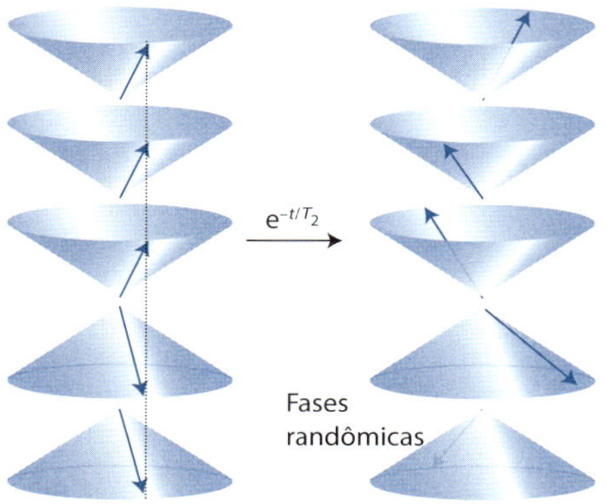

Figura 21.20 O tempo de relaxação spin-spin e a constante de tempo para o retorno exponencial dos spins para uma distribuição aleatória ao redor da direção do campo magnético. Nenhuma mudança das populações dos dois estados de spin está envolvida nesse tipo de relaxação, de modo que nenhuma energia é transferida dos spins para as vizinhanças.

Entretanto, há outro aspecto, mais sutil, da relaxação. Considere uma imagem clássica de núcleos magnéticos (Seção 21.1) e imagine que, de alguma maneira, organizamos todos os spins em uma amostra de modo que tenham exatamente o mesmo ângulo ao redor da direção do campo em dado instante. Se cada spin tem uma frequência de Larmor ligeiramente diferente (por experimentarem campos magnéticos locais ligeiramente diferentes), vão gradualmente se espalhar. No equilíbrio térmico, todos os ímãs, em forma de barra, se distribuem com ângulos *ao acaso* em torno da direção do campo aplicado, e a constante de tempo para o retorno exponencial do sistema para esse arranjo aleatório é chamada de **tempo de relaxação spin-spin,** T_2 (Fig. 21.20). Para que spins estejam verdadeiramente em equilíbrio térmico, não somente a razão entre as populações de estados de spin deve ser dada pela Eq. 21.5a, mas também as orientações dos spins devem ser aleatórias ao redor da direção do campo.

(b) Mecanismos de relaxação

O que provoca cada tipo de relaxação? Em cada caso os spins estão respondendo a campos magnéticos locais que atuam de modo que girem em orientações diferentes. Porém, há uma diferença crucial entre os dois processos.

O melhor tipo de campo magnético local para induzir uma transição de β para α (como na relaxação spin-rede) é aquele que flutua em uma frequência próxima da frequência de ressonância. Esse tipo de campo pode surgir a partir do movimento de basculação da molécula na amostra fluida. Se esse movimento da molécula for lento comparado com a frequência de ressonância, dará origem a um campo magnético flutuante que oscila muito lentamente para induzir transições, portanto, T_1 será longo. Se o movimento de basculação da molécula é muito mais rápido do que a frequência de ressonância, então esse movimento dará origem a um campo magnético flutuante que oscila muito rapidamente para induzir transições, portanto T_1 será novamente longo. Só quando o movimento de basculação tem uma velocidade próxima da frequência de ressonância, o campo magnético flutuante será capaz de induzir transições efetivamente, e só então T_1 será curto. A velocidade do movimento de basculação da molécula aumenta com a temperatura e com a diminuição da viscosidade do solvente, de modo que podemos esperar uma dependência semelhante à mostrada na Figura 21.21.

O melhor tipo de campo magnético local para provocar relaxação spin-spin é um que não mude muito rapidamente. Então cada molécula na amostra demora por muito tempo em seu ambiente magnético local particular, e as orientações dos spins têm tempo para ficarem randômicas ao redor da direção do campo aplicado. Se as moléculas se moverem rapidamente de um ambiente magnético para outro, os efeitos dos diferentes campos magnéticos se anulam, e a randomização não ocorre rapidamente. Em outras palavras, movimento molecular lento corresponde a T_2 curto e movimento rápido corresponde a T_2 longo (como mostrado na Figura 21.21). Cálculos detalhados mostram que, quando o movimento for rápido, os dois tempos de relaxação são iguais, conforme foi feito na ilustração.

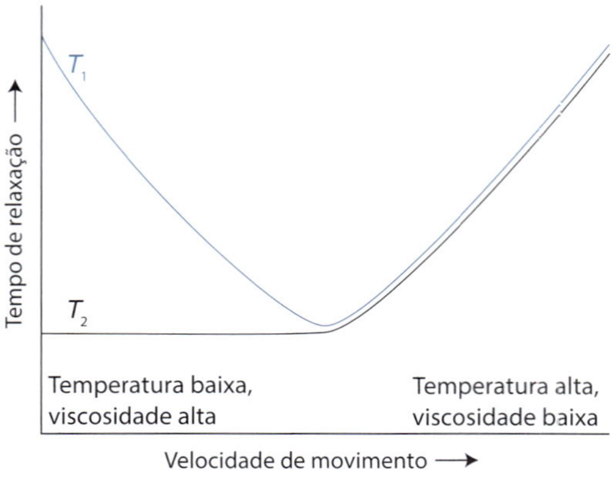

Figura 21.21 A variação dos dois tempos de relaxação com a velocidade com que as moléculas se movem (ou pelo movimento de basculação ou migrando pela solução). O eixo horizontal pode ser interpretado como representando a temperatura ou a viscosidade. Observe que, em velocidades rápidas de movimento, os dois tempos de relaxação coincidem.

Estudos de relaxação de spin – usando técnicas avançadas que utilizam sequências complicadas de pulsos de energia na região de radiofrequência, para estimular os spins em orientações especiais e monitorar o seu retorno para o equilíbrio – têm duas aplicações principais. Em primeiro lugar, revelam informações sobre a mobilidade das moléculas ou partes de moléculas. Por exemplo, estudando tempos de relaxação de spin de prótons nas cadeias hidrocarbônicas de micelas e bicamadas podemos construir uma imagem detalhada do movimento dessas cadeias, e, consequentemente, podemos vir a entender a dinâmica das membranas celulares. Segundo, tempos de relaxação dependem da separação entre o núcleo e a fonte do campo magnético que está causando sua relaxação: essa fonte pode ser outro núcleo magnético na mesma molécula. Estudando os tempos de relaxação, podemos determinar as distâncias internucleares dentro da molécula, a partir das quais podemos construir modelos para a forma de uma molécula.

21.6 Conversão conformacional e troca química

A aparência de um espectro de RMN se altera se os núcleos magnéticos puderem mudar rapidamente de ambiente. Considere uma molécula, como a *N*,*N*-dimetilformamida, que pode passar de uma para outra conformação; neste caso, o deslocamento dos grupos metila vai depender de estarem em posição *cis* ou *trans* em relação ao grupo carbonila (Fig. 21.22). Quando a velocidade de conversão é pequena, o espectro mostra dois conjuntos de linhas, um para cada conformação da molécula. Quando a interconversão for rápida, o espectro mostra uma única linha, na média dos dois deslocamentos químicos. Nas velocidades intermediárias de interconversão, a linha é muito larga. Este alargamento máximo ocorre quando o tempo de vida, τ (tau), de uma conformação dá origem a uma largura de linha que é comparável à diferença de frequências de ressonância, $\Delta\nu$. Nestas circunstâncias, as duas linhas se fundem em uma linha muito larga. A coalescência das duas linhas ocorre quando

$$\tau = \frac{2^{1/2}}{\pi\Delta\nu} \qquad \text{Critério de coalescência} \qquad (21.15)$$

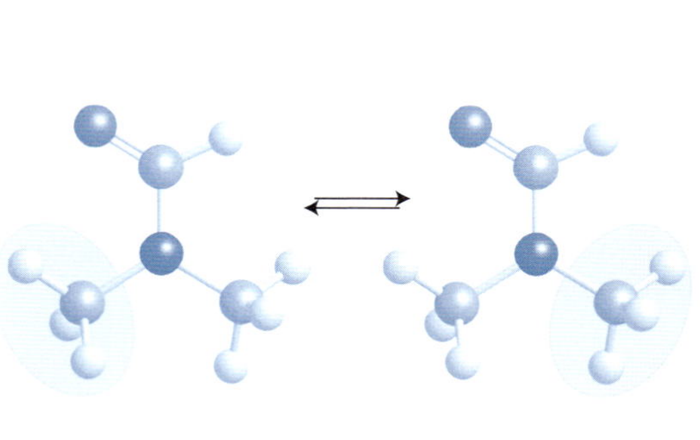

Figura 21.22 Quando uma molécula passa de uma conformação para outra, as posições dos seus prótons são permutadas e há passagem de alguns para ambiente magnético diferente do original.

■ **Breve ilustração 21.7** Alargamento de linha

O grupo NO na *N,N*-dimetilnitrosamina, $(CH_3)_2N—NO$, gira em torno da ligação N—N e, por isso, o ambiente magnético dos dois grupos CH_3 são intercambiados. Em um espectrômetro a 600 MHz, as duas ressonâncias do CH_3 estão separadas por 390 Hz. A coalescência ocorrerá quando o tempo de vida médio for menor que

$$\tau = \frac{2^{1/2}}{\pi \times (390\ s^{-1})} = 1{,}2 \times 10^{-3}\ s$$

ou 1,2 ms. Conclui-se que o sinal se transformará em uma linha única quando a velocidade de interconversão exceder cerca de $1/\tau = 830\ s^{-1}$.

Exercício proposto 21.7

Que se poderia deduzir da observação de uma única linha da mesma molécula em um espectrômetro de 300 MHz?

Resposta: O tempo de vida da conformação é menor que 2,3 ms

Explicação semelhante elucida a perda de estrutura fina em solventes que trocam prótons com a amostra. Por exemplo, os prótons da hidroxila podem se permutar com os da água. Quando esta **troca química** ocorre, uma molécula ROH, com um próton de spin α (que vamos escrever como ROH_α), pode se converter rapidamente em ROH_β e depois talvez em ROH_α novamente, pois os prótons proporcionados pelas moléculas do solvente nas trocas sucessivas têm orientações aleatórias dos spins. Portanto, em lugar de se ter um espectro composto pelas contribuições das moléculas ROH_α e ROH_β (isto é, um espectro mostrando uma estrutura de dupleto devida ao próton da OH) obtém-se um espectro que não mostra nenhum desdobramento causado pelo acoplamento do próton da OH (como na Figura 21.5). O efeito é observado quando o tempo de vida da molécula, em virtude da troca química, é tão curto que o alargamento do tempo de vida é maior do que o desdobramento do dupleto. Como este desdobramento é, muitas vezes, muito pequeno (uns poucos hertzs), um próton deve ficar ligado à mesma molécula durante mais do que cerca de 0,1 s para que o desdobramento possa ser observável. Na água, a velocidade de troca é muito maior do que essa, e por isso os álcoois em água não exibem desdobramento dos prótons da OH. No dimetilsulfóxido (sigla em inglês DMSO, $(CH_3)_2SO$) seco, a velocidade de troca pode ser suficientemente lenta para que o desdobramento possa ser detectado.

21.7 RMN bidimensional

Um espectro de RMN exibe grande soma de informações e é muito complicado se muitos spins estiverem presentes, pois as estruturas finas dos diversos grupos de linhas podem se superpor. A complexidade poderia ser reduzida se fossem usados dois eixos para registrar os dados, com as ressonâncias pertinentes a grupos diferentes localizadas em pontos diferentes no segundo eixo. Esta separação é, essencialmente, o que se obtém na **RMN bidimensional.**

Muitos dos trabalhos modernos de RMN se fazem com o uso de técnicas tais como a **espectroscopia de correlação** (conhecida pela sigla em inglês COSY), na qual uma sequência adequada de pulsos e de transformações de Fourier fazem com que seja possível determinar todos os acoplamentos spin-spin em uma molécula. O espectro COSY de um sistema AX contém quatro grupos de sinais centrados nos dois deslocamentos químicos. Cada grupo tem uma estrutura fina que consiste em um bloco de quatro sinais separados por J_{AX}. Os picos diagonais são sinais centrados em (δ_A,δ_A) e (δ_X,δ_X) e se localizam ao longo da diagonal. Os "picos cruzados" (ou picos fora da diagonal) são sinais centrados em (δ_A,δ_X) e (δ_X,δ_A) e devem sua existência ao acoplamento entre A e X. Portanto, os picos cruzados nos espectros COSY nos permitem mapear os acoplamentos entre os spins e seguir a rede de ligações em moléculas complexas. A Figura 21.23 mostra um exemplo simples de um espectro COSY de próton da isoleucina, $CH_3CH_2CH(CH_3)CH(NH_2)COOH$.

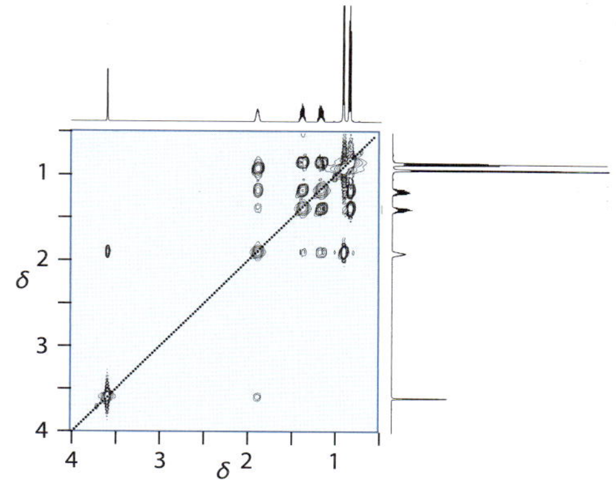

Figura 21.23 Espectro COSY de próton do aminoácido isoleucina. Os picos na diagonal correspondem a um espectro unidimensional, mostrado ao longo de cada aresta.

Embora a informação obtida pela espectroscopia de RMN bidimensional seja trivial para um sistema AX, pode ser de enorme ajuda na interpretação de espectros mais complicados. Por exemplo, o complexo espectro de um polímero sintético ou de uma proteína seria impossível de ser interpretado em RMN unidimensional, mas pode ser interpretado em tempo relativamente curto usando-se RMN bidimensional.

Impacto na medicina 21.1

Imagem por ressonância magnética

Uma das aplicações mais notáveis da ressonância magnética nuclear é na medicina. A **imagem por ressonância magnética** (IRM, sigla em inglês RMI) é uma simples descrição das concentrações de prótons em um objeto sólido. A técnica se baseia na aplicação de sequências de pulsos específicos a um objeto em um campo magnético não uniforme (campo com valores que variam dentro da amostra).

Se um objeto que contém núcleos de hidrogênio (um frasco de água ou um corpo humano) é colocado em um espectrômetro de RMN e exposto a um campo magnético *uniforme* (um campo que tem o mesmo valor em toda a amostra), então um único sinal de ressonância será observado. Considere agora um frasco de água em um campo magnético que varia linearmente ao longo da direção *z* de acordo com $\mathcal{B}_0 + \mathcal{G}_z z$, em que $\mathcal{G}_z$ é o gradiente do campo ao longo da direção *z* (Fig. 21.24). Então os prótons da água entrarão em ressonâncias nas frequências

$$\nu(z) = {}^1/_{2}\gamma_N(\mathcal{B}_0 + \mathcal{G}_z z)$$

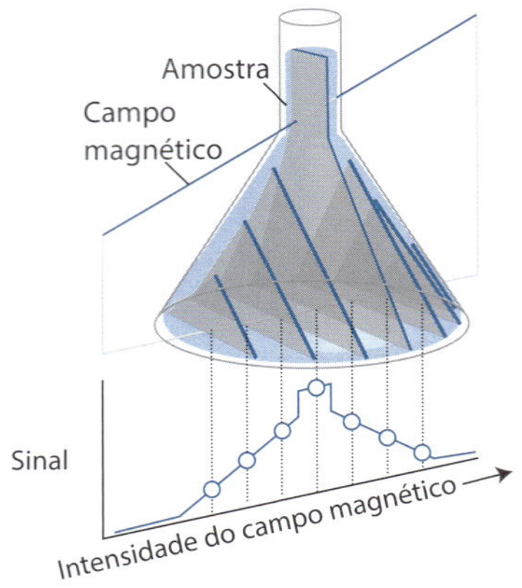

Figura 21.24 Em um campo magnético que varia linearmente sobre uma amostra, todos os prótons dentro de uma determinada fatia (quer dizer, em determinado valor de campo) entram em ressonância e dão um sinal de intensidade correspondente. O padrão de intensidade resultante é um mapa dos números em todas as fatias, e retrata a forma da amostra. A mudança da orientação do campo mostra a forma ao longo da direção correspondente, e a manipulação por computador pode ser usada para construir a forma tridimensional da amostra.

(equações semelhantes podem ser escritas para os gradientes ao longo das direções *x* e *y*). A exposição da amostra à radiação de frequência $\nu(z)$ produzirá um sinal proporcional ao número de prótons na posição *z*. Este é um exemplo de "seleção por fatias", o uso de radiação de radiofrequência que excita os núcleos em uma região específica, ou fatia, da amostra. Segue-se que a intensidade do sinal de RMN será uma projeção dos números de prótons em uma linha paralela ao gradiente do campo. A imagem de um objeto tridimensional, como um frasco com água, pode ser obtida se a técnica de seleção por fatias é aplicada a diferentes orientações.

Um problema comum com esta técnica é o contraste da imagem, que tem de ser otimizado de forma a mostrar variações espaciais no conteúdo de água da amostra. Uma das estratégias para resolver este problema aproveita o fato de que os tempos de relaxação dos prótons da água são menores para a água em tecidos biológicos do que para o líquido puro. Além disso, os tempos de relaxação dos prótons da água também são diferentes em tecidos saudáveis e doentes. É obtida uma *imagem ponderada por* T_1 coletando-se dados antes que a relaxação spin-rede possa levar os spins na amostra de volta ao equilíbrio. Nessas condições, as diferenças das intensidades de sinal são diretamente relacionadas com as diferenças em T_1. É obtida uma *imagem ponderada por* T_2 coletando-se os dados após o sistema relaxar extensivamente, embora não completamente. Assim, as intensidades de sinal são fortemente dependentes das variações em T_2. No entanto, permitir que o decaimento ocorra tão acentuadamente leva a sinais fracos, mesmo para aqueles prótons com longos tempos de relaxação de spin-spin. Outra estratégia envolve o uso de *agentes de contraste*, compostos paramagnéticos que diminuem os tempos de relaxação de prótons vizinhos. A técnica é particularmente útil na intensificação de contraste de imagem e no diagnóstico de doença, se o agente de contraste é distribuído diferentemente em tecidos saudáveis e doentes.

A técnica de IRM é de amplo uso na detecção de anormalidades fisiológicas e na observação de processos metabólicos. Com **IRM funcional**, o fluxo sanguíneo em diferentes regiões do cérebro pode ser estudado e relacionado com as atividades mentais do indivíduo. A vantagem especial de IRM é que pode produzir a imagem de tecidos *moles* (Fig. 21.25), enquanto os raios X têm amplo uso na produção da imagem de estruturas ósseas duras e regiões anormalmente densas, como os tumores. De fato, a invisibilidade das estruturas duras em IRM é uma vantagem, pois permite a formação de imagem de estruturas envolvidas pelo osso, como o cérebro e a medula espinhal. Sabe-se que os raios X são perigosos por conta da ionização que causam; os altos campos magnéticos utilizados em IRM também podem ser perigosos, porém, à parte as anedotas a respeito da extração de obturações soltas dos dentes, não há nenhuma prova convincente de que sejam nocivos e a técnica é considerada segura.

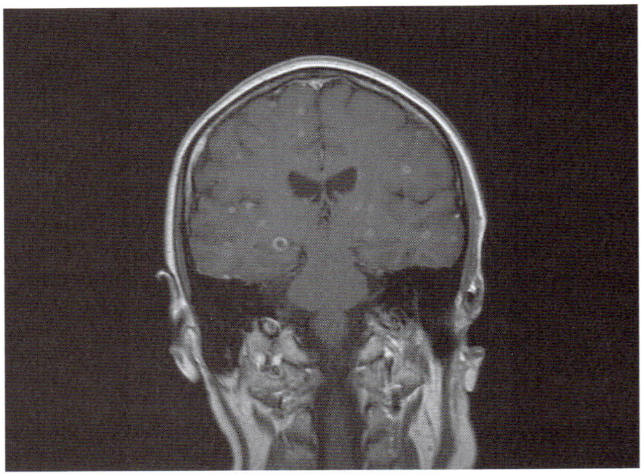

Figura 21.25 A grande vantagem da IRM é que ela pode mostrar o tecido mole, como neste corte transversal da cabeça de um paciente. Imagem com copyright: Dr. James Holt.

Ressonância paramagnética do elétron

Um elétron (com número quântico de spin $s = \frac{1}{2}$) em um campo magnético pode tomar duas orientações, correspondentes a $m_s = +\frac{1}{2}$ (simbolizada como α ou↑) e $m_s = -\frac{1}{2}$ (simbolizada como β ou ↓). O elétron possui um momento magnético em razão de seu spin e esse momento interage com um campo magnético externo. Ou seja, um elétron comporta-se como um ímã minúsculo com componente *z*

$$m_z = \gamma_e \hbar m_s \qquad \text{Momento magnético em razão do spin} \qquad (21.16)$$

em que γ_e é a **razão giromagnética** do elétron

$$\gamma_e = -\frac{g_e e}{2m_e} \qquad \text{Razão giromagnética} \qquad (21.17)$$

e g_e é um fator, o **valor *g* do elétron**, que é próximo de 2,0023 para um elétron livre. O 2 provém da teoria relativística de Dirac; o 0,0023 vem de termos de correção adicionais. Segue da equação em Ferramentas do químico 21.1 que, em um campo magnético $\mathcal{B}$, as duas orientações têm energias diferentes (Fig. 21.26). Essas energias são dadas por

$$E_{m_s} = -\gamma_e \hbar \mathcal{B} m_s \qquad \text{Energia do elétron} \qquad (21.18)$$

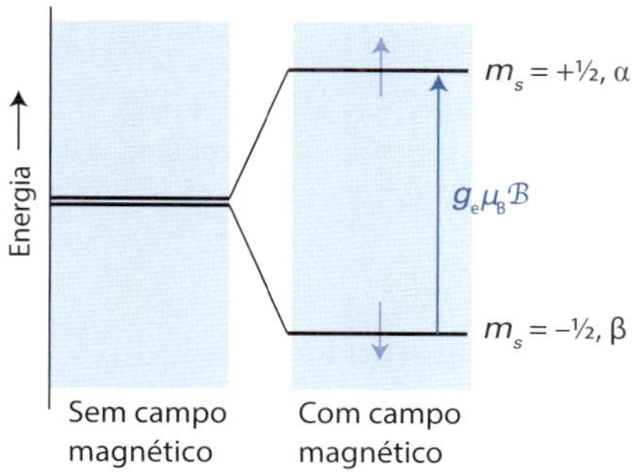

Figura 21.26 Os níveis de energia de um elétron em um campo magnético. A ressonância ocorre quando a separação de energias dos níveis corresponde à energia dos fótons no campo eletromagnético.

As energias são às vezes expressas em termos do **magnéton de Bohr**

$$\mu_B = \frac{e\hbar}{2m_e} = 9{,}274 \times 10^{-24}\ \mathrm{J\ T^{-1}} \qquad \text{Magnéton de Bohr} \quad (21.19)$$

uma unidade fundamental do magnetismo, pois, então,

$$E_{m_s} = g_e\mu_B\mathcal{B}m_s \qquad \text{Energia do elétron} \quad (21.20)$$

Conclui-se que a separação de energias dos dois estados de spin de um elétron é

$$\Delta E = E_\alpha - E_\beta = g_e\mu_B\mathcal{B}(+\tfrac{1}{2}) - g_e\mu_B\mathcal{B}(-\tfrac{1}{2}) = g_e\mu_B\mathcal{B} \quad (21.21)$$

Para um elétron, o estado β fica abaixo do estado α em termos de energia e, por um argumento semelhante ao utilizado para núcleos,

$$N_\beta - N_\alpha \approx \frac{Ng_e\mu_B\mathcal{B}}{2kT} \qquad \text{Elétrons} \quad \text{Diferença de populações} \quad (21.22)$$

em que N é o número total de spins.

■ Breve ilustração 21.8 Spin do elétron

Quando 1000 spins de elétrons são expostos a um campo magnético de 1,0 T, a 20 °C (293 K),

$$N_\beta - N_\alpha \approx \frac{\overbrace{1000}^{N} \times \overbrace{2{,}0023}^{g_e} \times \overbrace{(9{,}274 \times 10^{-24}\ \mathrm{J\ T^{-1}})}^{\mu_B} \times \overbrace{(1{,}0\ \mathrm{T})}^{\mathcal{B}}}{2 \times \underbrace{(1{,}381 \times 10^{-23}\ \mathrm{J\ K^{-1}})}_{k} \times \underbrace{(293\ \mathrm{K})}_{T}}$$

$$\approx 2{,}3$$

Há um desbalanceamento de populações de apenas cerca de 2 elétrons em mil.

A técnica de ressonância para elétrons em um campo magnético é denominada **ressonância paramagnética do elétron** (sigla em inglês EPR) ou **ressonância do spin do elétron** (sigla em inglês ESR). Como os momentos magnéticos dos elétrons são muito maiores que os momentos magnéticos nucleares, mesmo campos com valores razoavelmente pequenos podem exigir frequências altas para alcançar a ressonância. Muitos trabalhos são feitos usando-se campos em torno de 0,3 T, quando a ressonância ocorre em aproximadamente 9 GHz, correspondendo à radiação de micro-ondas de 3 cm (a "banda X"), ou em torno de 1 T, quando a ressonância ocorre em

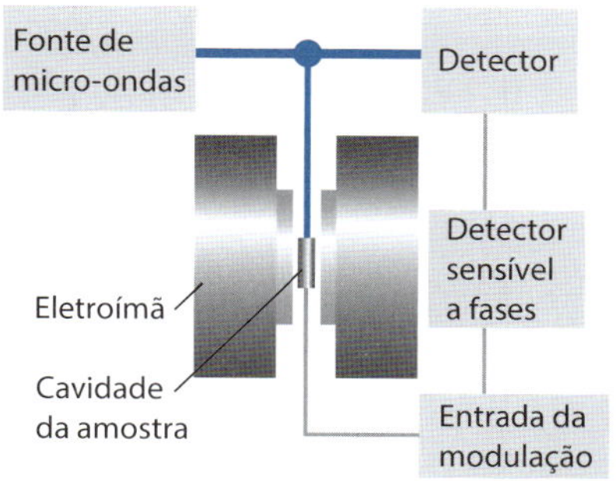

Figura 21.27 Esquema de um espectrômetro de EPR de onda contínua. O campo magnético típico é de 0,3 T, o que requer micro-ondas com frequência de 9 GHz (comprimento de onda de 3 cm) para a ressonância.

35 GHz, correspondendo à radiação de micro-ondas de 9 mm (a "banda Q"). A ressonância paramagnética do elétron é muito mais limitada do que a RMN porque só é aplicável a espécies com elétrons desemparelhados, que incluem os radicais (que podem ser produzidos por danos causados por radiação ou por fotólise) e complexos de metais dos grupos d e f, incluindo espécies biologicamente ativas como a hemoglobina. Entretanto, fornece valiosa informação sobre as distribuições eletrônicas e pode ser usada para monitorar, por exemplo, a captação de oxigênio pela hemoglobina e processos biológicos de transferência de elétron.

São disponíveis os espectrômetros de EPR com transformada de Fourier (FT) e de onda contínua (CW). O instrumento EPR-FT é semelhante a um espectrômetro de RMN-FT exceto que pulsos de micro-ondas são usados para excitar os spins dos elétrons na amostra. O esquema do espectrômetro EPR-CW mais comum é mostrado na Figura 21.27. Consiste em uma fonte de micro-ondas (um klystron ou um oscilador de Gunn), uma cavidade na qual a amostra é inserida em um recipiente de vidro ou de quartzo, um detector de micro-ondas e um eletroímã com um campo que pode ser variado na região de 0,3 T (banda X) ou 1 T (banda Q).

Um espectro de EPR é obtido monitorando-se a absorção de micro-ondas quando o campo varia, e um espectro típico de EPR (do radical aniônico do benzeno $C_6H_6^-$) é mostrado na Figura 21.28. O aspecto característico do espectro, que é de fato a derivada primeira (coeficiente angular) da absorção, surge da técnica de detecção empregada (Fig. 21.29).

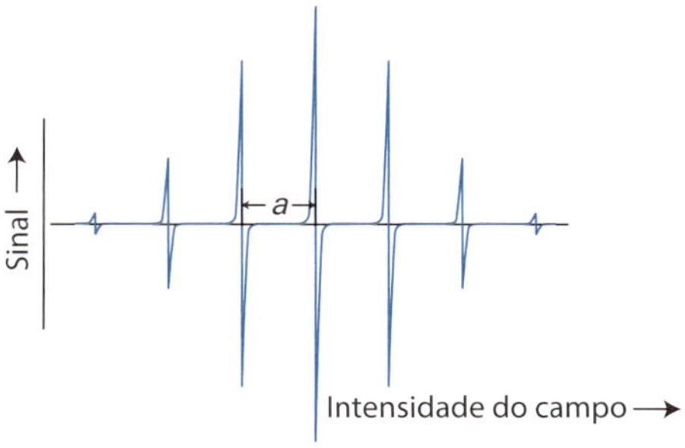

Figura 21.28 O espectro de EPR do radical aniônico do benzeno, $C_6H_6^-$, em solução fluida. O parâmetro *a* é o desdobramento hiperfino do espectro. O centro do espectro é determinado pelo valor *g* do radical.

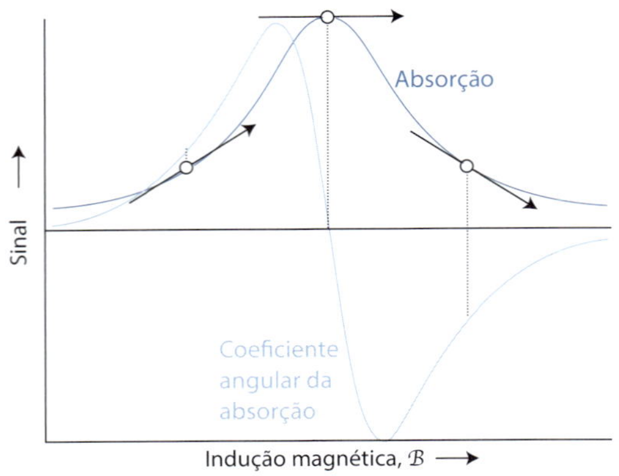

Figura 21.29 Quando é empregada a detecção do sinal sensível à fase, o sinal registrado é a derivada primeira da curva da intensidade da absorção. Observe que o pico da absorção corresponde ao ponto em que a derivada passa por zero.

21.8 O valor *g*

A Eq. 21.21 dá a energia para uma transição entre os níveis $m_s = -1/2$ e $m_s = +1/2$ de um elétron "livre" em termos do valor g, $g_e \approx 2{,}0023$. O momento magnético de um elétron desemparelhado em um radical também interage com um campo externo, mas o valor g é diferente do de um elétron livre em função dos campos magnéticos locais induzidos pelo esqueleto molecular do radical. Consequentemente, a condição de ressonância é escrita, normalmente, como

$$h\nu = g\mu_B \mathcal{B} \qquad \text{Condição de ressonância} \qquad (21.23)$$

em que g é conhecido como o **valor *g*** do radical, determinado empiricamente. Muitos radicais orgânicos têm valor g próximo a 2,0027; radicais inorgânicos têm valor g, normalmente, na faixa de 1,9 a 2,1; complexos de metal d e f paramagnéticos têm valor g em um intervalo maior (por exemplo, de 0 a 6).

O desvio de g em relação ao valor $g_e = 2{,}0023$ depende da capacidade de o campo aplicado induzir correntes eletrônicas locais no radical, e da transmissão dessas correntes para o spin por meio do acoplamento spin-órbita (Seção 13.18), e por isso seu valor proporciona certa informação sobre a estrutura eletrônica do radical. Neste sentido, o valor g exerce um papel em EPR que é similar ao papel das constantes de blindagem na RMN. Porém, como os valores g diferem muito pouco em relação ao valor de g_e em muitos radicais (por exemplo, 2,003 para o H, 1,999 para o NO_2, 2,01 para o ClO_2), a sua principal aplicação química é auxiliar na identificação de espécies presentes em uma amostra.

■ Breve ilustração 21.9 O valor *g*

O centro da linha de ressonância do espectro de EPR do radical metila está em 329,40 mT, em um espectrômetro operando a 9,2330 GHz (a chamada 'banda X' do espectro de micro-ondas). O valor g do radical é então

$$g = \frac{h\nu}{\mu_B \mathcal{B}} = \frac{\overbrace{(6{,}626\,08\times10^{-34}\ \text{J s})}^{h}\times\overbrace{(9{,}2330\times10^{9}\ \text{s}^{-1})}^{\nu}}{\underbrace{(9{,}2740\times10^{-24}\ \text{J T}^{-1})}_{\mu_B}\times\underbrace{(0{,}329\,40\ \text{T})}_{\mathcal{B}}}$$

$$= 2{,}0027$$

Exercício proposto 21.8

Em que campo magnético o radical metila entraria em ressonância em um espectrômetro operando a 34,000 GHz (a chamada "banda Q" do espectro de micro-ondas)?
Resposta: 1,213 T

21.9 Estrutura hiperfina

O aspecto mais importante dos espectros de EPR é a sua **estrutura hiperfina**, isto é, o desdobramento das linhas de ressonância em várias componentes. Em geral, o conceito de "estrutura hiperfina" em espectroscopia indica a estrutura do espectro que pode ser atribuída a interações dos elétrons com os núcleos que não sejam devidas à interação entre as cargas elétricas puntiformes desses últimos. A fonte da estrutura hiperfina dos espectros de EPR é a interação magnética do spin do elétron com os momentos de dipolo magnético dos núcleos do radical.

Considere o efeito de um núcleo de H, localizado no radical, sobre o espectro de EPR. O spin do próton é uma fonte de campo magnético, e, conforme a orientação do spin nuclear, o campo gerado pode aumentar ou diminuir o campo aplicado. O campo local total é, portanto,

$$\mathcal{B}_{loc} = \mathcal{B} + am_I \qquad m_I = \pm 1/2 \qquad (21.24)$$

em que a é a **constante de acoplamento hiperfino**. A metade dos radicais, na amostra, tem $m_I = +1/2$, de modo que a metade entra em ressonância quando o campo aplicado satisfaz à condição

$$h\nu = g\mu_B(\mathcal{B} + \tfrac{1}{2}a), \quad \text{ou} \quad \mathcal{B} = \frac{h\nu}{g\mu_B} - \tfrac{1}{2}a \qquad (21.25a)$$

A outra metade (com $m_I = -1/2$) entra em ressonância quando

$$h\nu = g\mu_B(\mathcal{B} - \tfrac{1}{2}a), \quad \text{ou} \quad \mathcal{B} = \frac{h\nu}{g\mu_B} + \tfrac{1}{2}a \qquad (21.25b)$$

Portanto, em lugar de uma única linha, aparecem no espectro duas linhas, com a metade da intensidade original, separadas por a e centradas no campo determinado por g (Fig. 21.30).

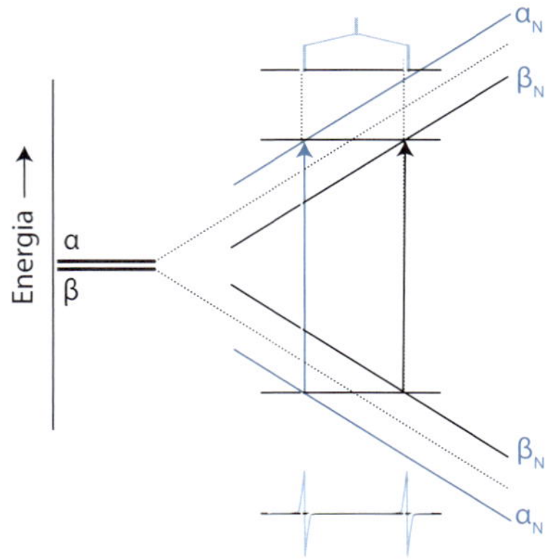

Figura 21.30 A interação hiperfina entre um elétron e um núcleo de spin $1/2$ resulta na formação de quatro níveis em lugar dos dois iniciais. Então, o espectro é constituído por duas linhas (de intensidades iguais) em lugar de uma. A distribuição de intensidade pode ser resumida em um nomograma simples. As retas diagonais mostram as energias dos estados em função do campo aplicado crescente. A ressonância ocorre quando a separação entre os estados é igual à energia fixa do fóton de micro-ondas.

Se o radical contém um átomo de ^{14}N ($I = 1$), o espectro de EPR mostra três linhas com intensidades iguais, pois o núcleo de ^{14}N tem três orientações possíveis do spin e cada orientação é a de um terço de todos os radicais na amostra. Em geral, um núcleo de spin I desdobra o espectro em $2I + 1$ linhas hiperfinas de intensidades iguais.

Quando forem vários os núcleos magnéticos presentes no radical, cada qual contribui para a estrutura hiperfina. No caso de prótons equivalentes (por exemplo, os dois prótons do CH_2 no radical CH_3CH_2), algumas linhas hiperfinas são coincidentes. Não é difícil mostrar que, se o radical tiver N prótons equivalentes, existirão $N + 1$ linhas hiperfinas com uma distribuição de intensidades dada pelo triângulo de Pascal (Seção 21.4). O espectro do ânion do radical benzeno, na Figura 21.28, que tem sete linhas com as intensidades na razão 1:6:15:20:15:6:1, é compatível com um radical que tem seis prótons equivalentes. De modo mais geral, se o radical contém N núcleos equivalentes com número quântico do spin I, então existem $2NI + 1$ linhas hiperfinas com uma distribuição de intensidades dada por versões modificadas do triângulo de Pascal (veja os exercícios).

Exemplo 21.2

Previsão da estrutura hiperfina de um espectro de EPR

Um radical tem um núcleo de ^{14}N ($I = 1$) com a constante hiperfina de 1,61 mT e dois prótons equivalentes ($I = {}^1/_2$) com a constante hiperfina de 0,35 mT. Dê a forma do espectro de EPR.

Estratégia Analisa-se, sucessivamente, a estrutura hiperfina que cada tipo de núcleo, ou cada grupo de núcleos equivalentes, provoca. Assim, desdobramos uma com um núcleo; depois, cada linha do desdobramento é desdobrada por um segundo núcleo (ou grupo de núcleos) e assim sucessivamente. É mais prático principiar com o núcleo que tenha o maior desdobramento hiperfino; entretanto, qualquer escolha pode ser adotada, e a ordem na qual os núcleos são considerados não altera a conclusão.

Resposta Os núcleos de ^{14}N dão três linhas hiperfinas de intensidades iguais, separadas por 1,61 mT. Cada linha é desdobrada em dupletos com o espaçamento de 0,35 mT pelo primeiro próton. Depois, cada linha de cada dupleto é desdobrada pelo segundo próton em dupletos separados também por 0,35 mT (Fig. 21.31). As linhas centrais de cada dupleto coincidem, de modo que o desdobramento do próton leva a tripletos 1:2:1 com a separação interna de 0,35 mT. Desse modo, o espectro será constituído por três tripletos equivalentes 1:2:1.

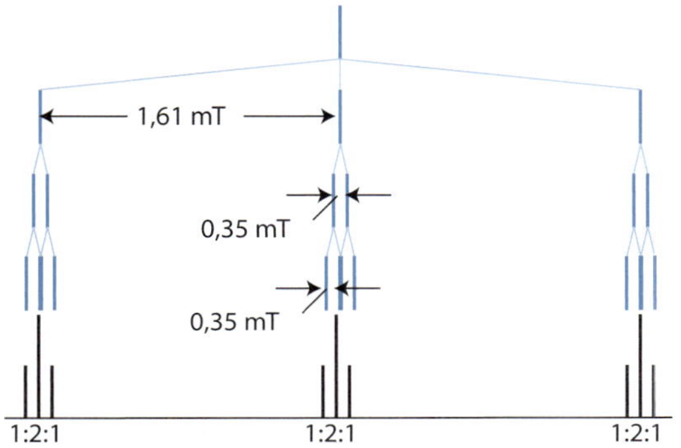

Figura 21.31 Análise da estrutura hiperfina de radicais contendo um núcleo de ^{14}N ($I = 1$) e dois prótons equivalentes.

Exercício proposto 21.9

Dê a forma do espectro de EPR de um radical com três núcleos ^{14}N equivalentes.

Resposta: Figura 21,32

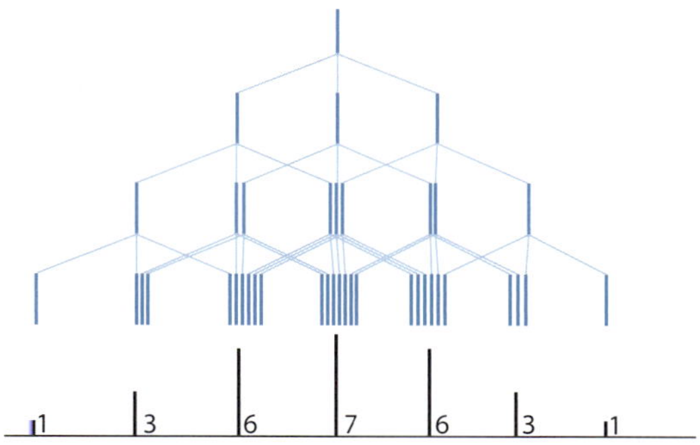

Figura 21.32 Análise da estrutura hiperfina dos radicais contendo três núcleos de ^{14}N equivalentes.

A estrutura hiperfina de um espectro de EPR é uma espécie de impressão digital que ajuda a identificar os radicais presentes na amostra. A interação entre o elétron desemparelhado e o núcleo de hidrogênio responsável pela estrutura hiperfina é uma interação dipolar ou a interação de contato de Fermi descrita na Seção 21.4. No caso da interação de contato, a magnitude do desdobramento depende da distribuição do elétron não emparelhado nas vizinhanças dos núcleos magnéticos presentes, logo o espectro pode ser usado para mapear o orbital molecular ocupado pelo elétron desemparelhado. Por exemplo, como o desdobramento na estrutura hiperfina do espectro do $C_6H_6^-$ é 0,375 mT e um próton está vizinho a um átomo de C com apenas um sexto da densidade do elétron desemparelhado (pois o elétron está distribuído uniformemente sobre o anel), o desdobramento hiperfino provocado por um próton sobre o spin do elétron inteiramente confinado a um único átomo de carbono adjacente seria $6 \times 0{,}375$ mT = 2,25 mT. Se em outro radical aromático encontrarmos uma constante de desdobramento hiperfino a, então a **densidade de spin**, ρ, a probabilidade de um elétron desemparelhado estar no átomo, pode ser calculada pela **equação de McConnell:**

$$a = Q\rho \qquad \text{Equação de McConnell} \quad (21.26)$$

com Q = 2,25 mT. Nesta equação, ρ é a densidade de spin sobre um átomo de C e a é o desdobramento hiperfino observado para o átomo de H ao qual está ligado.

Verificação de conceitos importantes

☐ 1 Ressonância é a condição de forte acoplamento efetivo quando as frequências de dois osciladores são idênticas.

☐ 2 Ressonância magnética nuclear (RMN) é a observação da frequência à qual núcleos magnéticos em moléculas entram em ressonância com um campo eletromagnético de radiofrequência.

☐ 3 Ressonância paramagnética do elétron (EPR) ou ressonância do spin do elétron (ESR) é a observação da frequência à qual o elétron entra em ressonância com um campo eletromagnético de micro-ondas.

☐ 4 A intensidade de uma transição em RMN ou em EPR aumenta com a diferença de população entre os estados α e β e com a intensidade do campo magnético aplicado (segundo $\mathcal{B}^2$).

☐ 5 O deslocamento químico de um núcleo é a diferença entre sua frequência de ressonância e aquela de um padrão de referência.

☐ 6 A constante de blindagem observada é a soma de uma contribuição local, uma contribuição de grupo vizinho e uma contribuição do solvente.

☐ 7 A estrutura fina de um espectro de RMN é o desdobramento dos grupos de ressonâncias em linhas individuais; a intensidade da interação é expressa em termos da constante de acoplamento spin-spin, J.

☐ 8 N núcleos equivalentes de spin $^1/_2$ desdobram a ressonância de um spin, ou grupo de spins equivalentes, vizinho em $N + 1$ linhas com uma distribuição de intensidades dada pelo triângulo de Pascal.

☐ 9 O acoplamento spin-spin em moléculas em solução pode ser explicado em termos do mecanismo de polarização, no qual a interação é transmitida por meio das ligações.

☐ 10 A interação de contato de Fermi é uma interação magnética que depende de um elétron estar muito próximo do núcleo e pode ocorrer apenas se o elétron ocupa um orbital s.

☐ 11 Relaxação é o retorno não radiativo a uma distribuição de equilíbrio de populações em um sistema com orientações relativas de spin ao acaso; o sistema retorna exponencialmente à distribuição de equilíbrio com uma constante de tempo chamada tempo de relaxação spin-rede, T_1.

☐ 12 O tempo de relaxação spin-spin, T_2, é a constante de tempo para o retorno exponencial do sistema às orientações relativas ao acaso.

☐ 13 A coalescência das duas linhas ocorre na interconversão conformacional ou na troca química quando o tempo de vida, τ, dos estados está relacionado com a diferença entre suas frequências de ressonância, $\Delta\nu$.

☐ 14 Na RMN bidimensional, os espectros são registrados em dois eixos, com ressonâncias que pertencem a grupos diferentes caindo em pontos distintos no segundo eixo. Um exemplo de técnica de RMN bidimensional é a espectroscopia de correlação (COSY), na qual são determinados todos os acoplamentos spin-spin em uma molécula.

☐ 15 A condição de ressonância na EPR é escrita em termos do valor g do radical; o afastamento de g de $g_e = 2{,}0023$ depende da capacidade do campo aplicado em induzir correntes eletrônicas locais no radical.

☐ 16 A estrutura hiperfina de um espectro de EPR é o desdobramento das linhas de ressonância individuais em componentes pela interação magnética entre o elétron e os núcleos com spin.

Mapa conceitual das equações importantes

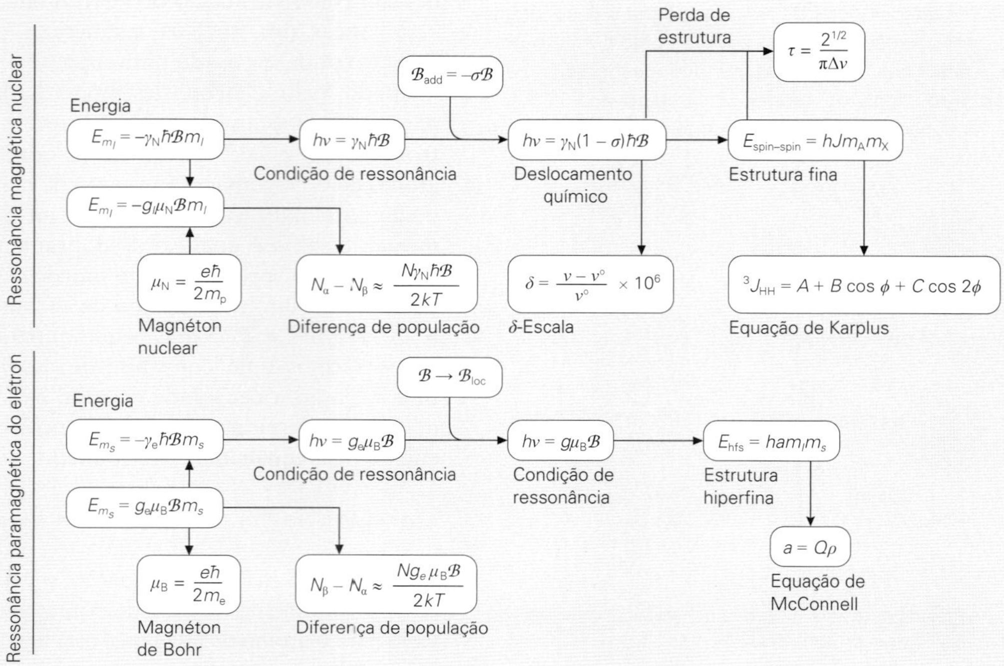

Questões e exercícios

Questões teóricas

21.1 Discuta as origens das contribuições local, de grupo vizinho e do solvente para a constante de blindagem.

21.2 Sugira uma razão por que os tempos de relaxação dos núcleos de ^{13}C são normalmente muito maiores do que os dos núcleos de ^{1}H.

21.3 Sugira uma razão por que o tempo de relaxação spin-rede do benzeno (uma molécula pequena) em um solvente hidrocarbônico deuterado móvel aumenta, enquanto o de um polímero diminui.

21.4 Discuta como a interação de contato de Fermi e o mecanismo de polarização contribuem para os acoplamentos spin-spin em RMN.

21.5 Explique como o espectro de EPR de um radical orgânico pode ser usado para identificar o orbital molecular ocupado pelo elétron desemparelhado.

21.6 A interação hiperfina de um elétron π de um anel aromático com um grupo metila ligado ao anel varia com a rotação do grupo metila. Sugira um mecanismo para a interação.

Exercícios

21.1 As Eqs. 21.1 e 21.3 definem o valor de g e da razão giromagnética de um núcleo. Sabendo-se que g é um número adimensional, quais as unidades de γ_N expresso em (a) tesla e hertz, (b) unidades básicas do SI?

21.2 O núcleo ^{33}S tem $I = {}^{3}/_{2}$ e $\gamma_N = 2{,}054 \times 10^{7}\ T^{-1}\ s^{-1}$. Calcule as energias dos estados do spin nuclear em um campo magnético de 6,000 T.

21.3 A razão giromagnética do ^{31}P é $1{,}0840 \times 10^{8}\ T^{-1}\ s^{-1}$. Qual é o valor do fator g desse núcleo?

21.4 Calcule o valor de $(N_\alpha - N_\beta)/N$ para (a) prótons, (b) núcleos de carbono-13 em um campo de 8,5 T.

21.5 A razão giromagnética do ^{19}F é $2{,}5177 \times 10^{8}\ T^{-1}\ s^{-1}$. Calcule a frequência da transição nuclear em um campo de 7,500 T.

21.6 Calcule o campo magnético necessário para satisfazer à condição de ressonância para prótons desblindados em um campo de radiofrequência de 800,0 MHz.

21.7 A ressonância de um grupo de prótons em um polipeptídio é observada em $\delta = 6{,}33$? Qual é a diferença da frequência dessa ressonância em relação à do TMS em um espectrômetro operando a 500,0 MHz?

21.8 O deslocamento químico dos prótons no CH_3 no acetaldeído (etanal) é $\delta = 2{,}20$ e o do próton no CHO é 9,80. Qual é a diferença no campo magnético local entre as duas regiões da molécula quando o campo aplicado é (a) 1,2 T, (b) 5,0 T?

21.9 Usando a informação da Figura 21.4, estabeleça o desdobramento (em hertz, Hz) entre as ressonâncias do próton metílico e do próton aldeídico em um espectrômetro que opere a (a) 300 MHz, (b) 750 MHz.

21.10 Qual seria o espectro de ressonância magnética nuclear para a linha de ressonância de um próton que foi desdobrada pela interação com sete prótons idênticos?

21.11 Qual seria o espectro de ressonância magnética nuclear para a linha de ressonância de um próton que foi desdobrada pela interação com (a) dois, (b) três núcleos equivalentes de nitrogênio (o spin de um núcleo de nitrogênio é 1)?

21.12 Repita a análise da Seção 21.4 para um sistema AX_2 de spin $^{1}/_{2}$ e deduza o padrão de linhas esperado no espectro.

21.13 Esboce o aparecimento do espectro de RMN-^{1}H do acetaldeído (etanal) usando $J = 2{,}90$ Hz e os dados da Figura 21.4 em um espectrômetro que opere a (a) 300 MHz, (b) 550 MHz.

21.14 Esboce a forma dos espectros de RMN-^{19}F de uma amostra natural de $^{10}BF_4^-$ e $^{11}BF_4^-$.

21.15 Esboce a forma de um espectro do $A_3M_2X_4$, em que A, M e X são prótons com deslocamentos químicos bem diferentes e $J_{AM} > J_{AX} > J_{MX}$.

21.16 Formule a versão do triângulo de Pascal que você espera que represente a estrutura fina em um espectro de RMN para um conjunto de N núcleos com spin 1, para N até 5.

21.17 Formule a versão do triângulo de Pascal que você espera que represente a estrutura fina em um espectro de RMN para um conjunto de N núcleos com spin $^{3}/_{2}$, para N até 5.

21.18 A *N*-acetilbenzoxazepina existe na forma de dois isômeros conformacionais. Em temperaturas baixas o espectro de RMN-^{1}H em solução apresenta duas ressonâncias separadas por 119 Hz. A 325 K esses dois sinais coalescem formando um único pico largo. Qual é o tempo de vida para a interconversão dos dois isômeros à temperatura mais elevada?

21.19 Um próton salta entre dois sítios com $\delta = 2{,}7$ e $\delta = 4{,}8$. A que velocidade de interconversão os dois sinais se fundem em uma única linha em um espectrômetro operando a 550 MHz?

21.20 Calcule a separação entre os níveis de energia dos estados do spin de um elétron em um campo magnético de 0,250 T.

21.21 Calcule o valor de $(N_\beta - N_\alpha)/N$ para elétrons em um campo de (a) 0,40 T, (b) 1,2 T.

21.22 Calcule a frequência de ressonância e o comprimento de onda correspondente para um elétron em um campo magnético de 0,330 T, o campo magnético geralmente usado em EPR.

21.23 O centro do espectro de EPR do hidrogênio atômico está a 329,12 mT em um espectrômetro que opera a 9,2231 GHz. Qual o valor g do elétron desse átomo?

21.24 Um radical com dois prótons equivalentes exibe um espectro de três linhas com distribuição de intensidades 1:2:1. As linhas estão a 330,2 mT, 332,5 mT e 334,8 mT. Qual a constante do acoplamento hiperfino de cada próton? Qual o valor g do radical, sabendo-se que o espectrômetro opera a 9,319 GHz?

21.25 Estime a distribuição de intensidades das linhas do desdobramento hiperfino nos espectros de EPR do (a) $\cdot CH_3$ e (b) $\cdot CD_3$.

21.26 O radical benzeno aniônico tem g = 2,0025. Em que campo deve haver a ressonância em um espectrômetro de EPR que opera a (a) 9,302 GHz e (b) 33,67 GHz?

21.27 O espectro de EPR de um radical com dois núcleos equivalentes de certo tipo é desdobrado em cinco linhas cujas intensidades estão na razão 1:2:3:2:1. Qual o spin dos núcleos?

21.28 Formule a versão do triângulo de Pascal que você espera que represente a estrutura fina em um espectro de EPR para um conjunto de N núcleos com spin 3/2, para N até 5.

21.29 As constantes de acoplamento hiperfino observadas nos radicais aniônicos (**3**), (**4**) e (**5**) são mostradas a seguir (em militesla, mT). Use a equação de McConnell para mapear a probabilidade de se encontrar o elétron desemparelhado no orbital π de cada átomo de C.

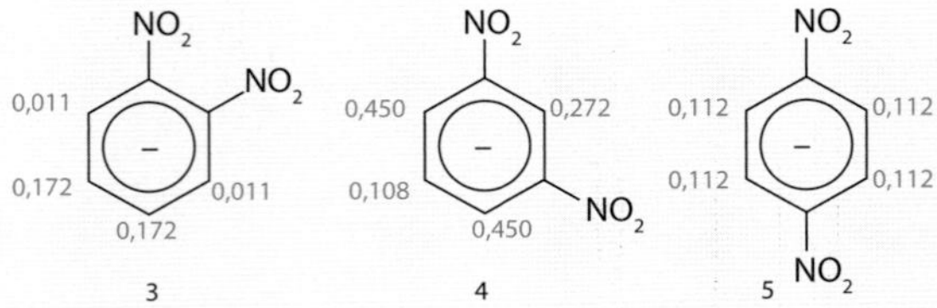

3 4 5

Projetos

O símbolo ‡ indica que o cálculo é necessário.

21.30‡ Mostre que a constante de acoplamento expressada pela equação de Karplus passa por um mínimo quando cos $\phi = B/4C$. Para efetuar isso, avalie a primeira derivada em relação a ϕ e iguale o resultado a 0. Para confirmar que o extremo é um mínimo, avalie a segunda derivada e mostre que a mesma é positiva.

21.31 A espectroscopia de RMN pode ser usada para a determinação da constante de equilíbrio para a dissociação de um complexo formado entre uma molécula pequena, como um inibidor enzimático I, e uma proteína, como uma enzima E:

$$EI \rightleftharpoons E + I \qquad K_I = [E][I]/[EI]$$

No limite de troca química lenta, o espectro de RMN de um próton em I consiste em duas ressonâncias, uma em ν_I, para I livre, e outra a ν_{EI}, para I ligado. Em troca química rápida, o espectro de RMN do mesmo próton em I consiste em um único pico, com frequência de ressonância ν dada por $\nu = f_I\nu_I + f_{EI}\nu_{EI}$, em que f_I = [I]/([I]+[EI]) e f_{EI} = [EI]/([I]+[EI]) são, respectivamente, as frações de I livre e de I ligado. Para facilitar a análise dos dados, é conveniente definir as diferenças de frequência $\delta\nu = \nu - \nu_I$ e $\Delta\nu = \nu_{EI} - \nu_I$. Mostre que, quando a concentração inicial de I, $[I]_0$, é muito maior que a concentração inicial de E, $[E]_0$, o gráfico de $[I]_0$ contra $\delta\nu^{-1}$ é linear, com coeficiente angular $[E]_0\Delta\nu$ e interseção $-K_I$.

21.32 Vamos explorar aqui a formação de imagens por ressonância magnética em mais detalhes. (a) Você está projetando um espectrômetro de IRM. Qual é o gradiente de campo (em microtesla por metro, $\mu T\ m^{-1}$) necessário para produzir uma separação de 100 Hz entre dois prótons separados pelo longo diâmetro de um rim humano (considere como 8 cm), dado que se encontram em ambientes com δ = 3,4? O campo de radiofrequência do espectrômetro está em 400 MHz e o campo aplicado é 9,4 T. (b) Suponha que um órgão uniforme de formato discoide se encontra em um gradiente de campo linear, e que o sinal de IRM é proporcional ao número de prótons em uma fatia de largura δx em cada distância horizontal x do centro do disco. Esquematize o formato da intensidade de absorção para a imagem de IRM do disco antes que tenha sido efetuada qualquer manipulação por computador.

22

Termodinâmica Estatística

Há duas grandes abordagens na físico-química. A primeira é a da termodinâmica, que trata das relações entre as propriedades macroscópicas da matéria, em especial das relações entre as propriedades associadas à transferência de energia. A segunda é a da teoria quântica, inclusive a espectroscopia, que trata das estruturas e propriedades de átomos e moléculas isoladas. Essas duas grandes abordagens unem-se na parte da físico-química chamada de **termodinâmica estatística,** que mostra como as propriedades termodinâmicas surgem a partir das propriedades dos átomos e das moléculas. A primeira metade deste livro tratou das propriedades macroscópicas, incluindo as propriedades termodinâmicas; a outra metade tratou da teoria quântica, estrutura atômica e molecular. Embora em algumas ocasiões ao longo do livro tenhamos vislumbrado a fusão dessas duas abordagens, é neste capítulo que essas abordagens se encontram.

Uma grande dificuldade da termodinâmica estatística é o fato de requerer muita matemática. A maioria das deduções matemáticas – mesmo as mais básicas – estão fora do escopo deste livro.[1] O máximo que se pretende fazer é mostrar alguns conceitos e resultados importantes. Sempre que for possível, a abordagem será qualitativa.[2]

A distribuição de Boltzmann

Em Fundamentos 0.11, vimos que, de acordo com a **distribuição de Boltzmann,** as populações relativas, N_1 e N_2, de dois estados de um sistema dependem da temperatura absoluta T, e da diferença de suas energias, ε_1 e ε_2, segundo

$$\frac{N_2}{N_1} = e^{-(\varepsilon_2-\varepsilon_1)/kT} \qquad \text{Distribuição de Boltzmann} \qquad (22.1a)$$

em que k é a constante de Boltzmann, uma constante fundamental com o valor $1{,}381 \times 10^{-23}$ J K^{-1}. A conclusão importante é que *a população relativa do estado de maior energia*

[1] Para mais detalhes, veja o livro *Físico-Química* (2010), destes mesmos autores (LTC Editora).

[2] Neste capítulo, alguns Exemplos, Exercícios propostos e Breves ilustrações necessitam de cálculo, estando marcados com o símbolo ‡.

cai exponencialmente com a diferença de valor de sua energia em relação àquela do estado de menor energia.

Também vimos em Fundamentos 0.11 que é comum nas aplicações à química usar não as energias individuais ε_i, mas sim energias por mol de moléculas, E_i, com $E_i = N_A\varepsilon_i$, em que N_A é o número de Avogadro. Com $R = N_Ak$, a Eq. 22.1a torna-se

$$\frac{N_2}{N_1} = e^{-(E_2-E_1)/RT} \qquad \text{Distribuição de Boltzmann em termos de energias molares} \qquad (22.1b)$$

Usamos este resultado ao longo do livro ao fazer conexões entre a termodinâmica e as propriedades moleculares, ou na explicação da origem das transições espectroscópicas intensas. Aqui, vamos explorar a distribuição de Boltzmann com mais detalhes.

22.1 A forma geral da distribuição de Boltzmann

A Eq. 22.1 é um caso especial de uma forma mais geral de distribuição de Boltzmann, que nos diz como calcular o número de moléculas em cada estado de um sistema em qualquer temperatura:

$$N_i = \frac{Ne^{-\varepsilon_i/kT}}{q} \qquad \text{Distribuição de Boltzmann} \qquad (22.2)$$

Nesta expressão, N_i é o número de moléculas no estado de energia ε_i, N é o número total de moléculas. O termo do denominador, q, é a **função de partição:**

$$q = \sum_i e^{-\varepsilon_i/kT} = e^{-\varepsilon_0/kT} + e^{-\varepsilon_1/kT} + \ldots \qquad \text{Definição} \qquad \text{Função de partição} \qquad (22.3)$$

em que a soma se estende sobre todos os estados do sistema. Mais adiante vamos discutir mais a respeito de q e ver como podemos calculá-la e interpretá-la fisicamente. Neste ponto, é apenas uma espécie de fator de normalização, pois garante que a soma de todas as populações seja o número total de moléculas do sistema: ou seja, com N_i dado pela Eq. 22.2, $\Sigma_i N_i = N$.

Um aspecto muito importante da distribuição de Boltzmann, como já destacamos anteriormente ao longo do livro quando a mesma foi utilizada, é que se aplica à população de *estados*. Vimos anteriormente que, em certos casos (por exemplo, átomo de hidrogênio e moléculas em rotação), diferentes estados têm a mesma energia. Isto é, alguns níveis de energia são *degenerados* (Seção 12.7). A distribuição de Boltzmann permite-nos calcular, por exemplo, o número de átomos com um elétron em um orbital $2p_x$ na temperatura T. Como um orbital $2p_y$ tem exatamente a mesma energia, o número de átomos com um elétron no orbital $2p_y$ é igual ao número de átomos com um elétron no orbital $2p_x$. O mesmo raciocínio também é válido para átomos com um elétron no orbital $2p_z$. Portanto, se desejamos calcular o número *total* de átomos com elétrons nos orbitais 2p, devemos multiplicar o número de átomos com elétrons em *um* desses orbitais por 3. Em geral, se a degenerescência de um nível de energia (isto é, o número de estados com dada energia) é g, utilizamos o fator multiplicativo g para obtermos a população desse *nível* de energia (diferentemente de quando consideramos os *estados* de modo individual). É óbvio que é muito importante estabelecer de forma clara se desejamos expressar a população dos diferentes estados ou a população total de um nível de energia degenerado. Vamos representar os níveis por L; desse modo, em termos dos níveis, a distribuição de Boltzmann e a função de partição são

$$N_L = \frac{Ng_L e^{-\varepsilon_L/kT}}{q} \qquad q = \sum_L g_L e^{-\varepsilon_L/kT} \qquad \text{Forma geral} \qquad \text{Distribuição de Boltzmann} \qquad (22.4)$$

em que N_L é o número total de moléculas no nível L (soma das populações de todos os estados daquele nível), g_L é a sua degenerescência e E_L é a sua energia.

■ Breve ilustração 22.1 Populações relativas

Vimos na Seção 19.1 que a energia rotacional de um rotor linear é dada por $hBJ(J+1)$ e que a degenerescência de cada nível é $2J+1$. Como a degenerescência do nível com $J=2$ (e energia $6hB$) é 5 e a do nível com $J=1$ (e energia $2hB$) é 3, o número relativo de moléculas com $J=2$ e $J=1$ é

$$\frac{N_2}{N_1} = \frac{\overbrace{Ng_2e^{-\varepsilon_2/kT}/q}^{\text{Distribuição de Boltzmann}}}{\underbrace{Ng_1e^{-\varepsilon_1/kT}/q}_{\text{Distribuição de Boltzman}}} \overbrace{=}^{\text{Cancelando } N \text{ e } q} \frac{\overbrace{g_2}^{\text{Degenerescência } g=2J+1}}{g_1} e^{-(\overbrace{\varepsilon_2}^{\text{Energia, } \varepsilon=hBJ(J+1)} -\varepsilon_1)/kT}$$

$$= \tfrac{5}{3}e^{-(\overbrace{6hB}^{\varepsilon_2}-\overbrace{2hB}^{\varepsilon_1})/kT} = \tfrac{5}{3}e^{-4hB/kT\ B/kT}$$

Para o HCl, $B = 318{,}0$ GHz, de forma que, a 25 °C (correspondendo a 298 K), essa razão é

$$\frac{N_2}{N_1} = \tfrac{5}{3}e^{-4\times\overbrace{(6{,}626\times10^{-34}\ \text{J s})}^{h}\times\overbrace{3{,}18\times10^{11}\ \text{s}^{-1}}^{318\ \text{GHz}}/\{\overbrace{(1{,}381\times10^{-23}\ \text{J K}^{-1})}^{k}\times\overbrace{(298\ \text{K})}^{T}\}}$$

$$= 1{,}36$$

Há *mais* moléculas no nível com $J=2$ que no nível com $J=1$, embora $J=2$ corresponda a um nível de maior energia. Cada estado individual com $J=2$ tem uma população menor do que cada estado com $J=1$, porém há mais estados no nível com $J=2$.

Uma convenção importante que vamos adotar (principalmente por conveniência) é a de que *todas as energias são medidas em relação ao estado fundamental de uma molécula*. Portanto, estamos estabelecendo que a energia do estado fundamental é nula, mesmo que exista uma energia de ponto zero. Por exemplo, as energias dos estados de um oscilador harmônico são medidas tomando-se como zero a energia do estado fundamental.

Energias reais: $\varepsilon = \tfrac{1}{2}h\nu, \tfrac{3}{2}h\nu, \tfrac{5}{2}h\nu, \ldots$
Nossa convenção: $\varepsilon = 0, h\nu, 2h\nu, \ldots$

De maneira semelhante, as energias do átomo de hidrogênio são medidas tomando-se como zero a energia do orbital 1s:

Energias reais: $\varepsilon = -hcR_H, -\tfrac{1}{4}hcR_H, -\tfrac{1}{9}hcR_H, \ldots$
Nossa convenção: $\varepsilon = 0, \tfrac{3}{4}hcR_H, \tfrac{8}{9}hcR_H, \ldots$

Essa convenção simplifica enormemente a interpretação do significado de q.

22.2 As origens da distribuição de Boltzmann

A base conceitual da dedução da Eq. 22.4 é relativamente simples. Consideramos que o conjunto de níveis de energia pode ser arrumado como as prateleiras de uma estante, ou seja, um sobre o outro. Imaginamos, então, que uma pessoa com olhos vendados atira bolas (moléculas) nas prateleiras (níveis de energia), fazendo com que as diferentes prateleiras fiquem ocupadas de forma inteiramente aleatória, respeitando, entretanto, uma condição. De acordo com essa condição, a energia total, ε, da arrumação final deve ser igual à energia real do sistema que estamos querendo descrever. Não leve esta analogia muito a sério, que se propõe apenas a estabelecer uma imagem visualizável e, na verdade, guarda pouca relação com a forma pela qual as moléculas reais são distribuídas. Porém podemos prosseguir e concluir que, desde que a temperatura do sistema esteja acima do zero absoluto, nem todas as bolas podem ficar na prateleira mais baixa, porque, desse modo, a energia total seria nula. Algumas das bolas podem ficar na prateleira mais baixa, mas as demais devem estar localizadas nas prateleiras superiores para garantir que a energia total corresponda ao valor especificado de ε. Quando lançamos 100 bolas nas prateleiras, obtemos determinada distribuição, que é válida. Se repetirmos o experimento, com o mesmo número de bolas, podemos obter uma segunda distribuição, igualmente válida. Se continuarmos a repetir os lançamentos, podemos obter muitas distribuições diferentes. Entretanto, algumas dessas distribuições ocorrem com maior frequência que outras (Fig. 22.1).

Quando analisamos matematicamente os resultados desses lançamentos, verificamos que a distribuição *mais provável* – a arrumação que aparece mais vezes – é aquela que é dada pela Eq. 22.4. Ou seja, *a distribuição de Boltzmann é o resultado da ocupação aleatória dos níveis de energia, satisfazendo à restrição de que a energia total tem determinado valor.*

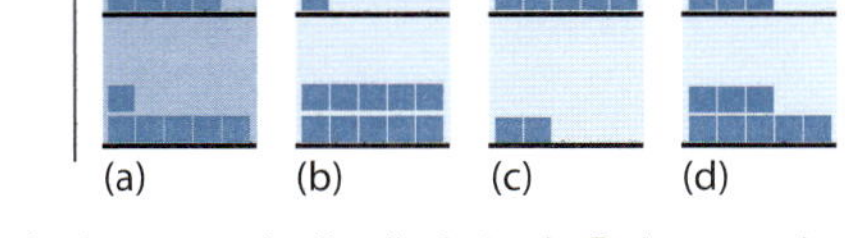

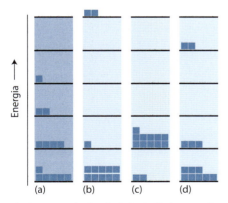

Figura 22.1 A obtenção da distribuição de Boltzmann baseia-se em imaginarmos que as moléculas de um sistema (os quadrados) estão distribuídas aleatoriamente nos níveis de energia disponíveis, satisfazendo à condição de que o número total de moléculas é constante e a de que a energia total também é constante. Determina-se, então, a distribuição mais provável. Para as quatro distribuições mostradas nesta figura, temos que o número de maneiras de obtê-las são (a) 181.180, (b) 858, (c) 78, (d) 12.870. Para calcular o número de maneiras, *W*, de distribuir *N* moléculas com N_1 moléculas no estado 1, N_2 moléculas no estado 2 etc., utilizamos $W = N!/N_1!N_2!...$, em que $n! = n(n-1)(n-2)...1$ e $0! = 1$. O número de maneiras de fazermos a distribuição (a) é inegavelmente bem maior que as demais. Assim, essa é a distribuição mais provável, a que corresponde à distribuição de Boltzmann.

Quando tratamos com cerca de 10^{23} moléculas e repetimos o experimento milhões de vezes, a distribuição de Boltzmann é bem exata, e podemos usá-la com muita segurança para todos os sistemas macroscópicos típicos.

A função de partição

O conceito fundamental da mecânica quântica é a existência de uma função de onda que contém, a princípio, toda a informação dinâmica do sistema, como a sua energia, a sua densidade eletrônica, o seu momento de dipolo, entre outros. Uma vez conhecida a função de onda de um átomo ou de uma molécula, podemos obter a partir da mesma toda a informação dinâmica possível a respeito desse sistema – desde que saibamos como manipulá-la. Na termodinâmica estatística, existe um conceito similar. A função de partição, q, contém toda a informação *termo*dinâmica a respeito do sistema, como a sua energia interna, a sua entropia, a sua capacidade calorífica, entre outros. O nosso objetivo, neste capitulo, é mostrar como calcular a função de partição e como obter as informações que a partição contém.

22.3 A interpretação da função de partição

No caso de estarmos interessados apenas nas populações relativas de níveis ou estados, não é necessário que a função de partição seja conhecida, pois é cancelada na Eq. 22.1. Entretanto, se desejamos saber a população real de dado estado, temos que utilizar a Eq. 22.2, o que implica a determinação de q. Também é necessária a determinação de q para a obtenção das funções termodinâmicas, como veremos a seguir.

A definição de q implica a soma sobre os estados (e não sobre os níveis de energia; lembre que podem existir vários estados com a mesma energia), como é dada pela Eq. 22.3. Podemos escrever os primeiros termos do seguinte modo:

$$q = 1 + e^{-\varepsilon_1/kT} + e^{-\varepsilon_2/kT} + e^{-\varepsilon_3/kT} + \cdots$$

O primeiro termo é 1, pois, de acordo com a convenção que adotamos, a energia do estado fundamental (ε_0) é 0 segundo a nossa convenção, e $e^0 = 1$. Em princípio, basta substituir os valores das energias, calcular cada termo para a temperatura de interesse e então somar todos os termos para se obter o valor de q. Entretanto, esse procedimento não leva a uma interpretação física adequada.

Para obtermos uma interpretação física de q, vamos supor, primeiramente, que $T = 0$. Assim, como $e^{-\infty} = 0$, todos os termos, exceto o primeiro, são iguais a 0, e $q = 1$. Em $T = 0$, apenas o estado fundamental está ocupado e $q = 1$ (desde que o estado não seja degenerado). Vamos considerar o outro caso limite: uma temperatura tão elevada que todos os termos ε_i/kT sejam iguais a 0. Assim, como $e^0 = 1$, a função de partição é $q \approx 1 + 1 + 1 + 1 + \cdots = N_{\text{estados}}$, em que N_{estados} é o número total de estados da molécula. Ou seja, em temperaturas muito elevadas, todos os estados do sistema são termicamente acessíveis. Segue-se que, se a molécula tiver um número infinito de estados, então q tenderá ao infinito quando T for infinitamente alta. Podemos, agora, começar a entender que a função de partição representa o número de estados ocupados a dada temperatura.

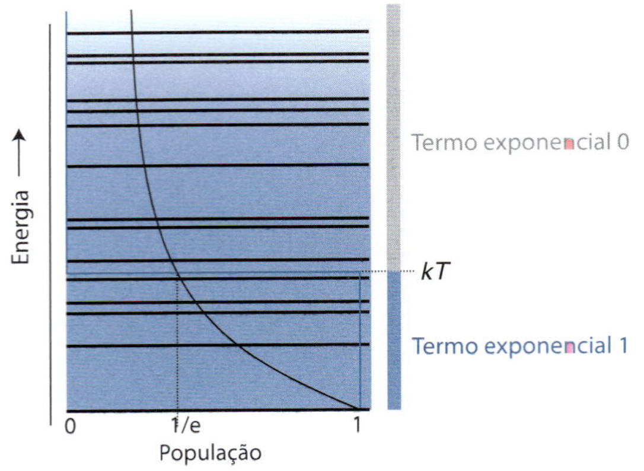

Figura 22.2 A função de partição é uma medida do número de estados termicamente acessíveis. Assim, para todos os estados com $\varepsilon < kT$, o termo exponencial é aproximadamente 1, enquanto para os estados com $\varepsilon > kT$ o termo exponencial é aproximadamente 0. Os estados com $\varepsilon < kT$ são termicamente acessíveis de forma significativa.

Vamos considerar agora uma temperatura intermediária na qual apenas alguns estados apresentam uma ocupação significativa. Admitamos que nessa temperatura kT é grande comparado com ε_1 e ε_2, embora seja pequeno quando comparado com ε_3 e com todos os termos subsequentes (Fig. 22.2). Como ε_1/kT e ε_2/kT são ambos pequenos quando comparados com 1 e $e^{-x} \approx 1$, para x muito pequeno, os três primeiros termos são aproximadamente 1. Contudo, como ε_3/kT é grande quando comparado com 1 e $e^{-x} \approx 0$, para x grande, todos os termos restantes são aproximadamente 0. Por conseguinte,

$$q = 1 + \overbrace{e^{-\varepsilon_1/kT}}^{1} + \overbrace{e^{-\varepsilon_2/kT}}^{1} + \overbrace{e^{-\varepsilon_3/kT}}^{0} + \overbrace{e^{-\varepsilon_4/kT}}^{0} + \overbrace{e^{-\varepsilon_5/kT}}^{0} + \cdots$$

e $q \approx 1 + 1 + 1 + 0 + \cdots = 3$. Uma vez mais, verificamos que a função de partição representa o número de estados que tem uma ocupação significativa a dada temperatura. Esta é a interpretação principal da função de partição: *q representa o número de estados termicamente acessíveis na temperatura de interesse.*

Tendo compreendido o significado de q, a termodinâmica estatística torna-se fácil de ser entendida. Por exemplo:

- Podemos prever, sem fazer nenhum cálculo específico, que q aumenta com a temperatura, pois mais estados tornam-se acessíveis com o aumento da temperatura.
- A baixas temperaturas, q é pequena, e tende a 1 quando a temperatura tende ao zero absoluto (quando apenas um estado, o estado fundamental, está acessível, supondo também que não esteja degenerado).
- Para moléculas com níveis de energia numerosos e pouco espaçados (por exemplo, os estados rotacionais de uma molécula volumosa), pode-se esperar que a função de partição seja muito grande.
- Para moléculas com níveis de energia muito espaçados, pode-se esperar que a função de partição seja muito pequena. Nesse caso, apenas poucos estados com pequena energia estarão ocupados em temperaturas baixas.

Exemplo 22.1

Cálculo da função de partição

A conformação bote do ciclo-hexano (**1**) fica 22 kJ mol^{-1}, em termos de energia, acima da conformação cadeira (**2**). Calcule a função de partição para a molécula do ciclo-hexano considerando somente essas conformações. Mostre como a função de partição varia com a temperatura.

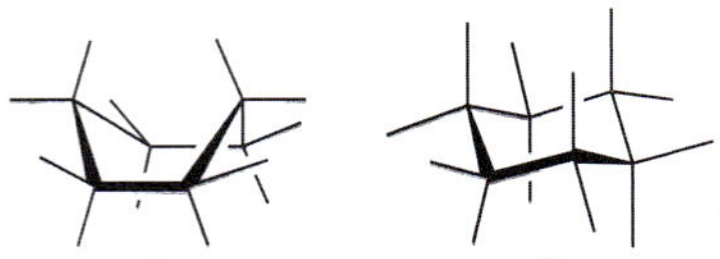

1 2

Estratégia Sempre que for necessário calcular a função de partição devemos utilizar a sua definição, Eq. 22.3, escrevendo cada um dos termos individualmente. Lembre-se de considerar a energia do estado fundamental como nula. Quando as energias dos estados forem dadas em joules (ou quilojoules) por mol, deve-se substituir k por $R = N_A k$ na expressão de q.

Solução Existem apenas dois estados; assim sendo, a função de partição tem apenas dois termos. A energia da forma cadeira é fixada em 0 e a energia da forma bote é $E = 22$ kJ mol^{-1}. Portanto, com

$$\frac{E}{RT} = \frac{\overbrace{2{,}2\times10^4 \text{ J mol}^{-1}}^{E}}{(8{,}3145 \text{ J K}^{-1}\text{ mol}^{-1})\times T} \overset{\text{Cancelando J mol}^{-1}}{=} \frac{2{,}6\ldots\times10^4}{T \text{ K}^{-1}} = \frac{2{,}6\ldots\times10^4 \text{ K}}{T}$$

Segue-se que

$$q = 1 + e^{-(2{,}6\ldots\times10^4 \text{ K})/T}$$

Essa função encontra-se representada graficamente na Figura 22.3. Podemos observar que q aumenta de 1 (apenas a forma cadeira é acessível em $T = 0$, quando $(2{,}6 \times 10^4 \text{ K})/T = \infty$ e $e^{-\infty} = 0$) para $q = 2$ em $T = \infty$ (quando $(2{,}6 \times 10^4 \text{ K})/T = 0$ e $e^0 = 1$; ambos os estados são termicamente acessíveis a altas temperaturas). A 20 °C, $q = 1{,}0001$, e a forma bote apresenta uma pequena população.

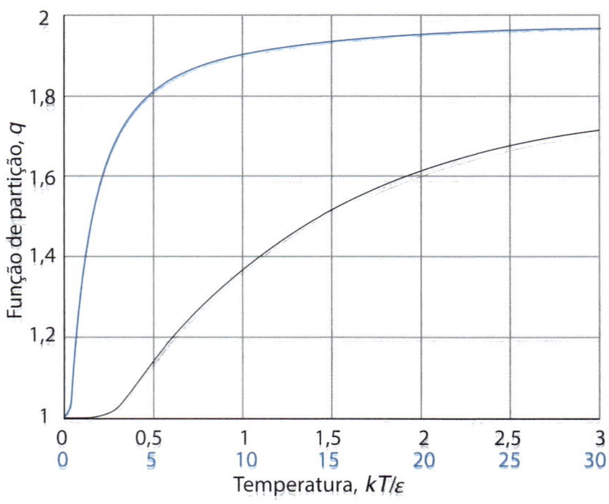

Figura 22.3 Função de partição para um sistema de dois níveis com estados de energia 0 e ε. Observe como a função de partição aumenta a partir de 1 aproximando-se de 2 a altas temperaturas.

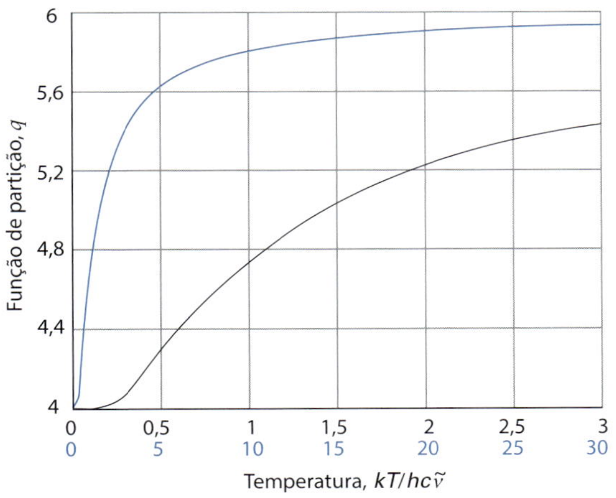

Figura 22.4 Função de partição para o sistema discutido no Exercício proposto 22.1. Observe como q aumenta de 4 (quando apenas os quatro estados do nível $^2P_{3/2}$ estão ocupados) indo para 6 (quando os dois estados do nível $^2P_{1/2}$ estão acessíveis também). A 20 °C, $kT/hc\tilde{\nu}$ = 0,504, correspondendo a q = 5,21.

Uma nota sobre a boa prática Observe como as unidades são tratadas no expoente: as unidades de E e R se cancelam com exceção do fator K^{-1} no denominador, que se torna K no numerador (na forma $2{,}6 \times 10^4$ K), que então se cancela com a unidade K de T quando esta é introduzida na expressão. Você encontrará às vezes uma expressão do tipo "$q = 1 + e^{-2{,}6.../T}$, com T em kelvins" (ou, pior, "em que T é a temperatura absoluta"); a retenção das unidades, como mostramos, não leva a nenhuma ambiguidade, sendo, portanto, a melhor prática.

Exercício proposto 22.1

A configuração fundamental do átomo de flúor dá origem a um termo ^2P com dois níveis, um nível com $J = {}^3/_2$ (com degenerescência 4) e outro com $J = {}^1/_2$ (com degenerescência 2) com uma energia 404,0 cm^{-1} acima do estado fundamental. Escreva a expressão da função de partição e faça um gráfico dessa função em relação à temperatura. *Sugestão:* A notação utilizada aqui foi apresentada na Seção 13.17. Faça $E = hc\tilde{\nu}$ para a energia do nível superior. Neste caso, o estado fundamental é degenerado.

Resposta: $q = 4 + 2e^{-hc\tilde{\nu}/kT}$; Figura 22.4

22.4 Exemplos de funções de partição

Em diversos casos podemos obter expressões simples para a função de partição, que são muito práticas para serem usadas no cálculo de várias propriedades.

(a) A função de partição translacional

Considere uma molécula de massa m confinada em um recipiente de volume V à temperatura T. Nesse caso (como mostrado na Informação adicional 22.1), em uma boa aproximação, para recipientes grandes e $T > 0$, a **função de partição translacional**, q^T, é dada por

$$q^T = \frac{(2\pi mkT)^{3/2}V}{h^3} \qquad \text{Função de partição translacional} \qquad (22.5)$$

Podemos observar que essa função de partição aumenta com a temperatura, como era de se esperar. Entretanto, nota-se que q^T também aumenta com o volume do recipiente. Esse comportamento também deve ser esperado: os níveis de energia de uma partícula em uma caixa ficam mais próximos à medida que o tamanho da caixa aumenta (Seção 12.7), de modo que, a dada temperatura, mais estados são termicamente acessíveis.

Breve ilustração 22.2 A função de partição translacional

Considere que temos uma molécula de O_2 (massa igual a 32 m_u) em um recipiente de volume igual a 100 cm^3, a 20 °C. A função de partição translacional é dada por

$$q^T = \left(\overbrace{2\pi \times \overbrace{32 \times (1{,}661 \times 10^{-27}\ \text{kg})}^{m_u}}^{m} \times \overbrace{(1{,}381 \times 10^{-23}\ \text{J K}^{-1})}^{k} \times \overbrace{(298\ \text{K})}^{T}\right)^{3/2} \times \frac{\overbrace{(1{,}00 \times 10^{-4}\ \text{m}^3)}^{V}}{\underbrace{(6{,}626 \times 10^{-34}\ \text{J s})^3}_{h^3}}$$

$$= 9{,}67 \times 10^{25}$$

Observe que um número enorme de estados translacionais é acessível à temperatura ambiente. Este resultado é consistente com a dedução da Eq. 22.5, na qual admitimos que os níveis de energia translacional formam um quase contínuo em recipientes de tamanho macroscópico.

Uma nota sobre a boa prática Todas as unidades devem se cancelar porque as funções de partição são números adimensionais. Neste caso, sendo 1 J = 1 kg m^2 s^{-2}, as unidades se cancelam como se segue:

$$\frac{(\text{kg J K}^{-1}\text{ K})^{3/2}\ \text{m}^3}{(\text{J s})^3} = \frac{(\text{kg kg m}^2\ \text{s}^{-2})^{3/2}\ \text{m}^3}{(\text{kg m}^2\ \text{s}^{-2}\ \text{s})^3}$$

$$= \frac{(\text{kg m s}^{-1})^3\ \text{m}^3}{(\text{kg m}^2\ \text{s}^{-1})^3} = \frac{\text{kg}^3\ \text{m}^6\ \text{s}^{-3}}{\text{kg}^3\ \text{m}^6\ \text{s}^{-3}} = 1$$

Parece tedioso fazer este cancelamento explicitamente, porém esta é uma forma excelente de garantir que você montou o cálculo numérico do modo correto.

(b) A função de partição rotacional

A **função de partição rotacional**, q^R, também pode ser aproximada para temperaturas suficientemente altas para que muitos estados rotacionais estejam ocupados. Para um rotor linear tem-se que (veja Informação adicional 22.1), para moléculas pesadas e $T > 0$,

$$q^R = \frac{kT}{\sigma hB} \qquad \text{Moléculas grandes} \qquad \text{Função de partição rotacional} \qquad (22.6)$$

Nessa expressão, B é a constante rotacional (Seção 19.1) e σ é o **número de simetria:** σ = 1 para um rotor linear assimétrico (como o HCl ou o HCN) e σ = 2 para um rotor linear simétrico (como o H_2 ou o CO_2). O número de simetria está relacionado com o fato de que uma molécula assimétrica é distinguível após uma rotação de 180°, enquanto uma molécula simétrica não é. Na determinação de q deve-se contar apenas os estados distinguíveis, e uma molécula simétrica tem menos estados distinguíveis que uma menos simétrica. Uma explicação mais formal é que, conforme mostrado na Seção 19.2, o princípio de Pauli exclui certos estados de moléculas

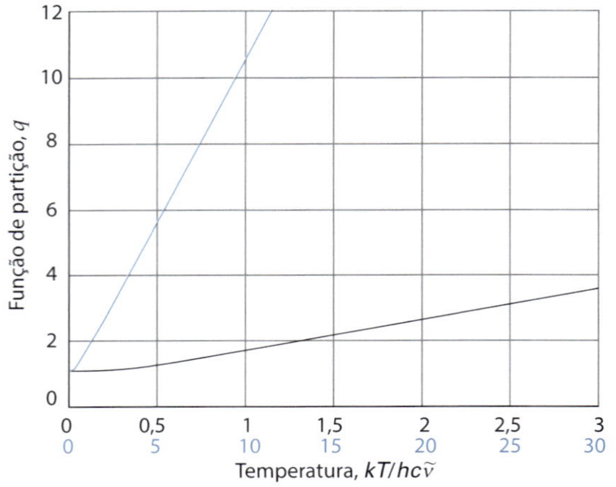

Figura 22.5 Função de partição para um oscilador harmônico. Para um oscilador com $\tilde{\nu} = 1000\ \text{cm}^{-1}$, a 20 °C, $kT/hc\tilde{\nu} = 0{,}204$, correspondendo a $q = 1{,}01$.

simétricas, de modo que o número de estados termicamente acessíveis é menor pelo fator apropriado do que para moléculas assimétricas, em que essa restrição não existe. O valor da função de partição rotacional do HCl, a 25 °C, é 19,6 (veja o Exercício 22.11); assim, aproximadamente 20 estados rotacionais (não se trata de níveis: lembre-se de que cada nível rotacional é $(2J + 1)$ degenerado; 20 estados correspondem aproximadamente aos quatro primeiros níveis) têm ocupação significativa nesta temperatura.

(c) A função de partição vibracional

Mostramos na Informação adicional 22.1 que a **função de partição vibracional**, q^{V}, é

$$q^{\text{V}} = \frac{1}{1 - e^{-h\nu/kT}} \qquad \text{Função de partição vibracional} \qquad (22.7)$$

A Eq. 22.7 é a função de partição de um oscilador harmônico, ou de qualquer molécula diatômica vibrando. A Figura 22.5 mostra como q^{V} varia com a temperatura. Observe que:

- $q^{\text{V}} = 1$ para $T = 0$, quando apenas o estado de menor energia está ocupado.
- q^{V} tende para infinito quando T torna-se elevado, pois todos os estados da escada infinita são termicamente acessíveis.
- À temperatura ambiente, e para frequências vibracionais moleculares típicas, q^{V} é muito próxima de 1, porque apenas o estado vibracional fundamental está ocupado (veja o Exercício 22.13).

Também mostramos na Informação adicional 22.1 que quando a temperatura é tão alta que $h\nu/kT \ll 1$, a Eq. 22.7 pode ser simplificada:

$$q^{\text{V}} \approx \frac{kT}{h\nu} \qquad \text{Limite de alta temperatura} \qquad \text{Função de partição vibracional} \qquad (22.8)$$

Esta expressão é consistente com a interpretação de que q é o número de estados termicamente acessíveis de um oscilador harmônico: a energia média de um oscilador harmônico é kT (do teorema da equipartição, veja Fundamentos 0.12) e a separação entre os níveis de energia é $h\nu$; logo, cerca de $kT/h\nu$ estados devem estar ocupados. (Pense em uma escada com degraus separados por $h\nu$: para atingir kT, precisamos de uma escada com $kT/h\nu$ degraus.)

(d) A função de partição eletrônica

Não existe um cálculo definido da **função de partição eletrônica**, q^{E}, a função de partição para a distribuição dos elétrons nos diferentes estados eletrônicos disponíveis. Entretanto, para moléculas de camada fechada os estados excitados apresentam energias tão elevadas que apenas o estado fundamental encontra-se ocupado, assim $q^{\text{E}} = 1$. Cuidado especial deve ser tomado para átomos e moléculas que não apresentam camadas fechadas.

Breve ilustração 22.3 A função de partição eletrônica

A configuração eletrônica do estado fundamental do Na é [Ne]3s[1] (Seção 13.11). Como há duas orientações possíveis do spin do elétron no orbital 3s, e ambas têm a mesma probabilidade, o estado eletrônico fundamental do Na é duplamente degenerado. Conclui-se que a função de partição eletrônica é $q^{\text{E}} = g^{\text{E}} = 2$.

22.5 A função de partição molecular

A energia de uma molécula pode ser aproximada como a soma de contribuições provenientes dos diversos modos de movimento (translação, rotação e vibração), da distribuição dos elétrons e do spin eletrônico e nuclear. Considerando que a energia seja a soma de contribuições independentes, mostramos na Dedução a seguir que a função de partição é um produto de contribuições:

$$q = q^{\text{T}} q^{\text{R}} q^{\text{V}} q^{\text{E}} \qquad \text{Função de partição molecular} \qquad (22.9)$$

em que T representa translação, R rotação, V vibração e E a contribuição eletrônica. A contribuição do spin eletrônico é importante em átomos e moléculas contendo elétrons desemparelhados.

Dedução 22.1

Fatoração da função de partição

Suponha que a energia possa ser expressa como a soma de contribuições de dois modos A e B (como vibração e rotação), e que possamos escrever $\varepsilon_{i,j} = \varepsilon_i^{\text{A}} + \varepsilon_j^{\text{B}}$, em que i representa um estado do modo A e j um estado do modo B; as somas que devemos realizar são sobre todos os i e j independentemente. Então, a função de partição é

$$q = \sum_{i,j} e^{-\varepsilon_{i,j}/kT} \overbrace{=}^{\varepsilon_{i,j}=\varepsilon_i^{\text{A}}+\varepsilon_j^{\text{B}}} \sum_{i,j} e^{-\varepsilon_i^{\text{A}}/kT-\varepsilon_j^{\text{B}}/kT}$$

$$\overbrace{=}^{\text{Usando } e^{x+y}=e^x e^y} \sum_{i,j} e^{-\varepsilon_i^{\text{A}}/kT} e^{-\varepsilon_j^{\text{B}}/kT} = \overbrace{\sum_i e^{-\varepsilon_i^{\text{A}}/kT}}^{q^{\text{A}}} \overbrace{\sum_j e^{-\varepsilon_j^{\text{B}}/kT}}^{q^{\text{B}}}$$

$$= q^{\text{A}} q^{\text{B}}$$

Este argumento se estende facilmente a três e mais modos, como na Eq. 22.9.

Propriedades termodinâmicas

A principal razão para efetuarmos o cálculo da função de partição reside no fato de podermos utilizá-la para o cálculo das propriedades termodinâmicas de sistemas tão pequenos quanto átomos ou tão grandes quanto biopolímeros. Existem duas relações fundamentais que são necessárias. Podemos obter grandezas relacionadas com a Primeira Lei (como a capacidade calorífica e a entalpia), uma vez que se tenha determinado como calcular a energia interna. Podemos obter grandezas relacionadas com a Segunda Lei (como a energia de Gibbs e constantes de equilíbrio), uma vez que se tenha determinado como calcular a entropia.

22.6 A energia interna

Para calcularmos a energia total, ε, do sistema, tomamos a energia de cada estado (ε_i), multiplicamos este valor pelo número de moléculas nesse estado (N_i) e, então, somamos todos esses produtos:

$$\varepsilon = N_0\varepsilon_0 + N_1\varepsilon_1 + N_2\varepsilon_2 + \cdots = \sum_i N_i\varepsilon_i$$

Entretanto, a distribuição de Boltzmann permite-nos determinar o número de moléculas em cada estado de um sistema. Assim podemos substituir N_i nessa expressão pela Eq. 22.2:

$$\varepsilon = \sum_i \frac{\overbrace{Ne^{-\varepsilon_i/kT}}^{\text{População do estado } i}}{q} \times \overbrace{\varepsilon_i}^{\text{Energia do estado } i} = \frac{N}{q}\sum_i \varepsilon_i e^{-\varepsilon_i/kT} \qquad (22.10)$$

Sabendo os valores das energias de cada estado (a partir de dados espectroscópicos, por exemplo), basta-nos substituir esses valores na expressão anterior. Entretanto, existe um método muito mais simples – ou pelo menos mais sucinto – quando temos uma expressão para a função de partição, como aquelas que foram dadas na Seção 22.4. Mostramos na Dedução a seguir que a energia está relacionada com o coeficiente angular da curva de q representada em função da temperatura T:

$$\varepsilon = \frac{NkT^2}{q} \times \text{coeficiente angular da representação gráfica de } q \text{ em função de } T$$

$$= \frac{NkT^2}{q} \times \frac{dq}{dT} \qquad (22.11)$$

Dedução 22.2

Cálculo da energia interna utilizando a função de partição

A soma no lado direito da Eq. 22.10 assemelha-se à definição da função de partição, mas apresenta o fator multiplicativo ε_i em cada termo do somatório. Entretanto, podemos reconhecer (usando as regras de derivação dadas em Ferramentas do químico 1.3) que

$$\frac{d}{dT}e^{-\varepsilon_i/kT} \overbrace{=}^{\text{Usando } de^{f(x)}/dx = e^{f(x)} \times df/dx} e^{-\varepsilon_i/kT} \times \frac{d}{dT}\left(-\frac{\varepsilon_i}{kT}\right) \overbrace{=}^{\text{Usando } d(1/x)/dx = -1/x^2} \frac{\varepsilon_i}{kT^2}e^{-\varepsilon_i/kT}$$

ou de forma equivalente

$$\varepsilon_i e^{-\varepsilon_i/kT} = kT^2 \frac{d}{dT}e^{-\varepsilon_i/kT}$$

Com essa substituição, a expressão para a energia total pode ser escrita como

$$\varepsilon = \frac{N}{q}\sum_i kT^2 \frac{d}{dT}e^{-\varepsilon_i/kT} = \frac{N}{q}kT^2\frac{d}{dT}\overbrace{\sum_i e^{-\varepsilon_i/kT}}^{q}$$

porque kT^2 é uma constante e o somatório de derivadas é a derivada do somatório. Magicamente (ou, de forma mais precisa, matematicamente), surge a expressão da função de partição. Assim, podemos escrever

$$\varepsilon = \frac{NkT^2}{q}\frac{dq}{dT}$$

que é a Eq. 22.11, pois dq/dT é o coeficiente angular da curva de q em função de T.

A característica notável da Eq. 22.11 está associada ao fato de que a mesma expressa a energia total em termos somente da função de partição. A função de partição começa a cumprir o seu papel de permitir a obtenção de todas as informações termodinâmicas de um sistema.

Devemos ter ainda um cuidado a mais antes de utilizar a Eq. 22.11. Lembre-se de que fixamos como zero a energia do estado de menor energia da molécula. Entretanto, a energia interna de um sistema pode não ser nula em razão da energia do ponto zero, e o E, dado pela Eq. 20.11, corresponde à energia *acima* da energia do ponto zero. Ou seja, a energia interna na temperatura T é dada por

$$U_m = U_m(0) + N_A\varepsilon \qquad \text{Energia interna} \quad (22.12)$$

em que ε é calculada pela Eq. 22.11.

‡Exemplo 22.2

Cálculo da energia interna

Determine a expressão da energia interna molar de um gás monoatômico.

Estratégia O único tipo de movimento em um gás monoatômico é o movimento translacional (não considerando a excitação eletrônica). Portanto, é preciso substituir a função de partição translacional, Eq. 22.5, na Eq. 22.11 (usando a forma matemática precisa dada na Dedução 22.2) e, ao final, inserir o resultado na Eq. 22.12. A função de partição apresenta a forma $q = aT^{3/2}$, em que a representa o conjunto de constantes

$$a = \frac{(2\pi mk)^{3/2}}{h^3}V$$

Solução Inicialmente, precisamos da primeira derivada de q em relação a T:

$$\frac{dq}{dT} = \frac{d}{dT}(aT^{3/2}) \overbrace{=}^{dx^n/dx = nx^{n-1}} \tfrac{3}{2}aT^{1/2}$$

Quando substituímos este resultado na Eq. 22.11, obtemos

$$\varepsilon = \frac{NkT^2}{q}\times\frac{dq}{dT} = \frac{NkT^2}{aT^{3/2}}\times\tfrac{3}{2}aT^{1/2} \overbrace{=}^{\text{Cancelando } a} \tfrac{3}{2}NkT$$

A energia interna molar é obtida substituindo N pelo número de Avogadro e utilizando a Eq. 22.12:

$$U_m = U_m(0) + \tfrac{3}{2}N_AkT = U_m(0) + \tfrac{3}{2}RT$$

O termo $U_m(0)$ contém todas as contribuições devidas às energias de ligação dos elétrons e dos núcleons nos núcleos. O termo $^3/_2RT$ é a contribuição para a energia interna em função do movimento translacional dos átomos no recipiente. Vemos que este tratamento dá o mesmo resultado que é obtido utilizando-se o teorema de equipartição (Fundamentos 0.12).

Exercício proposto 22.2

Determine a expressão da energia interna molar de um gás de moléculas diatômicas.

Resposta: $U_m = U_m(0) + {}^5/_2RT$

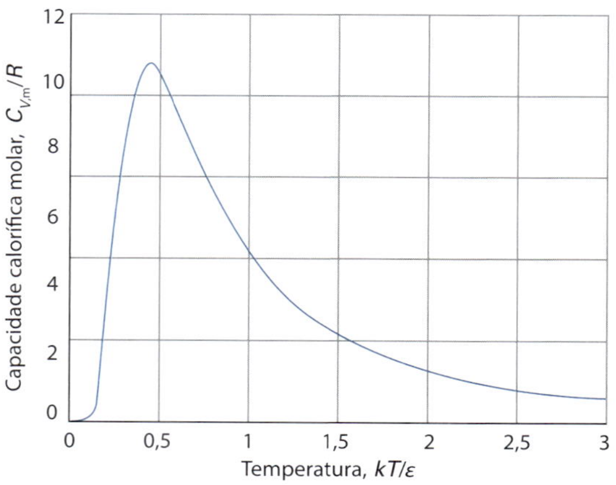

Figura 22.6 Variação da capacidade calorífica para um sistema de dois níveis com estados de energia 0 e ε. Observe como a capacidade calorífica é nula a $T = 0$, passa por um máximo em $T = 0{,}417\varepsilon/R$ e aproxima-se de zero a altas temperaturas.

22.7 A capacidade calorífica

Depois de termos calculado a energia interna de uma amostra de moléculas, é imediata a determinação da capacidade calorífica. Devemos lembrar que a capacidade calorífica a volume constante, C_V, é dada pelo coeficiente angular da curva que representa a energia interna em função da temperatura:

$$C_V = \frac{\Delta U}{\Delta T} \quad \text{a volume constante}$$

Portanto, tudo que devemos fazer é determinar o coeficiente angular da expressão obtida para U a partir da função de partição.

‡Breve ilustração 22.4 A capacidade calorífica

O coeficiente angular de U em relação a T é, na verdade, a primeira derivada:

$$C_V = \frac{dU}{dT} \quad \text{a volume constante}$$

(Lembre-se da Seção 2.8 que uma notação mais sofisticada desta expressão é $C_V = (\partial U/\partial T)_V$.) Portanto, a capacidade calorífica molar a volume constante de um gás monoatômico é obtida substituindo a energia interna molar $U_m = U_m(0) + {}^3/_2RT$ nesta expressão:

$$C_V = \frac{d}{dT}(U_m(0) + \tfrac{3}{2}RT) = \tfrac{3}{2}R$$

Para calcularmos $C_{p,m}$ devemos usar a Eq. 2.17 ($C_{p,m} - C_{V,m} = R$), obtendo $C_{p,m} = {}^5/_2R$.

‡Exercício proposto 22.3

Determine a contribuição para a capacidade calorífica molar de um sistema de dois estados, como a interconversão cadeira-bote do ciclo-hexano (Seção 22.1). Mostre como a capacidade calorífica varia com a temperatura.

Resposta: $C_{V,m} = R(E/RT)^2e^{E/RT}/(1 + e^{E/RT})^2$, Figura 22.6

Agora estamos prontos para entender a razão molecular pela qual diferentes substâncias têm diferentes capacidades caloríficas molares. Quando os níveis de energia disponíveis são próximos, um aporte de energia na forma de calor pode ser acomodado com pequeno ajuste das populações e, consequentemente, com pequena modificação da temperatura que ocorre na distribuição de Boltzmann e que especifica a distribuição das populações. A insensibilidade relativa da temperatura ao aporte de energia corresponde a uma capacidade calorífica elevada (Fig. 22.7). Quando os níveis de energia são muito separados, a energia que chega tem de ser acomodada utilizando-se os níveis de energia elevados, com uma consequente grande "abrangência" da distribuição de Boltzmann e, consequentemente, uma maior modificação da temperatura. Ou seja, níveis de energia com grande espaçamento correlacionam-se com uma baixa capacidade calorífica.

Os níveis de energia translacional das moléculas de um gás são muito próximos, e todos os gases monoatômicos têm capacidades caloríficas molares semelhantes. A separação das energias vibracionais de átomos ligados em sólidos depende

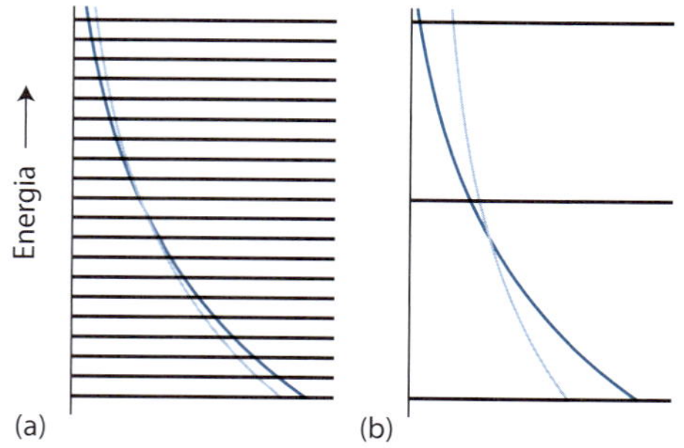

Figura 22.7 A capacidade calorífica depende da disponibilidade dos níveis. (a) Quando os níveis são próximos, dado aporte de energia na forma de calor pode ser acomodado com pouco ajuste das populações e, consequentemente, da temperatura que ocorre na distribuição de Boltzmann. Este sistema tem uma capacidade calorífica elevada. (b) Quando os níveis de energia são muito separados, o mesmo aporte de energia deve ser acomodado utilizando-se os níveis de energia mais elevados, com uma mudança mais acentuada na 'abrangência' da distribuição de Boltzmann e, consequentemente, uma maior modificação da temperatura. Por conseguinte, este sistema tem uma baixa capacidade calorífica. Em cada caso, a linha mais clara é a distribuição à baixa temperatura, e a linha mais escura, à alta temperatura.

da rigidez das ligações entre os mesmos e das massas dos átomos. Conforme vimos no Capítulo 12, quanto mais forte a ligação e mais leves os átomos em uma ligação, maior é a separação entre os níveis de energia vibracional. Como resultado, os sólidos apresentam uma ampla faixa de capacidades caloríficas molares. Moléculas muito grandes, como os polímeros, têm um número grande de átomos e podem vibrar de muitas maneiras diferentes. Muitas dessas maneiras correspondem ao movimento coletivo de muitos átomos; dessa maneira, as energias vibracionais têm pequena separação.

A água, como frequentemente se vê, é anômala. Trata-se de uma molécula rígida e pequena, mas tem uma alta capacidade calorífica. A anomalia pode ser explicada pelas ligações hidrogênio, que unem muitas moléculas em aglomerados que vibram de várias maneiras. Por conseguinte, as energias vibracionais são muito próximas, e a capacidade calorífica da água é maior do que o esperado para uma substância que consiste em moléculas com fraca interação.

22.8 A entropia

Boltzmann demonstrou que existe uma relação íntima entre a entropia e a função de partição: ambas são medidas do número de arranjos possíveis para as moléculas. A correlação exata para o caso de moléculas *distinguíveis* (moléculas em posições fixas em um sólido) é[3]

$$S = \frac{U - U(0)}{T} + Nk \ln q \qquad (22.13a)$$

Partículas distinguíveis — Entropia em termos da função de partição

Uma expressão análoga para o caso de moléculas *indistinguíveis* (moléculas idênticas em movimento livre, como em um gás) é dada por

$$S = \frac{U - U(0)}{T} + Nk \ln q - Nk(\ln N - 1) \qquad (22.13b)$$

Partículas indistinguíveis — Entropia em termos da função de partição

Como podemos obter o primeiro termo da direita a partir de q, temos, agora, uma metodologia para calcular a entropia de qualquer sistema que não apresente interações entre as moléculas utilizando a função de partição.

Exemplo 22.3

Cálculo da entropia

Obtenha a contribuição do movimento rotacional para a entropia molar do HCl gasoso, a 25 °C.

Estratégia Já calculamos a contribuição para a energia interna (Exercício proposto 22.2) e também temos a função de partição rotacional, Eq. 22.6 (com $\sigma = 1$). Agora precisamos combinar as duas expressões. Vamos usar a Eq. 22.13a, pois estamos interessados no movimento interno (rotacional) das moléculas, e não no seu movimento translacional.

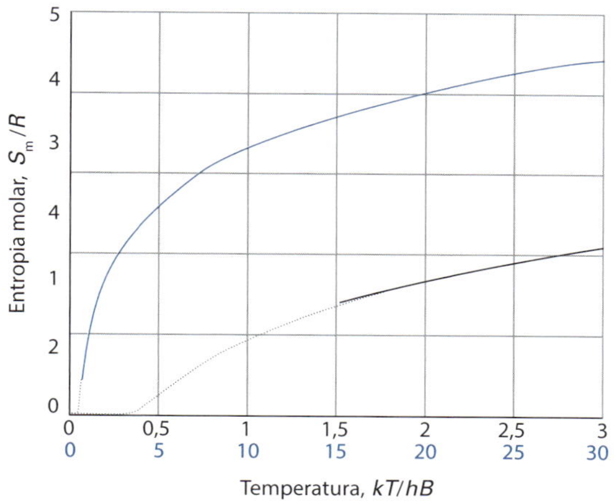

Figura 22.8 Variação da contribuição rotacional para a entropia molar em função da temperatura. Observe que a Eq. 22.6 é válida apenas para altas temperaturas; assim, a expressão obtida no Exemplo 22.3 não pode ser utilizada para baixas temperaturas (note que as curvas contínuas terminam antes de deixarem de ser válidas). As curvas pontilhadas indicam o comportamento correto.

Solução Substituindo $U_m - U_m(0) = RT$ e $q = kT/hB$ na Eq. 22.13a, obtemos (para $T > 0$)

$$S_m = \frac{\overbrace{TR}^{U_m - U_m(0)}}{T} + R \ln \overbrace{\frac{kT}{hB}}^{q} = R\left(1 + \ln \frac{kT}{hB}\right)$$

Observe que a entropia aumenta com a temperatura (Figura 22.8). A dada temperatura, a entropia é tanto maior quanto menor o valor de B. Ou seja, moléculas volumosas (que apresentam momentos de inércia elevados e, portanto, pequenas constantes rotacionais) têm entropia rotacional maior do que moléculas pequenas. A substituição dos valores numéricos leva a S_m = 3,98R ou 33,1 J K^{-1} mol^{-1}.

Exercício proposto 22.4

A função de partição rotacional da molécula de eteno é 661, a 25 °C. Qual é a contribuição para a sua entropia rotacional molar?

Resposta: 7,49R

22.9 A energia de Gibbs

A energia de Gibbs, G, teve um papel central na maioria das discussões termodinâmicas apresentadas nos capítulos anteriores deste livro. Assim, para mostrar a real utilidade da termodinâmica estatística, seria extremamente útil obtermos uma expressão para o cálculo de G a partir da função de partição, q. Vamos abordar apenas o caso dos gases perfeitos, uma vez que é difícil considerar as interações moleculares. Mostramos na Dedução a seguir que, para um gás de N moléculas,

$$G - G(0) = -NkT \ln \frac{q}{N} \qquad (22.14)$$

Gás perfeito — A energia de Gibbs em termos da função de partição

[3] Para uma dedução, veja o livro *Físico-Química* (2010) destes mesmos autores (LTC Editora).

Dedução 22.3

Cálculo da energia de Gibbs utilizando a função de partição

Vamos utilizar os princípios fundamentais da termodinâmica para realizar esse cálculo. A energia de Gibbs é definida como $G = H - TS$, e a entalpia, por sua vez, é definida como $H = U + pV$. Portanto

$$G = U - TS + pV$$

Para um gás perfeito podemos substituir pV por $nRT = NkT$ (porque $N = nN_A$ e $R = N_A k$). Observe, ainda, que para $T = 0$, $G(0) = U(0)$ (pois os termos TS e NkT se anulam para $T = 0$). Assim, temos

$$G - G(0) = U - U(0) - TS + NkT$$

Substituindo S pela Eq. 22.13b, obtemos

$$G - G(0) = -NkT \ln q + kT(N \ln N - N) + NkT$$
$$= -NkT(\ln q - \ln N)$$

Então, sendo $\ln q - \ln N = \ln(q/N)$, obtemos a Eq. 22.14.

Podemos, agora, transformar a Eq. 22.14 em uma expressão para o cálculo da energia de Gibbs molar. Primeiramente, podemos escrever $N = nN_A$ e então

$$G - G(0) = -nN_A kT \ln \frac{q}{nN_A}$$

Então, introduzimos a **função de partição molar**, $q_m = q/n$, com unidades de l/mol (mol^{-1}). Dividindo ambos os lados da equação anterior por n, obtemos

$$G_m - G_m(0) = -RT \ln \frac{q_m}{N_A}$$

Gás perfeito — A energia molar de Gibbs (22.15)

Exemplo 22.4

Cálculo da energia de Gibbs

Obtenha a expressão da energia de Gibbs molar de um gás perfeito monoatômico em termos da pressão do gás.

Estratégia O cálculo é baseado na Eq. 22.15. Tudo o que precisamos é conhecer a função de partição translacional, dada pela Eq. 22.5. Vamos converter V para p utilizando a lei dos gases perfeitos.

Solução Substituindo $q_m = (2\pi mkT)^{3/2} V/nh^3$ na Eq. 22.15, obtemos

$$G_m - G_m(0) = -RT \ln \frac{(2\pi mkT)^{3/2} V}{nh^3 N_A}$$

Agora, vamos substituir V por nRT/p (observe que os n's se cancelam), obtendo (após alguma álgebra, usando $R = kN_A$)

$$G_m - G_m(0) = -RT \ln \left\{ \frac{(2\pi mkT)^{3/2} V}{nh^3 N_A} \times \overbrace{\frac{nN_A kT}{p}}^{V=nRT/p,\ R=N_A k} \right\} \quad (22.16)$$

$$\overset{\text{Cancelando } n, N_A}{=} -RT \ln \frac{(2\pi m)^{3/2}(kT)^{5/2}}{ph^3} = -RT \ln \frac{1}{ap}$$

$$\overset{-\ln x = \ln(1/x)}{=} RT \ln(ap) \quad \text{com} \quad a = \frac{h^3}{(2\pi m)^{3/2}(kT)^{5/2}}$$

A energia de Gibbs cresce logaritmicamente (como $\ln p$) com p, exatamente como já visto na Seção 5.2 (Eq. 5.3).

Exercício proposto 22.5

Ignore as vibrações e escreva a expressão para a função de partição molar de uma molécula diatômica como $q_m^T q^R$ (veja a Eq. 22.9). Qual é a energia de Gibbs molar desse gás?

Resposta: A mesma expressão que a dada pela Eq. 22.16, mas o termo do logaritmo natural é $\ln(a\sigma hB/kT)p$

A única informação que nos falta é uma expressão que nos permita calcular a energia de Gibbs molar *padrão*, uma vez que essa energia teve um papel fundamental na discussão das propriedades de equilíbrio. Para isso, precisamos calcular a função de partição na pressão $p^{\ominus}$. Por exemplo, para um gás monoatômico, utilizamos $p = 1$ bar na Eq. 22.16, obtendo, assim, o valor padrão da energia de Gibbs molar. Em geral, podemos escrever

$$G_m^{\ominus} - G_m^{\ominus}(0) = -RT \ln \frac{q_m^{\ominus}}{N_A}$$

Energia molar de Gibbs padrão em termos da função de partição molar padrão (22.17)

em que o símbolo de estado-padrão em q serve apenas para lembrar-nos de calculá-la em $p^{\ominus}$; para isso, usamos $V_m^{\ominus} = RT/p^{\ominus}$ sempre que o mesmo aparece na expressão de $q_m^{\ominus}$. Veremos um exemplo na seção a seguir.

22.10 A constante de equilíbrio

Podemos ir além da visão qualitativa anteriormente desenvolvida, escrevendo uma expressão para a constante de equilíbrio baseada na termodinâmica estatística. Mostramos na Informação adicional 22.2 que, para o equilíbrio $A(g) + B(g) \rightleftharpoons C(g)$,

$$K = \frac{q_m^{\ominus}(C) N_A}{q_m^{\ominus}(A) q_m^{\ominus}(B)} e^{-\Delta E/RT}$$

Constante de equilíbrio em termos da função de partição (22.18)

em que ΔE é a diferença de energia entre o estado fundamental do produto e a dos reagentes. Esta expressão é fácil de lembrar, por ter a mesma forma que a constante de equilíbrio escrita em termos das atividades (Seção 7.3), mas com $q_m^{\ominus}/N_A$ substituindo cada atividade (além de um fator exponencial adicional):

$$K = \frac{\overbrace{p_C/p^{\ominus}}^{\text{Substituir por } q_m^{\ominus}(C)/N_A}}{\underbrace{(p_A/p^{\ominus})}_{\text{Substituir por } q_m^{\ominus}(A)/N_A}\underbrace{(p_A/p^{\ominus})}_{\text{Substituir por } q_m^{\ominus}(B)/N_A}} = \frac{q_m^{\ominus}(C) N_A}{(q_m^{\ominus}(A)/N_A)(q_m^{\ominus}(B)/N_A)} \underbrace{e^{-\Delta E/RT}}_{\text{Fator exponencial adicional}}$$

Quando cancelamos os N_A, obtemos a Eq. 22.18.

A Eq. 22.18 apresenta uma característica extraordinária, pois estabelece uma ligação importante entre a função de partição, que pode ser obtida a partir de uma análise espectroscópica, e a constante de equilíbrio, que é uma grandeza fundamental no estudo de reações químicas em equilíbrio. Essa equação representa o encontro das duas abordagens que foram consideradas ao longo deste livro.

Exemplo 22.5

Cálculo da constante de equilíbrio

Calcule a constante de equilíbrio para a ionização em fase gasosa $Cs(g) \rightleftharpoons Cs^+(g) + e^-(g)$, a 500 K.

Estratégia Esta reação é do tipo $A(g) \rightleftharpoons B(g) + C(g)$, e não do tipo $A(g) + B(g) \rightleftharpoons C(g)$; assim, devemos fazer uma pequena modificação na Eq. 22.18, que ficará evidente na expressão a ser utilizada. Analise cada espécie de forma individual, e escreva a sua função como um produto das funções de partição para cada tipo de movimento. Calcule essas funções de partição na pressão-padrão (1 bar), combinando-as de acordo com a Eq. 22.18. A diferença de energia ΔE corresponde à energia de ionização do Cs(g).

Solução A constante de equilíbrio é dada por

$$K = \frac{q_m^{\ominus}(Cs^+,g)q_m^{\ominus}(e^-,g)}{q_m^{\ominus}(Cs,g)N_A}e^{-\Delta E/RT}$$

Observe como, neste exemplo, a constante de Avogadro aparece no denominador: sua unidade, mol^{-1}, garante que K seja adimensional. O elétron apresenta movimento translacional; por isso, precisamos determinar a sua função de partição translacional. Os estados de spin contribuem com um fator de 2 para a função de partição molecular. Por conseguinte,

$$q_m^{\ominus}(e^-) = \overbrace{2}^{q^E} \times \overbrace{\frac{(2\pi m_e kT)^{3/2}V^{\ominus}}{nh^3}}^{q_m^T} \overbrace{=}^{V^{\ominus}=nRT/p^{\ominus}} \frac{2(2\pi m_e kT)^{3/2}RT}{p^{\ominus}h^3}$$

O íon Cs^+, uma espécie com camada fechada, apresenta apenas movimento translacional:

$$q_m^{\ominus}(Cs^+,g) = \frac{(2\pi m_{Cs}kT)^{3/2}RT}{p^{\ominus}h^3}$$

A função de partição do átomo de Cs tem contribuição translacional e de spin, como vimos na Seção 22.5:

$$q_m^{\ominus}(Cs,g) = \overbrace{2}^{q^E} \times \overbrace{\frac{(2\pi m_{Cs}kT)^{3/2}RT}{p^{\ominus}h^3}}^{q_m^T}$$

(Não estamos fazendo distinção entre as massas do átomo de Cs e do íon Cs^+.) Assim, fazendo $\Delta E = I$, a energia de ionização do átomo, encontramos

$$K = \frac{\overbrace{\{(2\pi m_{Cs}kT)^{3/2}RT/p^{\ominus}h^3\}}^{Cs^+} \times \overbrace{\{2(2\pi m_e kT)^{3/2}RT/p^{\ominus}h^3\}}^{e^-}}{\underbrace{\{2(2\pi m_{Cs}kT)^{3/2}RT/p^{\ominus}h^3\}}_{Cs} \times N_A} \times e^{-I/RT}$$

$$\overbrace{=}^{\text{Cancelando os termos}} \frac{(2\pi m_e kT)^{3/2}RT}{p^{\ominus}h^3 N_A} \times e^{-I/RT}$$

$$\overbrace{=}^{R=N_A k} \frac{(2\pi m_e kT)^{3/2}kT}{p^{\ominus}h^3} \times e^{-I/RT}$$

$$= \frac{(2\pi m_e)^{3/2}(kT)^{5/2}}{p^{\ominus}h^3} \times e^{-I/RT}$$

Substituindo-se os valores numéricos (apenas a energia de ionização é específica do elemento químico), obtemos:

$$K = \frac{\left(2\pi \times \overbrace{9{,}109 \times 10^{-31}\ \text{kg}}^{m_e}\right)^{3/2} \times \left(\overbrace{1{,}381 \times 10^{-23}\ \text{J K}^{-1} \times 1000\ \text{K}}^{kT}\right)^{5/2}}{\left(\underbrace{10^5\ \text{Pa}}_{p^{\ominus}}\right) \times (6{,}626 \times 10^{-34}\ \text{J s})^3}$$

$$\times\, e^{-(3{,}76 \times 10^5\ \text{J mol}^{-1})/(8{,}314\ \text{J K}^{-1}\ \text{mol}^{-1}) \times (1000\ \text{K})}$$

$$= 2{,}42 \times 10^{-19}$$

Uma nota sobre a boa prática Verifique se todas as unidades realmente se cancelam (use $1\ J = 1\ kg\ m^2\ s^{-2}$ e $1\ Pa = 1\ kg\ m^{-1}\ s^{-2}$). O K obtido pelo procedimento anterior é a constante de equilíbrio termodinâmica, que, para gases, é expressa em termos das pressões parciais dos reagentes e produtos (relativas à pressão-padrão).

Exercício proposto 22.6

Calcule a constante de equilíbrio para a dissociação $Na_2(g) \rightleftharpoons 2\,Na(g)$, a 1000 K. Os seguintes dados para o $Na_2(g)$ são necessários: $B = 46{,}38$ MHz, $\tilde{\nu} = 159{,}2\ cm^{-1}$; a energia de dissociação é 70,4 kJ mol^{-1} e $q_E = 2$.

Resposta: 2,42

Informação adicional 22.1

Cálculo das funções de partição

1. A função de partição translacional

Considere uma partícula de massa m em uma caixa retangular de lados X, Y, Z. Cada direção pode ser tratada independentemente, e a função de partição total é obtida multiplicando-se as funções de partição correspondentes a cada direção. A mesma estratégia foi usada para escrever uma expressão para a função de partição molecular multiplicando-se as contribuições provenientes dos modos (independentes) de movimento molecular.

Os níveis de energia de uma molécula de massa m em um recipiente de comprimento X são dados pela Eq. 12.9, com $L = X$:

$$E_n = \frac{n^2h^2}{8mX^2} \qquad n = 1, 2, \ldots$$

O nível mais baixo ($n = 1$) tem energia $h^2/8mX^2$, logo as energias relativas a este nível são

$$\varepsilon_n = (n^2 - 1)\varepsilon \qquad \varepsilon = h^2/8mX^2$$

Portanto, a soma a se determinar é

$$q_X = \sum_{n=1}^{\infty} e^{-(n^2-1)\varepsilon/kT}$$

Os níveis de energia de translação são muito próximos em recipientes do tamanho de vasos de laboratórios típicos; assim, a soma pode ser aproximada por uma integral:

$$q_X = \int_1^{\infty} e^{-(n^2-1)\varepsilon/kT}\,dn \approx \int_0^{\infty} e^{-n^2\varepsilon/kT}\,dn$$

A extensão do limite inferior para $n = 0$ e a substituição de $n^2 - 1$ por n^2 introduz um erro desprezível, mas transforma a integral em uma forma padrão. Fazemos a substituição $x^2 = n^2\varepsilon/kT$, o que implica $dn = dx/(\varepsilon/kT)^{1/2}$; desse modo,

$$q_X = \left(\frac{kT}{\varepsilon}\right)^{1/2} \overbrace{\int_0^{\infty} e^{-x^2}\,dx}^{\pi^{1/2}/2}$$

$$= \left(\frac{kT}{\varepsilon}\right)^{1/2}\left(\frac{\pi^{1/2}}{2}\right) \overbrace{=}^{\varepsilon=h^2/8mX^2} \left(\frac{2\pi mkT}{h^2}\right)^{1/2} X$$

A mesma expressão se aplica às outras dimensões de uma caixa retangular de lados Y e Z; logo

$$q^{T} = q_X q_Y q_Z = \left(\frac{2\pi mkT}{h^2}\right)^{3/2} \overbrace{XYZ}^{V} = \left(\frac{2\pi mkT}{h^2}\right)^{3/2} V$$

em que $V = XYZ$ é o volume da caixa.

2. A função de partição rotacional

A função de partição rotacional de um rotor linear rígido assimétrico (AB) é

$$q^{R} = \sum_J \overbrace{(2J+1)}^{g_J} e^{-\overbrace{hBJ(J+1)}^{\varepsilon_J}/kT}$$

em que a soma é sobre os níveis de energia rotacional e o fator $2J + 1$ leva em conta a degenerescência dos níveis. Quando muitos estados rotacionais são ocupados e kT é muito maior que a separação entre estados adjacentes, podemos aproximar a soma por uma integral:

$$q^{R} = \int_0^{\infty} (2J+1)e^{-hBJ(J+1)/kT}\,dJ$$

Embora esta integral pareça complicada, pode ser calculada sem muito esforço observando-se que como

$$\frac{d}{dJ}e^{-hBJ(J+1)/kT} \overbrace{=}^{de^{af(x)}/dx=ae^{af(x)}(df/dx)} -\frac{hB}{kT}(2J+1)$$

essa integral também pode ser escrita como

$$q^{R} = -\frac{kT}{hB}\int_0^{\infty}\left(\frac{d}{dJ}e^{-hBJ(J+1)/kT}\right)dJ$$

Então, como a integral da derivada de uma função é a própria função,

$$q^{R} = -\frac{kT}{hB}e^{-hBJ(J+1)/kT}\Big|_0^{\infty} = \frac{kT}{hB}$$

Para uma molécula diatômica homonuclear, que parece ser a mesma após uma rotação de 180°, temos de dividir este resultado por 2 para evitar a dupla contagem de estados; assim, em geral,

$$q^{R} = \frac{kT}{\sigma hB}$$

em que $\sigma = 1$ para moléculas diatômicas heteronucleares e 2 para as homonucleares.

3. A função de partição vibracional

Os níveis de energia de um oscilador harmônico formam um arranjo simples em forma de escada (Fig. 22.9). Se fixarmos a energia do estado de menor energia como zero, as energias dos estados são

$$\varepsilon_0 = 0,\ \varepsilon_1 = h\nu,\ \varepsilon_2 = 2h\nu,\ \varepsilon_3 = 3h\nu,\ \text{etc.}$$

Portanto, a função de partição vibracional é

$$q^{V} = 1 + e^{-h\nu/kT} + e^{-2h\nu/kT} + e^{-3h\nu/kT} + \cdots$$

$$\overbrace{=}^{\text{Usando } e^{nx}=(e^x)^n} 1 + e^{-h\nu/kT} + (e^{-h\nu/kT})^2 + (e^{-h\nu/kT})^3 + \cdots$$

De acordo com Ferramentas do químico 6.1, a soma da série infinita $1 + x + x^2 + x^3 + \cdots$ é $1/(1-x)$. Desse modo, com $x = e^{-h\nu/kT}$,

$$q^{V} = \frac{1}{1 - e^{-h\nu/kT}}$$

que é a Eq. 22.7. Quando a temperatura é tão elevada que $h\nu/kT \ll 1 - x$ (Ferramentas do químico 6.1):

$$q^{V} \approx \frac{1}{1 - \underbrace{(1 - h\nu/kT)}_{e^{-h\nu/kT}}} = \frac{1}{h\nu/kT} = \frac{kT}{h\nu}$$

que é a Eq. 22.8.

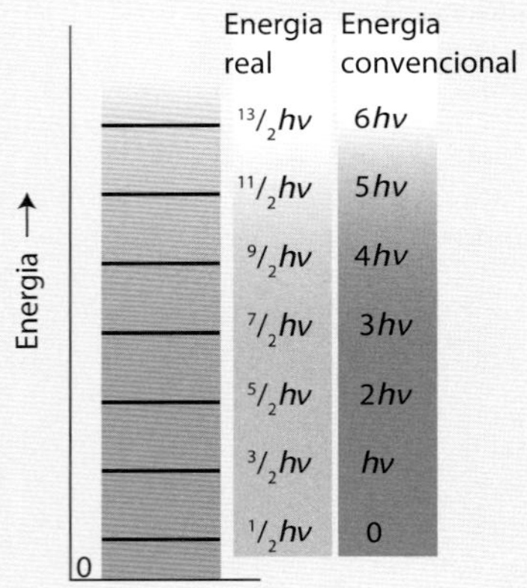

Figura 22.9 Níveis de energia de um oscilador harmônico. Para o cálculo da função de partição, fixamos em zero a energia do estado de menor energia, como mostrado à direita.

Informação adicional 22.2

A constante de equilíbrio a partir da função de partição

Sabemos da termodinâmica (Seção 7.3) que a constante de equilíbrio de uma reação está relacionada com a energia de Gibbs padrão de reação pela expressão

$$\Delta_r G^{\ominus} = -RT \ln K$$

Para a reação $A(g) + B(g) \rightleftharpoons C(g)$,

$$\Delta_r G^{\ominus} = G^{\ominus}_m(C) - \{G^{\ominus}_m(A) + G^{\ominus}_m(B)\}$$

A Eq. 22.17 é uma expressão para cada uma dessas energias de Gibbs molares padrão em termos da função de partição de cada espécie; logo, podemos escrever

$$\Delta_r G^{\ominus} = \left\{G_m^{\ominus}(C,0) - RT\ln\frac{q_m^{\ominus}(C)}{N_A}\right\} - \left\{G_m^{\ominus}(A,0) - RT\ln\frac{q_m^{\ominus}(A)}{N_A}\right\} - \left\{G_m^{\ominus}(B,0) - RT\ln\frac{q_m^{\ominus}(B)}{N_A}\right\}$$

O primeiro termo em cada uma das chaves é simplesmente a diferença de energia entre os estados fundamentais porque $G = U$ em $T = 0$; logo,

$$G_m^{\ominus}(C,0) - \{G_m^{\ominus}(A,0) + G_m^{\ominus}(A,0)\} = U_m^{\ominus}(C,0) - \{U_m^{\ominus}(A,0) + U_m^{\ominus}(A,0)\} = \Delta E$$

Os três logaritmos podem ser combinados para obter

$$\ln\frac{q_m^{\ominus}(C)}{N_A} - \overbrace{\left\{\ln\frac{q_m^{\ominus}(A)}{N_A} + \ln\frac{q_m^{\ominus}(B)}{N_A}\right\}}^{\ln\{q_m^{\ominus}(A)q_m^{\ominus}(B)/N_A^2\}} \overset{\ln x - \ln yz = \ln(x/yz)}{=} \ln\frac{q_m^{\ominus}(C)N_A}{q_m^{\ominus}(A)q_m^{\ominus}(B)}$$

Neste momento podemos escrever

$$\Delta_r G^{\ominus} = \Delta E - RT\ln\frac{q_m^{\ominus}(C)N_A}{q_m^{\ominus}(A)q_m^{\ominus}(B)}$$

O ΔE pode ser levado para dentro do logaritmo, escrevendo-se

$$\Delta E = -RT\ln e^{-\Delta E/RT}$$

(porque $\ln e^x = x$). Portanto,

$$\Delta_r G^{\ominus} = -RT\ln e^{-\Delta E/RT} - RT\ln\frac{q_m^{\ominus}(C)N_A}{q_m^{\ominus}(A)q_m^{\ominus}(B)}$$

$$\overset{\ln x + \ln y = \ln(xy)}{=} -RT\ln\left\{\frac{q_m^{\ominus}(C)N_A}{q_m^{\ominus}(A)q_m^{\ominus}(B)}e^{-\Delta E/RT}\right\}$$

Devemos agora comparar esta última expressão com a expressão termodinâmica, $\Delta_r G^{\ominus} = -RT\ln K$, e verificar que o termo entre parênteses é a expressão de K (Eq. 22.18).

Verificação de conceitos importantes

- ☐ 1 A distribuição de Boltzmann dá o número de moléculas em cada estado de um sistema a dada temperatura.
- ☐ 2 A função de partição é uma indicação do número de estados termicamente acessíveis na temperatura de interesse.
- ☐ 3 A função de partição aumenta com a temperatura.
- ☐ 4 Pode-se esperar que moléculas com numerosos níveis de energia e pequeno espaçamento tenham funções de partição muito grandes. Pode-se esperar que moléculas com níveis de energia com amplo espaçamento tenham funções de partição pequenas.
- ☐ 5 A função de partição molecular é o produto de contribuições de translação, rotação, vibração e das distribuições eletrônicas.
- ☐ 6 A função de partição eletrônica é $q^E = 1$ para moléculas de camada fechada com estados excitados de alta energia.
- ☐ 7 A função de partição contém todas as informações termodinâmicas de um sistema, podendo ser empregada para calcular propriedades termodinâmicas, como a energia interna, a entropia e a energia de Gibbs.
- ☐ 8 A capacidade calorífica é baixa quando os níveis de energia são amplamente espaçados.
- ☐ 9 A constante de equilíbrio é a distribuição de moléculas nos estados disponíveis de um sistema constituído de reagentes e produtos.

Mapa conceitual das equações importantes

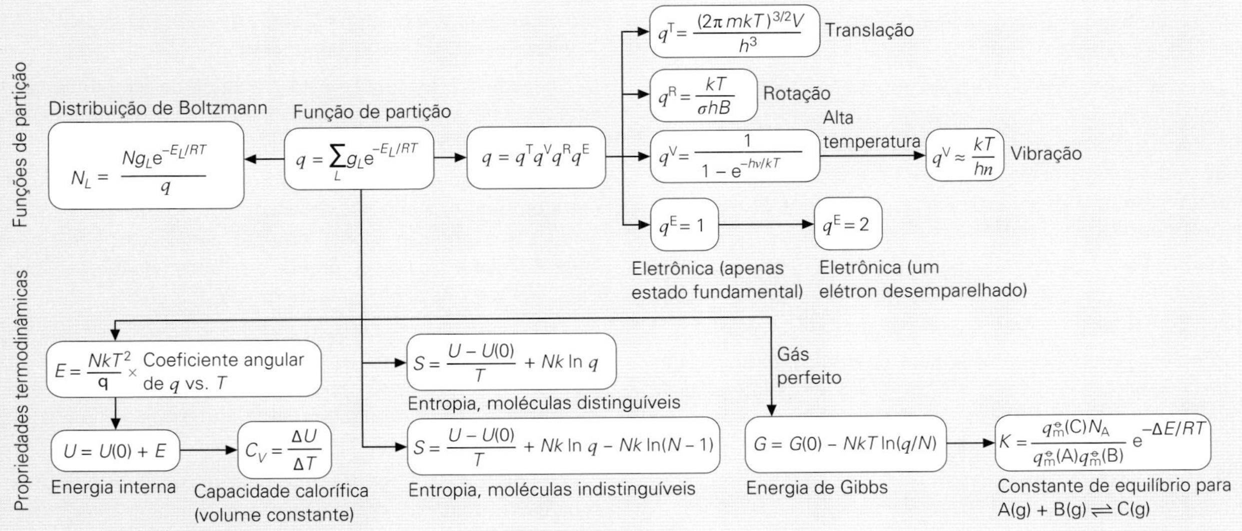

Questões e exercícios

Questões teóricas

22.1 Descreva os princípios por trás da dedução da distribuição de Boltzmann.

22.2 O que é temperatura?

22.3 Descreva o significado físico da função de partição molecular.

22.4 Quando é que partículas de mesma composição são idênticas e quando não o são?

22.5 Explique como a energia interna e a entropia de um sistema de dois níveis variam com a temperatura.

22.6 Justifique a identificação da entropia estatística com a entropia termodinâmica.

22.7 Use os conceitos da termodinâmica estatística para descrever as características moleculares que determinam a magnitude da constante de equilíbrio e sua variação com a temperatura.

Exercícios

22.1 Admita que as moléculas de polietileno possam existir sob uma única forma de cadeia randômica (ou seja, ignore o fato de que uma cadeia randômica pode ser obtida de muitas formas diferentes) ou em uma forma totalmente estirada. Esta última conformação apresenta uma energia 2,4 kJ mol^{-1} maior que a primeira. Qual é a razão entre as duas conformações, a 20 °C?

22.2 Qual é a razão entre as populações que correspondem às orientações do spin do próton em um campo magnético de (a) 1,5 T, (b) 15 T, em uma amostra a 20 °C? Veja o Capítulo 21 para as diferenças de energia.

22.3 Qual é a razão entre as populações que correspondem às orientações do spin do elétron em um campo magnético de 0,33 T, em uma amostra a 20 °C? Veja o Capítulo 21 para as diferenças de energia.

22.4 Calcule a razão entre as populações das moléculas de CO_2 com $J = 4$ e $J = 2$, a 25 °C. A constante rotacional do CO_2 é 11,70 GHz. *Sugestão:* As rotações moleculares são discutidas no Capítulo 19.

22.5 Calcule a razão entre as populações das moléculas de CH_4 com $J = 4$ e $J = 2$, a 25 °C. A constante rotacional do CH_4 é 157 GHz. Lembre-se, do Capítulo 19, de que a degenerescência de um rotor esférico, em um estado com o número quântico J, é dada por $(2J + 1)^2$.

22.6 (a) Escreva a expressão para a função de partição de uma molécula que apresenta três níveis de energia, 0, 2ε e 5ε, com degenerescências 1, 6 e 3, respectivamente. Quais são os valores de q a (b) $T = 0$, (c) $T = \infty$?

22.7 Calcule a função de partição translacional do (a) N_2, (b) CS_2 gasoso em um frasco de volume igual a 10,0 cm^3. Por que uma é tão maior que a outra?

22.8 Determine a função de partição translacional, a 298 K, (a) de uma molécula de metano confinada em um poro de uma zeólita que atua como catalisador: assuma o poro como esférico com um raio que permita a molécula se mover 1 nm em qualquer direção (isto é, um diâmetro *efetivo* de 1 nm), (b) de uma molécula de metano em um recipiente de 100 cm^3 de volume.

22.9 Determine a função de partição rotacional, a 298 K, do HBr ($\tilde{\nu}$ = 8,465 cm^{-1}) (a) pela soma direta dos níveis de energia, (b) usando a aproximação para temperaturas elevadas, Eq. 22.6.

22.10 Repita o exercício anterior para diferentes temperaturas (use um programa matemático) e determine a temperatura para a qual a fórmula aproximada leva a um erro de 10 %.

22.11 Determine a função de partição rotacional a 298 K de (a) $^1H^{35}Cl$, cuja constante rotacional é 318 Ghz, (b) $^{12}C^{16}O_2$, com constante rotacional igual a 11,70 Ghz.

22.12 N_2O e CO_2 têm constantes rotacionais semelhantes (12,6 e 11,7 Ghz, respectivamente), mas funções de partição rotacionais surpreendentemente diferentes. Por quê?

22.13 Calcule a função de partição vibracional do HBr, a 298 K. Utilize a Tabela 19.2 para obter os dados necessários. Acima de que temperatura a aproximação para temperaturas elevadas (Eq. 22.8) está incorreta em 10 %, ou menos?

22.14 Uma molécula de CO_2 tem quatro modos vibracionais com números de onda 1.388 cm^{-1}, 2.349 cm^{-1} e 667 cm^{-1} (o último sendo um movimento angular duplamente degenerado). Calcule a função de partição vibracional total a (a) 500 K, (b) 1.000 K.

22.15 A configuração fundamental do carbono fornece um tripleto com os três níveis de energia $^3P_0$, $^3P_1$ e $^3P_2$ com números de onda 0, 16,4 e 43,5 cm^{-1}, respectivamente. Calcule a função de partição do carbono a (a) 10 K, (b) 298 K. Lembre-se de que um nível com o número quântico J tem $2J + 1$ estados.

22.16 A configuração fundamental do oxigênio fornece os três níveis $^3P_2$, $^3P_1$ e $^3P_0$ com números de onda 0, 158,5 e 226,5 cm^{-1}, respectivamente. (a) Estabeleça o valor da função de partição a $T = 0$, antes de realizar qualquer cálculo. (b) Calcule a função de partição a 298 K e confirme que seu valor em $T = 0$ é o mesmo estabelecido em (a).

22.17 Calcule a função de partição molecular para o etino, C_2H_2 (com a composição isotópica ^{12}C e ^1H), a 298 K, confinado em um volume de 1,00 m^3. A constante rotacional do etino é $\tilde{B}$ = 1,177 cm^{-1}. O etino tem sete modos normais de vibração; os modos com números de onda vibracional de 3.374, 1.974 e 3.287 não são degenerados e os com números de onda vibracional de 612 e 729 cm^{-1} são duplamente degenerados.

22.18 Deduza a expressão para a energia de uma molécula que apresenta três níveis de energia, 0, ε e 3ε, com degenerescências 1, 5 e 3, respectivamente.

22.19 Os estados fornecidos pela configuração fundamental de um átomo de carbono são apresentados no Exercício 22.15. (a) Deduza a expressão da contribuição eletrônica para a energia interna molar e faça o seu gráfico em função da temperatura. (b) Calcule o valor da expressão obtida a 25 °C.

22.20 (a) Deduza a expressão da contribuição eletrônica para a capacidade calorífica molar do átomo de oxigênio e faça o seu gráfico em função da temperatura. (b) Calcule o valor da expressão obtida a 25 °C. A estrutura do átomo de oxigênio é apresentada no Exercício 22.16.

22.21 Por que (em termos termodinâmicos e moleculares) as substâncias com altas capacidades caloríficas têm altas entropias?

22.22 Calcule a entropia molar do nitrogênio gasoso a 298 K. Escreva a função de partição global como o produto das funções de partição translacional e rotacional; o primeiro estado vibracional excitado tem energia suficientemente elevada para que a contribuição da vibração da molécula possa ser ignorada nessa temperatura. Veja a Tabela 19.2 para os dados necessários.

22.23 Explique, sem realizar nenhum cálculo, os valores relativos de entropias molares padrão (a 298 K) das seguintes substâncias: (a) Ne(g) (146 J K^{-1} mol^{-1}) comparado com Xe(g) (170 J K^{-1} mol^{-1}); (b) H_2O(g) (189 J K^{-1} mol^{-1}) comparado com D_2O(g) (198 J K^{-1} mol^{-1}); (c) C(diamante) (2,4 J K^{-1} mol^{-1}) comparado com C(grafita) (5,7 J K^{-1} mol^{-1}).

22.24 Faça uma estimativa da variação da entropia molar quando uma micela formada por 100 moléculas se dispersa. Interprete essa transição como uma expansão de uma substância gasosa que, inicialmente ocupando um volume V_{micela}, se espalharia até um volume final $V_{\text{solução}}$. O que este modelo despreza?

22.25 Calcule a energia de Gibbs padrão molar do dióxido de carbono a 298 K em relação ao seu valor a $T = 0$.

22.26 Escreva a expressão da constante de equilíbrio da reação $N_2(g) + 3\,H_2(g) \rightleftharpoons 2\,NH_3(g)$ em termos das funções de partição moleculares das espécies.

22.27 Calcule a constante de equilíbrio para o equilíbrio de ionização de átomos de sódio a 1.000 K.

22.28 Calcule a constante de equilíbrio para a dissociação do I_2(g) a 500 K.

Projetos

O símbolo ‡ indica que o cálculo é necessário.

22.29‡ Vamos usar aqui a termodinâmica estatística para calcular a energia interna e a capacidade calorífica de um sistema (como a superfície de um sólido atômico) modelado como um conjunto de osciladores harmônicos. (a) Deduza uma expressão para a energia interna de um conjunto de osciladores harmônicos. Obtenha, a partir de sua expressão, a aproximação para temperaturas elevadas e identifique a temperatura a partir da qual a aproximação é confiável. *Sugestão:* Substitua a Eq. 22.7 para a função de partição na Eq. 22.11 para a energia. (b) Obtenha agora uma expressão para a capacidade calorífica dos osciladores e o seu limite a temperaturas elevadas.

22.30 No primeiro exercício você desprezou o fato de que uma cadeia randômica pode ser obtida de muitas maneiras diferentes. Repita aquele exercício considerando essa possibilidade. Explore como a razão entre as populações varia com o número de unidades, N, no polímero.

Seção de dados

1 Grandezas e unidades

O resultado de uma medida é uma **grandeza física** (tal como massa ou massa específica) que é registrada como um múltiplo numérico de uma **unidade** adequada:

grandeza física = valor numérico × unidade

Por exemplo, a massa de um objeto pode ser registrada como $m = 2{,}5$ kg e sua massa específica como $d = 1{,}01$ kg dm^{-3}, em que as unidades são, respectivamente, 1 quilograma (1 kg) e 1 quilograma por decímetro cúbico (1 kg dm^{-3}). Unidades são tratadas de modo semelhante a quantidades algébricas e podem ser multiplicadas, divididas e canceladas. Assim, a expressão (grandeza física)/unidade é simplesmente o valor numérico da medida nas unidades especificadas e, portanto, é uma grandeza adimensional. Por exemplo, a massa registrada anteriormente podia ser representada como m/kg = 2,5 e a massa específica como d/(kg dm^{-3}) = 1,01.

Grandezas físicas são representadas por letras em itálico ou letras gregas (como em m para massa e Π para pressão osmótica). Unidades são representadas por letras romanas (como m para metro). No **Sistema Internacional** de unidades (SI, proveniente do francês *Système International d'Unités*), as unidades são formadas a partir de sete **unidades básicas** apresentadas na Tabela A1.1. Todas as outras grandezas físicas podem ser expressas como combinações dessas sete grandezas físicas e registradas em termos de **unidades derivadas**. Assim, volume é (comprimento)^3 e pode ser registrado como um múltiplo de 1 metro cúbico (1 m^3) e massa específica, que é massa/volume, pode ser registrada como um múltiplo de 1 quilograma por metro cúbico (1 kg m^{-3}).

Tabela A1.1

As unidades básicas do SI

Grandeza física	Símbolo da grandeza	Unidade básica
Comprimento	l	metro, m
Massa	m	quilograma, kg
Tempo	t	segundo, s
Corrente elétrica	I	ampère, A
Temperatura termodinâmica	T	kelvin, K
Quantidade de substância	n	mol, mol
Intensidade luminosa	I_v	candela, cd

Tabela A1.2

Algumas unidades derivadas selecionadas

Grandeza física	Unidade derivada*	Nome da unidade derivada
Força	1 kg m s^{-2}	newton, N
Pressão	1 kg m^{-1} s^{-2} 1 N m^{-2}	pascal, Pa
Energia	1 kg m^2 s^{-2} 1 N m 1 Pa m^3	joule, J
Potência	1 kg m^2 s^{-3} 1 J s^{-1}	watt, W

*Definições equivalentes em termos de unidades derivadas são dadas seguindo a definição em termos de unidades básicas.

Várias unidades derivadas têm nomes e símbolos especiais. Os nomes das unidades derivadas oriundos de nomes de pessoas são em letra minúscula (como em torr, joule, pascal e kelvin), mas seus símbolos são em letra maiúscula (como em Torr, J, Pa e K). As grandezas desse tipo mais importantes para os nossos propósitos podem ser vistas na Tabela A1.2. Em todos os casos (tanto para as básicas como para as derivadas), as unidades podem ser modificadas por um prefixo que representa um fator de uma potência de 10. Em um mundo perfeito, prefixos gregos de unidades são verticais (como em μm) e inclinados para propriedades físicas (com em μ para o potencial químico), mas fontes disponíveis nem sempre são obrigatórias. Alguns prefixos mais comuns estão representados na Tabela A1.3. Vemos a seguir exemplos do uso desses prefixos,

$$1\ \text{nm} = 10^{-9}\ \text{m} \quad 1\ \text{ps} = 10^{-12}\ \text{s} \quad 1\ \mu\text{mol} = 10^{-6}\ \text{mol}$$

O quilograma (kg) é anômalo: embora seja uma unidade básica, é interpretado como 10^3 g, e prefixos são ligados ao grama (como em mg = 10^{-3} g). Potências de unidades são usadas tanto para o prefixo como para a unidade que modificam:

$$1\ \text{cm}^3 = 1(\text{cm})^3 = 1\ (10^{-2}\ \text{m})^3 = 10^{-6}\ \text{m}^3$$

Observe que 1 cm^3 não significa 1 c(m)^3. Quando cálculos numéricos estão sendo feitos, geralmente é mais seguro escrever o valor numérico de um observável como potência de 10.

Tabela A1.3

Prefixos comuns do SI

Prefixo	z	a	f	p	n	μ	m	c	d
Nome	zepto	atto	femto	pico	nano	micro	mili	centi	deci
Fator	10^{-21}	10^{-18}	10^{-15}	10^{-12}	10^{-9}	10^{-6}	10^{-3}	10^{-2}	10^{-1}
Prefixo	k	M	G	T	P				
Nome	quilo	mega	giga	tera	peta				
Fator	10^3	10^6	10^9	10^{12}	10^{15}				

Há várias unidades que são muito usadas, mas que não fazem parte do Sistema Internacional. Algumas são exatamente iguais aos múltiplos das unidades do SI. Essas unidades incluem o *litro* (L), que é exatamente 10^3 cm^3 (ou 1 dm^3), e a *atmosfera* (atm), que é exatamente 101,325 kPa. Outras se baseiam nos valores de constantes fundamentais e, portanto, estão sujeitas a mudar quando os valores das constantes fundamentais são modificados por medidas mais exatas, mais precisas. Assim, o tamanho da unidade de energia *elétron-volt* (eV), a energia adquirida por um elétron que é acelerado por uma diferença de potencial exatamente de 1V, depende do valor da carga do elétron, e o fator de conversão atual (2013) é 1 eV = $1{,}602\,177 \times 10^{-19}$ J. A Tabela A1.4 mostra os fatores de conversão para várias dessas unidades apropriadas.

Foram acertados os planos para redefinir certas grandezas (em particular, o quilograma e o mol) pelas autoridades responsáveis pela manutenção das unidades (o *Bureau de Pesos e Medidas*), mas ainda não foram implementados (até 2013). Para os valores mais recentes das constantes fundamentais, consulte http://physics.nist.gov/constants.

Tabela A1.4

Algumas unidades comuns

Grandeza física	Nome da unidade	Símbolo da unidade	Valor
Tempo	minuto	min	60 s
	hora	h	3600 s
	dia	d	86 400 s
Comprimento	angström	Å	10^{-10} m
Volume	litro	L, l	1 dm^3
Massa	tonelada	t	10^3 kg
Pressão	bar	bar	10^5 Pa
	atmosfera	atm	101,325 kPa
Energia	elétron-volt	eV	$1{,}602\,177 \times 10^{-19}$ J
			96,485 31 kJ mol^{-1}
	caloria	cal	4,184 J

Todos os valores na coluna final são exatos, exceto para a definição de 1 eV.

2 Dados

Tabela 1 *Dados termodinâmicos para compostos orgânicos a 298,15 K*

	M/ (g mol^{-1})	$\Delta_f H^{\ominus}$/ (kJ mol^{-1})	$\Delta_f G^{\ominus}$/ (kJ mol^{-1})	$S_m^{\ominus}$/ (J K^{-1} mol^{-1})†	$C_{p,m}^{\ominus}$/ (J K^{-1} mol^{-1})	$\Delta_c H^{\ominus}$/ (kJ mol^{-1})
C(s) (grafita)	12,011	0	0	5,740	8,527	−393,51
C(s) (diamante)	12,011	+1,895	+2,900	+2,377	6,113	−395,40
$CO_2(g)$	44,010	−393,51	−394,36	213,74	37,11	
Hidrocarbonetos						
$CH_4(g)$, metano	16,04	−74,81	−50,72	186,26	35,31	−890
$CH_3(g)$, metil	15,04	+145,69	+147,92	194,2	38,70	
$C_2H_2(g)$, etino	26,04	+226,73	+209,20	200,94	43,93	−1300
$C_2H_4(g)$, eteno	28,05	+52,26	+68,15	219,56	43,56	−1411
$C_2H_6(g)$, etano	30,07	−84,68	−32,82	229,60	52,63	−1560
$C_3H_6(g)$, propeno	42,08	+20,42	+62,78	267,05	63,89	−2058
$C_3H_6(g)$, propano	42,08	−103,85	−23,49	269,91	73,5	−2220
$C_4H_8(g)$, 1-buteno	56,11	−0,13	+71,39	305,71	85,65	−2717
$C_4H_8(g)$, cis-2-buteno	56,11	−6,99	+65,95	300,94	78,91	−2710
$C_4H_8(g)$, *trans*-2-buteno	56,11	−11,17	+63,06	296,59	87,82	−2707
$C_4H_{10}(g)$, butano	58,13	−126,15	−17,03	310,23	97,45	−2878
$C_5H_{12}(g)$, pentano	72,15	−146,44	−8,20	348,40	120,2	−3537
$C_5H_{12}(l)$	72,15	−173,1				
$C_6H_6(l)$, benzeno	78,12	+49,0	+124,3	173,3	136,1	−3268
$C_6H_6(g)$	78,12	+82,93	+129,72	269,31	81,67	−3320
$C_6H_{12}(l)$, ciclo-hexano	84,16	−156	26,8		156,5	−3902
$C_6H_{14}(l)$, hexano	86,18	−198,7		204,3		−4163
$C_6H_5CH_3(g)$, metilbenzeno (tolueno)	92,14	+50,0	+122,0	320,7	103,6	−3953
$C_7H_{16}(l)$, heptano	100,21	−224,4	+1,0	328,6	224,3	
$C_8H_{18}(l)$, octano	114,23	−249,9	+6,4	361,1		−5471
$C_8H_{18}(l)$, iso-octano	114,23	−255,1				−5461
$C_{10}H_8(s)$, naftaleno	128,18	+78,53				−5157
Alcoóis e fenóis						
$CH_3OH(l)$, metanol	32,04	−238,86	−166,27	126,8	81,6	−726
$CH_3OH(g)$	32,04	−200,66	−166,27	239,81	43,89	−764
$C_2H_5OH(l)$, etanol	46,07	−277,69	−174,78	160,7	111,46	−1368
$C_2H_5OH(g)$	46,07	−235,10	−168,49	282,70	65,44	−1409
$C_6H_5OH(s)$, fenol	94,12	−165,0	−50,9	146,0		−3054
Ácidos carboxílicos, hidroxiácidos e ésteres						
$HCOOH(l)$, fórmico	46,03	−424,72	−361,35	128,95	99,04	−255
$CH_3COOH(l)$, etanoico	60,05	−484,3	−389,9	159,8	124,3	−875
$CH_3COOH(aq)$	60,05	−485,76	−396,46	178,7		
$CH_3CO_2^-(aq)$	59,05	−486,01	−369,31	86,6	−6,3	
$CH_3(CO)COOH(l)$, pirúvico	88,06					−950
$CH_3(CH_2)_2COOH(l)$, butanoico	88,10	−533,8				
$CH_3COOC_2H_5(l)$, acetato de etila	88,10	−479,0	−332,7	259,4	170,1	−2231
$(COOH)_2(s)$, oxálico	90,04	−827,2			117	−254
$CH_3CH(OH)COOH(s)$, lático	90,08	−694,0	−522,9			−1344
$HOOCCH_2CH_2COOH(s)$, succínico	118,09	−940,5	−747,4	153,1	167,3	
$C_6H_5COOH(s)$, benzoico	122,13	−385,1	−245,3	167,6	146,8	−3227
$CH_3(CH_2)_8COOH(s)$, decanoico	172,27	−713,7				
$C_6H_8O_6(s)$, ascórbico	176,12	−1164,6				
$HOOCCH_2C(OH)(COOH)\ CH_2COOH(s)$, cítrico	192,12	−1543,8	−1236,4			−1985
$CH_3(CH_2)_{10}COOH(s)$, dodecanoico	200,32	−774,6			404,3	
$CH_3(CH_2)_{14}COOH(s)$, hexadecanoico	256,41	−891,5				
$C_{18}H_{36}O_2(s)$, esteárico	284,48	−947,7			501,5	

Tabela 1 (*continuação*)

	M/(g mol^{-1})	$\Delta_f H^\ominus$/(kJ mol^{-1})	$\Delta_f G^\ominus$/(kJ mol^{-1})	$S^\ominus_m$/(J K^{-1} mol^{-1})†	$C^\ominus_{p,m}$/(J K^{-1} mol^{-1})	$\Delta_c H^\ominus$/(kJ mol^{-1})
Alcanais e Alcanonas						
HCHO(g), metanal	30,03	−108,57	−102,53	218,77	35,40	−571
CH_3CHO(l), etanal	44,05	−192,30	−128,12	160,2		−1166
CH_3CHO(g)	44,05	−166,19	−128,86	250,3	57,3	−1192
CH_3COCH_3(l), propanona	58,08	−248,1	−155,4	200,4	124,7	−1790
Açúcares						
$C_5H_{10}O_5$(s), D-ribose	150,1	−1051,1				
$C_5H_{10}O_5$(s), D-xilose	150,1	−1057,8				
$C_6H_{12}O_6$(s), α-D-glicose	180,16	−1273,3	−917,2	212,1		−2808
$C_6H_{12}O_6$(s), β-D-glicose	180,16	−1268				
$C_6H_{12}O_6$(s), β–D-frutose	180,16	−1265,6				−2810
$C_6H_{12}O_6$(s), α-D-galactose	180,16	−1286,3	−918,8	205,4		
$C_{12}H_{22}O_{11}$(s), sacarose	342,30	−2226,1	−1543	360,2		−5645
$C_{12}H_{22}O_{11}$(s), lactose	342,30	−2236,7	−1567	386,2		
Compostos nitrogenados						
$CO(NH_2)_2$(s), ureia	60,06	−333,51	−197.33	104,60	93,14	−632
CH_3NH_2(g), metilamina	31,06	−22,97	+32,16	243,41	53,1	−1085
$C_6H_5NH_2$(l), anilina	93,13	+31,1				−3393
$CH_2(NH_2)COOH$(s), glicina	75,07	−532,9	−373,4	103,5	99,2	−969

Dados: NBS, TDOC. †As entropias-padrão de íons podem ser positivas ou negativas, pois os valores são relativos à entropia do íon hidrogênio.

Tabela 2 *Dados termodinâmicos para elementos e compostos inorgânicos a 298,15 K*

	M/(g mol^{-1})	$\Delta_f H^\ominus$/(kJ mol^{-1})	$\Delta_f G^\ominus$/(kJ mol^{-1})	$S^\ominus_m$/(J K^{-1} mol^{-1})†	$C_{p,m}$/(J K^{-1} mol^{-1})
Alumínio					
Al(s)	26,98	0	0	28,33	24,35
Al(l)	26,98	+10,56	+7,20	39,55	24,21
Al(g)	26,98	+326,4	+285,7	164,54	21,38
Al^{3+}(g)	26,98	+5483,17			
Al^{3+}(aq)	26,98	−531	−485	−321,7	
Al_2O_3(s, α)	101,96	−1675,7	−1582,3	50,92	79,04
$AlCl_3$(s)	133,24	−704,2	−628,8	110,67	91,84
Argônio					
Ar(g)	39,95	0	0	154,84	20,786
Antimônio					
Sb(s)	121,75	0	0	45,69	25,23
SbH_3(g)	153,24	+145,11	+147,75	232,78	41,05
Arsênio					
As(s, α)	74,92	0	0	35,1	24,64
As(g)	74,92	+302,5	+261,0	174,21	20,79
As_4(g)	299,69	+143,9	+92,4	314	
AsH_3(g)	77,95	+66,44	+68,93	222,78	38,07
Bário					
Ba(s)	137,34	0	0	62,8	28,07
Ba(g)	137,34	+180	+146	170,24	20,79
Ba^{2+}(aq)	137,34	−537,64	−560,77	+9,6	
BaO(s)	153,34	−553,5	−525,1	70,43	47,78
$BaCl_2$(s)	208,25	−858,6	−810,4	123,68	75,14

Tabela 2 (*continuação*)

	$M/(\text{g mol}^{-1})$	$\Delta_f H^\ominus/(\text{kJ mol}^{-1})$	$\Delta_f G^\ominus/(\text{kJ mol}^{-1})$	$S_m^\ominus/(\text{J K}^{-1}\text{ mol}^{-1})^\dagger$	$C_{p,m}/(\text{J K}^{-1}\text{ mol}^{-1})$
Berílio					
Be(s)	9,01	0	0	9,50	16,44
Be(g)	9,01	+324,3	+286,6	136,27	20,79
Bismuto					
Bi(s)	208,98	0	0	56,74	25,52
Bi(g)	208,98	+207,1	+168,2	187,00	20,79
Bromo					
Br_2(l)	159,82	0	0	152,23	75,689
Br_2(g)	159,82	+30,907	+3,110	245,46	36,02
Br(g)	79,91	+111,88	+82,396	175,02	20,786
Br^-(g)	79,91	−219,07			
Br^-(aq)	79,91	−121,55	−103,96	+82,4	−141,8
HBr(g)	90,92	−36,40	−53,45	198,70	29,142
Cádmio					
Cd(s, γ)	112,40	0	0	51,76	25,98
Cd(g)	112,40	+112,01	+77,41	167,75	20,79
Cd^{2+}(aq)	112,40	−75,90	−77,612	−73,2	
CdO(s)	128,40	−258,2	−228,4	54,8	43,43
$CdCO_3$(s)	172,41	−750,6	−669,4	92,5	
Césio					
Cs(s)	132,91	0	0	85,23	32,17
Cs(g)	132,91	+76,06	+49,12	175,60	20,79
Cs^+(aq)	132,91	−258,28	−292,02	+133,05	−10,5
Cálcio					
Ca(s)	40,08	0	0	41,42	25,31
Ca(g)	40,08	+178,2	+144,3	154,88	20,786
Ca^{2+}(aq)	40,08	−542,83	−553,58	−53,1	
CaO(s)	56,08	−635,09	−604,03	39,75	42,80
$CaCO_3$(s) (calcita)	100,09	−1206,9	−1128,8	92,9	81,88
$CaCO_3$(s) (aragonita)	100,09	−1207,1	−1127,8	88,7	81,25
CaF_2(s)	78,08	1219,6	−1167,3	68,87	67,03
$CaCl_2$(s)	110,99	−795,8	−748,1	104,6	72,59
$CaBr_2$(s)	199,90	−682,8	−663,6	130	
Carbono					
C(s) (grafita)	12,011	0	0	5,740	8,527
C(s) (diamante)	12,011	+1,895	+2,900	2,377	6,133
C(g)	12,011	+716,68	+671,26	158,10	20,838
C_2(g)	24,022	+831,90	+775,89	199,42	43,21
CO(g)	28,011	−110,53	−137,17	197,67	29,14
CO_2(g)	44,010	−393,51	−394,36	213,74	37,11
CO_2(aq)	44,010	−413,80	−385,98	117,6	
H_2CO_3(aq)	62,03	−699,65	−623,08	187,4	
HCO_3^-(aq)	61,02	−691,99	−586,77	+91,2	
CO_3^{2-}(aq)	60,01	−677,14	−527,81	−56,9	
CCl_4(l)	153,82	−135,44	−65,21	216,40	131,75
CS_2(l)	76,14	+89,70	+65,27	151,34	75,7
HCN(g)	27,03	+135,1	+124,7	201,78	35,86
HCN(l)	27,03	+108,87	+124,97	112,84	70,63
CN^-(aq)	26,02	+150,6	+172,4	+94,1	

Tabela 2 *(continuação)*

	M/(g mol^{-1})	$\Delta_f H^\ominus$/(kJ mol^{-1})	$\Delta_f G^\ominus$/(kJ mol^{-1})	$S_m^\ominus$/(J K^{-1} mol^{-1})†	$C_{p,m}$/(J K^{-1} mol^{-1})
Cloro					
Cl_2(g)	70,91	0	0	223,07	33,91
Cl(g)	35,45	+121,68	+105,68	165,20	21,840
Cl^-(g)	35,45	−233,13			
Cl^-(aq)	35,45	−167,16	−131,23	+56,5	−136,4
HCl(g)	36,46	−92,31	−95,30	186,91	29,12
HCl(aq)	36,46	−167,16	−131,23	56,5	−136,4
Cromo					
Cr(s)	52,00	0	0	23,77	23,35
Cr(g)	52,00	+396,6	+351,8	174,50	20,79
CrO_4^{2-}(aq)	115,99	−881,15	−727,75	+50,21	
$Cr_2O_7^{2-}$(aq)	215,99	−1490,3	−1301,1	+261,9	
Cobre					
Cu(s)	63,54	0	0	33,150	24,44
Cu(g)	63,54	+338,32	+298,58	166,38	20,79
Cu^+(aq)	63,54	+71,67	+49,98	+40,6	
Cu^{2+}(aq)	63,54	+64,77	+65,49	−99,6	
Cu_2O(s)	143,08	−168,6	−146,0	93,14	63,64
CuO(s)	79,54	−157,3	−129,7	42,63	42,30
$CuSO_4$(s)	159,60	−771,36	−661,8	109	100,0
$CuSO_4{\cdot}H_2O$(s)	177,62	−1085,8	−918,11	146,0	134
$CuSO_4{\cdot}5H_2O$(s)	249,68	−2279,7	−1879,7	300,4	280
Deutério					
D_2(g)	4,028	0	0	144,96	29,20
HD(g)	3,022	+0,318	1,464	143,80	29,196
D_2O(g)	20,028	−249,20	−234,54	198,34	34,27
D_2O(l)	20,028	−294,60	−243,44	75,94	84,35
HDO(g)	19,022	−245,30	−233,11	199,51	33,81
HDO(l)	19,022	−289,89	−241,86	79,29	
Flúor					
F_2(g)	38,00	0	0	202,78	31,30
F(g)	19,00	+78,99	+61,91	158,75	22,74
F^-(aq)	19,00	−332,63	−278,79	−13,8	−106,7
HF(g)	20,01	−271,1	−273,2	173,78	29,13
Ouro					
Au(s)	196,97	0	0	47,40	25,42
Au(g)	196,97	+366,1	+326,3	180,50	20,79
Hélio					
He(g)	4,003	0	0	126,15	20,786
Hidrogênio (veja também deutério)					
H_2(g)	2,016	0	0	130,684	28,824
H(g)	1,008	+217,97	+203,25	114,71	20,784
H^+(aq)	1,008	0	0	0	0
H_2O(l)	18,015	−285,83	−237,13	69,91	75,291
H_2O(g)	18,015	−241,82	−228,57	188,83	33,58
H_2O_2(l)	34,015	−187,78	−120,35	109,6	89,1

Tabela 2 (*continuação*)

	M/(g mol^{-1})	$\Delta_f H^{\ominus}$/(kJ mol^{-1})	$\Delta_f G^{\ominus}$/(kJ mol^{-1})	$S_m^{\ominus}$/(J K^{-1} mol^{-1})†	$C_{p,m}$/(J K^{-1} mol^{-1})
Iodo					
I_2(s)	253,81	0	0	116,135	54,44
I_2(g)	253,81	+62,44	+19,33	260,69	36,90
I(g)	126,90	+106,84	+70,25	180,79	20,786
I^-(aq)	126,90	−55,19	−51,57	+111,3	−142,3
HI(g)	127,91	+26,48	+1,70	206,59	29,158
Ferro					
Fe(s)	55,85	0	0	27,28	25,10
Fe(g)	55,85	+416,3	+370,7	180,49	25,68
Fe^{2+}(aq)	55,85	−89,1	−78,90	−137,7	
Fe^{3+}(aq)	55,85	−48,5	−4,7	−315,9	
Fe_3O_4(s) (magnetita)	231,54	−1184,4	−1015,4	146,4	143,43
Fe_2O_3(s) (hematita)	159,69	−824,2	−742,2	87,40	103,85
FeS(s, α)	87,91	−100,0	−100,4	60,29	50,54
FeS_2(s)	119,98	−178,2	−166,9	52,93	62,17
Criptônio					
Kr(g)	83,80	0	0	164,08	20,786
Chumbo					
Pb(s)	207,19	0	0	64,81	26,44
Pb(g)	207,19	+195,0	+161,9	175,37	20,79
Pb^{2+}(aq)	207,19	−1,7	−24,43	+10,5	
PbO(s, amarelo)	223,19	−217,32	−187,89	68,70	45,77
PbO(s, vermelho)	223,19	−218,99	−188,93	66,5	45,81
PbO_2(s)	239,19	−277,4	−217,33	68,6	64,64
Lítio					
Li(s)	6,94	0	0	29,12	24,77
Li(g)	6,94	+159,37	+126,66	138,77	20,79
Li^+(aq)	6,94	−278,49	−293,31	+13,4	+68,6
Magnésio					
Mg(s)	24,31	0	0	32,68	24,89
Mg(g)	24,31	+147,70	+113,10	148,65	20,786
Mg^{2+}(aq)	24,31	−466,85	−454,8	−138,1	
MgO(s)	40,31	−601,70	−569,43	26,94	37,15
$MgCO_3$(s)	84,32	−1095,8	−1012,1	65,7	75,52
$MgCl_2$(s)	95,22	−641,32	−591,79	89,62	71,38
$MgBr_2$(s)	184,13	−524,3	−503,8	117,2	
Mercúrio					
Hg(l)	200,59	0	0	76,02	27,983
Hg(g)	200,59	+61,32	+31,82	174,96	20,786
Hg^{2+}(aq)	200,59	+171,1	+164,40	−32,2	
Hg_2^{2+}(aq)	401,18	+172,4	+153,52	+84,5	
HgO(s)	216,59	−90,83	−58,54	70,29	44,06
Hg_2Cl_2(s)	472,09	−265,22	−210,75	192,5	102
$HgCl_2$(s)	271,50	−224,3	−178,6	146,0	
HgS(s, preto)	232,65	−53,6	−47,7	88,3	
Neônio					
Ne(g)	20,18	0	0	146,33	20,786

Tabela 2 (*continuação*)

	M/(g mol^{-1})	$\Delta_f H^\ominus$/(kJ mol^{-1})	$\Delta_f G^\ominus$/(kJ mol^{-1})	$S_m^\ominus$/(J K^{-1} mol^{-1})†	$C_{p,m}$/(J K^{-1} mol^{-1})
Nitrogênio					
N_2(g)	28,013	0	0	191,61	29,125
N(g)	14,007	+472,70	+455,56	153,30	20,786
NO(g)	30,01	+90,25	+86,55	210,76	29,844
N_2O(g)	44,01	+82,05	+104,20	219,85	38,45
NO_2(g)	46,01	+33,18	+51,31	240,06	37,20
N_2O_4(g)	92,01	+9,16	+97,89	304,29	77,28
N_2O_5(s)	108,01	−43,1	+113,9	178,2	143,1
N_2O_5(g)	108,01	+11,3	+115,1	355,7	84,5
HNO_3(l)	63,01	−174,10	−80,71	155,60	109,87
HNO_3(aq)	63,01	−207,36	−111,25	146,4	−86,6
NO_3^-(aq)	62,01	−205,0	−108,74	+146,4	−86,6
NH_3(g)	17,03	−46,11	−16,45	192,45	35,06
NH_3(aq)	17,03	−80,29	−26,50	113,3	
NH_4^+(aq)	18,04	−132,51	−79,31	+113,4	+79,9
NH_2OH(s)	33,03	−114,2			
HN_3(l)	43,03	+264,0	+327,3	140,6	
HN_3(g)	43,03	+294,1	+328,1	238,97	43,68
N_2H_4(l)	32,05	+50,63	+149,43	121,21	98,87
NH_4NO_3(s)	80,04	−365,56	−183,87	151,08	139,3
NH_4Cl(s)	53,49	−314,43	−202,87	94,6	84,1
Oxigênio					
O_2(g)	31,999	0	0	205,138	29,355
O(g)	15,999	+249,17	+231,73	161,06	21,912
O_3(g)	47,998	+142,7	+163,2	238,93	39,20
OH^-(aq)	17,007	−229,99	−157,24	−10,75	−148,5
Fósforo					
P(s, branco)	30,97	0	0	41,09	23,840
P(g)	30,97	+314,64	+278,25	163,19	20,786
P_2(g)	61,95	+144,3	+103,7	218,13	32,05
P_4(g)	123,90	+58,91	+24,44	279,98	67,15
PH_3(g)	34,00	+5,4	+13,4	210,23	37,11
PCl_3(g)	137,33	−287,0	−267,8	311,78	71,84
PCl_3(l)	137,33	−319,7	−272,3	217,1	
PCl_5(g)	208,24	−374,9	−305,0	364,6	112,8
PCl_5(s)	208,24	−443,5			
H_3PO_3(s)	82,00	−964,4			
H_3PO_3(aq)	82,00	−964,8			
H_3PO_4(s)	94,97	−1279,0	−1119,1	110,50	106,06
H_3PO_4(l)	94,97	−1266,9			
H_3PO_4(aq)	94,97	−1277,4	−1018,7	−222	
PO_4^{3-}(aq)	94,97	−1277,4	−1018,7	−222	
P_4O_{10}(s)	283,89	−2984,0	−2697,0	228,86	211,71
P_4O_6(s)	219,89	−1640,1			
Potássio					
K(s)	39,10	0	0	64,18	29,58
K(g)	39,10	+89,24	+60,59	160,336	20,786
K^+(g)	39,10	+514,26			
K^+(aq)	39,10	−252,38	−283,27	+102,5	+21,8
KOH(s)	56,11	−424,76	−379,08	78,9	64,9
KF(s)	58,10	−576,27	−537,75	66,57	49,04
KCl(s)	74,56	−436,75	−409,14	82,59	51,30
KBr(s)	119,01	−393,80	−380,66	95,90	52,30
KI(s)	166,01	−327,90	−324,89	106,32	52,93

Tabela 2 (*continuação*)

	M/(g mol^{-1})	$\Delta_f H^{\ominus}$/(kJ mol^{-1})	$\Delta_f G^{\ominus}$/(kJ mol^{-1})	$S_m^{\ominus}$/(J K^{-1} mol^{-1})†	$C_{p,m}$/(J K^{-1} mol^{-1})
Silício					
Si(s)	28,09	0	0	18,83	20,00
Si(g)	28,09	+455,6	+411,3	167,97	22,25
SiO_2(s, α)	60,09	−910,93	−856,64	41,84	44,43
Prata					
Ag(s)	107,87	0	0	42,55	25,351
Ag(g)	107,87	+284,55	+245,65	173,00	20,79
Ag^+(aq)	107,87	+105,58	+77,11	+72,68	+21,8
AgBr(s)	187,78	−100,37	−96,90	107,1	52,38
AgCl(s)	143,32	−127,07	−109,79	96,2	50,79
Ag_2O(s)	231,74	−31,05	−11,20	121,3	65,86
$AgNO_3$(s)	169,88	−124,39	−33,41	140,92	93,05
Sódio					
Na(s)	22,99	0	0	51,21	28,24
Na(g)	22,99	+107,32	+76,76	153,71	20,79
Na^+(aq)	22,99	−240,12	−261,91	+59,0	+46,4
NaOH(s)	40,00	−425,61	−379,49	64,46	59,54
NaCl(s)	58,44	−411,15	−384,14	72,13	50,50
NaBr(s)	102,90	−361,06	−348,98	86,82	51,38
NaI(s)	149,89	−287,78	−286,06	98,53	52,09
Enxofre					
S(s, α) (rômbico)	32,06	0	0	31,80	22,64
S(s, β) (monoclínico)	32,06	+0,33	+0,1	32,6	23,6
S(g)	32,06	+278,81	+238,25	167,82	23,673
S_2(g)	64,13	+128,37	+79,30	228,18	32,47
S^{2-}(aq)	32,06	+33,1	+85,8	−14,6	
SO_2(g)	64,06	−296,83	−300,19	248,22	39,87
SO_3(g)	80,06	−395,72	−371,06	256,76	50,67
H_2SO_4(l)	98,08	−813,99	−690,00	156,90	138,9
H_2SO_4(aq)	98,08	−909,27	−744,53	20,1	−293
SO_4^{2-}(aq)	96,06	−909,27	−744,53	+20,1	−293
HSO_4^-(aq)	97,07	−887,34	−755,91	+131,8	−84
H_2S(g)	34,08	−20,63	−33,56	205,79	34,23
H_2S(aq)	34,08	−39,7	−27,83	121	
HS^-(aq)	33,072	−17,6	+12,08	+62,08	
SF_6(g)	146,05	−1209	−1105,3	291,82	97,28
Estanho					
Sn(s, β)	118,69	0	0	51,55	26,99
Sn(g)	118,69	+302,1	+267,3	168,49	20,26
Sn^{2+}(aq)	118,69	−8,8	−27,2	−17	
SnO(s)	134,69	−285,8	−256,8	56,5	44,31
SnO_2(s)	150,69	−580,7	+519,6	52,3	52,59
Xenônio					
Xe(g)	131,30	0	0	169,68	20,786
Zinco					
Zn(s)	65,37	0	0	41,63	25,40
Zn(g)	65,37	+130,73	+95,14	160,98	20,79
Zn^{2+}(aq)	65,37	−153,89	−147,06	−112,1	+46
ZnO(s)	81,37	−348,28	−318,30	43,64	40,25

Dados: NBS, TDOC. †As entropias-padrão de íons podem ser positivas ou negativas, pois os valores são relativos à entropia do íon hidrogênio.

Tabela 3a *Potenciais-padrão a 298,15 K em ordem eletroquímica*

Meia-reação de redução	$E^{\ominus}$/V	Meia-reação de redução	$E^{\ominus}$/V
Fortemente oxidante			
$H_4XeO_6 + 2H^+ + 2e^- \rightarrow XeO_3 + 3H_2O$	+3,0	$Cu^{2+} + e^- \rightarrow Cu^+$	+0,16
$F_2 + 2e^- \rightarrow 2F^-$	+2,87	$Sn^{4+} + 2e^- \rightarrow Sn^{2+}$	+0,15
$O_3 + 2H^+ + 2e^- \rightarrow O_2 + H_2O$	+2,07	$AgBr + e^- \rightarrow Ag + Br^-$	+0,07
$S_2O_8^{2-} + 2e^- \rightarrow 2SO_4^{2-}$	+2,05	$Ti^{4+} + e^- \rightarrow Ti^{3+}$	0,00
$Ag^{2+} + e^- \rightarrow Ag^+$	+1,98	$2H^+ + 2e^- \rightarrow H$	0, por definição
$Co^{3+} + e^- \rightarrow Co^{2+}$	+1,81	$Fe^{3+} + 3e^- \rightarrow Fe$	−0,04
$HO_2 + 2H^+ + 2e^- \rightarrow 2H_2O$	+1,78	$O_2 + H_2O + 2e^- \rightarrow HO_2^- + OH^-$	−0,08
$Au^+ + e^- \rightarrow Au$	+1,69	$Pb^{2+} + 2e^- \rightarrow Pb$	−0,13
$Pb^{4+} + 2e^- \rightarrow Pb^{2+}$	+1,67	$In^+ + e^- \rightarrow In$	−0,14
$2HClO + 2H^+ + 2e^- \rightarrow Cl_2 + 2H_2O$	+1,63	$Sn^{2+} + 2e^- \rightarrow Sn$	−0,14
$Ce^{4+} + e^- \rightarrow Ce^{3+}$	+1,61	$AgI + e^- \rightarrow Ag + I$	−0,15
$2HBrO + 2H^+ + 2e^- \rightarrow Br_2 + 2H$	+1,60	$Ni^{2+} + 2e^- \rightarrow Ni$	−0,23
$MnO_4^- + 8H^+ + 5e^- \rightarrow Mn^{2+} + 4H_2O$	+1,51	$Co^{2+} + 2e^- \rightarrow Co$	−0,28
$Mn^{3+} + e^- \rightarrow Mn^{2+}$	+1,51	$In^{3+} + 3e^- \rightarrow In$	−0,34
$Au^{3+} + 3e^- \rightarrow Au$	+1,40	$Tl^+ + e^- \rightarrow Tl$	−0,34
$Cl_2 + 2e^- \rightarrow 2Cl^-$	+1,36	$PbSO_4 + 2e^- \rightarrow Pb + SO_4^{2-}$	−0,36
$Cr_2O_7^{2-} + 14H^+ + 6e^- \rightarrow 2Cr^{3+} + 7H_2O$	+1,33	$Ti^{3+} + e^- \rightarrow Ti^{2+}$	−0,37
$O_3 + H_2O + 2e^- \rightarrow O_2 + 2OH^-$	+1,24	$Cd^{2+} + 2e^- \rightarrow Cd$	−0,40
$O_2 + 4H^+ + 4e^- \rightarrow 2H_2O$	+1,23	$In^{2+} + e^- \rightarrow In^+$	−0,40
$ClO_4^- + 2H^+ + 2e^- \rightarrow ClO_3^- + H_2O$	+1,23	$Cr^{3+} + e^- \rightarrow Cr^{2+}$	−0,41
$MnO_2 + 4H^+ + 2e^- \rightarrow Mn^{2+} + 2H_2O$	+1,23	$Fe^{2+} + 2e^- \rightarrow Fe$	−0,44
$Br_2 + 2e^- \rightarrow 2Br^-$	+1,09	$In^{3+} + 2e^- \rightarrow In^+$	−0,44
$Pu^{4+} + e^- \rightarrow Pu^{3+}$	+0,97	$S + 2e^- \rightarrow S^{2-}$	−0,48
$NO_3^- + 4H^+ + 3e^- \rightarrow NO + 2H_2O$	+0,96	$In^{3+} + e^- \rightarrow In^{2+}$	−0,49
$2Hg^{2+} + 2e^- \rightarrow Hg_2^{2+}$	+0,92	$U^{4+} + e^- \rightarrow U^{3+}$	−0,61
$ClO^- + H_2O + 2e^- \rightarrow Cl^- + 2OH^-$	+0,89	$Cr^{3+} + 3e^- \rightarrow Cr$	−0,74
$Hg^{2+} + 2e^- \rightarrow Hg$	+0,86	$Zn^{2+} + 2e^- \rightarrow Zn$	−0,76
$NO_3^- + 2H^+ + e^- \rightarrow NO_2 + H_2O$	+0,80	$Cd(OH)_2 + 2e^- \rightarrow Cd + 2OH^-$	−0,81
$Ag^+ + e^- \rightarrow Ag$	+0,80	$2H_2O + 2e^- \rightarrow H_2 + 2OH^-$	−0,83
$Hg_2^{2+} + 2e^- \rightarrow 2Hg$	+0,79	$Cr^{2+} + 2e^- \rightarrow Cr$	−0,91
$Fe^{3+} + e^- \rightarrow Fe^{2+}$	+0,77	$Mn^{2+} + 2e^- \rightarrow Mn$	−1,18
$BrO^- + H_2O + 2e^- \rightarrow Br^- + 2OH^-$	+0,76	$V^{2+} + 2e^- \rightarrow V$	−1,19
$Hg_2SO_4 + 2e^- \rightarrow 2Hg + SO_4^{2-}$	+0,62	$Ti^{2+} + 2e^- \rightarrow Ti$	−1,63
$MnO_4^{2-} + 2H_2O + 2e^- \rightarrow MnO_2 + 4OH^-$	+0,60	$Al^{3+} + 3e^- \rightarrow Al$	−1,66
$MnO_4^- + e^- \rightarrow MnO_4^{2-}$	+0,56	$U^{3+} + 3e^- \rightarrow U$	−1,79
$I_2 + 2e^- \rightarrow 2I^-$	+0,54	$Mg^{2+} + 2e^- \rightarrow Mg$	−2,36
$Cu^+ + e^- \rightarrow Cu$	+0,52	$Ce^{3+} + 3e^- \rightarrow Ce$	−2,48
$I_3^- + 2e^- \rightarrow 3I^-$	+0,53	$La^{3+} + 3e^- \rightarrow La$	−2,52
$NiOOH + H_2O + e^- \rightarrow Ni(OH)_2OH^-$	+0,49	$Na^+ + e^- \rightarrow Na$	−2,71
$IAg_2CrO_4 + 2e^- \rightarrow 2Ag + CrO_4^{2-}$	+0,45	$Ca^{2+} + 2e^- \rightarrow Ca$	−2,87
$O_2 + 2H_2O + 4e^- \rightarrow 4OH^-$	+0,40	$Sr^{2+} + 2e^- \rightarrow Sr$	−2,89
$ClO_4^- + H_2O + 2e^- \rightarrow ClO_3^- + 2OH^-$	+0,36	$Ba^{2+} + 2e^- \rightarrow Ba$	−2,91
$[Fe(CN)_6]^{3-} + e^- \rightarrow [Fe(CN)_6]^{4-}$	+0,36	$Ra^{2+} + 2e^- \rightarrow Ra$	−2,92
$Cu^{2+} + 2e^- \rightarrow Cu$	+0,34	$Cs^+ + e^- \rightarrow Cs$	−2,92
$Hg_2Cl_2 + 2e^- \rightarrow 2Hg + 2Cl^-$	+0,27	$Rb^+ + e^- \rightarrow Rb$	−2,93
$AgCl + e^- \rightarrow Ag + Cl^-$	+0,22	$K^+ + e^- \rightarrow K$	−2,93
$Bi^{3+} + 3e^- \rightarrow Bi$	+0,20	$Li^+ + e^- \rightarrow Li$	−3,05

Tabela 3b *Potenciais-padrão a 298,15 K em ordem alfabética*

Meia-reação de redução	$E^{\ominus}$/V	Meia-reação de redução	$E^{\ominus}$/V
$Ag^+ + e^- \rightarrow Ag$	+0,80	$I_2 + 2e^- \rightarrow 2I^-$	+0,54
$Ag^{2+} + e^- \rightarrow Ag^+$	+1,98	$I_3^- + 2e^- \rightarrow 3I^-$	+0,53
$AgBr + e^- \rightarrow Ag + Br^-$	+0,0713	$In^+ + e^- \rightarrow In$	−0,14
$AgCl + e^- \rightarrow Ag + Cl^-$	+0,22	$In^{2+} + e^- \rightarrow In^+$	−0,40
$Ag_2CrO_4 + 2e^- \rightarrow 2Ag + CrO_4^{2-}$	+0,45	$In^{3+} + 2e^- \rightarrow In^+$	−0,44
$AgF + e^- \rightarrow Ag + F^-$	+0,78	$In^{3+} + 3e^- \rightarrow In$	−0,34
$AgI + e^- \rightarrow Ag + I^-$	−0,15	$In^{3+} + e^- \rightarrow In^{2+}$	−0,49
$Al^{3+} + 3e^- \rightarrow Al$	−1,66	$K^+ + e^- \rightarrow K$	−2,93
$Au^+ + e^- \rightarrow Au$	+1,69	$La^{3+} + 3e^- \rightarrow La$	−2,52
$Au^{3+} + 3e^- \rightarrow Au$	+1,40	$Li^+ + e^- \rightarrow Li$	−3,05
$Ba^{2+} + 2e^- \rightarrow Ba$	−2,91	$Mg^{2+} + 2e^- \rightarrow Mg$	−2,36
$Be^{2+} + 2e^- \rightarrow Be$	−1,85	$Mn^{2+} + 2e^- \rightarrow Mn$	−1,18
$Bi^{3+} + 3e^- \rightarrow Bi$	+0,20	$Mn^{3+} + e^- \rightarrow Mn^{2+}$	+1,51
$Br_2 + 2e^- \rightarrow 2Br^-$	+1,09	$MnO_2 + 4H^+ + 2e^- \rightarrow Mn^{2+} + 2H_2O$	+1,23
$BrO^- + H_2O + 2e^- \rightarrow Br^- + 2OH^-$	+0,76	$MnO_4^- + 8H^+ + 5e^- \rightarrow Mn^{2+} + 4H_2O$	+1,51
$Ca^{2+} + 2e^- \rightarrow Ca$	−2,87	$MnO_4^- + e^- \rightarrow MnO_4^{2-}$	+0,56
$Cd(OH)_2 + 2e^- \rightarrow Cd + 2OH^-$	−0,81	$MnO_4^{2-} + 2H_2O + 2e^- \rightarrow MnO_2 + 4OH^-$	+0,60
$Cd^{2+} + 2e^- \rightarrow Cd$	−0,40	$Na^+ + e^- \rightarrow Na$	−2,71
$Ce^{3+} + 3e^- \rightarrow Ce$	−2,48	$Ni^{2+} + 2e^- \rightarrow Ni$	−0,23
$Ce^{4+} + e^- \rightarrow Ce^{3+}$	+1,61	$NiOOH + H_2O + e^- \rightarrow Ni(OH)_2 + OH^-$	+0,49
$Cl_2 + 2e^- \rightarrow 2Cl^-$	+1,36	$NO_3^- + 2H^+ + e^- \rightarrow NO_2 + H_2O$	+0,80
$ClO^- + H_2O + 2e^- \rightarrow Cl^- + 2OH^-$	+0,89	$NO_3^- + 3H^+ + 3e^- \rightarrow NO + 2H_2O$	+0,96
$ClO_4^- + 2H^+ + 2e^- \rightarrow ClO_3^- + H_2O$	+1,23	$NO_3^- + H_2O + 2e^- \rightarrow NO_2^- + 2OH^-$	+0,10
$ClO_4^- + H_2O + 2e^- \rightarrow ClO_3^- + 2OH^-$	+0,36	$O_2 + 2H_2O + 4e^- \rightarrow 4OH^-$	+0,40
$Co^{2+} + 2e^- \rightarrow Co$	−0,28	$O_2 + 4H^+ + 4e^- \rightarrow 2H_2O$	+1,23
$Co^{3+} + e^- \rightarrow Co^{2+}$	+1,81	$O_2 + e^- \rightarrow O_2^-$	−0,56
$Cr^{2+} + 2e^- \rightarrow Cr$	−0,91	$O_2 + H_2O + 2e^- \rightarrow HO_2^- + OH^-$	−0,08
$Cr_2O_7^{2-} + 14H^+ + 6e^- \rightarrow 2Cr^{3+} + 7H_2O$	+1,33	$O_3 + 2H^+ + 2e^- \rightarrow O_2 + H_2O$	+2,07
$Cr^{3+} + 3e^- \rightarrow Cr$	−0,74	$O_3 + H_2O + 2e^- \rightarrow O_2 + 2OH^-$	+1,24
$Cr^{3+} + e^- \rightarrow Cr^{2+}$	−0,41	$Pb^{2+} + 2e^- \rightarrow Pb$	−0,13
$Cs^+ + e^- \rightarrow Cs$	−2,92	$Pb^{4+} + 2e^- \rightarrow Pb^{2+}$	+1,67
$Cu^+ + e^- \rightarrow Cu$	+0,52	$PbSO_4 + 2e^- \rightarrow Pb + SO_4^{2-}$	−0,36
$Cu^{2+} + 2e^- \rightarrow Cu$	+0,34	$Pt^{2+} + 2e^- \rightarrow Pt$	+1,20
$Cu^{2+} + e^- \rightarrow Cu^+$	+0,16	$Pu^{4+} + e^- \rightarrow Pu^{3+}$	+0,97
$F_2 + 2e^- \rightarrow 2F^-$	+2,87	$Ra^{2+} + 2e^- \rightarrow Ra$	−2,92
$Fe^{2+} + 2e^- \rightarrow Fe$	−0,44	$Rb^+ + e^- \rightarrow Rb$	−2,93
$Fe^{3+} + 3e^- \rightarrow Fe$	−0,04	$S + 2e^- \rightarrow S^{2-}$	−0,48
$Fe^{3+} + e^- \rightarrow Fe^{2+}$	+0,77	$S_2O_8^{2-} + 2e^- \rightarrow SO_4^{2-}$	+2,05
$[Fe(CN)_6]^{3-} + e^- \rightarrow [Fe(CN)_6]^{4-}$	+0,36	$Sn^{2+} + 2e^- \rightarrow Sn$	−0,14
$2H^+ + 2e^- \rightarrow H_2$	0, por definição	$Sn^{4+} + 2e^- \rightarrow Sn^{2+}$	+0,15
$2H_2O + 2e^- \rightarrow H_2 + 2OH^-$	−0,83	$Sr^{2+} + 2e^- \rightarrow Sr$	−2,89
$2HBrO + 2H^+ + 2e^- \rightarrow Br_2 + 2H_2O$	+1,60	$Ti^{2+} + 2e^- \rightarrow Ti$	−1,63
$2HClO + 2H^+ + 2e^- \rightarrow Cl_2 + 2H_2O$	+1,63	$Ti^{3+} + e^- \rightarrow Ti^{2+}$	−0,37
$H_2O_2 + 2H^+ + 2e^- \rightarrow 2H_2O$	+1,78	$Ti^{4+} + e^- \rightarrow Ti^{3+}$	0,00
$H_4XeO_6 + 2H^+ + 2e^- \rightarrow XeO_3 + 3H_2O$	+3,0	$Tl^+ + e^- \rightarrow Tl$	−0,34
$Hg_2^{2+} + 2e^- \rightarrow 2Hg$	+0,79	$U^{3+} + 3e^- \rightarrow U$	−1,79
$Hg_2Cl_2 + 2e^- \rightarrow 2Hg + 2Cl^-$	+0,27	$U^{4+} + e^- \rightarrow U^{3+}$	−0,61
$Hg^{2+} + 2e^- \rightarrow Hg$	+0,86	$V^{2+} + 2e^- \rightarrow V$	−1,19
$2Hg^{2+} + 2e^- \rightarrow Hg_2^{2+}$	+0,92	$V^{3+} + e^- \rightarrow V^{2+}$	−0,26
$Hg_2SO_4 + 2e^- \rightarrow 2Hg + SO_4^{2-}$	+0,62	$Zn^{2+} + 2e^- \rightarrow Zn$	−0,76

Índice

1 2 3 4 5 6 7 8 9 10
2018

Pré-impressão, impressão e acabamento

GRÁFICA SANTUÁRIO

grafica@editorasantuario.com.br
www.editorasantuario.com.br
Aparecida-SP